Uhlig, Victor; Diener, Car

Beiträge zur Paläontologie und Geologie Österreich-Ungarns und des Orients

Band 19

Uhlig, Victor; Diener, Carl; Arthaber, G. von

Beiträge zur Paläontologie und Geologie Österreich-Ungarns und des Orients

Band 19

Inktank publishing, 2018

www.inktank-publishing.com

ISBN/EAN: 9783747763162

BEITRÄGE

ZUR

PALÄONTOLOGIE UND GEOLOGIE

ÖSTERREICH-UNGARNS UND DES ORIENTS.

MITTEILUNGEN

DES

GEOLOGISCHEN UND PALÄONTOLOGISCHEN INSTITUTES
DER UNIVERSITÄT WIEN

HERAUSGEGEBEN

MIT UNTERSTÜTZUNG DES HOHEN K. K. MINISTERIUMS FÜR KULTUS UND UNTERRICHT

VON

VICTOR UHLIG, PROF. DER GEOLOGIE — **CARL DIENER,** PROF. DER PALÄONTOLOGIE

UND

G. VON ARTHABER,
PRIVATDOZ. DER PALÄONTOLOGIE.

BAND XIX.

HEFT I. MIT 4 TAFELN.

WIEN UND LEIPZIG.
WILHELM BRAUMÜLLER
K. U. K. HOF- UND UNIVERSITÄTS-BUCHHÄNDLER
1906.

An unsere P. T. Abonnenten!

Die wiederholten, und zwar bedeutenden Steigerungen der Preise für Satz, Druck und Reproduktionsverfahren in den letzten zwei Jahrzehnten und die abermalige Erhöhung der Satzpreise vom 1. Jänner a. c. ab machen es uns zu unserem Bedauern unmöglich, den seit Erscheinen der Beiträge zur Paläontologie, d. i. seit 24 Jahren unverändert festgehaltenen mäßigen Abonnementspreis auch ferner beizubehalten. Wir sehen uns daher genötigt, denselben von Band XIX ab auf 50 K = 42 M. zu erhöhen.

Die Redaktion:

Prof. Dr. V. Uhlig.
Prof. Dr. C. Diener.
Dr. G. von Arthaber.

Die Verlagshandlung:

Wilhelm Braumüller,
k. u. k. Hof- u. Univ.-Buchhändler.

ÜBER ARCHAEOPHIS PROAVUS MASS.,

EINE SCHLANGE AUS DEM EOCÄN DES MONTE BOLCA.

Von

Dr. W. Janensch.

(Mit 2 Tafeln).

Einleitung.

Das geologisch-paläontologische Museum der Berliner Universität gelangte vor kurzer Zeit in den Besitz einer fossilen Schlange, die aus den bekannten, an Fossilien, besonders an prächtigen Fischen reichen, eocänen Kalken des Monte Bolca im Veronesischen stammte und sich in der Sammlung des Herzogs von Canossa befunden hatte. In einem Werke, das wenig verbreitet ist und infolgedessen auch in unseren gebräuchlichen Lehrbüchern der Paläontologie bislang nicht berücksichtigt worden ist, hat Massalongo[1]) bereits vor mehr als einem halben Jahrhundert jene Schlange als *Archaeophis proavus* beschrieben, und zwar zusammen mit den Bruchstücken einer zweiten, viel größeren Form, die den Namen *Archaeophis Bolcensis* erhielt.

Massalongo schildert in anschaulicher Weise, wie er den merkwürdigen Fund den Fachgenossen vorgelegt, die, obwohl der Schädel noch nicht herauspräpariert war, doch bereits eine Schlange zu erkennen glaubten, wie er dann vom Herzog die Erlaubnis erhielt, das Stück mit nach Hause zu nehmen, und wie es ihm schließlich am 8. September 1849 zu seiner größten, nur dem Naturwissenschaftler wirklich verständlichen Freude gelungen sei, den Kopf des Fossiles freizulegen und damit die Gewißheit über die Natur des Tieres zu erhalten.

Massalongo spricht sich dann für die Zugehörigkeit der beiden Formen zu einer Gattung aus, trotz gewisser Unterschiede, namentlich in der Größe. Er betont auch, daß sie mit den fossilen Gattungen *Palaeophis* oder *Palaeryx* nichts zu tun haben, so daß eine neue Genusbezeichnung am Platze sei. In einzelnen Punkten sollen sich wohl Anklänge an rezente Gattungen zeigen, betrachte man aber alle Eigenschaften zusammen, so ergäben sich auch zu lebenden Schlangen keine Beziehungen.

Von *Archaeophis proavus* nun gibt der Autor zwei photographische Darstellungen. Die erste zeigt das ganze Tier in zweidrittel Größe, die andere nur den Kopf und den vorderen Rumpfabschnitt in natürlicher Größe.

---

[1]) Specimen photographicum animalium quorundam plantarumque fossilium agri Veronensis, 1849.

Außer den Maß- und Formverhältnissen des Körpers erfahren wir, daß die kleinen, geraden Kiefer mit zahlreichen, ca. 24 Zähnen besetzt sind und daß der Gaumen zwei Reihen konischer, spitzer Zähne von $1^1/_3$ *mm* Länge aufweise. Ferner konnte Massalongo auch die Spuren sehr kleiner, $^1/_3$ *mm* messender Schuppen erkennen, die in überaus zahlreichen Reihen angeordnet seien. Die Wirbel sollen denen von Natrix ähnlich sein, einen schwachen, geraden, nach oben vorragenden — also wohl dorsalen — Kiel, wenig entwickelte seitliche Apophysen (Gelenkapophysen?) und Gelenkflächen aufweisen, die ihrer Ausbildung nach ein leichtes Sichkrümmen und Zusammenrollen gestatten. Aus der runden Form der Wirbel, auch der des Schwanzes, wird geschlossen, daß die Schlange auf dem Lande gelebt habe.

Die Zahl der im Maximum 3 *mm* langen und 2 *mm* breiten Wirbel gibt Massalongo als ungefähr 507 an, von denen über 80 dem Schwanz zuzuzählen seien. Die Rippen sollen sehr klein, zurückgebogen und gefurcht sein.

Dies sind die wesentlichsten Angaben, die Massalongo von *Archaeophis proavus* liefert, die immerhin schon erkennen lassen, daß ein eigentümlicher Schlangentypus vorliegt. Nach einer eingehenden Untersuchung und sorgfältigen Präparation mit Hilfe eines Zeiß'schen Binokular-Präpariermikroskops von 24facher Vergrößerung ergab es sich nun, daß sich die Angaben Massalongo's doch in erheblichem Maße vervollständigen und zum Teil berichtigen ließen. Namentlich ließ sich der Kieferapparat mitsamt der Bezahnung, die Form der Wirbel und der Rippen recht gut erkennen, und es stellte sich mit großer Deutlichkeit heraus, daß in *Archaeophis* ein Schlangentypus vorliegt, der allen bekannten durchaus fremd gegenübersteht. Dieses Resultat im Vereine mit der Tatsache, daß einigermaßen vollständige, fossile Schlangen bekanntlich zu den größten Seltenheiten gehören, dürfte es wohl rechtfertigen, *Archaeophis proavus* eine neue, eingehende, monographische Bearbeitung zu widmen. Eine kurze vorläufige Mitteilung erschien bereits vor einiger Zeit.[1])

Es verbleibt mir noch die angenehme Pflicht, Herrn Geheimrat Prof. Dr. Branco meinen ergebensten Dank dafür auszusprechen, daß er mir liebenswürdiger Weise die Bearbeitung des wertvollen Stückes gestattete.

Herrn Geheimrat Prof. Dr. Möbius danke ich ebenfalls verbindlichst für die Erlaubnis der Benützung der reichen Reptiliensammlung der zoologischen Abteilung des Museums für Naturkunde zu Berlin.

Zu ganz besonderem Danke bin ich Herrn Prof. Dr. Tornier, Kustoden am Museum für Naturkunde zu Berlin, verpflichtet, der mich mit seinem sachverständigen Rat vielfach unterstützte und mir das rezente Material zum Vergleich in entgegenkommendster Weise zugänglich machte.

A. Der Schädel.

Beschreibung der vorhandenen Teile.

Der Schädel liegt mit der Oberseite auf der Platte, bietet also die Ansicht von unten dem Beschauer dar. Infolgedessen ist es erfreulicherweise möglich, die wichtigen Verhältnisse des Kieferapparats und der Bezahnung zu untersuchen. Die eigentliche Schädelkapsel ist verdrückt, die einzelnen Knochen derselben, wenigstens die der Unterseite, sind in Stücke zerbrochen und daher nicht in ihrer Form und Umgrenzung festzustellen. Die Knochen des Kieferapparats und die bezahnten des Gaumens sind dagegen verhältnismäßig wenig verdrückt und im Inneren mit wasserklarem Kalkspath ausgefüllt. Allerdings fehlen auch Teile dieser Knochen. Sie mögen auf der nicht vorliegenden Gegenplatte haften geblieben oder vielleicht auch bei früheren Präparationsversuchen entfernt worden sein. An den Stellen, wo Knochenteile herausgebrochen sind, ist vielfach noch die im Gestein liegende Partie in Form einer mehr oder weniger ausgehöhlt erscheinenden Knochenlamelle festgehalten, die zum Teil noch von daraufliegender späthiger Ausfüllungsmasse bedeckt ist. Einige der Knochensubstanz gänzlich entbehrende Lücken zeigen doch wenigstens den Abdruck derselben, so daß auch hier über ihre Form einiger Aufschluß zu erlangen ist.

[1]) Zeitschr. d. deutschen geol. Ges. 1904 und Sitzungsberichte d. Ges. naturforsch. Freunde 1904, Nr. 6.

Der Schädel ist von einer kleinen Störung betroffen worden, indem an der rechten Seite des Kopfes die einzelnen Knochen mit ihrem hinteren Teil nach der Mitte längs einer sie durchsetzenden Bruchlinie verschoben sind. In der linken Schädelhälfte ist indessen von dieser Verschiebung nichts mehr wahrzunehmen.

Die ganze Länge von dem Prämaxillare bis zum hinteren Ende des Squamosum beträgt 28 *mm*, die größte meßbare Breite zwischen den Außenrändern der Maxillen 14 *mm*. Die gesamte Form des Kopfes ist also schmal. Die hintere Hälfte dürfte etwa von einander annähernd parallelen Linien begrenzt gewesen sein. Durch die erwähnte seitliche Verschiebung ist das Bild natürlich etwas gestört. In der vorderen Hälfte des Schädels tritt eine Verjüngung auf, die gleichmäßig nach vorn zu fortschreitet und die Ausbildung einer außerordentlich spitzen Schnauze zur Folge hat.

Deutlich erkennbar sind die beiden Quadrata (Taf. II, Fig. 1, Qu). Sie liegen am Hinterrande des Schädels rechts und links und haben hinten einen Abstand von 5 *mm*; nach vorn divergieren sie voneinander. Ihre ganze Form ist wenig differenziert. Sie stellen abgeflachte Knochenspangen von 4·5 *mm* Länge dar, die in ihrem mittleren Teil etwa 0·4 *mm* Breite besitzen, nach beiden Enden sich aber gleichmäßig auf den dreifachen Betrag verbreitern. Die beiden Enden sind sehr wenig schief abgestutzt.

An das hintere Ende der Quadrata legen sich zwei gekrümmte Knochen an (Taf. II, Fig. 1, Sq), die von unten aus dem Gestein sich nach oben und seitwärts herausbiegen, auf den Schädel übertragen, von der Schädeldecke herabhängen. Es handelt sich hiebei zweifellos um die Squamosa, an denen ja die Quadrata artikulieren. Das linke konnte etwas weiter freigelegt werden, doch gelang es nicht, festzustellen, wie die Verbindung mit dem Schädeldach beschaffen ist.

Die Maxillaria (Taf. II, Fig. 1, Ma) sind auf beiden Seiten großenteils erhalten. Von dem rechten ist der hinterste Teil durch den besprochenen Querbruch von dem vorderen abgetrennt und zerbröckelt, so daß von ihm nur dunkle Spuren im Gestein noch erkennbar sind. Im übrigen stellt sich das rechte Maxillare als ein Knochen dar, der in seiner hinteren Hälfte breit und flach, nach oben dazu etwas konkav ist, nach vorn sich aber zu einer dünnen, etwas seitlich komprimierten Spange verschmälert. Die Zähne sitzen im vorderen Teil des Maxillare ziemlich genau in der Mittellinie des Knochens, nach hinten zu rücken sie mit zunehmender Abflachung desselben immer deutlicher an den inneren Rand. Etwa 5 *mm* von dem nicht vollständig erhaltenen Vorderende stellt sich dicht oberhalb und außerhalb der Zahnreihe eine schmale Furche ein und gleich darauf über dieser eine zweite. Sie sind jedoch nur eine kurze Strecke weiter nach hinten zu verfolgen, da weiterhin ein Teil des Knochens abgesplittert ist. Oberhalb der oberen Furche prägen sich nach außen die Zahnalveolen als beulenartige, von schmalen Einsenkungen getrennte Wülste aus. Vom linken Maxillare fehlt der untere Rand des Vorderendes, die mittlere Partie ist erhalten, von der hinteren ist dagegen nur der Abdruck vorhanden. Zwischen Maxillare und Intermaxillare ist eine kleine Lücke zu bemerken; auch ist deutlich zu erkennen, daß das erstere mit seiner vorderen Spitze nicht ganz in der Verlängerung des unteren Randes des Prämaxillare liegt, sondern ein wenig weiter außen ansetzt. Die beiden Furchen sind auch an dem linken Maxillare, allerdings auch hier nur auf eine kurze Erstreckung hin, zu beobachten. Vom hinteren Teil ist hier nur der als konvexe Wölbung hervortretende Abdruck erhalten, dem also eine Konkavität des Knochens selbst entspricht. Nach hinten läuft das Maxillare in eine Spitze aus. Die gesamte Länge kann hier mit Genauigkeit zu $18^1/_2$ *mm* ermittelt werden. Die Breite erlangt ihr größtes Maß etwa bei $^2/_3$ der Länge und beträgt hier etwa 2 *mm*, vermindert sich aber am Vorderende auf weniger als die Hälfte.

Das Prämaxillare (Taf. II, Fig. 1, Pr) nimmt das äußerste Ende der außerordentlich spitzen Schnauze ein. Seitlich bildet es auf die Länge von etwa 2 *mm* einen scharfen Rand, der vorn in eine breite Platte übergeht. Die Form dieses Knochens nach hinten zu ist nicht festzustellen. Anscheinend gehört ihm noch eine kleine losgebrochene Knochenplatte an; es würde daraus hervorgehen, daß das Prämaxillare in der Mitte weiter, als seine Ränder, nach hinten reichte. Bezahnt ist das Prämaxillare offenbar nicht gewesen. Die seitlichen Ränder sind zu schmal, als daß man annehmen könnte, daß sie Zähne tragen könnten. Und hier, ebenso wie auf der vorn gelegenen breiten Platte, sind irgend welche Andeutungen von Bezahnung nicht zu erkennen.

Pterygoid und Palatinum (Taf. II, Fig. 1, Pt und Pa) sind auf beiden Seiten erkennbar. Ziemlich genau in der Mitte des ganzen Schädels liegt ein kurzer Knochen auf der Seite, der vier nach links gekehrte Zähne trägt. Er ist seitlich, d. i. senkrecht zu der Richtung, in der ihm die Zähne aufsitzen, etwas komprimiert, hat vorn knapp 1 *mm* Höhe, 4 *mm* weiter nach hinten $1^1/_2$ *mm*. Dann setzt sich der Knochen, durch eine ihn nicht ganz durchsetzende Lücke unterbrochen, in leichtem Knick stärker nach außen gerichtet, in ein offenbar stark seitlich zusammengedrücktes Stück fort, das sich an den Unterkiefer anlegt und 3 *mm* vor dessen Gelenkung mit dem Quadratum endigt. Man gewinnt indessen fast den Eindruck, daß es ursprünglich bis an das Quadratum selbst reichte, da einige weitere Knochenspuren dies anzuzeigen scheinen.

Aus der Bezahnung und der Lage geht unzweifelhaft hervor, daß der ganze besprochene Knochen das Pterygoid darstellt. Vorn endete er ursprünglich nicht mit einem Bruch, sondern mit einer regelmäßigen Rundung. Dies würde dafür sprechen, daß hier in der Tat die Stelle ist, wo das Pterygoid an das Palatinum ansetzte. Durch ein Versehen bei der Präparation wurde nachträglich jene Partie etwas verletzt und erlitt ein unregelmäßiges Aussehen. Die Länge des Pterygoids würde dann 7 *mm*, und falls es bis an das Quadratum reichte, 10 *mm* betragen.

Von dem nach vorn anschließenden linken Palatinum ist nur eine Partie festzustellen, von der der ganze untere, bezahnte Teil der Länge nach abgespalten und verloren gegangen ist, so daß nur noch der obere Rand in Form eines langgestreckten, schmalen Knochenstreifens übrig geblieben ist. Letzteres läßt sich nach vorn bis auf eine Entfernung von 7 *mm* von der Schnauzenspitze verfolgen. Spuren des äußeren Abdruckes reichen in gleicher Richtung noch etwas weiter nach vorn.

Auf der rechten Schädelseite ist vom Pterygoid wenig erkennbar. Mit einiger Wahrscheinlichkeit kann man ihm nur ein ganz kurzes, zwei nach außen gerichtete Zähne tragendes Knochenstückchen zuschreiben. Der hier gerade durchsetzende, mehrfach erwähnte Bruch hat es von seiner hinteren Fortsetzung getrennt. Das rechte Palatinum ist gleichfalls nur unvollkommen erhalten. Ein etwa den mittleren Teil des Palatinums darstellendes Bruchstück ist jedoch noch mitsamt seinem auswärts gerichteten Zahnbesatz erhalten.

Von diesem bezahnten Teile des Palatinums selbst ist hier nur festzustellen, daß es nach innen zu eine flache, ebene, zahntragende Verbreiterung aufweist. Nach vorn zu bildet das Palatinum eine schmale, seitlich komprimierte Knochenspange. Bei einer Breite von etwa $1^1/_2$ *mm* ist diese von dem breiten Abschnitte an 3 *mm* weit nach vorn als großenteils erhaltener Knochen und weitere $2^1/_2$ *mm* als Abdruck zu erkennen. Von dem vordersten Teil sind nur undeutliche Spuren vorhanden. Von dem bezahnten Teil nach hinten zu sind nur undeutliche Knochenreste noch erhalten.

Die Spuren, die vom Vomer erhalten sind, sind zu unklar, als daß es sich verlohnte, auf sie näher einzugehen.

Am rechten Unterkiefer (Taf. II, Fig. 1, Uk) ist von dessen vorderstem Teil, bis 9 *mm* von der Schnauzenspitze entfernt, mit Sicherheit nichts erkennbar. Nur einige Zähne, die mit der Spitze mehr oder weniger steil nach unten gerichtet im Gestein stecken, sind dieser Partie zuzuweisen. Ob eine 7 *mm* von der Spitze entfernt beginnende, sehr dünne senkrecht stehende Knochenleiste einem der Knochen des Unterkiefers zuzuschreiben ist, ist nicht feststellbar, aber wohl wahrscheinlich. Zwischen 9 und 16 *mm*, von der Schnauzenspitze gerechnet, ist von dem Unterkiefer nur der obere bezahnte Rand erhalten, den man auf der Platte naturgemäß von unten und innen als eine nach dem Beschauer zu konkave Knochenlamelle sieht. Der Rest des Unterkiefers ist als ganzer Knochen in einer Länge von 10 *mm* erhalten, der durch den mehrfach erwähnten, den Schädel durchsetzenden Bruch in einen vorderen 3 *mm* und einen hinteren, gegen diesen nach innen verschobenen, 7 *mm* langen Abschnitt geteilt ist. Das vordere Stück von 3 *mm* hat in seinem über die Platte erhabenen, also unteren Teil einen Querschnitt von der Form eines schiefen Kreissegments von $1^1/_2$ *mm* Breite und vielleicht der halben Höhe. Der hintere Teil bietet im wesentlichen den gleichen Anblick, scheint aber nach innen zu in eine dünne, lamellenartige, stark zerbrochene Verbreiterung überzugehen, die man am unverdrückten Schädel als nach oben gerichtet aufzufassen hat. Wahrscheinlich handelt es sich dabei um eine dem Ansatz der Muskeln dienende Ausbreitung des Artikulare. Die einzelnen, den Unterkiefer zusammensetzenden Elemente sind nicht unterscheidbar. Die Gelenkfläche gegen das Quadratum liegt schräg nach innen und hinten zu, entsprechend der nach hinten konvergierenden Stellung der Quadrata, so daß das spitze Ende des Artikulare auf dessen Außenseite liegt. Übrigens scheint die Verknöcherung dieser Gelenkfläche wenig vollkommen gewesen zu sein, da, abgesehen von einer kleinen Höhlung dicht vor der Spitze des Artikulare, keine scharfen Konturen vorhanden sind.

An dem linken Unterkieferast ist gleichfalls von dem vordersten Teile — bis 6 *mm* von der Schnauzenspitze an gerechnet — nichts erhalten, nur einen einzelnen, ihm zuzurechnenden Zahn erblickt man an seiner Stelle. Es folgt dann ein Fragment von 5 *mm* Länge, das sich ganz dicht an die Innenseite des Maxillare anlegt, dann zeigt sich wieder eine Lücke von $5^1/_2$ *mm*, hierauf ein zweites ca. $5^1/_2$ *mm* langes Bruchstück, und von hier bis zum Beginn des Quadratum in einer Erstreckung von 3 *mm* ist der Hauptsache nach bloß der Abdruck der oberen Seite des Unterkiefers zu erblicken. Genau wie an dem rechten beobachtet wurde, zeigt sich auch, daß die Gelenkfläche das Artikulare derart abgeschrägt, daß die Linie, in der dieses und das Quadratum zusammenstoßen, schräg nach außen und hinten verläuft.

Die gesamte Entfernung von der Schnauzenspitze bis zur Gelenkung mit dem Quadratum beträgt 25 *mm*. Die Länge des Unterkiefers dürfte wahrscheinlich etwas geringer gewesen sein, wahrscheinlich ungefähr 23 *mm*. Wie die Symphyse der beiden Unterkieferäste sich verhalten hat, ob sie verknöchert war oder nicht, läßt sich leider nicht beobachten, da beider vordere Teile nicht vorhanden sind.

Rekonstruktion des Kieferapparats.

Eine Rekonstruktion des Kieferapparats von *Archaeophis proavus*, soweit sie sich aus den vorhandenen und sichtbaren Teilen ergiebt, stellt Taf. II, Fig. 2, dar. Die Ergänzungen der nur unvollständigen Knochen ergeben sich aus dem Vergleich mit Taf. II, Fig. 1. Auf eine Rekonstruktion der Schädelkapsel ist verzichtet, da für deren Form fast gar keine Anhaltspunkte zu gewinnen sind. Das Postpalatinum, das beim normalen Schlangenschädel vom hinteren Ende des Maxillare zum Pterygoid hinüberführt und diese beiden Knochen miteinander verbindet, ist bei unserer Schlange gänzlich vom Unterkiefer bedeckt, so daß über seine Form und genauere Lage nichts erkennbar ist. Es ist darum auch fortgelassen. Es ist indessen wohl mit großer Wahrscheinlichkeit in ähnlicher Weise wie bei den jetzt lebenden Schlangen vorhanden gewesen, da es dadurch unentbehrlich ist, daß es das Maxillare im wesentlichen hält, die Bewegung der Pterygoide beim Aufreißen des Rachens auf die Maxillen überträgt und diese nach außen drückt. Der linke Unterkieferast ist nicht eingezeichnet, damit der hintere Teil des Pterygoid unverdeckt bleibt.

Daß die beiden Kieferäste nicht durch knöcherne Symphyse miteinander verbunden waren, dürfte die folgende Überlegung wahrscheinlich machen. Die für den normalen Schlangenschädel typische Beweglichkeit der Knochen des Kieferapparats ist auch bei unserer Form schon in hohem Maße vorhanden. Das zeigt die gegenseitige Unabhängigkeit von Maxillare und Prämaxillare und die freie Stellung des Quadratums. Die daraus resultierende Beweglichkeit der oberen Elemente des Kieferapparats ist aber nur dann berechtigt und verständlich, wenn die beiden Unterkieferäste frei gegeneinander beweglich waren, also keine knöcherne Verbindung hatten. So finden wir auch bei allen lebenden Schlangen diese Selbständigkeit der beiden Kieferäste, also auch bei den engmäuligen, wühlenden Typhlopiden und Glauconiiden und ebenso auch bei den Ilysiiden und Xenopeltiden, bei denen das Quadratum sehr kurz und das Maxillare gegen das Prämaxillare unbeweglich ist. Auch ein solcher Vergleich mit den rezenten Schlangen erhöht die Wahrscheinlichkeit der Annahme, daß die beiden Unterkieferäste auch bei *Archaeophis* nicht knöcherne Verbindung miteinander besaßen.

Daß das Quadratum in ausgesprochener Weise nach vorn gerichtet war, also auch im Leben die Stellung hatte, die es jetzt zeigt, und die auch in der Rekonstruktion angenommen ist, läßt sich gleichfalls sehr wahrscheinlich machen. Es wäre ja denkbar, daß durch Zusammendrücken im Gestein der hintere Teil des Schädels samt den Squamosa nach hinten verschoben wäre, und die Quadrata aus ihrer ursprünglich etwa nach der Seite oder gar nach hinten gerichteten Stellung durch eine Drehung um das Unterkiefergelenk in ihre jetzige Lage gebracht wären. Es wäre dann aber recht auffallend, daß diese bei dieser komplizierten Verschiebung den Zusammenhang mit den Unterkieferästen und Squamosa fast gar nicht verloren hätten. Daß die jetzige Stellung vielmehr annähernd die ursprüngliche sein muß, geht aus der

Richtung der Gelenkflächen der Quadrata hervor. Namentlich die hintere, an das Squamosum sich legende müßte einen sehr viel mehr und in umgekehrter Richtung schiefen Verlauf haben, als es in der That der Fall ist, wenn die Quadrata normal nach hinten gerichtet wären. Im Leben wird wohl das Quadratum mit seinem vorderen Ende etwas nach unten geneigt gewesen sein, da es ja das auf der Oberseite des Schädels liegende Squamosum mit dem tieferen Unterkiefer verband. Die bei der Zusammendrückung des Schädels erfolgte Verlegung aus dieser etwas geneigten Stellung in die horizontale der Schichtungsebene des Kalksteines könnte vielleicht die Vorwärtsrichtung ein wenig verstärkt haben, jedenfalls aber nicht beträchtlich.

Die Bezahnung.

Zähne sind auf folgenden Knochen vorhanden oder nachweisbar: auf den Maxillen, den Palatina, den Pterygoiden und dem Unterkiefer. Soweit die Zähne selbst erhalten sind, sind sie stets nach hinten gerichtet. Diejenigen der Maxillaria liegen auf der inneren Seite derselben, und zwar die der rechten Seite annähernd in der Ebene der Platte, sind also offenbar bei der Zusammendrückung des Schädels auf die Seite gelegt, die des linken dagegen stehen steiler, haben also ihre ursprüngliche Richtung besser bewahrt. Die Zähne der Palatina und Pterygoidea sind nach außen gerichtet, sie liegen rechts oben, die des linken Pterygoids dagegen sind schräg nach unten — auf die Lage des Tieres übertragen, schräg gegen die Schädeldecke — gerichtet. Da sie an diesem Knochen noch fest und in der ursprünglichen Stellung festsitzen, so muß wohl angenommen werden, daß dieser Teil des linken Pterygoids eine nachträgliche Lageveränderung, eine Art von Drehung, erfahren hat. Die Zähne des Unterkiefers kann man natürlich diesem Knochen nicht direkt aufsitzen sehen. Sie sind nur dort festzustellen, wo der Knochen selbst nicht mehr erhalten ist. Man erblickt sie hier also von der Unterseite, im Gestein mit ihren Spitzen steckend.

Um die Gestalt der Zähne in jeder Hinsicht zu bestimmen, wurde versucht, einige derselben frei herauszulösen. Es glückte dies auch nach längeren Bemühungen in einem Falle. Die Zähne sind nämlich derart brüchig und spröde, daß sie meist schon bei ganz leisem Ansetzen der Präpariernadel zersprangen. Die abgebrochene Spitze einer zweiten Zahnkrone lieferte einen gut brauchbaren Querschnitt. Daneben bieten auch die Zähne in ihrer verschiedenartigen Lage auf der Platte gute Aufschlüsse über ihre äußere Form.

Vergleicht man die fertig entwickelten Zähne der verschiedenen Schädelknochen, so ergibt sich eine große Gleichartigkeit in Form und Größe (Taf. II, Fig. 3—6). Die Färbung ist ein meist dunkles Braun, das tiefer ist als das der Knochen. Meist ist die Basis ein wenig dunkler getönt, als die etwas durchscheinende Spitze. Die Oberfläche der Zähne zeigt überaus lebhaften Glanz. Die Länge beträgt ziemlich genau 1·1 *mm*, sie ist, nach den sichtbaren Zähnen zu urteilen, überall ziemlich gleich. Auf einer 0·4 *mm* breiten, basalen, sockelartigen Verdickung erhebt sich die Krone in fast gerader, kaum gekrümmter Richtung nur wenig nach hinten zu geneigt. Die Verjüngung nach der Spitze zu ist in der unteren Hälfte etwas allmählicher als in der oberen.

Sehr eigentümlich ist nun die Skulptur und der von ihr bedingte Querschnitt der Zähne. Beim Blick auf die Knochen des Kieferapparats erblickt man von den Zähnen entweder ebene Flächen oder äußerst scharfe Kanten, die auch bei der 24fachen Vergrößerung des großen Zeiß'schen Binokularmikroskops noch als absolut scharfe Schneiden erscheinen. Der eine oben erwähnte, gewonnene Querschnitt, der etw $^{1}/_{2}$ *mm* von der Spitze entfernt liegt, zeigt nun mit Deutlichkeit einen fünfseitigen Umriß (Taf. II, Fig. 6). An zwei nebeneinander liegenden Kanten stoßen je zwei Flächen in rechtem Winkel aufeinander. Die drei anderen Winkel dagegen sind stumpf. Die drei beide rechten Winkel des Querschnittes bildenden, ebenen Flächen sind etwas breiter, als die beiden anderen. Auf den ersteren drei liegen mehr oder weniger genau in ihrer Mittellinie schmale und ganz flache Erhebungen, die sich auch in der Queransicht bemerkbar machen. Sonst sind die Flächen eben, gegen die Kanten zu ist eine schwache Konkavität angedeutet, wodurch diese eine gewisse Zuschärfung erlangen. Der Querschnitt zeigt übrigens, daß der Zahn nicht genau bilateral symmetrisch ist, sondern daß die eine Kante ein wenig aus der Symmetrieebene herausgerückt ist, wodurch natürlich auch eine erkennbare Ungleichheit der Seiten des Fünfecks bedingt wird.

Der isolierte Zahn, der untersucht werden konnte, und an dem bis auf eine Partie die Skulptur vollständig erhalten ist, zeigt nun, daß die Kanten teilweise nicht in völlig gerader Richtung nach der

Spitze zu verlaufen, sondern eine allerdings ganz unbedeutende Windung beschreiben, die immerhin hinreichend sein dürfte, die schwache Asymmetrie des Querschnittbildes zu erklären. Die Kanten sind bis an den Sockel hinab zu verfolgen. Ebenso weit reichen auch die flachen Erhebungen in der Mitte der drei breiteren Seitenflächen hinab, sie verbreitern sich jedoch gleichzeitig wesentlich und grenzen sich von den randlichen Zonen durch etwas tiefer werdende, die Schärfe der Kanten vermehrende Furchen deutlicher ab. Die Spitze ist nicht sehr scharf.

Im Querschnitt zeigt sich etwas hinter der Mitte ein enges Loch, das die Pulpahöhle darstellt. Daß es sich nicht um den Kanal eines Giftzahnes handelt, geht daraus hervor, daß an keinem der Zähne die Andeutung einer äußeren, mit dieser Höhlung in Verbindung stehenden Öffnung zu erkennen war.

Ob ein Schmelzbelag, wie der lebhafte äußere Glanz vermuten lassen könnte, vorhanden ist, läßt sich leider wegen der Winzigkeit der Zähnchen nicht feststellen.

Außer den vollständig ausgebildeten Zähnen sind auch noch unfertige Ersatzzähne (Taf. II, Fig. 7) vorhanden. Sie zeichnen sich schon allein durch ihre abweichende Färbung aus. Je kleiner und unentwickelter nämlich die Ersatzzähne sind, desto matter ist ihre Braunfärbung, ja die kleinsten sind sogar fast weiß. Ein Herauslösen eines solchen Ersatzzahnes gelang nicht. Aber auch so läßt sich erkennen, daß sie, je jünger sie sind, um so stumpfere Gestalt besitzen. Doch ist die äußere Skulptur, namentlich die Kantenbildung auch an den kleinsten von kaum $^1/_2$ *mm* Länge zu beobachten.

Aus der vollständig freien Lage der Ersatzzähnchen neben den Kieferknochen auf der Platte geht hervor, daß der Ersatz in ganz ähnlicher Weise vor sich gegangen sein muß, wie bei den lebenden Schlangen, nämlich durch Neubildung in Falten der Schleimhaut der Umgebung der zahntragenden Knochen.

Über die ursprünglich vorhanden gewesene Zahl der Zähne läßt sich naturgemäß nichts Genaueres sagen. Wären die ganzen Maxillen in derselben Weise, wie die erhaltenen Teile, besetzt gewesen, so müßten sie deren 26—29 getragen haben, wie es etwa auf der Rekonstruktion angegeben ist (Taf. II, Fig. 2). Wie weit die Bezahnung bei den Palatina nach vorn gereicht hat und wie weit nach hinten bei den Pterygoiden und wie sie sich ferner auf den Unterkiefern verhalten hat, ist durchaus ungewiß. Die diesbezüglichen Ergänzungen der Figur entsprechen etwa den durchschnittlichen Verhältnissen bei den lebenden Schlangen.

B. Wirbel.

Erhaltung.

Obwohl der Körper des Tieres in seiner ganzen Länge auf der Gesteinsplatte sichtbar ist, und obwohl auch die Wirbel mit Ausnahme einer geringen Zahl sämtlich körperlich vorhanden sind, gestatten doch nur wenige, die Form derselben mit Genauigkeit zu erkennen. Dies rührt daher, daß die Wirbel offenbar nur in einer äußeren, dünnen Schicht wirklich verknöchert waren, die sich von der Substanz des Wirbels allein erhalten konnte, während der ganze Innenraum von spätigem, kohlensauren Kalk ausgefüllt wurde. Beim Auseinanderspalten der Platte, wodurch die Schlange erst zum Vorschein kam, und möglicherweise auch bei dem ersten Versuch, das Tier weiter freizulegen, ging fast immer der Bruch entweder mitten durch die Kalkspathausfüllung der Wirbel hindurch oder trennte wenigstens die dünne, erhaltene Knochenschicht von dem darunter liegenden Kern, der natürlich keinerlei feinere Merkmale zeigt und nur ein ungefähres Bild des Wirbels geben kann.

An einigen wenigen Stellen dagegen sind Wirbel günstiger erhalten geblieben, namentlich an solchen, wo sie noch durch Gesteinsmaterial bedeckt waren und herauspräpariert werden konnten. Bei der Gleichförmigkeit der Wirbel des Schlangenskeletts genügen indessen diese wenigen gut erhaltenen Partien durchaus, um die Form und Beschaffenheit der Wirbel mit einiger Genauigkeit zu erkennen. Ein vollständiges Herauspräparieren und Loslösen eines Wirbels war bei der leichten Zerbrechlichkeit der Skeletteile der Schlange nicht möglich.

Vollständigere Erhaltung fand sich in der Gegend des 46. Wirbels, bei Wirbel 90—92 und 116, 117. Die allgemeinen Umrisse und die Größenverhältnisse lassen sich ferner an einer Reihe weiterer Stellen der gesamten Wirbelsäule feststellen. Dagegen ist die Erhaltung der oberen Bögen und namentlich der Gelenkverbindungen sehr mangelhaft. Die Hypapophysen resp. Hämapophysen sind andrerseits an mehreren Stellen der Wirbelsäule deutlich erkennbar. Indessen ist bei der Gleichartigkeit der Wirbel einer Schlange unbedenklich aus den verschiedenen Details, die benachbarte Wirbel zeigen, die Rekonstruktion eines ganzen zu geben. Wenn dazu, wie in unserem Falle auch noch über die verhältnismäßig am stärksten variierenden Punkte, nämlich die Verhältnisse von Höhe zur Länge sowie die Form der Hypapophysen resp. Hämapophysen Aufschluß erlangt werden kann, so ergibt sich doch schließlich ein Bild von leidlich befriedigender Vollständigkeit.

Das Bild eines vollständigen Rumpfwirbels (Taf. II, Fig. 8) ist durch die Kombination erhaltener Einzelheiten an benachbarten oder doch nicht weit entfernten Wirbeln entstanden. Bei einem anderen Rumpfwirbel bot sich ferner die Ansicht von der Unterseite (Taf. II, Fig. 9). An einem dritten, ziemlich senkrecht zur Plattenebene im Gestein steckenden konnte ein Querschnitt durch vorsichtiges Abschaben gewonnen werden (Taf. II, Fig. 10).

Zahl der Wirbel und Längenmaße der Wirbelsäule.

Was zunächst die Zahl der Wirbel betrifft, so gibt schon die Originaletikette an, daß deren über 500 vorhanden sind; genauer berechnete sie Massalongo in seiner Abhandlung auf etwa 507. Ihre absolut richtige Anzahl festzustellen, ist allerdings nicht möglich, da an mehreren Stellen der Zusammenhang gestört ist und auch Wirbel fehlen. So lassen sich zunächst am Anfang des Halses die Wirbel nicht mit Sicherheit zählen und weiterhin weist namentlich eine Partie von ca. 6 *cm* an der starken Krümmung hinter der Mitte des Tieres die Wirbel nicht mehr auf. Außerdem kommen noch einige kurze Unterbrechungen im Zusammenhange vor. An solchen ungünstigen Stellen konnte entweder aus der Zahl der vorhandenen Rippen auf die der fehlenden Wirbel geschlossen oder diese doch mit annähernder Richtigkeit aus der Länge der Lücke geschätzt werden. Der über solche Stellen fortgehende nicht unterbrochene Abdruck des Körpers gab dann die Gewißheit, daß hier Wirbel vorhanden gewesen und nur nachträglich verloren gegangen waren. Es darf wohl behauptet werden, daß der Fehler bei sorgsamem Zählen 15 nicht übersteigen dürfte. Es ergab sich die außerordentlich hohe Zahl von 565 Wirbeln. Davon sind, wie aus dem Vorhandensein oder Fehlen von Rippen hervorgeht, 452 präsacral unter Abzug von zwei Halswirbeln (Atlas und Epistropheus), 111 postsacral.

Die hier benützte Numerierung entspricht den Zahlen, die sich bei der Zählung ergaben. Diese können, wie sich aus dem Gesagten ergibt, auf absolute Genauigkeit keinen Anspruch machen, sondern sind nur als annähernd richtige anzusehen.

Was die ganze Länge der Wirbelsäule betrifft, so beträgt diese etwa $92\frac{1}{2}$ *cm*, wovon reichlich $10\frac{1}{2}$ *cm* auf den Schwanz kommen; der präsacrale Teil mißt demzufolge etwa 82 *cm*. Die gesamte Länge der Schlange, einschließlich der des Schädels beläuft sich auf etwa $95\frac{1}{2}$ *cm*.

Die Größenverhältnisse der Wirbel.

Über Länge und Höhe der Wirbel konnten eine Anzahl einwandfreier Werte gewonnen werden. Als Länge wurde die des Wirbelkörpers gewählt, da diese sich sicherer ermitteln ließ, als diejenige der oberen Bögen. Als Höhe wurde einmal die Entfernung von der Unterseite des Wirbelkörpers bis zur Oberseite des oberen Bogens, und zweitens diese mitsamt der Hypapophyse genommen. Da letztere in ihrer Länge starke Unterschiede zeigt, so wird durch ihre Einbeziehung in den Betrag der Höhe dieser in verschieden hohem Maße, je nach der Körpergegend, beeinflusst.

Die beistehende Maßtabelle läßt erkennen, daß die Wirbel des Rumpfes etwas höher sind als lang, sie zeigt ferner, daß diejenigen der vordersten Rumpfregion, z. B. bei Nr. 46, etwas kleiner waren als bei Nr. 117—257 und sich von diesen namentlich durch relativ kürzere Gestalt unterscheiden. Im hinteren Teile des Rumpfes werden sie wieder allmählich kleiner, ohne daß sich aber das Verhältnis von Höhe zu Länge wesentlich ändert (vergl. Nr. 383 und 452). Im Schwanz nimmt die Größe weiter dauernd ab. Zugleich aber werden die Wirbel relativ gestreckter, und zwar in dem Maße, daß bei Nr. 525 die Länge die Höhe merklich übersteigt.

Tabelle der Maße der Wirbel von Archaeophis proavus Massalongo (in *mm*):

Nummer des Wirbels	Länge des Wirbelkörpers	Höhe des Wirbels		Breite des Wirbels
		ohne Hyp- resp Hämapophyse	mit Hyp. resp. Hämapophyse	
46	1·8	2·3	2·9	
78	2·5	—	—	2·2 (Breite d. Wirbelkörpers 1·9)
117	2·5	2·8	—	—
257	2·5	2·7	3·0	—
383	2·0	2·2	2·4	
452	1·8	2·0	—	
489	1·5	1·5	2·4	—
525	1·1	0·9	1·3	—

Präsacrale Wirbel.

Der Wirbelkörper besitzt, wie an mehreren Stellen klar zu erkennen ist, die ausgesprochen procoele Beschaffenheit, die ja auch sonst bei den Schlangen durchgehends vorhanden ist. In seiner mittleren Partie ist der Wirbelkörper, wie die Ventralansicht (Taf. II, Fig. 9) zeigt, am schmalsten, nach vorn und hinten verdickt er sich, um die breiten Flächen für die Gelenkung zu erhalten. Eine schmale ventrale Abflachung ist durch stumpfe Kanten nicht sehr scharf von den Flanken abgesetzt. Der Querschnitt (Taf. II, Fig. 10) ist überall — abgesehen natürlich von beiden Enden, wo er rundlich ist — annähernd dreiseitig. Von unten gesehen, zeigt sich am vorderen Ende eine bogenförmige Ausbuchtung. Es ist aber augenscheinlich, daß diese dadurch entstanden ist, daß ein Teil des die Gelenkgrube umgebenden Randes herausgebrochen ist.

Der Gelenkkopf ist verhältnismäßig wenig kugelig, sondern nur ziemlich flach und von dem übrigen Wirbelkörper nicht abgesetzt. Bei Wirbel Nr. 117 beträgt dessen Durchmesser 1·3 *mm*, sein Umriß ist ziemlich genau kreisrund. Er ist dem Hinterende gerade, nicht schräg, aufgesetzt.

An dem abgebildeten Querschnitt läßt sich übrigens ferner noch erkennen, wie außerordentlich schwach die Verknöcherung des Wirbelkörpers ist. Dieser ist nämlich nur von einer ganz dünnen, äußeren Knochenlage gebildet. Das Innere dagegen war bis auf wenige durchziehende, äußerst zarte Knochenlamellen unverknöchert geblieben und wurde bei der Fossilisation mit späthigem Calcit ausgefüllt.

Die Abbildung zeigt weiter, daß auf der Dorsalseite des Wirbelkörpers in der Mittellinie eine winzige Rinne verlief, über deren etwaige Bedeutung allerdings nichts gesagt werden kann.

Der obere Bogen ist etwa über der Mitte des Wirbelkörpers am niedrigsten, nach vorn und hinten hebt sich seine obere Kontur etwas. Sowohl nach vorn wie nach hinten ragt er ein wenig über diesen heraus. Über dem Vorderende des Wirbelkörpers bildet der obere Bogen einen Vorsprung, während er über dem Hinterende desselben einen unten bogenförmig, oben eckig umgrenzten Ausschnitt aufweist. Der Querschnitt Taf. II, Fig. 10, der etwas vor der Mitte des Wirbels liegt und deshalb die Hypapophyse nicht mehr trifft, zeigt, daß der obere Bogen das gerundet fünfseitige Lumen des Neuralkanals als ein Knochendach umspannt, das in seiner unteren Hälfte äußerst dünn, nach oben dagegen wesentlich stärker ist. Dorsal tritt eine Zuschärfung auf, die weiter hinten einen niedrigen, aber äußerst zarten, schneidigen Kiel trägt. Es war nämlich, bevor durch vorsichtiges, weiteres Abschaben der Kalksubstanz der hier abgebildete Querschnitt gewonnen wurde, ein etwas weiter hinten gelegener sichtbar gewesen, der jenen äußerst scharfen Kiel deutlich erkennen ließ. Er war übrigens ein wenig zur Seite gebogen, was dafür spricht, daß er etwas biegsam war. Offenbar ist er als Andeutung eines Dornfortsatzes anzusehen.

Der Querschnitt läßt ferner bemerken, daß auch der obere Bogen nur in einer äußerst dünnen, äußeren Lage verknöchert war, während das Innere desselben nur wenige zarte, knöcherne Lamellen, dazwischen aber lediglich Kalkspath enthält.

Die Gelenkfortsätze, die bei den Wirbeln der lebenden Schlangen sehr entwickelt sind und ihnen ihr charakteristisches Gepräge verleihen, sind bei *A. proavus* außerordentlich undeutlich, so undeutlich, daß man gezwungen ist, genau zu untersuchen, ob die Gelenkung der Post- und Präzygapophysen überhaupt vorhanden ist. Indessen ist an dem abgebildeten Wirbel (Taf. II, Fig. 8) bei genauerem Hinsehen mit Sicherheit festzustellen, daß der Bogen des vorderen Wirbels ein wenig über einen Vorsprung des Vorderrandes des folgenden vorspringt. Es liegt also eine Postzygapophyse mit kurzer und, wie die Abbildung zeigt, ungefähr horizontaler Berührungsfläche, auf der Präzygapophyse (Taf. II, Fig. 8, Pr) des folgenden Wirbels auf. Wirkliche Gelenkflächen selbst konnten nicht beobachtet werden und sind offenbar nur undeutlich entwickelt. Auch der Querschnitt (Taf. II, Fig. 10), der vor der Mitte des Wirbels anzunehmen ist, zeigt noch keine nennenswerten Hervorragungen in der Höhe dieser vorderen Gelenkfortsätze, wie wir sie erwarten müßten, wenn diese kräftig entwickelt wären.

Was die Gelenkung des Zygosphen mit dem Zygantrum betrifft, so ist der Nachweis derselben noch schwieriger zu führen, als der der Zygapophysen. Das wird bedingt durch die versteckte Lage der Gelenkflächen, die an zusammenhängenden Wirbeln überhaupt von außen nicht wahrnehmbar sind und nur am isolierten Wirbel resp. an freigelegten Wirbelenden zu erkennen sind.

Mit Sicherheit festzustellen ist jedoch die Tatsache, daß der obere Bogen hinten oberhalb der Zygapophysenverbindung beiderseits den Vorderrand des Bogens des nächstfolgenden Wirbels bedeckt. Dabei legt sich, wie Wirbel 46 (Taf. II, Fig. 8, Zy) zeigt, eine innere Hervorragung des übergreifenden Hinterrandes in eine furchenartige Vertiefung des Hinterrandes des vorhergehenden Wirbels. An der Hervorragung hätte man also die Gelenkfläche des Zygantrum, an jener Furche die des Zygosphen zu suchen. Deutlich umgrenzte Gelenkflächen sind also ebensowenig wie an den Zygapophysen vorhanden.

Die dem Ansatz der Rippen dienenden Querfortsätze sind überaus schwach entwickelt. So erkennt man deutlich an dem Wirbel 89, an dem dieselben nicht abgebrochen sind, unmittelbar vor dem Vorderende des Wirbelkörpers, und zwar bemerkenswerterweise an der Stelle, wo die etwas abgeflachte Unterseite des Wirbelkörpers an einer undeutlichen Kante in die Seitenfläche übergeht, eine Hervorragung, die von oben und hinten sich allmählich aus der Oberfläche heraushebt, nach unten aber steil abfällt und weiter nach vorn zu eine halbkreisförmige Vertiefung begrenzt.

Ein regelrechter, verknöcherter Querfortsatz war hier also offenbar nicht vorhanden. Anscheinend war er nur knorpelig, wie ja auch die proximalen Enden der Rippen keine scharfen Konturen erkennen lassen, also wohl knorpelig waren. Bemerkenswert für die wichtige Beurteilung des Rippenansatzes ist aber die tiefe Lage der Querfortsätze.

An der Seitenansicht des Wirbels 46 (Taf. II, Fig. 8, Tr) ist die oben geschilderte Andeutung der Querfortsätze ergänzt, was wohl ohne Gefahr geschehen konnte, da diese sich ja an der ganzen präsakralen Wirbelsäule der Schlangen gleich zu bleiben pflegen.

Die Hypapophyse ist an verschiedenen Wirbeln gut erkennbar. Ihre Form ist nicht durchwegs dieselbe. Im vorderen Teil des Rumpfes bildet sie eine stumpf endigende, nach hinten gerichtete, sägezahnartige, dünne Knochenlamelle (Taf. II, Fig. 8, Hy) von etwa 0·6 *mm* Höhe. Sie sitzt nur den hinteren zwei Dritteln des Wirbelkörpers ventral auf, jedoch derartig, daß der Gelenkkopf frei bleibt. In der hinteren Rumpfhälfte dagegen beginnt die Hypapophyse gleich vorn unter der Gelenkgrube des Körpers und erstreckt sich, nur wenig und langsam höher werdend, bis zum Gelenkkopf hin (Taf. II, Fig. 11, Hy). Ihre vordere wie hintere Endigung ist gerundet, die größte Höhe beträgt 0·2—0·3 *mm*.

Postsacrale Wirbel.

Am Skelett der Schlangen unterscheiden sich Rumpf- und Schwanzregion dadurch, daß die Wirbel der ersteren freie Rippen und eventuell eine Hypapophyse besitzen, während die des Schwanzes der freien Rippen entbehren, dagegen zwei sog. Hämapophysen aufweisen. An unserem Stücke ist deutlich die letzte, sehr kurze Rippe zu erkennen, sie gehört zu Wirbel 454 und ist, wie noch nebenbei bemerkt sein mag, ein wenig nach vorn verrückt. Wirbel 455 ist dagegen mit deutlich entwickelten Hämapophysen versehen, die allerdings abgebrochen sind und eine falsche Lage erhalten haben, aber doch ohne Zweifel zu diesem gehören. Mit Wirbel 455 beginnt also demnach der Schwanz.

Das bezeichnende Merkmal der Schwanzwirbel, die ventralen Hämapophysen, ist deutlich entwickelt. Sie zeigen die Form schmaler, dünner Knochenstäbchen, die etwas nach rückwärts geneigt sind und etwa $^1/_3$ der Gesamthöhe des Wirbels ausmachen, wie aus der Tabelle (S. 9) und der Abbildung (Taf. II, Fig. 12, Hä) hervorgeht. Daß in der Tat die Hämapophysen paarig vorhanden sind, war an einem Wirbel festzustellen, an dem die eine über der anderen liegend zu erkennen war.

Die oberen Bögen sind leider infolge der Zartheit und geringen Größe nur schlecht erhalten, namentlich ihre vorderen und hinteren Konturen und damit auch die Gelenkverbindungen sind nur sehr undeutlich oder überhaupt nicht erkennbar, während naturgemäß die dorsale Kontur oft klar sichtbar ist. Soweit aus dem, was erkennbar ist, zu schließen ist, stimmen die oberen Bögen der Wirbel des Schwanzes mit denen derjenigen des Rumpfes in ihrer Form im wesentlichen überein, wie das ja bei der Gleichförmigkeit der Wirbel des Schlangenskeletts auch überhaupt als wahrscheinlich gelten darf. Jedenfalls läßt sich mit Sicherheit feststellen, daß die dorsale Kontur ähnlich einfach wie bei den präsakralen verläuft, daß also Dornfortsätze nicht oder nur außerordentlich schwach entwickelt sind.

Die Rippen.

Die erste erhaltene Rippe zeigt sich schon sehr bald hinter dem Schädel und dürfte dem vierten Wirbel zuzugehören. Die vorderste Partie der Wirbelsäule ist indessen, wie bereits erwähnt, besonders schlecht erhalten, so daß nicht sicher zu entscheiden ist, ob jene Rippe die erste ist. Nehmen wir letzteres an, so ergibt sich bei 454 präsacralen Wirbeln die ungewöhnlich große Zahl von 451 Rippenpaaren. Mit ihrem proximalen Ende liegen die Rippen meist in natürlicher Lage der Wirbelsäule an. Nur an zwei Stellen, etwa in der Mitte des Rumpfes, wo der Zusammenhang der Wirbel stark gestört ist, und beim Beginn des dritten Drittels sind sie losgelöst und haben eine unregelmäßige Lage erhalten.

Die Länge der Rippen ist je nach der Rumpfgegend sehr verschieden. Überall ist aber das bezeichnende die außerordentliche Zartheit und Feinheit, die schwache Krümmung und die starke Neigung nach hinten. Obwohl sie zum weitaus größten Teil sichtbar sind, ist es doch nur bei sehr wenigen möglich, ihre ganze Länge genau zu messen, weil die stark nach hinten gerichteten Rippen sich so dicht aneinander und zum Teil auch übereinander legen, daß eine einzelne von ihnen sich nur selten bis zu ihrem Ende verfolgen läßt.

Im vordersten Teil des Rumpfes besitzen die Rippen zunächst eine geringe Länge. In der Gegend des 17. Wirbels beträgt sie etwa 6 *mm*, bei ungefähr 0·15 *mm* Dicke nicht weit von ihrem proximalen Ende. Die Krümmung ist sehr schwach und etwa auf das erste Drittel beschränkt. Sie sind sehr stark nach hinten gerichtet und liegen mit dem größeren Teil ihrer Länge der Achse der Wirbelsäule annähernd parallel. Bei Wirbel 35 liegt eine Rippe losgelöst in einiger Entfernung von der Wirbelsäule und zeigt das proximale Ende besonders deutlich (Taf. II, Fig. 13). Sie beginnt mit einer schwach knopfartigen Verbreiterung, die jedoch einer erkennbaren Gelenkfläche entbehrt und stark komprimiert ist, und besitzt hinter derselben 0·25 *mm* Dicke, verjüngt sich weiter bei 35 *mm* Entfernung von dem Gelenkende auf etwa 0·1 *mm*, um dann ziemlich konstanten Querschnitt bis zum Ende beizubehalten. Die Krümmung ist auf die vordere Hälfte der 7 *mm* betragenden Gesamtlänge beschränkt. Bei Wirbel 62 ist die Rippenlänge 8 *mm*, die Dicke ist dieselbe geblieben. Gegen das proximale Ende hin ist der Querschnitt dieser Rippe ungefähr eiförmig, indem Längskompressionen ihn nach unten zu etwas zuschärfen. Bei Wirbel 123 ist die Länge der Rippen auf 11·5 *mm*, etwa das $4^1/_2$fache der Wirbellänge, angewachsen und die maximale Breite auf 0·4 *mm*. Das proximale Ende ist stark zusammengedrückt. Diese Kompression ist bis etwa $^1/_5$ der Gesamtlänge zu verfolgen. In der Mitte der letzteren beträgt der Durchmesser etwa 0·15 *mm* und vermindert sich gegen das Ende hin noch weiter.

Bei Wirbel 177 erreicht die Länge der Rippen 22 *mm*, also etwa das neunfache der Wirbellänge. Ihre Dicke beträgt in ihrem anfänglichen Teil hinter der Anschwellung des Gelenkendes 0·4 *mm*, hat sich aber schon, 10 *mm* vom proximalen Ende entfernt, auf 0·2 *mm* vermindert und nimmt gegen das Ende hin weiter ab. Die Krümmung der Rippen ist auch in dieser Gegend des Rumpfes sehr schwach. Bei Wirbel 240 sind die Maße der Rippen die gleichen, die Krümmung scheint ein wenig stärker zu sein. Bei Wirbel 340 wurde die Länge zu 18·5 *mm* ermittelt. Wirbel 408 trägt Rippen von 15 *mm* und etwas geringerer Dicke, als die vorhergehenden. Bei Wirbel 436, also nicht weit vor Beginn des Schwanzes, beträgt die Rippenlänge nur noch 9 *mm*, also etwa das fünffache der Wirbellänge. Die letzten Rippen werden schließlich noch etwas kürzer.

Wie bereits erwähnt, ist ein bezeichnendes, zugleich aber auch wichtiges Merkmal, die geringe Krümmung der Rippen. Die zweite Hälfte derselben ist meist ganz gestreckt. Die Abbildungen (Taf. II, Fig. 13—15) geben drei Rippen aus verschiedenen Rumpfgegenden wieder und zeigen bei gleicher Vergrößerung auch das Längenverhältnis. Im einzelnen ist nun die Form der Rippen nicht absolut für eine bestimmte Partie der Wirbelsäule konstant. Wir müssen aus der gleich zu besprechenden, außerordentlichen Zartheit der knöchernen Wandung schließen, daß sie nicht starr, sondern wohl in erheblichem Masse biegsam gewesen sind. Daher dürfte es kommen, daß sie in ihrem äußerst dünnen, distalen Teile oft ein wenig verbogen sind. Auch ist der bemerkbare Wechsel im Grade der Krümmung auf dieselbe Ursache zurückzuführen. Die von der Wirbelsäule losgelösten, frei daliegenden Rippen zeigen die normale Form ohne Frage am besten. Eine Partie aus dem mittleren Teil des Rumpfes, etwa zwischen Wirbel 220 und 250, zeigt Störungen des Zusammenhanges der Wirbelsäule, die bei der Einbettung in den Schlamm vielleicht infolge der Entwicklung von Gasen bei der Zersetzung des Tierleibes aufgetreten sein mögen. Die hiebei entstandenen Spannungen, möglicherweise die Last des eigenen Körpers oder auflagernden Schlammes haben an jener Stelle eine etwas stärkere Krümmung der zarten Rippen hervorgerufen. Das richtigere Bild ist ohne Zweifel das einer nur sehr schwach gekrümmten Rippe, wie es der weitaus größte Teil des Rumpfes und besonders auch die ganz frei daliegenden Rippen darbieten. Die Länge derselben, namentlich im mittleren Teil des Körpers, ist eine verhältnismäßig große. Sie verhält sich hier zur Höhe des Wirbels (ohne Hypapophyse) wie 22 : 2·7 = 8. Weiter vorn und hinten ist dies Verhältnis wesentlich kleiner.

Wie in bezug auf die Länge, so sind die Rippen bezüglich des Querschnittes nicht überall gleich. Im vorderen Rumpfabschnitt ist der letztere etwa bei Wirbel 35 1 *mm* hinter dem proximalen Ende von der Form eines rechtwinkligen Dreiecks mit einem spitzen Winkel von 30°-40°; dabei ist die kürzeste Seite nach innen gerichtet (Taf. II, Fig. 16 *a*), $1^1/_2$ *mm* weiter hat er die Form eines mit der Schmalseite nach innen gerichteten Ovales (Fig. 16 *b*) angenommen und geht dann weiter nach der Spitze hin bald in Kreisform über, die über die reichliche Hälfte der ganzen Länge herrscht (Fig. 16 *c*). Taf. II, Fig. 17 *a-c* sind die Querschnitte der Rippen der Mitte des Rumpfes wiedergegeben, und zwar von solchen zwischen Wirbel 160—180. Fig. 17 *a* ist der Rippenquerschnitt etwa 2 *mm* vom proximalen Ende entfernt, der hier die Form eines etwas ungleichseitigen Dreiecks zeigt, deren kürzeste Seite schräg nach vorn und innen und deren etwas konkave Seite nach hinten und innen gerichtet war. Der Querschnitt ändert sich jedoch schnell und hat 4 *mm* weiter (Fig. 17 *b*) ein nur wenig schiefes, vierseitiges Gepräge erhalten, wobei zwei gegenüberliegende Seiten eine deutliche Konkavität aufweisen. Diese Form hält etwas länger an, geht aber schließlich in regelrechte Kreisform über (Fig. 17 *c*), die für die reichliche, distale Hälfte der Rippen charakteristisch ist. Die erwähnte konkave Beschaffenheit eines Teiles der Seiten der Querschnitte rührt von oberflächlichen Längsauskehlungen der Rippen, die in der Aufsicht mit großer Deutlichkeit hervortreten. Es sei noch ausdrücklich darauf hingewiesen, daß es sich dabei nicht etwa um eine Folgeerscheinung etwaiger Zusammendrückung handelt. Diese Deutung schließen das konstante Auftreten und gleichmäßige Ausbildung jener Längsauskehlungen, sowie der Mangel an Bruchlinien an gut erhaltenen Rippen aus. In der hintersten Partie des Rumpfes weichen die Rippen wieder etwas von dem eben beschriebenen Typus ab.

Irgend eine Konkavität im Querschnitt ist nicht vorhanden. Zunächst dem proximalen Ende ist derselbe von dreiseitigem Charakter, wird dann bald oval und später in der hinteren Hälfte kreisförmig.

Wie die Querschnitte zeigen, sind auch die Rippen gleich den übrigen Knochen des Skeletts nur von einer dünnen, äußeren Knochenschicht gebildet, während das Innere von wasserklarem Kalkspath erfüllt ist. Der proximale Teil, wo dieser innere Raum im Verhältnis zur Dicke der Knochensubstanz besonders groß ist, ist häufig verdrückt, während dies bei dem distalen Ende viel seltener der Fall ist.

Eine deutliche Ausbildung einer deutlichen Gelenkfläche für den zugehörigen Querfortsatz ist an keiner Rippe zu beobachten. Stets stellt die distale Endigung lediglich eine Verdickung dar, die entweder einigermaßen gerade oder auch unregelmäßig abgestutzt ist. Eine knopfförmige Hervorragung am Vorderende, die sich bei rezenten Schlangen findet und von Hoffmann als »Tuberculum costae«[1]) bezeichnet wird, ist nicht vorhanden. Das vordere Ende der Rippen war, wie aus dessen äußerer Formlosigkeit sowie auch aus der im Vergleich zu der der ganzen übrigen Rippe sehr hellen Farbe hervorgeht, äußerst schwach oder überhaupt nicht verknöchert, also wesentlich knorpelig, wie das ja auch für die Querfortsätze der Wirbel gilt.

Wie bereits in diesem Kapitel ausgeführt wurde, sind die Schlankheit und die verhältnismäßig große Länge bezeichnende Merkmale der Rippen von *Archaeophis*. Bei der außerordentlich dünnen und zarten Gestalt machen sie, namentlich auch an Stellen der mittleren Rumpfpartie, wo sie etwas wirr und unregelmäßig angeordnet auf der Platte daliegen, durchaus den Eindruck recht feiner Haare. Ganz besonders ausgeprägt liefert dies Bild auch der hinterste Abschnitt des Rumpfes, von dem Taf. I, Fig. 2 eine Partie in $2^1/_2$facher Vergrößerung zeigt, der durch die besondere Zartheit der Rippen ausgezeichnet ist. Die gleichfalls bemerkenswerte und bereits mehrfach betonte, stark nach hinten gerichtete Stellung der Rippen wird unten in dem Abschnitt über die mutmaßliche Körperform und Lebensweise von *Archaeophis* im Zusammenhang mit diesen Fragen besprochen.

Extremitäten.

Von den Extremitäten wurden keine Spuren wahrgenommen, ebensowenig vom Brust- oder Beckengürtel. Es ist ja nun gewiß nicht absolut unmöglich, daß Reste von ihnen durch einen unglücklichen Zufall auf der Platte nicht mehr erhalten oder sichtbar sind. Indessen spricht entschieden die Wahrscheinlichkeit mehr dafür, daß solche überhaupt nicht vorhanden waren. Denn bei der Vollständigkeit, in der offenbar die Rippen erhalten sind, wäre es merkwürdig, wenn gerade jene Teile verloren gegangen wären. Bezüglich der Hinterextremitäten und des Beckengürtels ist übrigens der Mangel derselben mit Sicherheit festzustellen, da der Übergang des Rumpfes in den Schwanz klar und deutlich erhalten ist. Diese offensichtliche, vollständige Rückbildung des Beckengürtels würde es außerdem an sich schon wahrscheinlich machen, daß auch vom Schultergürtel nichts mehr vorhanden gewesen ist. Jedenfalls gibt es unter den lebenden Schlangen wohl Formen mit Rudimenten des Beckens, nicht aber mit solchen des Schultergürtels.

Der Schlangentypus ist ja übrigens bei *Archaeophis* so hochgradig ausgeprägt, daß die völlige Rückbildung von Resten der Extremitäten und deren Gürteln, wie sie mit größter Wahrscheinlichkeit hier angenommen wird, nicht im geringsten auffallen kann.

Die Beschuppung.

Der wohlerhaltene Abdruck des Körpers zeigt, wie schon Massalongo anführte, unverkennbar die Andeutung von Schuppen. Sie sind zu bemerken im vordersten Abschnitte des Rumpfes, etwa bei Wirbel 35, dann wieder in der mittleren Hälfte des vom Körper der Schlange gebildeten Ringes bei Wirbel 85—125, im hinteren Teile des Rumpfes bei Wirbel 380—410 und in der vorderen Hälfte des Schwanzes. Außerdem liegt noch der Abdruck eines isolierten Fetzens der Körperhaut mit Schuppenspuren bei Wirbel 160—170 auf der ventralen Seite des Körpers. Am günstigsten ist die Form der Schuppen an der zweiten genannten Partie erkennbar, und zwar auf der äußeren, ventralen Seite des Ringes (bei

[1]) Reptilien III, S. 425.

Wirbel 100—110). Es sind hier deutlich die Ränder der Schuppen als feine dunkle Linien erkennbar, die sich klar von dem hellen Gestein abheben. Die einzelne Schuppe zeigt ovalen Umriß von etwa 0·5 *mm* großem und etwa 0·3 *mm* kleinem Achsendurchmesser (Taf. II, Fig. 18). Das breitere Ende ist das vordere.

Daß sich nur die Umrisse erhalten haben, ist wohl damit zu erklären, daß die sich übereinander legenden Ränder benachbarter Schuppen eine doppelt so dicke Schicht, wie die übrige Fläche bildeten und sich von ihrer Substanz eher eine Spur erhalten konnte. An der konkaven, dorsalen Seite der eben besprochenen Partie und ebenso an allen anderen, Andeutungen von Schuppen bietenden Stellen sind nicht die ganzen Umrisse erhalten, sondern nur in der Längsrichtung verlaufende kurze dunkle Striche, die aber immerhin die einzelnen Querreihen deutlich unterscheiden lassen.

Der winzigen Größe der Schuppen entsprechend ist die Zahl der Querreihen eine recht große. An dem ersten von den angegebenen, die Schuppen zeigenden Körperabschnitten, kommen auf 1 *mm* Breite vier Längsschuppenreihen; ein bemerkenswertes Schwanken der Breite ist nicht festzustellen. Die Beschuppung ist etwa über die halbe Breite des Körperabdruckes hin erhalten. Die ganze Breite beträgt hier 9 *mm*, so daß auf diese 36 Schuppenreihen kämen. Der Abdruck des Körpers, der naturgemäß nur die eine Seite desselben wiedergibt, kann als auch höchstens die halbe Anzahl jener erkennen lassen, wahrscheinlich etwas weniger. Für den gesamten Körperumfang würden sich demnach etwa 75—80 Schuppenreihen ergeben. Diese Zahlen ergeben sich dei der Annahme ungefähr gleich großer Schuppen auf allen Seiten des Rumpfes.

An der zweiten Partie, zwischen Wirbel 100—110, wo sich die Beschuppung über die ganze Breite des Abdruckes erkennen läßt, beträgt auf der ventralen Seite die Breite der Schuppenreihe $^1/_4$ *mm*, auf dem übrigen Teil anscheinend etwas weniger. Die Breite einer Querreihe ist natürlich etwas geringer als die der einzelnen Schuppen, da diese sich ja randlich gegenseitig etwas bedecken. Bei einer Gesamtbreite von 10 *mm* des Körperabdruckes ergäbe sich hier also eine Anzahl von etwa 80. Der oben erwähnte, ventral gelegene, losgelöste Hautfetzen bei Wirbel 160—170 läßt gleichfalls eine Schuppenbreite von etwa $^1/_4$ *mm* erkennen. Etwa bei Wirbel 385 finden sich Schuppenspuren über die ganze Breite des Abdruckes, besonders deutlich an der ventralen Begrenzung. Auch hier beträgt, wie oben, die Breite einer Schuppenreihe $^1/_4$ *mm* und die anzunehmende Gesamtzahl mindestens 80.

Bei Wirbel 400, wo die Gesamtbreite 8 *mm* beträgt, sind auch die Schuppenreihen merklich schmäler geworden. Das zeigen auch hier besonders deutlich die ganz ventral gelegenen Partien des Abdruckes.

Die gegebenen Beobachtungen lassen nunmehr auch ein Urteil darüber zu, ob die zur Berechnung der Gesamtzahl der Schuppenreihen gemachte Annahme berechtigt war, daß die Breite der Schuppen überall, auf der ventralen wie auch auf der dorsalen Seite annähernd gleich war. Die Tatsache, daß bei den meisten — jedoch nicht bei allen — rezenten Schlangen die Bauchseite mit großen, breiten Schildern (Bauchschienen) bedeckt ist, während die Seiten und der Rücken kleine Schuppen tragen, macht es in der Tat nötig, jene Annahme zu prüfen. Da ist es nun von entscheidender Bedeutung, daß wir erfreulicherweise gut erkennbare Spuren der Beschuppung gerade besonders an der ventralen Grenze haben, die bei der im allgemeinen vorhandenen Seitenlage des Körpers große Bauchschienen oder auch nur größere Schuppen zeigen müßten, wenn solche vorhanden wären. Gerade die zuletzt besprochene, Schuppenabdrücke bietende Partie müßte, da es sich hier ohne Zweifel um eine genau seitliche Lage handelt, derartiges zeigen. Es folgt daraus, daß die Schuppen auf allen Seiten des Rumpfes von ungefähr gleicher Größe waren.

In dem weiter unten folgenden Kapitel über »Höhe der Spezialisierung von *Archaeophis* und Vergleich mit lebenden Wasserschlangen« werden übrigens noch Angaben gemacht werden, die dies Verhalten aus anderen Gründen als durchaus wahrscheinlich erscheinen lassen.

Die Zahl der Schuppenreihen berechnet sich, wenn wir annehmen, daß sich die ganze Hälfte der Körperoberfläche abgedrückt hat, auf etwa 80, da das jedoch sicherlich nicht ganz der Fall gewesen ist, dürfte 85—90 der Wahrheit näher kommen. Es ist das, wie wir noch später genauer sehen werden, eine ungewöhnlich große Zahl.

Die äußere Körperform und Lebensweise von Archaeophis.

Um eine Vorstellung von der äußeren Körperform zu gewinnen, müssen vor allem zwei Punkte, nämlich der Abdruck des Körpers auf der Gesteinsplatte und seine Lage berücksichtigt, und diese mit den Ergebnissen der obigen beschreibenden Abschnitte kombiniert werden.

Daß der Schädel eine außerordentlich spitze Schnauze besitzt, im übrigen aber wahrscheinlich nach Art desjenigen der lebenden Schlangen ziemlich flach gedrückt war, wurde oben bereits ausgeführt.

Der Abdruck des Rumpfes ist an einem großen Teil seiner Erstreckung so klar und scharf, daß nicht anzunehmen ist, daß der Körper an diesen Stellen eine starke Pressung und Breitquetschung durch Druck auflastender Kalkschlammassen erfahren hat. Wenn man anderseits mit einer geringen Verbreiterung wohl rechnen muß, so dürfte diese doch wohl nicht erheblich sein. Ein Zusammendrücken des Körpers dürfte erst stattgefunden haben, nachdem derselbe von einer Schicht Schlamm von gewisser Dicke bedeckt und seitlich eingehüllt war. Einer nennenswerten Breitquetschung durch auflastende Massen sind dann aber die seitlich der Leiche liegenden im Wege gestanden. Man kann also sehr wohl an den scharf umrandeten Partien des Abdruckes direkt auf die ursprünglichen Durchmesser des Körpers schließen. Dasselbe gilt natürlich nicht für Partien, wo sogar der Zusammenhang der Rippen mit der Wirbelsäule gestört ist, oder die Grenzen des Abdruckes durch Präparation nicht genügend klar freigelegt sind.

Allgemein ergibt sich über die Gestalt von *Archaeophis*, daß sie eine überaus schlanke war. In der Mitte des Rumpfes war die Dicke am größten, von dort nahm sie gleichmäßig nach hinten zum Schwanzende ab, ohne daß beim Übergang in den Schwanz ein Absatz zu bemerken wäre. Bezüglich des Einzelnen bedarf es einer genaueren Betrachtung.

Beginnen wir mit dem vordersten Abschnitte des Körpers. Die erste halbkreisförmige Krümmung bis etwa zum 40. Wirbel zeigt eine ziemlich genau seitliche Lage, wie aus der Lage der Wirbelsäule an der äußeren Grenze des Abdruckes und den nach innen gerichteten Rippen hervorgeht. Der scharf umrandete Körperabdruck zeigt eine Breite von 8 *mm*, an der Stelle der stärksten Krümmung eine etwas größere von 10 *mm*. Es tritt dann weiterhin ein Knick der Wirbelsäule ein und diese verlegt sich mehr auf die andere Seite. Die Rippen zeigen sich hier und schon kurz vorher auf beiden Seiten der Wirbelsäule. Ein Wirbel zeigt deutlich seitliche Lage, derart, daß seine Ventralseite nach der konvexen Seite der Rumpfkrümmung zugewendet ist. Da die Rippen beider Seiten nicht ventral von der Wirbelsäule liegen, wie es bei genau seitlicher Lage der Fall sein müßte, sondern auf beiden Seiten derselben, so liegt hier eine etwas gestörte Lagerung der Wirbel vor, obwohl an dieser Stelle noch die Konturen des 9 *mm* breiten Körperabdruckes ganz gerade und ungebrochen verlaufen. Die dann folgende Stelle, wo die Abdrücke und Skeletteile zweier Partien des Körpers übereinander liegen, gibt naturgemäß kein klares Bild. Der nun kommende Ring, umfassend den Abschnitt von Wirbel 50 bis etwa 150, bietet merkwürdige Lageverhältnisse. Die Wirbelsäule liegt nämlich durchgehends ganz auf der Außenseite des Ringes, wobei im ersten Teile, wie ein Wirbel klar zeigt, dem Beschauer die Bauchseite zugewandt ist, während im mittleren mindestens den dritten Teil des Ringes umfassenden Abschnitt die Bauchseite beinahe genau nach außen gerichtet ist. Im ersten Abschnitt liegen die Rippen der einen Seite nach innen zu, die der anderen lassen nur kurze proximale Teile auf der Außenseite der Wirbel erkennen, während sie in der Hauptsache von diesen bedeckt sind. In dem übrigen, zwei Drittel betragenden Kreisabschnitte liegen linke und rechte Rippen auf der Innenseite der Wirbelsäule, wenn auch bei denen der einen Seite, der tiefer im Gestein der Platte eingebetteten, die vorderen Enden verdeckt bleiben. Ziemlich genau in der Mitte des Ringes sind beide Konturen des Abdruckes scharf und ungestört. Die Breite beträgt hier 10—11 *mm*, die der Zone außerhalb der Wirbelsäule etwa 1 *mm*, die innerhalb derselben 6—7 *mm* — außerhalb und innerhalb von dem Innern des Ringes aus gerechnet. Die Rippen erstrecken sich nicht bis an die innere Kontur, sondern lassen einen Streifen von etwa $2^1/_2$ *mm* Breite frei. Dieses Lageverhältnis von Rippen und Abdruck ist, soweit dessen Innenkontur scharf ist, d. i. auf etwa $^2/_3$ des ganzen Kreises, gleichbleibend, nur ist die von ersteren freibleibende innere Zone stellenweise noch wesentlich breiter. Für die auffallende Tatsache, daß die Wirbel also großenteils den Rippen die Dorsalseite zuwenden, wird weiter unten eine Erklärung versucht werden.

Der nun folgende, etwa 50 Wirbel umfassende Abschnitt ist stark gestört, bleibt also am besten für die vorliegende Frage unberücksichtigt. Die annähernd gerade verlaufende Partie von Wirbel 200—250 zeigt die zugehörigen Rippen beider Seiten nach derselben Seite gerichtet. Der einzige einigermaßen deutlich erhaltene Wirbel dieses Teiles wendet die ventrale Seite den Rippen zu. Der Körper liegt also in normaler Weise auf der Seite. Der Abdruck besitzt keine deutlichen Konturen, seine Breite ist also nicht meßbar. Der Abdruck greift auch hier noch ein beträchtliches Stück in ventraler Richtung über die Rippen hinaus.

Zwischen Wirbel 250 und 270 rückt die Wirbelsäule von der einen Seite des Abdruckes auf die andere hinüber. Gleichzeitig erscheinen die Rippen beiderseitig und in demselben Maße, wie die Wirbelsäule auf die andere Seite rückt, verschwinden die vorher deutlichen Rippen der einen bis auf ihre proximalen Teile, die neben den Wirbeln noch sichtbar bleiben. Der Körper der Schlange legt sich also von der einen auf die andere Seite, und zwar in kurzer Wendung. Von dem nun folgenden, halbkreisförmig gekrümmten Rumpfabschnitt ist die Wirbelsäule nur teilweise vorhanden. Dort, wo es der Fall ist, liegt sie auf der konvexen Seite, die Rippen sind nach der konkaven gerichtet. Die Wirbel kehren hier also wieder die Ventralseite nach außen, d. i. der Rückenkontur des Abdruckes zu. Hinter diesem Halbkreis rückt die Wirbelsäule zwischen Wirbel 365 und 385 von seiner Lage am Rande des Abdruckes in die Mitte desselben und behält diese Stellung bis zum Schwanzende bei. Die Rippen bleiben auf derselben Seite des Körpers liegen; zunächst sind zwar hin und wieder proximale Teile derselben auf der anderen Seite der Wirbeln sichtbar, von Wirbel 385 an sind sie sämtlich nur auf der einen Seite wahrzunehmen. Nach derselben Richtung ist auch hinfort die Ventralseite der Wirbel gewandt: Die Lage des Körpers ist eine normal seitliche. Der Abdruck ist an diesem ganzen hinteren Abschnitte des Rumpfes und am Schwanze sehr klar und fast durchgehends beiderseitig scharflienig umrissen. Sehr bemerkenswert ist hier nun die sehr geringe Breite, die Wirbelsäule und Rippen zusammengerechnet einnehmen. Sie beträgt nämlich weniger oder nur sehr wenig mehr als die halbe Breite des Abdruckes, so etwa bei Wirbel 388 $4^1/_2$ *mm*, von der Gesamtbreite von 10 *mm*, bei Wirbel 408 $4^1/_2$ von $7^1/_2$ *mm*, bei Wirbel 450 $3^1/_2$ von $6^1/_2$ *mm*. Es rührt diese auffallende Erscheinung davon her, daß die Rippen, wie bereits oben ausgeführt wurde, außerordentlich stark nach hinten gerichtet sind, so daß sie sich der Wirbelsäule eng anschmiegen und ihr nahezu oder ganz parallel liegen.

In der Mitte des Schwanzes etwa bei Wirbel 385 beträgt die Breite des Abdruckes 5 *mm*, von denen 1 *mm* durch die Wirbelsäule (die Hämapophysen abgerechnet) bedeckt sind. Bei Wirbel 513 ist die Breite zu $3^1/_2$ *mm*, bei 532 zu $2^1/_2$ *mm* ermittelt.

Es ergiebt sich nun aus obiger, ausführlicher Beschreibung, daß der Körper der Schlange vorwiegend in der Seitenlage sich befindet. Daß diese die bevorzugte ist, zeigt sich besonders klar an der Stelle, wo sich der Rumpf von der einen auf die andere Seite legt. Dieser Übergang vollzieht sich auf einer sehr kurzen Strecke; es geht also daraus hervor, daß die Bauchlage gleichsam gemieden wird. Die Erklärung dafür dürfte darin zu sehen sein, daß der Körper stark seitlich komprimiert und daß also die Bauchseite nur schmal war. Es liegt auf der Hand, daß der Rumpf bei dieser Gestalt beim Zusammensinken auf dem Meeresboden die seitliche Lage einnehmen mußte. Auffallend ist, daß an den Stellen starker Krümmung die Wirbel ihre ventrale Seite der Rückenlinie zuwenden. Es ist nun zu erwägen, daß ein stark seitlich zusammengedrückter Leib bei beträchtlicher Krümmung ein Bild bieten wird, ähnlich einem umgebogenen Bande oder Papierstreifen, d. h. die Bauch-Rückenlinie wird etwa senkrecht auf der Ebene stehen, in der die Krümmung liegt. In dieser Stellung dürften jene stark gekrümmten Partien auf den Meeresboden hinabgesunken sein, mit dem Bauche oder dem Rücken nach unten gerichtet, und sich erst dann auf die Seite gelegt haben. Es läßt sich vorstellen, daß dabei die Rippen der einen Seite unter dem Gewicht des Körpers, das ja im Wasser allerdings nicht groß gewesen sein kann, oder auch dem von auflagernden Schlammmassen irgendwie als Hebel wirkten, die die in dem faulenden Leichnam lose hängenden Wirbel um ihre eigene Achse drehten. So oder so ähnlich könnte man sich jene eigentümliche Lage der Wirbel an den Stellen starker Krümmung vielleicht erklären.

Die Form des Rumpfes steht aber auch im Zusammenhange mit der Beschaffenheit der Rippen, auf die wir nochmals kurz eingehen müssen. Die Rippen sind, wie oben gezeigt wurde, auffallend zart, lang, schwach gekrümmt und stark nach hinten gerichtet. Diese Eigentümlichkeit unterscheidet *Archaeophis* in hohem Grade von den auf dem Lande lebenden Schlangen. Bei letzteren spielen die Rippen nämlich bei der Fortbewegung insofern eine wichtige Rolle, als sie zusammen mit den die breite, flache Ventralseite bedeckenden Bauchschienen als Hebel benützt werden, mittels derer das Tier sich gegen die Rauhigkeiten des Bodens, gegen Pflanzensteugel u. a. stemmt und vorwärts schiebt. Diese Art der Funktion für die Rippen von *Archaeophis* anzunehmen, ist nicht möglich. Dieselben sind hier viel zu zart, als daß sie als solche Hebel gebraucht werden könnten. Auch läßt sie ihre zurückgerichtete Stellung, namentlich im hinteren Teil des Rumpfes, wo sie fast horizontal liegen, dazu durchaus ungeeignet erscheinen. Es kommt noch weiterhin hinzu, daß die Rippen, wie aus dem Abdruck zu schließen ist, gar nicht bis an die Ventralfläche herab die Leibeswand stützten, sondern hier eine recht breite Zone frei ließen. Wenn man sich also *Archaeophis* auf das Land gesetzt denken würde, so würden, wenn der Körper sich nicht auf die Seite legte, die Rippenenden garnicht auf dem Boden ruhen, ein Kriechen wäre also kaum möglich. Daß der ventral von den Rippen liegende Teil des auf der Platte abgedrückten Körpers nicht ganz oder auch nur wesentlich durch die nachträgliche Zusammendrückung des Schlangenleibes herausgedrückt ist, dagegen sprechen neben der oben bereits angestellten Erwägung, besonders auch die Verhältnisse im hinteren Rumpfteil. Hier bedecken die Rippen großenteils einen nicht breiteren Raum als die Wirbel; wollte man also den ventral von ersteren gelegenen Teil des Abdruckes als eine Verbreiterung desselben infolge von Zusammendrückung auffassen, so würde sich ein viel zu niedriger Betrag für die Höhe des Körperquerschnittes ergeben. Auch bei Hinzunahme des ganzen Abdruckes gelangt man noch zu einer äußerst schlanken Gestalt. Es ist also in der Tat anzunehmen, daß ein ventraler Abschnitt des Rumpfes in seiner Wandung von Rippen nicht gestützt war. Ob nun die schmale Bauchseite des seitlich zusammengedrückten Körpers gewölbt war oder ob sie vielleicht zugeschärft war und, wie es ausnahmsweise bei lebenden Schlangen vorkommt, eine Hautfalte trug, das läßt sich aus dem Abdrucke nicht entnehmen. Ausgeschlossen wäre selbst diese letztere Annahme nicht, da das Fehlen von Ventralschienen sie möglich machen kann.

Die Auffassung von *Archaeophis* als einer auf dem festen Boden lebenden Landschlange verbietet, wie wir sahen, die Form und Beschaffenheit der Rippen zusammen mit der des Rumpfquerschnittes. Noch weniger kommt wühlende Lebensweise in Frage, da diese besonders kräftige Rippen verlangt, wie z. B. die lebende Gattung *Typhlops* zeigt. Auch das Leben der Baumschlangen dürfen wir *Archaeophis* trotz der beiden gemeinsamen Schlankheit nicht zuschreiben, da jene viel längere Wirbel, aber nur kurze Rippen zu besitzen pflegen, wie z. B. am Skelett von *Dryophis* so typisch zu sehen ist. Dagegen sprechen die in Frage stehenden Eigentümlichkeiten durchaus für ein Wasserleben. Die Rippen haben bei schwimmender Fortbewegung ja keinerlei Last zu tragen, können also zart sein, vermögen aber bei ihrer Länge, ihrer dichten Folge und stark nach hinten gerichteten Stellung die schlängelnde Bewegung besonders gleichmäßig von vorn nach hinten zu vermitteln, etwa wie die Flossenstrahlen in der Flosse eines Aales, mit denen sie ihrer Form nach wohl vergleichbar wären. Daß auch vergleichende Betrachtungen von *Archaeophis* und den lebenden, an das Wasserleben angepaßten Schlangenformen für die angenommene Lebensweise sprechen, wird weiter unten gezeigt werden.

Hier soll nur noch darauf hingewiesen werden, daß das geologische Vorkommen in den Kalkschiefern des Monte Bolca die geäußerte Auffassung durchaus unterstützt und es wahrscheinlicher macht, daß *Archaeophis* eine marine, nicht eine im süßen Wasser lebende Form ist. Denn jene Kalke stellen eine Meeresablagerung dar, wie die eingeschlossenen *Fische* und *Annelliden* beweisen. Es finden sich ja allerdings auch häufig Abdrücke von Laubblättern; diese können jedoch ebensogut hineingeweht oder eingespühlt sein. Landtiere scheinen jedenfalls noch nicht aus jenen Schichten bekannt geworden zu sein. Im übrigen sind auch alle hoch spezialisierten lebenden Wasserschlangen ausgesprochen marine Tiere.

Vergleich mit Archaeophis Bolcensis Mass.

Vergleichen wir *Archaeophis proavus* mit anderen fossilen Schlangen, so kommen naturgemäß die beiden gleichfalls vom Monte Bolca stammenden Bruchstücke einer großen Schlange, die Massalongo unter dem Namen *Archaeophis Bolcensis* abbildet [1]), in erster Linie in Betracht. Massalongo gibt an, daß er drei Stücke in Händen gehabt hatte, deren Länge 48, 33 und 27 *cm* und deren Stärke 50—60 *mm* betrüge. Keines der Bruchstücke paßte an ein anderes. Da jene drei Bruchstücke von *A. Bolcensis* nicht mit in den Besitz der Berliner Sammlung gelangten und es mir infolgedessen nicht möglich war, sie persönlich zu untersuchen, so können nur die Angaben und Tafeln bei Massalongo zum Vergleich benützt werden.

Die beiden abgebildeten Fragmente entstammen der Rumpfregion und, wie aus der Länge der Rippen geschlossen werden kann, weder aus deren vorderstem noch hinterstem Abschnitte. Was die allgemeinen Maßverhältnisse der Wirbel betrifft, so gibt Massalongo an, daß die Länge 8 *mm*, die Dicke an den Enden 10 *mm* beträgt. Was er mit dem Ausdrucke Dicke sagen will, ist nicht klar ersichtlich, vielleicht versteht er darunter die größte Breite, also die des oberen Bogens. Der Wirbelkörper (»corpus«) soll in der Mitte etwas konkav, also wohl eingeschnürt sein und sich demgemäß nach den Enden zu verdicken. Die Messung auf Taf. IV ergab eine Länge des Wirbelkörpers — ohne Gelenkkopf, der von dem jedesmal folgenden Wirbel verdeckt ist — von 8 *mm*, eine Breite von zirka 4 *mm* in der Mitte und von zirka 5 *mm* an den Enden. Bei *Archaeophis proavus* betragen am Wirbel 78 die Länge des Körpers 2·5 (der Gelenkkopf mitgemessen), die Breite 1·9 *cm*. Wenn man berücksichtigt, daß bei Wirbel 78 die Wirbellänge bereits den höchsten gefundenen Längenwert aufweist, so ist außer allem Zweifel, daß bei *A. proavus* die Wirbel verhältnismäßig bedeutend kürzer und breiter sind als bei *A. Bolcensis*.

Weiter gibt der Autor an, daß vier stumpfe Erhöhungen (»eminentiae«) vorhanden seien, die wohl ein annähernd vierseitiges Gepräge bedingt hätten. Was hiemit gemeint ist, ist nicht ersichtlich und auch die weiteren Angaben über diese »eminentiae« geben keine Klarheit darüber. Möglicherweise ist es nur die Art der Erhaltung, die jene Bemerkungen veranlaßt. Die Wirbel sind nämlich vielleicht zusammengedrückt, so daß die äußere, dünne Knochenschicht durch Längsbrüche in mehrere Stücke zerlegt ist, wobei diese dann in eine solche Lage gedrückt wurden, daß Längsfurchen und kielartige Erhebungen entstanden. Soweit man aus der Abbildung schließen kann, sind die Wirbel an dem in Taf. III dargestellten Bruchstücke in der Tat in dieser Weise stark verdrückt. Wichtiger ist die Angabe, daß die Apophysen, die allerdings abgebrochen seien, spitz aber sehr kurz gewesen zu sein scheinen. Allerdings bedürfte auch dies eigentlich einer Nachprüfung am Objekt selbst, da die wenig günstige Erhaltung auch bei dem liebevollsten Beobachter leicht Täuschungen hervorrufen kann. Entspricht dieses von den Apophysen Gesagte den Tatsachen — und die Abbildungen scheinen namentlich in den etwas klarer wiedergegebenen Partien der Wirbelsäule das zu bestätigen —, so würde in diesem Punkte durchaus Übereinstimmung mit der Wirbelform bei *A. proavus* vorhanden sein.

Die Rippen sind, wie bei unserer Form, auffallend lang, soweit man den Abbildungen entnehmen kann, nicht unter 7 *cm*, in Wirklichkeit vielleicht noch länger. Sie haben demnach wohl etwa das Neunfache der ganzen Wirbellänge gehabt. Das Verhältnis ist also dasselbe, das wir als maximalen Betrag bei *A. proavus* fanden. Die Rippen sind ferner nur in ihrem oberen Teile und auch hier nur ziemlich schwach gekrümmt, während sie im übrigen gerade gestreckt sind. Sie stehen schräg nach hinten. Wenn schon diese Gestalt der Rippen, wie oben bei *A. proavus* ausgeführt wurde, auf eine beträchtliche seitliche Kompression des Körpers hinweist, so läßt diese Auffassung noch überdies ein Blick auf Taf. III bei Massalongo als ganz unzweifelhaft erscheinen.

Im unteren Teile dieser Abbildung sieht man den Körper der Schlange seitlich oder doch der Hauptsache nach seitlich auf die Platte gedrückt liegen, dann zeigt der Körper eine scharfe Drehung, um im oberen Teile des Bildes auf der anderen, rechten Seite zu liegen. Der Körper des toten Tieres legte sich also mit seinen hohen, flachen Flanken dem Boden auf, nicht aber mit der Bauchseite, die offenbar zu schmal war, um in dieser Lage den Körper zur Ruhe kommen zu lassen. An der Stelle, wo die Wendung sich vollzieht und man also die Schlange vom Rücken erblickt, sind nun trotz des jedenfalls bei der Einbettung wirksam gewesenen senkrechten Druckes die Rippen nicht auseinander gepreßt, sondern in ihrer

[1]) Spez. photogr. Tab. III und IV.

natürlichen Lage verblieben und lassen infolgedessen die geringe Dicke des Körpers erkennen, die im Maximum nicht viel mehr als die Hälfte der Höhe betragen haben kann.

Das auf Tab. IV wiedergegebene Bruchstück zeigt einen stark gebogenen, platt auf der linken Seite liegenden Abschnitt des Körpers. An den Stellen, wo die ventrale Grenze des Körperabdruckes in glatter Linie erhalten ist, zeigt sich deutlich, daß die Rippen wie bei *A. proavus* nicht bis an die Ventralseite reichten, sondern hier eine ziemlich breite, nicht von Rippen gestützte Zone übrig ließen.

Es ist nunmehr die Frage zu beantworten, gehören *Archaeophis proavus* und *Bolcensis* wirklich einer Gattung an, wie Massalongo meinte. Es sind in der Tat sehr übereinstimmende Verhältnisse vorhanden, was namentlich bezüglich der Rippen und der Körperform zutrifft. Allerdings machen die Rippen bei *A. Bolcensis* insofern im ganzen einen etwas anderen Eindruck, als sie in regelmäßigerer Anordnung daliegen, als bei *A. proavus*. Indessen ist das sicherlich lediglich dadurch bedingt, daß die Rippen der sehr viel größeren Form auch entsprechend kräftiger sind und sich bei der Einbettung in den Meeresschlamm auch in geringerem Maße verschieben ließen. Nach allem kann nur als wahrscheinlich gelten, daß beide Formen in der Tat einer Gattung angehören.

Es erhebt sich aber nun die weitere Frage, ob wir denn wirkliche zwei verschiedene Arten vor uns haben, ob beide Exemplare nicht vielmehr sogar einer einzigen Art zuzurechnen sind. Als einzige erkennbare Abweichung konnte angegeben werden, daß die Wirbel von *A. proavus* verhältnismäßig kürzer sind als die von *A. Bolcensis*. Dies ist aber ein Unterschied, der bei den rezenten Schlangen zwischen jugendlichen und erwachsenen Individuen sehr ausgeprägt ist. An einem eben dem Ei entschlüpften Exemplar von *Tropidonotus natrix*, das mir durch die Liebenswürdigkeit des Herrn Prof. Dr. Tornier zur Untersuchung zugänglich gemacht wurde, konnte ich mich persönlich von der auffallend kurzen Gestalt der Wirbel überzeugen. Es kann demnach nicht als unwahrscheinlich bezeichnet werden, daß beide Exemplare sogar einer Art angehören, da der einzige erkennbare Unterschied nicht gegen eine solche Vereinigung spricht, sondern sie gestattet. Man müßte dann bei Annahme gleicher Wirbelzahl etwa auf eine Länge von 3 bis $3^1/_2$ *m* für das große Stück schließen. Solange indessen ein wirklicher Beweis für die Zusammengehörigkeit beider Formen nicht erbracht ist, mögen beide Artnamen am besten beibehalten werden. Sollte sich indessen später, etwa bei einer neueren Untersuchung von *A. Bolcensis*, die Artidentität ergeben, so dürfte der Name *proavus* am besten der allein geltende werden, da das von Massalongo so benannte Stück das besser bekannte ist, außerdem in seinem Werke in der Beschreibung dem anderen vorangeht.

Die nicht zu leugnende Möglichkeit der Zusammengehörigkeit beider Exemplare regt noch weiterhin die Frage an, ob nicht die so überaus schwache Entwicklung der Zygapophysen und Querfortsätze bei *Archaeophis proavus* etwa als eine Jugenderscheinung anzusehen ist. Abgesehen davon, daß Massalongo bei *A. Bolcensis* die Zygapophysen auch nur als kleine Spitzen erkannt zu haben scheint, spricht auch der Befund an jenem jugendlichen Exemplar von *Tropidonotus natrix* gegen jene Annahme, da hier Zygapophysen wie auch Querfortsätze recht scharf und deutlich ausgebildet waren. Die geringe Entwicklung dieser Teile ist vielleicht auch nur eine Folge des Lebens im Wasser, wo ja infolge der Ausschaltung der Wirkungen des Körpergewichtes die Gelenkungen von Wirbeln und Rippen viel weniger stark und fest zu sein brauchen als bei Landformen.

Höhe der Spezialisierung von Archaeophis und Vergleich mit lebenden Wasserschlangen.

Nachdem wir bereits oben erfahren haben, daß wir in *Archaeophis* eine im Wasser lebende Gattung zu sehen haben, sollen in diesem Abschnitte einige Betrachtungen über die Höhe ihrer Spezialisierung und ein Vergleich mit lebenden Wasserschlangen gegeben werden. Mangels spezieller, zusammenfassender Darstellungen mußten die tatsächlichen Unterlagen für die Vergleichung erst aus dem Studium des Materials der zoologischen Sammlung des Museums für Naturkunde zu Berlin sowie aus der Benützung der vorliegenden Literatur gewonnen und zusammengetragen werden.

Was zunächst den Schädel betrifft, so handelt es sich bei *Archaeophis* um einen echten Schlangenschädel. Das Quadratum ist am Squamosum frei beweglich, das Pterygoid legte sich wahrscheinlich an das

Quadratum oder den Unterkiefer in der Gegend der Gelenkung dieser beiden Knochen und nahm an deren Bewegung teil; das Maxillare war mit dem Prämaxillare nicht verwachsen, also offenbar gleichfalls etwas verschiebbar; auch können wir, wie oben ausgeführt wurde, annehmen, daß die beiden Unterkieferäste nicht in knöcherner Symphyse miteinander verbunden waren. Das Maul von *Archaeophis* war also offenbar einer erheblichen Erweiterung fähig. Allerdings war diese gewiß geringer als bei der überwiegenden Mehrzahl der rezenten Schlangen. Sehen wir von den Familien mit wühlender und grabender Lebensweise, den *Typhlopiden, Glauconiiden* und *Uropeltiden* ab, bei denen wohl infolge ihrer Lebensweise eine mehr oder weniger tiefgehende Umbildung und Rückbildung des Schädels stattgefunden hat und die Erweiterungsfähigkeit des Maules sehr gering ist, so ist diese letztere bei den lebenden Formen fast stets erheblich größer als bei *Archaeophis*. Meist ist nämlich durch starke Ausbildung des Squamosum oder durch die mehr oder weniger auffallend ausgesprochene, nach hinten gerichtete Stellung des Quadratum das Gelenk des letzteren mit dem Unterkiefer mehr oder weniger weit hinter den Hinterhauptskondylus verlegt, unter entsprechender Längenentwicklung der Unterkieferäste. Besonders auffallend ist dies bei gewissen *Colubriden*, namentlich *proteroglyphen*, und *Viperiden* ausgeprägt, wo der Unterkiefer, wie z. B. bei *Bitis arietans*, den Schädel um $^2/_3$ seiner Länge übertreffen kann. Bei *Archaeophis proavus* dagegen ist das Quadratum nach vorn gerichtet und der Unterkiefer infolgedessen erheblich kürzer als der Schädel. Eine schwach nach vorn gerichtete Stellung des Quadratums zeigt die Abbildung von *Nardoa boa* aus der Familie der *Boiden* bei Boulenger[1]) anderseits ist hier das Squamosum stärker als bei *Archaeophis* entwickelt, so daß das Unterkiefergelenk nur sehr wenig vor den Hinterhauptskondylus zu liegen kommt. Überhaupt scheint bei den *Boiden* die Rückwärtsrichtung des Squamosums verhältnismäßig wenig ausgeprägt zu sein. Jedenfalls zeigt auch die Darstellung Boulengers von *Enygrus asper*[2]) eine — zwar sehr geringe — Vorwärtsrichtung bei gleichzeitig gewaltiger Ausbildung des Squamosums. Eine nicht bedeutende Erweiterungsfähigkeit des Maules ist bei den *Ilysiidae*, bei *Xenopeltis*, dem einzigen Vertreter der *Xenopeltiden*, und bei *Fursina occipitalis*[3]) bedingt durch die Kürze des Quadratums bei gleichzeitig geringer Ausbildung des Squamosums. In allen diesen Fällen liegt indessen die Unterkiefergelenkung doch noch etwas weiter hinten als bei unserer Schlange, während anderseits letztere durch die beträchtlichere Größe des Quadratum jenen voraus ist. Die *Ilysiidae* und *Xenopeltidae* sind übrigens insofern weniger hoch spezialisiert, als bei ihnen die Maxillaria gegen das Prämaxillare gar nicht oder nur sehr wenig beweglich sind. Jedenfalls läßt sich behaupten, daß *Archaeophis* in der Erweiterungsfähigkeit des Maules weniger weit spezialisiert ist, als die große Mehrzahl der lebenden Gattungen.

Vergleichen wir weiter die Bezahnung, so ist diese, wenn wir von der allerdings ganz abweichenden Form des einzelnen Zahnes absehen, dadurch echt schlangenartig, daß sie auf Maxillare, Palatinum, Pterygoid und Unterkiefer auftritt, wie es bei der Mehrzahl der lebenden Schlangen auch der Fall ist. Auch die Auswechslung der Zähne durch Ersatzzähne ist durchaus die gleiche. Die stärkere Rückbiegung der Zähne der jetzt lebenden Schlangen, gegenüber der bei *Archaeophis*, ist gewiß als eine weitergehende Anpassung an ihre Aufgabe, die Beute festzuhalten, zu betrachten. Eine weit höhere Spezialisierung stellen naturgemäß die durch Furchung oder Bildung eines Kanales sich kennzeichnenden Giftzähne dar.

In dem Skelettbau der Schlangen prägt sich die Tendenz aus, unter Rückbildung der Extremitäten eine möglichst große Biegsamkeit und Beweglichkeit des Rumpfes zu ermöglichen. Letztere wird in hohem Maße erreicht durch die zahlreichen Gelenkverbindungen der Wirbel und die hohe Anzahl dieser selbst.

Was den ersteren Punkt betrifft, so steht *Archaeophis* in der völligen Rückbildung der Extremitäten sowie von Schulter und Beckengürtel auf der gleichen Höhe wie die überwiegende Mehrzahl der lebenden Schlangen, höher also als die noch Beckenrudimente aufweisenden Familien der *Typhlopidae, Glauconiidae, Boidae* und *Xenopeltidae*. An den Wirbeln von *Archaeophis proavus* finden sich die gleichen Gelenkverbindungen, wie wir sie bei allen lebenden und fossilen Schlangen kennen, also Prä- und Postzygapophysen,

[1]) Catalogue of the Snakes I, pag. 75, Fig. 4.
[2]) Catalogue of the Snakes I, Fig. 6, pag. 104.
[3]) Boulenger, Catalogue of the Snakes III, pag. 405, Fig. 28.

Zygosphen und Zygantrum. Bezüglich der Zahl der Wirbel übertrifft unsere Form alle bekannten um ein Beträchtliches. Zum Vergleiche möge die beistehende Tabelle dienen, deren Angaben der Zusammenstellung Rochebrunes[1]) entnommen sind, mit Ausnahme der mit * bezeichneten, die auf eigenen Zählungen an Exemplaren der zoologischen Abteilung des Museums für Naturkunde zu Berlin beruhen. Bei der Auswahl der aufgeführten Arten ist darauf Bedacht genommen, aus verschiedenen Familien namentlich auch Beispiele zu bieten, die bezüglich der Wirbelzahl nach oben wie nach unten extrem sind. Es ist ferner zu bemerken, daß die von Rochebrune getrennt gehaltenen vertèbres thoraciques, pelviennes und sacrées hier unter der Bezeichnung »präsacrale Wirbel« zusammengefaßt sind.

Übersicht über die Anzahl der Wirbel verschiedener Schlangen.

Name	Halswirbel	Präsacrale Wirbel	Postsacrale Wirbel	Gesamtzahl
Typhlopidae:				
Typhlops lumbricalis Dum. Bibr.	2	176	10	188
Boidae:				
Python Sebae Gmel.	2	306	62	370
— *molurus* Gray	2	372	61	435
Liasis amethystinus Gray	2	330	92	424
Boa constrictor L.	2	256	44	302
Xenopeltidae:				
Xenopeltis unicolor Schleg. . . .	2	188	20	210
Colubridae:				
a) Aglypha:				
Tropidonotus natrix Schleg. . .	2	211	45	258
Elaphis Aesculapii Daud.	2	226	68	296
Zamensis viridiflavus Wagl. . .	2	239	73	314
Dendrophis picta Boie	2	196	87	285
Acrochordus javanicus Horus. . .	2	191	55	248
b) Opisthoglypha:				
**Dryophis prasinus* Boie	2	237	176	415
Homalopsis buccatus Fitzing. .	2	171	58	231
Dipsas annulata L.	2	182	71	255
c) Proteroglypha:				
Platurus fasciatus Daud.	2	147	42	191
Pelamis bicolor Daud.	2	158	32	192
**Enhydris Hardwickii* Gray . . .	2	130	32	164
Viperidae:				
Pelias berus Merr.	2	150	51	203
Cerastes aegyptiacus Schleg. . .	2	120	16	138
Crotalus horridus L.	2	184	24	210
Archaeophidae:				
Archaeophis proavus Mass. . . .	2	452 ca.	111 ca.	565 ca.

Es ergiebt sich aus obiger Tabelle, daß die höchsten, bei lebenden Schlangen gefundenen Gesamtzahlen, die von *Python molurus* Gray, *Liasis amethystinus* Gray, *Dryophis prasinus* von der bei *Archaeophis* um 130 bis 150 übertroffen werden. Die Zahl der Rumpfwirbel und damit zugleich die der Rippen übersteigt die als höchste ermittelte Ziffer von *Python molurus* Gray um zirka 80. Das Verhältnis der Zahl der Schwanzwirbel zu der des ganzen Körpers von etwa 5 : 1 dürfte dem Durchschnitt nahe kommen.

[1]) Mémoire s. l. vertèbres des Ophidiens, pag. 219.

Bezüglich der Zahl der Wirbel ist also demnach *Archaeophis proavus* bedeutend weiter in der Spezialisierung fortgeschritten, als irgend eine bekannte lebende Art, und ist darin überhaupt allen bekannten Wirbeltieren überlegen.

Da wir es bei *Archaeophis* mit einer im Wasser lebenden Schlange zu tun haben, so möge hier zunächst den lebenden Wasserschlangen eine kurze Besprechung gewidmet werden, auf Grund deren dann später die Organisations- und Spezialisierungshöhe unserer Schlange noch einer besonderen, vergleichenden Betrachtung unterzogen werden soll.

Als die ihrer Organisation nach ausgesprochensten und an das Leben im Wasser am weitesten angepaßten Wasserschlangen müssen ohne Zweifel die *Hydrophinen* aus der Gruppe der *proteroglyphen*, d. i. der auf dem vorderen Abschnitte der Maxillen Furchenzähne aufweisenden *Colubriden* gelten. Bei diesen *Hydrophinen* sind zunächst die Nasenlöcher durch ihre Lage auf der Oberseite des Schädels sowie dadurch bemerkenswert, daß sie durch Klappen verschließbar sind, Eigentümlichkeiten, die man gerade bei lungenatmenden Wasserwirbeltieren findet. Der Rumpf ist, abgesehen von dem vordersten Abschnitte, mehr oder weniger stark seitlich komprimiert. Besonders stark zusammengedrückt ist der Schwanz, der einen ausgesprochenen Ruderschwanz darstellt und dessen beträchtliche Höhe die des Rumpfes gewöhnlich übersteigt.

Als ein besonders ausgezeichnetes Beispiel einer Hydrophine kann die Gattung *Enhydris* gelten. Durch das liebenswürdige Entgegenkommen des Herrn Prof. Dr. Tornier wurde mir die Untersuchung eines Skeletts von *Enhydris Hardwickii* Gray aus China ermöglicht. Die Rippen sind bei dieser Form entsprechend dem hohen, schmalen Querschnitte des Rumpfes sehr lang, nur in ihrem vorderen Abschnitte gekrümmt, in ihrer distalen Hälfte oder sogar zwei Dritteln dagegen fast ganz gerade gestreckt. Die erhebliche Länge der Rippen wird außerdem noch dadurch bedingt, daß sie sehr stark nach hinten geneigt sind, derart, daß sie mit der Wirbelsäule einen Winkel von 50 bis 60° bilden.

Solche Rippen sind sehr geeignet, zusammen mit der zugehörigen Muskulatur die schlängelnde Bewegung des Rumpfes von vorn nach hinten fortzupflanzen und können dies um so besser, je länger und je schräger sie gestellt sind. Andrerseits sind sie der denen der Landschlangen zukommenden Funktion, als Hebel beim Kriechen zu dienen, enthoben, eine Aufgabe, die nur bei steilerer Normalstellung gut erfüllt werden kann.

Im vordersten Teile des Rumpfes, wo die seitliche Kompression gar nicht oder nur in geringem Maße vorhanden ist, zeigen die Rippen noch nicht das charakteristische Gepräge. So mißt die zum 25. Wirbel gehörige Rippe 25 *mm* bei 5 *mm* Wirbellänge. Die größte Rippenlänge von 49 *mm* fand sich bei Wirbel 100 mit 5·3 *mm* Wirbellänge. Die starke Entwicklung des Ruderschwanzes ist durch besonders kräftige Ausbildung der Dornfortsätze und der Hämapophysen bedingt. In der Mitte des Schwanzes, wo die Gesamthöhe der Wirbel mit 12·5 *mm* den größten Betrag erreicht, beträgt die Länge der hohen Dornfortsätze 5 *mm*, der Hämapophysen 4 *mm* bei einer Länge der Wirbel von 4·4 *mm*. Im Zusammenhang mit der starken seitlichen Kompression des Rumpfes steht auch die bereits von Rochebrune [1]) betonte Tatsache, daß die Querfortsätze ganz nach unten gerückt sind, so daß die Rippen in nur wenig divergenter Richtung von dem Wirbel ausgehen können.

Von Interesse und von Wichtigkeit ist ferner auch die Beschuppung. Bei der überwiegenden Mehrzahl der lebenden Landschlangen ist die Bauchseite mit einer Reihe sehr breiter Bauchschilder oder -Schienen bedeckt. Diese spielen, wie schon oben bemerkt, zusammen mit den Rippen bei der Fortbewegung auf dem Erdboden eine wichtige Rolle. Demgegenüber sind nun bei den an das Wasserleben angepaßten *Hydrophinen* die Bauchschilder nur in sehr geringem Grade entwickelt. Bei *Hydrelaps darwiniensis* haben sie, wie aus den Abbildungen Boulengers [2]) hervorgeht, etwa nur die doppelte Breite der Schuppen der Seiten und des Rückens und ebenso groß etwa sind sie bei *Distiria grandis* und *Hydrophis melanocephalus*. Bei *Hydrophis latifasciatus* und *Hydrophis cantoris* übertreffen sie die übrigen Schuppen an Breite nur

[1]) Mém. s. l. vertèbres d. Ophidiens, pag. 215.

[2]) Catalogue of the Snakes, III, Pl. XII, ff.

noch sehr unwesentlich und bei den Gattungen *Hydrus*, *Thalassophis*, *Acalyptophis* sind wie Boulenger weiter angiebt [1]), Bauchschilder überhaupt nicht, bei *Enhydris* und *Enhydrina* nur sehr schwach entwickelt. Diese geringe Ausbildung der Bauchschilder bei diesen im Wasser lebenden Formen hängt zweifellos mit der Lebensweise zusammen. Während die Landschlangen mit breiter, flacher Bauchseite dem Boden aufliegen, ist der Rumpf der Wasserschlangen seitlich zusammengedrückt und ihre Ventralseite mehr oder weniger zugeschärft. Breite Bauchschienen sind für das Schwimmen zum mindesten zwecklos; infolgedessen sind sie auch bei den aufgezählten, an das Wasserleben hochgradig angepaßten Formen so schwach entwickelt.

Es gibt aber in dieser Gruppe der fast ausschließlich marinen *Hydrophinen* zwei Gattungen *Aipysurus* und *Platurus*, bei denen breite Ventralschilder vorhanden sind. Bei der ersteren Gattung sind sie gekielt; ob darin sich vielleicht die Neigung zur Zuschärfung der Ventralseite ausspricht, könnte nur die Untersuchung erweisen. Bei *Platurus* ist ein solcher Kiel nur bei einigen Arten und auch bei diesen nur im hinteren Teil des Körpers vorhanden. Außerdem sind bei dieser Gattung die Nasenlöcher seitlich, nicht aber, wie bei den übrigen, auf der Oberseite des Schädels gelegen. *Platurus* kann demnach als die am wenigsten stark an das Wasserleben angepaßte Gattung der *Hydrophinen* gelten. Damit steht im Einklang, daß Boulenger gerade von ihr berichtet, daß man sie wiederholt auf dem festen Lande in einiger Entfernung vom Wasser gefunden habe.

In der Gruppe der *opisthoglyphen Colubriden*, deren Maxillen in ihrem hinteren Teile Furchenzähne tragen, umfaßt die Subfamilie der *Homalopsinen* durchwegs im Wasser lebende Formen. Die Anpassung ist hier jedoch weit geringer als bei den *Hydrophinen*. Die Wirbelsäule scheint keinerlei Umbildung erfahren zu haben, jedenfalls erwähnen weder Boulenger noch Hoffmann etwas davon. Dagegen haben die Nasenlöcher ihre Lage auf der Oberseite des Schädels erhalten. Bezüglich der Beschuppung verhalten sich die *Homalopsinen* nicht gleichartig. Bei den meisten von ihnen sind gut entwickelte Ventralschilder vorhanden. Nur bei drei von den aufgezählten zehn Gattungen gibt Boulenger an, daß dieselben sehr schmal sind, also die bei den *Hydrophinen* vorherrschenden Charaktere zeigen.

Ein kleiner dritter Kreis wasserbewohnender Schlangen gehört der Subfamilie der *Acrochordinae* aus der Gruppe der *aglyphen*, d. i. keinerlei Furchenzähne aufweisenden *Colubriden an*. Hier sind die beiden Gattungen *Acrochordus* und *Chersydrus* als Flüsse und Küstengewässer bewohnende Formen bekannt. Über *Acrochordus javanicus* Hornstedt findet sich beispielsweise bei Hoffmann [2]) die Angabe, daß diese Schlange das Wasser niemals verlasse und sich auf dem festen Lande nur langsam fortbewegen könne. Bei der Gattung *Acrochordus* ist der Körper nur recht schwach, bei *Chersydrus* dagegen Rumpf und Schwanz stark zusammengedrückt. Die Wirbelsäule läßt keine deutlich erkennbaren Anpassungen an das Wasserleben erkennen. Bei beiden liegen die Nasenlöcher an der Oberseite des Schädels. Sehr bemerkenswert ist aber hier wieder die Beschuppung. Die höckrigen Schuppen sind sehr klein und sind in außerordentlich zahlreichen Querreihen bei *Acrochordus* in etwa 120, bei *Chersydrus* in etwa 100, angeordnet. Ventralschilder sind gar nicht entwickelt, ja bei *Chersydrus* hat die Zuschärfung der Bauchseite zu der Bildung einer ventralen Hautfalte geführt, die sich auf der Unterseite des größten Teiles des Rumpfes und der des Schwanzes hinzieht. Die drei anderen Gattungen der Subfamilie der *Acrochordinen*, offenbar Landformen — Boulenger macht über deren Lebensweise keine besonderen Bemerkungen, wie eben überhaupt bei den Landformen —, haben wohlentwickelte Bauchschilder.

Als Anpassungserscheinungen an das Wasserleben ergeben sich aus dem Vorstehenden die folgenden: Lage der Nasenlöcher auf der Oberseite des Schädels, Kompression des Rumpfes, tiefe Lage der Querfortsätze, große Länge der Rippen, Ausbildung eines hohen Ruderschwanzes durch starke Entwicklung der Dornfortsätze und Hämapophysen, geringe Größe oder gänzliches Fehlen von Ventralschildern, Hautfalte auf der Unterseite von Rumpf und Schwanz. Diese Eigenschaften sind nun, wie oben ausgeführt, in verschiedener Weise auf die einzelnen Gruppen verteilt, ihr Vorhandensein oder Fehlen bestimmt die Höhe

---

[1]) Catalogue of the Snakes, III, pag. 267 ff.

[2] Reptilien, pag. 1828.

der Spezialisierung derselben. Von den besprochenen Gruppen sind die *Hydrophinen* hochspezialisierte Wasserschlangen, *Chersydrus* eine weniger und die *Homalopsinen* die am geringsten spezialisierten.

Neben den aufgeführten Gattungen gibt es nun aber auch noch viele andere, deren Angehörige, obwohl Landschlangen, doch treffliche Schwimmer sind, wie z. B. die allbekannte Ringelnatter, aber keinerlei deutlich ausgeprägte Anpassungen an die Fortbewegung im Wasser zeigen. Bei diesen konnten solche sich eben nicht ausprägen, solange sie das Leben auf dem festen Lande nicht gänzlich aufgaben, denn abgesehen vielleicht von der Stellung der Nasenlöcher sind alle angeführten Anpassungen für das Kriechen auf dem Boden direkt unvorteilhaft.

Von jenen genannten, verschiedenen, für Wasserschlangen bezeichnenden Anpassungseigenschaften finden sich nun mehrere bei *Archaeophis*. Über die Lage der Nasenlöcher läßt sich leider nichts angeben, da hierüber an *Archaeophis proavus* nichts zu ermitteln ist. Die Querfortsätze haben eine recht tiefe Stellung. Die Rippen sind sehr lang und stark nach hinten geneigt. Bei *Archaeophis Bolcensis* Mass. erinnern die von Massalongo gegebenen Abbildungen der Rumpffragmente in sehr auffallender Weise an *Enhydris*. Bei *Archaeophis proavus* sind sie ja auch entsprechend ausgebildet, hier fällt aber daneben noch die außerordentliche, namentlich im hinteren Teile des Rumpfes bemerkbare Zartheit und fast horizontale Stellung auf. In beiden Punkten steht, soweit ich nach den mir zu Gesicht bekommenen Skeletten urteilen kann, unsere Form unerreicht da, ist hierin also höher spezialisiert, als die lebenden Wasserschlangen. Die seitliche Kompression des Rumpfes war offenbar beträchtlich und dürfte etwa der von *Enhydris* und auch der von *Chersydrus* nahe- oder gleichgekommen sein. Ein Ruderschwanz nach Art desjenigen der *Hydrophinen* zeigt *Archaeophis* nicht, steht also infolge dieses Mangels diesen nach, wie eines solchen ja auch die *Homalopsinen* und *Acrochordinen* entbehren. In dem Fehlen der Bauchschilder stimmt *Archaeophis* mit *Hydrus*, *Thallassophis* und *Acalyptophis* aus der Familie der *Hydrophinen* und in der Kleinheit derselben und der hohen Zahl der Querreihen derselben noch besser mit der Gruppe der *Acrochordinen* überein. Ja es ist, wie oben bemerkt, nicht ausgeschlossen, daß eine Bauchfalte nach Art der von *Chersydrus* vorhanden war.

Es muß hier übrigens darauf hingewiesen werden, daß der Mangel von Bauchschildern nicht unbedingt für Wasserleben spricht. Es findet sich dieser nämlich auch noch bei den *Typhlopiden* und *Glauconiiden* und ferner sind bei den *Uropeltiden* Bauchschilder nur sehr klein ausgebildet. Diese drei Familien enthalten nun im Boden wühlende Formen. Daß sich bei diesen Gruppen keine wohlentwickelten Bauchschienen finden — sei es nun, daß sie rückgebildet sind, sei es, daß sich solche nicht herausgebildet haben, falls ihre Vorfahren deren auch nicht besaßen — dafür ist doch gewiß auch hier die Lebensweise die Ursache. Beim Wühlen im Erdreich würden die Tiere breite Bauchschienen als Hebel zum Fortschieben des Körpers nicht benützen können, und zwar aus dem einfachen Grunde, weil der dazu nötige Spielraum dem vom Boden fest eingeschlossenen Körper fehlen würde. Daß *Archaeophis* aber keine wühlende Form darstellt, geht, wie oben bereits gesagt, mit Gewißheit aus der starken, seitlichen Kompression des Rumpfes und der Zartheit der Rippen hervor. Es spricht ferner gegen jene Auffassung, das Vorhandensein des langen, schlanken, seitlich zusammengedrückten Schwanzes, denn bei den genannten wühlenden Gruppen ist übereinstimmend der Schwanz ebenso, wie übrigens auch bei der fußlosen, grabenden *Lacertilier*-Gattung *Amphisbaena*, nur als ganz kurzer Stummel ausgebildet. Auch hierin ist offenbar eine Anpassung zu erblicken, vielleicht insofern, als dieser kurze, kräftige Schwanzstummel auch mit zum Vorwärtsstämmen des Körpers in festerem Erdreich dient. Die Auffassung also, daß *Archaeophis* eine grabende Lebensweise gehabt habe, ist demnach gänzlich von der Hand zu weisen; wir müssen in ihr eine ausgesprochene Wasserschlange sehen, die bezüglich des Grades der Spezialisierung die *Hydrophinen* nicht ganz erreicht, sondern eher mit den *Acrochordinen* zu vergleichen ist, in der Ausbildung der Rippen aber weitgehender an das Schwimmen angepaßt ist als diese letzteren.

Systematische Stellung der Gattung Archaeophis.

Da das System der Schlangen in Anbetracht der so spärlichen und unvollkommenen Reste fossiler Formen lediglich auf der Kenntnis der lebenden basiert, so wird es zur Feststellung der systematischen

Stellung der Gattung *Archaeophis* besonders darauf ankommen, zu untersuchen, ob eine Verwandtschaft unserer Gattung mit rezenten wahrscheinlich gemacht werden kann. Vorher mögen die vorweltlichen jedoch kurz in den Kreis unserer Betrachtungen gezogen werden.

Die Beantwortung der Frage, ob verwandtschaftliche Beziehungen zu solchen erkennbar sind, beruht, da einigermaßen vollständige Reste nur sehr vereinzelt gefunden sind, im wesentlichen auf einem Vergleich mit isolierten Wirbeln, auf deren alleiniger Kenntnis hin ja fast sämtliche ausgestorbene Arten und Gattungen aufgestellt sind. Jene Frage ist nun kurzer Hand zu verneinen, soweit die in der deutschen, französischen, englischen, italienischen und einem großen Teil der amerikanischen Literatur beschriebenen Formen in Betracht kommen.[1])

Obige negative Feststellung gilt sowohl für die Landformen, als auch für solche, deren Wirbel durch die tiefe Stellung der Querfortsätze Anpassung an das Wasserleben verraten, wie *Palaeophis*, *Pterosphenus* (= *Moeriophis*) und verwandte Gattungen. In keinem Falle ist eine derartig schwache Ausbildung der Zygapophysen wie bei *Archaeophis* beobachtet. Die Unterschiede in dieser Beziehung sind zu groß, als daß ein engerer, verwandtschaftlicher Zusammenhang mit irgend einer sonstigen fossilen Gattung angenommen werden könnte.

Die gewaltigen *Palaeophiden*, bei denen ja immerhin die Zygapophysen etwas schwächer sind, als bei unseren rezenten, großen Formen, zeigen in der Ausbildung kräftiger, sehr hoher Dornfortsätze einen weiteren, wesentlichen Unterschied gegenüber *Archaeophis*.

Die schöne, mit Schädel erhaltene Schlange, die v. Meyer aus der Braunkohle des Siebengebirges als *Coluber* (*Tropidonotus*) *atavus* beschreibt,[2]) gehört anscheinend einer dieser rezenten Gattungen an. *Coluber Kargii* v. Meyer von Oeningen,[3]) eine vollständig erhaltene Form, die Rochebrune mit größerem Recht wohl als eine Viperide ansieht, hat ebenfalls nichts mit *Archaeophis* zu thun, und das gleiche gilt von dem *Python* (*Heteropython* Rochebr.) *Euboeicus* F. Roemer von Kumi, von dem auch ein Unterkiefer nebst Bezahnung bekannt ist.

Die sonst bekannten, überaus spärlichen Reste von Schädelteilen sind zu unbedeutend, um eine sichere Beurteilung zu gestatten. Mit Bestimmtheit läßt sich bloß bezüglich des »Palato-Pterygoids« des *Palaeopython sardus* Portis[4]) aussagen, daß die Beschreibung der vorhandenen Reste der Bezahnung keinerlei Ähnlichkeit mit der von *Archaeophis* erkennen läßt.

Wenden wir uns nun den lebenden Schlangen zu, deren gewaltige Zahl von Gattungen ja glücklicherweise in zusammenfassenden Werken behandelt sind, unter denen namentlich die neueren von Hoffmann und Boulenger es auch dem mit dieser Tiergruppe nicht Vertrauten ermöglichen, verhältnismäßig leicht einen Überblick zu gewinnen.

Was die Zahnform betrifft, so findet sich nichts Ähnliches bei rezenten Gattungen angegeben, jedenfalls soweit ich die diesbezügliche Literatur zu übersehen vermag und soweit aus den großen systematischen Werken der Schlangenkunde zu entnehmen ist. Die Giftzähne können wir gleich aus unserer Betrachtung ausschalten, da bei *Archaeophis* kein Anzeichen von Durchbohrung — die Pulpahöhle darf nicht mit einer solchen verwechselt werden — bemerkbar ist und auch die Skulptur in keiner Weise mit einer Furchenbildung verglichen werden kann. Die soliden Zähne der giftlosen Schlangen scheinen niemals eine stärkere äußere Skulptur zu besitzen.

Leydig[5]) erwähnt nur, daß bei Arten von *Tropidonotus*, *Coluber* und *Coronella* die hinteren, größeren Oberkieferzähne hinten eine schneidende, scharfe Kante zeigen, sowie daß jederseits von der Spitze aller Zähne je eine nur mit dem Mikroskop erkennbare, feine Kante eine Strecke weit hinablaufe. All dies ist aber natürlich mit den Verhältnissen bei *Archaeophis* nicht vergleichbar.

---

[1]) Ein Teil der amerikanischen Literatur war mir leider nicht zugänglich.

[2]) *Coluber* (*Tropidonotus*) *atavus* aus der Braunkohle des Siebengebirges. Paläont. VII.

[3]) Zur Fauna der Vorwelt.

[4]) *Il palaeopython sardus* Port., pag. 250.

[5]) Die Zähne der einheimischen Schlangen.

Der Bau des Schädels, jedenfalls in den Teilen, die wir kennen gelernt haben, ist gleichfalls nicht dazu verwendbar, Verwandtschaften mit irgend welcher Form festzustellen. *Archaeophis* besitzt einen echten Schlangenschädel, der hauptsächlich durch die Kürze der Unterkiefer ausgezeichnet ist. Letztere Eigentümlichkeit würde indessen den Anschluß an viele lebende Gattungen mit gleicher Berechtigung erlauben, ist also für unseren Zweck hier nicht verwendbar. Es sei übrigens hervorgehoben, daß die große Verkürzung der Unterkiefer bei den *Typhlopiden* und *Glauconiiden* nicht als Grund für die Annahme verwandtschaftlicher Beziehungen zwischen diesen und *Archaeophis* benützt werden kann, da jene Eigenschaft bei den genannten, grabenden Gattungen lediglich eine Folge ihrer Lebensweise resp. eine Anpassung an diese darstellt, die sekundär erworben ist und zum mindesten in der jetzt vorhandenen Form nicht die ursprüngliche Gestaltung zeigt.

Auch in der Ausbildung der Wirbel konnte nichts gefunden werden, was den Anschluß an irgend welche lebenden Formen erlauben würde, soweit sie in der Monographie von Rochebrune sowie in den anderen zusammenfassenden großen Arbeiten behandelt wurden, und ich selbst solche durch das liebenswürdige Entgegenkommen des Herrn Prof. Dr. Tornier aus der zoologischen Sammlung des Berliner Museums für Naturkunde zu untersuchen in der Lage war.

In bezug auf die Ausbildung der Rippen, der Schuppen sowie die gesamte Körperform wurde oben bereits ausgeführt, daß ähnliche Verhältnisse bei gewissen, im Wasser lebenden Gruppen, den *Hydrophinen* und *Acrochordinen* anzutreffen sind. Da es sich aber dabei lediglich um Anpassungen an die Lebensweise handelt, so dürfen jene Merkmale auch nicht als Anzeichen verwandtschaftlicher Beziehungen aufgefaßt werden, wenn nicht andere von derselben unabhängige Eigenschaften, wie z. B. der Zahnbau, dafür sprechen. Letzteres ist aber nicht der Fall.

Abgesehen ferner davon, daß, wie noch im nächsten Kapitel dargestellt werden wird, es nicht berechtigt erscheint, Landschlangen von Wasserschlangen abzuleiten, läßt sich mit unbestreitbarem Recht behaupten, daß wenigstens alle jetzt lebenden Familien mit Beckenrudimenten, also die *Typhlopiden*, ferner die *Glauconiiden*, *Boiden* und *Ilysiiden* nicht als Nachkommen von *Archaeophis* angesehen werden können, da bei dieser Gattung das Becken bereits verschwunden war.

Da verwandtschaftliche Beziehungen zwischen *Archaeophis* und lebenden Familien auch nur mit geringer Sicherheit nicht erkennbar sind, unsere Gattung durch die Zahnbildung sich vielmehr von allen rezenten Gruppen weit entfernt, und da ferner Beziehungen zu den nur sehr unvollständig bekannten, fossilen Formen nicht wahrscheinlich gemacht werden können, so ergibt sich die Notwendigkeit, eine Familie der ***Archaeophidae*** aufzustellen. Eine Einreihung in ein im wesentlichen auf die Ausbildung gewisser Knochen der bei *Archaeophis* nicht erhaltenen Schädelkapsel basiertes System, wie das Boulenger'sche, ist allerdings nicht möglich, während eine solche in das in erster Linie auf der Art der Bezahnung basierende von Duméril und Bibron leicht möglich wäre. Die Diagnose der neuen Familie der *Archaeophidae* lautet folgendermaßen: Schnauze zugespitzt, Unterkiefer verhältnismäßig kurz; Quadratum schlank, nach vorn gerichtet; Zähne wenig gekrümmt, scharfkantig, von fünfseitigem Querschnitt; Zahl der Wirbel außerordentlich groß, Zygapophysen und Querfortsätze sehr schwach entwickelt, Hypapophysen im ganzen Rumpfteil vorhanden; Rippen zart, lang, schwach gekrümmt und stark nach hinten gerichtet; Extremitäten und deren Gürtel fehlen gänzlich; Schuppen sehr klein, in sehr zahlreichen Reihen angeordnet; Rumpf stark seitlich komprimiert; Wasserbewohner, wahrscheinlich marin.

Über die Abstammung der Schlangen.

Über die Abstammung der Schlangen sind zwei Ansichten geäußert worden. Nach der einen sollen die *Pytonomorphen* ihre Ahnen sein. So hat in neuerer Zeit Kornhuber die Meinung ausgesprochen, daß sich aus den *Pytonomorphen* einerseits die *Ophidier*, andrerseits die *Lacertilier* entwickelt zu haben schienen.[1]) Auch Cope war bereits früher in einer Auseinandersetzung mit Owen für die Wahrscheinlichkeit enger

[1]) Über eine fossile Echse u. s. w., pag. 151.

Beziehungen zwischen *Ophidiern* und *Pythonomorphen* eingetreten. Anderer Ansicht ist Boulenger,[1]) der in einem Schema die *Ophidier* als Abkömmlinge der *Dolichosauria* darstellt. Eine kritische Betrachtung dieser beiden Anschauungen verlangt neben einer eingehenderen Besprechung der genannten Reptilgruppen auch eine Darlegung des Wesens und der Ursachen der Spezialisierung des Schlangenkörpers. Aus praktischen Rücksichten soll diese letztere Frage hier zunächst behandelt werden.

Die Eigenart der äußeren Körperform der Schlangen beruht, wie bekannt, in der außerordentlichen Streckung, in der Kleinheit des Kopfes und in dem Mangel der Extremitäten. Es zeigt sich daran eine Anpassung an eine Umgebung, in der die Fortbewegung am besten lediglich durch Biegungen des Rumpfes bewerkstelligt werden kann. Dies ist der Fall beim Wühlen im Boden oder beim Kriechen in dichtem Pflanzenwuchs, im Gestrüpp, Gesträuch, Gras u. a. m. Hier ist zu schneller Fortbewegung ein möglichst biegsamer, in die Länge gestreckter Körper geeignet, dessen Querschnitt sich möglichst gleich bleibt oder doch nur allmählich ändert, also keine hemmenden Widerstände bietet. Extremitäten sind von nur geringem Nutzen oder direkt hinderlich. Die Anpassung an solche Lebensweise wird sich also in deren Rückbildung oder auch deren völligem Verschwinden aussprechen müssen.

Lehrreich sind hier für unsere Betrachtung besonders auch die zahlreichen lebenden *Lacertilier* mit stark oder ganz reduzierten Extremitäten. Bezüglich des Grades der Rückbildung finden wir da sehr verschiedene Abstufungen. So hat die Gattung *Seps* schwach entwickelte, vordere und hintere Gliedmaßen, bei *Pygopus*, *Ophiodes*, *Pseudopus*, *Lialis* sind die vorderen, bei *Anguis*, *Ophisaurus*, *Acontias* sowie den *Amphisbaeniden* beide verschwunden. Alle diese Gattungen sind nun ausgesprochene Landtiere und soweit mir Angaben darüber zu Gebote stehen — am reichsten an biologischen Beobachtungen ist ja immer noch Brehms Tierleben — leben diese Echsen mit rückgebildeten Extremitäten in der That in einer Umgebung, wie sie oben bezeichnet wurde, also in dichter Vegetation, Gras, Moos u. s. w. und pflegen größtenteils ihre Schlupfwinkel unter der Erde zu suchen. Die Gattung *Amphisbaena* soll sogar eine ausschließlich unterirdische Lebensweise führen und die Bauten der Termiten bewohnen.

Wenn wir also sehen, daß die lebenden, schlangenähnlichen Echsen ausschließlich Landtiere sind, so muß man auch annehmen, daß ihre Vorfahren ihre Körperform auf dem Lande, nicht aber im Wasser erwarben.

Unter den fossilen Formen wären einige der Füße und Extremitäten entbehrende *Stegocephalen*, *Dolichosoma* und *Ophiderpeton* zu erwähnen, die gleichfalls schlangenförmige Körperform hatten. Mit größter Wahrscheinlichkeit darf man ihnen eine ähnliche Lebensweise wie den fußlosen Echsen zuschreiben, wahrscheinlich aber feuchtere Aufenthaltsorte. Jedenfalls spricht nichts gegen diese Auffassung oder mehr für eine andere.

Bei der überwiegenden Mehrzahl der Landschlangen, von denen zunächst allein die Rede sein soll, findet sich in der Ausbildung der breiten Bauchschilder eine Spezialisierung des Schuppenkleides, die von nicht unerheblicher Bedeutung ist. Jene spielen nämlich, wie bereits oben angegeben wurde, bei der Fortbewegung eine Rolle. Zusammen mit den Rippen funktionierend, werden sie mit ihren hinteren Rändern gegen die Unebenheiten der Unterlage gestemmt und gestatten so, gleichsam als Hebel dienend, auch die Ausnützung geringer Rauhigkeiten des Bodens zum Kriechen. So ist auch eine Fortbewegung auf verhältnismäßig glattem, unbewachsenem Boden ermöglicht. Überhaupt gestattet der gut entwickelte Typus des Schlangenkörpers eine recht vielseitige Lokomotion ohne besondere weitere Anpassung. Man beobachtet z. B. an Riesenschlangen und Nattern, daß sie vielfach auch trefflich zu schwimmen und zu klettern verstehen. Diese Vielseitigkeit ist ermöglicht durch die Biegsamkeit und Geschmeidigkeit des echten Schlangenleibes, sie ist deshalb auch in sehr viel schwächerem Maße bei dem schlangenähnlichen *Lacertilier* vorhanden und war gewiß auch bei den Vorfahren der Schlangen so lange geringer, als sie deren ausgesprochenen, typischen Bau noch nicht erreicht hatten.

Von den Vorläufern der *Ophidier* dürfte es deshalb wohl mit Wahrscheinlichkeit anzunehmen sein, daß die Erwerbung des Schlangentypus auf die Anpassung an den Aufenthalt auf mit dichter Vegetation be-

[1]) Osteology of *Heloderma*.

deckten Boden, vielleicht auch an wühlende Lebensweise oder gleichzeitig an beide Verhältnisse zurückzuführen ist. Indessen werden wir gewiß nicht an so ausgesprochene Wühlformen, wie es die heutigen *Typhlopiden* und *Glauconiiden* sind, zu denken haben, die ja nach dieser Richtung hin ganz extrem differenziert sind, auch dann nicht, wenn Rochebrune[1]) Recht gehabt haben sollte, als er *Symoliophis* aus der Kreide an die *Typhlopiden* anreihte. Aus der übrigens durchaus nicht großen Ähnlichkeit der allein bekannten isolierten Wirbel dieser Gattung mit den von *Typhlops* lassen sich keinerlei weitere Schlüsse auf die Gleichheit der Organisation und Lebensweise ziehen. Es darf auch die Möglichkeit nicht außer acht gelassen werden, daß jene rezenten, wühlenden Gruppen sich sekundär von oberirdisch lebenden Schlangen entwickelt haben können.

Wenn wir also vorerst für die Landschlangen und ferner für die schlangenähnlichen Echsen annehmen, daß sie sich auf dem Lande zu ihrer jetzigen Gestalt entwickelt haben, so verlangt andrerseits doch auch die Tatsache, daß wir fossil eine Anzahl *Lacertilier* mit merkbarer Reduktion der Extremitäten kennen, die aber unbedingt als Wasserbewohner zu betrachten sind, eine genauere Besprechung. Es sind das gewisse *Varanus*-artige Echsen der Kreide, die *Dolichosauridae*. Eine etwas eingehendere Betrachtung dieser Formen ist deshalb hier am Platze, weil Boulenger[2]) in dem im Anfang dieses Kapitels erwähnten Schema von der Gruppe der *Dolichosauria* als drei selbständige Äste die *Pytonomorphen*, die *Varaniden* und die *Ophidier* sich entwickeln läßt. Die *Dolichosaurier*, die also von ihm als Vorfahren der Schlangen angesehen werden, sind *Lacertilier*, die aus der oberen Kreide Englands (*Dolichosaurus*), namentlich aber in einer Reihe prächtiger, von Kornhuber, H. v. Meyer, Gorjanović-Kramberger und Seeley beschriebener Funde aus dem Neocom Istriens bekannt wurden. Nach Gorjanović-Kramberger[3]) und Franz Baron Nopcsa jun.[4]) sind aber unter den bis jetzt bekannt gewordenen *Dolichosauriern* zwei scharf geschiedene Familien auseinander zu halten, die *Aigialosauridae* und die *Dolichosauridae*. Zu den ersteren stellt Baron Nopcsa die Gattungen *Dolichosaurus* Owen, *Acteosaurus* Meyer, *Pontosaurus* G. Kramberger, *Adriosaurus* Seeley, zu den letzteren *Aigialosaurus* G. Kramberger, *Carsosaurus* Kornhuber, *Opetiosaurus* Kornhuber, ? *Mesoleptos* Cornaglia.

Betrachten wir zunächst die erste Familie, die *Dolichosauridae* Nopcsa im engeren Sinne, die Boulinger ohne Zweifel in erster Linie im Auge hatte, als er in seinem Stammbaum die *Ophidier* von den *Dolichosauria* sich abzweigen ließ.

Baron Nopcsa's Diagnose der *Dolichosauridae* lautet: »*Varanus*artig, Kopf klein. Der lange Hals aus 13 gegen vorn an Größe abnehmenden Wirbeln, 26 Rumpf-, 2 Sakral- und zahlreiche Schwanzwirbel. Leib walzenförmig verlängert. Die kurzen Rippen alle annähernd gleich lang, Ventralrippen nicht vorhanden. Die Extremitäten stark reduziert; die vorderen dabei nur halb so lang wie die hinteren. Hand und Fuß infolge der Reduktion etwas vereinfacht. Becken und Schultergürtel ziemlich entwickelt.«

Es sind in der Tat mehrere Züge bei diesen *Dolichosauriden* vorhanden, die eine äußere Ähnlichkeit mit Schlangen hervorrufen, so die Kleinheit des Kopfes, die gestreckte Körperform, die Reduktion der Extremitäten, namentlich der vorderen.

Owen hebt bei der Besprechung[5]) von *Dolichosaurus longicollis* wiederholt hervor, daß die Lebensweise wahrscheinlich eine überwiegend aquatische gewesen sein dürfte, wenn auch der Besuch des festen Landes vielleicht nicht ausgeschlossen gewesen wäre. Er führt für diese seine Anschauung an, daß der Humerus auffallend breit sei, und daß ferner die Kompression und die in ihrem mittleren Teile geringe Krümmung der Rippen auf eine seitlich stark zusammengedrückte Gestalt des Rumpfes, etwa wie bei Wasserschlangen schließen ließen. Inwieweit die Kompression der Rippen für eine derartige Körperform spricht, möge dahingestellt bleiben. In der ganzen Form derselben scheint sich in der Tat eine gewisse, wenn auch nicht sehr weitgehende Anpassung an das Wasserleben auszusprechen.

[1]) Révision des Ophidiens fossiles.

[2]) Osteology of Heloderma.

[3]) *Aigialosaurus*, Soc. hist.-natur. croatica 1892.

[4]) Über die *Varanus*-artigen *Lacerten* Istriens.

[5]) History of Br. Rept. pag., 176—183.

Für *Pontosaurus* muß man entschieden aquatische Lebensweise annehmen, wie auch Kornhuber stark betont. Es spricht dafür namentlich auch die Ausbildung eines langen, mächtigen Ruderschwanzes, dessen starke, seitliche Kompression durch die beträchtliche Entwicklung der Dornfortsätze und der Hypapophysen bewiesen wird.

Die *Pontosaurus* nahestehende, von H. von Meyer beschriebene Gattung *Acteosaurus* ist offenbar, wie auch schon von ihrem Begründer angenommen wurde, gleichfalls eine Bewohnerin des Wassers. Der Ruderschwanz ist allerdings weniger ausgeprägt als bei *Pontosaurus*; dagegen darf man wohl aus der schwachen Krümmung der Rippen sowie vielleicht auch aus ihrer nicht auseinandergespreizten Lage schließen, daß der Rumpf seitlich zusammengedrückt war.

Der Seeleysche *Adriosaurus*, von dem der vordere Teil des Rumpfes, der Hals und Kopf nicht bekannt ist, wird von Baron Nopcsa, dem es gelang, an den Schwanzwirbeln stark entwickelte Dornfortsätze nachzuweisen, gleichfalls an die besprochenen Gattungen angereiht, so daß wir auch wohl für ihn aquatische Lebensweise annehmen dürfen.

Die Familie der *Dolichosauridae* läßt also unzweifelhaft erkennen, daß auch bei wasserbewohnenden Eidechsen die Hinneigung zum Schlangentypus sich stark herausbilden kann. Eine ähnliche äußere Körperform bietet übrigens auch der meist zu den *Rhynchocephalen* gerechnete *Pleurosaurus* aus dem oberen Jura von Solnhofen und Cerin.

Auch bei dieser Gattung findet sich eine deutliche Reduktion der Extremitäten, besonders der vorderen, langgestreckter, seitlich komprimierter Körper, und überaus kräftiger Ruderschwanz. Und schließlich kommen auch unter den *Amphibien* recht ähnliche Gestalten vor, wie z. B. *Amphiuma*, *Siren* und auch *Proteus*, die durch Rückbildung der Gliedmaßen, langgezogenen Rumpf und Ruderschwanz ausgezeichnet sind.

Daß bei Tieren, die vorwiegend im Wasser sich aufhalten, die Extremitäten, falls sie nicht als Ruderorgane gebraucht werden, eine Reduktion erleiden, ist ja leicht zu verstehen. Denn, da der Körper im Wasser ganz oder fast ganz sein Gewicht verliert, so haben die Beine auch kaum eine Last zu tragen und müssen durch die verminderte Beanspruchung mehr oder weniger stark verkümmern.

Ob es aber auf diesem Wege zu einem vollständigen Verschwinden der Gliedmaßen kommen kann, bleibt doch fraglich. Jedenfalls ist dies noch nicht festgestellt worden. Die Frage, um die es sich augenblicklich für uns handelt, ist aber gerade die, ob es wahrscheinlich ist, daß aus solchen Formen, die durch das Leben im Wasser eine Rückbildung ihrer Extremitäten erlitten, sich die Schlangen entwickelt haben. Der an sich auch denkbare Fall, daß diese schon bei landbewohnenden Vorfahren ersterer eingetreten war, soll hier nicht weiter berücksichtigt werden. Von besonderer Wichtigkeit ist der Umstand, daß in allen den aufgezählten Fällen, wo die Anpassung an das Wasserleben zu einer langgestreckten Körperform und einer Reduktion der Beine führte, auch noch stets eine weitere Anpassung vorhanden ist, die sich in der Ausbildung einer seitlichen Kompression des Schwanzes und eventuell auch des Rumpfes ausspricht.

Die Entwicklung eines Ruderschwanzes, besonders wenn er so kräftig wie innerhalb der *Dolichosauridae* — von *Dolichosaurus* selbst ist er allerdings noch nicht bekannt — oder bei *Pleurosaurus* ist, und ebenso eine stärkere, seitliche Kompression des Rumpfes, sind Spezialisierungen, die bei gleichzeitiger Reduktion der Extremitäten die Fortbewegung auf dem festen Boden fraglos erschweren und sicherlich nicht die zum Erjagen der Beutetiere nötige Beweglichkeit und Schnelligkeit zu entwickeln gestatten. Jene Anpassungen an das Wasserleben sind somit in ihrer biologischen Wirkung gerade entgegengesetzt denen, durch die Landschlangen zu so beweglichen und geschwinden Tieren geworden sind. Es dürfte deshalb wenig wahrscheinlich sein, daß zum mindesten die Landschlangen von den *Dolichosauridae*, wenigstens von denjenigen unter diesen, die wir so vollständig kennen, daß wir sie zu phylogenetischen Schlüssen benützen können, abstammen, wie Boulenger annahm. Die Vorfahren der Schlangen werden wir uns vielmehr mit mehr Berechtigung als reine Landformen, wahrscheinlich aus der Gruppe der *Lacertilier*, ohne Anpassungserscheinungen an das Leben im Wasser vorstellen müssen.

Es bliebe nun aber zu erwägen, ob denn nicht vielleicht die Wasserschlangen oder ein Teil von ihnen sich von *Dolichosauriden* oder ähnlichen Formen entwickelt haben könnten. Die Befürwortung dieser

Anschauung würde aber zugleich die Annahme eines di- oder polyphyletischen Ursprunges der Schlangen bedeuten. Für diese dürfte man sich aber in Anbetracht der überaus großen Gleichförmigkeit der ganzen Ordnung der Schlangen nur unter dem zwingenden Eindruck unzweideutiger Beweise entschließen können, die bis jetzt durchaus fehlen. Biologische Erwägungen führen uns aber andrerseits zu der Ansicht, daß die Wasserschlangen sich von Landschlangen entwickelt haben, nicht aber umgekehrt. Eine hochspezialisierte Wasserschlange wird nicht mehr in der Lage sein, auf dem Lande zu existieren und sich an diesen Aufenthalt anzupassen. Dazu ist diese Spezialisierung zu einseitig, andrerseits sind viele Landschlangen ohne weitere spezielle Anpassung durchaus zu langdauerndem Aufenthalt im Wasser befähigt.

Die verschiedenen Gruppen lebender Wasserschlangen haben sich offenbar getrennt von Landschlangen entwickelt, mit denen sie auch im Bau des Schädels und in der Bezahnung viel engere Beziehungen erkennen lassen als untereinander. Und ebenso stellt *Archaeophis* eine hochspezialisierte Form dar, die sich, wahrscheinlich selbständig, von uns unbekannten, landbewohnenden Vorfahren aus an das Wasserleben anpaßte.

Die zweite Nopcsa'sche Familie, welche neben den *Dolichosauridae* die ursprünglich beide umfassende Gruppe der *Dolichosauria* bildete, die *Aigialosauridae* sind der Gattung *Varanus* ähnliche Eidechsen, nur durch stärkere Anpassung an das Wasserleben ausgezeichnet. Es gilt das z. B. auch von den Füßen, die nach Baron Nopcsa bei der Gattung *Opetiosaurus* in ihrer Organisation zwischen dem Schreitfuß der *Varaniden* und der *Pythonomorphen*-Flosse stehen. Der ganannte Autor macht es auch durchaus wahrscheinlich, daß die *Pythonomorphen* aus den *Aigialosauridae* sich entwickelt haben. Daß die letzteren als Vorfahren der Schlangen nicht angesehen werden können, dafür sprechen im wesentlichen dieselben Gründe, die im folgenden gegen die Abstammung dieser von den *Pythonomorphen* aus dem Bau der Extremitäten abgeleitet werden.

Wenden wir uns nun der Besprechung der von Cope und Kornhuber für wahrscheinlich gehaltenen, angeblichen direkten Verwandtschaft der Schlangen und *Pythonomorphen* zu. Besonderen Anlaß gibt dazu an dieser Stelle der eigentümliche Typus der Zähne, den wir bei *Archaeophis* kennen gelernt haben. Die Kantenbildung derselben erinnert nämlich in gewissem Grade an die Form der Zähne bestimmter *Pythonomorphen*. Es weisen nämlich jene z. B. bei *Platecarpus* außer zwei in der Längsrichtung der Kieferknochen liegenden Hauptkanten noch eine Anzahl schwächerer auf, die von der Spitze nach unten zu verlaufen und einen polygonalen Querschnitt bedingen. Es fragt sich nun, ob und in wieweit die äußere Ähnlichkeit der Zähne von *Archaeophis* und den betreffenden *Pythonomorphen* doch vielleicht als Anzeichen engerer Beziehungen zwischen diesen aufgefaßt werden könnten. Es sei zunächst darauf hingewiesen, daß die Ausbildung der Kanten doch durchaus keine übereinstimmende ist, indem sie bei den Zähnen von *Archaeophis* sehr viel schärfer und auch in anderer Anzahl und Anordnung auftreten, als bei den *Pythonomorphen*. Wichtiger ist aber der Umstand, daß bei den letzteren die Zahnkrone einem hohen Sockel aufsitzt, daß in diesem sich der Ersatzzahn bildet und daß sie in Furchen eingefügt sind, während bei *Archaephis* der Sockel nur ganz niedrig ist, die Ersatzzähne sich in Falten der Schleimhäute bilden und die Zähne selbst in ganz flachen, grubenartigen Vertiefungen stehen, also als akrodont zu bezeichnen sind.

Es sind also doch auch sehr wesentliche Verschiedenheiten zwischen beiden Zahnformen vorhanden. Es ist daneben übrigens augenscheinlich, daß die Vielkantigkeit der Zähne der *Pythonomorphen* keine sehr charakteristische Eigenschaft sein kann, denn bei vielen Formen von ihnen sind sie nur zweikantig. Und auch bei der Gattung *Opetiosaurus*, aus der nach Baron Nopcsa als Ahnen der *Pythonomorphen* anzusehenden Familie der *Aigialosauriden* entbehren die sonst durchaus *pythonomorphenartigen* Zähne der Kanten. Man muß demnach so lange annehmen, daß bei den *Pythonomorphen* die mehrfache Kantung der Zähne sich erst als eine besondere Spezialisierung herausgebildet hat, solange nicht Vorfahren mit der gleichen Eigenschaft gefunden sind. Der Zahnbau kann also nicht als Beweisgrund engerer Verwandtschaft von *Archaeophis* oder überhaupt von den *Schlangen* mit den *Pythonomorphen* benützt werden.

Ob bei *Archaeophis* die Entwicklung der fünf Zahnkanten auch nur eine Erscheinung von Spezialisierung innerhalb einer beschränkten Gruppe darstellt, oder ob sie allen alten Schlangen zukam, ist bei dem gänzlichen Mangel vollständig erhaltener Schlangen aus dem Eocän oder der Kreide nach keiner Seite hin zu entscheiden.

Da der Zahnbau keine Anhaltspunkte zur Feststellung etwaiger verwandtschaftlicher Beziehungen zwischen *Ophidiern* und *Pythonomorphen* liefert, so bedarf es einer kurzen Betrachtung der Gesamtorganisation dieser beiden Gruppen. Es erhebt sich die Frage, nach welchen Richtungen haben sich beide entwickelt. Es ist offenbar, daß durchaus verschiedene Typen der Spezialisierung vorhanden sind, die auch Anpassungen an verschiedene Lebensverhältnisse darstellen.

Die *Pythonomorphen* sind ausgesprochene Wassertiere. Die Vorder- und Hinterextremitäten sind zu vollendeten Schwimmpaddeln umgewandelt. Es hat sich bei ihnen eine Verstärkung des Brustkorbes eingestellt, indem z. B. bei *Tylosaurus* 10 Ventralrippen mit dem Sternum verbunden sind.

Diese Zahl wird dadurch bemerkenswert, daß sie nach Baron Nopcsa bei *Carsosaurus* unter den *Aigialosauriden*, den Vorfahren der *Pythonomorphen*, 6 und bei *Varanus* nur 3 beträgt, so daß dieser Autor gewiß mit Recht eine Entwicklungsrichtung annimmt, die auf Zunahme der Zahl solcher mit dem Sternum verbundener Rippen hin gerichtet ist. Eine weitere Anpassung an das Wasserleben beruht in der Ausbildung eines seitlich stark komprimierten Ruderschwanzes, der bei *Clidastes* und *Tylosaurus* sogar, wie aus der Gestaltung der Dornfortsätze hervorgeht, eine Ruderflosse trug.

Dafür, daß wir uns die Entwicklung der Schlangen wahrscheinlich auf dem Lande nicht aber im Wasser entstanden zu denken haben, wurden oben bereits die Gründe eingehender dargelegt. Dieselben sprechen auch gegen eine Abstammung der *Ophidier* von den *Pythonomorphen*. Noch mehr aber spricht dagegen die Erwägung, daß man doch gezwungen wäre, anzunehmen, die letzteren hätten zunächst durch Erwerb der Flossen und Verstärkung des Brustkorbes den ihnen eigentümlichen Typus erlangt, dann aber eine gänzlich verschiedene Entwicklungsrichtung eingeschlagen, indem nun eine Rückbildung der Extremitäten und der sternalen Rippenverbindungen eingetreten sei. Dieser völlige Umschwung in der Entwicklungstendenz darf wohl als durchaus unwahrscheinlich bezeichnet werden, um so mehr, als man sich ihn doch wohl als im Wasser vollzogen vorstellen müßte, da den *Pythonomorphen* doch sicherlich der Besuch des festen Landes durch ihre extreme Anpassung an das Wasserleben unmöglich geworden war. Es hätte also anscheinend gar keine eingreifende Änderung der Lebensweise die Ursache zu einem tiefgehenden Umschwung der Entwicklungstendenz abgeben können. Daß sich übrigens auch im Schädelbau bemerkenswerte Unterschiede zeigen, wie z. B. bezüglich der Ausbildung des Quadratum, braucht hier wohl nicht weiter ausgeführt zu werden. Auch wenn wohl bei der notorischen Unvollständigkeit der palaeontologischen Überlieferung dem Umstande kein allzu großes Gewicht beigelegt werden soll, daß die *Pythonomorphen* zuerst in der jüngeren Kreide vorkommen, während die ältesten Schlangenwirbel bereits in der mittleren Kreide gefunden sind, so erheben sich doch gegen die Abstammung der Schlangen von den ersteren so gewichtige Bedenken, daß nur unzweifelhafte paläontologische Beweise jener Auffassung zum Siege verhelfen könnten.

Dafür, daß die kantige Form der Zähne vielleicht auch eine Anpassung an das Wasserleben, etwa an eine bestimmte Nahrung darstellt, wird sich ein Beweis kaum führen lassen, wenngleich diese Auffassung vielleicht die richtige ist. Das gleiche dürfte aber auch für die *Pythonomorphen* gelten, bei denen der vielkantige Zahnbau durchaus nicht durchgängig vorhanden ist. Solange wir nicht sichere Vorfahren der *Archaeophiden* und deren Zahnbau kennen, was bislang nicht der Fall ist, ist es nicht zu entscheiden, ob ihre Zahnform eine ererbte oder eine durch Anpassung selbständig erworbene ist.

Zusammenstellung der wesentlichsten Ergebnisse.

1. Der Schädel zeigt typische Schlangenmerkmale, nur sind die Unterkieferäste relativ kurz und die Quadrata nach vorn gerichtet.

2. Die Zahnform ist gänzlich abweichend von der aller sonst bekannten Schlangen und Reptilien, indem sie fünf scharfe Kanten aufweisen. Ihre akrodonte Stellung, ihr Vorkommen auf den Maxillaria, Palatina, Pterygoidea und Unterkiefern, sowie ihr Ersatz durch in den Schleimhäuten sich bildende Ersatzzähne ist wie bei den rezenten Formen.

3. An den procoelen Wirbeln sind die Post- und Präzygapophysen sehr schwach entwickelt, auch die Gelenkung von Zygosphen und Zygantrum ist undeutlich. Ebenso sind die Querfortsätze kaum angedeutet. Die Rumpfwirbel tragen eine Hypapophyse, die Schwanzwirbel zwei Hämapophysen. Die Zahl der Wirbel beträgt etwa 565, wovon etwa 111 auf den Schwanz kommen. Die Gesamtzahl ist bedeutend größer als bei irgend einer bekannten Schlange.

4. Die Rippen sind sehr lang, dünn, sehr wenig gekrümmt und stark nach hinten gerichtet.

5. Von den Extremitäten sowie vom Schulter- und Beckengürtel ist nichts vorhanden.

6. Die Schuppen sind außerordentlich klein und stehen in sehr zahlreichen Reihen. Ventralschilder sind nicht entwickelt.

7. Der Rumpf war seitlich stark komprimiert, eine ventrale Zone war von den Rippen nicht mehr gestützt.

8. *Archaeophis* stellt eine hochspezialisierte Wasserschlange dar.

9. *Archaeophis proavus* Mass. und die zweite sehr viel größere Art *Archaeophis Bolcensis* Mass., gehören sehr wahrscheinlich zu der gleichen Gattung, möglicherweise sogar zu derselben Art.

10. Irgend sichere, verwandtschaftliche Beziehungen zu anderen fossilen oder lebenden Schlangengattungen sind nicht zu erkennen. Auf Grund der Zahnform ist eine neue Familie, die *Archaeophidae*, zu errichten.

11. Die Schlangen können nicht von den *Pythonomorphen* abstammen. Es ist ferner unwahrscheinlich, daß sie von den *Dolichosauriden* und *Aigialosauriden* abzuleiten sind. Wahrscheinlich haben sie sich aus unbekannten landbewohnenden, nicht an das Wasserleben angepaßten Eidechsen entwickelt.

Verzeichnis der wichtigsten, benutzten Spezialliteratur.

Andrews, Chas. W.: Preliminary Note on some Recently Discovered Extinct *Vertebrates* from *Egypt* (Part II). Geological Magazine, Decade IV, Vol. VIII, 1901, pag 436—444.

Boulenger, G. A.: Catalogue of the Snakes in the British Museum, 1893—1896.

Note on the Osteology of *Heloderma horridum* and *H. suspectum*, with Remarks on the Systematic Position of the *Helodermatidae* and on the Vertebrae of the *Lacertilia*. Proceedings of the Zoological Society of London, 1891, pag. 109—118.

Cope, Edward, D.: Prof. Owen on the *Pythonomorpha*, Bulletin of the United States geological and geographical Survey of the Territories. Vol. VI, 296—311, 1878.

The *Vertebrata* of the *Tertiary Formations* of the West. I. Report of the United States Geological Survey of the Territories, Vol. III, 1883.

Hoffmann, C. K.: Aus Dr. H. G. Bronns Klassen und Ordnungen des Tierreiches: VI. Bd., III. Abteilung. Reptilien. III. Schlangen und Entwicklungsgeschichte der Reptilien, 1890.

Janensch, W.: Über eine fossile Schlange aus dem Eocän des Monte Bolca. Zeitschrift d. deutsch. geol. Ges. Bd. 56. Mai-Protokoll, pag. 54—56, 1904, und Sitzungsberichte der Gesellschaft naturforsch. Freunde. 1904, Nr. 6, pag. 133—135.

Kornhuber, A.: Über eine neue fossile Eidechse aus den Schichten der unteren Kreideformation auf der Insel Lesina. Verhandlgn. d. k. k. geol. Reichsanstalt, 1901, Nr. 6, pag. 147.

Gorjanović-Kramberger, C.: *Aigialosaurus*, eine neue Eidechse aus den Kreideschichten der Insel Lesina, mit Rücksicht auf die bereits beschriebenen *Lacertiden* von Comen und Lesina. Societas historico-naturalis croatica, Agram, VII, 1—32, 1892.

Leydig, Fr.: Die Zähne einheimischer Schlangen nach Bau und Entwicklung. Archiv für mikroskopische Anatomie, V, 1869.

Lucas, F. A.: A new snake from the Eocene of Alabama. Proceedings of the U. S. National Museum XXI, pag. 637—638, pl. XLV, XLVI.

Lydekker, R.: Note on Tertiary *Lacertilia* and *Ophidia*. Geol. Magazine, Decade III, Vol. V, pag. 110—113, 1888.

Catalogue of the fossil *Reptilia* and *Amphibia* in the British Museum, Part. I, 1888.

Massalongo, D. A. B.: Specimen photographicum animalium quorundam plantarumque fossilium agri Veronensis. Verona, 1859.

Merriam, J. C.: Über die *Pythonomorphen* der Kansas-Kreide. Palaeontographica 41, pag. 1—40, 1894—1895.

von Meyer, Herrmann: Zur Fauna der Vorwelt. Fossile Säugetiere, Vögel und Reptilien aus dem Molasse-Mergel von Oeningen, 1845. Frankfurt a. M.

Acteosaurus Tommasinii aus dem schwarzen Kreide-Schiefer von Comen am Karste. Palaeontographica VII, 1860, pag. 223—231.

Coluber (Tropidonotus) atavus aus der Braunkohle des Siebengebirges. Palaeontographica VII, 1860, pag. 232—340.

Nopcsa jun., Franz, Baron: Über die *Varanus*-artigen *Lacerten* Istriens. Beitr. z. Paläontologie und Geologie Österreich-Ungarns und des Orients. Bd. XV, 1903, pag. 31—42.

Osborn: A complete *Mosasaur* Skeleton. Memoirs of the American Museum of Natural History. Vol. I, 1893—1903.

Owen, Richard: Description of some *Ophidiolites* (*Palaeophis toliapicus*) from the London clay at Chappey, indicative of an exstinct species of Serpent. Transact. of the Geolog. Soc. II. Series, vol. VI, pag. 209, 1840.

A History of British fossil *Reptiles*, 1849—1851.

On the Rank and Affinities in the *Reptilien* Class of the *Mosasauridae*. Quat. Journal of the Geol. Soc., 1877, pag. 682—715.

On the Affinities of the *Mosasauridae* Gervais as exemplified in the bony Structure of the fore Fin. Quat. Journal of the Geol. Soc. 1878, pag. 748—753.

Portis, A.: Il *palaeopython sardus* Port. nuovo *Pitonide* del Miocene medio della Sardegna. Bolletino della soc. Italiana, Vol. XX, pag. 247—253, 1901.

De Rochebrune, A. T.: Mémoire sur les vertèbres des *Ophidiens*. Journal de l'anatomie et de Physiologie 17. Année, pag. 185, 1881.

Révision des *Ophidiens* fossiles du Muséum d'Histoire naturelle. Nouvelles Archives du Muséum d'Histoire naturelle. II. Série, T. 3, 1880.

Roemer, Ferdinand: Über *Python Euboeicus*. Zeitschr. d. deutsch. geol. Ges. 1870, Bd. 22, pag. 582—590.

Seeley, H. H.: On Remains of a small Lizard from the neocomian rocks of Comen, near Trieste, preserved in the geological museum of the University of Vienna. Quaterly Journal of the geologic. society, Vol. XXXVII, pag. 52—56, 1881.

PETROGRAPHISCHE UNTERSUCHUNG EINIGER ENALLOGENER EINSCHLÜSSE AUS DEN TRACHYTEN DER EUGANEEN.

Von

F. Cornu.

Mit 1 Tafel (III).

Gelegentlich einer in den Osterferien des Jahres 1905 unter der Führung meines hochverehrten Lehrers Herrn Prof. Dr. V. Uhlig unternommenen geologischen Exkursion in das Eruptivgebiet der euganeischen Hügel bei Padua richtete ich mein besonderes Augenmerk auf die enallogenen Einschlüsse der trachytischen Gesteine.

Die Resultate der an diesen Einschlüssen gemachten mikroskopischen Beobachtungen erscheinen hier niedergelegt.

Es hat zwar bereits Herr A. Lacroix[1]) in seiner denkwürdigen Studie über die Einschlüsse der Eruptivgesteine einige hieher gehörige Vorkommen (Schiefereinschlüsse) beschrieben; da jedoch einerseits die von mir gesammelten Einschlüsse zum Teil von anderen Lokalitäten herstammen, als die von Herrn Lacroix beschriebenen, anderseits in den mir vorliegenden Dünnschliffpräparaten beträchtliche Abweichungen in den auftretenden Mineralassoziationen beobachtet wurden, mag eine neuerliche Untersuchung über den gleichen Gegenstand wohl gerechtfertigt erscheinen.

Die die Einschlüsse umhüllenden Eruptivgesteine sind zum Teil bereits näher untersucht. Bertolio[2]) und in jüngster Zeit Billows[3]) haben gezeigt, daß in ihnen Anorthoklas-Biotit-Trachyte vorliegen und es kann in der Hinsicht auf die betreffenden Arbeiten verwiesen werden.[4])

Die gesammelten Einschlüsse lassen sich in zwei Gruppen unterbringen:

A. Schiefereinschlüsse.

B. Graniteinschlüsse.[5])

---

[1]) A. Lacroix: Les enclaves des roches volcaniques. Macon 1893, pag. 218—221.

[2]) Bertolio: Note sur quelques roches des collines Euganéennes. — Bull. de la Soc. géol. de France, Serie 3*a*, XXI, 1893, pag. 406. — Ref. von H. Behrens im N. J. f. Min. etc. 1896, I, pag. 415.

[3]) E. Billows: Su alcune trachiti anortoclasico-biotitiche degli Euganei. Rivista di Min. e Crist. Ital. Vol. XXXII, 1905.

[4]) Gegenwärtig ist Herr Dr. M. Stark in Wien mit einer größeren Untersuchung über die Eruptivgesteine der Euganeen überhaupt beschäftigt.

[5]) Das Vorkommen von Graniteinschlüssen in den euganeischen Eruptivgesteinen ist erst in der neueren Zeit durch Herrn G. Dal Piaz in Padua bekannt geworden, der einen Einschluß von Biotitgranitit aus einem Liparit vom Monte Alto in den östlichen Euganeen beschrieben hat (G. dal Piaz: di un incluso granitico nella Trachite degli Euganei. Rivista di Min. e. Crist. Ital. Vol. XXVIII). — Die von mir aufgefundenen Graniteinschlüsse aus Trachyten und aus einem polymikten liparitischen Brockentuff von Galzignano werden bei anderer Gelegenheit beschrieben werden.

5*

Die ersteren wurden an folgenden Lokalitäten angetroffen: Lispida bei Battaglia, Crivellara, Contrada Fantola, Zovon. Graniteinschlüsse fanden sich bloß in den Steinbrüchen von Zovon und San Pietro Montagnon, deren Trachyt sich bekanntlich durch einen großen Reichtum an Tridymitkristallen auszeichnet, vor.[1])

Die von Herrn Lacroix gesammelten Vorkommnisse der Gruppe *A* entstammten den Lokalitäten Monte Rosso, Zovon und Monselice.

Der genannte Forscher vermochte unter den Schiefereinschlüssen zweierlei Varietäten zu unterscheiden, einmal solche, die bei Glimmerarmut durch den Gehalt von Cordierit und Andalusit nebst orthoklastischem Feldspat (und Spinelliden) charakterisiert sind (Monte Rosso), das anderemal hauptsächlich aus Feldspat und Glimmer (nebst Spinell) bestehende Einschlüsse, in denen die beiden erstgenannten Minerale stark in den Hintergrund treten (Zovon, Monselice).

Er vergleicht die erstere Varietät mit den zuerst von Herrn Pohlig[2]) studierten Einschlüssen aus den Trachyten des Siebengebirges und mit einem der Typen vom Monte Amiata,[3]) die zweite mit den Einschlüssen aus dem Hornblende-Andesit vom Bocksberg und vom Rengersfeld in der Eifel, welche von Herrn Vogelsang[4]) einer näheren Untersuchung unterworfen worden sind.

In dem mir vorgelegenen Material befanden sich bloß Belegstücke der zweiten Varietät, außerdem noch ein sehr sillimanitreiches Aggregat, in dem wohl ein für Einschlüsse aus Trachyten neuer Typus vorliegt.

Immerhin bieten die Einschlüsse der zweiten Varietät Lacroix's in ihren strukturellen Verschiedenheiten und in dem Wechsel ihrer Mineralkombinationen noch einen so großen Spielraum, daß sich das Studium der einzelnen Modifikationen zu einem recht lohnenden und, wie ich glaube, bezüglich der Frage der Entstehung des Mineralbestandes dieser Einschlüsse auch relativ ergebnisreichem gestaltete.

Es repräsentieren nämlich diese Modifikationen, deren Hauptmaterial an der Lokalität Zovon aufgesammelt wurde, nach meiner Ansicht verschiedene Grade der Umwandlung des gleichen Materials durch das trachytische Magma. Die ganz außerordentliche Übereinstimmung der euganeischen Einschlüsse in Mineralbestand und Struktur mit den von Vogelsang[5]) aus der Eifel und von der Wolkenburg, von Pohlig und in neuerer Zeit von Dannenberg[6]) aus dem Siebengebirge untersuchten Schieferfragmenten, ferner mit vielen der bei Lacroix[7]) angeführten Vorkommen, fordern, wie ich glaube, auch für den Mineralbestand dieser eine ähnliche Entstehungsweise.

Es mag nun zuerst die Beschreibung der wichtigsten der für die Einschlüsse in Betracht kommenden Mineralkomponenten folgen, an die sich die Untersuchung der Einschlüsse selbst anreihen soll. Die sich an der Zusammensetzung unserer Einschlüsse beteiligenden Minerale sind: Feldspat (zumeist Orthoklas), Biotit, Spinell (Pleonast), Sillimanit, Korund, Zirkon und Rutil. Quarz scheint stets zu fehlen; etwa an seine Stelle getretener Tridymit konnte auffallenderweise auch nicht aufgefunden werden. Auch bezüglich der von Vogelsang (l. c., pag. 31) und Dannenberg (l. c., pag. 74) untersuchten Schiefereinschlüsse gelten ähnliche Verhältnisse. Nach dem letzteren Autor wäre der Quarz »wohl zum größten Teil von den Neubildungen, namentlich den sauren Feldspaten, aufgenommen worden«.

---

[1]) Die Angabe der Lokalitäten erfolgt nach der dem Reyerschen Werke (Die Euganeen, Wien 1877) beigegebenen Karte.

[2]) H. Pohlig: Die Schieferfragmente im Siebengebirger Trachyt von der Perlenhardt, T. M. P. M. III, pag. 336. Siehe auch: Verh. d. nat. Ver. d. Rheinl. u. Westf. XLV, pag. 789. — In neuerer Zeit hat Herr A. Dannenberg Schiefereinschlüsse aus den Eruptivgesteinen des Siebengebirges untersucht. Vergl. derselben »Studien an Einschlüssen in den vulkanischen Gesteinen des Siebengebirges« T. M. P. M. XIV, pag. 17—84. — Siehe auch Lacroix o. c., pag. 206—209.

[3]) Lacroix o. c., pag. 215—218.

[4]) K. Vogelsang: Beiträge zur Kenntnis der Trachyt- und Basaltgesteine der hohen Eifel. Z. d. deutsch. geol. Ges. XLII, 1890, pag. 1—57.

[5]) o. c.

[6]) o. c.

[7]) Lacroix o. c., pag. 170—228.

Beschreibung der Komponenten der Schiefereinschlüsse.

Feldspat.

Der sich an der Zusammensetzung der Einschlüsse beteiligende Feldspat gehört der Hauptsache nach dem Orthoklas an.[1])

Kalknatronfeldspate der sauren Reihe wurden nur in Ausnahmsfällen und meist nur im unmittelbaren Kontakte mit dem Nebengestein vorgefunden. (Contrada Fantola, Lispida bei Battaglia.) Dieser Umstand muß gegenüber den Beobachtungen von Vogelsang (o. c., pag. 28) hervorgehoben werden, der bei der Beschreibung der den unsrigen sonst so ähnlichen Schiefereinschlüssen aus den Hornblende-Andesiten des Bocksberges und vom Rengersfelde ausdrücklich die geringe Beteiligung des Orthoklases gegenüber dem massenhaften Auftreten des Plagioklases betont.

Die Anteilnahme des Orthoklases an der Zusammensetzung der Einschlüsse ist eine äußerst wechselnde. In selteneren Fällen tritt er gegenüber den anderen Gemengteilen ganz zurück; öfters ist er so reichlich vorhanden, daß die lichte Farbe der betreffenden Einschlüsse sein massenhaftes Vorkommen bereits dem unbewaffneten Auge verrät.

Sehr häufig zeigen die makroskopisch sichtbaren Spaltflächen der bis etwa 2 *mm* großen Feldspatindividuen mancher Einschlüsse, die in ihrer Lagerung und Anordnung noch die ursprüngliche Schieferstruktur zum Ausdruck bringen, eine ganz dunkle, fast schwarze Färbung, die durch die reichlichen Interpositionen dunkler Gemengteile, und zwar in erster Linie durch die Spinelleinschlüsse hervorgerufen wird.

Unter dem Mikroskop zeigt sich, daß der Feldspat stets gewissermaßen das Medium bildet, in dem alle übrigen Minerale schweben.

Die einzelnen Körner sind meist allotriomorph entwickelt und greifen mit krummlinigen oder zackigen Konturen ineinander, wie es bei den Hornfelsen der Fall ist. Einzelne Einschlüsse, und zwar diejenigen, in welchen die Beteiligung des Feldspats eine besonders starke ist, lassen das Mineral in idiomorphen, leistenförmigen Gestalten erkennen, die dann öfters Verzwillingungen nach dem Karlsbader Gesetz darstellen (vergl. Fig. 3 der Taf. III).

Von Interpositionen enthält der Feldspat außer den in ihm eingebetteten Kontaktmineralen noch ziemlich häufige gelbliche Glaseinschlüsse von schwacher Lichtbrechung, die teilweise die Umgrenzung negativer Kristalle, teils auch eine irreguläre Konturierung besitzen.

Bezüglich der Herkunft des Feldspats der Einschlüsse erscheint es mir auf Grund der strukturellen Verhältnisse und der Interpositionen unzweifelhaft, daß von etwa ursprünglich in dem Ausgangmaterial der Einschlüsse vorhandenem Orthoklase, dessen Anwesenheit wir in den unveränderten Schiefern ja voraussetzen könnten, überhaupt nichts erhalten geblieben ist. Es ist eine vollkommene Umkristallisation des Feldspats eingetreten, zu welcher sich noch bei einer großen Anzahl der untersuchten Fälle eine Neuaufnahme und »Assimilation« (Dannenberg l. c., pag. 81) von Feldspatsubstanz gesellt.

Mit dieser Neuaufnahme von Feldspat, die stets mit einem Zurücktreten des Glimmers bei gleichzeitiger Verwischung der Schieferstruktur (bezw. Kontaktstruktur) und der allmählichen Entwicklung hypidiomorpher Strukturformen verbunden ist, geht ein reichlicheres Auftreten von Spinelliden und Korund (nebst Sillimanit) Hand in Hand.

Schließlich wäre noch zu erwähnen, daß der Feldspat außer in den Einschlüssen selbst auch noch in Gestalt schmaler, aus einzelnen Körnern bestehender Säume beobachtet wurde, welche die Schieferbrocken umgrenzen. Doch wurden diese Säume ziemlich selten und nur an Einschlüssen vorgefunden, die noch eine ausgeprägte Schieferstruktur besaßen.

---

[1]) Vereinzelte Feldspatkörner ließen die zarte Streifung des Anorthoklases erkennen. — Zufolge E. Billows (o. c.) bestehen die Feldspat-Ausscheidlinge in den Trachyten der Euganeen vorherrschend aus Anorthoklas, die Feldspate der Grundmasse »aus einem Alkali-Feldspat von geringerem Lichtbrechungsvermögen als das des Kanadabalsams«. Danach stimmt der Feldspat der Einschlüsse im wesentlichen mit den Grundmassen-Feldspaten des umgebenden Gesteins überein.

Biotit.

Der Biotit gehört neben seinen so charakteristischen Begleitern, den Spinellen und dem monoklinen Feldspat, zu den häufigsten und konstantesten Komponenten der untersuchten Einschlüsse. Er findet sich häufig in wohlbegrenzten kurzen Säulchen und in dicktafeligen Formen, ferner auch wohl in undeutlich gerundeten Gestalten vor. Die Schnitte || der Endfläche stellen verzerrte hexagonale Blättchen dar, insofern sie gut entwickelten Individuen angehören. Der Pleochroismus des Minerals ist sehr stark ausgeprägt: $\alpha < \beta = \gamma$.

α = strohgelb.

γ = dunkelbraun mit einem Stich ins Rötliche.

Schnitte || (001) zeigen keine merklichen Absorptionsunterschiede und lassen das Licht nur wenig hindurch.

Die Auslöschung der Schnitte ⊥ zu (001) ist eine gerade. Im konvergenten Licht erhält man ein nahezu einachsiges Interferenzbild von negativem Charakter der Doppelbrechung.

In den deutlich schieferigen Einschlüssen bildet der Biotit einzelne Lagen, in denen die Endflächen der Individuen der Schieferungsebene parallel verlaufen, in den feldspatreicheren Einschlüssen dagegen zeigt er eine mehr unregelmäßige Verteilung und tritt an Menge zurück. Vielfach führt der Glimmer Einschlüsse von Spinellen.[1])

Hervorzuheben ist, daß der Glimmer in den Einschlüssen nie eine Spur von Korrosion zeigt, während der in dem umgebenden Trachyt auftretende Biotit, der sich übrigens auch in seiner Färbung von dem der Einschlüsse beträchtlich unterscheidet, fast stets von Opacitsäumen umgeben wird.

Von einer Umwandlung des Biotitminerals in Spinellide ist in den durch die Mineralkombination Glimmer + Feldspat + Spinell gekennzeichneten schieferigen Einschlüssen nichts zu bemerken, dagegen deuten die an den feldspatreichen korund- und spinellhaltigen Aggregaten gemachten Beobachtungen mit großer Bestimmtheit auf eine solche hin.

Dafür, daß auch der Glimmer keinen ursprünglichen Gemengteil des unveränderten Schiefers bildete oder wenigstens erst einer Umkristallisation seine Entstehung verdankt, sprechen die bereits erwähnten Einschlüsse von Spinelliden, deren Anwesenheit in sehr zahlreichen Fällen konstatiert werden konnte.

Spinell (Pleonast).

In keinem der untersuchten Einschlüsse fehlt dies Mineral völlig. In den gewöhnlichsten Typen derselben gehört er neben braunem Glimmer und Feldspat zu den wichtigsten und augenfälligsten Bestandteilen. Er bildet meist gut ausgebildete, in manchen Fällen etwas gerundete Oktaederchen, neben welchen stets mehr weniger schlecht begrenzte Körner auftreten. Auch zapfenförmige oder schlauchartig gestaltete Bildungen finden sich vor. Zwillingskristalle gelangten nicht zur Beobachtung. Im durchfallenden Licht zeigt der sehr stark lichtbrechende Spinell eine dunkelgraugrüne Färbung, die bei den größeren Individuen meist nur an den Kanten zur Geltung kommt, während die kleinen Kriställchen und Körner besonders bei Anwendung des Kondensors das Licht völlig hindurchlassen. Es muß bemerkt werden, daß die in den verschiedenen Enklaven auftretenden Spinellide sich voneinander bei im übrigen gleicher Färbung durch einen verschiedenen Grad in bezug auf ihre Durchsichtigkeit unterscheiden; während in manchen Fällen selbst größere Individuen ziemlich pelluzid erscheinen, sind in einzelnen Einschlüssen selbst die kleinsten Körner nur sehr wenig durchscheinend und es bedarf einer besonderen Aufmerksamkeit, um sie nicht mit Magnetit — der übrigens den Einschlüssen völlig fremd zu sein scheint — zu verwechseln.

Sehr charakteristisch ist die Scharung der in dem Feldspat der Einschlüsse eingewachsenen Spinellide zu Schwärmen oder zu haufenartigen schlierenähnlich aussehenden Gebilden, die in ihrer Richtung einen unverkennbaren Zusammenhang mit der früheren Schieferstruktur des Gesteines offenbaren.

---

[1]) Diesen Umstand erwähnt auch Vogelsang (o. c. pag. 29) und bezüglich der Einschlüsse von Monselice Lacroix.

Bezeichnend ist die Vergesellschaftung mit Biotit und insbesondere mit Sillimanit. Der letztere Umstand, den auch Vogelsang (l. c., pag. 29) erwähnt, wird noch Gegenstand einer näheren Erörterung sein.

Der Spinell bildet Interpositionen im Korund, im Glimmer und im Cordierit (Crivellara).

Für eine Entstehung der Spinellide aus dem in den Einschlüssen gegenwärtig noch vorhandenen Glimmerminerale, wie sie wohl anderwärts an Granit- und Gneiseinschlüssen der Effusivgesteine zur Beobachtung gelangt ist, sind bei den Feldspat-Glimmer-Spinellaggregaten keine Anhaltspunkte gegeben, da der Glimmer nie Spuren einer Korrosionserscheinung zeigt und sicher selbst gleich dem Spinell seine Existenz einer Umkristallisation verdankt. Ob der Spinell aus einem anderen Glimmerminerale, das dem Ursprungsmaterial der Einschlüsse zueigen war, hervorgegangen ist, muß dahingestellt bleiben, weil nicht mit Sicherheit entschieden werden kann, ob ein Phyllit oder ein mehr dem Gneis genäherter kristalliner Schiefer in den so stark veränderten Gebilden vorliegt. Es erscheint mir indessen das erstere viel wahrscheinlicher.

Von der Umsetzung des Glimmers in Spinell in den glimmerarmen, an Korund, Spinell (und Sillimanit) reichen Aggregaten war bereits die Rede.

Sillimanit.

In zahlreichen der untersuchten Einschlüsse findet sich Sillimanit vor. Seine Beteiligung an der Zusammensetzung ist wie auch bei den meisten anderen der beschriebenen Komponenten der Mineralaggregate eine wechselnde.[1]) Man trifft das Mineral in den gewöhnlichen farblosen Säulchen ohne terminale Begrenzung in dem Feldspat der Einschlüsse eingewachsen. Spaltbarkeit nach dem Makropinakoide und Querabsonderung wurden mehrfach an den größeren Individuen, die meist etwas gerundete Umrißformen zeigen, beobachtet. Die hohen Interferenzfarben, die gerade Auslöschung der Stengel, das Zusammenfallen der kleinsten optischen Elastizität mit der Vertikalen im Vereine mit der starken Lichtbrechung lassen keine Verwechslung mit einem anderen Mineral zu.

Zweierlei Arten des Auftretens sind besonders charakteristisch: in den feldspatreichen Aggregaten, in denen die ursprüngliche Schieferstruktur bereits mehr weniger verwischt erscheint, findet sich der Sillimanit in Büscheln oder zierlichen besenartigen Gebilden, die sich aus parallel bis divergentstrahligen Faserbündeln zusammensetzen, in einzelnen Feldspatkörnern eingewachsen vor (vergl. Fig. 4 der Taf. III).

In den Einschlüssen mit teilweise noch erhaltener Schieferstruktur bilden die Sillimanitbündel Lagen, die mitunter durch ihre Stauchungen und Knickungen auf das schönste den Verlauf der Fältelung andeuten und sich durch mehrere Feldspatkörner hindurch fortsetzen.

An dem Sillimanit der Einschlüsse wurde vielfach eine Umwandlung in Spinellide beobachtet. Die gebildeten Spinellkriställchen bilden dann stabförmige Reihen, in denen noch Reste des unveränderten Minerals liegen. Stets sind hier die Spinelle viel größer als in den übrigen Partien der Aggregate. Die gleiche Umwandlung beobachtete Herr Lacroix an den Schiefereinschlüssen des Trachyts vom Monte Amiata in Toscana.[2])

Der von dem genannten Forscher in den Schieferschlüssen vom Monte Rosso aufgefundene pleochroitische Andalusit konnte in unseren Mineralaggregaten in unverändertem Zustande nirgends nachgewiesen werden. Dagegen zeigten sich nicht selten große rechteckig gestaltete Haufwerke von Spinell, die wohl mit ziemlicher Sicherheit auf dieses Mineral zurückgeführt werden können.[3]) (Vergl. Fig. 6 der Taf. III). Es wäre hier daran zu erinnern, daß sich nach den Versuchen von Herrn Vernadsky der Andalusit bei einer zwischen 1320—1380° liegenden Temperatur in Sillimanit umsetzt, was auch Dannenberg in Rechnung

[1]) Die reichlich Sillimanit führenden Aggregate gehören meist dem Übergangstypus an, der zwischen den Glimmer-Spinell-Feldspataggregaten einerseits und den korund- und spinellreichen, glimmerarmen Einschlüssen anderseits eine vermittelnde Rolle einnimmt.

[2]) Lacroix o. c., pag. 217.

[3]) Auch von Lacroix beobachtet. — Die Umwandlung von Andalusit in Spinell und Korund wird u. a. bei Schiefereinschlüssen aus den Trachyten des französischen Zentralplateaus, des Siebengebirges und der Eifel angegeben. Vergl. Lacroix o. c., pag. 173, und Dannenberg o. c., pag. 80).

zieht (l. c., pag. 75). Es mögen also unsere Einschlüsse unter Temperaturverhältnisse geraten sein, bei denen der Andalusit nicht mehr bestandfähig war.

Die vollständige Transformation des Andalusits in Spinellide bei wenigstens teilweiser gleichzeitiger Erhaltung des Sillimanits deuten uns eine stärkere Veränderlichkeit des ersteren Minerals bei dem erwähnten Umwandlungsprozesse an.

Korund.

Der Korund gehört zu den am wenigsten konstanten Gemengteilen der veränderten Schieferfragmente. Er findet sich vorzugsweise in den glimmerarmen Einschlüssen vor.

Wo sich der Glimmer als reichlicherer Gemengteil einstellt, pflegt er in allen Fällen, die zur Untersuchung gelangten, völlig zu fehlen.

In spinell- und feldspatreichen Einschlüssen aber ist seine Menge oft eine beträchtliche. Die bisweilen ziemlich großen Individuen lassen $(11\bar{2}0)$ und (0001) als Begrenzungselemente erkennen. Die gerundeten Kristalle sind von dicktafeliger Gestalt. Dementsprechend trifft man das Mineral in leistenförmigen oder hexagonalen Durchschnitten an (vergl. Fig. 5 der Taf. III). Kleinere Individuen lassen meist keine kristallographische Begrenzung erkennen und stellen gerundete Körner dar. In glimmerfreien Aggregaten gelangten unregelmäßige Korrosionsformen zur Beobachtung.

Pleochroismus in blauen und grünen Farbentönen ist nur in ziemlich dicken Schliffen zu konstatieren, in denen das Mineral die Polarisationsfarben der ersten Ordnung zeigt. Die Färbung ist dann recht ungleichmäßig verteilt und pflegt oft auf das Innere der Kristalle lokalisiert zu sein.

Das infolge des hohen Brechungsindex sehr stark ausgeprägte Relief im Dünnschliff, die schwache Doppelbrechung im Vereine mit der charakteristischen Umgrenzung machen das Mineral rasch kenntlich.

Im konvergenten Licht erhält man in Schliffen senkrecht zur optischen Achse ein einachsiges Achsenbild von negativem Charakter der Doppelbrechung. In manchen Fällen wurde eine schwache Öffnung der Hyperbeln beobachtet.

Als Einschlüsse wurden keulenförmig-klobige, opake Körperchen, ferner Spinellkristalle und Rutilsäulchen beobachtet.

Rutil.

Eine beschränkte Verbreitung in den Mineralaggregaten besitzt der Rutil, der vielen der untersuchten Einschlüsse völlig fehlt, in anderen hinwiederum in relativ großer Menge in Erscheinung tritt.

Es bildet schmale geriefte, terminal begrenzte Säulchen von honiggelber Färbung, die keinen merklichen Pleochroismus besitzen und im parallelen polarisierten Lichte bei gerader Auslöschung durch ihre ungewöhnlich hohen Polarisationsfarben auffallen. Knieförmige Zwillinge sind nicht selten. Eine konstante Mineralgesellschaft für den Rutil läßt sich nicht wohl angeben, doch scheint er die glimmerreichen Einschlüsse zu meiden und die spinell- und korundreichen Mineralkombinationen (mit oder ohne Sillimanit) zu bevorzugen. Er dürfte ein Umwandlungsprodukt des Biotit darstellen.

Zirkon.

In noch geringerer Menge wie der Rutil findet sich der Zirkon vor, dessen im Dünnschliff farblose, meist eiförmig gerundete Individuen durch ihre so charakteristischen optischen Eigenschaften die hohe Licht- und die starke Doppelbrechung erkannt werden. Es macht vielfach den Eindruck, als ob dieses Mineral in gewissen Einschlüssen eine Anreicherung erfahren hätte (Contrada Fantola). Besonders führt das nscheinend so willkürliche, unmotiviert reichliche Vorkommen in manchen Mineralkombinationen, bei völligem Fehlen in anderen zu dieser auch von Dannenberg (l. c., pag. 80) geäußerten Ansicht.

Beschreibung der Einschlüsse.

Lispida.

In dem Trachyte des nordwestlich von dem Badeorte Battaglia gelegenen, von NW. gegen SO. sich erstreckenden Eruptivkörpers, der auf der Reyer schen Karte mit dem Namen »Lispida« bezeichnet erscheint, finden sich in geringer Anzahl dunkelgefärbte Einschlüsse vor, deren Charakter als Derivate eines schieferigen Gesteines sich dem freien Auge meist bloß durch die langgezogene Form verrät.

Mittels der Lupe erkennt man an den in dem Trachyte in Gestalt höchstens 3—4 *cm* langer schwarzer Streifen auftretenden Einschlüssen die infolge der massenhaften Spinelleinschlüsse dunkelgefärbten Feldspatkörner, die die Hauptmasse der Einschlüsse bilden, meist recht deutlich.

Manche der hier vorfindlichen Schieferfragmente täuschen infolge ihres großen Glimmerreichtums auch recht glimmerreiche Gneisslagen oder einen Biotitglimmerschiefer vor.

Die mikroskopische Untersuchung zeigt jedoch, daß zwischen diesen beiden makroskopisch unterscheidbaren Varietäten im Grunde genommen keine Unterschiede bestehen; beide erweisen sich nämlich aus einem Mosaik von großen Feldspatkörnern, die nach Art der sogenannten Pflasterstruktur angeordnet erscheinen, zusammengesetzt.

Die auftretenden Feldspatindividuen bestehen ungefähr zu zwei Drittel aus Orthoklas und zu einem Drittel aus einem Plagioklas der sauren Reihe, dessen Körner die Verzwillingung nach dem Albitgesetz aufweisen. Das Feldspatpflaster nun wird von schwarmartig auftretenden Biotit- und Spinellindividuen durchzogen. In manchen Anteilen der Einschlüsse treten die Spinellide stark zurück und die Feldspatkörner erscheinen dann bloß von regellos angeordneten Biotiten, die meist unregelmäßig lappig begrenzt sind und nur in seltenen Fällen eine idiomorphe Gestaltung erkennen lassen, durchwachsen. Sehr selten zeigen die Biotite eine äußerst schmale Umwachsung eines violett gefärbten Glimmerminerals (?), welches das gleiche Absorptionsschema aufweist, wie der Biotit; die Schwingungen nach α sind blaßgelb bis farblos, die nach γ dunkelviolett gefärbt. Die violette Farbe erscheint wolkig verteilt.

Von besonderem Interesse sind in unseren Einschlüssen die Aggregate von Spinelliden; dieselben lassen öfters noch aus der Art der Anordnung erkennen, daß sie an Stelle eines anderen Minerals getreten sind; die einzelnen Aggregate nämlich besitzen zum Teil rektanguläre Gestalt, zum Teil hinwieder sind die in diesem Falle öfters stabförmig verzerrten Spinellkriställchen zu untereinander streng parallelen Reihen angeordnet. Bei dieser letzteren Art des Auftretens gesellen sich ihnen nicht selten dicke Sillimanitstäbchen hinzu, die sich der vollkommenen Parallelität gleichfalls fügen.

Die geschilderten Pseudomorphosen setzen in einheitlicher Weise durch mehrere Feldspatindividuen hindurch.

Herr A. Lacroix hat unseren Pseudomorphosen ganz ähnliche Gebilde aus den Schiefereinschlüssen des Andesits von Rengersfeld als Umwandlungsprodukte von Andalusit [1]) erkannt (l. c., pag. 203) und in Fig. 6, der Taf. V seines Werkes abgebildet. [2]) Aus den Schiefereinschlüssen der Gegend des Monte Rosso in den Euganeen beschreibt der gleiche Autor eine Umwandlung des Andalusits in Spinellide und Korund (l. c., pag. 219). Auch A. Dannenberg führt Haufwerke von Magnetit und Spinell, die rechteckigen oder quadratischen Umriß besaßen und die er in den Schiefereinschlüssen der Trachyte des Siebengebirges beobachtete, auf Andalusit zurück.

In der Nachbarschaft der aus den Spinelliden bestehenden Pseudomorphosen zeigen sich häufig gelbgrüne Säulchen von Rutil, durch ihre ausnehmend hohe Licht- und Doppelbrechung ausgezeichnet. Auch knieförmige Zwillinge des gleichen Minerals gelangten zur Beobachtung.

Von Zirkon wurde nur ein einziges Korn in den untersuchten Dünnschliffen bemerkt, dagegen zeigte sich eine Anzahl kleiner farbloser Korundkörner.

Das die Schieferfragmente umschließende Gestein (Anorthoklasbiotittrachyt) enthält gleichfalls spärliche Korundkörner, sowie die beschriebenen, regelmäßig umgrenzten Spinellaggregate.

Contrada Fantola.

Etwa 2 *cm* große Einschlüsse von dunkler Färbung und dichter Beschaffenheit, deren Vorkommen ein äußerst spärliches ist, dokumentieren äußerlich bloß durch ihre rektangulär längliche Begrenzung ihren

[1]) In den Einschlüssen von der Lispida konnte keine Spur von Andalusit aufgefunden werden.

[2]) Die gleiche Umwandlung wird noch von einer Reihe Einschlüssen der »Quarzfeldspatgesteine« aus Trachyten erwähnt (o. c., pag. 173).

Ursprung als umhüllte Schieferfetzen. Eine Streifung, wie sie sich anderwärts zeigte, ist weder mit dem freien Auge noch unter der Lupe zu bemerken. Die Einschlüsse grenzen sich scharf von dem umgebenden Gestein ab. Unter dem Mikroskop fällt der außerordentlich große Reichtum an winzigen dunklen Spinellkriställchen ins Auge,[1]) die den Dünnschliff bei schwacher Vergrößerung fast undurchsichtig erscheinen läßt.

Dieselben sind zu Reihen angeordnet, die dem Verlaufe der ursprünglichen Schieferung folgen. Die größten Individuen erscheinen fast opak, während kleinere Kristalle mit dunkelgraugrüner Färbung durchscheinend sind.

Außer dem Spinell, der die Hauptmasse der Einschlüsse bildet, tritt noch brauner Glimmer und Sillimanit, wenngleich in nicht beträchtlicher Menge, auf; reichlich zeigt sich dagegen farbloser Korund in Scharen gerstenkornähnlicher Individuen.

Der Glimmer findet sich in kleinen Säulchen, welche gleichfalls bisweilen zu selbständigen Reihen angeordnet erscheinen, derart, daß die Endfläche der Individuen zu der Schieferung parallel liegt. Anderseits trifft man auch lappig konturierte Partien des Minerals im Verbande mit den an Spinelliden reichen Anteilen des Einschlusses.

Der Sillimanit bildet verhältnismäßig ziemlich dicke gliedergeteilte Stengelchen von mangelnder terminaler Begrenzung, deren Anordnung zu selbständigen Reihen gleichfalls sehr scharf mit dem Verlauf der Schieferung zusammenfällt. In geringen Mengen enthält der Einschluß eirunde Zirkonkörner, ferner ganz vereinzelte Individuen von Rutil. Der letztere ist stets mangelhaft begrenzt.

Alle diese erwähnten Minerale werden von Feldspat umhüllt, der jedoch selbst an Menge ihnen gegenüber beinahe verschwindet. Die fast stabförmigen Reihen von Spinell, die an Glimmer, Sillimanit oder Zirkon reichen Lagen setzen schnurgerade durch die umhüllenden Feldspatkörner fort.

Gegenüber dem umgebenden Trachyt erweisen sich die Schieferfragmente durch eine schmale, aus Plagioklasindividuen bestehenden Zone abgegrenzt. Das betreffende Plagioklasmineral ist den Bestimmungen der Auslöschungsschiefe zufolge ein Oligoklas; es zeigt sowohl die Lamellierung nach dem Albit- als auch seltener die nach dem Periklingesetz. Der umgebende Trachyt selbst erweist sich in seiner Grundmasse sehr reich an äußerst dünnen, farblosen, stark lichtbrechenden Nädelchen (Sillimanit?), deren genauere optische Bestimmung nicht durchführbar war. Außerdem enthält das Gestein noch hie und da ein Korundkorn.

Crivellara.

In dem Trachyt von dieser Lokalität sammelte einer meiner Reisebegleiter, Herr Dr. M. Stark, eine kleine Anzahl braunvioletter, scharf von dem umgebenden Gestein abgegrenzter Einschlüsse, die dem freien Auge im Handstücke dicht erscheinen, im Dünnschliff jedoch schon bei makroskopischer Betrachtung eine faserig-schiefrige Struktur bei schönem seidigem Glanz erkennen lassen.

Die Untersuchung unter dem Mikroskop lehrt, daß diese Einschlüsse fast lediglich aus Sillimanit bestehen, der in mehr oder weniger parallelen Faserbündeln auftritt, deren Einzelindividuen erst bei starker Vergrößerung ausgenommen werden können.

Bei der Anwendung schwacher Vergrößerungen erscheint die ganze Masse des Einschlusses infolge der mehrfachen Überlagerung der einzelnen Stengel des Minerals trübe und undurchsichtig.

Gegenüber dem umhüllenden Trachyt grenzt sich der Einschluß krummlinig ab und es ist keine Spur einer Kontakterscheinung weder in dem Einschlusse selbst noch im Nebengestein ersichtlich.

Die trübe Sillimanitsubstanz ist vielfach von als Kontraktionsrissen zu deutenden Spalten durchsetzt, die gegenwärtig von Limonit erfüllt werden und gelegentlich auch Tridymitaggregate beherbergen. Außer diesen Spalten fallen ziemlich große, von Limonitsäumen umgebene und in günstigen Fällen sechsseitig oder quadratisch begrenzte Durchschnitte eines ziemlich stark zersetzten Minerals ins Auge, das zufolge den an unzersetzten Partien beobachteten optischen Erscheinungen als Cordierit zu betrachten ist. Die Durchschnitte

[1]) Es scheint kein Zufall zu sein, daß im allgemeinen gerade die kleinsten Einschlüsse den meisten Spinell enthalten. Zu erinnern wäre hier, daß Lacroix l. c., pag. 220) gelegentlich der Besprechung der Einschlüsse von Zovon spinellreiche Kontaktzonen erwähnt.

erscheinen ganz erfüllt von Einschlüssen, die teils als Erzkörnchen gedeutet werden müssen, teils dem Spinell und Sillimanit angehören.

Verhältnismäßig zahlreich sind Körner oder gerundete dicktafelige Kristalle von farblosem Korund. Nur als Seltenheit trifft man winzige Körnchen oder Kriställchen von grünem Spinell.

Opake stäbchenförmige Erzmikrolithen durchsetzen in ziemlicher Menge in Gestalt von Zügen, die der Schieferung folgen, den Einschluß.

Der die Hauptmenge der Einschlüsse ausmachende Sillimanit bildet auch bei der stärksten Vergrößerung äußerst feinfaserige, bisweilen divergentstrahlige Aggregate, die im großen ganzen in ihrer Längserstreckung der Schieferung folgen. Die Hauptspaltbarkeit und die charakteristische Querabsonderung gelangen nur an den dicksten Stengelchen zur deutlichen Wahrnehmung.

Spuren mechanischer Einwirkung als wie Biegungen und Stauchungen sind nirgends anzutreffen.

Vorwiegend aus Sillimanit bestehende Aggregate sind meines Wissens aus Trachyten bisher nicht beschrieben worden; es repräsentieren also die Einschlüsse von Crivellara in dieser Hinsicht einen neuen Typus. Verglichen können sie werden mit den nahezu übereinstimmend zusammengesetzten Sillimanitaggregaten, die bereits seit längerer Zeit aus den Basalten des Siebengebirges bekannt geworden sind.[1])

Die Entstehung dieser Sillimanitpartien ist, wie bekannt, heute noch kontrovers. Zirkel hält sie für Urausscheidungen, während Laspeyres[2]) und Schottler[3]) sie als (unveränderte) Fragmente enallogener Einschlüsse betrachten.

Einen anderen Standpunkt hinwiederum vertritt Dannenberg (l. c., pag. 57 u. 73), welcher sowohl die isolierten Einschlüsse von Sillimanit, Korund und Cordierit in den Basalten des Siebengebirges als auch die in den trachytischen Gesteinen auftretenden Schiefereinschlüsse, welche die genannten Minerale enthalten, mit einer unterirdischen Granitkontaktzone in Verbindung bringt und allein den Spinell der Einschlüsse als ein Produkt der Kontaktbildung zwischen Trachyt und metamorphem Schiefer gelten lassen will.

Lacroix[4]) sieht in dem Sillimanit das »résidu ultime des enclaves fondues et resorbees« und eine gleiche Herkunft für das Mineral nimmt auch Bleibtreu[5]) in Anspruch.

Soweit mir bekannt, hat niemand die Ansicht ausgesprochen, die betreffenden Minerale seien Produkte des gegenseitigen Kontaktes zwischen dem Magma und dem Schiefer, eine Deutung, die wohl am allernächsten gelegen hätte und gegen welche keine der an den Aggregaten gemachten Beobachtungen spricht. Es wird am Schluß unserer Untersuchung noch einmal auf diese Verhältnisse eingegangen werden.

Zovon.

In dem durch eine Anzahl großer Steinbrüche trefflich aufgeschlossenen Anorthoklas-Biotit-Trachyt von Zovon in den westlichen Euganeen finden sich ziemlich reichlich stark metamorphosierte Schieferfragmente vor, von denen eine beträchtliche Menge zur Untersuchung gelangte.

Äußerlich zeigen alle diese Einschlüsse untereinander eine große Ähnlichkeit; sie stellen meist langgestreckte, rundlich oder lappig geformte dunkle Massen von schlierenähnlichem Aussehen dar, die in vielen Fällen schon dem freien Auge durch die Schieferstruktur ihren Ursprung andeuten, in manchen mehr gewissen basischen Ausscheidungen ähnlich sehen. Makroskopisch erkennt man in einzelnen Fällen Biotit, ferner bis 2 *mm* lange ganz dunkle Feldspate, zu deren Erkennung als solche man jedoch erst durch die optische Untersuchung geführt wird.

Die Einschlüsse erreichen keine bedeutende Größe. Faustgroße Stücke gehören bereits zu den Seltenheiten, am häufigsten finden sich etwa walnußgroße Schieferbrocken vor.

---

[1]) Ausführliche Literaturangaben finden sich bei Zirkel: Über Urausscheidungen in rheinischen Basalten. Abh. der math. phys. Kl. d. k. S. Ak. d. Wiss., XXVIII, Nr. III, Leipzig, 1903, pag. 160–161.

[2]) H. Laspeyres: Das Siebengebirge am Rhein. Bonn, 1901, pag. 341.

[3]) W. Schottler: Der Ettringer Bellerberg. N. J. f. Min. etc. XI, Beilagebd. 1897/1898, pag. 589.

[4]) l. c., pag. 568.

[5]) K. Bleibtreu: Beiträge zur Kenntnis der Einschlüsse in den Basalten mit besonderer Berücksichtigung der Olivinfelseinschlüsse. Z. d. deutsch. geol. Ges., XXXV, 1883, pag. 501.

6*

Die Betrachtung der Dünnschliffe unter dem Mikroskop lehrt, daß oft die dem freien Auge völlig gleichartigen Einschlüsse sich sowohl strukturell als auch durch eine äußerst wechselvolle Zusammensetzung unterscheiden, und zwar gilt dies sowohl in bezug auf das Mengenverhältnis der einzelnen an dem Aufbau der Aggregate sich beteiligenden Mineralkomponenten, als auch bezüglich der Minerale selbst, insofern nämlich manchen Einschlüssen gewisse Minerale völlig fehlen, die in anderen sonst übereinstimmend zusammengesetzten reichlich zur Entwicklung gelangt sind.

Es mag die Beschreibung der wichtigsten Typen folgen.

a) Bei weitem der größte Teil der Dünnschliffpräparate gehört dem Typus der Schiefereinschlüsse an, dessen Vorkommen bereits von Lacroix angegeben wird und die in ihrer Zusammensetzung durch die Mineralkombination Feldspat, brauner Glimmer und Spinell charakterisiert sind.

Biotit und Spinellide durchsetzen entweder ziemlich gleichmäßig verteilt oder zu Schwärmen aggregiert oder alternierende Lagen bildend die einzelnen Feldspatkörner, die hier wiederum nach Art der Pflasterstruktur angeordnet sind.

Vereinzelte Körner von Korund, der sich hier stets durch Farblosigkeit auszeichnet, spärliche Zirkonkriställchen und Sillimanitnädelchen gesellen sich den genannten Mineralen bei. Bemerkenswert erscheint das Auftreten des Spinells in regelmäßig umgrenzten Aggregaten nach Art der Pseudomorphosen in den Schiefereinschlüssen des Trachytes von der Lispida. Die Aggregate besitzen hier jedoch nicht rektanguläre, sondern spitzrhomboidische Konturen, wie dies Vogelsang aus den Schiefereinschlüssen der Andesite der Eifel erwähnt (o. c., pag. 37. Vergl. Fig. 6 der Taf. III). Von dem umhüllenden Anorthoklas-Biotit-Trachyt sind die Schieferfragmente durch einen schmalen Saum von Orthoklasindividuen getrennt, die keine oder doch nur höchst spärliche Einschlüsse von Spinell und Biotit enthalten. Zumal das letztere Mineral scheint völlig zu fehlen.

Die in dem Trachyt enthaltenen Biotitausscheidlinge sind von Opacitsäumen umgeben, während die lappig konturierten, Spinelleinschlüsse enthaltenden Biotitindividuen der Einschlüsse selbst keine Spur einer Korrosion aufweisen. Die Figuren 1 und 2 der beigegebenen Tafel bringen Einschlüsse von diesem Typus einmal bei starker, das anderemal bei schwacher Vergrößerung zur Darstellung.

b) Einen Übergangstypus zwischen dem vorherigen und dem folgenden Typus der Einschlüsse bilden Mineralaggregate, in denen bei Prävalenz des Feldspats der Biotitgehalt sich zu verringern beginnt oder ganz ausbleibt, während sich Aggregate von Sillimanit in großen Mengen einstellen. Mit dieser Änderung des Mineralbestandes ist in vielen Fällen eine starke Abweichung in der Struktur verbunden.

Anklänge an die ursprüngliche Schieferstruktur zeigen sich bloß noch in dem Alternieren wellig gekrümmter Sillimanitaggregate mit spinellreichen Lagen; die Feldspate werden idiomorph und treten häufig in prächtigen Zwillingen nach dem Karlsbader Gesetz in Erscheinung. So erwies sich z. B. ein Einschluß dieses Typus ganz aus tafelig nach M. entwickelten Karlsbader Zwillingen von Sanidin zusammengesetzt, die von den erwähnten Mineralen unter anderen von außerordentlich schönen besenförmigen Sillimanitaggregaten durchsetzt sind. (Vergl. Fig. 3 und 4 der Taf. III.) Der Korund erscheint hier bei weitem häufiger als in dem früheren Typus. Bezüglich Zirkon und Rutil gilt das früher Gesagte.

Gegenüber dem umhüllenden Gestein pflegen sich diese Einschlüsse scharf abzugrenzen, wenigstens gelangten in den studierten Fällen die früher beschriebenen Feldspatsäume nicht zur Beobachtung.

Der umgebende Trachyt enthält kleine Aggregate von Spinell.

c) Durch einen beträchtlichen Gehalt an großen, stark pleochroitischen Korundindividuen interessant sind Einschlüsse, die in ihrem makroskopischen Aussehen sich wenig von den glimmer- und spinellführenden Varietäten unterscheiden und wie diese meist eine ziemliche Menge von Feldspat enthalten, die sich schon durch die lichte Färbung der weiß und grau gefleckten Schieferbrocken verrät.

Unter dem Mikroskop zeigt ein derartiger Einschluß gewöhnlich nur noch Spuren der Schieferstruktur, die sich in den schwarmartig auftretenden Spinellanhäufungen, welche das Feldspatpflaster, einer ausgezeichneten Richtung folgend, durchziehen, äußert.

Die dunkelgrünen Spinellkriställchen werden in manchen der Aggregate begleitet von Sillimanit, dessen Stengel fast völlig in einzelne winzige Körnchen aufgelöst erscheinen. Der Korund findet sich zum Teil in großen, von den Flächen $(10\bar{1}0)$ und (0001) begrenzten, kurzprismatischen oder dicktafeligen Kristallen (vergl. Fig. 5 der Taf. III), teils auch in kleinen gerundeten Körnern vor.

Dort, wo das Mineral im Feldspat eingewachsen erscheint, verschwinden im allgemeinen die übrigen Minerale, insbesondere zeigen sich nie in der unmittelbaren Umgebung der Korundkristalle reichlichere Mengen von Spinelliden.

Die großen Korundkristalle besitzen einen ausgezeichneten Pleochroismus:

ω = licht berlinerblau,

ε = meergrün.

Das Absorptionsschema ist $\omega > \varepsilon$.

Gewöhnlich beschränkt sich der Pleochroismus nur auf die inneren Partien der Kristalle und die Färbung folgt dann häufig den durch die kristallographische Begrenzung vorgezeichneten Umrissen: blaue pleochroitische Kerne werden von farblosen Hüllen umgeben. Seltener zeigt sich eine unregelmäßig wolkige Verteilung der blauen Färbung in den Kristallen.

An Stelle der blauen oder neben dieser tritt nicht selten eine braune Färbung auf, die gleichfalls die Absorptionsunterschiede kenntlich werden läßt.

Die Korunde enthalten manchmal Einschlüsse von Spinellkriställchen, ein Umstand, der gegen die von manchen Autoren geäußerte Ansicht, der Korund sei in diesem Falle ein Residuum, ein ursprünglicher Bestandteil [1]) des umschlossenen Gesteinsfragments, der bei der Einwirkung des Magmas eben den stärksten Widerstand gegen die Auflösung geleistet hätte, geltend gemacht werden muß. Mit Recht wurde von Zirkel [2]) dieser Anschauung gegenüber die Tatsache des beinahe konstanten Auftretens des Korunds in gewissen rheinischen Basalten, sowie seine fast stetige Begleitung von der gleichen Mineralgesellschaft entgegengehalten, welchen beiden Umständen die Reliktentheorie nur durch die höchst gezwungene Annahme gerecht werden kann, sämtliche von den Eruptivgesteinen umhüllten Schieferfragmente seien ursprünglich reich an Korund, an Sillimanit u. s. w. gewesen.

d) Den von der Contrada Fantola beschriebenen Schieferfragmenten ist durch seinen abweichenden Mineralbestand ein Einschluß von der Größe einer halben Faust verwandt, der sich leicht aus dem umgebenden Gestein herauslöste, während die übrigen Einschlüsse stets mit dem Trachyt festverwachsen waren. Dieser Einschluß enthält nur wenig Feldspat, dagegen außerordentlich viel Spinell, nebst reichlichem Korund, in Körnern oder gerundeten Kristallen. Die Spinell- und Korundindividuen durchspicken in ungeheurer Anzahl die Feldspatkörner nach Art des kristallisierten Sandsteines.

Biotit ist nur in spärlichen Fetzen vorhanden. In relativ reichlicher Menge zeigt sich Rutil in der erwähnten Ausbildungsweise.

Ergebnisse und Schlußfolgerungen.

1. In den trachytischen Gesteinen der Euganeen, und zwar hauptsächlich in den von Reyer als Stromenden betrachteten peripherischen Eruptivgebilden des Gebietes finden sich in großer Verbreitung, wenngleich bei höchst ungleichmäßiger Verteilung, Einschlüsse vor, deren Mineralbestand auf ein sehr tonerdereiches Material, etwa einem Tonschiefer oder Phyllit, als Ursprungssubstanz hindeutet.

Hieraus ergibt sich die geologische Folgerung, daß das die Euganeen und ihre Umgebung unterlagernde Grundgebirge teilweise aus derartigen Gesteinen zusammengesetzt sein muß.

Keineswegs aber erscheint mir die Annahme einer hypothetischen subterranen Kontaktzone notwendig, wie eine solche auf Grund von Einschlüssen, die den unseren in ihrem Mineralbestande wenigstens zum Teil sehr nahe stehen, von Lasaulx, Pohlig, Vogelsang und Dannenberg [3]) als Untergrund

[1]) Lacroix (o. c., pag. 171), Dannenberg (l. c.) und Pohlig (l. c.) vertreten diese Anschauung.

[2]) l. c., pag. 156.

[3]) v. Lasaulx: Der Granit unter dem Kambrium des hohen Venn. Sitzungsber. d. niederrhein. Ges. Bonn 41, 1884, pag. 424 ff. — H. Pohlig: l. c. — Ders.: Über die Fragmente metamorphischer Gesteine aus den vulkanischen Gebilden des Siebengebirges und seiner Umgebung. Verh. d. nat. Ver. d. Rheinl. u. Westf. XXXV, 1888, pag. 89—109. — Ders.: Sitzungsber. d. niederrh. Ges. in Bonn vom 9. Juli 1888. — Dannenberg: l. c., pag. 57 u. 73.

des Siebengebirges vorausgesetzt wird. Jedenfalls läßt sich, wie ich glaube, der Mineralbestand unserer Einschlüsse, auch ohne Voraussetzung eines älteren Kontaktes, bloß aus der Einwirkung des trachytischen Magmas auf die Schieferbrocken erklären.

Auffallend muß es erscheinen, daß die in Rede stehenden Einschlüsse auf die trachytischen Gesteine beschränkt sind und daß in den übrigen Eruptivgesteinen des Gebietes (von basischerem Charakter), die gleichfalls auf das Vorkommen von Einschlüssen untersucht wurden, die veränderten Schiefer gänzlich zu fehlen scheinen.

Allerdings darf hiebei nicht darauf vergessen werden, daß gerade die Trachyte der Euganeen, dank ihrer ausgebreiteten Verwendung als Straßenpflaster, gerade die besten Aufschlüsse unter allen Eruptivgesteinen darbieten und hier die Möglichkeit der Auffindung von Einschlüssen eine besonders große ist.

Vielleicht ist auch noch ein Umstand in Rechnung zu ziehen, dessen Herr Dannenberg gedacht hat, nämlich »die theoretische Voraussetzung einer stärkeren chemischen Einwirkung des basischen Magmas« (l. c., pag. 23). Die übrigen Eruptivgesteine waren fähig, die Schiefereinschlüsse völlig zu resorbieren, während der Trachyt die hereingeratenen Fremdkörper nicht ganz einzuschmelzen vermochte.

2. Die untersuchten Schiefereinschlüsse zeichnen sich durch einen außerordentlichen Wechsel in ihrem Mineralbestande aus und vor allem fällt das wechselnde Mengenverhältnis des an der Zusammensetzung der Aggregate sich beteiligenden einzelnen Mineralkomponenten auf. Einen Überblick vermag die folgende Tabelle geben, in die auch die Beobachtungen von Herrn Lacroix an dem mir nicht vorgelegenen Material von Monselice und vom Monte Rosso einbezogen sind.

Fundort	Feldspat	Biotit	Spinell	Sillimanit	Andalusit	Cordierit	Korund	Rutil	Zirkon
Lispida	—	+	+	—	—	—	—	+	—
Criveliara	—	—	—	+	—	+	+	—	—
Contraca Fantola	+	+	‡	+	—	—	+	+	+
Zovon a) . .	+	+	+	—	—		—	—	—
b)	+	+	+	+	—	—	—	—	—
c) . . .	+	—	+	—	—	—	+	+	+
d)	+	—	‡	—	—	—	+	+	—
Monte Rosso (n. Lacroix)	+	—	+	+	+	+	+	—	—
Monselice (n. Lacroix) .	+	+	+	+	—	—	+	+	—

Der Wechsel in dem Mineralbestande ist mit einer Änderung in der Struktur der Einschlüsse verbunden. Mit der Zunahme des Gehaltes von Feldspat, mit dem Zurücktreten des Glimmers unter gleichzeitigem Anwachsen des Sillimanit-, Spinell-, Korund- (und Rutil-) Gehaltes tritt eine Verwischung der Schieferstruktur ein. Diese Umstände können in erster Reihe durch die verschiedene Dauer und Intensität der Einwirkung des trachytischen Magmas erklärt werden. Die ursprünglich (vielleicht in größerer Tiefe) gebildeten Kontaktminerale sind Glimmer und Spinell, ihnen folgt der Sillimanit. Die Einschlüsse haben durch die allmähliche Feldspatisation eine Anreicherung an Alkalien erfahren.

Die Umwandlung des Biotits in Spinell, Korund und Sillimanit findet einerseits eine Erklärung durch die Versuche von Herrn Vernadsky,[1]) der durch Schmelzen des Biotits die gleichen Minerale er-

[1]) Vernadsky zit. b. Morozewicz, pag. 59. — Vergl. das folgende Zitat.

halten hat. Anderseits läßt sich die Gesamtheit der Erscheinungen vielleicht deuten durch die Versuche von Herrn Morozewicz,[1]) der die »genetische Gruppe« des Spinell, Korund, Sillimanit und Cordierit, die für alle bekannten Schiefereinschlüsse aus trachytischen Gesteinen so charakteristisch ist, aus einer mit Tonerde übersättigten, dem trachytisch-andesitischen Magma vergleichbaren Silikatschmelzlösung synthetisch dargestellt hat.

Die in den Trachyt hineingeratenen Schieferbrocken werden von Feldspatsubstanz durchtränkt und Kontakterscheinungen, Einschmelzung und darauffolgende Ausscheidung greifen bei der Bildung der in Rede stehenden Einschlußminerale ineinander.

Eine genauere Präzisierung der Tatsachen, welche auch eine exaktere Fassung der hier ausgesprochenen Ansicht zur Folge haben dürfte, muß allerdings einer späteren Periode vorbehalten bleiben, in der die »Petrographie der Einschlüsse« weitere Fortschritte gemacht haben wird.

[1]) J. Morozewicz: Experimentelle Untersuchungen über die Bildung der Minerale im Magma. T. M. P. M. XVIII, pag. 1—240.

BEITRÄGE ZUR GIGANTOSTRAKENFAUNA BÖHMENS.

Von

Friedrich Seemann.

Mit einer Tafel (IV) und 2 Textfiguren.

Der größte Teil des Materials, das der vorliegenden Arbeit zu Grunde liegt, wurde mir von Herrn Prof. J. J. Jahn durch die Vermittlung meines verehrten Lehrers, Prof. Dr. V. Uhlig, zur Bearbeitung überlassen. Auch die Herren Prof. Dr. A. Frič und Dr. Jaroslav Perner stellten mir einige recht hübsche Stücke aus dem böhmischen Landesmuseum zur Verfügung. Allen den genannten Herren spreche ich hiemit für ihre Liebenswürdigkeit meinen besten Dank aus.

Bevor ich zur Beschreibung der einzelnen Arten übergehe, möchte ich auf die Schwierigkeiten hinweisen, die sich bei einer Bearbeitung der *Gigantostraken* Böhmens ergeben. Der Grund dieser Schwierigkeiten liegt vor allem in dem Umstand, daß einigermaßen vollständige Exemplare sich so gut wie gar nicht finden. Man trifft nur Bruchstücke an: Kaufüße, Scherenteile, einzelne Körpersegmente, Fußglieder u. s. w. Unter diesen Umständen ist es oft schwer, einen Schluß über die systematische Zugehörigkeit oder den zoologischen Charakter der einzelnen Bruchstücke zu ziehen. Dies ist nur dann möglich, wenn die vorliegenden Bruchstücke Ähnlichkeit mit vollständiger bekannten Arten aus dem englischen, amerikanischen oder baltischen Silur besitzen. Kann man eine solche Verwandtschaft nicht auffinden, so erübrigt nichts anderes, als die Bruchstücke ungedeutet zu lassen oder provisorische Namen zu wählen.

Literatur.

Nur die in der vorliegenden Arbeit zitierten Werke sind oben angeführt. Die einschlägige Literatur bis 1892 findet man bei: Vodges; A classed and annotated bibliography of the palaeozoic Crustacea. Occasional papers IV, California Academy of Sciences 1893.

Huxley and **Salter**: On the anatomy and affinities of the genus Pterygotus. Mem. Geol. Surv. of the United Kingdom. Monogr. I. 1859.

Woodward: A Monograph of the british fossil Crustacea belonging to the order Merostomata. Palaeont. Soc. 1866—1878.

Barrande: Système silurien du centre de la Bohême. Partie I, Vol. 1, Suppl. 1872.

Pohlmann: On certain Fossils of the Water-Lime Group near Buffalo. Bull. Buff. Soc. Nat. Sci. Vol. IV, Nr. 1, Buffalo, 1881.

» Additional Notes on the Fauna of the Water-Lime Group near Buffalo. Bull. Buff. Soc. Nat. Sci. Vol. IV, Nr. 2, 1882.

Schmidt: Miscellanea Silurica III: Die Crustaceenfauna der Eurypterenschichten von Rootziküll auf Oesel. Mém. de l'Acad. imp. des scienc. de St. Petersbourg. 7. Serie, Tome XXXI, Nr. 1, 1883.

Semper: Die Gigantostraken des älteren böhmischen Paläozoicum. Beiträge zur Paläontologie u. Geologie Österreich-Ungarns u. d. Orients. Bd. XI, Wien, 1898.

Holm: Palaeontologiska notiser. Geologiska Föreningens i Stockholm. Förhandlingar, 1899.

Am besten scheinen mir zur Arttrennung bei *Pterygotus* — die meisten Gigantostrakenreste des böhmischen Silurs gehören ja dieser Gattung an — die Scheren geeignet; außer diesen noch die Coxognathiten der Ektognathen. Auch Kopfschild, Metastoma und Operculum würden sich wahrscheinlich gut zur Arttrennung verwenden lassen; aber Reste dieser Körperteile finden sich nur sehr spärlich und sind meist schlecht erhalten. Alle anderen Bruchstücke, wie Endognathen, Körpersegmente u. s. w. sind zur Unterscheidung der Arten sehr wenig geeignet.

Provisorische Arten auf solche Bruchstücke zu begründen, hat nur in dem Falle eine Berechtigung, wenn die betreffenden Stücke sehr häufig gefunden werden. Denn man hat dann den Vorteil, Bruchstücke, die man später findet, besser identifizieren zu können. Alle provisorischen Arten aber haben den Nachteil, daß der, welcher sich nicht näher mit der Gigantostrakenfauna beschäftigt, ein ganz falsches Bild von ihr erhält. Die Zahl der Arten erscheint ihm naturgemäß viel größer als es wirklich der Fall ist.

Ich habe daher in der vorliegenden Arbeit nach Tunlichkeit davon Abstand genommen, solche zur Arttrennung wenig geeignete Bruchstücke mit provisorischen Namen zu belegen in der Hoffnung, daß spätere glücklichere Funde ihre Zugehörigkeit zu bereits aufgestellten Arten ergeben werden.

Pterygotus Agassiz.

Pterygotus Barrandei Semper.

Taf. (IV), Fig. 1 u. 2.

Pterygotus sp. Barrande. Syst. sil. I. suppl. Taf. XVII, Fig. 15; Taf. XXXV, Fig. 40.
Pterygotus Barrandei Semper. Gigantostraken d. böhm. Paläoz., Taf. XII, Fig. 1—4; Textfigur 10, 11.

Semper hat die obige Art auf Grund der Kaufüße aufgestellt, welche sich recht häufig im böhmischen Silur finden und die auch schon Barrande bekannt waren. Auch in dem Material, das mir zur Verfügung stand, sind solche Coxognathiten recht zahlreich vertreten; sie stimmen vollkommen mit der Beschreibung und Abbildung Sempers überein.

Scheren. Auf Taf. XII, Fig. 1, bildet Semper das Bruchstück einer Schere ab; er stellt dasselbe zu *Pterygotus Barrandei* mit der Begründung, daß es sich auf derselben Platte befand wie ein Endognath dieser Art. Noch ein anderer, triftigerer Grund rechtfertigt die Zuweisung dieses Scherenbruchstückes zu *Pterygotus Barrandei*. Die Kaufüße von *Pterygotus Barrandei* und die von *Pterygotus anglicus* Agassiz (siehe Woodward, Taf. I, IV, VII) sind nämlich sehr ähnlich gestaltet, so daß zweifelsohne eine Verwandtschaft zwischen diesen beiden Arten besteht. Nun weisen die Scheren von *Pterygotus anglicus*, wie man schon an der Abbildung Sempers erkennt und noch deutlicher an der von mir abgebildeten, vollständigeren Schere sieht, eine weitgehende Ähnlichkeit mit den in Rede stehenden Bruchstücken auf; man muß sie daher wohl zu *Pterygotus Barrandei* stellen.

Figur 1 auf Taf. IV zeigt eine solche Schere von *Pterygotus Barrandei*. Im beweglichen Teil der Schere stehen vier mächtige Zähne, von denen der stark gekrümmte Endzahn und der ungefähr in der Mitte des Scherengliedes stehende dritte Zahn am größten sind; letzterer besitzt an dem vorliegenden Stück eine Länge von beinahe 3 *cm*. Zwischen den vier größeren Zähnen stehen eine Anzahl kleinerer Zähne.

Auch im festen Scherengliede sieht man eine ähnliche Anordnung der Zähne: vier größere und dazwischen kleinere Zähne. Doch reichen diese vier großen Zähne des festen Scherenteiles nicht an die Länge der Zähne hinan, die im beweglichen Scherengliede stehen; dies gilt besonders vom Endzahn.

Die Zähne zeigen die charakteristische, in anastomosierenden Streifen bestehende Verzierung.

Die Scheren von *Pterygotus Barrandei* haben, wie schon oben erwähnt wurde, eine große Ähnlichkeit mit denen des *Pterygotus anglicus*; besonders die Abbildung Woodwards (Taf. VII, Fig. 1) zeigt dies deutlich. Wir finden auch bei dieser englischen Art vier große Zähne in jedem Scherengliede, ebenso sind die Scherenenden ähnlich wie bei *Pterygotus Barrandei* gestaltet. Nur sind die Zähne im allgemeinen stumpfer und plumper als bei der böhmischen Art.

Daß auch das von Semper auf Taf. XII, Fig. 2, abgebildete feste Scherenglied zu dieser Art gehört, erscheint mir zweifelhaft; ich vermisse nämlich den großen Zahn, welcher bei der von mir abgebildeten Schere in der Nähe des Scherengrundes steht.

Operculum. Die Figur 2 auf Taf. IV stellt den Medianlappen des Operculums von *Pterygotus Barrandei* dar, der mir in mehreren Abdrücken vorliegt.

Dieser Lappen besitzt eine zungenförmige Gestalt und zeigt eine eigentümliche Zeichnung. In der Medianlinie verläuft ein schwach angedeuteter Kiel, der übrigens bei anderen Exemplaren als Furche erhalten ist. Zuweilen ist er beiderseits noch von einem ganz schwachen Kiel begleitet. Außer diesen Kielen bemerkt man zahlreiche Falten. Ein Teil von diesen stößt unter einem spitzen Winkel in der Medianlinie zusammen; die Scheitel dieser Winkel sind gegen das Ende des Lappens gerichtet. Die Falten, die in der Nähe des Endabschnittes des Lappens auftreten, stoßen nicht unter einem Winkel zusammen, sondern divergieren und zeigen die Tendenz einer mehr oder weniger parallelen Anordnung.

Huxley bildet, fälschlicherweise als Epistoma, mehrere Opercula von *Pterygotus anglicus* ab (Taf. III), denen die oben beschriebenen ähnlich sind. Zwar ist die äußere Gestalt und auch die Anordnung der Falten nicht ganz übereinstimmend. Die Abbildungen Huxleys lassen nur radiär angeordnete Falten am Ende des Lappens erkennen und, was die Gestalt betrifft, so ist das Ende des Lappens mehr gerundet und die Mitte mehr eingeschnürt als bei *Pterygotus Barrandei*. Doch ersieht man schon aus den Abbildungen Huxleys, daß die äußere Gestalt sehr wechselt. Fig. 7 stimmt übrigens ganz gut mit dem von mir abgebildeten Medianlappen.

Soviel steht aber jedenfalls fest, daß kein Operculum eines anderen *Pterygotus* mehr mit dem mir vorliegenden übereinstimmt, als das von *Pterygotus anglicus*. Mit Rücksicht auf die nahe Verwandtschaft von *Pterygotus anglicus* und *Pterygotus Barrandei* wird man daher keinen Fehlgriff tun, wenn man die in Frage stehenden Medianzipfel zu *Pterygotus Barrandei* stellt, wie ich es oben getan habe.

Pterygotus Barrandei hat sich bis jetzt in e_1 und e_2 gefunden. Die von mir bearbeiteten Stücke stammen von Podol Dvorce auf der Stufe e_1 β. Barrande hat diese Art aus der Stufe e_2 von Dvorec, Semper aus derselben Stufe von Dlouhá hora beschrieben.

Pterygotus nobilis Barr.

Textfigur 1.

Barrande. Taf. XVIII, Fig. 10.
Semper. Taf. XII, Fig. 9 und Textfigur 7.

Ohne Bedenken glaube ich, das vorliegende Scherenglied (siehe Textfigur 1) hieher stellen zu können. Von den beiden Zähnen am Scherengrunde ist zwar infolge der schlechten Erhaltung nur einer deutlich zu sehen, aber die Gestalt und Anordnung der übrigen Zähne wie auch der ganze äußere Umriß stimmt recht gut mit der Abbildung Barrandes und Sempers.

Textfig. 1. *Pterygotus nobilis* Barr. Scheerenglied. Podol Dvorce (e_1 β).

An dem von mir abgebildeten Stücke sieht man auch gut das Scherenende; es ist ähnlich gestaltet wie bei *Pterygotus buffaloensis* Pohlmann und bei *Pterygotus bohemicus* Barr.

Ein zweites Bruchstück, das mir vorliegt, hat Ähnlichkeit mit Sempers Textfigur 7.

Beide Stücke stammen aus e_1 β, und zwar von Podol Dvorce.

Pterygotus bohemicus Barr.

Tafel IV, Fig. 3 u. 4

Pterygotus comes Barr. Taf. XVIII, Fig. 9.
Pterygotus bohemicus Barr. Taf. XVII, Fig. 20—24.
» Semper, Taf. XII, Fig. 8 und Textfigur 5, 6.

Kaufüße. Von dieser Art liegt mir eine größere Zahl von Coxognathiten vor. Meistens ist aber nur der interne Teil erhalten. Einige dieser Coxognathiten stimmen mit der Abbildung, die Semper auf Seite 74 gibt, überein. Andere aber weichen davon ab. So zeigt die Zahnreihe nur 14 Zähne, bei einem Exemplar habe ich sogar nur elf Zähne gezählt (siehe Taf. IV, Fig. 3). Dennoch muß ich es hieher stellen und nicht etwa zu *Pterygotus Barrandei*, dessen Kaufüße 11—12 Zähne besitzen, weil der für *Pterygotus bohemicus* charakteristische kleine erste Zahn deutlich erhalten ist.

Sehr weicht bei manchen Stücken auch der Vorderrand des internen Teiles ab. Bei der Abbildung Sempers und auch bei zwei Exemplaren, die mir vorliegen, ist er gleichmäßig gewölbt. Bei anderen springt dagegen der Vorderrand sehr plötzlich zu einem Buckel vor, z. B. bei dem von mir abgebildeten Stücke; doch stellt dieses Stück noch nicht den extremsten Fall vor. Zwischen diesen abweichenden Formen und den normalen gibt es Übergänge. Die Zahl der Zähne und die Gestalt des Vorderrandes scheinen also keine konstanten Merkmale zu sein, konstant dagegen ist stets der kleine erste Zahn, der gleichsam nur ein Adventivzahn des zweiten großen Zahnes ist.

Ein solcher kleiner Zahn findet sich, nebenbei bemerkt, auch bei *Pterygotus problematicus* Salter (Taf. XII, Fig. 12, 13).

Bei einem der mir vorliegenden Ektognathenkaufüße ist auch der Externteil teilweise erhalten. Bei diesem Coxognathiten sieht man auf dem Vorderrande des Intern- und Externteiles bogenförmige Schuppen, wie sie auch Semper abbildet, auf dem Hinterrande des Externteiles dagegen scharf ausgeprägt dreieckige Schuppen, welche ihre Spitze dem Hinterrande zukehren. Der allgemeine Umriß des Coxognathiten stimmt mit der Abbildung Sempers überein.

Zu *Pterygotus bohemicus* gehört auch *Pterygotus mediocris* Barr. Ich habe das Original des *Pterygotus mediocris*, den Barrande auf Taf. XVIII abbildet, in der Hand gehabt. Der fragliche Rest gehört nicht zu einer Schere, wie Barrande angenommen hat, sondern er ist ein Kaufuß, und zwar ein Kaufuß von *Pterygotus bohemicus*. Die Abbildung Barrandes ist nicht sehr gut. Die fünf kleinen Zähne, die hinter dem ersten großen Zahn stehen, sind nicht etwa so gut auf dem Original erhalten, wie sie die Abbildung zeigt, sondern sie sind abgebrochen und recht undeutlich; sie waren sicherlich ebenso lang wie die folgenden Zähne. Die Zahl der Zähne beträgt wie bei *Pterygotus bohemicus* 14; auch den kleinen ersten Zahn, der meines Erachtens für diese Art charakteristisch ist, habe ich durch Präparieren bloßlegen können. Die Zähne sind etwas spitziger als bei der Abbildung Sempers; dies gilt übrigens auch für die Zähne der Kaufüße, die sich in dem von mir bearbeiteten Material vorfinden. Ich muß aber hervorheben, daß auch die Zähne des Originals, das der Abbildung Sempers zu Grunde lag, etwas spitziger sind, als die Abbildung erkennen läßt.

Scheren. Das Original der auf Taf. IV, Fig. 4, abgebildeten Schere ist Eigentum des böhmischen Landesmuseums. Prof. Novák hatte es für eine neue Art gehalten und mit dem Namen *Pterygotus Barrandei* belegt. Das vorliegende Stück, das Novák übrigens nicht veröffentlicht hat, gehört aber ohne Zweifel zu *Pterygotus bohemicus* Barr.

Charakteristisch für die Scheren dieser Art sind die abgestutzten Scherenenden und die großen, schief gestellten, gesägten Zähne des festen Scherengliedes. Einen solchen gesägten Zahn hat schon Barrande als *Pterygotus comes* beschrieben und abgebildet (Taf. XVIII, Fig. 9). Auch Semper gibt eine Abbildung von einem solchen Zahne (Taf. XII, Fig. 8) und außerdem von einem Scherenteile (Textfig. 6).

Ebenso wie Semper halte ich den Scherenteil, in welchem die gesägten Zähne stehen, für den festen, und zwar infolge der Analogie mit *Pterygotus buffaloensis* Pohlmann (Additional Notes, Seite 44 und Taf. III, Fig. 3), der ja mit *Pterygotus bohemicus* in naher Verwandtschaft steht.

Die Anordnung der Zähne in den beiden Scherenteilen ist recht verschieden.

Hinter dem Scherenende des beweglichen Teiles sieht man zunächst drei kleine Zähne; die folgenden drei sind ungefähr noch einmal so lang als die ersten drei; hinter diesen steht ein mächtiger, über 2 *cm* langer Zahn; dann folgen wieder drei, etwas über 1 *cm* lange Zähne und drei kleinere, schließlich wieder ein größerer Zahn, der im Verhältnis zu seiner Länge etwas breiter ist als die anderen. Hinter dem Scherenende des festen Gliedes steht ein etwa $1/_2$ *cm* langer Zahn, dahinter zwei kleinere, dann wieder ein größerer und zwei kleinere und das wiederholt sich noch einmal. Am auffallendsten sind aber die zwei großen gesägten Zähne. Der eine ist an dem vorliegenden Exemplar 2 *cm*, der andere sogar gegen 4 *cm* lang. Beide Zähne sind auffallend schief gegen das Vorderende der Schere gestellt, der gesägte Rand ist dem Scherengrunde zugewendet.

Noch möchte ich auf die Möglichkeit hinweisen, daß der kleinere der gesägten Zähne sich vielleicht nicht in seiner natürlichen Stellung befindet, wenn er auch ohne Zweifel zu der vorliegenden Schere gehört. Es macht nämlich auf mich den Eindruck, als ob er mit seiner Basis über dem Scherenteil läge und die Streifenverzierung sich auf diesen fortsetzte. Stünde der in Frage stehende Zahn in natürlicher Stellung auf der vorliegenden Schere, dann würde er nicht dem kleinen gesägten Zahn von *Pterygotus buffaloensis* entsprechen; denn bei diesem steht der kleine gesägte Zahn hinter dem großen, während es hier umgekehrt wäre.

Die besser erhaltenen Zähne, besonders der große gesägte Zahn, zeigen die typische Streifenverzierung. Fast sämtliche Zähne — eine Ausnahme bildet vielleicht nur der große gesägte Zahn — sind sehr spitz. Dies sieht man zwar weniger deutlich an der vorliegenden Abbildung, weil die Spitzen der Zähne eben nicht erhalten sind; ausgezeichnet dagegen bei einem aus dem e_2-Kalk von Dlouhá hora stammenden beweglichen Scherengliede.

Mir liegt außerdem noch ein Bruchstück eines beweglichen Scherenteiles aus den e_1-Schiefern von Dvorec vor, das zwar in der Anordnung der Zähne ein wenig abweicht, aber gewiß auch hieher gehört. Ein festes Scherenglied von Podol Dvorce (e_1 β) zeigt große Ähnlichkeit mit der Abbildung Sempers.

Die meiste Verwandtschaft hat die vorliegende Art mit *Pterygotus buffaloensis* Pohlm., wie wir schon erwähnt haben. Die Scherenenden sind übereinstimmend und auch die Anordnung und Gestalt der Zähne scheint eine ähnliche zu sein; leider gestattet die unzureichende Abbildung Pohlmanns einen näheren Vergleich nicht. Eine gewisse Verwandtschaft mit *Pterygotus bohemicus* zeigt auch *Pterygotus problematicus* Salter; er besitzt auch einen großen gesägten Zahn und, wie wir schon früher hervorgehoben haben, auch ähnliche Kaufüße wie *Pterypotus bohemicus*. Die Scherenenden aber sind abweichend gestaltet.

Pterygotus bohemicus ist bis jetzt in e_1 β (bei Dvorec) und in e_2 (auf der Dlouhá hora und bei Karlstein) gefunden worden.

Pterygotus fissus nov. spec.

Taf. IV, Fig. 5.

Was an dem vorliegenden Scherenteile sofort auffällt, ist das eigentümlich gestaltete Ende; dieses ist nämlich gabelig geteilt. Hinter den beiden Gabelzähnen des Scherenendes stehen sechs, wahrscheinlich gleich große Zähne — sie sind zum Teil schlecht erhalten. Der folgende Zahn ist der größte; dahinter liegt ein auffallend schiefer, auch der hinter diesem stehende ist noch etwas schief. Weiter ist das Scherenglied nicht erhalten. Sämtliche Zähne sind ziemlich spitz; auf dem großen sieht man Streifenverzierung angedeutet.

Eine andere Art mit ähnlichem Scherenende ist meines Wissens nicht bekannt. Nur bei *Pterygotus punctatus* Salter könnte man, nach der Abbildung Fig. 2 *a* auf Taf. XI zu urteilen, eine ähnliche Form vermuten; aber in Fig. 2 *b* ergänzt Salter das Scherenende anders.

Eine ähnliche Anordnung der Zähne findet sich bei manchen anderen Arten, z. B. bei *Pterygotus osiliensis* Schmidt (Taf. VII) und besonders bei *Pterygotus bohemicus*. Bei letzterem stimmt auch die Gestalt der Zähne ziemlich überein. Wären die Scherenenden nicht verschieden, so würde ich die vorliegende Art ohne Bedenken zu *Pterygotus bohemicus* stellen.

Da aber durchaus kein Grund zu der Annahme vorliegt, daß bei *Pterygotus bohemicus* ab und zu auch Scheren mit gegabeltem Ende vorkommen, so halte ich es für zweckmäßiger, das vorliegende Stück vorderhand als eigene Art zu betrachten.

Der Fundort ist Dlouhá hora (e_2).

Pterygotus cf. problematicus Salter.

Pterygotus problematicus Salter, Taf. XII.
» » » Semper, Textfig. 12.

Von dieser Art liegt mir ein Scherenglied vor; wahrscheinlich ist es das feste. Die am Grunde der Schere stehenden Zähne sprechen dafür. Nur diese beiden Zähne sind vollständig erhalten; von den übrigen sieht man nur die Anwachsstellen, diese aber sehr deutlich. Das vorliegende Scherenstück ist nämlich in natürlicher Gestalt, als Relief, nicht als Abdruck erhalten. Die Anwachsstellen der Zähne erscheinen als Kreise oder Ellipsen; die Zähne selbst waren daher konisch gestaltet.

Vor den zwei vollständig erhaltenen Zähnen stehen drei kleine, davor ein großer Zahn, vor diesem wieder zwei kleine; hierauf folgt der größte Zahn; die nächsten Zähne sind wieder klein.

Zähne am Grunde der Schere sind von *Pterygotus nobilis*, *Pterygotus ludensis* (Huxley und Salter, Taf. XIV) und von *Pterygotus problematicus* bekannt.

Zu *Pterygotus nobilis* gehört die vorliegende Schere nicht; denn bei dieser Art sind die in Frage stehenden Zähne gekrümmt. Größere Ähnlichkeit hat sie mit *Pterygotus ludensis* und besonders mit *Pterygotus problematicus*. Die Zähne des Scherengrundes sind bei diesen beiden Arten auch gerade, ebenso scheint die Anordnung der übrigen Zähne ähnlich zu sein. Die äußere Gestalt des Schergliedes ist jedoch nicht übereinstimmend; das mir vorliegende ist im ganzen viel breiter und die Verbreiterung gegen den Scherengrund erfolgt allmählich, während dies bei *Pterygotus problematicus* und besonders bei *Pterygotus ludensis* viel rascher stattfindet. Am meisten Ähnlichkeit hat das vorliegende Scherenbruchstück aber doch noch mit *Pterygotus problematicus*, weshalb ich es in die Verwandtschaft dieser Art gestellt habe.

Das Stück stammt aus dem e_2-Kalk von Kolednik.

Pterygotus beraunensis Semper.

Taf. IV, Fig. 6.

Semper, Taf. XII, Fig. 5, 6.

Semper beschreibt als *Pterygotus beraunensis* den Coxognathit eines Endognaths, der mit dem eines *Pterygotus anglicus* und besonders mit dem eines *Pterygotus arcuatus* Salter Ähnlichkeit hat. Mir liegt auch ein solcher Endognath vor, der vollständig mit der Abbildung Sempers übereinstimmt; auch die von Semper beschriebene Struktur der Zähne ist sehr deutlich erhalten.

Zwei andere Endognathen haben auch Ähnlichkeit mit der Abbildung Sempers, eine noch größere aber mit der, welche Huxley gibt (Taf. XI, Fig. 10). Der Vorderrand springt ebenso buckelförmig vor, wie bei dem von Huxley abgebildeten Endognathen, den er übrigens irrigerweise als Ektognath auffaßt.

Bei einem dieser zwei Endognathen bemerkt man (siehe Taf. IV, Fig. 6) recht deutlich eine doppelte Zahnreihe, wie sie z. B. auch Holm von *Eurypterus Fischeri* Eichw. abbildet (Taf. II, Fig. 5).

An den Zähnen sieht man ganz gut die charakteristische Verzierung der Kauzähne, wie sie sich bei *Pterygotus beraunensis* findet. Dieser Umstand hat mich vor allem bewogen, auch diese beiden Endognathen zu der obigen Art zu stellen, obgleich der äußere Umriß viel besser mit *Pterygotus arcuatus* übereinstimmt.

Sämtliche Stücke stammen aus den e_1 β-Schiefern von Podol Dvorce.

Eurypterus Dekay.

Eurypterus aff. punctatus Woodw. et acrocephalus Semper.

Taf. IV, Fig. 7.

Pterygotus punctatus Salter, Seite 90, Taf. X, XI, XIII.
Eurypterus punctatus Woodward, Seite 153, Textfigur 49—51, Taf. XXIX.

Die Abbildung stellt das Bruchstück eines Endognathen vor. Erhalten sind Carpus (*c*), Meros (*m*), Ischium (*i*), Basos (*b*) und wohl auch ein Teil des Coxognathiten. Die Abgrenzung des Basos gegen letzteren läßt sich nicht erkennen. Die Begrenzung der anderen Glieder gegeneinander ist deutlicher zu sehen. An Carpus, Meros und Ischium bemerkt man auch die Ansatzstellen der charakteristischen Stacheln. Neben dem Ischium liegt, den Hinterrand des Basos etwas verdeckend, ein solcher isolierter Stachel; er zeigt sehr schön die aus feinen, sich verzweigenden Streifen bestehende Verzierung.

Ähnliche, mit Stacheln bewehrte Endognathglieder finden wir auch bei anderen *Eurypterus*-Arten, z. B. auch bei *Eurypterus scorpioides* Woodw., mit dem *Eurypterus acrocephalus* Semper verwandt ist. Es ist daher sehr wahrscheinlich, daß der vorliegende Endognath zu dieser Art gehört.

Das Stück stammt aus der Stufe $e_1\beta$ von Podol Dvorce.

Reste verschiedener Art.

An dieser Stelle sollen einige Reste beschrieben werden, die sich nicht zu den bereits bekannten Arten stellen lassen, die aber auch nicht die Aufstellung neuer Arten rechtfertigen, sei es, weil sie nur in wenigen oder gar nur in einem Exemplar vorliegen, sei es, weil sie für die einzelnen Arten wenig charakteristisch sind und daher für die Artbestimmung überhaupt ungeeignet erscheinen.

1. Metastoma eines Pterygotus. Das auf Taf. IV, Fig. 8, abgebildete Metastoma weicht in seiner äußeren Gestalt ziemlich beträchtlich von den bisher beschriebenen Mundplatten ab. Es ist ziemlich breit; die Breite verhält sich zur Länge ungefähr wie 11 zu 15. Am Vorderrande bemerkt man einen tiefen Einschnitt. Die abgestumpfte Spitze des Hinterendes zeigt eine kurze, seichte Grube (siehe Fig. 9 auf Taf. IV). Schuppenverzierung, wie sie sich bei anderen Mundplatten findet, ist infolge der schlechten Erhaltung nicht zu sehen.

Ein etwas anders gestaltetes Metastoma befindet sich im Besitze des böhmischen Landesmuseums; es ist leider nicht vollständig erhalten.

Die erwähnten Mundplatten stammen aus Podol Dvorce ($e_1\beta$).

2. Anhänge des Thorax(?) (Textfig. 2). Solche Anhänge liegen mir in sechs Abdrücken vor. Sie sind gelappt; Gestalt und Anordnung der Lappen ist variabel; der mittlere ist der größte. Die einzelnen Lappen sind mit Falten und Schuppen verziert. Die Falten an den beiden Seitenrändern des zungenförmigen Mittellappens sind ziemlich dicht angeordnet und laufen mit den Seitenrändern ungefähr parallel. Die in der Mitte auftretenden stehen weiter voneinander und stoßen im oberen Teile des Lappens unter einem Winkel zusammen. Weiter nach oben gehen die Falten allmählich in bogenförmige Schuppen über. Auch auf den Seitenlappen sieht man im unteren Teile Falten, im oberen deutliche Schuppen.

Woodward bildet Seite 91 ähnliche Gebilde ab und beschreibt Seite 90 auch eine ähnliche Verzierung derselben.

Der Fundort der oben beschriebenen Körperanhänge ist Podol Dvorce ($e_1\beta$).

3. Coxognathit eines Pterygotus? (Taf. IV, Fig. 10). Die vorliegende Zahnreihe unterscheidet sich von der Zahnreihe anderer Kaufüße sofort durch die Stellung der ersten zwei Zähne, welche bedeutend tiefer stehen als die übrigen. Die Zahl der Zähne beträgt zehn. Der erste Zahn ist sehr groß und dreieckig; seine Spitze und die Basis der letzten sieben Zähne liegen in einer Linie. Der zweite Zahn

reicht nicht bis zu dieser Linie. Auch der dritte Zahn steht noch etwas tiefer als die übrigen sieben Zähne. Diese sind ziemlich gleich gestaltet, stehen in gleicher Höhe und nehmen nach rückwärts an Größe ab. Der Endlappen hat die Breite der letzten zwei Zähne.

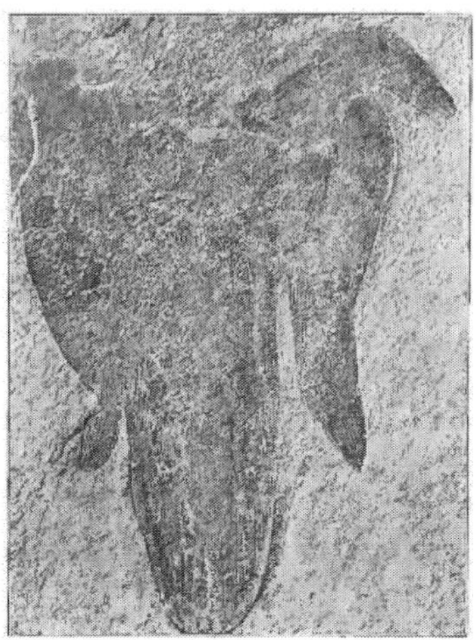

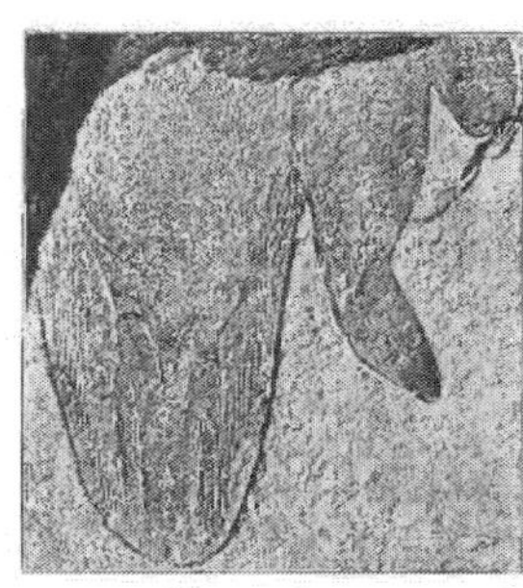

Textfig. 2. Anhänge des Thorax (?). Podol Dvorce (e_1 β).

Trotzdem die vorliegende Zahnreihe eine so charakteristische Gestalt hat, will ich sie doch nicht mit einem neuen Namen belegen, weil sie nur in einem einzigen Exemplar vorliegt.

Sie stammt von Podol Cementarna aus der Stufe e_1 β.

Von anderen Fußgliedern, die mir aus e_1 β vorliegen, wäre vielleicht noch der Propodos des sechsten Fußes eines *Pterygotus* erwähnenswert.

4. Körpersegmente. Von solchen sind mir die Seitenteile zweier Opercula bekannt; das eine ist dem von *Pterygotus bilobus* (Woodward, Seite 69) ähnlich, das andere dem einer *Slimonia acuminata*.

Außerdem liegen mir zwei Segmente vor, die etwa dem achten oder neunten entsprechen, ferner auch ein vorletztes Segment, ähnlich dem eines *Pterygotus gigas, anglicus* oder *ludensis*, und schließlich auch ein Telson, das wahrscheinlich zu *Eurypterus* gehört (Taf. IV, Fig. 11).

5. Kopfreste. Drei verschiedenen Arten, vielleicht auch verschiedenen Gattungen gehören diese Reste an.

Ein Rest hat eine ähnliche Gestalt wie der Kopf einer *Slimonia*, nur daß der Umriß nicht quadratisch, sondern mehr trapezförmig zu sein scheint. Einige andere Bruchstücke zeigen eine halbkreisförmige Gestalt; sie gehören wahrscheinlich zu *Pterygotus*; zwei weitere Bruchstücke besitzen einen wellig-geschweiften Umriß.

Vorkommen der böhmischen Gigantostraken und ihre Verwandtschaft mit jenen anderer Länder.

Verwandtschaftliche Beziehungen der böhmischen Gigantostraken mit jenen anderer Gebiete sind nicht bei allen Formen nachzuweisen. Deutlich ausgesprochen ist nur die Verwandtschaft zwischen *Pterygotus Barrandei* und *Pterygotus anglicus*, zwischen *Pterygotus bohemicus* und *Pterygotus buffaloensis* und endlich zwischen *Eurypterus acrocephalus* einerseits und *Eurypterus punctatus, scorpioides, scorpionis* anderseits.

Ob Böhmen manche Arten mit anderen Ländern gemeinsam hat, kann aus dem vorliegenden Material noch nicht entschieden werden. Denn *Pterygotus problematicus* und *Slimonia acuminata*, die dabei in erster Reihe in Betracht kämen, haben bis jetzt zu schlechte Reste geliefert, um einen sicheren Schluß zuzulassen.

Die böhmischen Gigantostraken finden sich am häufigsten in e_1 und e_2; aber auch in d_5, f_1, f_2 und g_1 sind Reste gefunden worden. Nähere Angaben über die Fundpunkte der von Semper und Barrande beschriebenen Arten findet man in der Einleitung zu Sempers Arbeit übersichtlich zusammengestellt, so daß ich hier nicht näher darauf einzugehen brauche. Das Vorkommen der von mir beschriebenen Reste ist bei der Beschreibung der einzelnen Arten angeführt und zum Teil auch aus der folgenden Tabelle ersichtlich.

Böhmische Arten	Vorkommen der böhmischen Arten			Verwandte Arten	Vorkommen der verwandten Arten			
					England			Nordamerika
	e_1	e_2	f_1		U. Silur	O. Silur	U. Devon	O. Silur
Pterygotus				**Pterygotus**				
bohemicus Barr.	+	+	—	*buffaloensis* Pohlm. . . .	—	—	—	+
aff. *bohemicus*	—	—	+	„ „ . .				—
nobilis Barr.	+	+	—	—	—	—	—	—
Barrandei Semper . . .	+	+	—	*anglicus* Agassiz . .	—	—	+	—
Beraunensis Semper . .	+	+		*arcuatus* Salter	+	—	—	—
cf. *problematicus* Salter	+	+	—	*problematicus* Salter . .		+	—	—
Blahai Semper	—	+		—	—	—	—	—
kopaninensis Barr. . . .	—	+	—	—	—	—	—	—
fissus nov. sp.	—	+	—	—	—	—	—	—
Slimonia				**Slimonia**				
cf. *acuminata* Salter . .	—	+	—	*acuminata* Salter . . .	—	+	—	—
Eurypterus				**Eurypterus**				
				punctatus Woodw. . .	—	+	—	—
acrocephalus Semper .	+			*scorpioides* Woodw. . .	+	+	—	—
				scorpionis Grote u. Pitt.				+

INHALT.

	Seite
Dr. W. Janensch: Über Archaeophis proavus Mass., eine Schlange aus dem Eocän des Monte Bolca (mit Tafel I, II)	1—33
F. Cornu: Petrographische Untersuchungen einiger enallogener Einschlüsse aus den Trachyten der Euganeen (mit Tafel III)	35—48
Fr. Seemann: Beiträge zur Gigantostrakenfauna Böhmens (mit Tafel IV)	49—57

K. u. K. Hofbuchdruckerei Karl Prochaska in Teschen.

7744

BEITRÄGE

ZUR

PALÄONTOLOGIE UND GEOLOGIE

ÖSTERREICH-UNGARNS UND DES ORIENTS.

MITTEILUNGEN

DES

GEOLOGISCHEN UND PALÄONTOLOGISCHEN INSTITUTES
DER UNIVERSITÄT WIEN

HERAUSGEGEBEN

MIT UNTERSTÜTZUNG DES HOHEN K. K. MINISTERIUMS FÜR KULTUS UND UNTERRICHT

VON

VICTOR UHLIG, PROF. DER GEOLOGIE

CARL DIENER, PROF. DER PALÄONTOLOGIE

UND

G. VON ARTHABER, PRIVATDOZ. DER PALÄONTOLOGIE.

BAND XIX.

HEFT II und III.

MIT 10 TAFELN UND 26 TEXTFIGUREN.

WIEN UND LEIPZIG.
WILHELM BRAUMÜLLER
K. U. K. HOF- UND UNIVERSITÄTS-BUCHHÄNDLER.
1906.

ZUR KENNTNIS DES GENUS STREPTOSPONDYLUS.

Von

Dr. Franz Baron Nopcsa.

(Mit 18 Textfiguren.)

In Anbetracht des Umstandes, daß heutzutage an 50 Genusnamen theropoder *Dinosaurier* bekannt sind, ist es als trauriger Umstand zu bezeichnen, daß von fast keiner einzigen dieser Arten eine ausführliche, mit Zeichnungen versehene neuere Beschreibung vorliegt.

Diese Lücke für das Genus *Streptospondylus* auszufüllen, ist der Zweck der folgenden Arbeit, die auf einem genauen Studium der Pariser und Oxforder Reste, des *Poikilopleuron* von Caen und der *Megalosaurus*-Reste des Oxforder und Londoner Museums basiert. Eine Monographie von *Zanclodon* ist aus der Feder meines verehrten Freundes Baron Huene zu erwarten und dann wird es vielleicht auch für Fernerstehende möglich sein, eine allgemeine Übersicht über die Theropoden zu erlangen.

Unabhängig von einander sollen zuerst die beiden Repräsentanten des Genus *Streptospondylus* beschrieben und mit den übrigen Theropoden verglichen werden; darauf soll ein Vergleich der Theropoden mit den übrigen Dinosauriern, speziell mit der Unterordnung der Sauropoden durchgeführt werden. Für die Möglichkeit, dies Programm auszuführen und das eingangs erwähnte Material durchstudieren zu können, bin ich zu ganz besonderem Danke verpflichtet den Herren: Prof. Marcellin Boule, Prof. A. Gaudry, Herrn Thevenin in Paris, Dr. A. S. Woodward, Prof. Seeley und W. C. Andrews in London, Prof. Sollas in Oxford, Prof. Bigot in Caen, Prof. Sauvage in Boulogne s. m., ferner Prof. Koken und Privatdozenten Dr. v. Huene in Tübingen; Herrn J. Parker, der mir gestattete, seine Privatsammlung durchstudieren zu dürfen, möchte ich gleichzeitig ebenfalls danken.

Der größere Teil der bei der Arbeit benützten Literatur ist aus dem unten folgendem Verzeichnisse zu entnehmen.

Literatur.

1. Broom: On Algoasaurus; Geolog. Magazine, 1904.
2. Buckland: Notice on the Megalosaurus; Transact. geol. Soc. London, 1824.
3. Cope: Synopsis of the extinct Batrachia, Reptilia and aves of N. America; Transact. Americ. Philos. Society Philadelphia, 1871.
4. Cuvier: Ossements fossiles; Vol. V, 2. Edit. Paris, 1825.
5. Deslongchamps: Mém. Soc. Linéenne de Normandie.
6. Gaudry: Enchainement du monde animal; Vol. II, Paris, 1890.
7. Gervais: Zoologie et Paléontologie Française.
8. Hatcher: Diplodocus; its Osteology, Taxonomy and probable habits; Memoirs Carnegie Museum, Vol. I, 1900.
9. Hatcher: Osteology of Haplocanthosaurus; Memoirs Carnegie Museum, Vol. II, 1903.
10. Huene: Vorläufiger Bericht über die triassischen Dinosaurier; Neues Jahrbuch für Mineralogie, 1901.

Beschreibung des Materiales.

A. Pariser Material.

Typus des Genus Streptospondylus v. Meyer.

Die im Musée d'histoire naturelle aufbewahrten Stücke stammen aus der Zeit Cuviers und sind schon zum größten Teil in den Ossements fossiles (1825, Vol. V, 2. Teil, Tab. VIII, Fig. 12, 13, Tab. IX, Fig. 3, 6, 10, Tab. XXI, Fig. 9—13, 34—36) abgebildet worden. Wie schon Cuvier betont, sind die Stücke nicht in natürlichem Zusammenhang aufgefunden worden, sondern vermengt mit Resten gavialartiger Formen. Als Lokalität ist auf den Etiketten »Dives bei Vaches Noires« »Callovien« verzeichnet.

Nach Ausscheidung der zu den Mesosuchiern gehörenden Stücke bleibt folgendes Material übrig:

1. Eine Wirbelserie, bestehend aus mehreren Hals-, Rumpf-, 1 Lenden-, 2 Sacral-, 1 gut erhaltener und 1 abgerollter Caudalwirbel.
2. Mittleres Stück eines Femur.
3. Proximales Ende einer Ulna.

---

11. Huene. Übersicht über die Reptilien der Trias; Paläontolog. Abhandlungen, Koken, 1902.
12. Huene: Dystrophaeus Viaemalae; Neues Jahrb. f. Min., Geol. u. Paläont., Beilage, Bd. XIX.
13. Hulke: On Poikilopleuron; Quart. journal London geol. Society, 1879.
14. Huxley: Triassic Dinosauria; Quart. journ. London geol. Society, 1870.
15. Huxley: On the upper jaw of Megalosaurus; Quart. journ. London, geolog. Soc., 1869.
16. Lydekker: On a Coeluroid Dinosaur from the Wealden; Geological Magazine, 1889.
17. Lambe: Midcretaceous vertebrata; Contrib. to Canadian Palaeontology, Ottawa, 1902
18. Lennier: Géologie et Paléontologie de l'embouchure de la Seine; ?
19. Marsh: Dinosaurs of North America. Annual report United States geological Survey, 1896.
20. Meyer: Reptilien aus dem Stubensandstein; Palaeontographica, Vol. VIII.
21. Meyer: Fauna der Vorwelt; 2. Teil (Saurier des Muschelkalkes). Frankfurt a. M., 1847—1855.
22. Phillips: Geology of Oxford; London, 1871.
23. Nopcsa: Synopsis und Abstammung der Dinosaurier; Földt. Közlöny, Budapest, 1901.
24. Nopcsa: Notes on British Dinosaurs III., Geological Magazine, London, 1905.
25. Plieninger: Belodon Plieningeri; Ein Saurier der Keuperformation Württembergs. Jahreshefte, 1852 (Ziffer auf 1875 verdruckt).
26. Osborn: On Ornitholestes; Bull Amer. Mus. Nat. hist., 1903.
27. Osborn: Skull of Creosaurus; Bull. Amer. Mus. nat. hist., 1904
28. Owen: Report on british fossil Reptiles; Report brit. Assoc. for Advanc. of Science, 1841.
29. Owen: Fossil reptiles from Wealden and Purbeck; London, Palaeontographical Society.
30. Owen: On the skull of Megalosaurus; Quart journ. London geol. Soc., 1883.
31. Riley and Stutchbury: Remains of Saurian animals from the Magnesian limestone; Transactions Royal Society, London.
32. Riggs: Structure of opisthocoelian Dinosaurs Part. I Apatosaurus; Field Columbian Museum, Chicago, 1903.
33. Riggs: Structure of opisthocoelian Dinosaurs Part. II Branchiosauridae; Field Columbian Museum, Chicago, 1904.
34. Seeley: On Aristosuchus pusillus; Quart. journ. London geol. Soc., 1887.
35. Seeley: On Thecospondylus; Quart. journ. London geol. Soc., 1887.
36. Seeley: Classification of animals commonly named Dinosauria; Quart. journ. London geol. Soc. 1887 and Geological Magazine, 1887.
37. Seeley: On Euskelesaurus; Geological Magazine, 1894.
38. Seeley: Contribution to the knowledge of the Saurischia; Geological Magazine, 1892.
39. Seeley: On Thecodontosaurus and Palaeosaurus; Geological Magazine, 1895.
40. Seeley: On the type of the genus Massospondylus; Geological Magazine, 1895.
41. Seeley: Terrestrian Saurians from the Rhaetic of Wedmore hill; Geological Magazine, 1898.
42. Sauvage: Recherches sur les reptiles trouvés dans le Gault du bassin de Paris; Mem. Société géologique de Fr., Paris, 1882.

Weitere Literatur ist aus meiner in diesem Literaturverzeichnisse angeführten Arbeit zu entnehmen.

4. Distales Ende einer Tibia.

5. Der dazu gehörige Astragalus.

Als ich im Februar 1904 das Museum besuchte, fand ich die Stücke 2—5 unter dem Namen »*Megalosaurus*«,[1]) die Wirbelserie unter dem Namen »*Streptospondylus*« etikettiert.

Außer diesen Stücken ist von der Lokalität Dives noch ein größerer Wirbel von Lennier unter dem Namen *Streptospondylus* abgebildet und beschrieben worden und ein weiterer, von demselben Orte stammender Wirbel wird von Lydekker in dem Catalogue of fossil reptiles of the british Museum London 1888 unter dem Namen »*Megalosaurus*« angeführt.

Wirbel.

Da die Wirbelserie des Pariser Musée d'histoire naturelle zur Aufstellung des Genusnamens *Streptospondylus* Anlaß gegeben hat, sollen zuerst diese Stücke beschrieben werden. Im Ganzen sind mehr oder weniger vollständige Reste von 16 Wirbeln vorhanden, die ohne Rücksicht auf die wirkliche Nummer, die sie im kompletten Skelett haben würden, hier der Einfachheit halber mit den laufenden Zahlen 1—16 bezeichnet werden sollen.

Der 1. Wirbel ist nur fragmentarisch erhalten und zeigt nur eine, oben etwas transversal verbreitete Neurapophyse von quadratischem Querschnitt, von deren Spitze zwei Rücken gegen die Postzygapophysen reichen.

Der 2. Wirbel ist vollkommen erhalten. Vorn zeigt sein Zentrum einen halbkugelförmigen Gelenkkopf, lateral zwei tiefe birnförmige, gegen vorn gerichtete Vertiefungen — pleurozentrale Höhlen —, unterhalb derer sich die unmittelbar hinter dem vorderen Gelenkkopf gelegenen Parapophysen befinden. Das Hinterende des Zentrums ist tief konkav, an seiner Basis etwas gegen hinten verlängert und zeigt also, daß der Hals in seiner Ruhelage, so wie bei *Diplodocus*, nach aufwärts gehoben getragen wurde.

Der unter den pleurozentralen Höhlen liegende Teil des Zentrums ist flach und so entsteht an der Basis des Wirbelkörpers, da sich dieser gegen die beiden Enden stark verbreitert, eine sattelförmige Fläche. Auf dieser bemerken wir zwei in der Mitte des Wirbels etwas konvergierende Leisten oder Kanten, welche vorn in je einer knotenartigen Verdickung enden. Durch diese hervorstehenden Leisten erscheint die Basis des Zentrums, d. h. die Mitte des Sattels etwas vertieft. Da diese basalen Leisten bei dem zweiten *Streptospondylus*-Exemplar den vordersten und hintersten Halswirbeln fehlen, ist es nicht schwer, ihre Bedeutung zu erkennen.

Ähnliche, allerdings bald zu Vorsprüngen, bald zu Platten entwickelte Fortsätze kann man nämlich an den mittleren und hinteren Halswirbeln aller horntragenden, langhalsigen Säugetieren vorfinden, und zwar scheinen sie sich z. B. beim weiblichen *Cervus megaceros* viel schwächer zu entwickeln als beim hornbewehrten Männchen. Ganz besonders stark sind sie bei der langhalsigen Giraffe vorhanden. In der Klasse der Reptilien sind es die cretacischen, langhalsigen, großköpfigen Pterosaurier, welche die Entwicklung von paarigen Hypapophysen am schönsten zeigen, und auch hier läßt sich ihr Zusammenhang mit der Größe des zu tragenden Schädels durch ihre starke, sogar Artikulationsflächen zeigende Entwicklung bei Pteranodon nachweisen.

Auch bei *Streptospondylus* haben wir daher diese basalen Leisten als in Entstehung begriffene Hypapophysen zu deuten. Bei *Diplodocus* erreichen sie eine ganz bedeutende Entwicklung. Dieselbe Funktion wird bei *Zanclodon* offenbar durch den medianen unpaaren Kiel der hinteren Halswirbel geleistet. Oberhalb der pleurozentralen Höhlen kann man bei *Streptospondylus* an diesem Wirbel den schwach S-förmig gekrümmten Verlauf der neurozentralen Sutur erkennen, über der sich der Wirbelbogen erhebt, an dem wir Prä- und Postzygapophyse, ferner die Neurapophyse, außerdem aber eine ganze Reihe vorspringender Lamellen erkennen.

---

[1]) Unter dem Namen »*Megalosaurus*« sind bisher offenbar recht verschiedene Tiere beschrieben worden. Als Typus des Genus betrachte ich den, in Stonesfield vorkommenden *Megalosaurus Bucklandi* Cuvier

Vorerst können wir eine annähernd horizontale, in der Mitte der Längsachse etwas gesenkte Platte erkennen, welche die Prä- und Postzygapophysen verbindet. Sie entspricht der neuralen Plattform Owens und läßt sich auch ohne weiteres mit der »horizontalen Lamelle« der Rückenwirbel der Sauropoden identifizieren.[1])

Ein System von N-artig gestellten weiteren Lamellen dient als Stütze der neuralen Plattform. Eine dünne Lamelle erstreckt sich vom vordersten Teil des Wirbelbogens bis an das vordere Ende der Präzygapophyse, eine zweite Lamelle reicht von eben demselben Basispunkt gegen die Mitte der neuralen Plattform und eine dritte Lamelle, die ungefähr dort entspringt, wo die zweite mit der Neuralplattform zusammenstößt, reicht gegen den hinteren und unteren Teil des Wirbelbogens. Da sich, wie schon erwähnt, die Neuralplattform selbst in der Mitte ebenfalls etwas senkt, macht die ganze Anordnung der Lamellen, die man auf einer Seite des Wirbels sieht, etwa den Eindruck einer römischen Elf (XI).

Das ganze Lamellensystem ist etwas gegen vorn übergeneigt und der Schnittpunkt der zweiten und dritten Stützlamelle mit der Neuralplattform bildet die ziemlich weit vorspringende Diapophyse. Zwischen allen den erwähnten Lamellen sind tiefe, dreieckige, taschenartige Vertiefungen vorhanden.

Es läßt sich in dieser Anordnung der verschiedenen Lamellen unschwer derselbe Bauplan wiedererkennen, wie er an den letzten Halswirbeln von *Haplocanthosaurus* (einem Sauropoden der *Atlantosaurus-beds*) beobachtet wurde, sodaß die Nomenklatur Hatchers auch ohne weiteres bei den *Streptospondylus*-Wirbeln ihre Anwendung findet.

Die erste, von der Bogenbasis zur Präzygapophyse reichende Lamelle würde der präzygapophysalen Lamelle (resp. präzygapophysalen Platte), die zweite dem unteren Teile der diapophysalen Platte entsprechen. Die dritte wäre als »Lamina obliqua« zu bezeichnen. Am folgenden Halswirbel ist, wie wir sehen werden, sogar der Repräsentant der postzygapophysalen Platte vorhanden. Um einen Vergleich zu erleichtern, ist in Figur 1 *a*, *b* eine Orientierungsskizze des letzten Halswirbels von *Haplocanthosaurus* und des 2. Wirbels von *Streptospondylus* gegeben worden.

Die Neurapophyse ist so wie am vorigen Wirbel kurz, quadratisch, oben etwas verdickt und pyramidenartig zugespitzt.

Der 3. (Hals-)Wirbel ist ähnlich gebaut; ein Unterschied vom vorangehenden ist höchstens darin zu finden, daß die, zwischen den basalen Kanten des Zentrums und den pleurozentralen Höhlen gelegene latero-basale Fläche stärker entwickelt ist als am zweiten Wirbel; daß die Knoten am Vorderende der basalen Kanten stärker ausgeprägt erscheinen, und daß die neurale Plattform sich in der Mitte weniger senkt als beim zuvor beschriebenen Wirbel. Ein weiterer Unterschied kann noch darin erblickt werden, daß sich, wie schon erwähnt wurde, postzygapophysale Platten entwickeln. Was aber allen den drei, bisher beschriebenen Wirbeln im Gegensatze zum skizzierten *Haplocanthosaurus*-Wirbel fehlt, sind die oberen Teile der prä- und postzygapophysalen Platten.

Ein oberflächlicher Blick auf Fig. 1 zeigt schon, daß *Streptospondylus*, wenn bereits jetzt von einem Vergleiche mit anderen Formen die Rede sein darf, noch viel eher an *Haplocanthosaurus* als an *Diplodocus Carnegii* erinnert. Davon, daß bei *Diplodocus* die Neurapophyse im Gegensatze zur einfachen Neurapophyse von *Streptospondylus* gegabelt ist, soll an dieser Stelle überhaupt gar nicht gesprochen werden.

Nach diesen drei noch zusammenhängenden Halswirbeln scheint ein großer Teil der Wirbelsäule zu fehlen, denn am folgenden Stücke (Nr. 4) ist der konvexkonkave Charakter des Wirbelkörpers bedeutend weniger entwickelt.

An diesem Stücke ist nur das Zentrum vorhanden; der mit diesem nur lose verbundene Bogen fehlt. Die Vorderseite ist schwach konvex, die hintere entsprechend konkav.

An der Seite kann man die großen pleurozentralen Höhlen erkennen, die sich durch einen etwas größeren vertikalen Durchmesser unbedeutend von den gleichen Öffnungen der vorderen Wirbel unterscheiden. Der übrige Teil des Zentrums ist glatt gerundet, in der Mitte eingezogen und zeigt keine Spur der basalen Leisten, die an den früheren Wirbeln bemerkt wurden.

---

[1]) Vergl. die Nomenklatur bei Osborn: A skeleton of Diplodocus; Memoirs Amer. Mus. Nat. history New-York, 1899.

Genau dieselben allgemeinen Merkmale gelten auch für die folgenden vier Wirbel, den 4., 5., 6., 7., welche jedoch den 4. an Länge etwas übertreffen und schwach bikonkave Gelenkflächen zeigen.

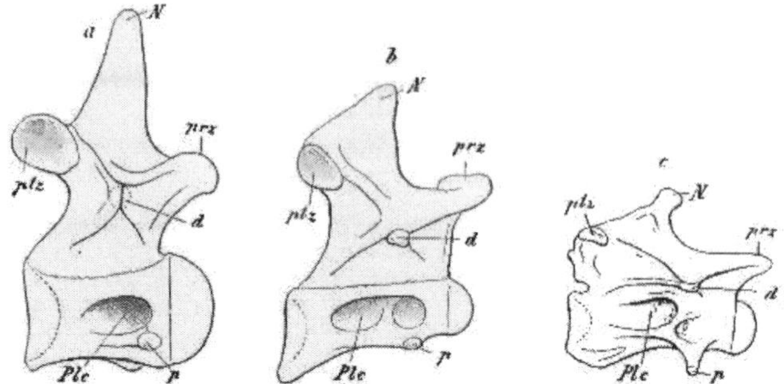

Fig. 1. Halswirbel. *a Streptospondylus*; *b Haplocanthosaurus*; *c Diplodocus*. *N* = Neurapophyse; *d*) = Diapophyse; *p* = Parapophyse; *prz* = Präzygapophyse; *ptz* = Postzygapophyse; *Plc* = Pleurozentrale Höhle; *N'* = gegabelte Neurapophyse bei (*Diplodocus*.)

An einem dieser Wirbel (ich bezeichne ihn deshalb mit 5) ist so wie an dem vorangehenden vor- und oberhalb der pleurozentralen Höhle noch eine Parapophysenfläche zu erkennen, die knapp bis an die vordere Gelenkfläche des Wirbelkörpers reicht. Dies scheint anzudeuten, daß wir es hier wohl bereits mit einem der vorderen Rückenwirbel zu tun haben.

Am 6. Wirbel ist nur die untere Hälfte des Zentrums enthalten. Das Zentrum ist nämlich etwas über der halben Höhe longitudinal durchsägt und an dieser polierten Schnittfläche erkennt man an der Struktur des Knochens Andeutungen eines, die pleurozentrale Höhle in zwei Teile zerlegenden transversalen Septums, so wie ein solches bei den Sauropoden mehrfach beobachtet wurde.

In Figur 2 ist die betreffende Partie in natürlicher Größe wiedergegeben worden und man kann erkennen, wie dieses Septum seine Entstehung einer Wucherung der obersten feinzelligen Knochenlage verdankt.

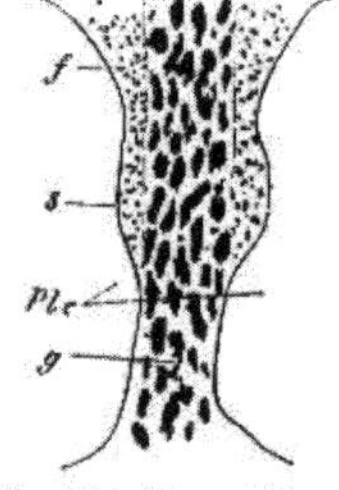

Fig. 2. Mediane Scheidewand der pleurozentralen Höhle (*Plc*). Knochenstruktur etwas schematisiert. *g* Grobzellige innere Lage; *f* feinzellige äußere Knochenschicht; *S* Andeutung eines transversalen Septums (nat. Gr.).

Von den folgenden zwei, dem 7. und dem 8., Wirbel ist fast nur die hintere resp. die vordere Gelenkfläche erhalten. Am 7. Wirbel ist daher ein schöner Querschnitt auf die Längsachse angeschliffen worden (Fig. 3 *a*) und um später wieder einen Vergleich mit den Sauropoden zu erleichtern, sind gleich hier die Querschnitte durch die Wirbel zweier Sauropoden, von *Haplocanthosaurus* sp. (südamerikanisches Exemplar) und *Ornithopsis*, beigefügt worden.

Der 9. Wirbel ist trotz seiner schlechten Erhaltung insofern interessant, als wir im Körper desselben eine relativ große, von kleineren Hohlräumen umgebene zentrale Höhle finden. An diesem sowie

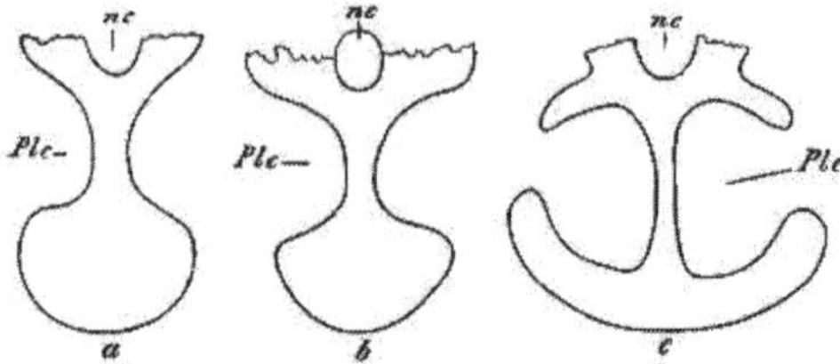

Fig. 3. Querschnitt des Wirbelzentrums. *a*) Bei *Streptospondylus* (½ nat. Gr.); *b*) *Haplocanthosaurus*; *c*) *Ornithopsis*. *Nc* = Neuralkanal, *Plc* = Pleurozentrale Höhle.

am folgenden, (10.) **Wirbel** ist die pleurozentrale Höhle bereits viel seichter als an den Halswirbeln. An der Basis dieses Wirbels können wir ferner wieder eine Andeutung der vom Zentrum der ersten Halswirbel her bekannten basalen Kanten finden. Parapophysen sind vom 5. Wirbel an am Wirbelkörper nicht mehr zu erkennen. Ansatzstellen für Hämopophysen sind ebenfalls nicht vorhanden. Wir werden daher nicht fehlgeben, wenn wir diese Wirbel für **mittlere und hintere Rückenwirbel** halten.

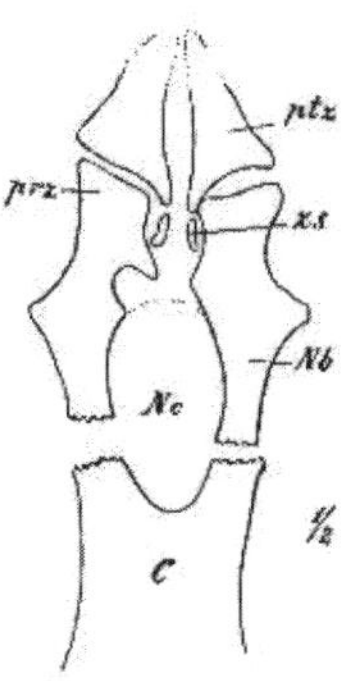

Fig. 4. Querschnitt am Vorderende des letzten Lendenwirbels ($^1/_2$ nat. Gr.). *ptz'* = Postzygapophysen des vorhergehenden Wirbels; *zs'* = Zygosphen desselben; *prz* = Präzygapophysen des letzten Lendenwirbels; *Nb* = sein Neuralbogen; *c* = Zentrum; *Nc* = Neuralkanal.

Etwas anders als beim 10. ist die untere Fläche des Zentrums beim 11. **Wirbel** gestaltet, da wir hier gerundete Flanken und eine transversale ebene und von vorn nach hinten konkav gewölbte, basale Fläche finden. Die pleurozentralen Höhlen sind nur mehr als seichte Eindrücke vorhanden.

Das folgende Stück stellt den letzten **Rumpfwirbel** (13), den ganzen ersten **Sacralwirbel** (14) und ein Fragment des zweiten Sacralwirbels (15) dar.

An der vorderen, derzeit polierten Bruchfläche des letzten Rückenwirbels sieht man die Postzygapophysen des vorletzten Rumpfwirbels und gleichzeitig auch wie diese gegen unten ein Zygosphen entsenden, das sich in das Zygantrum des Wirbels Nr. 13 legt. Gleichzeitig sieht man an dieser Fläche (Fig. 4), daß der Neuralbogen vom Zentrum etwas abgehoben erscheint; ferner ist es nicht ohne Interesse zu sehen, wie weit sich der Neuralkanal in das Zentrum senkt, zumal, wenn man diese mit der nächstfolgenden Figur (5) vergleicht, welche einen Querschnitt durch den zweiten Sacralwirbel darstellt.

Im Vergleiche mit den Halswirbeln ist der Neuralkanal schon in diesem Wirbel bedeutend erweitert.

Von der Seite betrachtet, sieht man am letzten Lendenwirbel zwei, von der Mitte der Neuralplattform gegen unten divergierende Lamellen, die das Vorder- und Hinterende des Bogenkörpers erreichen; die ziemlich weit vorspringende Neuralplattform ist vollkommen eben und in der Mitte wie gegen hinten etwas verschmälert; die Neuralpophyse entsendet eine Lamelle gegen jede Postzygapophyse und erscheint daher hinten an ihrer Basis gegabelt; ihr oberer Teil ist nicht erhalten; die neurozentrale Sutur ist ebenso wie ei den vorhergehenden Wirbeln S-förmig gewellt.

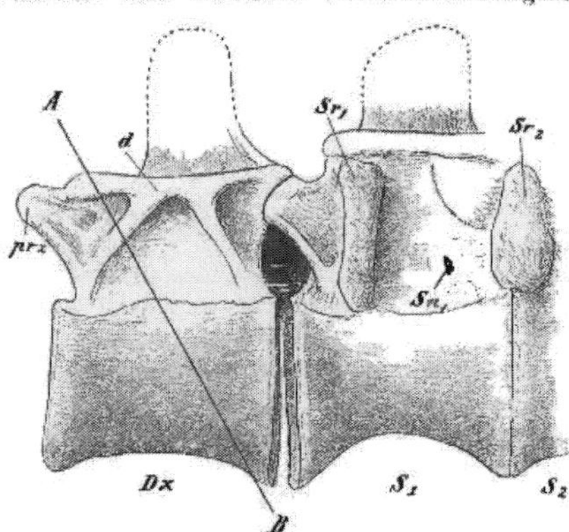

Fig. 5. **Letzter Dorsal- und Sakralwirbel** von *Streptospondylus*. (Der links von der Geraden *A-B* liegende Teil ist ergänzt). D_x = letzter Dorsalwirbel; S_1, S_2 = Sakralwirbel; Sn_1 = Austritt des ersten Sakralnerves; Sr_1, Sr_2 = Sakralrippen; *d* = Diapophyse; *prz* = Präzygapophyse.

Am 14. (I. **Sacral-**) **Wirbel** sieht man eine die Präzygapophyse von unten stützende Lamelle, hierauf weiter hinten eine starke, aus der verschmolzenen Dia- und Parapophyse bestehende, fast vertikale Platte, die mit ihrem Vorderende zwar bis an den Vorderrand des Wirbelkörpers reicht, aber den letzten Lendenwirbel nicht berührt. Weitere Lamellen sind an diesem Wirbel nicht zu erkennen. Zwischen dem sacralen Rippen-[1]) Ansatz und der präzygapophysalen Lamelle sind so wie beim vorangehenden Wirbel 13 Taschen vorhanden, die jedoch weniger tief reichen als bei jenem; hinter der Ansatzstelle der Sacralrippe ist eine oblonge Öffnung für den Sacralnerv gelegen und hinter dieser Öffnung läßt sich eine starke, intervertebral liegende Sacralrippe beobachten.

So wie beim vorigen (13.) und folgenden (15.) Wirbel sind auch hier **keine** pleurozentralen Höhlen vorhanden (Fig. 5).

[1]) Im Gegensatze zu **Hatcher** glaube ich, daß die Verbindung des Sacrums mit dem Ilium durch echte Rippen erfolgt und nicht durch frei gewordene Dia- und Parapophysen (Costoiden).

Vom 15. (II. Sacral-) Wirbel ist nur wenig erhalten, immerhin läßt sich aber an der rückwärtigen, ebenfalls polierten Bruchfläche erkennen, daß seine Basis nicht so wie bei den vorhergehenden Wirbeln gerundet ist, sondern eine relativ scharfe Kante bildet; außerdem kann man die stark in das Zentrum gerückte Lage des stark erweiterten Neuralkanals erkennen (Fig. 6), von dem mehr als die Hälfte im Zentrum gelegen ist.

Im übrigen erinnern dieser sowie der vorige Wirbel — die pleurozentralen Höhlen bei *Megalosaurus* ausgenommen[1]) —, auch was Größe anbelangt, so sehr an die von Owen beschriebenen Sacralwirbel von »*Megalosaurus*«, daß für weitere Details der Beschreibung ohne weiteres auf die Abbildung und Beschreibung desselben in den Memoirs der Palaeontographical Society verwiesen werden kann; ja sogar die Veränderung des Zentrumquerschnittes bei *Streptospondylus* läßt sich bei dem erwähnten Stücke wieder erkennen und ein Unterschied besteht nur darin, daß *Streptospondylus* die für *Megalosaurus* charakteristischen Metapophysen fehlen.

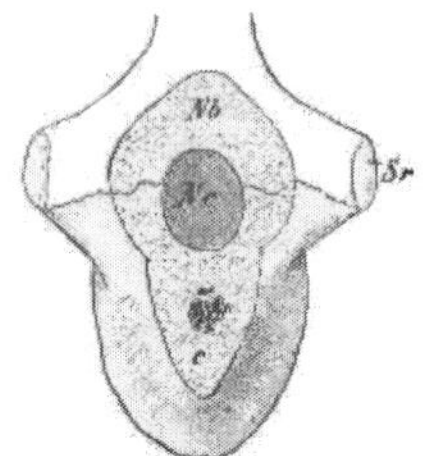

Fig. 6. Querschnitt des zweiten Sakralwirbels von *Streptospondylus*. (Der Wirbel wurde nur zum besseren Verständnis der Figur angedeutet.) *c* = Zentrum; *Nb* = Neuralbogen; *nc* = Neuralkanal; *Sr* = Sakralrippe. (½ nat. Gr.).

Die beiden letzten erhaltenen Wirbel (Nr. 16, 17) möchte ich als letzten Sacral- (resp. umgewandelten Caudal) und als ersten echten Caudalwirbel deuten. Auch an diesen beiden Stücken fehlen im Gegensatze zu *Megalosaurus* pleurozentrale Höhlen. Das Wirbelzentrum ist bei beiden an seiner Basis gerundet, in der Mitte eingezogen, an beiden Enden aber erweitert und hat etwas hochelliptischen Querschnitt.

Besondere Aufmerksamkeit erheischt seine innere Struktur, da sich jene groben inneren Zellen, die wir schon bei den vorigen Wirbeln erkennen konnten, noch mehr vergröbern. Am vorderen Wirbel (Nr. 16) zeigt sich nur noch ein Haufen großer zellenartiger Hohlräume (Fig. 7 *a*), während am folgenden die meisten Zellwände verschwinden und der obere Teil des Zentrums einen einzigen großen Hohlraum bildet (Fig. 7 *b*). Diese Struktur scheint mir deshalb von Bedeutung, weil wir sie zwar nicht beim Stonesfielder *Megalosaurus*, wohl aber bei *Poikilopleuron* und *Aristosuchus* wiederfinden und auch deshalb, weil wir eventuell daraus die Entstehung der hohlen Sacralwirbel der Sauropoden ableiten könnten.

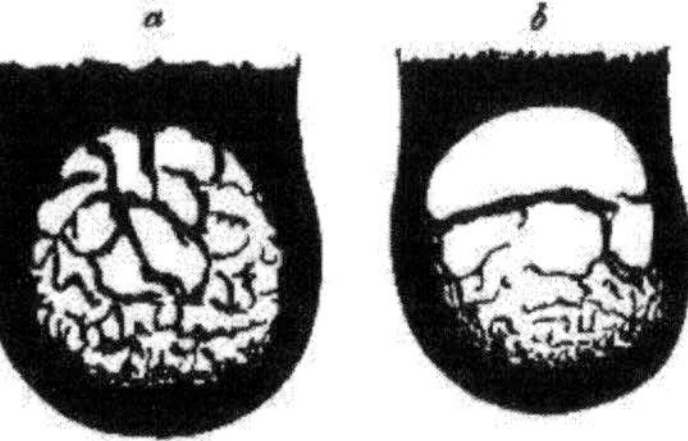

Fig. 7. *a*) Querschnitt des letzten Sacralwirbels; *b*) des ersten Caudalwirbels von *Streptospondylus* (ca. ⅔ nat. Gr.).

Beim 16. Wirbel ist die Neuralplattform, soweit sie erhalten ist, vollkommen eben und wird bei den Postzygapophysen durch eine Lamelle und bei der Diapophyse durch einen starken gewölbten Rücken unterstützt, der sich vom Hinterteil der Bogenbasis gegen die Diapophyse erstreckt. Durch die Neuralplattform, die präzygapophysale Platte und den eben erwähnten Rücken wird eine ziemlich tiefe Tasche gebildet und hinter dem diapophysalen Rücken ist eine zweite, noch bedeutend tiefere Tasche zu bemerken.

Aus der Neuralplattform erhebt sich der lateral komprimierte, anscheinend ehemals hohe Dornfortsatz, der gegen die Spitze jeder Postzygapophyse eine Lamelle entsendet und so eine Zweiteilung markiert; diese Lamelle dürfte dem oberen Teile der postzygapophysalen Platten Hatchers entsprechen; lateral kann man am Wirbel zwischen Bogen und Zentrum die viereckige Ansatzstelle einer mächtigen Sacralrippe konstatieren.

Der folgende und letzte gut erhaltene Wirbel 17 unserer Serie ist nach demselben Typus gebaut wie Nr. 16 und der hauptsächlichste Unterschied besteht nur darin, daß die vorderen Taschen, die bei Nr. 16 noch ziemlich groß sind, hier beinahe verschwunden sind und nur mehr als ganz seichte Eindrücke erscheinen.

---

[1]) An Owens Abbildung des Sacrums von *Megalosaurus* läßt sich die Existenz einer tiefen, kleinen, pleurozentralen Höhle in jedem Wirbel leider fast gar nicht erkennen; erst die Untersuchung des Oxforder Originals lehrte sie mich kennen.

So finden wir hier schon den normalen Saurierwirbel-Typus entwickelt. In Anbetracht des Umstandes aber, daß der vorhergehende Wirbel noch eine Sacralrippe trägt, glaube ich den Wirbel 17 als den ersten eigentlichen Caudalwirbel ansprechen zu können. An beiden eben besprochenen Wirbeln (16, 17) ist das Zentrum (wie übrigens auch aus Fig. 6 hervorgeht) gerundet; es zeigen sich keine pleurozentralen Höhlen, und die Artikulationsenden sind fast biplan.

Der noch erhaltene Caudalwirbel (18) ist infolge späterer Abrollung so verunstaltet, daß er fast keine Beobachtung zuläßt; daher ist einerseits seine Zugehörigkeit zum Genus *Streptospondylus* fraglich, andererseits würde er sogar in dem Falle, daß sich dies erweisen ließe (es scheint mir nach der Farbe des Stückes höchst unwahrscheinlich), unsere Kenntnis von *Streptospondylus* nur wenig erweitern.

Wenn auch, wie aus der Beschreibung des Parkerschen *Streptospondylus* ersichtlich sein wird, die Wirbelsäule des Pariser Exemplars weniger vollkommen erhalten ist als jene des Oxforder Exemplars, so bildet doch das Pariser Stück den Typus von *Streptospondylus*, weshalb Vergleiche mit anderen Theropoden stets so weit als möglich auf dieses Exemplar zurückgeführt werden müssen.

Wenn wir die präsacralen Wirbel von *Streptospondylus* zuerst mit den Zanclodon-artigen Formen: *Manospondylus*, *Euskelesaurus*, *Avalonia* und *Plataeosaurus* vergleichen, sehen wir folgendes: bei *Euskelesaurus*, *Manospondylus* und *Plataeosaurus* sind im Gegensatze zu den opistocoelen *Streptospondylus*-Wirbeln die Halswirbel mehr oder weniger bikonkav, zeigen keine pleurozentralen Höhlen, aber an der Basis des Wirbelkörpers einen unpaaren Kiel.

Die Größenzunahme der Halswirbel gegen rückwärts haben *Zanclodon* und *Streptospondylus* gemeinsam; bei den Halswirbeln von *Anchisaurus*, *Coelurus*, *Thecospondylus*, *Compsognathus*, *Ornitholestes*, *Ceratosaurus* lassen sich keine *Streptospondylus*-artigen Laminae erkennen. Eine Andeutung der opistocoelen Natur der *Streptosphondylus*-Wirbel ist jedoch mehr oder weniger auch bei diesen Formen zu erkennen, weil die vordere Artikulationsfläche des Wirbelzentrums bald weniger konkav ist als die hintere (*Plataeosaurus*), bald plan erscheint (*Ceratosaurus*) oder sogar schwach konvexe Wölbung aufweist (*Ornitholestes*). Ausgesprochen opisthocoele Halswirbel können wir unter den *Saurischia* nur bei *Coelurus* und *Compsognathus* finden. Auch der mit *Streptospondylus* so gut wie gar nicht verwandte *Iguanodon* zeigt jedoch im Gegensatze zum primitiven *Hypsilophodon* denselben Typus, weshalb es gut ist, auf diese Merkmale allein nicht allzuviel Gewicht zu legen. Daß die opisthocoele Artikulation jedoch gegenüber der bikonkaven einen Fortschritt bedeutet (vergl. *Artiodactyla* und *Perissodactyla* unter den Säugetieren), da sie Kraft mit Beweglichkeit verbindet, das braucht wohl kaum eigens hervorgehoben zu werden. Quadratische Neurapophysen an den Zervicalwirbeln kann man unter allen Theropoden, außer bei *Streptospondylus*, nur noch bei *Plataeosaurus* konstatieren.

Die Rückenwirbel zeigen, da bei *Zanclodon* ein ähnliches Lamellensystem angedeutet ist wie bei *Streptospondylus*, und da bei beiden Arten ungleich-bikonkave resp. planokonkave Wirbelzentren vorhanden sind, eine gewisse oberflächliche Ähnlichkeit, die jedoch beim Vergleiche der intervertebral gelegenen Sacralrippen von *Streptospondylus* und den vertebral gelegenen Sacralrippen von *Plataeosaurus* sofort wieder verschwindet. Eine Hyposphen-Artikulation der Dorsalwirbel läßt sich außer bei *Streptospondylus* auch bei *Plataeosaurus* und *Megalosaurus* konstatieren; die Dorsalwirbel des letzteren unterscheiden sich jedoch durch viel massivere Bauart von *Streptospondylus*. Die vorderen Caudalwirbel der Zanclodon-artigen *Dinosaurier* zeigen im Gegensatze zum zylindrischen Zentrum von *Streptospondylus* eine basale, longitudinal verlaufende Furche.

Mit den Zentren der Dorsalwirbel von *Avalonia* läßt sich eine, wenn auch entfernte Ähnlichkeit konstatieren, welche jedoch bei Betrachtung des ganz verschiedenen Baues der Neuralbogen wieder vollkommen verschwindet; *Euskelesaurus* zeigt vollkommen verschiedene Caudalwirbel; *Anchisaurus* unterscheidet sich dadurch, daß seine Wirbel ein weniger entwickeltes Lamellensystem aufweisen.

Eine größere Ähnlichkeit als bei den triadischen Formen läßt sich bei den Wirbeln jurassischer Theropoden erkennen. Von *Laelaps* sind zwar nur Caudalia erhalten und am Pariser Exemplar fehlen gerade diese Wirbel, allein am Parkerschen Exemplare zeigen diese, wie wir sehen werden, ebenfalls zylindrischen Querschnitt, bikonkave Gelenkflächen und kavernöse Struktur. Einen Unterschied finde ich nur darin, daß laut Copes Figur die Zentra der Wirbel von Laelaps auch vorn relativ große Artikulationsflächen für die Hämapophysen zeigen.

Bloß hintere Haemophysen-Flächen, jedoch keilförmigen Wirbelquerschnitt, zeigen die Caudalwirbel von *Poikilopleuron Bucklandi*.

Markant ist die Differenz zwischen den planokonkaven Halswirbeln von *Ceratosaurus* und jenen von *Streptospondylus*, während sowohl diese als die Dorsalwirbel bei beiden Formen pleurozentrale Höhlen zeigen. Schwacher Opistocoelismus und Mangel an pleurozentralen Höhlen scheint den Halswirbel des Stonesfielder *Megalosaurus* von *Streptospondylus* zu trennen und als weiteres gutes Trennungsmerkmal wäre bei den Lenden- und Sacralwirbeln von *Megalosaurus* die Entwicklung von pleurozentralen Höhlen und Metapophysen zu bezeichnen. Auch ist mit Ausnahme von *Megalosaurus Dunkeri* das Lamellenseptum nie zu solcher Entwicklung gelangt wie bei dem hier in dieser Arbeit beschriebenen Genus.

Rippen.

An verschiedenen Stellen der Wirbelsäule des Pariser Exemplars sind an den Wirbeln noch Rippenreste angeheftet. Am besten ist ein solcher erhalten, der neben dem 3. Halswirbel liegt und ein sessiles, lateral komprimiertes, großes Tuberculum zeigt, das sich in eine vorn und hinten schwach gekielte Rippe fortsetzt.

Im allgemeinen ist eine, an den Rippentypus der Sauropoden erinnernde Gestalt zu bemerken. Eine besondere Ähnlichkeit mit Cervical- oder Dorsalrippen von *Megalosaurus* läßt sich nicht erkennen und dasselbe gilt auch für jene, längs der Dorsalwirbel liegenden Rippenfragmente, von denen nur Mittelstücke überliefert sind, die einen ähnlichen Querschnitt besitzen. Immerhin scheinen aber die Dorsalrippen schlank, lang und ziemlich gebogen gewesen zu sein.

Extremitäten.

Außer einem fraglichen Fragment einer Ulna sind noch das Mittelstück eines Femur mit gut entwickeltem *Allosaurus*- resp. *Megalosaurus*-artigem 4. Trochanter und das distale Ende einer Tibia mit dazugehörigem Astragalus vorhanden.

Beide Stücke zeigen aber nur, daß *Streptospondylus* ein bipedales Tier und wie die Tibia zeigt ein Theropode gewesen sein muß. Der Processus ascendens astragali zeigt eine ganz bedeutende Höhe und der ganze Astragalus samt Tibia erinnert stark an *Poikilopleuron*. Sie waren, als ich das Museum besuchte, als *Megalosaurus* etikettiert und sind unter diesem Namen auch von Gaudry abgebildet und beschrieben worden, weshalb es überflüssig ist, sie noch einmal zu besprechen. Der Vollständigkeit halber sei jedoch auch von diesem Stücke eine, auf Grund einer Photographie hergestellte Skizze gegeben (Fig. 8 *a*).

Besonders instruktiv ist es den kurzen Processus ascendens dieses jurassischen Theropoden mit der schlanken Gestalt des cretacischen *Ornithomimus* zu vergleichen (Fig. 8 *c*).

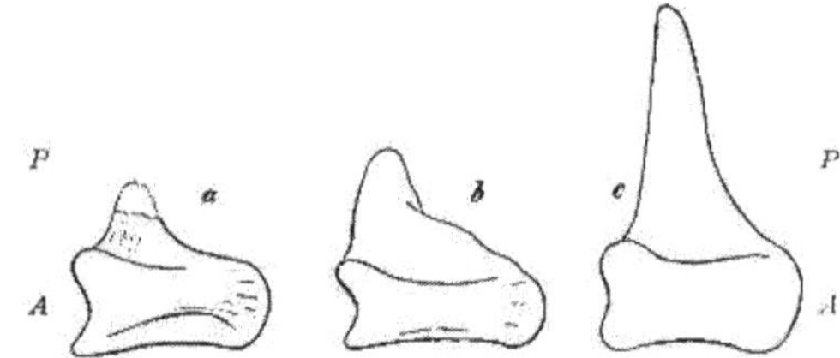

Fig. 8 *a* *Streptospondylus*; *b* *Poikilopleuron*; *c* *Ornithomimus*; *P* = Processus ascendens; *A* = Corpus astragali.

Vom Stonesfielder *Megalosaurus* ist bisher kein Astragalus aufgefunden worden und so läßt sich denn dieser Teil von *Streptospondylus* in Europa nur mit dem, einen längeren Processus ascendens aufweisenden Astragalus von *Poikilopleuron* vergleichen. Der Astragalus von *Laelaps* zeigt nach Cope an der Basis des aufsteigenden Fortsatzes eine Durchbohrung und legt sich dann, ähnlich wie wir es bei den Vögeln kennen, in eine eigene Hohlkehle der Tibia, nicht aber an eine vorspringende Kante an.

B. Material aus Parkers Sammlung.

Viel besser als die Pariser Stücke ist der in James Parkers Privatsammlung befindliche *Streptospondylus* erhalten, den Phillips in seiner »Geology of Oxford« erwähnt.

Phillips hat von diesem Exemplar eine leider nur in allgemeinen Ausdrücken gehaltene Beschreibung gegeben, aus der ich dessenungeachtet nachfolgende Stellen zitiere:

(Phillips Geology of Oxford, pag. 319 on *Streptospondylus*, pag. 320): »Teeth of *Megalosaurus Bucklandi* well characterized were scattered in confusion through the mass. — Portions of jaws found are also Megalosaurian. — An astragalus to match each tibia, in one case so placed as to justify the approximation originally suggested by Cuvier.

A nearly complete ilium of the general pattern ot *Megalosaurus* and specially like the smaller one represented in Diagramm LXVII.

All the bones mentioned are about half the linear size of the largest *Megalosaurus* ot Stonesfield and in relative proportions they are much in agreement with them . . . . former (bones of hind limb) appear to be twice as long as latter (bones of fore limb). It is somewhat remarkable that the tibia is 19 inches long the femur being 20 and approach to equality never observed in the specimen of *Megalosaurus*.

Nine vertebrae appear to be cervical . . the hind vertebra is flat in front, concave behind, those wich follow are convex in front and concave behind. — Next follow several anterior dorsal, these are convex-convave as in *Streptospondylus* to wich they offer the closest accordance, while no such vertebrae have been recorded from Stonesfield.

Other vertebrae (lumbars) are hourglass shaped, with no parapophyses, concave behind, less concave or almost flat in front or equaly biconcave. — No such vertebrae have been obtained from Stonesfield. — The latter phrase is also true for the caudal vertebrae«.

Die Kürze der soeben teilweise zitierten Beschreibung, die geringe Verbreitung von Phillips Werk auf dem Kontinent, endlich der Umstand, daß sich dieses *Streptospondylus*-Exemplar derzeit im Keller einer Privatsammlung befindet, sind wohl die Hauptgründe, weßhalb dieser herrliche Fund halb und halb in Vergessenheit geraten ist.

Durch die liebenswürdige Vermittlung von Prof. Sollas und die Freundlichkeit von Herrn J. Parker war es mir ermöglicht, auch diesen Rest ziemlich eingehend zu untersuchen, wenn auch von einer weiteren, allerdings recht notwendigen Präparierung abgesehen werden mußte.

Obzwar schon nach Phillips Beschreibung ein fast komplettes Skelett zu erwarten war, so war ich dennoch überrascht, als ich den vollständigsten, bisher aus Europa bekannten *Theropoden* vor mir ausgebreitet erblickte.

Schädel, Hals, Rumpf und etliche Schwanzwirbel, Scapula, Humerus, Becken, Femora, Tibiae, Fibulae, sämtliche Metatarsalia, Phalangen der Hand und des Fußes sind in ziemlich guter Erhaltung überliefert.

Schädel.

Ehe eine detaillierte Beschreibung des ziemlich kompletten Schädels möglich wird, wäre eine eingehende Präparierung nötig, und so ließen sich bisher nur Basis der Hirnhöhle, Quadratum, Oberkiefer und Unterkiefer genauer untersuchen.

Die aus Basioccipitale und Basisphenoidale bestehende Unterseite des Hirnraumes ist auffallend kurz und breit, denn der Abstand zwischen Sella turcica und Foramen magnum beträgt nicht viel mehr als 5·5 *cm*, die Breite des Hirnraumes beim zehnten Nerv (Vagus) hingegen volle 4·3 *cm*. Dieser Abstand verringert sich sowohl beim Foramen magnum als auch caudalwärts von der Sella turcica auf zirka 1·5 resp. 2 *cm*. Der Vagus scheint die Schädelhöhle in einem einzigen großen Foramen zu verlassen. Weitere Foramina sind in der Schädelhöhle wohl vorhanden, ließen sich jedoch vorläufig nicht weiter determinieren.

Auf der Unterseite des Stückes liegt noch viel Matrix, immerhin glaube ich jedoch ein breites flaches Basioccipitale und das Fehlen von basioccipital-basisphenoidalen Wülsten feststellen zu können. Ein Vergleich mit den sonstigen, bisher bekannten Hirnhöhlen von Dinosauriern ist insofern instruktiv, als er zeigt, daß sich *Streptospondylus* von den Typen *Zanclodon*, *Gresslyosaurus*, *Mochlodon* und *Telmatosaurus* wohl unterscheidet. Wie ich durch Vergleich mit dem Originalstück von *Craterosaurus* sowie mit einer noch nicht beschriebenen Schädelbasis von *Cetiosaurus* feststellen konnte, zeigen diese beiden Genera hinter der Gehörregion (lobes audit.) dieselbe Ausbuchtung, wie sie bei *Streptospondylus* vorkommt. Zu einem Vergleich mit dem geräumigen Hirnraum von *Struthiosaurus*, *Thecodontosaurus* und *Hypsilophodon* sind nicht genügend Anhaltspunkte gegeben.

Im Vergleich zum kleinen Hirnraum ist der Kiefer von *Streptospondylus* groß und unproportioniert. Ober- und Zwischenkiefer erreichen derzeit zusammen 29 *cm* und dabei ist noch ein gutes Stück des Oberkiefers in Verlust geraten. Der Unterkiefer läßt auf eine Schädellänge von zirka 61 *cm* schließen. Über diese Knochen ist Folgendes zu bemerken:

Der Oberkiefer (Fig. 9) zeigt, daß der untere Rand der Nasenöffnung so wie bei *Creosaurus* von Maxillare und Intermaxillare gebildet wurde und unmittelbar hinter der Nasenöffnung sind zwei präorbitale Durchbrüche zu konstatieren.

Dies ist für die bisherige Deutung der typischen *Megalosaurus*-Kiefer nicht ohne Wert. Gelegentlich der 1883 gegebenen Beschreibung des Oberkiefers eines *Megalosaurus* von Stonesfield be-

Fig. 9. *a*) Oberkiefer von *Streptospondylus* von außen.
imx = Intermaxillare.
mx = Maxillare.
N = Nasenöffnung.
POB, *POB'* = Präorbitale Öffnungen.
b) Unterkiefer von *Streptospondylus* von innen.
Sy, *Sy'* = Symphyse.
de = dentale.
op = operculare.

hauptete nämlich Owen, daß die hintere Öffnung die Augenhöhle repräsentiere, während die vordere der Nasenöffnung entspreche. Ein Vergleich mit *Ceratosaurus*, noch mehr aber mit *Creosaurus* zeigt aber, daß die Augenhöhle unten nicht vom Maxillare, sondern vom Jugale begrenzt wird, und daher ergibt sich, daß die von Owen als Orbitalöffnung bezeichnete Höhlung in Wirklichkeit den hintersten prälacrymalen Durchbruch bezeichnet; vor dieser ist ein zweiter kleinerer Durchbruch gelegen und am Original von Owens Beschreibung kann man außerdem am Vorderrande des Maxillare unter der Narbe für die Nasenöffnung noch eine kleine, gegen vorn und unten konkave Kerbe erkennen, welche höchstwahrscheinlich die dritte prälacrymale Öffnung darstellt.

Bei *Teratosaurus* ebenso wie bei *Ceratosaurus* läßt sich nur eine Öffnung konstatieren, während bei *Streptospondylus* deren zwei vorhanden sind. Auch bei Hatteria ist bloß eine prälacrymale Öffnung entwickelt.

Wie ich schon 1901 gelegentlich erwähnte, unterscheiden sich *Teratosaurus* und *Megalosaurus* von den *Orthopoden* auffällig dadurch, daß die großen Foramina auf der Außen- und nicht auf der Innenseite des Kiefers liegen; es ist daher von besonderem Interesse, daß ich an einem in Oxford befindlichen, nicht abgebildeten derzeit zahnlosen Maxillare eines *Megalosaurus* in den großen Foramina Zahnreste konstatieren konnte. Ob jedoch diese, in der dritten und vierten Alveole sichtbaren Zahnquerschnitte Zahnkronen des Unterkiefers oder Kronen von Ersatzzähnen darstellen, ist unmöglich zu entscheiden. Für erstere Deutung würden die Zahnverhältnisse bei den Krokodiliern, für letztere die bei *Teratosaurus* zwischen denselben Öffnungen gelegene Rinne sprechen. Auch bei *Priodonthognathus* fand Zahnersatz statt, so daß also hier die Zahnquerschnitte die Kronen neugebildeter Zähne repräsentieren. Jedenfalls können diese Öffnungen nicht mit den Foramina nutritiva der Kiefer der Ornithopoden verglichen werden.

Wenn wir der Rekonstruktion des *Streptospondylus*-Schädels ähnliche Verhältnisse zu Grunde legen, wie bei *Creosaurus* und *Ceratosaurus*, so würde dies, wie schon gesagt, eine Schädellänge von zirka 61 *cm* ergeben. Daß in der Tat ähnliche Verhältnisse existiert haben, beweist uns aufs deutlichste das, nur 14 *cm* lange, distal plötzlich sehr stark verbreitete Quadratum. Der Unterkiefer, soweit er erhalten (Fig. 9), mißt 36 *cm* und zeigt folgende Charaktere: die Symphyse wird so wie bei *Dryptosaurus* außer von dem Dentale noch von einem weiteren, auf der Kieferinnenseite gelegenen Knochen, einem Operculare (präspleniale bei Lambe) gebildet und im Gegensatze zu Lambes Vermutung ist das Coronoidale nicht ein flacher, scheibenförmiger, sondern ein vorn zugespitzter Span-förmiger Knochen, der sich innen auf dem oberen geraden Rand des Dentale auflegt, ohne jedoch eine merkliche Erhöhung des Processus coronoideus zu bewirken.

Wirbel.

Im ganzen sind 24 Wirbelzentra erhalten, welche die meisten Halswirbel, zahlreiche Dorsal- und vier Caudalwirbel repräsentieren.

Die ersten Halswirbel hängen zusammen; die darauf haftende Matrix, sowohl wie darüberliegende Knochenfragmente (zum Teil Halsrippen) erschweren die Beobachtungen; immerhin findet man, daß die vorderste Artikulationsfläche eben ist; weiterhin sind überall halbkugelförmige Gelenkflächen vorhanden.

Der Kleinheit des Basioccipitale entsprechend, stehen die ersten Wirbel ebenfalls in grellem Mißverhältnisse zum hohen und langgestreckten Kiefer und dieses Mißverhältnis tritt, da die Bogen dieser Wirbel Prä- und Postzygapophysen und keine Neurapophysen entwickeln, noch auffallender zum Vorschein. Der erste erhaltene Wirbel zeigt eine Länge des Wirbelkörpers von 4 *cm*; bei den Folgenden beträgt sie infolge des halbkugelförmigen Gelenkkopfes bereits 5 *cm*. Über die, wie wir sehen werden, abwechselnde Gestalt der Zentrumbasis geben diese Wirbel leider keinen Aufschluß. Die Wirbel sind von Herrn Parker mit den Nummern 47, 48, 49 bezeichnet worden.[1]) Der erste Wirbel, der uns über die Gestalt des Zentrums aufklärt, trägt jetzt die Nummer 54. Er zeigt einen sehr stark vorspringenden Gelenkkopf, lateral je eine pleurozentrale Höhlung und tief unter und vor derselben die kleine Parapophyse. Das tiefkonkave Hinterende des Zentrums ist, so wie am Pariser Exemplar, an seiner Unterseite caudalwärts bedeutend verlängert. Die Basis des niederen Wirbelzentrums zeigt eine lateral konvexe, longitudinal hingegen flach konkave Wölbung und ist vollkommen glatt. Dasselbe gilt auch für den Wirbel Nr. 59. Durch seine mehr abgeflachte und glatte Basis unterscheidet sich dieser Wirbel vom drittnächsten (Nr. 52), da sich nämlich hier am Vorderrande der Basis, seitlich der Medianlinie zwei gegen rückwärts, zu flachen Wölbungen ausgezogene knotenartige Verdickungen zeigen; das Zentrum ist höher, lateral stärker komprimiert und die Parapophyse etwas näher den ovalen, großen, pleurozentralen Höhlen zu gelegen.

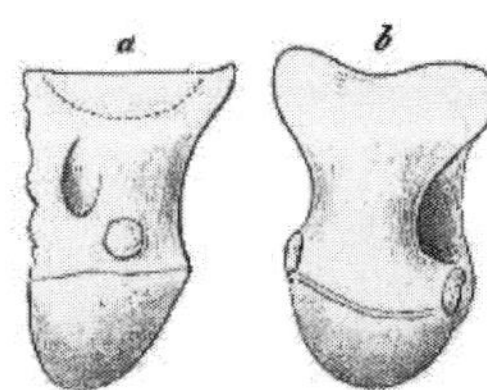

Fig. 10. Vorderer Halswirbel von *Streptospondylus*.

[1]) Obzwar diese Nummern keine richtige Reihenfolge angeben, jedoch ein leichtes Wiedererkennen des betreffenden Wirbels ermöglichen, so ist in folgender Beschreibung auch die Nummer jedes einzelnen Wirbels angegeben worden.

So wie bei zahlreichen Sauropoden und auch beim Pariser *Streptospondylus* sind die pleurozentralen Höhlen vorn am tiefsten und verflachen gegen hinten.

An einem bedeutend größeren, mehr sacralwärts gelegenen Wirbel (Nr. 58), der analog wie bei den Sauropoden und *Plateosaurus* fast die doppelte Größe eines Cervicalwirbels erreicht, sind die basalen, zwischen den Parapophysen gelegenen Wülste ebenfalls sichtbar; leider ließ sich jedoch weder an diesem noch an irgend einem der bisher besprochenen Wirbel etwas von der Neurapophyse erkennen. Der Wirbel 57, der eine konkave Basis aufweist und sich, obzwar markierte basale Leisten fehlen, dennoch an den Typus von 58 anschließt, gibt uns über diese Region einigermaßen Aufschluß. In Figur 11 ist eine Darstellung dieses Wirbels gegeben. Oberhalb der pleurozentralen Höhle ist die wulstartig aufgetriebene Naht von Bogen und Zentrum zu erkennen und vom Vorder- und Hinterende der Bogenbasis entspringen je eine Lamelle, welche aufwärts gegen die Diapophyse konvergieren; von der Diapophyse wieder erstreckt sich eine Lamelle gegen die Postzygapophyse und eine gegen die Neurapophyse. Die Postzygapophysen sind wieder ihrerseits mit der Spitze der Neurapophyse verbunden; der Neuralkanal ist größtenteils im Wirbelbogen gelegen, die Parapophysen liegen noch an der Wirbelbasis, u. zw. vor und unterhalb der pleurozentralen Höhle. Im allgemeinen erinnert daher dieser Wirbel an jenen, der in Fig. 1 abgebildet wurde und unterscheidet sich nur dadurch, daß bei ihm basale Leisten bereits fehlen. Da sich aus dem Studium der folgenden Wirbel des Parkerschen *Streptospondylus*-Exemplars die Tatsache ergibt, daß sich die basalen Leisten des Wirbelzentrums nur auf eine gewisse Körperregion (Mitte des Halses) beschränken, so ist dieser Umstand nicht durch spezifische Verschiedenheit, sondern bloß durch eine mehr posteriore Lage der Wirbel Nr. 57 zu erklären. Der Pariser Wirbel Nr. 3 würde daher ungefähr dem mit 52 oder 58 bezeichneten Wirbel entsprechen.

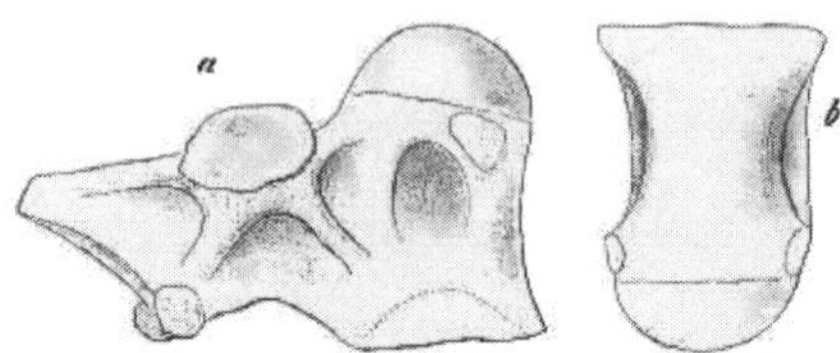

Fig. 11. Hinterer Halswirbel (Nr. 57) von *Streptospondylus*.

Der Wirbel der Parkerschen Sammlung, der die Etikette Nr. 55 trägt und in Fig. 12 abgebildet wurde, ist in Folge seiner weiter hinaufgerückten Parapophysen und der geringeren Konvexität der Artikulationsfläche des Zentrums eher als hinter Wirbel 57 gelegen aufzufassen. Die Lage der am Neuralbogen vorspringenden Lamellen ist etwas anders und deutet auch an, daß zwischen Nr. 57 und 55 außer dem Wirbel Nr. 56 wohl noch mehrere Wirbel fehlen.

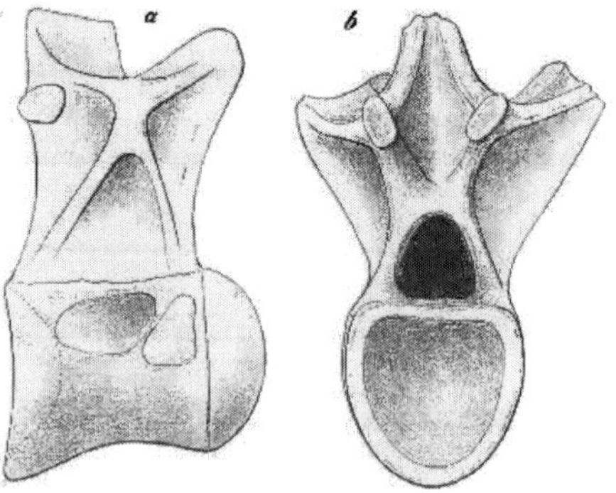

Fig. 12. Vorderer Rückenwirbel. *a)* von der Seite, *b)* von vorn.

Die Diapophyse ist in gleicher Höhe mit den Prä- und Postzygapophysen gelegen. Lamellen erstrecken sich von jedem Ende der Bogenbasis gegen die Diapophyse, von der Diapophyse gegen Prä- und Postzygapophyse, von der Postzygapophyse gegen die plattenförmige Neurapophyse und von der Präzygapophyse gegen das vordere untere Ende der Bogenbasis.

Die Lage der Parapophyse vor der pleurozentralen Höhle läßt diesen Wirbel noch als Cervicalwirbel erkennen; basale Wülste fehlen am Zentrum.

Fig. 12 zeigt eine schematische Darstellung des soeben beschriebenen Wirbels. Zwischen dem Wirbel Nr. 55 und dem folgenden, mit 51 bezeichneten scheinen mehrere Wirbel zu fehlen, da Nr. 61 bereits das Zentrum eines vorn flachen, hinten schwach konkaven Rückenwirbels darstellt. So wie in den Cervicalwirbeln berührt der Neuralkanal nur wenig das Zentrum; pleurozentrale Höhlen sind ebenfalls, allerdings wenig ausgeprägt vorhanden, während Parapophysen am Wirbelzentrum fehlen. Der Wirbel Nr. 4 des Pariser Exemplars zeigt noch konvexkonkave Gelenkflächen, Wirbel 5 hingegen bikonkave und auf diese Weise kommt Nr. 61 des Parkerschen *Streptospondylus* mit seiner zylindrisch gerundeten Basis zwischen diese beiden Wirbel zu liegen.

An einem folgenden Wirbel (Nr. 73) ist außer dem gleich gebauten Zentrum auch der Wirbelbogen erhalten. Im allgemeinen erinnert er an den Typus, der vom letzten Lendenwirbel des Pariser Exemplars bekannt ist. Die Neuralplattform (horizontale Platte) ist vollkommen eben und verbreitert sich in der Mitte plötzlich gegen die Diapophysen zu; von der Diapophyse reicht je eine Lamina sowohl zum vorderen und hinteren Ende der Bogenbasis von der gegen außen und unten gerichteten Postzygapophyse, als auch gegen die Neurapophyse. Der Unterschied, der auf diese Weise zwischen einem Rückenwirbel von *Streptospondylus*, *Haplocanthosaurus* und *Diplodocus* entsteht, ist daher wieder nur ein gradueller. Von hinten betrachtet, kann man am Bogen von Nr. 73 außerdem noch die Existenz eines Zygosphens und zweier von Zygosphen gegen unten und außen gerichteter unterer postzygapophysaler Platten erkennen. Dem Zygosphen von Nr. 73 entsprechend, kann man an einem der folgenden Wirbel Zygantrumflächen auf der Innenseite der durch

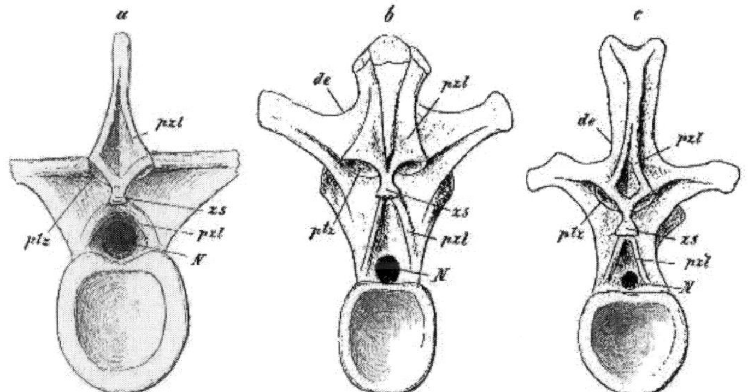

Fig. 13. Rückenwirbel. *a) Streptospondylus*, *b) Haplocanthosaurus*, *c) Diplodocus*. *N* = Neuralkanal. *Ptz* = Postzygapophyse; *Zs* = Zygosphen; *De* = Diapophysale Platten; *Ptzl* = Postzygapophysale Platten; *hzl* = horizontale Platte.

einen Spalt getrennten Präzygapophysen erkennen. Zum Vergleiche sind in nebenstehender Figur drei Skizzen von *Diplodocus*, *Haplocanthosaurus* und *Streptospondylus* nebeneinandergestellt und auf gleiche Größe reduziert worden (Fig. 13).

Die eigentümliche Zweiteilung der Dornfortsätze, die an dem abgebildeten *Diplodocus*-Wirbel nur angedeutet ist, bei anderen Wirbeln von *Diplodocus* jedoch bis auf die Basis des Dornfortsatzes hinabreicht, während sie bei *Haplocanthosaurus* vollkommen fehlt, ist insofern von Interesse, als wir sie bei manchen *Ratiten* ebenfalls wiederfinden, wo sie eine ganz besondere Entwicklung bei *Aepyornis* erlangen; offenbar ist sie nur ein Resultat derselben Kräfte, welche ganz allgemein bei den laufenden Palaeognathen (im Gegensatze zu den fliegenden) die hohen Dornfortsätze hervorrufen und diente wohl bloß zur Vergrößerung der Ansatzfläche der dorsalen Muskulatur.[1]) Da diese Gabelung als offenbare Konvergenzerscheinung uns auch weiterhin beschäftigen soll und einen guten Fingerzeig für die mehr oder weniger fortgeschrittene Spezialisierung der Rückenmuskulatur der Sauropoden abgibt, hielt ich es für angezeigt, neben *Diplodocus* auch die Rückenwirbel von *Aepyornis* zu erwähnen.

[1]) Bei *Arsinoetherium* war das enorme Gehörn, wie mir Dr. Andrews in liebenswürdigster Weise mitteilte, ebenfalls die Ursache einer analogen Zweiteilung der dorsalen Neurapophysen.

Da Flugvögel, die ebenfalls eine fixierte dorsale Wirbelsäule brauchen, die Fixierung der Wirbelsäule nicht durch Vergrößerung und Gabelung der Neurapophysen, sondern durch Synostose erreichen, haben wir diese Gabelung als ein Mittel zu deuten, durch das ohne Aufgabe einer gewissen Beweglichkeit dennoch eine Verstärkung der Wirbelsäule ermöglicht wurde. Bei Sauropoden mit gegabelten Neurapophysen ist gleichzeitig eine Reduktion der Zahl der Dorsalwirbel bemerkbar. *Haplocanthosaurus* und *Brachiosaurus* mit einfacher Neurapophyse zeigen nämlich je 14, *Apatosaurus* und *Diplodocus* jedoch nur 9, respektive 10 Dorsalwirbel. Da auch dies ein leichteres Tragen des Vorderkörpers bewirkte, glaube ich, daß die Ursache für die Reduktion sowohl wie für die Gabelung dieselbe war. Von den Wirbeln Nr. 74, 72, 71 sind vorn schwache, hinten stärkere konkave Zentren vorhanden: sie zeigen statt der pleurozentralen Höhlen nur flache Eindrücke. Das Zentrum ist zylindrisch und gegen die Gelenkflächen ziemlich stark verbreitert; der Neuralkanal liegt noch zum größten Teile im Wirbelbogen. Wirbel Nr. 70 ist biplan mit etwas erweitertem Neuralkanal und daher als letzter Lendenwirbel aufzufassen. Wie alle vorhergehenden Wirbel in der Mitte basal und lateral eingeschnürt sind, ist dieser, abgesehen von seiner Artikulationsfläche, auch durch den Mangel an pleurozentralen Eindrücken von den vorhergehenden Wirbeln zu unterscheiden; seine Länge beträgt, wie auch aus der Übersichtstabelle zu entnehmen, 7·5 *cm*: er wird also an Länge von den Wirbeln des Pariser *Streptospondylus* um volle 2 *cm* übertroffen. Zeigt schon dieser Größenunterschied, daß wir im Parker'schen *Streptospondylus* ein junges Exemplar vor uns haben, so ist dies durch eine Untersuchung der Sacralwirbel noch viel deutlicher zu erkennen. Das Sacrum (Fig. 14) wird in diesem Stücke bloß aus drei Zentren

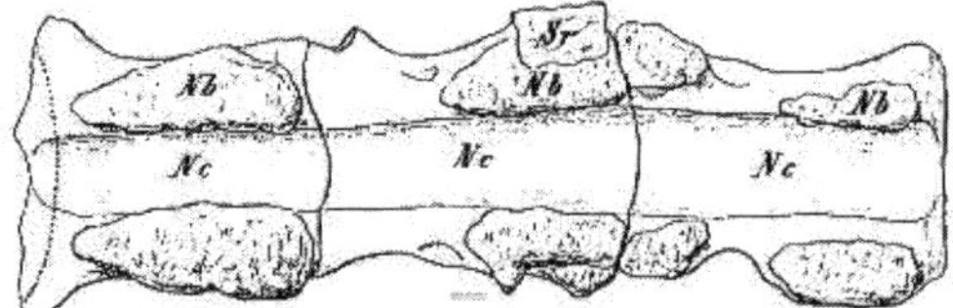

Fig. 14. Sacrum von *Streptospondylus*. *Nc* = Neuralkanal; *Bg* = Ansatz des Wirbelbogens; *Sr* = Ansatz der Sacralrippen; S_1, S_2, S_3 = erster, zweiter, dritter Sacralwirbel; *Nn* = Austritt der Sacralnerven.

gebildet, die durch sattelförmige Gelenkflächen verbunden werden; das vordere Ende des ersten Sacralwirbels zeigt eine konkave, das hintere des dritten Sacralwirbels eine plane Artikulationsfläche.

Der sattelförmige Charakter der intersacralen Gelenkflächen ist zwischen dem 2. und 3. Wirbel stärker entwickelt als zwischen den beiden vorderen und daher kommt es, daß in der Gegend des Neuralkanals der vorhergehende Wirbel sich gegen rückwärts ausdehnt, während der hintere Wirbel an beiden Flanken vorgreift. Der Neuralkanal nimmt an Größe gegen rückwärts zu; die erste Sacralrippe war am Wirbel Nr. 69 befestigt, die zweite lag intervertebral zwischen dem zweiten und dritten Wirbel. Beim Pariser Material finden sich im ganzen drei Sacralwirbel: am ersten Wirbel ist eine Sacralrippe vorhanden, beim zweiten liegt sie am Hinterende, so daß sie sich auch an das folgende Zentrum anlegt; beim dritten, d. h. dem letzten Sacralwirbel, ist sie wieder vertebral gelegen.

Eine intervertebral gelegene Sacralrippe läßt sich auch am dritten Sacralwirbel des Parker'schen Stückes konstatieren und so werden wir zur Annahme von vier Sacralwirbeln genötigt, wobei uns die Gestalt der Gelenkflächen den vierten Sacralwirbel als einen modifizierten Caudalwirbel erkennen läßt. Die schwache Entwicklung der sattelförmigen Gelenkfläche zwischen dem ersten und zweiten Sacralwirbel und die Lage der ersten Rippe zeigt ferner, daß diese im Gegensatze zu *Zanclodon* erst später mit dem eigentlichen Sacrum verbunden wurde und deshalb können wir in Übereinstimmung mit Riggs bei den Sauropoden eine alternierende Vergrößerung des Sacrums feststellen, welche bei *Streptospondylus*-artigen Formen ungefähr in folgender Weise zum Ausdrucke zu bringen wäre:

I. Stadium D_{x-3} [1] D_{x-2} D_{x-1} D_x $\overbrace{S_1 \quad S_2}$ C_1 C_2
II. » D_{x-3} D_{x-2} D_{x-1} $\underbrace{D_x \quad S_1 \quad S_2}$ C_1 C_2

[1] D = dorsal, S = sacral, C = Caudalwirbel; x = die Anzahl der Wirbel; Klammer bezeichnet die Synostose.

$$\text{III. Stadium } D_{x-3} \quad D_{x-2} \quad D_{x-1} \quad \underbrace{D_x \quad S_1 \quad S_2 \quad C_1} \quad C_2$$

$$\text{IV. » } D_{x-3} \quad D_{x-2} \quad \underbrace{D_{x-1} \quad D_x \quad S_1 \quad S_2 \quad C_1} \quad C_2$$

Daß auf diese Weise ein Synsacrum entstehen kann, das stark an dieselbe Ausbildung bei den Vögeln erinnert, bedarf wohl kaum einer weiteren Erwähnung.

Möglicherweise entspricht das im Verhältnisse zu den Caudalwirbeln verkürzte und deprimierte Zentrum des nur schwach bikonkaven Wirbels Nr. 66, trotzdem der Neuralkanal hier nur einen schwachen Eindruck hinterlassen, dem 4. Wirbel des *Streptospondylus* Sacrums; anderseits ist aber auch die Annahme nicht ausgeschlossen, daß dieser Wirbel den ersten echten Schwanzwirbel darstellt. Schwanzwirbel mit Gelenksflächen für die Hämapophysen sind in Parkers Sammlung drei vorhanden: sie sind bikonkav, vorn stärker ausgehöhlt als hinten, haben zylindrisch-lateral etwas komprimierten Querschnitt und zeigen, ähnlich wie *Poikilopleuron*, am Hinterrand eine scharf umgrenzte Gelenkfläche für die dorsal und ventral verbundene Hämapophyse; am Vorderrande ist eben noch eine schwache Spur der Hämapophyse vorhanden. Die Zentra der Schwanzwirbel Nr. 65, 64, 63 zeigen noch keine Diapophyse; sie ist erst an einem weiter hinten gelegenen, ebenfalls bikonkaven Caudalwirbel zu konstatieren, bei dem sie der pleurozentralen Sutur aufliegt. Ihrer intervertebralen Befestigung entsprechend, zeigen die Hämapophysen auf ihrem oberen Ende zwei gegenseitig geneigte Facetten und lassen sich darin einigermaßen vom Typus von *Poikilopleuron* unterscheiden, da sich bei letzterem die beiden Äste der Hämapophyse oben nur am hinteren Rande verbinden. Fig. 15 gibt die Skizze eines solchen Caudalwirbels.

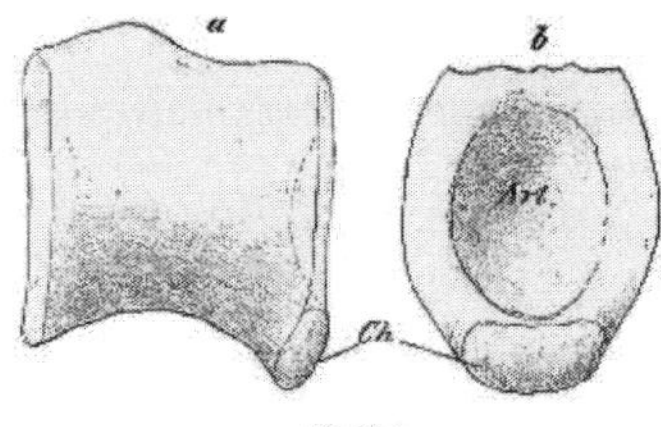

Fig. 15.

Wenn wir die Beschreibung der Wirbelsäule kurz rekapitulieren, läßt sich Folgendes feststellen: die Wirbel erreichen ihre größte Entwicklung in der Lendengegend und zeigen hier fast biplanen Charakter; gegen vorn werden die Artikulationsflächen opistocoel, gegen hinten bikonkav; die Hals- und vorderen Rumpfwirbel zeigen pleurozentrale Höhlen und ein kompliziertes Lamellensystem ermöglicht den Wirbeln Stärke und Leichtigkeit harmonisch zu vereinen. In allen diesen Charakteren ist eine Annäherung an jene Merkmale zu erblicken, die wir von den Sauropoden kennen.

Schultergürtel und Becken.

Vom Schultergürtel ist bloß die eine Scapula erhalten; sie zeigt ein gleichförmiges, langes, sehr schmales Blatt, das sich gegen unten plötzlich verbreitert; die Gelenkfläche für den Humerus ist seicht und wenig entwickelt. Von vorn betrachtet, ist die ganze Scapula etwas gebogen.

Fig. 16 *a* gibt einen allgemeinen Umriß; er läßt sich am besten als *Allosaurus*- resp. *Creosaurus*-artig bezeichnen. Von *Megalosaurus* (Fig. 16 *b*) ist die Scapula durch die viel schlankere Entwicklung des oberen Teiles, von *Allosaurus* durch offenbar geringere Breite der basalen Partie verschieden. Eine distale Erweiterung des Schulterblattes, die wir bei *Zanclodon*, vielen Sauropoden und auch bei *Megalosaurus* finden, scheint bei *Streptospondylus* zu fehlen, wodurch ein gewisser Grad von Vogelähnlichkeit erlangt wird. Auch betreffs der Scapula läßt sich zwischen den Theropoden und den primitiven Sauropoden eine gewisse Ähnlichkeit nachweisen, die übrigens schon Huene hervorhebt; allerdings ist, wie mir scheint, außer der Größenzunahme des Coracoid noch die Entwicklung der scapularen Crista (Fig. 16) von eminenter Bedeutung; bei *Streptospondylus*, *Megalosaurus*, *Cetiosaurus* und *Haplocanthosaurus* ist von einer solchen Crista noch fast nichts zu bemerken. Bei einer nicht beschriebenen Scapula von *Ornithopsis* tritt sie schon ganz bedeutend hervor, noch stärker bei *Apatosaurus*; bei *Diplodocus* erreicht sie endlich ihre größte Entwicklung, zeigt also, daß wir analog wie bei den Stegosauriern auch bei den Sauropoden eine allmähliche Verstärkung der Vorderextremität als Folge der quadrupeden Lebensweise dieser Tiere annehmen müssen.

Über das Becken läßt sich nur wenig sagen. Das fragmentäre, mit kurzem Pedunculus ischiadicus und langem Pedunculus pubis versehene Ilium ist, wie schon Phillips erwähnt, nach megalosauridem Typus gebaut; das Ischium ist oben flach und zeigt einen schmalen Fortsatz zur Verbindung mit den Pubis; es ist am unteren Ende zylindrisch, etwas verdickt und weist auf eine kurze mediane Symphyse hin. Das Pubis zeichnet sich scheinbar durch ein Foramen obturatorium aus; am distalen Ende war möglicherweise so

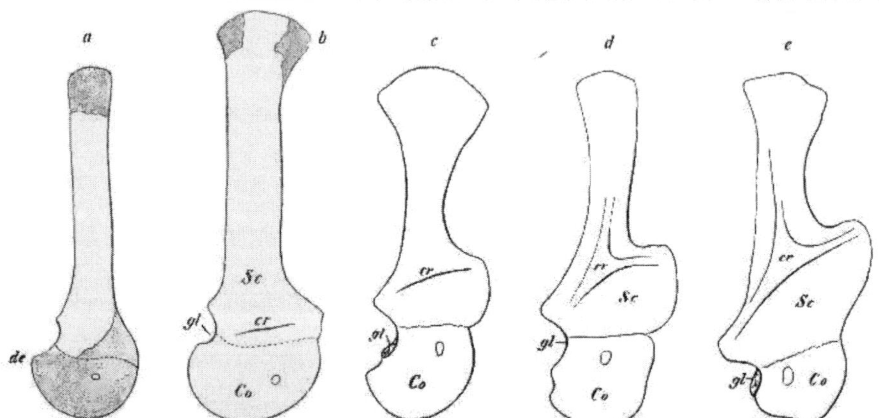

Fig. 16. Scapulo-Coracoid. *a*) Von *Streptospondylus*; *b*) *Megalosaurus*; *c*) von *Haplocanthosaurus*; *d*) *Apathosaurus*; *e*) *Diplodocus*. *co* = Coracoid; *Sc* = Scapula; *cr* = Crista scapularis; *gl* = Fossa glenoidalis.

wie bei *Aristosuchus*, *Allosaurus* und *Ceratosaurus* ein gegen rückwärts gerichtetes Interpubis vorhanden, wenigstens glaube ich ein isoliertes Fragment so deuten zu müssen. Auch das Pubis verbindet sich nur mittels eines schlanken Fortsatzes mit dem Ischium.

Parasternale Bildungen (Ventralrippen) konnte ich nicht konstatieren.

Die Länge des Ischium beträgt ca. 47 *cm*, die antero-prosteriore Länge des Ilium dürfte nicht mehr als 44 *cm* betragen haben.

Ein Vergleich mit den Becken anderer Theropoden ergibt folgende Differenzen: bei *Massospondylus* (ich betrachte im Gegensatze zu Seeley das spitzere Ende als das vordere) sind beide Ansatzflächen für Pubis und Ischium sessil und daher tritt durch den Pedunculus pubis sowie durch die wahrscheinlich vordere *Megalosaurus*-artige Ausbreitung des Ilium bei *Streptospondylus* eine gewisse Ähnlichkeit mit *Apteryx* hervor. Ob weiterhin im Gegensatze zu *Massospondylus*, jedoch wie bei *Apteryx* und *Megalosaurus*, auch bei *Streptospondylus* ein vom Antitrochanter aufwärts strebender Rücken vorhanden war, läßt sich nicht entscheiden. Bei *Zanclodon* ist zwar am Ilium ein Pedunculus pubis vorhanden, doch fehlt hier die starke vordere Ausbreitung des Ilium. Das Ilium der Sauropoden, das auch zum Vergleiche herangezogen werden muß, zeigt im allgemeinen den flachen, gerundeten, megalosauriden Typus, doch läßt sich eine starke Modifikation des Vogeltypus infolge der quadrupeden Gangart erkennen.

Extremitäten.

Von *Streptospondylus* sind folgende Knochen der Extremitäten bekannt geworden: Humerus, Femora, Tibiae, Fibulae, Metatarsalia und Phalangen des Fußes.

Der Humerus ist nur fragmentarisch erhalten; die beiden Stücke (ein proximales und ein distales) lassen aber den Schluß auf einen Humerus von ca. 25 *cm* zu. Die Crista deltoidea ist viel weniger entwickelt als bei *Poikilopleuron* oder *Megalosaurus*; die Krümmung am Hinterrande des Schaftes erfolgt nur sehr allmählich; der Knochen ist im ganzen viel schlanker und gleichzeitig viel einfacher gebaut, als bei den oben genannten beiden Theropoden.

Da wir den Humerus (Fig. 17) sowohl von *Megalosaurus* als auch von *Poikilopleuron*, ferner von *Laelaps* und jetzt auch von *Streptospondylus* kennen, lassen sich die Unterschiede dieser Formen durch einen Vergleich ihrer Humeri gut illustrieren. Die vielleicht wichtigste Tatsache ist, daß der Humerus von *Poikilopleuron* von der von Deslongchamps gegebenen Zeichnung nicht unbedeutend abweicht; denn während es auf Deslongchamps' Zeichnung den Eindruck macht, als ob der Humerus am proximalen Ende einen *Laelaps*-artigen Umriß aufweisen würde, ist dies, wie ich mich durch Untersuchung des Originalstückes überzeugen konnte, keineswegs der Fall. (Fig. 17 c.) Der obere und äußere Rand des Humerus ist gleichmäßig gerundet, wodurch er mehr *Megalosaurus*-artigen Charakter erhält; durch sein schlankes, distales Ende und stärker entwickelte Condylen läßt er sich jedoch von dem mehr massiv gebauten Stonesfielder Saurier recht gut unterscheiden.

Große brutale Kraft scheint den Humerus von *Megalosaurus*, größere Agilität hingegen jenen von Calvados zu charakterisieren, während der Humerus von *Streptospondylus* infolge der geringen Entwicklung seiner Condylen beinahe den Eindruck einer rudimentären Entwicklung hervorruft; allerdings ist dabei das jugendliche Alter (vergl. Sacrum) jenes Individuums zu beachten. Es verhält sich dabei:

Die Länge des Femur zum Humerus bei *Laelaps* wie 2·96 : 1;
» » » » » » *Streptospondylus* wie 2·0 : 1.

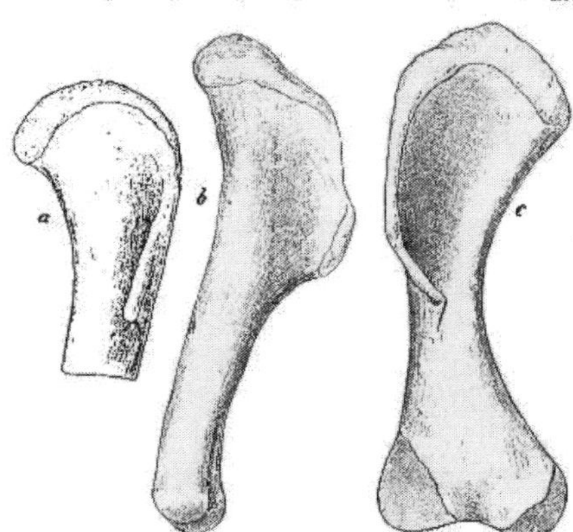

Fig. 17. Proximales Ende des Humerus *a*) von *Streptospondylus*, *b*) *Megalosaurus*, *c*) *Poikilopleuron*.

Vom Stonesfielder *Megalosaurus* sowie von *Poikilopleuron* fehlen die zu einem Vergleiche notwendigen Stücke, während ein Vergleich mit dem meist massigen Humerus der triadischen Theropoden überhaupt unterbleiben kann.

Mit dem, wie schon gesagt, 25 *cm* langen Humerus verglichen, sehen wir, daß das Femur wie bei allen Theropoden durch bedeutendere Länge auffällt. Es erinnert am ehesten an den Typus *Allosaurus-Megalosaurus*. Proximal zeigt es einen, durch ein deutliches Collum abgesetzten Gelenkkopf, außen vor und unterhalb des Collum erhebt sich der gut entwickelte Trochanter major, der jedoch geringere Entwicklung erreicht als bei *Megalosaurus* oder *Allosaurus*; rückwärts und gerade oberhalb des Entocondylus ist der vierte Trochanter zu erkennen, der gut entwickelt ist, den Charakter eines Trochanter »en crête« zeigt, das heißt, distales und proximales Ende haben ein gleichartiges Ansteigen, wodurch der Femurschaft in einen oberen und unteren Teil, deren respektive Längen sich ungefähr wie 1 : 2 verhalten, geteilt wird.

Ungefähr dieselbe Lage des Trochanter quartus ist scheinbar bei *Megalosaurus superbus* und *Megalosaurus Bucklandi* und *Laelaps* zu konstatieren, während man ihn bei *Allosaurus*, *Zanclodon* und *Massospondylus* in einer tieferen Lage antrifft. Da die Meinungen über die Natur des vierten Trochanter der Theropoden augenscheinlich noch differieren,[1]) halte ich es für angezeigt, diesen Punkt eingehender zu erörtern. Für den vierten Trochanter der Ornithopodidae habe ich erst jüngst wieder nachzuweisen versucht, daß er allmählich einer Reduktion anheimfällt; anderorts gedenke ich, dieselbe Ansicht auch auf die *Stegosauridae* anzuwenden und so will ich mich hier auf die *Theropoden* beschränken.

Fig. 18 repräsentiert (nach Huene) das Femur eines triadischen Theropoden (*Zanclodon*) (*a*), *Streptospondylus* (*b*), jenes vom obercretacischen *Megalosaurus Bredai* (*c*) und von *Apteryx* (*d*). Alle Stücke sind in gleicher Lage abgebildet und der Übersicht halber auf gleiche Größe reduziert worden.

[1]) Bemerkung Huenes im Neuen Jahrb. f. Min., Geol. u. Pal. 1903.

Bei einem Vergleich von Fig. 18 *a* und Fig. 18 *c* sehen wir die Verringerung des vierten Trochanter; dann bemerkt man, daß der vierte Trochanter bei *Zanclodon* an seinem unteren Ende (soferne v. Huenes Zeichnung richtig ist) steil abfällt, während Fig. 17 *b* und 17 *c* einen an Größe abnehmenden Trochanter en crête zeigen. Weiterhin ändert sich die Lage dieses Trochanter und des Trochanter major, da er im Laufe der Zeit (Trias, Jura, Kreide) am Schafte emporrückt und so die Ähnlichkeit mit *Apteryx* (Fig. 17 *d*) immer größer wird. Endlich wäre auch noch die Entwicklung eines wohlabgeschnürten Collum zu erwähnen. Ohne nur irgendwie für eine direkte Abstammung der Vögel von den Dinosauriern zu plaidieren, kann man *Apteryx* als das Ende einer, von *Zanclodon* aus fortschreitenden Reihe bezeichnen oder mit anderen Worten behaupten, daß die Vorgänge, welche die Veränderungen in der Reihe: *Zanclodon-Megalosaurus* bewirkten, die Tendenz zeigen, ein *Apteryx*-artiges

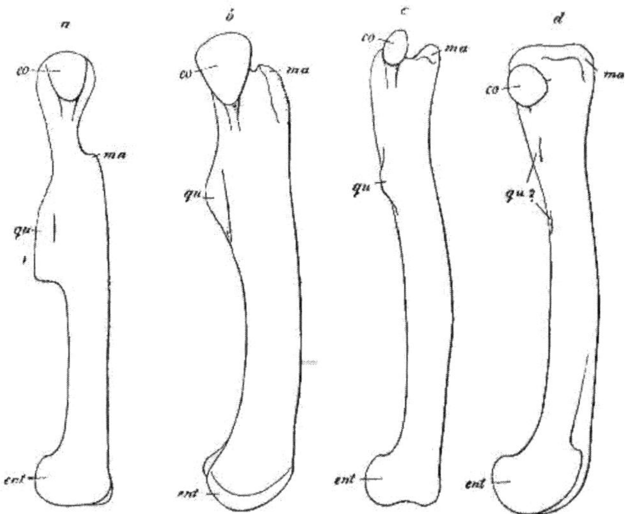

Fig. 18. Femur von innen. *a*) von *Zanclodon*, *b*) *Streptospondylus*, *c*) *Megalosaurus Bredai*, *d*) *Apteryx*. *co* = Condylus; *ma* = Trochanter major; *qu* = Trochanter quartus; *ent* = Entocondylus.

Femur zu erzeugen. Auf diese Weise ist auch ein Haupteinwand Dollos gegen die Annahme, der vierte Trochanter sei das primitivere Stadium, entkräftet. Im Bulletin scientifique 1888, Seite 221, erwähnt Dollo folgendes: ».. . les oiseaux proviennent bien de types trochanterifères. Et ils ne peuvent pourtant pas avoir eu jadis un trochanter pendant car si les gastrocnémiens énormement developpés dans la classe dont il s'agit, avaient un jour possédé un aussi ferme point d'appui, ils l'auraient certainement conservé«.[1])

Ich glaube nun, daß das Verschwinden des vierten Trochanters des Femur der Dinosaurier trotz weiteren Fortschreitens der bipedalen Spezialisation einen Fingerzeig dafür abgibt, daß wir auch bei Vögeln etwas ähnliches erwarten können und uns daher das Fehlen dieses Trochanters in gar keiner Weise befremden darf. Daß diese Veränderung auch tatsächlich vor sich ging, dafür scheint mir am deutlichsten die starke Entwicklung des vierten Trochanters beim, auch sonst noch reptilienartigen Hesperornis zu sprechen.

Das distale Ende des Femur von *Streptospondylus* zeigt durch das Überwiegen des *Entocondylus* und die antero-posteriore Zweiteilung des *Ectocondylus* eine hochgradige Ähnlichkeit mit jenem von *Megalo-*

[1]) Ich möchte hier nur kursorisch darauf hinweisen, daß bei den Primaten der dritte Trochanter in vielleicht analoger Weise verschwindet, trotzdem der gewöhnlich an ihm inserierende Muskel eine ganz außerordentliche Entwicklung aufweist. (Dollo, Soc. Anthropol. Bruxelles, 1888.)

saurus und *Apteryx Mantelli*, während *Cygnus* und *Iguanodon*, deren Femora Dollo miteinander vergleicht, einen etwas anderen Charakter zeigen. Auch bei *Zanclodon* läßt sich der Mangel einer solchen Zweiteilung der fibularen Facette konstatieren. So wie bei *Apteryx* zeigt jedoch im Gegensatze zu *Dinornis* die fibulare Gelenkfläche von *Streptospondylus* trotzdem nur geringe selbständige Entwicklung.

Da sich, wie schon erwähnt, die Femora aller triadischen *Dinosaurier* durch den Mangel eines abgesetzten und gegen die Femurachse geneigten Caput femoris, ferner durch tiefe Lage des großen und des vierten Trochanter charakterisieren, so ist ein deutlicher Unterschied zwischen ihnen und *Streptospondylus* gegeben, während es allerdings schwerer fällt, das Femur dieses von den nur massiver gebauten Femora von *Megalosaurus*, *Allalosaurus* und *Laelaps* zu unterscheiden. Letzteres scheint sich jedoch bis auf einen etwas anderen Bau des Distalendes sehr dem von *Streptospondylus* zu nähern. Cope erwähnt nämlich, daß sich das Femur von *Laelaps* durch leichte Krümmung und schlankere Verhältnisse vom Femur von *Megalosaurus* unterscheidet. Über die Tibia von *Streptospondylus* wäre nur wenig zu bemerken; sie ist nur unbedeutend kürzer als das Femur.

Da ich bei anderer Gelegenheit noch einmal auf die Längenverhältnisse zwischen Femur und Tibia zurückzukommen gedenke, dieselben uns jedoch ein gutes Merkmal zur Unterscheidung von *Streptospondylus* und *Megalosaurus* abgeben, so wurde in der folgenden Tabelle das auf 1 reduzierte Verhältnis des Femur zur Tibia bei mehreren Dinosauriern gegeben, und zwar nach der Formel Femur: Tibia = x : 1.

	Gangart:	bipedal		quadrupedal	
	Genus	Theropoda	Orthopoda	Orthopoda	Sauropoda
1	Ornithomimus	0·58 : 1	—		—
2	Compsognathus	0·7 : 1	—		—
3	*Hypsilophodon*		*0·77 : 1*		—
4	*Nanosaurus*	—	*0·84 : 1*	—	—
5	† *Hallopus*¹)	*0·87 : 1*	—	—	—
6	Laosaurus	—	0·91 : 1	—	—
7	Camptosaurus	—	1·02 : 1	—	—
8	† *Anchisaurus*	*1·02 : 1*			—
9	Streptospondylus	1·05 : 1	—	—	—
10	Iguanodon	—	1·07 : 1	—	—
11	† Claosaurus	—	1·13 : 1		
12	Laelaps	1·15 : 1	—		—
13	**Trachodon**	—	1·17 : 1	—	—
14	*Zanclodon*	1·2 : 1	—	—	—
15	Megalosaurus	1·27 : 1	—	—	—
16	Ornitholestes	1·3 : 1	—	—	—
17	*Cetiosaurus*	—	—	—	1·32 : 1
18	*Scelidosaurus*	—	—	*1·33 : 1*	—
19	**Diplodocus**	—	—	—	1·4 : 1
20	† Triceratops	—	—	1·56 : 1	—
21	Apatosaurus		—	—	1·62 : 1
22	Polacanthus		—	1·72 : 1	—
23	Dacenturus	—		—	—
24	† **Stegosaurus**	—	—	1·8 : 1	—

Da triadische Formen oder solche, die sich als primitiv erkennen lassen, in obiger Tabelle durch *Kursivschrift*, sicher hochspezialisierte hingegen durch fetten Druck ausgezeichnet wurden, so kann man

¹) Bei den mit einem Kreuze (†) bezeichneten Formen konnte die Proportion zwischen Femur und Tibia nur auf Grund von Zeichnungen festgestellt werden.

gleichzeitig in obiger Tabelle im allgemeinen eine Größenzunahme des Femur bei den meisten Dinosauriern konstatieren, wie ich dies übrigens schon 1901 hervorgehoben habe.

Daß dies vorwiegend mit einer, infolge des allgemeinen Wachstums bedingten Vergrößerung des Oberkörpers zusammenhängt, die zuerst zu einer Streckung des Femur und hierauf zu quadrupeder Lebensweise führte, gedenke ich bei anderer Gelegenheit eingehender zu besprechen. Hier will ich nur noch auf die für Dinosaurier außergewöhnliche Länge des Humerus von *Brachiosaurus* hinweisen.

Wie schon Dollo betont, muß nämlich ebenso wie bei den Vögeln auch bei den bipedalen Dinosauriern in der Ruhelage das distale Femurende genau unter den Schwerpunkt des Körpers zu liegen kommen. [1])

Am distalen Ende zeigt die Tibia von *Streptospondylus* einen Eindruck für den Processus ascendens astragali, über welchen das Nötige bereits bei Besprechung des Pariser Stückes hervorgehoben wurde.

Die Fibula von *Streptospondylus* ist ebenso wie Femur und Tibia von beiden Füßen erhalten. Sie ist stabförmig, dabei distal gar nicht, proximal nur wenig erweitert, reicht jedoch bis an den Calcaneus und unterscheidet sich durch ihre viel schwächere proximale Entwicklung gut von dem gleichen Knochen von *Allosaurus*. Sie ließe sich hingegen mit jener von *Hallopus* oder *Hypsilophodon* vergleichen.

Äußerst wichtig erscheint, daß beim Parkerschen *Streptospondylus* im ganzen nicht weniger als acht Metatarsalia erhalten sind, welche eine Länge von zirka 24 *cm* zeigen. Diese relativ hohe Zahl von vier Metatarsalknochen für jeden Fuß gibt ein gutes Merkmal ab, um *Streptospondylus* von *Allosaurus* und *Megalosaurus* zu trennen, bei welch letzteren Marsh, Osborn und Owen nur drei Metatarsalknochen konstatierten. Durch das Vorhandensein von vier Metatarsalknochen sehen wir, daß der Fuß von *Streptospondylus* fast nur denselben Grad von Spezialisation aufweist, wie die triadischen Theropoden und sich einigermaßen dem pentadactylen Fuße der Sauropoden nähert. Außer den Metatarsalknochen sind am Parker'schen Stücke auch einige 4 bis 6 *cm* lange Phalangen erhalten geblieben, wodurch wir im Stande sind, den ganzen Hinterfuß von *Streptospondylus* mit ziemlicher Sicherheit zu rekonstruieren.

Dimensionen

des Parker'schen — **des Pariser**

Exemplares.

des Parker'schen Exemplares	Nr.	Länge des Zentrums	Höhe des Zentrums	des Pariser Exemplares	Länge	Höhe
Cervicalwirbel	Nr. 47	4 *cm*	2·5 *cm*			
»	» 48	5 »	—			
»	» 49	5	— »			
»	» 54	5	2·8 »			
»	» 53	5·5 »	— »			
»	» 59	5·6 »	3·5			
	» 51	5·3 »	4 »	Mittlerer Cervicalwirbel	6 *cm*	9·3 *cm*
»	» 52	6	4 »			
»	» 58	6 »	3·5			
»	» 57	6	3·5			
»	» 56	6 »	3·5 »			
	— [2])	—	—			
Dorsalwirbel	» 55	6·5 »	—			
	—	—	—			

[1]) Von Dean und Osborn ist das quadrupede »Krabbeln« der Cormoran-Jungen hervorgehoben worden ich fand, daß das Femur eines jungen Cormorans relativ kürzer ist als beim erwachsenen Tiere.

[2]) Horizontale Linie zeigt an, daß in der Parker'schen Wirbelserie einige Wirbel fehlen.

		Länge des Zentrums	Höhe des Zentrums		Länge
Dorsalwirbel	Nr. 61	6·5 *cm*	4 *cm*		
»	» 63	6·3	4·5		
	» 62	7 »	4·3 »	Mittlerer Dorsalwirbel	9·1 *cm*
	» 73	8	4·3 »		
»	74	8 »	4·3 »		
	72	8·2	4·5	Hinterer	9·6
»	71	7·7 »	4·3 »		
Unnumerierter Wirbel		7·7 »	4·3		
Dorsalwirbel	Nr. 70	7·5 »	4·0 »		
Sacralwirbel	69	7	5 »	Erster Sacralwirbel	9·6 »
»	» 67	7 »	4·5 »		
	68	6·5	3·5 »		
Caudalwirbel	» 66	6 »	4·5 »		
»	65	6·5 »	5 »		
»	» 64	6·3	4·5 »		

	Parkers Exemplar	Pariser Exemplar
Länge des Femur	51 *cm*	
Dünnster Durchmesser	6 »	
Proximale Breite	12 »	
Distale Breite	11 »	
Länge der Tibia	50·5 »	
Dünnste Stelle der Tibia	3·8 »	
Prox. antero poster. Breite der Tibia	12 »	
» laterale » » »	8 »	
Distale Breite der Tibia	10·5 »	14·8 *cm*
Höhe des ganzen Astragalus	5·5 »	8·6 »
Breite » » »	8·5 »	11·8 »
Höhe des Corpus astragali	3·0 »	
Länge eines Metatarsale	24·5 »	
Dicke proximal	5·5 »	
Breite distal	4·5 »	
Länge des Intermaxillare	9·0 »	
Höhe des Maxillare vor der ersten anteorb. Öffnung	7·5 »	
Höhe des Kiefers beim Coronoideum	8·5 »	
Höhe des Kiefers bei der Operculum-Symphyse	6·0 »	
Länge des Ischium	46·0 »	
Proximale Breite	12·3 »	
Distale Maximaldicke	5·0 »	
Länge der Scapula	31·0 »	

Charakteristik und Bedeutung von Streptospondylus.

Als Charakteristik von *Streptospondylus* lassen sich folgende Züge feststellen:

Gesichtsschädel creosaurusartig unverhältnismäßig groß, Hirnschädel klein Halswirbel sehr stark opisthocoel,[1]) die vorderen dabei viel kleiner als die rück-

[1]) Da opisthocoele Halswirbel außer bei Theropoden und Sauropoden, wie schon erwähnt, auch bei Orthopoden vorkommen, sehe ich mich genötigt, den von Riggs gebrauchten Ordnungsnamen *Opisthocoelia* abzulehnen.

wärtigen und sämtliche mit kompliziertem Lamellensystem und pleurozentralen Höhlen. Pleurozentrale und Stützlamellen charakterisieren auch die vorderen der fast plankonkaven Dorsalwirbel. Rückwärtige Dorsal- und Sacralwirbel Megalosaurus-artig, jedoch ohne Metapophysen. Die Caudalwirbel zeigen, so wie alle vorhergehenden Wirbel, zylindrischen Querschnitt. Schultergürtel und Vorderextremität klein, Scapula schlank. Humerus ohne besonders markierte Crista radialis. Becken Allosaurus-artig, ebenso Femur, jedoch nur um wenig länger als die Tibia; Fibula sehr schwach, Astragalus mit mäßig hohem Processus ascendens, vier wohlentwickelte Metatarsalia.

Einzige Spezies ist *Streptospondylus Cuvieri* H. v. Meyer; Lokalitäten und Niveau: Callovien bei Dives und Oxfordthon bei Oxford.

Eine ausschließlich auf Grund des Parker'schen Stückes gegebene Rekonstruktion von *Streptospondylus*, an der die meisten in obiger Definition hervorgehobenen Charaktere deutlich hervortreten, wurde von mir im Geological Magazine 1905 gegeben; gleichzeitig ist daraus die Vollständigkeit des Parker'schen Exemplars zu entnehmen; die fehlenden Stücke sind durch Schraffierung kenntlich gemacht.

Da bisher hauptsächlich nur die Frage erörtert wurde, ob *Streptospondylus* mit irgend einem der bekannten Theropodenarten generisch zu vereinigen ist, soll in diesem Abschnitte kurz seine Bedeutung für die Verwandtschaftsverhältnisse der Theropoden und Sauropoden überhaupt rekapituliert werden.

In einer früheren Arbeit über diese Verwandtschaftsverhältnisse habe ich im Gegensatz zu Seeley der Meinung Ausdruck gegeben, daß die Sauropoden den Orthopoden näher stünden als den Theropoden. Seither sehe ich mich jedoch, hauptsächlich infolge der Arbeit Hatchers über *Haplocanthosaurus* sowie in Folge meiner eigenen Studien über *Streptospondylus* genötigt, meine frühere Meinung aufzugeben und die, soviel ich weiß, zuerst von Seeley verteidigte theropod-sauropode Verwandtschaft und damit auch Seeleys Einteilung der Unterklasse der Dinosaurier in die Ordnungen der *Orthopoda* und *Saurischia* zu akzeptieren.

Weshalb ich mich genötigt sehe, den Ausdruck *Opisthocoelia* für die letztgenannte Gruppe als vollkommen unzweckmäßig und irreführend ganz energisch abzulehnen, wurde bereits im Geological Magazine 1905 erörtert.

Die Motive, die Prof. Seeley zu dieser Einteilung bewogen, sollen, da sie uns auch bei den folgenden Betrachtungen gute Dienste leisten werden, hier kurz im Originaltext wiedergegeben werden.

»The characters by which these animals (gemeint sind die Dinosaurier) should be classed are I submit those which pervade in several parts of the skeleton and exhibit some diversity among the associated animal types. — The pelvis is perhaps more typical of these animals than any other part of the skeleton and should be a prime element in classification. The presence or absence of the pneumatic condition of the vertebrae is an important structural difference. Prof. Cope pointed out two distinct types of ilium: first there is the ilium wich is prolonged forward in a more or less narrow process (Iguanodon, Stegosaurus). Secondly there is the ilium wich has its anterior process developed into a vertical plate (Sauropoda, Theropoda).

The pubes also presents two types. First there are genera in wich the bones are directed anteriorly and meet in the median symphysis. In the second form the pubes has one limb wich is directed backward parallel with the ischium and an other limb directed forward.

The evidence concerning the penetration of air cells into the vertebrae has been less fully brought forward but in the . . . . . Stegosauria the vertebrae are solid and the like condition obtains in all the genera of Ornithopoda.

On the other hand the praecaudal vertebrae of Sauropoda are more or less hollow . . . . One of the characters by wich Prof. Marsh defines the Theropoda is: Vertebrae more or less cavernous. The development of the pneumatic condition is sufficiently general among Sauropoda and Theropoda to show that these groups are united together by a character wich separates them from the Stegosauria and Ornithopoda.«

Wie schon im beschreibenden Teile der Arbeit betont wurde, zeigt gerade *Streptospondylus* einige Merkmale, die nicht unbedeutend an die Sauropoden erinnern und die Frage, die sich in Folge dessen vor allem ergibt, ist, ob diese Ähnlichkeiten als Konvergenzerscheinungen zu deuten sind oder ob sich nicht in der Evolution der Sauropoden Merkmale bemerkbar machen, die auf *Streptospondylus*-artige Vorfahren hinweisen?

Aus Zweckmäßigkeitsgründen sollen daher vorerst die Differenzen festgestellt werden, die wir zwischen den einzelnen Sauropoden-Arten bemerken; dann soll daraus die hypothetische Urform der Sauropoden abgeleitet und mit *Streptospondylus* verglichen werden.

Als erste markante Eigenschaft kennen wir bei allen Sauropoden am Femurschafte einen wohlentwickelten vierten Trochanter, und zwar ist dieser bei *Cetiosaurus* augenscheinlich stärker entwickelt als bei *Diplodocus*. Dies zeigt, daß die Sauropoden entweder von Formen stammen, die einen wohlentwickelten vierten Trochanter haben oder im Begriffe waren, einen vierten Trochanter zu erwerben. In ersterem Falle würde *Diplodocus* als das spezialisiertere Stadium aufzufassen sein, im letzteren Falle wäre dies hingegen *Cetiosaurus*. Durch die Entwicklung gegabelter Dornfortsätze sowie in der bei *Diplodocus* bemerkbaren Zahnreduktion läßt sich aber *Diplodocus* als das spezialisiertere Stadium erkennen und daher scheint es gleich von Anfang an wahrscheinlich, daß auch sein vierter Trochanter ein spezialisierteres Stadium darstellt. Weitere Überlegungen führen zu einem ähnlichen Resultate.

Wenn man die Sauropoden nach dem Vorhandensein resp. Fehlen von pleurozentralen Höhlen ordnet, so gelangt man zu folgender Tabelle (I)

	vert. Cerv.	vert. dors. ant.	vert. dors. post.	Sacr.	Caud.
Streptospondylus [1])	○	○	●	●	●
Haplocanthosaurus	○	○	○	●	●
Apatosaurus	○	○	○	○	●
Diplodocus	○	○	○	○	○

welche mit der, die Gabelung der Neurapophysen darstellenden Tabelle (II) gut übereinstimmt:

	vert. Cerv.	vert. dors. ant.	vert. dors. post.	Sacr.	Cerv.
Streptospondylus [2])	I	I	I	I	I
Haplocanthosaurus	I	I	I	I	I
Apatosaurus	Y	Y	I	I	I
Diplodocus	Y	Y	Y	I [3])	Y

Die Entwicklung der caudalen Diapophysen bei den Sauropoden ist ebenfalls von einigem Interesse, denn während die vorderen caudalen Diapophysen bei *Haplocanthosaurus* einfache, stabartige, laterale Fortsätze bilden, so wie wir dies auch bei den meisten *Ratiten* antreffen, sind sie bei *Diplodocus* so wie bei *Aepyornis* zu breiten, vertikal gestellten Platten umgewandelt worden. Die Konvergenz-Erscheinungen im Baue der Wirbelsäule von *Aepyornis* und *Diplodocus* werden dadurch geradezu überraschend; auch die Caudalwirbel lassen auf diese Weise eine Reihe erkennen: *Streptospondylus-Haplocanthosaurus-Diplodocus*.

Die Betrachtung des Scapulo-coracoids und der Crista suprascapularis ergibt ebenfalls eine Reihe: *Haplocanthosaurus-Morosaurus-Diplodocus* und wenn wir nun die bei *Streptospondylus* bekannten Verhältnisse mit denjenigen von *Haplocanthosaurus*, *Diplodocus* etc. prüfen, sehen wir, daß es sich, was Wirbelbau und Bau der Scapula anbelangt, vor der Reihe *Haplocanthosaurus-Apatosaurus-Diplodocus* anreiht. Außerdem zeigt *Streptospondylus* einen wohlentwickelten vierten Trochanter. Da in der Reihe *Haplocanthosaurus-Morosaurus-Diplodocus* eine Größenzunahme des Scapulo-coracoids bemerkbar ist, zeigt uns dies, daß diese Tiere ihre Vorderextremität immer intensiver benützten.

Bei den panzerbewehrten Stegosauriern ist Hand in Hand mit der als Folge des Panzerwuchses hervorgerufenen, quadrupeden Gangart eine Verkleinerung des vierten Trochanters zu konstatieren und da wir an den Veränderungen der Scapula der Sauropoden erkennen können, daß die Vorderextremität immer

---

[1]) Leere Kreise bezeichnen hohle, volle Kreise massive Wirbel.

[2]) Y = gegabelte Neurapophysen.

[3]) Der Mangel an gegabelten Neurapophysen ist als Resultat der Synostose der Sacralwirbel zu deuten.

mehr zur Lokomotion herangezogen wurde, so können wir daraus folgern, daß wir den vierten Trochanter bei *Diplodocus* als Rudiment, nicht aber als Neuerwerbung zu betrachten haben, und zwar deshalb, weil es unmöglich ist, daß durch »Cheveauchement de specialisation« die ganze Linie *Haplocanthosaurus-Diplodocus* umgekehrt werde. Außerdem ist es wegen der chronologischen Aufeinanderfolge unmöglich, daß *Streptospondylus* als echter Theropode von den Sauropoden abstamme, während es ganz gut denkbar ist, daß im Wirbelbau *Streptospondylus*-artig gebaute Theropoden durch Aufgeben ihrer rein karnivoren Lebensweise den Sauropoden ihren Ursprung gaben.

Weit entfernt unmöglich zu sein, findet diese Annahme, von Huenes Arbeit über *Dystrophaeus* ganz abgesehen, auch im Zahnbaue der verschiedenen Formen eine Stütze, da wir unter den Theropoden karnivore Tiere, in *Ornithopsis* wohl einen omnivoren, in *Diplodocus* hingegen einen fast schon edentaten, also jedenfalls nicht raubtierartig veranlagten Dinosaurier sehen müssen.

Die Bedeutung von *Streptospondylus* besteht demnach, wie aus dieser Skizze hervorgeht, darin, daß wir in *Streptospondylus* eine Form haben, die sich in einigen Punkten, z. B. in der Größenzunahme der vorderen Rückenwirbel an *Haplocanthosaurus* anschließt und dadurch zeigt, daß wir die Reihe *Haplocanthosaurus-Diplodocus* in allem und jedem als aufsteigende, nicht aber als absteigende Reihe aufzufassen haben.

Nach v. Huenes Beschreibung würde auch *Dystrophaeus* ein Zwischenglied dieser Kette bilden und einen Sauropoden mit theropodem Pubis repräsentieren, während uns *Streptospondylus* noch einen typischen Theropoden darstellt, der nur durch seinen Wirbelbau etwas an die Sauropoden erinnert.

DIE PSARONIEN,

BEOBACHTUNGEN UND BETRACHTUNGEN

von

Dr. K. Gustav Stenzel

in Breslau.[1])

Mit VII Tafeln (V—XI).

Ältere Beobachtungen.

Die *Psaronien*, deren verkieselte Stamm- und Wurzelstücke unter dem Namen der Staarsteine schon früh die Aufmerksamkeit auf sich gezogen haben, sind wiederholt der Gegenstand eingehender Untersuchungen gewesen. Durch diese sind die wesentlichen Stücke ihres Baues festgestellt worden; und doch sind einige derselben, namentlich das einzig in seiner Art dastehende Rindenwachstum, bisher nur kurz berührt worden und mehrere damit zusammenhängende Fragen zweifelhaft oder streitig geblieben. Eine derselben, das Fehlen von Blattbündeln in der Rinde, wird, wie ich glaube, durch die folgenden Beobachtungen endgültig entschieden, andere wenigstens ihrer Lösung nahe gebracht werden.

Mit der gewohnten Schärfe der Beobachtung und Klarheit der Darstellung hat Adolphe Brongniart[2]) gezeigt, daß der aufrechte baumartige Stamm der *Psaronien* aus einer zentralen Achse besteht, die wir als Holzteil oder Holzkörper bezeichnen, unter dem Namen Achse der ganze Stamm oder Stengel im Gegensatze zu den appendikulären Organen verstanden zu werden pflegt und aus einer ihn rings umgebenden Rinde.

Das dünnwandige Parenchym des Holzkörpers wird der Länge nach durchzogen von plattenförmigen Gefäßbündeln (Leitbündeln), die ganz verschieden von denen der *Monocotyledonen* und *Dicotyledonen*, nur aus, ohne erkennbare Ordnung, dicht aneinander stehenden Treppentracheiden bestehen, wie bei den *Lycopodien* und Farnen, aber ohne die sie bei diesen, namentlich bei den Baumfarnen, umgebende dunkelbraune feste Sklerenchymscheide. Eine allgemeine derartige Scheide umgibt dagegen bei den meisten Arten den ganzen Holzkörper und scheidet ihn von der Rinde.

Diese besteht aus einem ähnlichen dünnwandigen Parenchym wie das Grundgewebe des Holzteils. In dasselbe eingebettet sind zahlreiche einfache, nirgends miteinander verschmelzende, rundliche Nebenwurzeln, die vom Holzteil entspringen und, ihm fast gleichlaufend, herabsteigen um erst am Grunde des Stammes ins Freie herauszutreten. Sie selbst bestehen aus einer äußeren Rinde, einer dunklen Sklerenchymscheide, die rasch in die dünnwandige, oft lückige Innenrinde übergeht, und einem Kern, dessen Mitte von einem im Querschnitt sternförmigen Leitbündel aus Treppentracheiden, eingenommen wird.

Eine wertvolle Erweiterung erfuhren diese Grundzüge durch Corda[3]), der an dem von ihm entdeckten *Psaronius arenaceus* große, länglich-runde, über 1 *cm* breite und noch höhere Blattnarben an

---

[1]) Siehe pag. 123.

[2]) Brongniart Ad.: Histoire des vég. fossiles II, 1837, p. 57—67.

[3]) Corda: Beitr. S. 93—111.

12*

der Außenfläche des Stammes fand, wie sie sicher schon Gutbier bei *Cautopteris Freieslebeni* beschrieben hatte, die Corda mit Recht zu *Psaronius* zog. Diese sind denen der lebenden Baumfarne so ähnlich, daß sie entscheidend für die Zugehörigkeit der *Psaronien* zu den Farnen sprechen, während Brongniart sie als *Lycopodiaceen* betrachtete. Auch machte Corda darauf aufmerksam, daß bei einigen Arten an derem äußeren Umfange des Holzkörpers Leitbündel-Platten einzeln oder zu zweien angetroffen werden, die im Begriff sind, in je einen Blattstiel einzutreten.

Anknüpfend an die letztere Beobachtung habe ich dann in einer Studie: »Über die Staarsteine« [1]) und in dem von mir verfaßten Abschnitt über *Psaronius* in Göpperts Flora der permischen Formation [2]) nachgewiesen, daß so viele Arten dieser Gattung das gleiche Verhalten zeigen, daß man es als ein allen *Psaronien* zukommendes betrachten muß.

Etwas unterhalb der Stelle, wo ein Blattbündel aus dem Holzteil austritt, trennt es sich nämlich als der mittlere Abschnitt eines der breiten peripherischen Bündel, die wir im Folgenden als Randbündel bezeichnen wollen von diesem und biegt sich schräg aufwärts nach der Stelle, an welcher der Blattstiel an der Außenfläche das Stammes saß. Die dadurch entstandene Lücke zwischen den zwei seitlichen Abschnitten des Randbündels wird nach oben wieder durch ein Bündel geschlossen, das von einem weiter nach innen liegenden Leitbündel abgegeben wird. Im einfachsten Falle, wie wir ihn namentlich bei einigen zweizeiligen Arten finden, so bei *Psaronius Ungeri* [3]), wird dieses Ersatzbündel von einem inneren in einer der eben beschriebenen gleichen Art abgegeben; ersetzt wird dieses wieder von einem noch weiter nach innen gelegenen und so weiter bis in die Mitte. Bei anderen Arten sieht man das gleiche Verhalten, nur bei einem oder dem anderen Bündel des zweiten, auch wohl noch des dritten Bündelkreises, während in der Mitte schmale oder selbst fadenförmige Bündel zerstreut sind. Aber auch bei diesen Arten ist der durch die Zwischenformen ermittelte Bau des Holzteils mit dem der ersten so wesentlich übereinstimmend, daß wir gewiß nicht fehl gehen, wenn wir annehmen, daß auch die mittelsten Bündel dazu bestimmt sind, durch Abgabe von Zweigen an die weiter nach außen liegenden zur Versorgung der Blätter beizutragen. Ähnliches finden wir ja auch bei den lebenden Farnen, wie bei *Saccoloma adiantoides* und vielen *Marattiaceen*. Daß die Blattbündel fast ohne Ausnahme an der Außenfläche des Holzteils enden und in der oft sehr dicken Rinde nichts von ihnen aufzufinden ist, glaubte ich dadurch erklären zu können, daß nach dem Abfallen der abgestorbenen Blätter nur der innerhalb des Holzkörpers liegende Teil ihrer Gewebe lebend geblieben und dann von der sich verdickenden Rinde überwachsen worden sei.

Dieses häufig ganz erstaunliche Wachstum der Rinde geht Hand in Hand mit dem der Nebenwurzeln, die überall in ihr herabsteigen und deren Natur und Bau schon von Brongniart in den Hauptpunkten richtig erkannt worden war. [4]) Sie sind ringsum mit dem Rindenparenchym so vollständig verwachsen, daß dieses in das Gewebe ihrer Prosenchymscheide stetig übergeht, was ich mir nicht anders erklären kann, als daß beide aus demselben Grundgewebe sich gleichzeitig herausgebildet hätten. Ich bezeichnete deshalb diese Strecke der Wurzeln, die Unger *processus radicales* genannt hatte, als Wurzelanfänge. Erst wo sie aus der Rinde austreten, um als freie Wurzeln in den Boden einzudringen, umgeben sie sich mit einer dünnen Schicht eines dem der Rinde ganz ähnlichen Gewebes, dem Außenparenchym, das nach innen stetig in ihre Prosenchymscheide übergeht. Sie nehmen dann oft um das Vielfache an Umfang zu, verästeln sich und bilden so um den untersten Teil des Stammes ein Geflecht von Nebenwurzeln, gleich jenem, das den in und nahe über dem Boden befindlichen Teil der Stämme unserer Baumfarne einhüllt. Die gewöhnlich diesem gleichgesetzte Masse von Wurzelanfängen innerhalb der Rinde ist ihm äußerlich wohl ähnlich, aber weder seiner Natur nach gleichwertig noch auch von gleichem Bau.

Soviel hatte sich durch die Vergleichung der in unseren Sammlungen fast ausschließlich vorhandenen Querschnitte von Staarsteinen ermitteln lassen.

---

[1]) Stenzel: Staarsteine.

[2]) Stenzel in Göppert p. F.

[3]) Cotta: Dendrol. Taf. VI, Fig. 2. Stenzel in Göppert.: F., Taf. V, Fig. 6.

[4]) Siehe oben.

Zeiller's Psaronien von Autun.

Eine bedeutende Förderung unserer Einsicht in den Bau, namentlich des Holzkörpers (*cylindre ligneux, cylindre central*), verdanken wir den ausgezeichneten Untersuchungen von Zeiller in seiner Bearbeitung der *Psaronien* von Autun.[1]) Er war in der günstigen Lage, nicht nur einige Reihen von Querschnitten vergleichen zu können, die in kurzen Abständen übereinander von einem und demselben Stücke nach seinen Angaben gemacht worden waren, sondern auch von radialen und namentlich tangentialen Längsschnitten. Diese ließen ihn zunächst bei Arten mit zahlreichen Leitbündeln wie bei *Ps. infarctus* erkennen, daß nicht alle im Umfange des Holzteils liegenden Leitbündel bestimmt sind, in ein Blatt einzutreten, sondern daß zwischen diesen andere, ihnen sonst ähnliche Bündel verlaufen, die nur Zweige rechts und links an Blattbündel abgeben, selbst aber im Stamme weiter aufwärts laufen und die wir deshalb zu den stamm-eigenen Bündeln rechnen. Jedes der zwischen ihnen nach außen tretenden, breiten rinnenförmigen Blattbündel besteht hier aus zwei von ihnen erhaltenen Zweigbündeln; außerdem aber aus einem mittleren Teil, der selbst wieder von zwei Bündeln gebildet wird, die von zwei zu beiden Seiten nach innen liegenden, stammeigenen Bündeln abgegeben worden sind. Bei einer Anzahl Arten mit vielzeiligen Blättern und sehr zusammengesetztem Bau des Holzkörpers treten die von innen kommenden Bündel nicht in unmittelbare Berührung mit den beiden Randbündeln, sondern erhalten von jedem derselben einen von diesem abgegebenen Zweig, mit dem sie zu einem Blattbündel verschmelzen, wie bei *Ps. infarctus*,[2]) *Ps. bibractensis*.[3]) Bei anderen berührt das von innen kommende Bündel den Saum beider Randbündel wie bei *Ps. Faivrei*[4]) und *Ps. Landrioti*[5]) oder verschmilzt eine Strecke weit mit ihm, wie das namentlich bei den einfacher gebauten Arten mit wenigzeiligen Blättern die Regel zu sein scheint. Aber es ist wohl nicht zu bezweifeln, daß das aus ihm hervorgehende Blattbündel auch hier von dem Saume jedes der beiden Blattbündel einen jenem Zweige entsprechenden Streifen in sich aufgenommen hat.

Rand- und Blattbündel.

Auf Grund dieser in mehreren Punkten von der früheren abweichenden Auffassung versuchen wir nun unsere Kenntnis der verschiedenen Leitbündel des Holzkörpers und der von ihm ausgehenden Blätter darzustellen und durch eine Anzahl neuer Beobachtungen zu erweitern und zu stützen.

Wir gehen dabei von der Beziehung zwischen Rand- und Blattbündeln aus.

Diese tritt uns am augenfälligsten entgegen, wo ein Blattbündel nur einen freien Rand hat, während der andere noch mit dem des angrenzenden Randbündels verschmolzen ist. Auf ein solches hatten wir schon früher einmal hingewiesen, in einem Stämmchen des *Ps. cinctus*[6]) mit wirtelständigen Blättern, während in demselben Querschnitt ein anderes noch beiderseits gebunden ist,[7]) die übrigen beiderseits frei sind.[8])

Ebenso sehen wir in einem kleinen Stamme des von *Ps. Cottae* [I. 1, f^1 bei X] eines der zweizeiligen Blattbündel an einer Seite noch mit dem Randbündel [p^2] verbunden, während es sich an der anderen Seite von dem Randbündel [p^1] abgelöst seinen Saum verdickt, abgerundet und etwas nach innen eingerollt hat. Das etwas tiefer an der anderen Seite des Holzkörpers entsprungene Blattbündel [f^2] ist dagegen beiderseits frei, hat seine Ränder stark eingeschlagen und ist in die Rinde ausgetreten, wo es sich zwischen die in dieser herabsteigenden Wurzeln gedrängt hat.

Natürlich wird nur selten ein Blattbündel mit so ungleichen Seiten von einem Querschnitt gerade zwischen diesen getroffen, weil in der Regel beide sich in gleicher Höhe von den angrenzenden Rand-

[1]) Zeiller, Autun, p. 178—271.

[2]) Ebenda. p. 208.

[3]) Ebenda. p. 218.

[4]) Ebenda. p. 189, 229.

[5]) Ebenda. p. 224.

[6]) Stenzel in Göppert. p. F., S. 58, Taf V, Fig. 2, *a* (*Ps. infarctus γ quinquangulus*).

[7]) Ebenda. *e*.

[8]) Ebenda. *b, c, d*.

bündeln ablösen. Haben wir uns aber durch solche Vorkommnisse von dem Sachverhalt überzeugt, so werden wir ihn auch durch solche Beobachtungen bestätigt finden, bei denen wir nur aus der Vergleichung verschiedener Stellen auf ihn schließen können.

So ist auf der unteren Fläche einer Platte des zweizeiligen *Ps. Cottae* ein Blattbündel [I. 11, *f*] einerseits mit dem Randbündel [p^1] noch fest, anderseits mit p^2 nur noch undeutlich verbunden; auf der oberen, etwa 3 *cm* höheren Fläche [I. 12, *f*] dagegen ist es von beiden getrennt. Ebenso sehen wir auf der unteren Fläche einer Scheibe von *Ps. punctatus* mit fünfzeiligen, spiralig gestellten Blättern ein Blattbündel [III. 25, f^2] beiderseits mit den anstoßenden Randbündeln p^2, p^3 verschmolzen; etwa 3 *cm* weiter nach oben [26, f^2] hängt es nur noch mit dem letzteren zusammen, von p^2 an ist es frei geworden. Wenn auf der Unterseite eines Stückes von *Ps. Gutbieri* das eine Blattbündel [II. 15, f^1] zweimal vergrößert 17, f^1 in der Mitte zerbrochen, an beiden Seiten aber mit den Randbündeln verschmolzen; auf der etwa 2 *cm* höheren Oberseite ebenso zerbrochen, aber beiderseits frei sehr verbreitert, an den Rändern abgerundet und etwas eingerollt ist [14 f^1 = 16 f^1], so haben wir hier doch gewiß eine weiter fortgebildete Stufe desselben Bündels vor uns, die dabei dem schon vorher frei gewordenen auf der gegenüberliegenden Seite des Holzkörpers [II. 14—17, f^2] gleich geworden ist.

Durch die so gewonnene Annahme, daß und wie die Blattbündel von den Randbündeln ausgehen, können wir uns nun erst die verschiedenen Stufen erklären, von einer leichten Vorwölbung der auffallend dünneren Mitte eines scheinbar einfachen Randbündels bis zu dem oft viele Male breiteren, eben austretenden Blattbündel mit seinen stark nach innen gekrümmten Rändern.

Diese Ungleichheit finden wir regelmäßig bei den Stämmen mit spiralig gestellten Blättern. Bei dem dreizeiligen *Ps. Weberi* ist das eine Blattbündel noch beiderseits mit den Randbündeln verbunden [VI. 4^4, f^3], das andere [f^2] bereits frei. Ähnlich bei dem fünfzeiligen *Ps. punctatus* [III. 25, 26] vorn f^3 — nach f^4 — und f^1 oder bei *Ps. Haidingeri* [V. 39], wo das eine Blattbündel f^1 bereits in die Rinde ausgetreten ist, das nächst höhere, f^2, in einer Bucht der Sklerenchymscheide liegt, das folgende, f^3, von dieser noch umschlossen, aber frei ist, die beiden jüngsten, f^4 und f^5, noch als Teile von Randbündeln erscheinen. An dem Corda'schen Original von *Ps. helmintholithus* ist von dem untersten Blattbündel selbst nichts vorhanden; nur eine flache Bucht der Sklerenchymscheide [VI. 43, f^1] läßt die Stelle erkennen, unterhalb derer es aus dem Holzkörper ausgetreten ist; das nächste (f^2) steht frei, aber noch in einer tiefen Bucht der Scheide. Das folgende (f^3) innerhalb der letzteren, das vierte (f^4) schon stark nach außen hervorgewölbt hing noch beiderseits mit den viel dickeren Randbündeln [p^4, p^5], von denen das letztere bei der Versteinerung zerbrochen ist, zusammen; das jüngste (f^5) bildet nur eine schwach nach außen hervortretende, etwas dünnere Wölbung der beiden Randbündel (p^1, p^2). Besonders lehrreich ist aber die Vergleichung der unteren Fläche [VI. 45] mit der gegen 2 *cm* höheren oberen [46] an einer beiderseits polierten Scheibe von *Ps. spissus*. Vom untersten Blatte ist das in einer tiefen rechteckigen Bucht der Sklerenchymscheide liegende freie Bündel, dessen äußere Wölbung schon verloren gegangen ist, an der unteren Fläche [VI. 45, f^1] noch vorhanden; an der oberen finden wir nur noch eine ziemlich tiefe abgerundete, von Rindenwurzeln freie Bucht an seiner Stelle; die beiden nächst höheren Blattbündel sind anfangs [45, f^2, f^3] frei, aber noch von der Scheide umschlossen; 2 *cm* darüber [46, f^2, f^3] aus dieser herausgetreten, wie das erste Blattbündel der Unterseite, ihr Rücken nur eben noch zu erkennen oder verloren gegangen. Das vierte Blattbündel ist weggebrochen, als Vorläufer des fünften aber anfangs [45, sp^5] ein flach gewölbter Bogen eines breiten Leitbündels des zweiten Kreises, der sich weiter oben von diesem getrennt hat und, mit den beiden Randbündeln [46, p^2, p^3] verwachsen, sich durch eine Hervorwölbung als Blattbündel [f^5] zu erkennen gibt.

Oft aber stehen auch von wirtelständig gestellten Blättern einige etwas höher, andere etwas tiefer, weshalb im Querschnitt des Holzkörpers einzelne Blattbündel etwas weiter vorgeschritten sind als andere. Bei einem Stämmchen von *Ps. procurrens* [1]) ist das eine Blattbündel noch mit den beiden Randbündeln verschmolzen (*e*), eines auf einer Seite (*a*), die anderen, besonders (*d*), auf beiden Seiten losgelöst, doch

[1]) Stenzel in Göppert. perm. F., S. 58, Taf. V, 2 (als *Ps. infarctus*, γ *quinquang.*)

schreitet die Ausbildung der Bündel nicht in der Reihenfolge fort, wie wir es bei einer spiraligen Blattstellung erwarten müßten, und bei einem anderen Stamme derselben Art sind alle fünf Glieder gleich entwickelt [IV. 38].

Aus der Art, wie die Blattbündel von den Randbündeln ihren Ausgang nehmen, wird uns auch deutlich, weshalb sie bei ihrem Austritt aus dem Holzkörper regelmäßig von zwei der letzteren begleitet werden.

Die Randbündel ziehen sich nämlich, nachdem das Blattbündel sich von ihnen abgelöst hat, etwas zurück, ihre Ränder runden sich ab und, namentlich bei zweizeiligen Arten, wenden sich diese den Seiten des Blattbündels zu, wie bei *Ps. Ungeri flaccus* [II. 21, p^2, p^2] oder *Ps. tenuis* [1, 4 neben f^2]. Meist ist schon bei diesen der andere Saum derselben Randbündel verdickt etwas nach innen gekrümmt oder eingerollt, wie bei *Ps. Ungeri* [II. 22, 23, p], *Ps. spissus* [VI. 46, p^I, p^{II}, p^{III}], oder mit breitem Saume nach innen eingeschlagen bei *Ps. punctatus* [III. 25 neben f^I; 26 neben f^I, f^{II}], *Ps. quadiangulus* [IV. 35—36, p^I—p^{IIII}], *Ps. pictus* [I. 7, p^1—p^6]. Endlich zwischen wirtelständigen, nahe aneinander gerückten Blattbündeln bilden sie oft nur noch schmale, nach innen offene Bogen, wie bei *Ps. bibractensis* [V. 40, p^1, p^6, p^{12}] oder bei *Ps. infarctus.*[1])

Diese umgerollten oder umgeschlagenen Ränder begrenzen nun die Lücke, die in der Röhre zurückgeblieben ist, welche durch die Randbündel um den inneren Holzkörper gebildet wird. Diese Lücke schließt sich weiter aber unterhalb des in der Zeile nächst höheren Blattes wieder; aber nicht nur dadurch, daß ihre beiden Ränder sich nähern und endlich zusammenfließen, wie bei fast allen unseren heimischen Farnkräutern und den Baumfarnen der wärmeren Himmelsstriche, sondern dadurch, daß ein von innen heraustretendes Bündel mit seinen Rändern zu einem neuen Blattbündel verschmilzt — ein Vorgang, wie wir ihn nur ganz vereinzelt bei lebenden Farnen finden, besonders ausgeprägt bei *Taccoloma adiantoides* (*Dicsonia Lindeni*).[2])

Daß die Blattbündel auf diese Art zu Stande kommen, darauf führte schon das Vorkommen von Bündeln hin, welche je zwei innere Leitbündel in derselben Weise miteinander verbinden, wie die Blattbündel je zwei Randbündel.

Bei dem Abschnitt von *Ps. Ungeri* im Berliner Museum[3]) ist der Saum des auf die Randbündel folgende innere Paar einerseits noch deutlich nach innen eingeschlagen, dann wendet er sich nach außen und bildet eine weit vortretende Schlinge (*b*), die auch durch ihre geringere Dicke sich von den eigentlichen Leitbündeln unterscheidet. Dann folgen zwei flache plattenförmige Leitbündel und auf diese erst zwei an der gegenüber liegenden Seite des Stämmchens, ähnlich wie bei den ersten, nur durch eine viel schmälere Schlinge verbunden; auf zwei weitere flache Bündel folgt endlich ein einfach zusammengebogenes, dessen Rücken man wohl mit den Schleifen der weiter nach außen liegenden vergleichen kann. Eine ähnliche Anordnung der Bündel fand ich bei einer Reihe anderer Arten.[4]) Das bestimmte mich, schon die ersten Verbindungsstücke zweier Leitbündel in der Mitte des Stammes als Blattbündel zu betrachten.

Nachdem aber Zeiller[5]) bei mehreren Arten nachgewiesen hat, daß zur Bildung eines solchen zu dem aus dem Inneren kommenden Abschnitt noch von den angrenzenden Randbündeln Zweige hinzutreten müssen, können wir wohl nicht zweifeln, daß das ebenso bei den aus der Mitte kommenden Bündeln bei ihrer vorübergehenden Verschmelzung mit den inneren Leitbündeln geschieht, zwischen denen sie durchgehen, daß wir also noch keine vollständigen Blattbündel, sondern nur ihre Vorläufer vor uns haben. Diese erfahren bei ihrer endlichen Umbildung in Blattbündel eine erhebliche Veränderung. Die letzteren sind dünner, viel, oft mehreremal breiter und stärker gekrümmt. Wir bedürfen daher für beide verschiedene Benennungen und wollen die »Vorläufer als Ersatzbündel« (*fasciculi ductores supplentes*) unterscheiden.

---

[1]) Zeiller: Autun, p. 208, p^1, p^{11}, p^5, p^8, p^{12}.

[2]) Karsten: Vegetationsorgane der Palmen 1847, S. 194—195. Taf. IX, Fig. 5, 6. Mettenius: Über den Bau von *Angiopteris*; in Abhandl. d. math.-phys. G. der kgl. Sächs. Ges. d. Wiss. VI. Leipz. 1863. S. 531—545. Taf. VI, Fig. 1—11. Stenzel in Göppert. perm. F. S. 51, 54.

[3]) Stenzel in Göppert. perm. F. Taf. V, Fig. 6.

[4]) Ebenda. S. 50.

[5]) Siehe oben S. 87.

Obgleich nicht die wichtigsten Bestandteile des Holzkörpers, üben sie doch auf dessen Ausgestaltung einen erheblichen Einfluß aus. Ja nur durch Beachtung ihrer Verbindung mit den übrigen Leitbündeln gelangen wir zu einer richtigen Auffassung dieser letzteren. Das zeigt sich besonders deutlich bei den einfacher gebauten Stämmen, bei denen wir zugleich die Ersatzbündel rückwärts bis in die Mitte verfolgen können.

Wir haben schon oben (S. 10) aus Anlaß der Loslösung der Blattbündel von den Randbündeln ein dünnes Stämmchen von *Ps. Cottae* erwähnt, das wohl das untere Ende eines längeren Stammes ist. In ihm sehen wir innerhalb zweier rechts und links liegender Randbündel [I. 1, p^{I}, p^{II}] nur ein queres, beiderseits scharf eingeschlagenes Leitbündel (*i*). Die beiden, den Randbündeln ziemlich gleich gerichteten Seitenteile entsprechen hier zwei selbständigen inneren Leitbündeln, das quere Verbindungsstück, einem Ersatzbündel für das weiter unten ausgetretene Blattbündel (f^{3}). An der gegenüber liegenden Seite haben die zwei inneren Leitbündel ihr Ersatzbündel, das sich bereits zum Blattbündel ausgebildet hat, an die Randbündel abgegeben. In diesem einfachsten Falle ist auch das Ersatzbündel insoweit einfach, als seine Bestandteile nur aus den zwei inneren Leitbündeln herstammen können.

Ihm am nächsten steht ein schwacher Stamm von *Ps. Levyi* [I. 3], der schon lebend an einer Seite verletzt worden war, wie eine tiefe Furche im Holzkörper erkennen läßt; durch diese war die Sklerenchymscheide nur eingedrückt, das eine der beiden Randbündel (p^{I}) aber gespalten worden. Indes waren die Wundränder verheilt, der eine jedenfalls hatte sich abgerundet und abgerollt, so daß der Querschnitt drei sehr ungleiche Randbündel zeigt, von denen aber zwei, p^{I} und p^{II}, ursprünglich vereinigt waren und gewiß unter und über der Wunde sich noch vereinigt finden würden. Eine breite Brücke [*L*] im Innern, durch welche der Saum des Leitbündels [i^{3}] von dem übrigen abgetrennt worden ist, scheint erst bei der Versteinerung entstanden zu sein. Hier liegt in der Mitte des Stammes ein drehrundes Leitbündel [*i*], wahrscheinlich das älteste der Pflanze, von dem sich seitlich zunächst die Randbündel, etwas höher die auf diese folgenden inneren Leitbündel, dann die weiter nach innen liegenden immer schmäleren abgezweigt haben. Wo das eben geschieht oder wo ein Ersatzbündel sich anschickt, von ihm abzugehen, mag es mit diesem eine schmale Platte bilden, wie in der Mitte von *Ps. spurie vaginatus* [I. 13], die auch wohl nach außen in ein queres Ersatzbündel übergeht wie bei *Ps. chemnitziensis* [I. 5, 6].

Jedenfalls tritt es zuweilen in Verbindung mit den schmalen innersten Leitbündeln, wie eine Vergleichung zweier übereinander liegender Querschnitte von *Ps. Cottae* [I. 11 und 12] zeigt und so mögen sich auch die ganz schmalen gekrümmten Bündel erklären, die wir öfter in der Mitte des Stammes antreffen, wie bei *Ps. punctatus* [III. 25, 27].

Bei unserem *Ps. Levyi* wird das drehrunde Mittelbündel [I. 3, *i*] von einem klammerförmigen Bündel umfaßt, wie wir solche bei vielen Arten an dieser Stelle finden, dessen beide Seitenplatten wir als zwei innere Leitbündel auffassen, den sie an der einen Seite verbindenden Bogen (sp^{1}) als Ersatzbündel, das an dem nächst äußeren Bündelpaare (i^{1}, i^{2}) durch einen stark nach innen eingefalteten Bogen (sp^{2}) dargestellt wird, eine auffallende, doch auch sonst vorkommende Bildung, wie bei *Ps. Cottae* (I. 1, *f*), die sich nach außen in die den Blattbündeln (f^{I}, f^{II}) eigene, nach innen offene Rinne umgestalten muß.

Ganz ebenso sind bei einem Stämmchen von *Ps. tenuis* [I. 4] die zu beiden Seiten des mittelständigen, drehrunden Bündels liegenden Leitbündel an einer dem Blattbündel gegenüber liegenden Seite durch ein bogenförmiges Ersatzbündel verbunden, von den zwei zwischen ihnen und den Randbündeln liegenden ist aber das eine ganz frei, das andere mit dem nach innen eingeschlagenen Randbündel (p^{2}) oberhalb seines Randes verwachsen, ohne daß einzusehen wäre, zu welchem Zwecke: eine der Unregelmäßigkeiten, wie wir sie bei steigender Zahl der Leitbündel auch schon bei zweizahligen Arten antreffen.

Der vorher beschriebene schöne Abschnitt von *Ps. Ungeri* im Berliner Museum zeigt in der Mitte gleichfalls ein drehrundes Leitbündel — ich bemerke, daß die beiden ähnlichen Stellen zur einen und anderen Seite desselben wahrscheinlich keine Leitbündel sind — und von ihm aus schreitet die Bildung der Leit- und sie abwechselnd verbindenden Ersatzbündel mit seltener Regelmäßigkeit bis außen fort, wobei es nur auffallen mußte, daß die Hälfte der Leitbündelplatten mit beiderseits freien Rändern im Gewebe lagen. Auf der unteren Seite der im Dresdener Museum liegenden, offenbar demselben Block entnommenen

Scheibe sind aber gerade diese Leitbündelpaare durch Ersatzbündel verbunden, so daß tatsächlich alle gleichmäßig an der Versorgung der Blätter beteiligt sind.[1])

Bei den verschiedenen Erhaltungszuständen des *Ps. musaeformis* ist doch in der Regel das innerste Leitbündelpaar durch ein Ersatzbündel im kurzen Bogen verbunden.

An dem merkwürdig zusammengedrückten verkieselten Stamme [II. 18], dessen ursprünglicher Bau sich doch noch sicher genug erschließen läßt, folgt auf das innerste Paar sogar noch ein zweites, an der gegenüber liegenden Seite durch ein flaches Ersatzbündel [sp^{II}] geschlossenes und nach zwei freien Leitbündeln zwei, die wieder auf der anderen Seite verbunden sind durch ein breites drittes Ersatzbündel [19, sp^{III}], das wir uns aus mehreren stark verschobenen Stücken zusammensetzen müssen.

Unter den ausgezeichneten Resten aus der böhmischen Steinkohlenformation, deren derbe Gewebe, Leitbündel und Sklerenchymplatten in dünne zerbrechliche Kohlenblätter verwandelt sind, während sich die durch Zerstörung der zarteren Gewebe entstandenen Lücken mit Schieferton oder feinem Sandstein erfüllt haben, sind bei dem am längsten als *Scitaminites* (unserem *Ps. musaeformis* bekannte Stück)[2]) nur die beiden mittelsten Leitbündel durch ein schmales Ersatzbündel verbunden, die anderen frei. Bei dem etwas schwächeren, doch gewiß zu derselben Art gehörigen, von Corda als *Ps. carbonifera* bezeichnetem Stamme, ist sowohl das innerste wie das folgende Leitbündelpaar in ähnlicher Weise durch Ersatzbündel verbunden, wie bei dem eben angeführten verkieselten [II. 18, 19]; wir können daher wohl annehmen, daß die schöne Scheibe aus dem böhmischen Kohlensandstein im Dresdener Museum, auf deren äußere Leitbündel wir nachher noch einmal zurückkommen [IV. 31 untere, 32 obere Fläche], ähnlich gebaut gewesen sei. Aber, obwohl die Beschaffenheit der innersten Kohlenstreifen eine genaue Bestimmung erschwert, scheint es doch, daß hier ein Ersatzbündel [31, sp^{I}] das Leitbündel 3 mit 6 verbunden hat und mit dem einen Rande an 2 festhaltend, mit dem anderen nach außen, zu 4 fortschreitet, so daß darin nicht die gleiche Regelmäßigkeit herrscht.

Ist diese hier vielleicht nur wegen der unvollständigen Erhaltung der mittleren Kohlenstreifen nicht zu erkennen, so fehlt sie oft wirklich bei den Stämmen aus der Gruppe des *Ps. simplex*, die auch in der Zahl, Dicke und Gestalt der Leitbündel wie in der Ausbildung der Sklerenchymscheide die größten Schwankungen zeigt. So sind bei *Ps. simplex f. integer* bald noch die beiden mittelsten, auffallend breiten Leitbündel durch ein Ersatzbündel im kurzen Bogen geschlossen [III. 24], die anderen aber frei, bis auf ein paar unregelmäßige Verwachsungen, teils an einem Ende, teils in der Mitte; bald sind von diesen zwei und mehrere in verschiedener Weise mit ihren Rändern seitlich zu sonderbaren Gestalten verschmolzen.

Bei dem von Cotta[3]) abgebildeten *Ps. simplex* verbindet das von den gefalteten mittelsten Bündel ausgehenden Ersatzbündel nicht nur, wie gewöhnlich, die beiden ihm zunächst liegenden Leitbündel, sondern breitet sich bis zu den zwei folgenden aus, so daß es im Querschnitt als ein Querbalken mit vier rechtwinklig angesetzten Platten erscheint. Auf zwei freie Leitbündel folgen dann zwei breitere und stärker gekrümmte, zwischen deren Rändern auf der entgegengesetzten Seite ein langes gerades Ersatzbündel ausgespannt ist, eine in dieser Gruppe besonders ausgeprägte Gestalt, die erst außerhalb der Randbündel nach und nach in die etwa halbkreisförmig gebogene des Blattbündels übergeht.

Andere sind viel weniger regelmäßig. An einer schönen Platte des Berliner Museums[4]) sind auch mehrere innere Leitbündel — auf der unteren Fläche 4, auf der oberen 3, daneben noch 2 — durch je ein Querbündel aneinander geschlossen, aber zwischen ihnen sind noch kleinere zerstreut, so daß man keines mit Sicherheit als das mittelste betrachten kann. Dagegen ist auf der Unterfläche des Stückes rechts das

---

[1]) Die Zeichnung des Berliner Stückes (Stenzel in Göpp.: p. F., Taf. V, Fig. 6) stellt die untere Fläche des Stückes dar, sie entspricht der oberen der Dresdener Scheibe [II. 23], von deren Unterseite, um sie mit der oberen vergleichen zu können, das Spiegelbild hat gezeichnet werden müssen [II. 22], das für die Vergleichung mit der des Berliner Stückes wieder umgekehrt werden muß.

[2]) Corda: Beitr. S. 94, Taf. 45, Fig. 3.

[3]) Cotta: Dendr. Taf. VI, Fig. 1. Die Figur zeigt das Mittelbündel nicht gefaltet, sondern nur platt gedrückt.

[4]) Stenzel in Göppert: p. F. Taf. VI, Fig. 3 Unterseite, Fig. 4 Oberseite.

dritte Leitbündel, vom Randbündel aus gerechnet, mit einem langen geraden Ersatzbündel [1]) verbunden, das links bereits bis zu dem Leitbündel unmittelbar innerhalb des Randbündels nach außen gerückt ist; auf der oberen Fläche zieht sich dasselbe Ersatzbündel [2]) an dem rechts dem Randbündel nächsten nach links bis zum Randbündel selbst hin, ist also eine Mittelstufe zwischen Ersatz- und Blattbündel und beweist augenfällig die gleiche Natur beider. Vor beiden liegt das flach gewölbte freie Blattbündel mit eingerollten Rändern.[3]) Auf der gegenüberliegenden Seite des Holzkörpers folgt auf die freien inneren Leitbündel gleich ein dickes, fast gerades Blattbündel, das an der unteren Fläche der Platte noch mit dem Randbündel rechts verschmolzen, von dem links nur eben getrennt ist [4]), während es auf der oberen auch rechts frei, links aber weit nach außen gerückt ist.[5]) Das untere vor ihm liegende flach gewölbte Blattbündel[6]) hat die obere Fläche nicht erreicht.

Noch andere Stämme des *Ps. simplex* wie die der *f. conjugatus* zeigen fast nichts mehr von Ersatzbündeln. Von ihren starken, fast gleich breiten Leitbündeln sind nur zuweilen zwei der mittleren durch einen kurzen Ersatzbündelbogen oder mehrere 2—4 nebeneinander liegende Ränder durch ein sehr verbreitertes Ersatzbündel verbunden.[7]) Aber auch dies ist nur eine zufällige oder doch nur übliche Erscheinung, denn auf der gegenüberliegenden Seite des Holzkörpers fehlt diese quere Verschmelzung, ebenso wie beiderseits an dem schönen Abschnitt desselben Stückes in der städtischen Sammlung zu Chemnitz. Bei diesem ist aber an Stelle der queren Verschmelzung vor den freien Rändern der Leitbündel ein dünnes Ersatzbündel über die ganze Breite des Holzkörpers ausgespannt. Wir können daraus schließen, daß die seitliche Verschmelzung der Bündelränder, die manchen Stücken dieser Arten ein so sonderbares Ansehen gibt, als breite Ersatzbündel zu betrachten sind.

Im Besitze des Herrn Otto Weber in Hilbersdorf bei Chemnitz befindet sich das Bruchstück eines sehr starken Stammes von *Ps. simplex f. conjugatus* mit fast vollständigem Holzkörper, der innerhalb der zwei ausnahmsweise schwachen Randbündel noch 14 dicke, fast gleich breite Leitbündel enthält, das mittlere durch zwei halb so breite, diesseits und jenseits eines drehrunden Mittelbündels ersetzt. Die beiden äußersten sind durch ein beinahe ebenso dickes, ursprünglich wohl gerades Ersatzbündel verbunden, sonst aber finden wir von solchen nichts; höchstens deuten ein paar unvollständige und unregelmäßige Verwachsungen darauf hin, daß auch hier eine ähnliche quere Verschmelzung mehrerer Bündel hätte zu Stande kommen können, wie die vorhin besprochenen.

Eine ähnliche Platte im Berliner Museum,[8]) die wir wegen des Fehlens einer Sklerenchymscheide hinter den Blattbündeln am besten zu *Ps. simplex* ziehen, zeigt nichts von Ersatzbündeln, vielleicht weil die großen Blätter dieser Art höher als sonst über einander standen und daher mancher Querschnitt keines von ihnen getroffen hat.

Wie bei den letzten Arten mit zweizeiliger Blattstellung wird uns die Aufsuchung der Ersatzbündel bei jenen mit mehrzeiligen Blättern dadurch erschwert, daß sie den übrigen Leitbündeln an Dicke, Breite und Gestalt gleichen. Dazu kommt noch eines: der fast überall eingetretene Druck hat die zweizeiligen Leitbündel meist an der breiten Seite getroffen, sie daher näher aneinander gerückt, sonst aber wenig verändert: und selbst in den seltenen Fällen, wo er auf sie von der Blattseite her eingewirkt hat wie bei einem Stämmchen von *Ps. Gutbieri,*[9]) sind wohl die Leitbündel stark gekrümmt, manche geknickt, aber man kann sich unschwer ihre ursprüngliche Beschaffenheit vorstellen. Bei den Arten mit mehrzeiligen Blättern dagegen hat jeder Druck die sich in stark gekrümmten Bogen nach allen Seiten um die Mitte

---

[1]) Fig. 3, *a*.
[2]) Fig. 4, *a*.
[3]) Fig. 3, 4, *c*.
[4]) Fig. 3, *b*.
[5]) Fig. 4, *b*.
[6]) Fig. 3, *d*.
[7]) Stenzel in Göppert: p. F., VI, 1.
[8]) Coll. Cotta 30, 39.
[9]) Stenzel in Göppert: p. F. V, 3 (als *Ps. plicatus*).

herumziehenden Leitbündel in ganz verschiedener Weise verändert: sie sind bald flach gedrückt, bald stärker gekrümmt oder zusammengebogen, dabei in der Regel zerbrochen und so verschoben, daß man überhaupt nur schwer ein Bild des ursprünglichen Aufbaues des Holzkörpers gewinnt. Auch die Aufsuchung der Ersatzbündel gelingt daher meist nur in den beiden äußersten Kreisen der Leitbündel, wo sie aus deren Lage erschlossen werden kann.

Bei dem vierzeiligen *Ps. quadrangulus* [IV. 35, 36] liegt hinter jedem Blattbündel [f^1—f^4] ein flach gebogenes Querbündel, das, den übrigen Leitbündeln gleicht, doch das Ersatzbündel für das nächst höhere Blatt in sich enthalten mag. Die weiter nach innen folgenden lassen keine so einfachen Beziehungen zu den vorhergehenden erkennen. Auch bei *Ps. Haidingeri* [V. 39] mit spiraliger Blattstellung mag man nur das hinter f^2, vielleicht auch das hinter f^1, bei dem sehr ähnlichen *Ps. helmintholithus* [VI. 41] des nach innen von f^3 und [VI. 43] die hinter f^2 und f^3 liegenden für Ersatzbündel enthaltende ansehen.

Für die *Infarctus*-Gruppe mit ihrem verwickelten Stammbau hat Zeiller in eingehender, durch lehrreiche Abbildungen erläuterter Darstellung die Herkunft von je zwei Ersatzbündeln aus dem Innern und deren Zusammentreten mit den Zweigen zweier Randbündel zu einem Blattbündel überzeugend nachgewiesen.[1])

Ersatzbündel und Blattbündel.

Könnten wir auf Grund der vorangehenden Ausführungen das gleiche auch für die übrigen *Psaronien* annehmen, so blieben doch zwei Bedenken dagegen bestehen, die sich durch die bisher gemachten Beobachtungen nicht ohne weiteres beseitigen ließen.

Zunächst war es doch auffallend, daß diese Zusammensetzung der Blattbündel an diesen selbst nie unmittelbar beobachtet werden konnten. Daß ihr anatomischer Bau keine verschiedenen Teile erkennen ließ, fiel weniger ins Gewicht.

Da die Gewebe der in ihnen vereinigten Bündel gewiß von vorn herein einander glichen, so konnten sie wohl, wo diese Rand an Rand miteinander verwachsen und sich dabei erheblich verbreiterten, eine gleichförmige dünne Platte bilden. Dagegen hat sich die Verwachsung der Blattbündel aus mehreren Teilen einigemal aus ihrer äußeren Gestaltung erschließen lassen, indem das von innen her kommende Ersatzbündel sich an die Fläche der Randbündel angesetzt hat, wie es ähnlich auch bei inneren Leitbündeln vorkommt. So bei *Ps. cinctus*,[2]) *Ps. simplex, f. conjugatus*,[3]) *Ps. simplex*.[4])

So hat sich einmal bei *Ps. punctatus* das Ersatzbündel [III. 25, f^{II}] mit dem einen Rande an die Fläche des Randbündels p^{II} angesetzt, dessen freier Saum sich weiterhin von diesem getrennt hat und den einen Saum des Blattbündels [26, f^{II}] bildet; während auf der anderen Seite das Ersatzbündel, am Rande des Randbündels [25, p^{III}] beginnend, sich weiterhin ebenfalls an dessen Fläche angeheftet hat, so daß dessen freier Saum wohl in den linken Saum des Blattbündels übergehen konnte.

Ganz ähnlich sehen wir bei einem *Ps. Levyi* den Saum der beiden Randbündel [I. 3, x, y] die Ansatzstellen des Ersatzbündels [f^1] überragen, gewiß, um weiterhin den Saum des freien Blattbündels zu bilden.

Man kann einzelne Teile verschieden deuten; man kann die freien Säume den Randbündeln zurechnen, wie wir getan haben, oder den Blattbündeln; das aber beweisen diese Vorkommnisse in jedem Falle, daß diese Blattbündel nicht nur die mittleren Abschnitte breiter Randbündel oder Randbündelpaare sind, denn dann würden sie sich einfach mit plattem Rande von diesen ablösen, sondern daß ein Bündel von innen her hinzutritt.

Ihres sparsamen Vorkommens wegen könnte man diese Bildungen selbst für Bildungsabweichungen erklären. Dann wären es jedenfalls solche, die, wie oft bei lebenden Pflanzen, uns den Weg zur richtigen Erkenntnis von regelmäßigen Bildungen zeigten. Aber die Annahme ist nicht einmal wahrscheinlich. Schon

---

[1]) Zeiller-Autun, p. 208.

[2]) Stenzel in Göppert: p. F. Taf. V, Fig. 1 (als *Ps. infarctus*) 2.

[3]) Ebenda. Taf. VI, Fig. 1.

[4]) Ebenda. Taf. VI, Fig. 3, 4.

das Vorkommen bei Arten, die ganz verschiedenen Gruppen der *Psaronien* angehören, wie der zweizeilige überaus einfach gebaute *Ps. Levyi* und der fünfzeilige *Ps. punctatus* mit spiralig gestellten Blättern, spricht dagegen; ebenso ihre gleichförmige und zierliche Ausgestaltung. Daß sie uns so selten zu Gesicht kommen, rührt aber wahrscheinlich daher, daß das von innen kommende Bündel mit den Randbündeln nur eine so kurze Strecke weit verschmolzen ist, daß nur wenige Querschnitte sie gerade getroffen haben; wo aber die Vereinigung Rand mit Rand stattgefunden hat, sind auch weiter keine Spuren von ihr zurückgeblieben; und da diese bis jetzt nur sparsam beobachteten Vorkommnisse das zeigen, was wir erwarten mußten, können wir in ihnen immerhin eine Bestätigung unserer Annahme sehen.

Noch mehr hat mich eine zweite Frage beschäftigt. Konnten wir viele Ersatzbündel in ihrem stufenweisen Fortschreiten von innen nach außen als Verbindungsstücke je eines Paares innerer Blattbündel bis zu den Randbündeln verfolgen, so schien es unbegreiflich, daß man ihnen gerade bei diesen Arten nie für sich auf dem Wege von einem solchen Bündelpaare zu den nächst äußeren begegnete, etwa wie bei den äußeren Bündelpaaren der *Infarctus*-Gruppe.[1]

Am wahrscheinlichsten ist es, daß es, immer abgesehen von diesen letzteren, solche selbständige Ersatzbündel gar nicht gibt, sondern daß die mit ihnen seitlich verbundenen Stammbündel sich mit ihnen zugleich so weit nach außen biegen, bis sie das nächste äußere Bündelpaar erreicht haben. An dieses geben sie nun unmittelbar das Ersatzbündel ab, dessen Ränder mit seinen Rändern verschmelzen, um so weiter aufwärts zu gehen; sie selbst ziehen sich wieder zurück, ähnlich wie die Ränder der Randbündel, nachdem sie ein Blattbündel abgegeben haben, wie wir das oben dargestellt haben.

So finden wir es einigemal bei *Ps. Klugei*.[2] Zunächst treten zwei innere, durch ein queres Ersatzbündel verbundene Leitbündel zu einem Ganzen zusammen (*a*), ähnlich dem einen mittleren Bündel von *Ps. Ungeri, f. flaccus* [I. 8, *sp*] oder des *Ps. musaeformis* [II. 18, 19, *sp*] und schließen die Lücke zwischen den zwei vor ihnen liegenden Leitbündeln,[3] die mit ihnen so verschmolzen sind, daß man bei dem einen die Verwachsungsfläche noch deutlich erkennt, während sie bei dem anderen nur eben noch angedeutet ist. Bei einem zweiten etwas kleineren[4] ist die Verschmelzung vollständig, ebenso bei einem dritten.[5] Noch nicht soweit vorgeschritten ist ein klammerförmiges Leitbündel bei *Ps. cinctus*,[6] das die Lücke zwischen den beiden vor ihm liegenden breiten Leitbündeln (des zweiten Kreises von außen) nur an der einen (in der unteren Figur) Seite zu schließen anfängt, indem es mit dem Saume des dort liegenden Leitbündels sich vereinigt hat, während es dem eingerollten Rande des anderen zwar schon sehr nahe gerückt, von ihm aber immer noch durch einen schmalen Spalt getrennt ist.

Auf der gleichen Stufe der Ausbildung steht ein Ersatzbündel [II. 23, sp^I] auf der unteren Fläche der im Dresdener Museum aufbewahrten Scheibe von *Ps. Ungeri*. Eben hatte es noch die beiden Leitbündel 5 und 6 in Gestalt der für die Art bezeichnenden Schlinge verbunden. Von dem einen (8) eben losgelöst, ist es nach ihm hin noch tief eingefaltet; mit dem anderen (5) noch verschmolzen, läßt es durch die beiderseitigen Furchen die beginnende Abtrennung deutlich erkennen Vorher aber hat es sich hier mit dem nächst äußeren Leitbündel 4, wie auf der anderen Seite mit 9 verbunden; und auf der oberen 7—8 *mm* höheren Fläche des Stückes [II. 22] sehen wir es auch an dem Leitbündel 5 frei, die nächst äußeren 4 und 9 durch eine ganz ähnliche Schlinge verbinden, wie das äußerste Ersatzbündel (sp^{II}) die Leitbündel 2 und 11. Dieses ging auf der unteren Fläche [IV. 23, sp^{II}] von den Rändern der Leitbündel 3 und 10 aus, auf der oberen [22, sp^{II}] zieht es sich von 2 nach 11 hinüber, ist also einen Schritt weiter nach außen gegangen, indem es nur noch durch seine tiefe Falte zu beiden Seiten sich den Bündeln 3 und 9 annähert, mit denen es eben noch verschmolzen war, ein Beweis, daß dieser Übergang sich sehr rasch vollzogen hat, indem keine Mittelform zwischen beiden fertigen Stufen zum Vorschein kommt.

[1]) Siehe oben S. 87.
[2]) Stenzel in Göppert: p. F. S. 264, Taf LXI, Fig. 2, *m*; 3; vergrößert Fig. 4.
[3]) Ebenda. Fig. 4, *b*, *c*.
[4]) Ebenda. Fig. 2, *n*; 5 (²/₁).
[5]) Ebenda. Fig. 2, o.
[6]) Ebenda. Taf. V, Fig. 1, links im dritten Kreise von außen hinter dem Blattbündel *a*.

Eine gleiche Verwachsung hat wahrscheinlich auch bei den inneren Leitbündeln von *Ps. chemnitziensis* [I. 6] stattgefunden, obgleich sie hier wegen der Lücke im Gestein nicht so sicher verfolgt werden kann.

Wenn wir dies im Auge behalten, so werden diese sicher beobachteten Fälle die von uns angenommene Art, wie die Ersatzbündel von innen bis zu den Blattbündeln fortschreiten, als die regelmäßige erscheinen lassen. Fälle, in denen der eine Rand eines Ersatzbündels sich losgerissen hat, wie bei *Ps. spurie vaginatus* [I. 13, sp^1] sind ganz vereinzelt. Schon bei dem an der gegenüberliegenden Seite des Stammes [sp^{II}] ist es bei der wenig günstigen Art der Versteinerung zweifelhaft, ob nicht das freie Ende bloß abgebrochen ist.

Fast ebenso überzeugend wie diese unmittelbar beobachteten Verwachsungen spricht für unsere Annahme die Vergleichung übereinander liegender Querschnitte desselben Stückes. An der vorher schon erwähnten Platte des *Ps. musaeformis* aus dem Kohlensandstein im Dresdener Museum [1]) sind die zwei auf die freien Randbündel folgenden Leitbündel [IV. 31, 1, 2] an der einen Seite wie gewöhnlich etwas zusammengebogen und durch ein gerades Ersatzbündel [sp^2] verbunden. Auf der oberen noch nicht 1 *cm* höheren Fläche [IV. 32] sind diese Ränder frei, deutlich auseinander gebogen, offenbar, um der raschen Verbreitung des Ersatzbündels zu folgen. Sie haben dieses an die Randbündel [p^I, p^{II}] abgegeben, mit deren Saum es nun das Blattbündel [32, *f*] zusammensetzt. Hier stehen die Ränder der Leitbündel [1, 2] noch so nahe an den eingebogenen Rändern der beiden Randbündel, daß sich die Annahme von selbst aufdrängt, sie hätten diese eben erst erreicht und hätten sich dann von dem Ersatzbündel getrennt, so rasch, daß ihr Saum noch nicht seine gewöhnliche, nach innen eingebogene Gestalt wieder erreicht hätte.

Ebenso gewiß ist auch das vorher [2]) schon erwähnte Blattbündel [VI. 46, f^5] des *Ps. spissus* mit spiralig in fünf Zeilen stehenden Blättern entstanden. Auf der unteren Seite der Platte stehen die beiden Randbündel [VI. 45, p^2, p^3] weit voneinander ab; zwischen ihnen wölbt sich die Mitte des sehr breiten Leitbündels des zweiten Kreises, das Ersatzbündel [sp^5], deutlich nach außen vor. Auf der oberen 2 *cm* höheren Fläche ist es mit den Randbündeln verschmolzen und so zu dem Blattbündel [46, f^5] geworden; die beiden Seitenteile des breiten Bündels haben sich gewiß eben erst von diesem getrennt, ihre frei gewordenen Ränder reichen noch nahe an dasselbe heran, das eine ist von p^2, das andere von p^3 nur durch eine Sklerenchymplatte getrennt, wie vorher [VI. 45]. — Ebenso scheinen sich die Leitbündel des zweiten Kreises [45, *l*] eben von dem Blattbündel [f^4] zurückzuziehen, nachdem sie es bis zur Vereinigung mit den Randbündeln [p^4, p^5] begleitet haben.

Überraschend stimmt damit der Bau eines Stämmchens von *Ps. punctatus* [III. 25, 26] überein, das wir schon mehrfach, namentlich wegen seiner bis zu verschiedenen Stufen ausgebildeten Blattbündel (*S*) und deren Verwachsung mit den Randbündeln (*S*) erwähnt haben. Auf ein tiefer unten abgegangenes Blatt läßt nur noch eine Bucht in der Sklerenchymscheide [25, *b*] schließen. Die über ihm gebliebene Lücke zwischen den Randbündeln [p^1, p^2] ist noch weit geöffnet. In sie hat sich der mittlere Teil eines breiten Leitbündel des zweiten Kreises, das Ersatzbündel (sp^1), so weit nach außen vorgeschoben, daß seine Ränder die der beiden Randbündel fast berühren. Es braucht daher nur einer kaum nennenswerten Bewegung mehr, um sich mit ihnen zu vereinigen und, wie es auf dem etwa $3^1/_2$ *cm* höher liegenden Querschnitte erfolgt ist, zu einem Blattbündel fortzubilden [III. 26, f^1]. Hier haben sich die Seitenteile des breiten Leitbündels [26, *u*] getrennt und ihre Ränder zurückgeschlagen; doch liegen diese noch fast unmittelbar an der Stelle, an der sie eben noch mit dem jetzigen Blattbündel zusammen gehangen haben. In die Lücke zwischen ihnen drängt sich aber bereits wieder ein Ersatzbündel, das mit seinen Seitenbündeln dem nächstinneren Kreise der Leitbündel angehört, der hier unmittelbar vor den kleinen mittelsten Bündeln liegt. Hinter der anderen Bucht ist die Blattlücke auch auf der oberen Seite des Stückes noch nicht geschlossen und hinter ihr liegt ein mit zwei Leitbündeln verschmolzenes Ersatzbündel [sp^2].

[1]) Siehe oben, S. 89.

[2]) Oben, S. 89.

So können wir zuweilen auch bei mehrzeiligen Arten den Ursprung der Ersatzbündel bis nahe an die Mitte des Stammes hin verfolgen; und wo wir sie nicht von den anderen inneren Leitbündeln unterscheiden können, ist es doch wahrscheinlich, daß sie, mit diesen vermischt, bald mit dem einen, bald mit dem anderen von ihnen verschmolzen nach außen gelangen.

Von den auf diese Art zu Stande gekommenen Blattbündeln tritt immer nur eins nach einem Blatte hier aus dem Holzkörper aus.[1]) Dabei wird es so viel — oft vielemal breiter und in demselben Maße dünner, daß es bei der Versteinerung in der verschiedensten Weise gefaltet, verbogen, geknickt, oft selbst zerbrochen worden ist, wie kein anderer Gewebeteil. Sind dann die Teile regellos zerstreut oder durcheinander geschoben, so ist es nicht leicht, sie wieder zusammenzufinden und es ist nicht zu verwundern, daß bei einer Anzahl von Arten angenommen worden ist, es treten zwei oder selbst mehr selbständige Bündel in ein Blatt ein. Je mehr *Psaronien* ich aber habe untersuchen können, desto unwahrscheinlicher ist mir dies erschienen. Bei genauer Betrachtung ließ wenigstens einer der Ränder eine kantige oder unregelmäßige Begrenzung erkennen und auf einen Bruch schließen, während bei einem abgeschlossenen Leitbündel beide Ränder glatt abgerundet hätten sein müssen; gewöhnlich sind sie außerdem etwas verdickt, eingerollt oder eingeschlagen. Nachdem dann eine Vergleichung der Abbildung von *Ps. helmintholithus* bei Corda[2]) mit dem Original, dessen Holzkörper [VI. 43] genauer wiedergegeben ist, hat gezeigt, daß hier nicht zwei Bündel in ein Blatt eintreten, sondern nur eins, können wir dasselbe auch bei *Ps. speciosus*[3]) vermuten, um so mehr, als wohl jedes der beiden Bündel links oben deutlich verdickte und abgerundete Ränder hat, bei den anderen, rechts unten aber wohl die nach innen gekehrten Ränder ähnlich beschaffen sind, die anderen aber zwischen den innersten Rindenwurzeln in ganz ähnlicher Weise dünn auslaufen, wie wir das regelmäßig bei dem aus dem Zylindermantel des Holzkörpers nur eben heraustretenden Blattbündeln beobachten.

Die eigentümlichen Veränderungen, die diese dabei erleiden, werden uns aber nur verständlich durch die merkwürdigste Erscheinung im Leben der *Psaronien*, durch deren nachträgliches Rindenwachstum. Nach allem was wir darüber wissen, ist, wie wir weiter unten näher ausführen werden, die Rinde des ganzen Stammes anfänglich sehr dünn gewesen. Erst wo die Blätter abgestorben waren, fing sie zugleich mit dem Herabsteigen von Nebenwurzeln in ihr, die wir deshalb innere oder Innenwurzeln nennen wollen, in die Dicke zu wachsen an. Die Strecke der Blattbündel von der Außenfläche des Holzkörpers bis zu der des ganzen Stammes hatte nicht mehr die Fähigkeit, diesem Wachstum zu folgen; die äußerste Rindenschicht mit den Blattnarben riß von ihnen und dem sie umgebenden Parenchymgewebe ab; sie selbst wurden von neu gebildeten Rindenparenchym überwachsen.[4]) Soweit gleicht dieser Vorgang dem Abreißen der Blattspurstränge vom Holzkörper beim Wachstum des sekundären Holzes der Nadelhölzer und der holzartigen Dikotyledonen nach dem Abfallen der Nadeln oder Blätter, so verschieden der Wachstumsvorgang ist, der ihn hervorruft.

Nun scheint der mechanische Zug der immer weiter nach außen rückenden äußeren Rindenschicht, die endlich zum Zerreißen der Blattbündel führen mußte, bei den *Psaronien* dadurch unterstützt worden zu sein, daß dessen aus dem Holzkörper heraustretender Teil aufgelockert und seine Bestandteile mehr und mehr aufgesaugt wurden. Es mag dabei der Zusammenfluß von Säften zur Neubildung von Rindenzellen mitgewirkt haben; auch mögen sich diese, wie wir das später bei den Wachstumserscheinungen der Rindenwurzeln besprechen werden, zwischen sie gedrängt und so ihre Zersetzung herbeigeführt haben.

Zu dieser Annahme bringen uns mehrere Beobachtungen Bei einem *Ps. spissus* zieht sich ein schwaches, zum Teil selbst undeutliches Band, das aber die unverkennbare Fortsetzung des Außenrandes der einen Seite eines Blattbündels ist [VI. 46, f^3], nach der anderen herüber, an der Stelle des 2 *cm* weiter unten beide noch stetig verbindenden Bogens [45, f^2]. Dieser ist also hier nicht einfach losgerissen, son-

[1]) Stenzel in Göppert: p. F., S. 49.
[2]) Corda: Beitr. S. 98, Taf. 32, Fig. 1.
[3]) Ebenda. S. 107, Taf. 44.
[4]) Stenzel: Staarsteine p. 779.

dern allmählich dünner geworden, bis er ganz verschwunden sein wird; denn vor den anderen, nach außen ganz offenen Blattbündeln [VI. 45 f^1; 46, f^2] ist keine Spur der früheren Verbindung mehr aufzufinden.

Bei einem *Ps. cinctus*[1]) zieht sich ein ähnlicher aber so undeutlicher Bogen über die Öffnung des einzigen, außen nicht mehr wie die übrigen geschlossenen Blattbündel (*a*), so daß seine Natur ganz zweifelhaft sein würde, wenn nicht ein Vergleich mit dem eben besprochenen Bande von *Ps. spissus* es wahrscheinlich machte, daß es dieselbe Bedeutung hätte wie dieses. Ähnlichen Bildungen begegnen wir auch sonst noch hier und da. Auf die zersetzende Einwirkung der sie umgebenden Rindenzellen weist auch die Art hin, wie die Seiten der Blattbündel außen endigen. Zuweilen sieht es wohl so aus als wäre, was weiter nach außen liegt, kurz abgerissen, wie bei *Ps. Ungeri f. (flaccus)* [II. 21, f^2]; gewöhnlich aber verlieren sich die Streifen allmählich zwischen den Rindenwurzeln, indem sie immer undeutlicher werden, ehe sie aufhören; so bei *Ps. spissus* [VI. 25, f^1; 26, f^3]. Das ist doch nur so zu erklären, daß die nach außen zerrende Kraft durch eine innere Zersetzung unterstützt wird.

Durch welche Kräfte aber das fast ausnahmslose Verschwinden des Blattbündels aus der Umgebung des Holzkörpers herbeigeführt wird: es endet jetzt in dem senkrechten Zylindermantel desselben und bietet in Folge dessen im Querschnitt auffallend verschiedene Bilder dar, je nach der Höhe, in welcher es von diesem getroffen worden ist.

Stellen wir uns vor [I. 9, *c d m n*] es sei ein von innen nach außen aufsteigendes Blattbündel nierenförmig gewölbt, die offene Seite dem Innern des Stammes zugekehrt, die Ränder wie gewöhnlich etwas eingerollt, außen durch die senkrechte Fläche *m n* begrenzt. Hat ein Querschnitt es unten getroffen, etwa in der Höhe *v—z*, so wird es, schräg von vorn oben gesehen, einen Bogen von *c* bis *d* beschreiben, etwa gleich dem nebenan gezeichneten c^1—d^1; so finden wir besonders häufig Querschnitte von Blattbündeln, da wo sie noch innerhalb der Sklerenchymscheide oder wenigstens des durch sie bestimmten Umfangs des Holzkörpers liegen.

Ist das Blattbündel dagegen weiter nach oben, etwa in der Höhe *x y*, getroffen worden, so wird der Schnitt einen Bogen von *a* bis *b* beschreiben, der aber außen unterbrochen ist, weil das weiter nach außen, über *f* hinaus, liegende Stück des Blattbündels durch das Rindenwachstum entfernt worden ist. Der Querschnitt läßt daher zwei getrennte Streifen a^1 und b^1 sehen, die aber keine von einander unabhängige Bündel sind, sondern die Durchschnitte der Seitenflächen, die unten zu dem einen rinnigen Blattbündel verbunden sind.

Auf diese Weise erklären sich einfach und, wie ich glaube, natürlich die verschiedenen Formen, unter denen die Blattbündel oft auf einem und demselben Querschnitt erscheinen, nicht nur bei den vorher genannten Arten, sondern auch bei denen, deren Blattbündel nach Zeillers Auffassung[2]) sich in zwei von einander unabhängige Hälften teilen.

Wir nehmen danach an, daß bei allen *Psaronien* nur ein breites Bündel in jedes Blatt eintritt.

Dafür sprechen auch die über den weiteren Verlauf dieser Bündel gemachten Wahrnehmungen. Bei einem *Ps. chemnitziensis, f. plicatus*[3]) liegt ein einzelnes, vollständig erhaltenes Blattbündel zwischen den Wurzeln der sekundären Rinde nach innen gefaltet und unstreitig durch das Wachstum dieser Rinde so stark zusammengedrückt, daß nur noch ein schmaler Spalt an Stelle der vorher gewiß breiten Öffnung geblieben ist. Ist ferner unsere Annahme richtig, daß die ursprüngliche Rinde des Stammes nur eine sehr

---

[1]) Stenzel in Göppert: p. F., Taf. V, 1 (als *Ps. infarctus*).

[2]) Zeiller: Autun bemerkt allgemein (p. 180) »les cordons foliaires« seien »quelquefois divisés en deux branches indépendantes« und wiederholt dies auch bei mehreren einzelnen Arten; so p. 184, pl. XV, Fig. 1, F_1 und $F_1{}^1$; F_3 (*Ps. infarctus*); — p. 189, pl. XVIII, Fig. 2, F_1 und $F_1{}^1$ (*Ps. bibractensis*); — p. 228, pl. XIX, Fig. 1, F_1 und $F_1{}^1$; F_3 und $F_3{}^1$; F_5 und $F_5{}^1$; Fig. 2, F_3 und $F_3{}^1$; F_5 und $F_5{}^1$ (*Ps. Fairrei*); — p. 221, pl. XX, Fig. 4, F_2 und $F_2{}^1$ (*Ps. Bureaui*); — p. 248, pl. XXI, Fig. 1, F_1 und $F_1{}^1$ (*Ps. brasiliensis*); — p. 236, pl. XXIV, Fig. 1, F_5 und $F_5{}^1$ (*Ps. Demolei*).

[3]) Stenzel in Göppert: p. F., S. 69, Taf. V, Fig. 5 (als (*Ps. plicatus*). — Der Satz S. 69, Zeile 2—4, ist infolge eines Versehens unrichtig. Er mag lauten: Ist Taf. V, Fig. 5, eigentlich die Unterseite des Stückes, so liegt das Blattbündel *a* auf der $^5/_8$" oder 16 *mm* höheren oberen Fläche (der Rückseite der Platte $^3/_1$' oder fast 2 *cm* weiter nach außen); es steigt also unter einem Winkel von etwa 40° nach außen an.

geringe Dicke gehabt hat, so muß unser Blattbündel diese bereits durchzogen haben und in den Blattstiel eingetreten sein, von dem es allein übrig geblieben ist, nachdem dessen übrige Gewebe verwittert sind. Wie es gekommen ist, daß gerade dieses Bündel so zähe ausgedauert hat, daß es endlich an der mehrere Zentimeter dicken Rinde überwachsen und vor endlicher Zerstörung geschützt worden ist, können wir nicht wissen. Aber es zeigt uns, daß — wenigstens bei dieser Art — auch der Blattstiel nur von einem ungeteilten, rinnenförmigen, an der Bauchseite offenen Leitbündel durchlaufen worden ist.

Dieses Beispiel steht nicht allein da. An einer Scheibe des *Ps. simplex, f. integer* im Berliner Museum [III. 24] folgen sich an der einen Seite die breiten, flach rinnenförmigen Bündel dreier aufeinander folgender Blätter [f^1, f^2, f^3] noch ziemlich unverletzt bis an den abgeschlagenen Rand, an der gegenüber liegenden wenigstens zwei [f^4, f^5] vielfach zerbrochen und so verschoben, daß die zwei äußersten Bruchstücke [x, y] vielleicht noch Überreste eines dritten Bündels sind. Von diesen liegt das innerste [f^4 –f^4] an der Grenze des Holzkörpers; das folgende [f^5–f^5], so wie alle drei Blattbündel der anderen Seite [f^1—f^1; f^2, f^3] aber außerhalb desselben, so daß wir sie schon Blattstielen zurechnen müssen. Das ist um so wahrscheinlicher, als namentlich eines von ihnen [f^1] in seiner ganzen Breite außen von einem dunklen Bogen umzogen wird, der ganz das Aussehen einer zähen Rindenschicht hat, die dem dicken Blattstiele mehr Festigkeit gewähren sollte. Hier wie bei dem vorher besprochenen *Ps. chemnitziensis* sind die Blattstielreste von der Zuwachsrinde rings umwachsen — nur über [f^3] ist das Gestein abgeschlagen — und vor völliger Zerstörung bewahrt worden. Gewiß sind hier nur ausnahmsweise Blattspur und Blattstiele bis an die äußere Grenze erhalten, wie ein Vergleich des Querschnittes [III. 24] mit dem von Cotta [1]) und dem von mir abgebildeten [2]) beweist; aber das lassen sie doch erkennen, daß jedes Blatt nur breites rinniges Leitbündel aus dem Holzkörper erhält.

Blattstielbündel.

Zu gleichem Schluß führt uns endlich ein bis jetzt vereinzelt dastehendes Vorkommen bei einem *Ps. Haidingeri* von Chemnitz [V. 39]. Bei diesem ist der dicke Holzkörper von einer zusammenhängenden Sklerenchymscheide umgeben, an die sich die sehr ungleich entwickelte Zuwachsrinde [r, r] anschließt, die außen noch von einer dicken Schicht gut erhaltener freier Wurzeln [R. R] umgeben wird. In den tiefen Furchen der Rinde liegen nun Blattbündel, bereits aus der Rinde ausgetreten, also abgestorbenen Blattstielen angehörend, von denen aber bis auf zweifelhafte Reste der übrigen Gewebe nur die Leitbündel erhalten sind. Auch von diesen sind manche bis zur Unkenntlichkeit verwittert, wie [F^3, F^6]; andere aber, wie [F^4, F^5], zeigen deutlich die Gestalt einer tiefen Rinne mit eingerollten Rändern und beweisen, daß auch bei dieser Art der Blattstiel nur von einem Leitbündel durchzogen gewesen sein muß, ähnlich dem Blattbündel, das eben den Holzkörper verläßt. Daß es nach dem Verwittern der es innen und außen umgebenden und schützenden Gewebe des Blattstiels durch Eintrocknen stark geschwunden ist, ließ sich wohl erwarten, namentlich bei [F^5], das erst gegen 2 *cm* weit nach seinem Austritt aus der Rinde vom Querschnitt getroffen worden ist. Auffallend ist dagegen, daß die beiden letzten Bündel ihre offene Seite nach außen wenden. Wir könnten uns dafür auf das ebenfalls schon sehr geschwundene, ähnlich gestaltete Blattbündel [f^1] beziehen; doch ist die Art, wie dieses zu Stande gekommen ist, selbst zweifelhaft.

Am nächsten liegt es wohl, daß die an freier Luft austrocknenden bandförmigen Bündel sich ein halbes Mal um die eigene Achse gedreht haben, bis die seitlich an ihnen vorbeiwachsenden Rindenflächen sie in ihrer Lage festgehalten haben. Dies ist um so annehmbarer, als andere, leider weniger gut erhaltene Bündel [wie F^2], ihre ursprüngliche Lage beibehalten oder sich nur so gestreckt zu haben scheinen [F^1], daß die Öffnung nach der Seite gewendet ist.

Erstreckt sich unsere Kenntnis der in die Rinde herausgetretenen Blattbündel der *Psaronien* nur auf einen kleinen Teil der bekannten Arten, so werden durch sie doch die Folgerungen unterstützt, die wir

---

[1]) Cotta: Dendr. Taf. VI, Fig. 1 (als *Ps. helminthulithus*).

[2]) Stenzel in Göppert: p. F., Taf. VI, Fig. 3, 4.

aus ihrem Verhalten im und am Holzkörper gezogen hatten; keine hinreichend begründete Tatsache steht ihnen entgegen; wir können es daher als ein sämtlichen Arten gemeinsames Merkmal bezeichnen.

Daß jedes Blatt nur **ein** einfaches rinnenförmiges Leitbündel erhält, das sich bis in den Blattstiel hinein fortsetzt. Wir können danach auch die von Solms-Laubach[1]) ausgesprochene Vermutung, daß die Platte des aus dem Holzkörper austretenden Blattbündels sich vielleicht alsbald in zahlreiche Bündel von winzigem Querschnitt auflöse, die nun zwischen der Masse von Wurzeln sich der Beobachtung entziehen, nicht teilen.

Gestalten der Blattbündel.

Sonst zeigen die Blattbündel mannigfache, zum Teil sehr erhebliche Verschiedenheiten, aus denen auch einzelne Schlüsse auf die vermutliche Beschaffenheit der Blattnarben und der Blätter hergeleitet werden können. Die kleinen, nur etwa 3 *mm* breiten Blattbündel von *Ps. pusillus* [IV. 37] lassen, wenn wir das umgebende Parenchym hinzurechnen, auf einen selbst an seinem Grunde nur etwa 5 *mm* dicken Blattstiel schließen, der eine Spreite, etwa wie unsere großen krautigen Farne getragen haben mag. Nicht viel größer mögen die Blätter an den Stämmchen des *Ps. Cottae* [I. 11, 12], *Ps. tenuis* [I. 4] und *Ps. quadrangulus* [IV. 36, f^1, f^{11}] gewesen sein. Die des stattlichen *Ps. bibractensis*[2]) mit 2 *cm* dicken Blattstielen an einem ohne die Rinde etwa 16 *cm* dicken Stamme waren wohl meterlang; die an dem nur 8—10 *cm* dicken, von *Ps. Freieslebeni* mit seinen entfernten, 2 *cm* breiten Blattbündeln [IV. 34 *a*] und etwa 2½ *cm* dicken Blattstielen mögen sie noch übertroffen haben. Die 3 *cm* dicken Blattstiele von *Ps. brasiliensis*,[3]) die 3½ *cm* dicken von *Ps. simplex f. integer* [III. 24] und die 4 *cm* im Durchmesser von *Ps. infarctus*[4]) müssen gewaltige, 2 *m* und darüber lange Blätter getragen haben. Noch mannigfaltiger ist ihre Gestalt, wie sie uns namentlich auf Querschnitten entgegentritt, nur daß wir wegen der außerordentlich häufigen Verbiegungen, Knickungen und Verschiebungen oft kein zuverlässiges Bild von ihr erhalten können. Seltener bilden sie hier eine flache Rinne, wie bei dem eben angeführten *Ps. simplex*; häufiger einen im Querschnitt nur nach innen offenen Kreis, wie bei *Ps. infarctus*;[5]) drei Seiten eines ebenfalls nach innen offenen Rechtecks bei *Ps. Faivrei*[6]) und vielen anderen Arten oder einem außen abgerundeten Winkel.[7])

Diese und die mehrfachen zwischen ihnen in der Mitte liegenden Gestalten werden noch mannigfach abgeändert durch die verschiedene Ausbildung der Ränder. Anfänglich sind diese den Randbündeln, von denen sie sich eben losgelöst haben, zugewendet, wie bei *Ps. Ungeri, f. flaccus* [II. 21, f^1] und *Ps. Haidingeri* [V. 39, f^3]; sehr bald aber richten sie sich gerade nach innen nach der Mitte des Stammes hin, indem sie sich zugleich etwas verdicken, abrunden und ein wenig nach innen einrollen [II. 21, f^1; V. 39, f^3]; *Ps. Pictus* [I. 7, f^1—f^5], *Ps. astrolithus* [III. 28, f^1, f^2], *Ps. quadrangulus* [IV. 35, f^1—f^3]. Bei den weiter nach außen gerückten Blattbündeln endlich sind die Ränder stärker eingerollt, so *Ps. Haidingeri* [V. 39, f^2] oder tief eingeschlagen bei *Ps. Ungeri, f. flaccus* [II. 21, f^2]. Wie bei den beiden letzten Arten läßt sich diese Veränderung verfolgen bei *Ps. cinctus*,[8]) wo die noch im Holzkörper liegenden Blattbündel (*b*, *d*, *e*) nur schwach eingerollte Ränder haben, während sie bei dem weiter herausgetretenen (*a*) tief eingeschlagen sind. Bei dem noch von der Sklerenchymscheide umschlossenen Blattbündel des *Ps. helmintholithus* [VI. 43, f^3] sind die Ränder noch auswärts, nach den angrenzenden Randbündel hin, gebogen, bei dem aus derselben ausgetretenen [f^2] stark einwärts gerollt. Noch augenfälliger tritt uns diese Veränderung bei *Ps. simplex, f. conjugatus*[9]) entgegen, wo das Blattbündel innerhalb der Scheide (*g*) nur ein wenig

[1]) Solms-Laubach: Palaeophytologie, S. 175.
[2]) Zeiller: Autun, pl. XVII, Fig. 1, f^2, f^3.
[3]) Zeiller: Autun, pl. XXI, Fig. 1.
[4]) Ebenda, pl. XV, Fig. 1.
[5]) Ebenda, pl. XV, Fig. 2.
[6]) Ebenda, pl. XIX, Fig. 2.
[7]) Stenzel in Göppert: p. F., Taf. V, Fig. 1, als *Ps. infarctus f. quinquangulus*.
[8]) Ebenda, Taf. VI, Fig. 1.
[9]) Ebenda, Taf. VI, Fig. 1.

nach innen umgebogene Ränder hat, wogegen sie bei dem außerhalb (*h*, *h*) stark eingeschlagen sind. Namentlich sieht man aber bei *Ps. simplex*[1]) ein eben erst von den Randbündeln getrenntes Blattbündel fast eben mit schwach eingekrümmten Rändern, die weiter nach außen gerückten flach, doch nach außen gewölbt, mit in weitem Bogen eingerolltem Saum.[2]) In den gleichen Stufen schreitet bei einem anderen Stücke derselben Art *Ps. simplex, f. integer* [III. 24] die Ausgestaltung der Blattbündel vom innersten [f^4—f^1] zu dem weiter nach außen auf der gegenüberliegenden Seite des Stammes [f^1, f^3], die vermutlich schon dem Blattstiel angehören, wieder schmäler geworden sind oder ob sie ihre eingerollten Flanken bei der Versteinerung verloren haben, läßt sich nicht wohl entscheiden.

Einer von allen vorhergehenden abweichenden Gestaltung einzelner Blattbündel endlich begegnen wir an einem *Ps. bibractensis* aus Böhmen. Bei diesem sind von sechs Blattbündeln wenigstens drei [IV. 40, f^1, f^2, f^3] an der dem Holzkörper zugewendeten Seite nicht, wie alle bisher betrachteten, offen sondern deutlich geschlossen, indem die beiden Seitenflächen der Rinne durch einen, in der Mitte nach vorn gefalteten, also nach außen offenen Bogen verbunden sind. Diese Faltung legt uns die Erklärung nahe, daß die sonst hier nur nach innen eingebogenen Seitenflächen sich in der Mitte getroffen haben und hier miteinander zu einer kurzen Röhre verschmolzen sind, die sich nach vorn trichterförmig erweitert, dann aber an der der Mitte des Stammes zugekehrten Seite bald wieder geöffnet und in die gewöhnliche rinnige Form der Blattbündel übergegangen ist. In der Tat: denken wir uns diese in der schematischen Figur [I. 9] bis etwas über [a — b] hinaus miteinander verwachsen, so würde ein in der Richtung [x — y] gehender Querschnitt des Stammes die Ränder [a^1, b^1] durch einen nach dem Innern der Rinne gewölbten Bogen getroffen haben, ganz wie bei *Ps. bibractensis* [V. 40, f^1, f^2], die beiden Seitenflächen aber nach außen von ihrer Fortsetzung in die Rinde hinein abgerissen, wie wir das oben ausgeführt haben. Das weite Auseinanderweichen der beiden Seitenflächen bei den an den Breitseiten des Stückes liegenden Bündeln [40, f^3 und f^6] möchte denselben Kräften zugeschrieben werden, die das ganze Stück breit gedrückt haben. Daß wir in dieser eigenartigen Gestaltung mehrerer Blattbündel nicht etwas für die Art bezeichnendes sehen dürfen, beweist in demselben Querschnitt [V. 40, f^4, f^5] das Vorkommen von gewöhnlich ausgebildeten. Ähnlich mag sich auch das vereinzelte Blattbündel in der Rinde bei *Ps. Haidingeri* [V. 39, f^1] erklären.

Rinde: Beschaffenheit und Wachstum.

Wir haben oben bereits einige Hauptpunkte des Rindenwachstums der *Psaronien* anführen müssen, um das plötzliche Aufhören der Blattbündel beim Austritt aus dem Holzkörper zu erklären. Die dort gemachten Annahmen bedürfen aber der Begründung und weiterer Ausführung.

Wenn wir dort von der Annahme ausgingen, daß die Rinde des ganzen Stammes, von den ersten Sproßgliedern bis zu dem noch frische Blätter tragenden Gipfel sehr dünn gewesen sei, so bemerken wir zunächst, daß wir die, bei den meisten Arten zwischen ihr und dem Holzkörper liegende Sklerenchymscheide dem letzteren zugerechnet haben. Sie steht nach innen mit dessen Grundgewebe wie nach außen mit der Rinde in stetigem organischen Zusammenhang und ist in der Regel nach beiden Seiten gleich scharf abgegrenzt; und wenn ihre kleinen, lang gestreckten Zellen mit mäßig verdickten, ursprünglich wie bei den ähnlichen Geweben unserer Baumfarne gewiß schwarzbraunen Wandungen, nach außen zuweilen ganz allmählich in die größeren, niedrigen dünnwandigen Rindenzellen übergehen, wie vor den Randbündeln von *Ps. simplex, f. conjugatus*[3]) und *Ps. simplex*[4]) oder über der Austrittsstelle eines Blattbündels von *Ps. spissus* [VI. 46, f^1], so sind anderseits die zwischen die äußeren Leitbündel des Holzkörpers sich hinziehenden Sklerenchymplatten oft unmittelbare Fortsetzungen der allgemeinen Scheide, wie bei *Ps. cinctus*,[5])

[1]) Stenzel in Göppert: p. F., Taf. VI, Fig. 4*b*.
[2]) Ebenda, 3. *c*, *d*; 4, 6.
[3]) Stenzel in Göppert: p. F. Taf. VI, Fig. 1.
[4]) Ebenda, Taf. VI, Fig. 3, 4.
[5]) Ebenda, Taf. V, Fig. 1 (als *Ps. infarctus y quinquangulus*).

Ps. infarctus,[1]) *Ps. bibratensis*,[2]) *Ps. Faivrei*,[3]) *Ps. Demolei*.[4]) Wir ziehen diese daher zum Holzkörper, so daß die Rinde sich von ihrer Außenfläche bis zu der des ganzen Stammes erstreckt.

Bei den Arten ohne Sklerenchymscheide geht ihr Gewebe stetig in das ihr scheinbar gleiche Grundgewebe des Holzkörpers über. Nicht selten aber fällt es uns auf, daß dieses völlig zerstört, das Rindengewebe dagegen ziemlich gut erhalten ist. Bestimmter tritt uns ihre Verschiedenheit entgegen, wo das Grundgewebe, übereinstimmend mit dem Innenparenchym der Wurzeln lückig ist oder Gummigänge enthält, die dem Rindengewebe fehlen. Immer aber erkennt man dieses bei den uns allein erhaltenen älteren Stammstücken, an den in ihm herabsteigenden Innenwurzeln, von denen im Grundgewebe des Holzkörpers höchstens einmal die erste Anlage auf ihrem Wege von einem Randbündel nach außen angetroffen wird.

An der so begrenzten Rinde enden nun plötzlich bei ihrem Austritt aus dem Holzkörper die Blattbündel. Eine Fortsetzung derselben jenseits der Rinde ist bis jetzt nur bei dem vorhin besprochenen *Ps. Haidingeri* an ihrer freien Außenfläche gefunden worden; im Innern ist keine Spur von ihnen vorhanden. Es muß also diese Außenfläche einst ganz nahe an der des Holzkörpers gelegen haben und die dazwischen liegende Rinde ganz dünn gewesen sein,[5]) noch dünner wie bei lebenden Baumfarnen. Das mag so geblieben sein, solange die, nach der Dicke ihrer Blattstiele zu urteilen, oft sehr großen Blätter frisch waren. Eigentlich abgefallen, wie die unserer Waldbäume und unter unseren Farnen bei *Polypodium vulgare*, sind sie auch nach dem endlichen Absterben nicht; das beweisen die aus der Außenfläche hervortretenden Reste von Blattstielbündeln. Sie sind jedenfalls, wie bei den lebenden Baumfarnen, nach dem Absterben verwittert und nach und nach durch Regen und Wind weggefegt worden, bis auf die inzwischen an ihrer Ansatzstelle gebildeten Blattnarben. Solche müssen auch bei den *Psaronien* dagewesen sein und wir sehen sie auch bei *Ps. arenaceus*[5]) vermutlich an einer höheren Stelle des Stammes, wo dieser noch keine Innenwurzeln getrieben hatte.

Aber an der Außenfläche der mit diesen in die Dicke gewachsenen Rinde, auch unter den Blattstielresten bei *Ps. Haidingeri* suchen wir vergebens nach Spuren einer Narbe, die an Festigkeit und Dicke mit denen der lebenden Baumfarne auch nur zu vergleichen wäre. Sie muß ganz dünn geblieben sein und wir haben wenig Aussicht, durch ein, allem Anschein nach so schwaches und dementsprechend wenig widerstandsfähiges Gebilde viele Aufklärung über die Oberflächen-Beschaffenheit des Stammes zu erhalten, auch wenn sie nicht durch die starke Ausdehnung der Außenfläche endlich zerreißen und unkenntlich geworden ist. Vielleicht rühren die verlängerten, senkrecht gegen die Außenfläche gerichteten Zellen [VII. 51, *c* 3] von einer Blattnarbe her, die sich unverändert erhalten hat, während die fortbildungsfähige Rinde rings um sie her den Umfang des Stammes vergrößert.

So stoßen wir immer auf das ganz Eigenartige des Wachstums dieser Rinde.

Da durch dasselbe der Stamm vornehmlich am unteren Ende oft gewiß kegelförmig verdickt wird, so glaubte ich es dem alter Stämme von Palmen und Dracaenen gleichstellen zu können.[6]) Seitdem haben wir erfahren, daß es bei den letzteren durch einen kambialen Verdickungsring, bei den ersteren durch Dehnung des Grundgewebes und Dickerwerden der Faserleitbündel (Gefäßbündel) zu Stande kommt, in beiden Fällen durch eine dem Holzkörper des Stammes, nicht der Rinde gleichwertiges Gewebe; die Wurzeln aber tragen nur in untergeordnetem Maße dadurch etwas zur Verdickung des Stammes bei, daß

---

[1]) Zeiller: Autun, Pl. XVI, Fig. 1—6 neben P_2.

[2]) Ebenda, Pl. XVII, Fig. 1—4.

[3]) Ebenda., Pl. XIX, Fig. 1, zwischen $F_4—P_4$.

[4]) Ebenda., Pl. XXIV, Fig. 1—3.

[5]) Corda: Beitr. S. 95, Taf. XXVIII, Fig. 5. — Die einer Blattnarbe ähnlichen Bildungen bei *Ps. Freieslebeni* liegen unter der mit Innenwurzeln durchzogenen Rinde, lassen sich also nur mit den, durch einen tangentialen Längsschnitt an der Außenfläche des Holzkörpers getroffenen Blattbündeln vergleichen, wie sie Zeiller (Autun, pl. XV, Fig. 2, von *Ps. infarctus* oder pl. XX, Fig. 2, von *Ps. rhomboidalis*) abgebildet hat.

[6]) Stenzel, Staarst., S. 780.

ihr Holzkörper sich in einzelne Gefäßbündel auflöst, die zwischen den äußeren Leitbündeln in den Stamm eindringen, um sich an diese anzulegen.

Von ganz anderer Natur ist die Rinde der *Psaronien*. Sie besteht durchwegs aus dem wesentlich gleichen dünnwandigen Parenchym, ohne das mit ihr aus dem gleichen Grundgewebe hervorgegangene Leitbündel; nirgends sehen wir in ihr einen besonderen Bildungsherd; wir können nur annehmen, daß ihre Zellen, wenn überhaupt, erst spät in einen Dauerzustand übergegangen sind, zuerst in der Umgebung des Holzkörpers, dann mit den in ihr herabsteigenden Nebenwurzeln nach außen fortschreitend; aber auch hier, wie wir zeigen werden, noch weit nach innen hinein, fähig zu wachsen und sich zu teilen — eine Eigenheit die, in diesem Umfange wenigstens, von keiner anderen fossilen oder lebenden Pflanze bekannt ist.

Eine solche Neubildung von Rinde muß regelmäßig stattfinden wo sie von einer neuen Innenwurzel durchbohrt wird; aber auch überall da, wo in ihrem Gewebe entstandene Zerreißungen die Heilung einer inneren Wunde und die Herstellung des dadurch unterbrochenen Zusammenhanges verlangen. Wo die tiefe Bucht in der Sklerenchymscheide für die austretenden Blattbündel sich nach oben erst allmählich ausgleicht, indem deren innerer Bogen nach außen hin aufsteigt, bis er den Mantel des Holzkörpers erreicht hat, wird die Lücke durch Rindengewebe ausgefüllt; so bei *Ps. spissus* [VI. 46, f^1 — vergl. mit 45, f^1]. Um die Narbe des an der Außenfläche des Holzkörpers zurückgebliebenen Blattbündels hat sich das Rindengewebe, durch dessen Anwachsen ja der äußere Teil mit der in der Außenschicht der Rinde liegenden Blattnarbe abgerissen worden ist, in der Regel so gleichmäßig eingeschoben, daß wir bald keine Störung in seinem Zusammenhange mehr beobachten. Nur wo die Lücke besonders groß war, ziehen sich wohl einmal unregelmäßig gebogene Gewebestreifen von den Seiten her nach innen und lassen hier auch wohl noch eine schmale Spalte unausgefüllt zurück.[1]) Diesen Fällen eines besonderen, in gewissem Sinne gesteigerten Wachstums stehen andere gegenüber, die auf einer Hemmung desselben beruhen. Öfter haben namentlich die Blattbündel ihrer Zerreißung einen solchen Widerstand entgegengesetzt, daß das Wachstum der Rinde an diesen Stellen wahrscheinlich eine Zeitlang ganz verhindert, jedenfalls aber so verzögert worden ist, daß die zwischen ihnen liegenden um das Mehrfache weiter nach außen vorgerückt sind und der Stamm von außen her durch tiefe und enge Furchen zerklüftet erscheint, in der am Grunde die Blattnarben gelegen haben müssen. So ist bei dem oben erwähnten *Ps. Haidingeri* [V. 39] der Grund der einen Spalte [*F.* 6] nur $^1/_2$ *cm* von der Sklerenchymscheide nach außen gerückt, die sie begrenzenden Teile der Rinde über 5 *cm*, also zehnmal so weit; und auch über die übrigen erst 2—3 *cm* von der Sklerenchymscheide beginnenden Furchen ist die Rinde noch immer um das zwei- bis vierfache hinausgewachsen. Eine so große Ungleichheit des Rindenwachstums ist noch bei keinem anderen *Psaronius* gefunden worden; aber jedenfalls trägt es gewiß nur selten zur Ausgleichung der Unebenheiten des Holzkörpers bei, vermehrt diese im Gegenteil in der Regel ganz erheblich, ohne daß man darin eine Regel erkennen könnte. So entspricht bei dem *Ps. Haidingeri* die Zahl der Furchen nicht der Zahl der Blattzeilen; die Blattnarben müssen bei dem ungleichmäßigen Rindenwachstum bald schräg nach der einen, bald nach der anderen Seite hin gedrängt worden sein, wie wir es ähnlich bei den Blattstielresten vom *Ps. tenuis* beobachten können.[2]) Kleinere Unebenheiten der Außenfläche der Rinde hat ein *Ps. musaiformis* [IV, *c—c*), größere *Ps. helmintholites* [VI. 41, *c—c*; 42], *Ps. tenuis* [VII. 50, *c—c*] und ein *Ps. asterolithus*.[3])

Rinde und Inneres. Nebenwurzeln, Innenwurzeln.

Nicht weniger merkwürdig als die eigentümlichen Wachstumsverhältnisse der Rinde ist ihre enge Wechselbeziehung zu den in ihr herabsteigenden Nebenwurzeln. Daß diese von dem Gewebe der Rinde überall dicht umschlossen werden, ist seit Brongniart[4]) von allen, die sich mit den *Psaronien* beschäf-

---

[1]) *Ps. simplex* in Cotta: Dendrol. Taf. VI, Fig. 1 (als *Ps. helmintholithus*).

[2]) Stenzel in Göppert: p. F., Taf. VI, Fig. 6.

[3]) Stenzel: Tubicaulis, Taf. VI, Fig. 50, 51, 52, 55, *r—r*.

[4]) Siehe oben S. 85.

tigt haben, angenommen worden. Nur aus einigen Angaben und Abbildungen Cordas könnte man schließen, daß diese Annahme unrichtig sei. Zwar spricht er sich in den allgemeinen Vorbemerkungen über den Bau des Farnstammes dahin aus,[1]) daß die äußere Markschicht der Rinde — so bezeichnet er das von uns allein als solche betrachtete dünnwandige Parenchym zum Unterschied von der von ihm meist einfach als Rinde angesehene Sklerenchymscheide des Holzkörpers — zwar selten erhalten ist, zuweilen aber doch, namentlich nahe an diesem, den Raum zwischen den in ihr enthaltenen Wurzeln stetig ausfüllt und dessen Zellen in die Rindenscheiden der Wurzeln übergehen, wie er dies bei mehreren Arten auch abbildet.[2])

An anderen Stellen geht er dagegen von der Anschauung aus, daß diese von uns als »innere« betrachteten Wurzeln um ihre Sklerenchymscheide herum noch von einer starken Außenrinde, aus dünnwandigen, sechsseitigen Zellen umgeben sei, welche da, wo sich die Wurzeln berühren, wie es namentlich in der Nähe des Holzkörpers vorkommt, gegenseitig verwachsen.[3]) Hier würde dieser an Stelle der Rinde von einem Mantel der Länge nach miteinander verwachsener Nebenwurzeln umzogen sein, eine Auffassung, die mit der vorher in Übereinstimmung mit der Brongniarts ausgeführten unverträglich und an sich schon äußerst unwahrscheinlich ist. Weiter nach außen erscheinen diese Wurzeln gegeneinander abgegrenzt[4]) durch so schmale Spalten, daß für Rindengewebe kein Platz da ist. Sie sind aber, wie ihre ganze Beschaffenheit sowohl auf den in natürlicher Größe wiedergegebenen Abbildungen wie an den vergrößerten Bildern zeigt, keine bereits frei gewordenen, sondern »innere« Wurzeln; ihre sehr ungleiche dünnwandige »Außenrinde« ist nichts anderes als die Rinde des Stammes; die sie trennenden schwarzen Striche wahrscheinlich Streifen bei der Versteinerung stark zusammengedrückter Zellen dieser Rinde, wie sie sich öfter zwischen den Wurzeln hinziehen, ähnlich [VII, 55, c^1]. Ich selbst habe so wenig bei *Ps. Cottae* wie bei anderen Arten derartig scharf umgrenzte Innenwurzeln finden können und denke, daß die Angabe Cordas keinen Beweis gegen die Richtigkeit der Auffassung Brongniarts abgeben. Die enge Beziehung zwischen der Rinde des Stammes und den inneren Nebenwurzeln zeigt sich zunächst darin, daß wir in der Regel kein Rindengewebe ohne diese inneren Wurzeln finden.

Als vereinzelte Ausnahme schließt sich den wenig umfangreichen Neubildungen zur Ausfüllung von Lücken im Innern, die wir vorher angeführt haben, ein Stamm von *Ps. spurie-vaginatus* [I. 13] an. Da die Nebenwurzeln nur von den Randbündeln ausgingen, ist es erklärlich, daß mehr über und noch mehr unterhalb des Austritts eines Blattes in der Rinde wenige oder keine herabsteigen; doch fehlen sie selten ganz. Hier aber hört die dicke Schicht gedrängter Innenwurzeln zu jeder Seite eines Blattbündels gänzlich auf [I. 13 neben *f* und an der gegenüberliegenden Seite des Holzkörpers vor sp^1 bei *x*]. Das kann auch nicht auf ein Ausfallen derselben bei der in der Tat nur groben Versteinerung geschoben werden; das beweist die gleichförmige Abrundung der beiden Wurzelplatten zu beiden Seiten des Blattbündels [*f*] und noch ausgezeichneter an der anderen Seite des Holzkörpers [bei *x*].

Öfter durchziehen vor einem ausgetretenen Blattbündel ziemlich weithin nur sparsame und unregelmäßig verteilte Innenwurzeln die Rinde: so bei *Ps. Gutbieri* [I. 2, vor *f*] oder bei *Ps. pusillus* [IV. 37 bei y und *x*]. Hier würde man schon aus diesem Verhalten schließen, daß aus der anliegenden Seite des Holzkörpers ein Blatt ausgetreten sein müsse, wenn das nicht schon nach der Verteilung der Randbündel in diesem und der Bucht in dessen Sklerenchymscheide, die der an der gegenüberliegenden Seite mit ihren Blattbündelresten, wie nach dem wohl von einem langgezerrten Stück eines solchen herrührenden Streifens [IV. 37, *x*] wahrscheinlich wäre.

Zahl der Innenwurzeln.

Mit Ausnahme dieser, auf einzelne bestimmte Strecken beschränkten Besondernheiten sind die Innenwurzeln rings um den Stamm so gleichmäßig verteilt, meist um weniger als ihren eigenen Durchmesser

[1]) Corda: Beitr. S. 70.

[2]) So bei *Ps. intertextus:* Taf. XXXIII, Fig. 2, *e*, *e*; Fig. 4. — *Ps. radiatus:* Taf. XXXVII, Fig. 2, *a*; Fig. 5; Fig. 6 *ff*.

[3]) Corda: Beitr. z. B. bei *Ps. helmintholitus* S. 98; Taf. XXXII, Fig 2, *a*.

[4]) Ebenda, besonders deutlich bei *Ps. medullosus*; Taf. XXXIX, Fig. 4 innere, Fig. 3 mehr nach außen liegende Wurzeln; *Ps. Cottae*, Taf. XLI, Fig. 2.

voneinander abstehend und von den freien Wurzeln verschieden genug, daß man danach schließen kann, wie weit sich die Rinde erstreckt hat, auch da, wo deren eigenes Gewebe bei der Versteinerung bis zur Unkenntlichkeit zerstört worden ist, wie dies namentlich bei der Verkohlung stattgefunden hat. In diesem Zustande sind uns namentlich Stücke aus den oberen Teilen von Stämmen erhalten. Von solchen, denen Nebenwurzeln noch fehlten, deren Blattnarben daher noch sichtbar sind, kennen wir nur den *Ps. arenaceus*,[1]) von dessen innerem Bau dagegen nur wenig zu erkennen ist. Wahrscheinlich treten bald nach dem Absterben der Blätter die ersten Nebenwurzeln in die Rinde ein. Stücke, wie die von *Ps. musaeformis* aus dem Kohlensandstein [IV. 31—32] und *Ps. Freieslebeni*[2]) mit wenigen Bogen von solchen, rühren wohl von Stellen her, die nicht weit unterhalb der endständigen Blattkrone lagen, während *Ps. musaeformis, f. carbonifer*[3]) mit dickerer Rinde einer tieferen Gegend angehört. Die Zahl der übereinander liegenden Schichten von Innenwurzeln ist hier, wie es scheint, oft zehn und darüber, also nicht viel kleiner als bei dem verkieselten *Ps. musaeformis* [IV. 33], bei dem die Rinde [*r*] hauptsächlich darum viel dicker erscheint, weil die Wurzeln weder aneinander gedrängt, noch die einzelnen breit gedrückt sind, wie bei fast allen verkohlten Stämmen. Daher können wir erst hier die Dicke der Rinde mit der des Holzkörpers vergleichen, wobei wir aber nicht dessen ganzen Durchmesser mit der Rinde einer Seite vergleichen dürfen, sondern nur die von beiden Seiten oder, was uns näher liegt, die Rinde einer Seite mit dem Halbmesser des Holzkörpers, beide auf demselben Radius des Stammes gemessen. Bei dieser Auffassung ist hier die — in der Zeichnung nur zum Teil wiedergegebene — Rinde dicker als der Holzkörper, wie wir es bei den verkieselten *Psaronien* häufig finden.

Von nicht geringerer Bedeutung, als das Verhältnis dieser beiden Hauptteile des Stammes zu einander, ist für die *Psaronien* die von keiner anderen Pflanzengruppe auch nur annähernd erreichte Zahl der in der Rinde herabsteigenden Wurzeln, die sich bei den verkieselten Stämmen oft annähernd ermitteln läßt. Dies ist nur selten durch Abzählen derselben möglich und das Ergebnis behält selbst dann wegen der Unvollständigkeit der Stücke, deren äußerer Umfang oft verloren gegangen, außerdem oft undeutlich begrenzt und bei der Versteinerung verrottet ist, eine Ungenauigkeit, wegen deren wir es nur als ein ungefähr richtiges werden ansehen können. Das ist noch mehr der Fall, wenn man nach Ermittelung des Flächenraumes des Querschnittes der Rinde aus der Zählung der Wurzeln an einer Anzahl Stellen von bekanntem Flächeninhalt, ausgewählt nach der größeren oder geringeren Dicke und der gedrängten oder lockeren Verteilung der Wurzeln, deren Zahl für den ganzen Umfang der Rinde berechnet.

Diese Unsicherheit ist aber für unseren Zweck unwesentlich. Derselbe Stamm muß in verschiedenen Höhen verschieden viel Rindenwurzeln enthalten haben; noch größer wird dieser Unterschied zwischen zwei Bäumen derselben Art gewesen sein. Runden wir daher die gefundenen Zahlen nach unten ab, so können wir darauf rechnen, daß sie eher zu klein als zu groß sind und doch übersteigen sie alles, was sonst von solchen Wurzeln gefunden worden ist, noch immer außerordentlich.

In der Gegend des Stammes oberhalb des Austretens freier Wurzeln aus der Rinde ist diese gewöhnlich noch nicht so dick, als der Halbmesser des Holzkörpers. Bei einer Scheibe von *Ps. cinctus*[4]) erreicht sie ein Drittel derselben, soweit man aus dem stark breitgedrückten Stamme schließen kann, führt aber doch 370 Wurzeln. Bei dem erheblich stärkeren Stamme des *Ps. Faivrei*,[5]) bei dem das Verhältnis zur Rinde zum Holzkörper ungefähr dasselbe ist, mögen an den dicker und lockerer, in etwa drei Lagen gestellten Wurzeln doch 550 dagewesen sein, wie von den viel kleineren, in der etwas dickeren Rinde des *Ps. simplex, f. conjugatus*,[6]) wenn man die dünnen Anfänge in der nach außen sich in diese verlierenden Sklerenchymscheide einrechnet.

---

[1]) Corda: Beitr. S. 95; Taf. XXVIII, Fig. 5, 6.
[2]) Gutbier: Über e. foss. Farnstamm.
[3]) Corda: Beitr. S. 94; Taf. XXVIII, Fig. 1—4.
[4]) Stenzel in Göppert: p. F.: Taf. V, Fig. 1 (als *Ps. infarctus*).
[5]) Zeiller: Autun pl. XIX, Fig. 1.
[6]) Stenzel in Göppert: p. F. Taf. VI, Fig. 1.

Der Stamm von *Ps. bibractensis*[1]) mit dem dicksten bis jetzt bekannten Holzkörper von 17 *cm* mittleren Durchmesser hat eine Rinde, deren Dicke nur der Hälfte seines Radius gleich kommt, wegen ihrer großen Ausdehnung aber doch über 3000 Wurzeln enthalten haben muß. Zwei Drittel vom Radius ihres 6 *cm* dicken Holzkörpers erlangte durchschnittlich die sehr ungleichmäßige Rinde eines *Ps. musaeformis, f. scolecolithus*[2]) mit etwa 1000 Wurzeln, während die 5 *cm* Dicke des stattlichen *Ps. brasiliensis*[3]) mit 10 *cm* starkem Holzkörper über 2000 derselben umschließt.

Die nur zum kleinsten Teil in die Zeichnung [VI, 45, 46] aufgenommene Rinde von *Ps. spissus*[4]) war dagegen noch oberhalb der freien Wurzeln dreimal so dick, als der Halbmesser des 6 *cm* dicken Holzkörpers.

Bei den von den unteren Teilen der Stämme herrührenden Stücken, die außen von einem Geflecht freier Wurzeln eingehüllt sind, übertrifft dann regelmäßig die mit inneren Wurzeln durchsetzte Rinde den Halbmesser des Holzkörpers. Von dem verkieselten *Ps. musaeformis* [IV. 33] und von *Ps. Haidingeri* haben wir dies oben angeführt. Ähnlich ist bei dem prachtvollen Block des *Ps. helmintholitus* im geologischen Museum zu Freiberg die wurzelführende Rinde [VI. 41, *r, r, r* — bis *c*, c^1, c^2, c^3; 42 *c, c*] des 5 *cm* dicken Holzkörpers durchschnittlich noch einmal so dick, als dessen Halbmesser und umschließt über 1000 innere Wurzeln. Der mächtige Block von *Ps. Weberi*[5]) [VI. 44] aber wird von einem kaum 2 *cm* dicken Holzkörper durchzogen, der von einer seinen Halbmesser 2—3mal übertreffenden Rindenschicht und dann noch von einer gewaltigen Masse freier Wurzeln umgeben wird.

An diese schließen wir endlich eines der merkwürdigsten Vorkommnisse an, einen *Ps. Cottae*, von dem die Göppert'sche Sammlung einen Abschnitt enthielt, bei welchem die Hälfte der Wurzelrinde nahe am Holzkörper abgeschlagen war,[6]) das Berliner geologische Museum und das Wiener Naturhistorische Hofmuseum zwei ziemlich vollständige aufeinanderpassende Platten. Im Innern, an der einen Seite nur 5, an der gegenüberliegenden bis 12 *cm*, von der Außenfläche entfernt liegt der, nur 1 *cm* dicke Holzkörper, mit sehr wenigen Leitbündeln. Es ist unstreitig das untere Ende eines Stammes, der, wie bei den lebenden Baumfarnen, verkehrt kegelförmig, erst etwas höher oben, nachdem er die der Art zukommende Dicke erreicht hatte, walzenförmig aufwärts wuchs. Er muß eine ziemliche Höhe erreicht haben, denn die 5—12 *cm* dicke Rinde enthält in ihrem wenigstens 200 *cm* betragenden Querschnitt über 2500 von oben herabgestiegene Innenwurzeln, während der von ihr umschlossene Holzkörper kaum 1 *cm* stark ist. Mag dieser weiter nach oben auch dicker, selbst 2—3mal so dick geworden sein, so würde immer noch eine längere Strecke dazu notwendig gewesen sein, einer so großen Zahl von Wurzeln den Ursprung zu geben. Am Grunde aber hat die Rinde einen mehr als 200mal so großen Querschnitt als der Holzkörper und selbst an etwas höher gelegenen Stellen würde er diesen voraussichtlich um das 20—30fache übertroffen haben — ein Verhältnis, das bei keiner anderen Art auch nur annähernd erreicht wird.

Die in allen diesen Fällen, so weit die Art der Versteinerung die Beobachtung gestattete, wiederkehrende Tatsache, daß die durch ihren ganzen Bau kenntlichen Innenwurzeln ebensowenig außerhalb der Rinde vorkommen, wie diese ohne Innenwurzeln, war der eine der Gründe, die mich einst bestimmt hatten, anzunehmen, daß beide sich gleichzeitig in einem einheitlichen Gewebe ausgebildet hätten und sie, wie Unger sie mir als *processus radicales*, so als Wurzelanfänge gelten zu lassen,[8]) eine Annahme, gegen die Solms-Laubach mit Recht einwendete, daß sie mit dem, was wir über die Bildung der adventiven Farnwurzeln wissen, nicht wohl vereinbar war.[7]) Sie läßt sich auch nicht mehr aufrecht erhalten, nachdem ein Bruchstück einer unbestimmten Art aufgefunden worden ist, das aus der Gegend außerhalb des Austretens von freien Wurzeln herstammt, dessen Rinde [VII, c^1—*r*] $^1/_2$ *cm* über die äußersten Innenwurzeln [*a*, a^1]

[1]) Zeiller: Autun, pl. XVII, Fig. 1 und 1*a*.
[2]) Stenzel: Staarsteine, Taf. 34, Fig. 1.
[3]) Zeiller: Autun, pl. XXI, Fig. 1, 1*a*.
[4]) Stenzel: (*Ps. Weberi*), S. 6, 9, Taf. II.
[5]) Stenzel: Staarsteine, Taf. XXXV, Fig. 1.
[6]) Stenzel: Staarsteine, S. 777.
[7]) Solms-Laubach: *Palaeophyt*, S. 175.

hinausgewachsen ist. So schmal dieser Streifen ist, so können in ihm doch noch zwei bis drei Reihen innerer Wurzeln herabsteigen und würden dies auch aller Wahrscheinlichkeit nach getan haben; denn die weiter oben vom Holzkörper entspringenden würden außerhalb der vor ihnen ausgebildeten [a, a^1] in der fertig gebildeten Rinde nach unten gewachsen sein, mögen sich darin also ähnlich verhalten haben wie alle inneren Wurzeln.

Verbindung der Innenwurzeln mit der Rinde.

Weniger leicht kommen wir über den zweiten Grund hinweg, der für die gemeinsame Ausbildung von Rinde und Wurzeln sprach: ihre innige Verbindung. Wo die Nebenwurzeln der Farne durch die Rinde nach außen wachsen, werden sie wohl ringsum von den eng anliegenden Parenchymzellen umgeben, immerhin aber sind sie von diesen durch eine glatte Grenzfläche scharf geschieden.[1]) Bei den *Psaronien* aber, wie bei *Ps. musaeformis*, *f. scolecolithus* [II. 20, c] oder bei *Ps. tenuis* [VII. 55, c, c], legen die Rindenzellen sich so an die der Sklerenchymscheide der Wurzel [v] an, daß sie die einspringenden Winkel, welche die eckigen Wände derselben bilden, ausfüllen und so ineinander greifen, wie auf der anderen Seite der Sklerenchymscheide die Zellen des Innenparenchyms der Wurzel [55, bei z], das mit ihm zugleich aus demselben Gewebe hervorgegangen ist; ebenso bei *Ps. Cottae*[2]) und *Ps. Haidingeri*.[3]) Auch Zeiller[4]) hat gefunden, daß die äußersten Zellen der Sklerenchymscheide der Wurzeln, allgemein in unmittelbarer Verbindung, ohne eine Scheidung (Abgrenzung) mit den dünnwandigen Parenchymzellen des sie verbindenden Gewebes sind.

Wie außerordentlich fest die Verbindung beider Gewebe ist, besonders da, wo die Rinde, nachdem die Teile der in ihr herabsteigenden Wurzeln schon in Dauergewebe übergegangen sind, ihr Dickenwachstum fortsetzt, indem ihre bis dahin ziemlich vieleckigen Zellen [VII. 55, c, c, 5, c^2] sich radial strecken [neben 55, v^1, 51, c^1]. Hier, sollte man meinen, müßten sie endlich von dem Sklerenchym der Wurzel, mit dem sie doch erst spät in Berührung gekommen sind, abreißen, statt dessen wird dieses, wenn es der Dehnung der Rindenzellen nicht folgen kann, zerrissen, indem der vordere Bogen [52, v^1; 53, v^2] weit nach außen fortgeführt wird, während der hintere [52, v^3; 53, v^3] zurückgeblieben ist und der dazwischen liegende Teil auch wohl in mehrere Abschnitte zerteilt [52, v^2, v^2], mehr oder weniger weit nach außen gezogen worden ist. Besonders anschaulich tritt uns der ganze Vorgang da entgegen, wo der Holzkörper der Wurzeln mit seinem sternförmigen Leitbündel [50, v; 52, zwischen v^2 und v^2; 53 neben v^3] in dem hinteren Bogen zurückgeblieben ist. Die Zerstörung der übrigen Gewebe des Innern macht es erklärlich, daß hier in den leeren Raum einmal eine fremde Wurzel eingedrungen ist.

Neben dieser mechanischen übt dann das, in rascher Streckung und Teilung seiner Zellen begriffene Rindenparenchym eine zersetzende Wirkung auf die angrenzenden Gewebe aus, wie wir sie schon oben bei dem Aufhören der Blattbündel bei ihrem Eintritt in die Rinde angenommen haben;[5]) dadurch mögen die lockeren Stellen hervorgerufen worden sein, durch die zuweilen das feste Gewebe der Sklerenchymscheide der Wurzeln plötzlich unterbrochen wird, wie sie Corda bei *Ps. helmintholithus*[6]) und noch häufiger bei *Ps. radiatus*,[7]) Zeiller bei *Ps. brasiliensis* gefunden hat, und die er gewiß mit Recht, weniger einer beginnenden Auflösung der Sklerenchymzellen durch Verdünnung ihrer Wände zuschreibt, als einem Hineinwachsen von Rindenparenchym bis ins Innere der Wurzel. Nur durch die vereinigte mecha-

[1]) Lachmann, J.-Paul: Contribution à l'hist-nat. de la racine des fougères. Lyon 1889; p. 133, Fig. 13, p. 134, Fig. 14. — Ähnlich erscheinen sie auch in mehreren Figuren in Zeiller: Autun; so bei *Ps. infarctus*, pl. XVI, Fig. 8 *A*, infolge der schwachen Vergrößerung.

[2]) Schleiden: Kieselhölzer, S. 29, Fig. 1.

[3]) Stenzel: Staarsteine. Taf. XXXVI, Fig. 2. — Ebenda, Taf. XXXIX, Fig. 3.

[4]) Zeiler: Autun, p. 196. Les cellules les plus extérieures de cette zône sont généralement en relation directe, sans separation, avec les cellules parenchymateuses à parvis minces du tissu conjonctif dans lequel sont plongées les racines. pl. XXI, Fig. 1 *A* (*Ps. brasiliensis*); pl. XXIV, 1 *C* (*Ps. Demolei*).

[5]) Corda: Beitr., S. 98; Taf. XXXII, Fig. 3 bei *i*.

[6]) Ebenda, S. 102, Taf. XXXVII, Fig. 2.

[7]) Zeiller: Autun. p. 253; pl. XXI, Fig. 1 *A*, *i*.

nische und zersetzende Wirkung des nachwachsenden Rindengewebes läßt sich auch eine derartige Auflockerung der Sklerenchymscheide der Wurzeln erklären, daß sie endlich in kleine, unregelmäßige Gruppen sonst wenig veränderter Zellen zerfällt, wie bei *Ps. tenuis* [VII. 56, v^{I}, v^{II}], die von der nachwachsenden Rinde zerstreut und hierhin und dorthin fortgeführt werden. Noch entschiedener tritt diese Einwirkung hervor, wo diese Zellen zugleich dünnwandiger [VII. 55, v^{I}, v^{II}] und endlich so unscheinbar werden, daß sie nur noch als dunklere Streifen des Rindengewebes von innen nach außen durchziehen. So können wir an einem Rindenstück von *Ps. tenuis* nahe seiner Außenfläche von vielen Innenwurzeln, deren gut erhaltener innerer Teil noch das sternförmige Leitbündel enthält, die Spuren des äußeren Teiles noch weit zwischen unveränderten Innenwurzeln nach außen verfolgen [VII. 54].

Diese innige Verbindung zwischen Innenwurzeln und Rinde erklärt es nun auch, daß man das Parenchym der letzteren stetig von einer Wurzelscheide zur anderen verfolgen kann, ohne daß irgend eine Abgrenzung zwischen diesen Geweben aufzufinden wäre, mögen nun, wie an einer Stelle bei einem *Ps. musaeformis*, *f. scolecolithus* [II. 20] nur wenige Zahlreihen [*c*] die beiden Sklerenchymscheiden [v^1, v^2] trennen oder breitere Rindenstreifen, wie bei *Ps. Cottae*, einer unbestimmten Art [VII. 51] und vielen anderen. Dasselbe haben genaue Beobachter auch bei anderen *Psaronien* gefunden und es erweckt durchaus den Eindruck, als ob Stammrinde und Sklerenchymscheide der inneren Wurzeln aus einem und demselben Gewebe sich herausgebildet hätten.

Straßburger hat den gleichen Bau bei den *Lycopodien* gefunden und er ist ihm wichtig genug erschienen, um, hauptsächlich auf ihn gestützt, die Sklerenchymscheide um die Wurzel nicht dieser zuzurechnen, sondern als einen Teil der Stammrinde zu betrachten. Ob das für die *Lycopodien* zutrifft, würde sich vielleicht dadurch entscheiden lassen, daß man an einem durch eine Innenwurzel, da wo sie in eine freie Wurzel übergeht, geführten Längsschnitte die einzelnen Gewebe von innen nach außen verfolgt. Für die *Psaronien* aber wird man sich schwer zu dieser Auffassung entschließen. Wir besitzen zwar keinen Längsschliff durch die Übergangsstelle einer inneren in eine freie Wurzel; wer aber auf einem Querschnitt in unmittelbarer Nähe der Außenfläche des Stammes [*c*, *c*] innere Wurzeln [*r*, r^1] mit äußeren [*R*, *R*] vergleicht, wie bei *Ps. musaeformis* [IV. 33], *Ps. Haidingeri* [V. 39], *Ps. helmintholithus* [VI. 41 bei c^1, c^2] oder *Ps. augustodunensis*, [1]) der wird finden, daß beide nicht nur in allen wesentlichen Stücken, bis auf die dünne, oft selbst schlecht oder gar nicht erhaltene Schicht des Außenparenchyms, miteinander übereinstimmen, sondern nicht selten auch in Größe und Gestalt. Diese eben frei gewordenen Nebenwurzeln nehmen bei vielen Arten rasch an Dicke zu; ihre Sklerenchymscheide wird in dem Maße, als sie sich erweitert, dünner, ähnlich den Blattbündeln bei ihrem Austritt aus dem Holzkörper in den Blattstiel. Kann man sie hier unmöglich als einen Teil des Rindengewebes des Stammes betrachten, so kann man das auch nicht bei der Sklerenchymscheide der inneren Wurzeln tun, deren unverkennbare Fortsetzung sie ist.

Dies scheint mir der entscheidende Punkt zu sein. Bemerken müssen wir aber doch, daß schwer einzusehen sein würde, wie rings um die herabsteigende Wurzel das von ihr durchbohrte, fertige Rindenparenchym in einer Dicke von 5 bis 10 Zellschichten seiner vieleckigen oder etwas radial gestreckten in lange senkrechte Zellen umbilden sollte. Auch die Zellen der fertigen Stammrinde sind, wie wir gesehen haben, fähig bei bestimmten Anlässen sich zu strecken und durch tangentiale Wände zu teilen; aber, so weit wir bis jetzt haben beobachten können, doch nur um dadurch in radialer Richtung weiter zu wachsen. Daß unmittelbar daneben eine senkrechte Streckung in solchem Umfange, wie sie hier stattfinden müßte, durch die Berührung mit der herabwachsenden Nebenwurzel veranlaßt werden sollte, müßte wenigstens erst durch Beobachtung dieses Vorganges bei den lebenden *Lycopodien* wahrscheinlich gemacht werden, wo ihr ähnliche Bedenken entgegenstehen. Zu einer so massenhaften Neubildung von Zellen der sklerenchymatischen Wurzelscheide aus den angrenzenden der Stammrinde wäre gar kein Platz vorhanden.

---

[1]) Stenzel in Göppert: p. F., Taf. VII, Fig. 1, wo *c* die Stammrinde mit inneren Wurzeln, *d*, *e* die Außenfläche der Rinde, *f* äußere Wurzeln bezeichnet.

Es bleibt uns daher keine andere Annahme übrig, als daß die Sklerenchymscheide der Innenwurzeln der *Psaronien* mit der von ihr durchbohrten Stammrinde so innig verwächst, als ob beide ein einheitliches Gewebe wären. Außer bei einigen *Lycopodien* sind Nebenwurzeln, die in der Rinde des Stammes bis zu dessen Grunde herabsteigen, von Gaudichaud auch in Stämmen von *Bromeliaceen* wie *Pourretia coarctata* in Chile beobachtet worden, doch geben die von Ad. Brongniart[1]) darüber gemachten, nur auf die Hauptpunkte gerichteten Mitteilungen über mehrere für die *Psaronien* wichtigen Verhältnisse keinen Aufschluß. Das gilt auch für die kurze Angabe von Renault,[2]) daß bei der der Kreideformation angehörigen *Dicksonia Buvignieri* zahlreiche Wurzeln durch das Rindenparenchym zu einem dicken Panzer (*cuirasse*) vereinigt seien. Mit denen der *Psaronien* lassen sich diese, in der Abbildung übrigens wenig zahlreichen Wurzeln schon deshalb kaum vergleichen, weil sie nur zwischen den Blattstielresten in schmalen Streifen herablaufen.

In der festen Verbindung und der Wechselbeziehung zwischen den Wurzeln und der Stammrinde, in der Zusammensetzung der letzteren nur aus dünnwandigem Parenchym, in ihrem späteren Nachwachsen in die Dicke, welche die des Holzkörpers oft weit übertrifft, haben die *Psaronien* kein Seitenstück bei den übrigen fossilen oder lebenden Farnen, sondern nur in den aufrechten Stengeln einiger *Lycopodien*. Die Verschiedenheiten, an denen es schon des baumartigen Wuchses der *Psaronien* wegen nicht fehlt, sind teils nur gradweise, teils sind sie von mehr untergeordnetem Werte. So ist die Rinde des Stammes von *Lycopodium, verticillatum*[2]) wohl an sechsmal so dick als der Halbmesser des Holzkörpers und übertrifft darin die mancher *Psaronien*, während sie hinter der einiger anderer zurückbleibt. Dagegen sieht man auf dem Querschnitt nur 15 innere Wurzeln in ihr verteilt; bei *L. Selago* hat Straßburger[3]) am Grunde des Stämmchens nur etwa 10 gezählt, während bei *Psaronien*, selbst in einer Rinde, die mehrere Male dünner ist als der Holzkörper, die ganz unverhältnismäßige Zahl von mehreren hundert, in dickeren Rinden 2000—3000 nahe bei einander liegen.

Von größerem Gewichte möchte es sein, daß bei den *Lycopodien* die Rinde des Stammes, da wo die aus ihr hervortretenden Blätter fertig ausgewachsen sind, ihre Dicke schon annähernd erreicht zu haben und diese nach unten nur noch mäßig zuzunehmen scheint, kaum so viel, daß dadurch die sie durchlaufenden Blattspuren zerreißen werden, während sie bei den *Psaronien* erst nach dem Absterben der von ihr getragenen Blätter ihr Dickenwachstum beginnt und dann nach dem Boden hin bis zum Vielfachen ihrer anfänglichen Ausdehnung fortsetzt.

Ursprung der Innenwurzeln, Verlauf und Bau.

Die einzelnen Wurzeln nehmen ihren Ausgang ausschließlich von den Randbündeln des Holzkörpers, verschieden von denen der *Marattiaceen*, die von dessen inneren Leitbündeln aus gerade nach außen verlaufen. Bei *Psaronius* sieht man sie auf dem Querschliff des Stammes öfter als zapfenförmige Ansätze, rechtwinklig auf der Fläche des Randbündels durchschnitten, so bei *Ps. bibractensis*,[4]) *Ps. Demolei, f. espargeollensis.*[5]) An der Stelle selbst, an der sie sich an das Randbündel ansetzen, verbreitern sie sich zu flachen Höckern, wie bei *Ps. Gutbieri* [II. 14, an p^2; = 16 an z^2] oder *Ps. tenuis* [I. 4. an p^1 und an p^2, oben; 4, *r*], deren Mitte sich dann erhebt [VII. 48] und im Innern, von den großen Tracheiden des Randbündels [48, *t*; 49, *t*] ausgehend, ein Bündel seiner kurzen Treppentracheiden [49, t^1] und, diese rings umgebend, Reihen von Parenchymzellen führt — den Anfang der Nebenwurzel.

Diese geht dann durch das Grundgewebe des Stammes nach außen, umgibt sich mit ihrer Sklerenchymscheide und wendet sich bald nach unten, um in der Rinde bis gegen den Grund des Stammes hin herabzusteigen. Daß die Ausbildung ihrer Sklerenchymscheide unabhängig von der des Stammes vor sich

---

[1]) Brongniart: Ad. Hist. d. végetaux foss. II, p. 66.

[2]) Brongniart: Hist. vég. foss. II, p. 62; pl. 8, Fig. 9.

[3]) Straßburger: *Lycopod.*, S. 113.

[4]) Zeiller: Autun, p. 184; pl. XVII, Fig. 3, *r*.

[5]) Ebenda., pl. XXV, Fig. 5, *r*.

geht, sieht man daraus, daß sie auch bei den Arten da ist, wo diese fehlt, wie bei *Ps. Cottae*, *Ps. Gutbieri*, *Ps. Ungeri*, *f. flaccus*; wo sie aber durch eine solche hindurchgeht, ist sie gegen diese deutlich abgegrenzt und durch die Kleinheit ihrer Zellen unterschieden, so bei *Ps. infarctus*,[1]) *Ps. Levyi*,[2]), *Ps. Demolei*.[3]) Zugleich schließen wir daraus, daß diese Zellen von dem Querschnitt des Stammes beinahe rechtwinklig getroffen werden, daß die Wurzeln schon hier stark abwärts gewendet waren. Das konnte man auch schon nach deren drehrundem Querschnitt vermuten, der von dem bereits in der Rinde herablaufenden, wenig verschieden ist, wie bei *Ps. simplex, f. conjugatus*,[4]) *Ps. musaeformis*[5]) und *Ps. augustodunensis*.[6])

Hier steigen sie steil abwärts, nur ein wenig schräg nach außen gerichtet, weil sie sich außerhalb der älteren Wurzeln ihren Weg suchen müssen, bis sie, meist wohl nicht hoch über dem Boden, als freie Wurzeln austreten. Ihr Verlauf innerhalb der Rinde ist zuweilen von erstaunlicher Länge. So hat Renault[7]) von *Ps. Demolei*, *f. espargeollensis* einen 47 *m* langen Stamm beobachtet, der in seiner ganzen Ausdehnung in Wurzeln eingehüllt war.

Sie sind fast stets unverästelt, auch nicht gegabelt, wie es die der Lycopodien schon in der Rinde öfters zeigen. Nur bei *Ps. Demolei* bemerkt Zeiller,[8]) es sei nichts Seltenes, in Mitten des Rindenparenchyms Wurzeln im Augenblick der Teilung zu finden, die deutlich Seitenzweige aussendeten, wie ich sie bei *Ps. Haidingeri*[9]) beobachtet hätte. Dieser Zweig gehört aber höchstwahrscheinlich einer bereits frei gewordenen Wurzel an, bleibt also hier außer Betracht. Nur in einem stattlichen, 16 *cm* hohen und halb so breiten, der Länge nach durchschnittenen Block einer unbestimmten, dem *Ps. infarctus* nahestehenden Art von Neu-Paka im k. k. Hofmuseum in Wien, fand ich unter zahlreichen einfachen Innenwurzeln eine mit einem, eine mit zwei kurzen Ästen [VII. 47]. Ihr dünner Holzkörper ging von der sie tragenden Wurzel [*t*] rechtwinklig nach außen und bog sich erst nach dem Austritt des Astes mit diesem nach unten. Beide Tragwurzeln waren sehr schmächtig, nur den dritten Teil so dick wie die übrigen, ihre Spitze schien beschädigt, so daß die ausnahmsweise Bildung von Ästen vielleicht nur durch einen krankhaften Zustand hervorgerufen worden ist.

Aber auch wenn man sie mitrechnet, so kommt auf Tausende von Innenwurzeln nur eine verzweigte und wir sind daher wohl berechtigt, ihre einfache Gestalt als einen wesentlichen Unterschied von den stets verästelten freien Wurzeln zu betrachten.

Immerhin müssen wir darin, daß die Zweige auf dem kürzesten Wege nach der Außenfläche der sie tragenden Wurzel streben, um sich erst außerhalb derselben abwärts zu wenden, einen weiteren Grund für die Annahme sehen, daß in den sogenannten durchwachsenen Wurzeln[10]) die inneren nicht herabsteigende Zweige der äußeren, sondern von außen in diese eingedrungene, selbständige Wurzeln sind, so unwahrscheinlich das bei der oft großen Zahl solcher Durchwachsungen an einem und demselben Stücke sein mag und so schwer sich das mit manchen Erscheinungen, namentlich mit der, der mehrfach ineinander geschachtelten Wurzeln vereinigen läßt. Einen weiteren Beitrag zur sicheren Erklärung dieser merkwürdigen Gebilde haben auch die seitdem gemachten Beobachtungen nicht gebracht. Nur möchte ich bemerken, daß, wenn die Sklerenchymscheide der äußeren Wurzel auch ringsum geschlossen ist, wie bei *Ps. asterolithus* [VI. 41, unweit *R*], dadurch noch nicht bewiesen ist, daß die innere Wurzel nicht von außen eingedrungen ist; denn sie kann ihren Weg wohl durch eine weiter oberhalb liegende schadhafte Stelle dieser Scheide genommen haben.

---

[1]) Zeiler: Autun, pl. XVI, Fig. 8 *A*.
[2]) Ebenda, pl. XXIII, Fig. 1 *C*.
[3]) Ebenda, pl. XXIV, Fig 1 *C*.
[4]) Stenzel in Göpp., p. F., Taf. VI, Fig. 1.
[5]) Ebenda, Taf. VI, Fig. 7.
[6]) Ebenda, Taf. VII, Fig. 2.
[7]) Zeiller: Autun, p. 239. — Renault: Cours de bot. foss. III. p. 148, 149.
[8]) Zeiller: Autun, p. 237.
[9]) Stenzel in Göppert: p. F., S. 75, Taf. V, Fig. 8, 20.
[10]) Stenzel: Staarst, S. 785. — Ders. in Göppert: f. F., S. 52, Taf. V, Fig. 8, 20.

Im übrigen bleibt der Bau der Wurzeln [1]) bei ihrem Verlauf durch die Rinde unverändert: außen die 5—10 Zellschichten dicke Sklerenchymscheide, die, wie wir oben gezeigt haben, nach innen rasch, beinahe plötzlich, aber doch stetig in das Innenparenchym übergeht, das schon hier, noch mehr bei den freien Wurzeln, die größte Ausdehnung hat. Dessen zartwandiges und daher meist zerstörtes Gewebe ist bald dicht, bald lückig und wird bei einer Anzahl Arten von einem unregelmäßigen Kranz von eigentümlichen Gängen der Länge nach durchzogen, die aus einer Reihe übereinander stehender, durch horizontale Wände getrennter, kurzer röhrenförmiger, zwei- bis dreimal so langer als breiter Zellen bestehen, die deshalb von Corda [2]) Röhrenzellen genannt worden waren. Dieser Ausdruck [3]) war insofern gerechtfertigt, als wir über ihre Natur und ihren Inhalt nichts Sicheres wissen. Da er aber eigentlich nur auf die einzelnen Glieder anwendbar ist und es immerhin am wahrscheinlichsten ist, daß sie Gummi geführt haben, so habe ich sie jetzt, im Anschluß an Zeiller, [4]) als Gummigänge (*ductus gummifera*) bezeichnet.

Die Mitte des Innenparenchyms wird von dem Holzkörper der Wurzel eingenommen, in dessen außerordentlich zarten und daher fast immer zerstörten Parenchymgewebe 3—11, am häufigsten 5—6 radiale Gruppen von Treppentracheiden liegen. An die engen Erstlinge im äußeren Umfange schließen sich nach innen immer größere an, die entweder in der Mitte zusammentreffen, bald so früh, daß der Querschnitt des Ganzen ein Vieleck mit schwach ausspringenden Ecken bildet, bald einen tiefen gefurchten Stamm, oder die Gruppen erreichen einander nicht und lassen in der Mitte einen kleineren oder größeren Raum frei, um den sie im Kreise herum zerstreut sind. Zwischen je zweien von ihnen liegt nahe dem Umfang des Holzbündels eine Phloëmgruppe aus so zartwandigen Zellen, daß sie fast stets zerstört nur selten so deutlich zu erkennen sind wie bei *Ps. Cottae*. [5])

Freie Wurzeln.

Sobald die inneren Wurzeln aus der Rinde als freie Wurzeln [6]) in die Luft oder in den Boden heraustreten, verändert sich ihr ganzes Aussehen. Von den eben noch gleichmäßig verteilten gleich dicken einfachen, von länglich rundem Umriß nehmen viele rasch an Dicke zu, bis auf ihren anderthalb- bis zweiundeinhalb- oder selbst dreifachen Durchmesser, also auf den doppelten bis neunfachen Querschnitt, wie bei *Ps. musaiformis* [IV. 33, *R*], *Ps. augustodunensis*, [7]) *Ps. Haidingeri* [V. 39, *R*], *Ps. helmintholithus* [VI. 41, *R*]; ja bei manchen werden sie bis fünfmal so dick als die mittelgroßen inneren Wurzeln, wie bei *Ps. pusillus* [IV. 37, *R*] und *Ps. asterolithus* [III. 28, *R*]. Dadurch füllen sie den vorhandenen Raum bald so weit aus, daß sie einander berühren, dabei aber ihren rundlichen Umriß noch beibehalten; bald platten sie sich gegenseitig zu abgerundet-mehrkantigen Gestalten ab, deren Zwischenräume von mittleren und kleinen Wurzeln ausgefüllt werden, von denen jedenfalls die, welche dünner als die nächsten inneren Wurzeln sind, als Zweige der dicken freien Wurzeln angesehen werden müssen. Diese, in beschränktem Raume herangewachsen, sind namentlich oft in der mannigfaltigsten Weise drei- und vierkantig mit flügelartig vorspringenden Kanten oder ganz breit gedrückt wie bei *Ps. asterolithus* [III. 28], *Ps. Haidingeri* [V. 39], *Ps. helmintholithus* [VI. 41]. Ihr Ursprung vom Holzkörper der starken Wurzeln, wie ihr Austritt aus dem Rande derselben kann mehrfach beobachtet werden.

Der innere Bau der freien Wurzeln läßt sie im wesentlichen als eine Fortsetzung der inneren erkennen. Nur eine Verschiedenheit tritt bestimmt hervor. Während die Sklerenchymscheide der letzteren

---

[1]) Vergl. Stenzel: Staarsteine, S. 773—777.

[2]) Corda: Beitr. S. 104.

[3]) Stenzel: Staarst., S. 869, Taf. XXXVI, Fig. 1, *d*, *e*, *f*; Fig. 2, *c*, *d* (*Ps. Cottae*) S. 872; Taf. XXXVII, Fig. 2, *d*, *e*; Fig. 3, *g*, Längsschnitt (*Ps. Cottae, Göpperti*).

[4]) Zeiller: Autun, p. 196, 247, pl. XXX, Fig. 1 *A*, *Ps. brasiliensis*.

[5]) Stenzel: Staarst., S. 873, Taf. XXXVII, Fig. 2, *z*, *z*; Fig. 4, *z*, *z* (als *Ps. Göpperti*). Die Phloëmgruppen sind hier durch kräftiger gezeichnete Zellwände absichtlich hervorgehoben. — Schleiden: Kieselhölzer; S. 28 (Taf. 1), Fig. 1. — Stenzel in Göppert: perm. F. F. S. 72 (als *Ps. Göpperti*).

[6]) Stenzel: Staarsteine, S. 873.

[7]) Stenzel in Göppert: p. F. S. 76; Taf. VII, Fig. 1f.

nach außen stetig in das Parenchym der Stammrinde übergeht und sie nirgends gegen ihre Umgebung abgegrenzt sind, umgibt sich diese Scheide beim Austritt aus der Rinde mit einer dünnen, nach außen scharf abgegrenzten Schicht dünnwandiger Zellen, dem Außenparenchym. Dieses ist, wie das Innenparenchym, so wenig widerstandsfähig, daß es oft zerstört ist. Je besser aber eine freie Wurzel erhalten ist, desto sicherer kann man darauf rechnen, es an ihr aufzufinden und da es in manchen Stücken hier unverkennbar vorhanden ist — dort fehlt, so können wir sein Schwinden nur seiner geringen Haltbarkeit zuschreiben und das Außenparenchym als eine für die freien Wurzeln aller *Psaronien* bezeichnende Gewebeschicht ansehen.

Die Sklerenchymscheide wird um so dünner, je mehr die Wurzel und damit namentlich das Innenparenchym an Ausdehnung zunimmt, während der Holzkörper keine regelmäßigen Veränderungen erleidet. Ist das umfangreiche Parenchym lückig, so erinnern solche Wurzeln außerordentlich an die eines niedrigen Baumfarn aus Venezuela, den ich als *Diplazium giganteum* von Göppert erhalten und in dessen Flora der permischen Formation,[1]) (S. 54, Taf. IV, Fig. 1—4), beschrieben und abgebildet habe. Daß die Pflanze nicht *Diplazium giganteum* ist, hat zuerst Mettenius[2]) bemerkt. Die große Ähnlichkeit der Verteilung der Leitbündel im Blattstiele, die von der bei den anderen Farnen weit abweicht,[3]) mit der bei *Lomaria zamioides*[4]) macht es in hohem Grade wahrscheinlich, daß der Farnstamm einer *Lomaria*, und zwar einer der *L. zamioides* ganz nahestehenden Art angehört. Wie diese, ist sie gewiß eine Sumpfpflanze und läßt darauf schließen, daß auch die *Psaronien* mit lückigem Parenchym in der Wurzel an ähnlichen Standorten wuchsen, was ja von vornherein vermutet werden konnte. Der Holzkörper mit seinem vieleckigen Leitbündel erinnert auch an diese, nur ist er hier, ohne dazwischenliegendes Innenparenchym sogleich von einer dicken Sklerenchymscheide umgeben und das auf diese folgende Außenparenchym mit seinen regelmäßigen großen Lücken ist in einem Umfange entwickelt, wie bei großen, freien *Psaronius*-Wurzeln das Innenparenchym. Für diese haben wir, trotz dieser Verschiedenheiten, an unseren Farnen das ihnen am nächsten kommende Seitenstück.

Arten der Psaronien.

Blicken wir auf die eben abgeschlossenen Ausführungen zurück, so dürfen wir hoffen, daß durch das Zusammenwirken verschiedener Beobachter eine befriedigende Kenntnis des uns vielfach fremdartigen Baues und des noch fremdartigeren Wachstums der *Psaronien* erreicht worden ist. Einzelne noch gebliebene Zweifel, die zudem mehr untergeordnete Punkte betreffen, werden durch weitere Untersuchungen und Vergleichungen mit lebenden Pflanzen gewiß ohne große Schwierigkeit aufgeklärt werden.

Viel weniger befriedigen die bisher gemachten Versuche einer naturgemäßen Abgrenzung der Arten. In der Regel ist jede derselben auf ein möglichst vollständiges Stück begründet worden. Dazu sind dann die Bruchstücke genommen worden, die mit ihm übereinstimmten, ohne daß wir jedoch wissen, ob die übrigen Stellen des Stammes, von dem sie herrühren, die gleiche Übereinstimmung zeigen, wie wir dies an verschiedenen Strecken des Umfanges von *Ps. bibractensis* [V. 40] sehen können. Wird später kein ähnliches Stück aufgefunden, so haben wir eine gut umschriebene Art vor uns. Öfter aber begegnet es uns, daß ein neues Stück dem einer bekannten Art zu Grunde gelegten sehr nahe steht, aber doch einzelne, nicht ganz gleichgültige Verschiedenheiten zeigt. Kann es gleichwohl von einem Baume derselben Art herstammen? Hier tritt uns als das größte Hindernis entgegen, daß wir über den Formenkreis, innerhalb dessen die Stämme einer und derselben Art lebenden Baumformen nach Dicke und Umriß, nach Verteilung, Größe, Zahl und Gestalt ihrer Leitbündel und Sklerenchymplatten, nach der Beschaffenheit der Rinde und

---

[1]) Stenzel in Göppert: S. 51, Taf. IV, Fig. 1—4.

[2]) Mettenius: Angiopteris. S. 539.

[3]) Stenzel: Untersuchungen über Bau und Wachst. d. Farne II. S. 23—25. Taf. IV, Fig. 1—4; in Nova Acta Ac. C. Leop. Carol. Nat. Cur., Bd. XXVIII, 1861.

[4]) Thomae: Die Blattstiele der Farne, S 53; Taf. VI, Fig. 2a; in Pringsheims Jahrb. f. wiss. Bot. Bd. XVII 1886.

des Markes, nach Zahl und Art der Blattansätze auf einem Querschnitt so wenig wissen, daß wir darauf auch nur vereinzelte Schlußfolgerungen für fossile Arten gründen können. Für diese sind wir fast nur auf sie selbst angewiesen, auf die Vergleichung verschiedener Stücke miteinander. Da aber von diesen erst ermittelt werden soll, ob sie einer und derselben Art angehören, so müssen wir meist auf allgemeine Erwägungen zurückgehen, auf das Verhalten dieses oder jenes Organes oder Gewebes bei anderen Pflanzen. Diese behalten aber bei der Verschiedenheit dieser letzteren von den fossilen, noch dazu aus einer der älteren Formationen, eine solche Unsicherheit, daß ich meine anfängliche Absicht, die Arten der Gattung *Psaronius* noch einmal gleichmäßig zu bearbeiten, aufgegeben habe und mich darauf beschränke, eine Übersicht über sie zu geben mit Anführung der zu ihrer Unterscheidung unentbehrlichsten Merkmale. Ich beschränke mich um so mehr darauf, als ich meinen Wunsch, noch einmal die an *Psaronien*-reichen Sammlungen in Berlin, Dresden, Leipzig, Wien, vor allen in Chemnitz zu besuchen, um mancherlei Lücken früherer Beobachtungen, auf die ich im folgenden mehrfach hingewiesen habe, zu ergänzen, habe aufgeben müssen. Bleiben so für den späteren Bearbeiter dieser merkwürdigen Gruppe noch genug Lücken auszufüllen, vielleicht auch, namentlich auf Grund der mikroskopischen Untersuchung von Dünnschliffen, zu berichtigen, so werden die folgenden Blätter doch nach mehr als einer Richtung hin willkommenen Stoff zur genaueren Kenntnis derselben bieten.

Bei der Abgrenzung der Arten bin ich Zeiller darin gefolgt, daß ich als obersten Einteilungsgrund die Zahl der Blattzeilen (*Orthostichen*) angenommen habe. Wir erhalten danach die drei Hauptgruppen: 1. der zweizeiligen, 2. der vierzeiligen und 3. der drei-, fünf- und mehrzeiligen Arten.

In zweiter Linie trennen wir die Stämme mit spiralig gestellten, von denen mit wirtelig gestellten Blättern, eine Verschiedenheit, die nur bei der dritten Hauptgruppe Bedeutung gewinnt.

An dritter Stelle sehen wir bei, einander nahestehenden Arten auf die Dicke des Holzkörpers und die Zahl der in ihm enthaltenen Leitbündel. Es scheint nämlich, daß der Holzkörper der *Psaronien* ähnlich dem Stamme der lebenden, wirklich baumartigen Farne — von den niedrigen, dicken Stämmen der *Marattiaceen* sehen wir hier ab — nur am Grunde verkehrt, kugelförmig war, noch in oder nahe über dem Boden die der Art zukommende Dicke erreicht hat und von da ab walzenförmig in die Höhe gewachsen ist, ohne seine Dicke oder die Zahl seiner, auf einem Querschnitt zum Vorschein kommenden Leitbündel erheblich zu vergrößern. Der gewaltige, 60 *cm* hohe Block von *Ps. Weberi* in Chemnitz wird von unten bis oben von dem dünnen Holzkörper so gut wie unverändert durchzogen,[1]) ebenso der 40 *cm* hohe, jetzt in mehrere Scheiben zerschnittene von *Ps. helmintholithus* der Bergakademie zu Freiburg. Die drei in verschiedener Höhe genommenen Querschnitte des *Ps. musaeformis, f. carbonifer*[2]) weichen nur in ganz unwesentlichen Stücken voneinander ab; auch der von Renault untersuchte, über 4 *m* lange Stamm von *Ps. Demolei, f. espargeollensis*[3]) scheint seiner ganzen Länge nach gleich gebaut zu sein, so weit das nur sehr unvollständig erhaltene Innere erschließen läßt. Die Vermutung, daß ein Holzkörper mit viel verwickelterem Bau von dem höheren Teil eines Stammes herrühren könnte, der weiter unten einfach gebaut wäre, findet also in der Erfahrung keine Stütze. Es ist ja ein Übelstand, daß wir keine festen Grenzen kennen, innerhalb deren die Dicke des Holzkörpers und die Zahl seiner Leitbündel bei einer Art schwanken kann, so daß hier eine gewisse Willkür nicht ausgeschaltet werden kann. Denn daß auch die lebenden Baumfarne nach der Gunst oder Ungunst des Standortes und der Witterung bald dickere, bald weniger dicke Stämme haben und daß dementsprechend die einzelnen Gewebe stärker oder schwächer ausgebildet sein werden, ist schon nach dem, was wir an den Wurzelstöcken unserer krautigen Farne beobachten, nicht wohl zu bezweifeln; aber der Grundplan des Baues von Stämmen und Blattstielen bleibt dabei unverändert, auch wenn die Zahl der Leitbündel in den letzteren einmal von fünf auf sieben steigt oder auf vier zurückgeht. Nach einem ähnlichen Maßstabe werden wir die Abänderung der Zahl der Leitbündel im Holzkörper der *Psaronien* beurteilen.

---

[1]) Sterzel: Der große Psar., S. 4, Taf. III, Fig. 1—4.

[2]) Corda: Beitr. S. 94, Taf. XXVIII, Fig. 1—3 (*Ps. carbonifer*).

[3]) Renault: Cours de bot. foss. III, p. 148, 149. — Zeiller: Autun, p. 238 (als *Ps. espargeollensis*).

4. Ebenso wenig unterstützen die bis jetzt bekannten Tatsachen die Vermutung, daß am unteren Ende sklerenchymfreie Holzkörper von *Psaronien*, wie etwa von *Ps. Cottae*, weiter oben sich mit einer Sklerenchymscheide umgäben. Bei den lebenden Baumfarnen sind schon die unteren Enden mittels starker Sklerenchymbildungen von ähnlicher Fähigkeit, wie die höheren Teile und wir haben keinen Grund, zu *Ps. Cottae* oder *Ps. Gutbieri* andere Holzkörper als sklerenchymfreie zu rechnen; um so weniger, wenn wir sehen, wie so starke Stämme, wie der von *Ps. Ungeri*, *f. flaccus* [II. 21] ausschließlich auf die Stütze angewiesen sind, die ihnen durch die harten Scheiden ihrer Rindenwurzeln gewährt werden. Wir halten daher das Vorhandensein oder Fehlen einer den Holzkörper umziehenden Sklerenchymscheide für ein beständiges Artmerkmal. Sie ist auch fast immer scharf begrenzt und läßt sich auch da, wo sie durch die bei der Versteinerung auf sie einwirkenden Kräfte stärker angegriffen worden ist, als man es nach ihrer Härte und Festigkeit hätte erwarten sollen, meist ohne Zwang ergänzen. Nur bei der Gruppe des *Ps. simplex* ist sie bei den verschiedenen Stücken so verschiedenartig ausgebildet, bald scharf begrenzt, bald allmählich in das angrenzende Parenchym übergehend, bald dick, bald dünn, ja an manchen Stellen ganz fehlend, daß man soviel Stücke, soviel Arten vor sich zu haben glaubt, was kaum der Natur entspricht. Diese Veränderlichkeit ist wohl richtiger als eine der mancherlei Eigenheiten dieser Gruppe aufzufassen.

5. Auf die inneren, zwischen den Leitbündeln des Holzkörpers gelagerten Sklerenchymplatten hat zuerst Zeiller größeres Gewicht gelegt. Ich hatte sie früher wiederholt so unregelmäßig, an verschiedenen Stellen desselben Stückes so ungleichmäßig entwickelt gefunden, daß ich ihnen für die Erkenntnis der Art keinen besonderen Wert beimaß und sie in der Zeichnung auch wohl wegließ, um ein einfacheres und übersichtbares Bild zu erhalten. Bei einem und dem anderen Stücke mag sich daher vielleicht bei einer Nachuntersuchung ihr Vorhandensein herausstellen. Über ihre Beständigkeit bei den einzelnen Arten können aber erst weiter ausgedehnte Untersuchungen entscheiden. Hat doch Zeiller diese mehrfach auf einzelne vollständigere Stücke begründet und dann die mit diesen übereinstimmenden Bruchstücke hinzugezogen. Das gibt doch noch keine Gewißheit über die Artbeständigkeit dieses Merkmals. Von *Ps. coalescens* habe ich vor Jahren aus der Sammlung des Herrn Leuckart in Chemnitz eine Platte erhalten [III. 30], bei der nur zwischen den äußersten Leitbündeln einzelne Ansätze zur Sklerenchymbildung bemerkbar waren, ähnlich wie bei den von Zeiller abgebildeten Querschnitten,[1]) während an einem weniger vollständigen der Wiener geologischen Reichsanstalt zwischen fünf konzentrischen Bogen der breiten Leitbündel je eine Reihe schwarzer Sklerenchymstreifen sich hinzog. Sollte man dieses Stück, das sich sonst zu keiner der bekannten Arten ziehen läßt, in allem übrigen aber mit *Ps. coalescens* übereinstimmt, allein wegen der viel zahlreicheren Sklerenchymstreifen zwischen den inneren Leitbündeln ausschließen?

Danach scheint es, daß es der vergleichenden Untersuchung mehrerer Stücke, die sonst miteinander so übereinstimmen, daß sie einer und derselben Art zugerechnet werden müssen, bedürfen wird, um festzustellen, für welche von ihnen die inneren Sklerenchymplatten zu deren Unterscheidung von anderen benützt werden können.

6. Die von mir früher zur Charakterisierung einiger Gruppen benützten Gummigänge[2]) fehlen manchen Arten, während sie in anderen ihnen ganz nahestehenden vorkommen; wir werden sie daher nur noch zur Trennung einzelner Arten benützen. Wo sie deutlich zu erkennen sind, bieten sie ein scharfes Merkmal dar. Leider aber ist das Grundgewebe des Holzkörpers und das Innenparenchym der Wurzeln ganz besonders häufig zerstört, mit ihm auch die vielleicht darin verlaufenden Gummigänge, das gibt ihrer Benützung öfter eine störende Unsicherheit.

7. Zeiller hat die Eigenheit mehrerer Arten hervorgehoben, daß ihre stark einwärts gekrümmten Randbündel mit den mit ihnen abwechselnden Blattbündeln einen äußeren Kranz (couronne) um die inneren Leitbündel des Holzkörpers bilden, von denen er durch einen ins Auge fallenden Zwischenraum geschieden ist. Diese ausgezeichnete Bildung ist aber keiner der von uns angenommenen Gruppen ausschließlich eigen

---

[1]) Zeiller: Autun, p. 232, pl. XXIII, Fig. 2, 3.

[2]) Siehe oben S. 110 *a* (Röhrenzellen).

und wir können sie daher nicht zu deren Charakteristik verwenden, auch stoßen wir öfter auf Stücke, bei denen sie so wenig ausgeprägt ist, daß man nicht weiß, ob man sie überhaupt vor sich hat oder nicht.

8. Ähnliches gilt von den Arten, bei denen von den Randbündeln besondere Zweige an die Blattbündel abgegeben werden, wie bei *Ps. infarctus* und *bibractensis*.

Gehen wir nun daran, auf Grund dieser Erwägungen die Arten von *Psaronius* so naturgemäß als es gelingen will, zu ordnen, so begegnen wir einer Anzahl so eigenartig gebauter, bisher meist in einem oder in wenigen Stücken gefundener, daß ihre Abgrenzung keine Schwierigkeit macht. Häufig aber weichen, in den wesentlichsten Punkten übereinstimmende Stücke, einige in diesen, andere in jenen voneinander ab, ohne daß sie doch deshalb notwendig von einer anderen Pflanzenart herrühren müßten, wie wir dies vorhin an dem Beispiel der Sklerenchymscheide ausgeführt haben.[1]) In diesem Falle haben wir die Gruppe verwandter Formen unter dem Namen der zuerst aufgestellten Art zusammengefaßt und diesen die Namen der einzelnen nicht als Unterarten oder Varietäten, was sie vielleicht gar nicht sind, sondern einfach als Formen (*f*) hinzugefügt. Die Umständlichkeit dieses Verfahrens ist in der Unsicherheit unserer Erkenntnis begründet und wird, wie ich glaube, dadurch aufgewogen, daß über diese, großenteils alte Arten, gesprochen werden kann, ohne jedesmal auf die Synonymie zurückzugehen.

Anordnung der Arten.

Auf Grund dieser Erwägungen werden wir die faßlichste Übersicht über die Arten von *Psaronius* gewinnen, wenn wir von den einfachsten, den zweizeiligen, ausgehen, an sie die vierzeiligen anschließen und dann durch die wenigen dreizeiligen zu den fünf- und mehrzeiligen fortgehen, unter denen die dicksten Holzkörper und zugleich die mit dem weitaus am meisten zusammengesetzten Bau den Schluß machen, die bei der wechselnden Dicke der Rinde, welche doch ebenso gut zum Stamme gehört, nirgends mit diesem gleichgesetzt werden dürfen.

In ähnlicher Weise stellen wir an den Anfang jeder der drei Hauptgruppen die Arten mit den dünnsten und am einfachsten gebauten Holzkörper und steigen von da, freilich mit mancherlei Schwankungen, zu den dicksten und am meisten zusammengesetzten auf.

So können uns diese Reihen vielleicht auch einen Fingerzeig darüber geben, wie sich einst aus einfachen Anfängen, aus kleinen, krautigen Pflanzen, hoch ausgebildete, stattliche Bäume entwickelt haben.

I. Zweizeilige, Distichi.

A. Holzkörper ohne Sklerenchymscheide.

a) Blattbündel anfangs flach oder flach-ausgebogen.

1. *Ps. Cottae*: Holzkörper dünn oder sehr dünn (1—3½ *cm* im Durchmesser).
   Randbündel . . 2
   Innere Leitbündel 2—3
   mit Gummigängen.
2. *Ps. Gutbieri*: Holzkörper dünn oder sehr dünn (1—3 *cm* im Durchmesser).
   Randbündel . . 2
   Innere Leitbündel 8—12
   mit Gummigängen.
3. *Ps. chemnitziensis*: Holzkörper dünn (2—3 *cm* im Durchmesser).
   Randbündel . . 2
   Innere Leitbündel 8—10; auch die innersten meist breit.
   ohne Gummigänge.
   f. plicatus: Die innersten Leitbündel schmal.

[1]) Siehe oben S. 112 u. f.

b) Blattbündel schleifen- oder winkelförmig ausspringend.

4. *Ps. Ungeri.*

Randbündel . . 2

Innere Leitbündel 8—10; breit genähert, meist 1 drehrundes Bündel in der Mitte. Blattbündel schleifenförmig ausspringend.

f. flaccus: Innere Leitbündel entfernt; ein oder mehrere mittelständige schmal oder fadenförmig. Blattbündel und Ersatzbündel winkelförmig ausspringend

mit Gummigängen.

B. Holzkörper mit Sklerenchymscheide.

5. *Ps. tenuis*: Scheide sehr dünn, scharf begrenzt.

Randbündel . . 2

Innere Leitbündel 3—6

mit Gummigängen.

6. *Ps. Levyi*: Scheide stark, scharf begrenzt.

Randbündel . . 2

Innere Leitbündel 2—4; entfernt.

7. *Ps. musaeformis*: Scheide gewöhnlich, scharf begrenzt.

Randbündel . . 2

Innere Leitbündel 7—8 (10); Blattbündel nach innen von Sklerenchym umzogen.

f. carbonifer: Randbündel 2; innere Leitbündel 6.

f. scolecolithus: Randbündel 2; innere Leitbündel 7—8; Blattbündel innen nicht von Sklerenchym umschlossen.

8. *Ps. spuriovaginatus*: Scheide schwach, oft unterbrochen.

Randbündel . . 2

Innere Leitbündel 9 breite und 1 schmales in der Mitte. Blattbündel nach innen mit undeutlicher Sklerenchymscheide.

9. *Ps. simplex*: Scheide vielgestaltig, oft verwachsen oder undeutlich. — Äußere Ersatzbündel sehr breit, geradlinig; Blattbündel noch breiter, flach gewölbt, mit stark eingeschlagenen Rändern.

Randbündel . . 2

Innere Leitbündel 12—13, selten nur 9—10

mit Gummigängen.

f. simplex: Scheide vor dem Blattbündel fehlend; seitlich dünn; nach außen verwachsen.

Randbündel . . 2

Innere Leitbündel 12—13, selten nur 9; die mittelständigen viel schmäler.

f. Brongniarti: Scheide vor dem Blattbündel stark; seitlich ?

Randbündel . . 2

Innere Leitbündel etwa 13, die mittelsten mehreremal schmäler.

f. inermis: Scheide vor dem Blattbündel deutlich, seitlich fehlend.

Randbündel . . 2

Innere Leitbündel 10—12, gleich breit; nur eins oder wenige in der Mitte schmal.

f. integer: Scheide vor dem Blattbündel fehlend; seitlich dünn, nach außen verwachsen.

Randbündel . . 2

Innere Leitbündel 13, gleich breit.

f. conjugatus: Scheide vor dem Blattbündel dick, dicht; seitlich dick, aber nach außen verwaschen.

Randbündel 2; dick.

Innere Leitbündel fast gleich breit.

II. Vierzeilige, Tetrastichi.

a) Blätter spiralig: Auf dem Querschnitt des Holzkörpers 4 Blattbündel, je 2 weiter entwickelt, als die 2 anderen.

10. *Ps. pusillus*: Holzkörper dünn, $2^1/_2$ *cm* im Durchmesser.
Randbündel 4 (zum Teil mit Blattbündeln verwachsen).
Innere Leitbündel 5, je 2 verwachsen; 1 fadenförmiges Bündel in der Mitte.
Parenchym dicht; mit Gummigängen.

11. *Ps. speciosus*: Holzkörper mittelstark, 5—6 *cm* dick; Blattbündel 4, zwei noch innerhalb der Scheide, zwei frei (nur 1 erhalten).
Randbündel 4 (nur 2 erhalten).
Innere Leitbündel 3—4 (zwei hakenförmig, zwei zu einem gefalteten verwachsen?)
Parenchym lückig; keine Gummigänge.

12. *Ps. asterolithus*: Holzkörper mittelstark, $4^1/_2$ *cm* im Durchmesser.
Randbündel 4, meist mit Ersatzbündel seitlich verwachsen; Blattbündel 2, Ersatzbündel 2.
Innere Leitbündel 7, breit, entfernt.
Parenchym lückig; keine Gummigänge.

13. *Ps. brasiliensis*: Holzkörper stark, $10^1/_2$ *cm* im Durchmesser.
Randbündel 4, Blattbündel 2 und 2 Ersatzbündel im Leitbündel 15 breitere und viele schmälere.
Parenchym dicht; mit Gummigängen.

14. *Ps. arenaceus*: Holzkörper mittelstark, 6 *cm* im Durchmesser.
Randbündel 4.
Innere Leitbündel wenige, breit.

b) Blätter wirtelig: Auf dem Querschnitt des Holzkörpers alle 4 Blattbündel gleich weit entwickelt.

15. *Ps. quadrangulus*: Holzkörper dünn, 3—4 *cm* im Durchmesser.
Randbündel 4, Blattbündel 4.
Innere Leitbündel breitere 12 und 1—3 sehr schmale genähert.
Parenchym dicht; keine Gummigänge.

III. Drei-, fünf- und mehrzeilige, Polystichi.

A. Blätter spiralig: Auf dem Querschnitt des Holzkörpers Blattbündel ungleich weit entwickelt.

a) Blätter dreizeilig.

16. *Ps. Weberi*: Holzkörper 3—4 *cm* im Durchmesser.
Randbündel 3.
Innere Leitbündel 2—3, eins sehr breit, fast ringförmig geschlossen; darin 1—2 schmale oder rundliche mittelständige.
Parenchym dicht.

b) Blätter fünfzeilig.

17. *Ps. punctatus*: Holzkörper $4^1/_2$ *cm* im Durchmesser.
Randbündel 5.
Innere Leitbündel 4—5, 3 sehr breite und 1—2 sehr schmale mittelständig.
Parenchym dicht; mit Gummigängen.

18. *Ps. helmintholithus*: Holzkörper 4—6 *cm* im Durchmesser.
Randbündel 5, keine Sklerenchymplatten zwischen Randbündeln und inneren Leitbündeln.
Innere Leitbündel 6—8: 6 breite Bündel in 2—3 Kreisen, öfter noch ein paar rundliche mittelständige.
Parenchym dicht; ohne Gummigänge.

19. *Ps. Haidingeri:* Holzkörper 4—6 *cm* im Durchmesser.
Randbündel 5, keine Sklerenchymplatten zwischen Randbündeln und inneren Leitbündeln.
Innere Leitbündel 9—10, 3—5 breite, 5—6 schmälere, zum Teil rundliche mittelständige.
Parenchym lückig; ohne Gummigänge.

20. *Ps. Demolei:* Holzkörper 5—7 *cm* im Durchmesser.
Randbündel 5, Sklerenchymplatten zwischen Randbündeln und inneren Leitbündeln.
Innere Leitbündel 7—13, 2—4 sehr breite, 4—5 ziemlich breite, mehrere schmale.
Parenchym lückig; ohne Gummigänge.
f. espargeollensis: dickerer Stamm als der vorige; alle Teile größer.

21. *Ps. coalescens:* Holzkörper 6—10 (?) *cm* im Durchmesser.
Randbündel 5, von den inneren hier und da durch Sklerenchymscheiden geschieden.
Innere Leitbündel 15 und mehr genähert, dünn, deren äußere sehr breit, fast ringförmig das Innere umgeben; dann schmäler in etwa 6 konzentrischen Umgängen.
Parenchym dicht; keine Gummigänge.
f. munitus: innere Leitbündel von den Randbündeln wie voneinander durch Sklerenchymstreifen geschieden.

22. *Ps. spissus:* Holzkörper 5—6 *cm* im Durchmesser.
Blattbündel tief rinnig.
Randbündel 5, von den inneren durch Sklerenchymplatten geschieden.
Innere Leitbündel 15—18, genähert, in 5 Umgängen.
Parenchym dicht; keine Gummigänge.
c. Blätter achtzeilig.

23. *Ps. Klugei:* Holzkörper 5 *cm* im Durchmesser, mit Sklerenchymscheide (?), zwischen den inneren Leitbündeln Sklerenchymplatten.
Randbündel 8.
Innere Leitbündel 30 und mehr, die äußeren in zwei Umgängen zu acht breiter, die mittelständigen sehr schmal.
Parenchym dicht; keine Gummigänge.
d. Blätter stehen weit voneinander entfernt; Zeilen nicht bestimmbar; auf jedem Querschnitt des Holzkörpers höchstens ein Blattbündel.

24. *Ps. radiatus:* Holzkörper dick.
Leitbündel zahlreich, gedrängt.
Parenchym dicht; ohne Gummigänge.

25. *Ps. Putoni:* Holzkörper dick.
Leitbündel wenige, weit voneinander abstehend.
Parenchym dicht; mit Gummigängen.

B. Blätter wirtelig: Blätter in alternierenden Wirteln.
a. Blätter sechszeilig.

26. *Ps. Freieslebeni:* Holzkörper 8—9 *cm* im Durchmesser, mit 3 Blattbündeln im Querschnitt.
Randbündel?
Innere Leitbündel etwa 18 in 6 Kreisen.
Parenchym —? Gummigänge —?
f. triquetrus: Holzkörper 5 *cm* im Durchmesser mit 3 Blattbündeln im Querschnitt.
Randbündel 3.
Innere Leitbündel etwa 10 meist breit, einige mittelständig, sehr schmal bis rundlich.
Parenchym dicht; keine Gummigänge.
b. Blätter 10 und mehrzeilig.

27. *Ps. cinctus:* Holzkörper 6 *cm* im Durchmesser, von der Sklerenchymscheide rings eingeschlossen. Blätter 10zeilig.

Blattbündel 5 in tief eingesenkten Buchten.

Randbündel 10; je zwei zu einem breiten Bande verbunden, daher scheinbar nur 5.

Innere Leitbündel etwa 20, breit, nur wenige mittelständige schmal oder rundlich.

Parenchym dicht; keine Gummigänge.

28. *Ps. procurrens:* Holzkörper 6 *cm* im Durchmesser, von der Sklerenchymscheide rings eingeschlossen. Blätter 10zeilig; Blattbündel in weit ausspringenden Kanten des Holzkörpers.

Randbündel 10; mehrere miteinander verbunden, daher scheinbar nur 5—7.

Innere Leitbündel 12—24; mittelständige sehr schmal.

Parenchym dicht; ohne Gummigänge.

29. *Ps. pictus:* Holzkörper 4 *cm* im Durchmesser. Sklerenchymscheide um die Blattbündel unterbrochen. Blätter 10zeilig.

Randbündel 10; je zwei zu einem breiten Bande verbunden, daher scheinbar nur 5.

Innere Leitbündel 20, die innersten ganz schmal bis rundlich.

Parenchym dicht; mit Gummigängen.

30. *Ps. Faivrei:* Holzkörper 10 *cm* im Durchmesser. Sklerenchymscheide vor den Randbündeln geschlossen, vor den Blattbündeln zum Teil unterbrochen. Blätter 10zeilig.

Randbündel 10, alle frei.

Innere Leitbündel etwa 30, sehr locker gestellt in 5—6 Kreisen; mittelständige schmal bis rundlich.

Parenchym dicht; ohne Gummigänge.

f. Bureaui: Holzkörper stärker, sonst wie bei *Ps. Faivrei.*

[*Ps. rhomboidalis:* Querschnitt des Blattbündels eine oben offene Raute.]

31. *Ps. bibractensis:* Holzkörper 10—15 *cm* im Durchmesser. Sklerenchymscheide ringsum geschlossen. Blätter 12zeilig.

Randbündel 12, alle frei.

Innere Leitbündel 40—60, in 6 Kreisen; genähert; mittelständige zahlreich, schmal.

Parenchym dicht; ohne Gummigänge.

32. *Ps. infarctus:* Holzkörper 11 *cm* im Durchmesser. Sklerenchymscheide v o r d e n R a n d b ü n d e l n u n t e r b r o c h e n. Blätter 14zeilig.

Randbündel 14, alle frei.

Innere Leitbündel über 80 (die mit vielen miteinander verbundenen einzeln gezählt), in neun konzentrischen Kreisen, breit, nur eine Anzahl mittelständiger rundlich; gedrängt.

Parenchym dicht; keine Gummigänge.

f. Landrioti: Holzkörper 13 *cm* im Durchmesser. Sklerenchymscheide v o r d e n R a n d b ü n d e l n unterbrochen. Blätter 10zeilig.

Randbündel 10.

Innere Leitbündel etwa 60.

Parenchym dicht; ohne Gummigänge.

f. polyphyllus.

ad 9. *Ps. simplex, f. inermis* S t e n z e l ist begründet auf ein Stammstück der städtischen Sammlung zu Chemnitz, walzig mit ungleichförmiger Außenfläche, 5—6 *cm* dick, 5 *cm* hoch, in zwei Platten quer durchgeschnitten, so daß wir eine untere, eine mittlere und eine obere Querfläche miteinander vergleichen können. Es ist braun verkieselt, das Parenchym des Holzkörpers dunkel, stellenweise schwarz, mit zahllosen kleinen Löchern, die ebenso wie die vielen Verbiegungen und Bruchstellen erkennen lassen, wie erhebliche Veränderungen das Stammstück durch die Aufweichung bei der Verkieselung erfahren hat.

Gleichwohl ist der Bau des 4 *cm* breiten und 3 *cm* tiefen Holzkörpers unverkennbar.

Am meisten haben die beiden, sehr breiten, hier und da zerbrochenen und durch größere und kleinere Lücken unterbrochenen Randbündel gelitten, doch läßt sich ihr Verlauf noch sicher genug verfolgen.

Sie umschließen, meist verbogene, sonst aber gut erhaltene paarweise parallele Innenbündel. Auf der unteren Fläche sieht man 9 sehr breite Bündel und um die Mitte zerstreut 3 fadenförmig; auf der mittleren und oberen nur 6—7 fast gleich breite, außerdem aber noch 3—6 schmälere, selbst fadenförmige Bündel, die wir zusammen 8—9 sehr breiten gleich setzen können. Diese Beobachtung zeigt, was wir schon bei *Ps. Ungeri flaccus* angeführt haben, daß es ganz unzulässig ist, einen Artunterschied darauf zu gründen, ob die Mitte des Holzkörpers von einem fadenförmigen oder einem winklig oder klammerförmig gefalteten oder von mehreren zerstreuten Leitbündeln eingenommen wird.

Die geringe Dicke und wohl in Zusammenhang damit die vielfachen Verbiegungen der bis gegen die Mitte hin fast gleich breiten inneren Leitbündel, wie das Fehlen von Verwachsungen derselben untereinander, geben der *f. inermis* trotz sonstiger wesentlicher Übereinstimmung ein von der *f. simplex* abweichendes Ansehen. Dagegen verbinden sie mit dieser die außerordentlich breiten, ursprünglich gewiß geraden äußeren Ersatzbündel, die jetzt infolge des Zusammensinkens des Holzkörpers in mehreren Falten aus- und eingebogen sind. Auf der untersten Fläche, dann wieder auf der gegenüberliegenden Seite der mittleren und auf der der ersten gleich liegenden der oberen Fläche verbindet ein solches Band, das man schon als Blattbündel bezeichnen könnte, die Ränder je zweier Randbündel; an den diesen gegenüberliegenden Seiten in der Regel eins als Ersatzbündel die zweier Innenbündel. Nur die schmäleren um die Mitte gelagerten lassen keine Regel in ihrer Anordnung erkennen.

Von freien Blattbündeln ist auf der mittleren Fläche eines vollständig erhalten, mehrfach aus- und eingefaltet; beide Ränder verdickt und abgerundet liegen noch ganz nahe neben denen der Randbündel, von denen sie sich eben getrennt haben. Von den schon weiter nach außen gerückten sind nur hier und da Bruchstücke erhalten.

Die Sklerenchymscheide ist so schwach entwickelt, daß wir die Form deshalb »*inermis*« genannt haben. Vor den Randbündeln fehlt sie ganz; nur innerhalb der bereits freien Blattbündel ziehen sich zuweilen schmale Streifen hin, öfter noch an den Rändern verwaschen. Das wenige Zentimeter dicke Rindenparenchym ist von sehr dünnen Innenwurzeln durchzogen, deren Inneres fast immer zerstört ist, mit zweifelhaften Gummigängen.

ad 10. *Ps. pusillus* Stenzel. Wie wir die Reihe der zweizeiligen *Psaronien* mit *Ps. Cottae* angefangen haben, da dessen Holzkörper der dünnste und am einfachsten gebaute unter allen *Psaronien* ist, so beginnen wir die der vierzeiligen mit der ihm darin ähnlichen und nach ihrer Kleinheit »*pusillus*« benannten Art.

Das vollständigste Stück befand sich seinerzeit in der Sammlung des verstorbenen Herrn Lemkart in Chemnitz. Es war ein stattlicher, oben und unten flach abgeschlagener, fast $1^1/_2$ *kg* schwerer Block, der eine 5—6 *cm* hohe, stumpf dreikantige Platte von 13 bis 14 *cm* Seitenkante darstellte, die zum größten Teile aus freien Wurzeln [IV, 37, *R*], zum kleineren aus der nur mäßig starken Rinde mit Innenwurzeln [*r*] und dem nur 2 *cm* — im frischen Zustande wohl $2^1/_2$ *cm* dicken Holzkörper besteht. Dieser ist von einer zusammenhängenden dünnen Sklerenchymscheide umzogen, in der man links [1]) ein mehrfach gefaltetes Blattbündel sieht, das noch mit den beiden angrenzenden Randbündeln verschmolzen ist. Ihm gegenüber, von diesen frei aber noch innerhalb der Sklerenchymscheide, ein zweites Blattbündel, das, wie so oft, drei Seiten eines nach innen offenen Rechteckes darstellt. Mit diesen gekreuzt sind: unten in einer tiefen Bucht der Sklerenchymscheide die zwei Seitenteile eines schon aus dem Holzkörper ausgetretenen Blattbündels, dessen äußerer Bogen bereits abgetragen ist und ihm gegenüber, oben, eine schmale, nach innen offene Bucht der Scheide, durch die tiefer unten sicher ein viertes Blattbündel in die Rinde ausgetreten war, in der man noch undeutliche Reste (*x*) ziemlich weit nach außen verfolgen kann. Auch ist die Umgebung derselben, wie man nicht anders erwarten konnte, frei von Innenwurzeln oder arm an

[1]) Da die Teile nicht wohl haben einzeln bezeichnet werden können, ist im folgenden ihre Lage so vorausgesetzt wie Fig. 37.

diesen. Wir sehen daher schon in diesem einfach gebauten Holzkörper 4 Zeilen von Blattbündeln, von denen selbst je 2 einander gerade gegenüber stehende nicht ganz gleich hoch entsprungen sind, ebensowenig wie die mit ihnen gekreuzten, die aber erheblich höher oder tiefer als das erste Paar vom Holzkörper ausgegangen sind. Die Blattstellung war demnach, wie bei der großen Mehrzahl der vielzeiligen Stämme, spiralig mit der Div. $^1/_4$.

Außer den zwei schon erwähnten, mit dem Blattbündel links noch zusammenhängenden breiten Randbündeln finden wir noch ein schmäleres rechts oben, ein ziemlich breites, rechts unten, im ganzen also vier.

Innere Leitbündel dagegen finden wir nur, wenn ein sehr breites hufeisenförmig gebogenes und darin ein kleines gefaltetes, von jeden wohl als ein an einer Seite verbundenes Paar angesehen werden kann, zu denen dann als ein 3. (oder 5.) ein beinahe fadenförmiges Bündel in der Mitte hinzukommt.

Die sehr ungleich dicke Rinde enthält innen zahlreiche, gedrängte, dünne Innenwurzeln, die bis zu ihrer Außenfläche oft bis zu 1 *cm* im Durchmesser anwachsen, so daß manche von den noch dickeren freien Wurzeln (*R*) nur wenig übertroffen werden. Alle zeigen schlecht erhaltene Gummigänge, einen kleinen, meist zerstörten Holzkörper mit 6 kurzen Strahlen.

Wir ziehen hierher eine kleine Platte aus Göpperts Sammlung, die einen fast vollständigen Holzkörper enthält, von 28 *mm* Länge und 18 *mm* Breite. Von der dünnen Sklerenchymscheide umschlossen liegt an der einen Seite ein breites, mehrfach gefaltetes freies Blattbündel, ihm gegenüber ein ähnliches, vor dem die Scheide bereits kurz unterbrochen ist. Das mit ihm gekreuzte Blattbündelpaar ist noch weiter zurück. Das eine Blattbündel ist noch mit dem einen Rande mit dem benachbarten Randbündel verbunden, an dem anderen Rande ist es wegen einer kleinen Lücke nicht ganz sicher; das ihm gegenüber liegende bildet mit seinen Randbündeln ein außerordentlich breites Band, das die Bucht der Scheide, aus der wohl weiter unten ein Blattbündel ausgetreten ist, umzieht. Alle diese Merkmale bringen das Stück unter die vierzeiligen *Psaronien*, daß nur drei sehr breite und zwei schmale innere Leitbündel da sind, schließt es an *Ps. pusillus* an.

Das einst als *Ps. Putoni*, β *saxonicus* beschriebene Stück[1]) zeigt zwar nur drei Blattbündel im Querschnitt, vor der sehr langen Strecke der Sklerenchymscheide zwischen *a* und *c* liegen die Wurzeln in der Rinde so zerstreut, wie wir das oft über dem Austritt eines Blattbündels finden, so daß diese vielleicht doch vierzeilig waren. Bei der außerordentlich unvollständigen Erhaltung aller Teile tun wir aber am besten, diese ganze Form überhaupt zu streichen.

Vielleicht gehört hierher die prachtvolle 5 *cm* dicke Platte von 30 bis 37 *cm* Durchmesser im k. k. Naturhistorischen Hofmuseum in Wien, die fast ganz aus Rinde mit inneren Wurzeln und freien Wurzeln besteht und eine große Ähnlichkeit mit dem von Corda als *Ps. Zeidleri* abgebildeten Stücke zeigt.[2]) Hier aber liegt inmitten dieser Wurzelmassen ein Holzkörper stark breit gedrückt, bis 4 *cm* lang und nur 1 *cm* breit, mit 2 Randbündeln und 3—4 inneren Leitbündeln, von den zwei einander gegenüber liegenden Blattbündeln ist eines bereits frei, das andere noch mit einem Randbündel verbunden. Beide liegen noch innerhalb der dünnen Sklerenchymscheide. Nach diesen Merkmalen müßten wir das Stück zu *Ps. tenuis* rechnen. Bei diesem sind aber die inneren Wurzeln gleichmäßig verteilt, dünn, mit starker Sklerenchymscheide; die äußeren nicht viel dicker als die inneren und auch von den freien Wurzeln nur wenig übertroffen. Bei der Wiener Platte sind innere wie freie Wurzeln sehr ungleichmäßig verteilt, bald locker, bald dicht gestellt, mit dünner Sklerenchymscheide, die stärkeren 5—8 *mm* dick, darin weichen sie aber so sehr von *Ps. tenuis* ab, als sie sich dem *Ps. pusillus* annähern und es erscheint nicht schlechthin ausgeschlossen, daß im Holzkörper außer den zwei einander gegenüberliegenden Blattbündeln an den breiten Seiten noch zwei, mit diesen gekreuzte Blattbündel entsprungen sind, so tief unter den beiden ersteren, daß sie die Querfläche der Platte nicht mehr erreicht haben. Dafür sprechen auch die an diesen Stellen liegenden wurzelarmen oder sehr dicke Wurzeln führenden Gegenden, wie wir solche oberhalb des Ursprungs vom

---

[1]) Stenzel in Göppert, p. F., S. 61, Taf. V, Fig. 7.
[2]) Corda: Beitr., Taf. X Z.

Blattbündel wiederholt beobachten. Dann würde das Stück ein *Ps. pusillus* sein; und es wäre von großem Interesse an den übrigen Platten, welche von demselben Block unzweifelhaft geschnitten worden sind, zu beobachten, ob diese Vermutung sich bestätigt.

ad 15. *Ps. quadrangulus*: Stenzel [IV. 35, 36]. Die Art ist gegründet auf ein länglich rundes, 6—8 *cm* breites, $3\frac{1}{2}$ *cm* hohes Stammstück der städtischen Sammlung in Chemnitz; außen durch die herablaufenden Innenwurzeln mit starken Längsrippen gefurcht; meist hell braungrau verkieselt, das Sklerenchym weiß, die Leitbündel hellbraun. Der etwa 3 *cm* dicke Holzkörper ist durch drei tiefe und eine flache Bucht so gegliedert, daß aus seiner mittieren Masse vier breite Rippen weit ausspringen, deren jede in ihrer Kante ein noch von der dünnen Sklerenchymscheide umgebenes Blattbündel [35, f^1—f^4] führt oder, wo sich dieser bereits geöffnet hat [36, f^1—f^4], die zwei freien Schenkel eines solchen, deren Verbindung dann meist schon durch das Rindenwachstum weggeführt ist. Die ganz außerordentliche Zartheit der Blattbündel läßt darauf schließen, daß die Blätter des Stämmchens klein und zierlich gebaut gewesen sind.

Sowohl die je vier noch von der Scheide umschlossenen, als auch die bereits aus ihr ausgetretenen Blattbündel eines Querschnitts befinden sich auf fast gleicher Stufe der Ausbildung; die vierzeiligen Blätter gehören daher nicht wie bei den übrigen Arten der Gruppe einer Spirale an, sondern echt vierzähligen Wirteln.

Sie wechseln ab mit vier sehr breiten Randbündeln [p^1—p^4], auf die nach innen ein Kreis von vier inneren Leitbündeln, je eins hinter einem Blattbündel, folgt, denen sich noch gegen acht breite und um die Mitte noch 1—3 sehr schmale innere Leitbündel anschließen. So zeigt der Holzkörper einen sehr regelmäßigen Bau, der ursprünglich noch deutlicher hervorgetreten sein mag, als der Kranz von Rand- und Blattbündeln, wie die starke Einkrümmung der ersteren vermuten läßt, durch einen breiten Raum von den inneren Leitbündeln getrennt gewesen ist [35, bei p^2].

Eine etwa 2 *cm* dicke Rinde mit gedrängten, sehr dünnen, 1—2 *mm* dicken inneren Wurzeln, von denen fast durchwegs nur die Sklerenchymscheide erhalten ist, umgibt gleichmäßig den Holzkörper.

Wo dessen Parenchym erhalten ist, ist es dicht und ohne Gummigänge.

ad 25—27. *Ps. punctatus*, Stenzel [III. 25—27]. Das der Art zu Grunde liegende Stück [III. 25, 26] stammt von Hilbersdorf bei Chemnitz und bildete einen Teil der Leuckart'schen Sammlung. Es war dunkel verkieselt. Holzkörper $4\frac{1}{2}$ *cm* im Durchmesser.

Um die Mitte liegen zwei ganz schmale innere Leitbündel oder ein etwas breiteres gegabeltes. Um diese geschlungen drei sehr breite innere Leitbündel, von denen zwei mit Ersatzbündeln [sp^1, sp^2] verbunden schon nahe vor die Stellen gerückt sind, wo die Blattbündel sich von ihnen nach außen ablösen sollen.

Von den fünf Randbündeln [p^1—p^5] ist eins frei [p^1], die anderen einerseits oder beiderseits mit Blattbündeln verbunden, auf so verschiedene Stufen der Ausbildung, daß die Blätter in fünfzeiligen Spiralen gestanden haben müssen. Ebenso verschiedene Stufen zeigen die Blattbündel [f^1—f^3], von denen zwei vor den Ersatzbündeln [sp^I, sp^{II}] die Ebene des Querschnittes nicht erreicht haben.

Das Parenchym ist dicht in den Innenwurzeln, oft mit einem zierlichen Kranz von Gummigängen, nach dem die Art benannt worden ist.

ad 26. *Ps. Freieslebeni*, Corda [IV. 34, *a*].

1845. *Ps. Freieslebeni* Corda: Beitr., S. 96.

1854. » » » Stenzel. Starst., S. 862; Taf. 34, Fig. 3 (auf ⅔ verkleinerte Kopie nach Gutbier. — (Ob *Ps. pulcher* Corda hierher gehört, ist wegen der unvollständigen Erhaltung unsicher).

1843. *Caulopteris Freieslebeni* Gutbier: Über einen fossilen Farnstamm aus dem Zwickauer Schwarzkohlengebirge.

Der bisher als scheidenlos betrachtete, meist als Achse bezeichnete Holzkörper der Art ist in Wirklichkeit von einer zusammenhängenden wie alle noch erhaltenen Gewebe in Kohle verwandelten Sklerenchymscheide umgeben. Das ist an den meisten Stellen nicht wohl zu erkennen, weil sie mit den ihr außen anliegenden inneren Wurzeln eine scheinbar einfache Kohlenrinde um den Holzkörper bildet. An einzelnen Orten ist doch zwischen beiden ein mit Schieferton erfüllter Spalt frei geblieben; und ganz unverkennbar ist die Scheide an einigen besser erhaltenen Blattansätzen [IV. 34 *a*]. Hier liegt das nach innen offene Blattbündel [*f*, *f*] mit seinen wie gewöhnlich eingerollten Rändern in einer tiefen Bucht, die seitlich und nach innen von einer dünnen Kohlenplatte [*v*] umzogen wird, die offenbar einen Teil der Sklerenchymscheide darstellt und die bei dem von uns zu derselben Art gezogenen *f. triquetrus* verkieselt und überall von den anderen Gewebteilen wohl unterschieden ist.

ad 26. *Ps. Freieslebeni, f. triquetrus.* Stenzel [IV. 34 *b*]. Von dieser Form lag ein stattliches, länglich-rundes, 10 und 15 *cm* breites, in drei übereinander liegend, etwa 3 *cm* hohe Scheiben zerschnittenes Stammstück in der Leuckartschen Sammlung in Chemnitz, weißlich-grau verkieselt.

Inmitten einer $2^1/_2$—7 *cm* dicken, von dünnen (1 bis gegen 4 *cm*) Innenwurzeln dicht durchzogenen Rinde liegt der 3—4 *cm* dicke Holzkörper, dreikantig mit gewölbten Seiten. Nur die eine derselben ist eingedrückt, eben [zwischen v^1 und v^3], auf mehreren Querschnitten mit einem Längsriß, durch welchen ein ganzes Rindenstück mit inneren Wurzeln bis in den Holzkörper hineingedrückt worden ist.

In diesem liegen unter der ziemlich starken, sonst überall geschlossenen Sklerenchymscheide drei breite Randbündel mit eingeschlagenen Rändern, zwischen denen drei bald mehr, bald weniger gut erhaltene Blattbündel die Ecken des Holzkörpers einnehmen. Weniger regelmäßig folgen dann etwa 10 innere Leitbündel: 8 breite, verbogene und mehrfach zerbrochene und um die Mitte 2—3 schmale und sehr schmale rundliche Bündel.

Das Parenchym ist dicht, ohne Gummigänge.

In allem fast, was sich bei der verschiedenen Erhaltungsweise hat ermitteln lassen, stimmt *Ps. triquetrus* mit *Ps. Freieslebeni* überein. Ob bei ihm auch alternierende Blattwirtel vorhanden waren, habe ich nicht mit Bestimmtheit ermitteln können. Die einzige erhebliche Verschiedenheit bleibt eigentlich, daß der Holzkörper von *Freieslebeni* $8^1/_2$ *cm*, der von *triquetrus* nur gegen 4 *cm* beträgt. Hier ist wohl ein Umstand zu beachten: bei den verkohlten Stämmen der *Psaronien* scheinen die früh leer gewordenen Hohlräume zwischen den derberen Geweben alsbald mit dem feinen Tonschlamm vollgeflossen zu sein und sich diese daher oft in ihrer gegenseitigen Entfernung und Lage behauptet zu haben, während sie bei der lang andauernden Verkieselung so ausgelaugt und aufgeweicht wurden, daß sie leicht zusammenfielen und dabei mannigfache Verbiegungen und Faltungen erfuhren. Das würde die Veränderungen der inneren Leitbündel der *f. triquetrus* erklären, wie auch die ebene eine Außenfläche und die weit herausragenden spitzen Kanten [IV. 34, v^1—v^2—v^3] würde aber nicht ausreichen, den geringen Umfang des ganzen Holzkörpers herzuleiten; denn dieser betrug nach der Sklerenchymscheide mit Einrechnung ihrer Falten gegen 160 *mm*, der Durchmesser danach 5 *cm*, während der des *Ps. Freieslebeni* aus dem Kohlenschiefer 8—9 *cm* beträgt. Diese Verschiedenheit veranlaßt uns *Ps. triquetrus* jedenfalls als eigene Form unter *Ps. Freieslebeni* aufzuführen.

ad 29. *Ps. pictus* [I. 7]. Länglich-runde, 8 *cm* lange, 5 *cm* breite, $1^1/_2$ *cm* hohe Scheibe aus der Leuckartschen Sammlung in Chemnitz, beiderseits poliert. Sie ist dunkel verkieselt, zum Teil fast schwarz, so daß sich die zwischen den etwas helleren Leitbündeln zahlreich zerstreuten größeren Gummigänge, die schwarz, weiß, bläulich-weiß, vereinzelt selbst rot ausgefüllt sind, wirkungsvoll abheben und der Art ihren Namen gegeben haben. Der nur 4 *cm* dicke Holzkörper zeigt im Querschnitt einen Wirtel von 5 nur so wenig verschiedenen Blattbündeln [f^1—f^5], daß wir sie nur einem fünfzähligen Wirtel zuzählen können. Die mit ihnen abwechselnden Randbündel [p^1—p^5] zeigen so deutliche Buchten und Falten [so besonders p^3], daß wir darin wohl die Anlage zu einem mit dem ersten alternierenden Blattwirtel sehen dürfen, die Blätter daher in 10 Zeilen gestellt waren.

An einer Seite war die Sklerenchymscheide des Holzkörpers eingedrückt, gespalten und durch den Riß ein Rindenstück mit inneren Wurzeln eingedrungen, das nun, ähnlich wie wir dies bei *Ps. triquetrus* gefunden haben [IV. 34 *l* bei p^3], innerhalb der Sklerenchymscheide liegt.

Diese ist vor und hinter den Blattbündeln unterbrochen.

Die inneren Leitbündel sind zahlreich, etwa 20, in mehreren Kreisen um die Mitte gelagert; nur die mittelsten 4—5 ganz schmal oder rundlich, die übrigen breit.

Das Parenchym ist dicht, mit Gummigängen.

Die zahlreichen dünnen, gleichförmigen Innenwurzeln sind gedrängt.

Zur Erklärung der Abbildungen.

Die römischen Ziffern in eckigen Klammern [ ] geben die Tafel an, die arabischen die Figur.

Bei den einzelnen Figuren bezeichnet überall:

c: die Rinde des Stammes (*cortex caudicis*);

f, *F*: Blattbündel (*fasciculi ductores in folia exeuntes*);

i: innere stammeigene Leitbündel (*fasc. duct. interiores*);

p: Randbündel (*fasc. duct. periphericī*);

r: Innenwurzeln, innere Wurzeln, Rindenwurzeln (*radices in cortice inclusae*);

R: freie Wurzeln (*radices liberae*);

sp: Ersatzbündel (*fasc. duct. supplentes*);

v: Sklerenchymscheide um den Holzkörper sowohl des Stammes wie der Wurzeln (*vagina sclerenchymatica*).

Alle Abbildungen sind nach geschliffenen oder polierten Flächen der Originale gezeichnet, bei auffallendem Licht, da mir Dünnschliffe nicht zu Gebote standen; die meisten in natürlicher Größe ($\frac{1}{1}$), wenige mit Hilfe von Lupe und Zirkel schwach vergrößert, wie [II, 16, 17] zweimal ($\frac{2}{1}$), [VII. 56] hundertmal ($\frac{100}{1}$), einzelne verkleinert, wie [II. 19] der Raumersparnis wegen; auf den halben Durchmesser ($\frac{1}{2}$) [VI. 42] auf ein Viertel ($\frac{1}{4}$) wegen des zu großen Umfanges.

Ein brauchbares Hilfsmittel für die Vergleichung des Holzkörpers mancher Arten erhalten wir, wenn wir versuchen, aus den bei der Versteinerung namentlich durch die Auflockerung oder selbst Zerstörung innerer Gewebe des dadurch veranlaßten Zusammensinkens, Verbiegens und Zerbrechens anderer stark veränderter Teile das Bild derselben vor dieser Zeit, im frischen Zustande herzustellen.

Ich bin dabei von der Voraussetzung ausgegangen, daß die Sklerenchymscheide trotz aller Gestaltveränderungen ihre ursprüngliche Ausdehnung unverändert beibehalten hat. Alle einzelne Strecken derselben mißt man nun auf dem Querschnitt aus, zählt sie zusammen und nimmt an, daß der so erhaltene Umfang des Holzkörpers kreisrund war, mit Berücksichtigung der vermutlich beim Austritt der Blattbündel vorhandenen Buchten. In dem davon umschlossenen Raume verteilen sich nun Randbündel und innere Leitbündel nach ihrer wahrscheinlichen ursprünglichen Lage. Der Druck hat gewöhnlich nur in einer Richtung gewirkt. Hat er ein gekrümmtes Bündel vom Rücken her getroffen, so hat er es platt gedrückt, wie [III. 27, sp^{I}] in [III. 25, sp^{I}], die eingebogenen Ränder auch wohl tief nach innen gefaltet; wo er auf das gekrümmte Bündel von der Seite eingewirkt hat, ist es stärker nach innen gekrümmt, gefaltet wie [III. 25, sp^{II}] in [III. 25, sp^{II}], in mannigfacher Art, je nach der Lage des Bündels.

So rücken die bei der Versteinerung zusammengerückten Bündel in ihre anfängliche Entfernung auseinander, viele Krümmungen und Falten gleichen sich aus und nicht ohne einige Überraschung sehen wir den bis zur Unkenntlichkeit zusammengequetschten Stamm [II. 18], jetzt [II. 19] dem Sternbergschen Original von *Ps. musaeformis* so ähnlich, daß wir nicht mehr daran denken werden, beide zu trennen. Aber auch in dem Bau des Holzkörpers des vierzeiligen *Ps. asterolithus* [III. 28] wie des fünfzeiligen *Ps. punctatus* [III. 23] erhält man erst einen rechten Einblick, wenn man ihn in seiner ursprünglichen Gestalt wieder herzustellen versucht [III. 29 aus 28; III. 27 aus 25]. Gewiß wird es nicht bei jeder Einzelheit gelungen sein, das Richtige zu treffen; in die wesentlichen Punkten aber werden, wie ich hoffe, diese Bilder der Wirklichkeit entsprechen.

Die vorstehende Arbeit wurde der Redaktion von Frau Auguste Stenzel als nachgelassene Arbeit ihres, am 30. März 1905, im 79. Lebensjahre verstorbenen Gatten übergeben.

Da dieses letzte Werk K. Gustav Stenzels betreffs Text und Ausführung der von seiner Hand herrührenden Originalzeichnungen zu den Tafeln vollkommen und bis zum letzten Striche durchgeführt übergeben wurde, hielten wir es für angemessen, auch diese letzte Arbeit des verdienten Phytopaläontologen zu bringen, nachdem wir auch sein vorletztes, von der Fachwelt beifällig aufgenommenes Werk über »Fossile Palmenhölzer« (Beiträge zur Geologie und Paläontologie, Bd. XVI) publiziert hatten.

Da die Korrekturen von der Redaktion allein besorgt werden mußten, bitten wir etwaige Ungenauigkeiten zu entschuldigen.

Die Redaktion.

BEITRAG ZUR KENNTNIS DER KREIDE-ABLAGERUNGEN VON BUDIGSDORF[1] UND UMGEBUNG.

Von

Hans Wilschowitz.

(Mit 8 Textfiguren).

Die Anregung zu der nachfolgenden Arbeit bot mir ein Material, welches mir mein Freund Phil. Dr. Arthur Hruby vor den Sommerferien freundlichst zur Verfügung stellte, das er in der nächsten Umgebung seiner Heimat Budigsdorf aus Liebhaberei gesammelt hatte. Nachdem ich dasselbe bestimmt hatte, wurde in mir der Wunsch rege, auch die stratigraphischen Verhältnisse dieser Gegend kennen zu lernen und ich danke hiemit meinem hochverehrten Lehrer Herrn Prof. Dr. Viktor Uhlig, daß mein Wunsch zur Tat werden konnte sowie für viele gute Ratschläge und Behelfe während der Bearbeitung.

Die Grundlage meiner Arbeit bildet das große Werk E. Tietzes über »Die geognostischen Verhältnisse der Gegend von Landskron und Gewitsch«[2]) sowie dessen geolog. Karte 1 : 75.000. Zone 6, Col. XV. Die nachfolgende Arbeit soll als kleiner Beitrag zur geologischen Kenntnis des nördlichen Mährens gelten und ich hege die Hoffnung, daß vielleicht einige Details von bescheidenem Interesse sein werden.

Stratigraphischer Teil.

Das Gebiet, über welches diese Arbeit handelt, ist speziell die nordsüdlich verlaufende Tallinie Tattenitz, Budigsdorf, Triebendorf, Dittersdorf. Es liegt bereits hart am Ostrand des nordwest-mährischen Kreidegebietes. Etwa 4 *km* ostwärts von Budigsdorf taucht bereits kristallines Gebirge unter der Kreidedecke hervor und die direkte Auflagerung der Kreide auf dem Grundgebirge ist an schönen Aufschlüssen zu sehen.

Das Grundgebirge bilden hier am Ostrand krystallinische Schiefer, die E. Tietze als Wackengneis zusammenfaßt und sie sammt den mit ihnen häufig verknüpften Hornblendeschiefern als zu den azoischen Gebilden des Archaicums gehörig betrachtet. Bergingenieur Franz Kretschmer hat jedoch in seiner Arbeit über die nutzbaren Minerallagerstätten der archäischen und devonischen Inseln Westmährens (Jahrbuch der k. k. geol. Reichsanstalt 1902) durch Konstatierung einer Diskordanz dieser Schiefer zu dem weiter ostwärts erscheinenden granitischen Amphibol-Biotit-Gneiss den Nachweis gebracht, daß diese Wackengneisse E. Tietzes nichts anderes sind, als metamorphosierte Sedimente des Unterdevons, während die Hornblendeschiefer sich bei genauer Untersuchung als Uralitdiabase und deren Tuffe herausstellten.

Ein eigentümliches Verhalten zeigt das Rotliegende. Weiter westwärts in ansehnlicher Mächtigkeit unter der Kreidedecke anstehend, fehlt es am ganzen Ostrand und es geht daraus hervor, daß es hier

[1]) Bezirk Mähr.-Trübau.

[2]) Jahrbuch der k. k. geolog. Reichanstalt 1901.

vor Ablagerung der Oberkreide gänzlich denudiert wurde; denn, daß es auch am Ostrand vorhanden war, beweisen ganz bedeutende, unzweifelhafte Reste dieser Formation, die ich weiter südlich am Rücken des Kirchberges und ganz besonders deutlich (teilweise noch anstehend) am Fuße des Kirchberges im Petersdorfer Tal konstatieren konnte (s. Fig. 1 und 2). Diese Niveaudifferenz beweist auch, daß das Rotliegende hier bereits ein stark modelliertes Terrain vorfand, vielleicht dieselbe Talmulde, welche später die Oberkreide zum Absatz benutzte.

Ähnliche, aber noch kompliziertere Verhältnisse zeigt das Cenoman. Auch dieses fehlt, soweit bis jetzt erforscht ist, am Nordostrand der Mulde vollständig. Am Südostrand gegen Petersdorf taucht es unter dem Turon hervor, um dann weiter südwärts gegen Moletein die größte Mächtigkeit zu erreichen. Sehr interessante Verhältnisse der Lagerung zeigt es wiederum auf der Hügelreihe Sauberg-Kirchberg.

Am Südhang des Sauberges findet man in dem bekannten Steinbruch sowohl Perutzer als auch Korytzaner Schichten in bedeutender Mächtigkeit angebrochen. Die Lagerung ist folgende: Zu oberst das

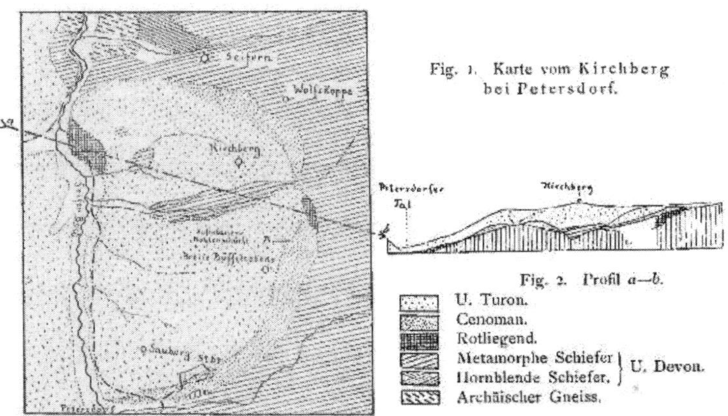

Fig. 1. Karte vom Kirchberg bei Petersdorf.

Fig. 2. Profil *a—b*.

U. Turon.
Cenoman.
Rotliegend.
Metamorphe Schiefer } U. Devon.
Hornblende Schiefer. } U. Devon.
Archäischer Gneiss.

Unter-Turon, darunter eine mächtige Bank (ca. 8 *m*) mürben Grünsandsteins, die Korytzaner Schichten mit unterlagernden grauen Tonen, unter diesen der Perutzer Quader an der Basis konglomeratisch mit unterlagernden Tonen und kohligen Letten. Von hier zieht sich das Cenoman an der Berglehne steil hinauf und ist in einer Höhe von ungefähr 540 *m* noch festzustellen, also beinahe 200 *m* über dem Talboden von Petersdorf, unter welchem es verschwindet. Ebenso fand ich unterstes Cenoman (stark eisenschüssige Quarzkonglomerate) am Fuße des Kirchberges (s. Fig. 1 und 2).

Vergleicht man nun diese Lagerungsverhältnisse mit dem Nordostrand, so kommt man zu der seltsamen Tatsache, daß hier das Turon um zirka 240 *m* tiefer liegt als das unterste Cenoman von Kirchberg. Zieht man nun noch das gänzliche Fehlen des Cenomans am Nordostrand in Betracht, so steht man hier vor einem Problem; das Nächstliegende ist nun, daß man die Möglichkeit eines Bruches in Betracht zieht, der in der Richtung des Sazawatales verläuft. Dafür spricht das gänzliche Fehlen des Cenoman und die ungewöhnlich mächtige Entwicklung des unteren Turon. Man müßte sich vorstellen, daß zur Zeit der Ablagerung des Cenoman der Nordostflügel der Mulden noch Festland war, daß er nach Ablagerung des Cenoman abgesunken und vom turonen Meer überflutet wurde. Was die variablen Niveauverhältnisse des Cenoman betrifft, so ist es ziemlich wahrscheinlich, daß man es hier mit einer Art Klippenfazies zu tun hat, wie sie Petraschek aus der sächsischen Kreide beschreibt. (Dr. Wilh. Petraschek: Studien über Faziesbildungen im Gebiete der sächsischen Kreideformation.) [1]) Es ist dort eine häufige Erscheinung, daß die älteren Schichten des Cenoman in einem höheren Niveau an der Klippe abgelagert wurden als die im weiteren Umkreis verbreiteten jungcenomanen Schichten.

Ein bezüglich seiner Zuordnung zum Cenoman oder Turon noch vielfach umstrittenes Schichtenglied bilden hornblendereiche, glaukonitische Sandsteine von variierender Korngröße, die in dieser Gegend den Plänerkalk des Unterturon unterlagern. Bisher wurde ihnen wenigstens hier noch wenig Beachtung geschenkt. E. Tietze erwähnt jedoch in seiner genannten Arbeit (Abschnitt: Die Gegend zwischen Triebendorf, Mähr.-Trübau, Kaltenlautsch und Mariakron) den Aufschluß im Triebendorfer Tale an der östlichen Talseite. Es heißt dort: »Über dem echten Pläner der tieferen Abteilung dieser Formation erscheint ein glaukonitisches Gestein, welches völlig dem Kalianassensandstein von Zwittau gleicht, also vielleicht eine Andeutung der Vertretung der Iserschichten in dieser Gegend vorstellt.« Ich habe den Aufschluß genau untersucht und mit Einschluß der kleineren Entblößungen über demselben folgende Schichtfolge erkennen können (s. Fig. 3 u. 4). Im Triebendorfer Bache als dem tiefsten Niveau stehen Bänke eines groben, festen Sandsteins an, der den

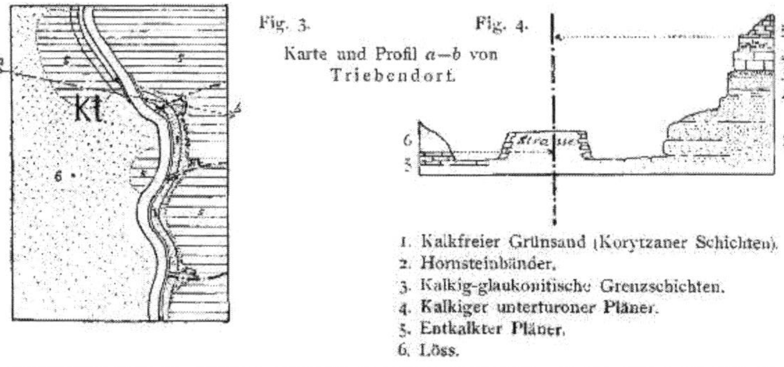

Fig. 3. Fig. 4. Karte und Profil a—b von Triebendorf.

Korytzaner Quadern, wie sie etwa in Moletein anstehen, vollständig gleicht. Derselbe läßt sich noch zirka 200 Schritte am Bachgrund verfolgen und steht auch in dem seitlich einmündenden »Fürwiggraben« an. In beiden Aufschlüssen reicht er bis in eine Höhe von 5 bis 6 *m* über den Bachgrund hinan. Charakteristisch sind die mehr oder minder deutlichen Hornsteinbänder*), die gegen oben zu auftreten. Das ganze Gestein ist verkieselt und sehr hart, von Kalk keine Spur. Erst die obersten Schichten werden plötzlich kalkreich, weiß punktiert, feinkörniger. Noch immer ist das Gestein stark glaukonitisch. Und erst über dieser kalk-

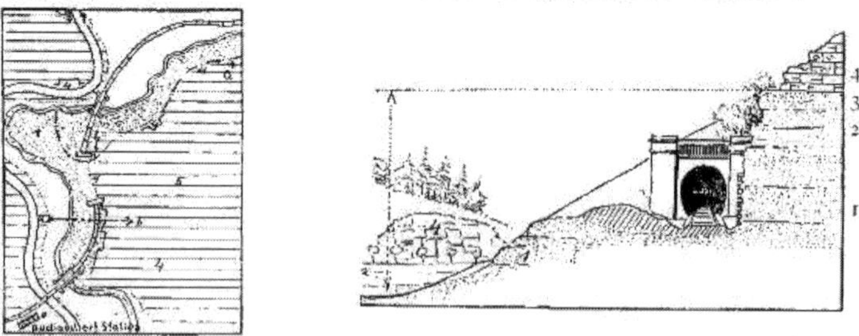

Fig. 5 und Fig. 6. Karte und Profil a—b vom Budigsdorfer Tunnel. (Zeichenerklärung wie bei Fig. 3 u. 4.)

reichen Zone erscheint der normale bläuliche Plänerkalk, darüber Knollenpläner und zuoberst der feinkörnige gelbe Plänersandstein. Leider sind hier die untersten Schichten, die am meisten interessieren, vollständig fossilfrei. Aber ganz analoge Verhältnisse bietet auch der Bahneinschnitt vor dem Budigsdorfer Tunnel. Wir gehen wieder vom tiefsten Punkte, vom Flußbett der Sazawa, aus (s. Fig. 5 u. 6. Die ganze Böschung bis in die Höhe des Tunnels bildet wieder der grobe Sandstein, welcher auch noch bis in die halbe Höhe des Einschnittes hinaufreicht. Auch hier kehren die Hornsteinbänder wieder, wenn auch nicht so deutlich

*) Dünnschliffe durch diesen außerordentlich harten Hornstein (er schneidet Glas) ließen nebst mancherlei Pflanzendetritus auch Gehäuse von Foraminiferen der Gattung Globigerina und Textularia erkennen.

wie in Triebendorf. Auch hier folgt darüber eine glaukonitische kalkreiche Grenzschicht. Und hier konnte ich endlich mit Hilfe einiger Turnkünste über Eisenbahnzügen dem harten Gestein einige Fossilien abzwingen. Es fand sich:

Natica Gentii Sow.
Pleurotomaria linearis Mant.
Fusus Nereidis Mün.
Cardium alutaceum Mün.
Mutiella Ringmerensis Mant.
Mutiella cordiformis sp.
Isocardia sublunulata d'Orb.
Eriphyla lenticularis Stol.
Arca subglabra d'Orb.
Panopaea gurgitis Brogn.
Tellina semicostata Gein.
Lima multicostata Gein.
Exogyra columba Sow.
Exogyra n. sp.
Ostrea hippopodium Nilss.
Fucoides *funiformis* Fr.
Spongites saxonicus Fr.

Über dieser glaukonitischen Bank folgen plattige, graue, kalkige Pläner mit Knollen von bläulichem, hartem Kalk und darüber der normale goldgelbe Plänersandstein. Der Vollständigkeit wegen will ich noch auf einen Aufschluß hinweisen, wo ich dieselbe Schichtfolge konstatieren konnte. Auf der dem Tunnel gegenüberliegenden Talseite ist an der Straßenbiegung ein Steinbruch eröffnet, in welchem der blaue turone Kalk gebrochen wird. (Fig. 5 und 6.) Hier ist keine Spur von den oben besprochenen Sandsteinen. Geht man jedoch etwa 200 Schritte weiter gegen Tattenitz, so ist an einer zweiten Straßenbiegung eine Entblößung des Gesteins vorhanden, wo über dickbankigen groben Sandsteinen wiederum die glaukonitische kalkige Grenzschicht erscheint, überlagert von plattigen kalkreichen Plänern.

Doch liegt hier die ganze Schichtserie bedeutend tiefer als am Tunnel trotz der minimalen Distanz dieser beiden Aufschlüsse und man ist genötigt, auch hier eine Flexur oder einen Absitzer wenn auch nur von zirka 15 *m* zu konstatieren.

Endlich fand ich auch im südlichen Teile der Budigsdorf-Triebendorfer Talfurche in den tiefen Erosionsrinnen vor Grünau ganz das nämliche grobsandige Gestein mit Feuersteinbändern anstehend.

Daraus kann man wohl mit ziemlicher Sicherheit schließen, daß man es hier mit einem unter den unterturonen Plänerkalken ausgebreiteten Schichtglied zu tun hat.

Schwierig ist jedoch eine bestimmte Ansicht über die stratigraphische Stellung dieser Bildungen zu erlangen. Es zeigt sich eine überraschende Übereinstimmung mit den Gesteinen, die Petrascheck für die Zone des *Actinocamax plenus* im östlichen Böhmen in Anspruch nimmt.

Allerdings ist es mir nicht gelungen, eine größere Fossilienausbeute in dieser Gesteinszone zu machen, als die vom Budigsdorfer Tunnel und auch das Hauptleitfossil, *Actinocamax plenus*, konnte nicht entdeckt werden. Aber der Gesteinscharakter sowie die stratigraphischen Verhältnisse sind derart übereinstimmend, daß ich kaum an der Identität der stratigraphischen Horizonte zweifle. Soweit sich die Fauna dieser Zone aus den oben gegebenen Bestimmungen beurteilen läßt, könnte man freilich auch an Malnitzer Schichten denken, aber die stratigraphische Lagerung spricht entschieden dagegen und die Ähnlichkeit der Fauna mit der der Malnitzer Schichten erklärt sich ungezwungen aus der Ähnlichkeit des Sediments.

Vergleicht man die Reihenfolge der Schichten, wie ich sie oben beschrieben habe, mit dem Schema, das Michael in seiner Arbeit über *Cen.* und *Tur.* von Cudowa[1]) gibt, so bleibt wohl kein Zweifel, daß jenen Gesteinen die Stufe III in Michaels Schema entspricht.

Ob aber die besagten Schichten dem Cenoman zuzurechnen sind, darüber ist man noch nicht vollständig einig. Petraschek stellt sie als cenomane Pläner zum Cenoman, ebenso Michael. Dagegen haben Krejči und Frič dieselben für das Unterturon in Anspruch genommen. Reuss stellte diese Gesteine in die untersten Plänerschichten und erwähnt auch (Seite 61. Beiträge zur geognostischen Kenntnis Mährens) einen Aufschluß, wo er beobachten konnte, daß dieselben nach unten sich allmählich in dem mürben Grünsand (Korytzaner Schichten) verloren. Reuss betrachtet als ein wichtiges Kennzeichen der Plänergesteine den »nie fehlenden« Kalkgehalt. Die Gesteine der beschriebenen Zone weisen mit Ausnahme

[1]) Verh. d. k. k. geol. R. 1893, 421.

der obersten glaukonitischen Grenzschicht keine Spur von Kalk auf. Das vorherrschende Bindemittel ist eine kieselige Masse, die sich gelegentlich zu dem schon oben erwähnten Hornstein verdichtet.

Nach Michael	Horizonte	Nach Beyrich, Rose, Roth und Runge	
Turon	V. Entkalkte Pläner IV. Kalkige Pläner	g	Cenoman
Cenoman	Glauconitbank III. Plänersandstein	g^1	
	II. Glaukonitischer spongitenreicher Quadersandstein	g^3	
	I. grober kalkiger Sandstein		

Meiner Ansicht nach wäre es auch hier in dieser Gegend mit Rücksicht darauf, daß solche Gesteine im sichergestellten Turon dieser Gegend nie wiederkehren, natürlicher, den Schnitt zwischen Cenoman und Turon dort zu legen, wo über ausgeprägten Sandsteinen zum erstenmal die Fazies des blauen, harten, turonen Kalkes erscheint, also an eine scharfe, lithologische Grenze (wogegen eine solche zwischen Korytzaner und sogenannten »Plänersandsteinen« absolut nicht zu ziehen ist).

Das Turon überragt an Mächtigkeit und horizontaler Verbreitung alle anderen Etagen der Kreide in diesem östlichsten Grenzgebiet. Stellenweise haben die Ablagerungen der Kreide erst mit dem Turon begonnen, so am Nordostflügel der Mulde. Aber auch am Steilabhang des Reichenauer Berges sind tiefere Horizonte nicht entwickelt und auch hier wird man wie für den Nordostflügel tektonische Ereignisse zur Erklärung herbeiziehen müssen. (S. tekt. Teil.)

Die Gesammtheit der Ablagerungen entspricht dem Unterturon, der Hauptmasse nach Weissenberger Schichten, lokal beschränkt (doch sicher nachgewiesen) Malnitzer Schichten.

Zu unterst erscheinen Kalkmergel, jedoch nicht überall deutlich ausgebildet. Besonders typisch erscheinen dieselben im Blosdorfer Steinbruch, wo man sie wegen ihres Reichtums an Inoceramen (*I. labiatus*) direkt als Inoceramenmergel ansprechen könnte. Auch die Steinbrüche von Moletein zeigen im Hangenden des Cenoman deutliche Kalkmergel. Besonders bemerkenswert aber ist das Vorkommen von tonigen, nassen Plänermergeln in der nächsten Umgebung von Budigsdorf. Das eine Vorkommen liegt etwa 10 Minuten von der Eisenbahnstation gegen Sichelsdorf an der Bahnstrecke.

Hier ist eine Fundstelle für *Inoceramen*, die ich nicht durchwegs mit Sicherheit zu bestimmen vermochte. Die Schalen sind ungemein dünn und sind außerordentlich zahlreich zwischen die feinen, papierdünnen Blättchen des Plänermergels eingelagert. Auffallend ist ihre geringe Größe, es kommen Exemplare vor, die kaum ein Zweihellerstück an Größe erreichen.

Entweder sind es Jugendformen von Inoceramen oder verkümmerte an ein verändertes Medium angepaßte Formen. Sie scheinen verschiedenen Spezies anzugehören, doch sind 50% derselben »Labiaten«. Außer diesen Inoceramen fanden sich noch:

Inoceramus labiatus Schloth.
Inoceramus sp.
Hemiaster sp. Schalenteile und Stacheln.
Oreaster sp.
Zähnchen von *Enchodus halocyon* Ag.
Exogyra haliolidea Sow.
Coproliten bestehend aus Teleostierschuppen.
Fucoides *funiformis*.

Ein zweites Vorkommen von nassen, tonigen Mergeln fand sich beim sogenannten »Klingerbrünnel« im Walde oberhalb des Tunnels. Auch hier fällt an den spärlich vorhandenen Fossilien die geringe Größe auf. Es fanden sich:

Modiola Cottae Roem.
Avicula Geinitzi Reuss.
Gervillea solenoides Defr.
Inoceramus (Fragmente).
Pecten decemcostatus Mün.
Pectunculus sublaevis Sow.
„ „ *lens* Nilss.

Diese Mergelstufe entspricht dem tiefsten Horizont der Weißenberger Schichten, den Semitzer Mergeln.

Nun folgt der Horizont des Plänerkalkes, eines grauen, gelbbräunlichen, sehr häufig indigoblauen Kalksteins. Derselbe ist sehr hart, zeigt muscheligen Bruch mit scharfen Kanten und klingt unter dem Hammer. Sein Auftreten ist ein außerordentlich wechselndes. Bald tritt er wie im Triebendorfer Tal und bei Mariakron nur in der Form von harten, konkretionären Kalkknollen in dem weicheren, feinkörnigen Plänersandstein auf, bald steht er in mehrere Meter mächtigen Bänken an. Am mächtigsten tritt er am Nordostrand um Tattenitz herum auf, und zwar auf der östl. Talseite. Man könnte zweifeln, daß der Plänerkalk mit seiner variablen Mächtigkeit einen bestimmten Horizont einnimmt, doch die Ursache dieser Mächtigkeitswandlungen ist sicher die mit größerer oder geringerer Insensität wirkende Auslaugung durch die Tagewässer. Man findet alle Übergänge von reinem Kalkstein zu den überlagernden, feinkörnigen Plänersandstein. Sogar die einzelnen Blöcke, in die das Gestein zerklüftet ist, lassen häufig eine Hülle von sandigerem Charakter unterscheiden von einem Kerne aus reinem Kalke. Es wäre daher genetisch unrichtig, diese beiden Gesteine zu trennen; denn die Kalklager sind durch Auslaugung der oberen und Anreicherung der unteren Schichten einer kalkigsandigen Ablagerung entstanden. Doch ergeben sich dennoch einige faunistische Unterschiede der unteren und oberen Horizonte, in dem z. B. *Inoceramus labiatus* in den Kalken häufiger ist, während *Inoceramus Brogniarti* wiederum in den sandigeren oberen Schichten vorherrscht. Der Plänerkalk beherbergt nur wenige Versteinerungen, doch werden die nachfolgenden Arten wohl genügen, den Faunencharakter dieser Stufe einigermaßen zu charakterisieren. Ich habe sie zum großen Teil in der nächsten Umgebung von Budigsdorf in den Steinbrüchen von Tattenitz gesammelt, einige stammen von Dittersdorf aus den Kalken derselben Stufe.

Zahn von *Otodus appendiculatus* Ag.
Schuppen von *Osmeroides Lewiensis* Ag.
Zwei fragliche Ammonitenreste (*Desmoceras?*).
Eriphyla lenticularis Schloth.
Pinna cretacea Schloth.
Panopaea plicata d'Orb.
Panopaea regularis d'Orb.
Avicula anomala Sow.
Perna sp. Stück mit Bandgruben.
Inoceramus labiatus Schloth.
Inoceramus Lamarcki Park.
cfr. crassus Petrasch.
Lima multicostata Gein.
Lima Sowerbyi Gein.
Lima elongata Sow.
Pecten decemcostatus Mün.
Pecten undulatus Nilss.
Pecten curvatus Gein.
Vola quinquecostata Sow.
Exogyra conica Sow.
Exogyra columba Sow.
Anomia subtruncata d'Orb.
Oreaster decoratus Gein.
Sequoia Reichenbachi Gein.

Merkwürdig ist, daß ich keinen einzigen Gasteropoden finden konnte. Wenn auch der Plänerkalk in dieser Gegend bedeutend mächtiger auftritt und nur an einigen Stellen von konkretionären Kalkknollen vertreten ist, so stehe ich doch nicht an, diese Stufe den »Dřinower Knollen« Fritsch zu parallelisieren, der (zweiten) mittleren Etage der Weißenberger Schichten.

Das oberflächlich verbreitetste Kreidegestein sind die über den Kalken folgenden Kalksandsteine. Sie besitzen ein feines Korn, einen beträchtlichen Kalkgehalt und eine charakteristische, licht-ockergelbe Färbung. Fossilien sind nicht gerade selten, aber auch nicht häufig. Von verschiedenen Aufschlüssen von Budigsdorf, Tattenitz und Dittersdorf konnte ich folgende Arten zusammenbringen:

Serpula macropus Sow.
Serpula socialis Goldf.
Pinna decussata Goldf.
Pinna cretacea Schloth.
Inoceramus Brogniarti Sow.
Inoceramus Cuvieri Sow.
Inoceramus labiatus Schloth.
Lima elongata Sow.
Lima multicostata Gein.
Lima pseudocardium Reuss.
Pecten decemcostatus Mün.
Pecten Dujardinii Roem.
Pecten decemcost. var. rarispinus Reuss.
Pecten curvatus Gein. *cfr. P. Kalkowskyi* Petr.
Pecten Rhotomagensis d'Orb.
Pecten cretosus Defr.
Pecten Gallinenei d'Orb.
Pecten sp.
Exogyra columba Sow.
Exogyra lateralis Nilss.
Ostrea semiplana Sow.
Ostrea hippopodium Nilss.
Anomia subtruncata d'Orb.
Micraster cor testudinarium Goldf.
Pentacrinites lanceolatus sp.
Spongites saxonicus Fritsch.
Cribrospongia heteromorpha Reuss.
Scyphia sp.
Parasmilia centralis Mant.

Als Leitfossile kann man für diesen Horizont *Inoceramus Brogniarti*, *Pecten curvatus* und *Exogyra columba* betrachten.

Sowohl lithologisch als faunistisch ist derselbe der höchsten Stufe der Weißenberger Schichten, den »Wehlowitzer Plänern« an die Seite zu stellen.

Höhere Horizonte als die *Brogniarti*-Stufe sind in der Kreidedecke hier im äußersten Osten im allgemeinen nicht vorhanden, zum mindesten bisher nicht nachgewiesen. Und doch gelang es, wenigstens für ein local sehr beschränktes Gebiet, die Malnitzer Schichten nachzuweisen. Von Tattenitz im Grenzbachtale aufwärtsgehend trifft man zur Rechten (östl. Talseite) in mehreren Aufschlüssen Plänerkalk an und darüber Sandstein mit *Inoc. Brogniarti*. In der nächsten Nähe des Holzberges erhebt sich die linke (westl.) Talseite zu einem beinahe 100 *m* hohen Rücken, der steil gegen das Grenzbachtal abfällt. Am Fuße des Steilrandes kommen in verstürzten Aufschlüssen Trümmer eines Gesteins vor, das dem Plänersandstein entspricht, aber häufig eine auffallende ziegelrote Färbung erkennen läßt. Doch dürfte dies nur, wie es sich schon öfters erwies (Tietze fand am roten Hübel bei Dittersdorf ebenfalls rotgefärbte Pläner, welche, wie ich mich überzeugte, genau so aussehen wie jene), eine Verwitterungserscheinung sein. (Die bekannte Ausfällung des Eisengehaltes der Tagwässer durch den Kalkgehalt des Sandsteins). Am obersten Rande des Steilabhanges ist ein kleiner Steinbruch angelegt. Das angebrochene Gestein ist der Hauptsache nach ein Plänersandstein, der einen eigentümlichen knolligen und wulstigen Bruch besitzt. Ich fand in ihm ein einziges Umgangsstück (mit Loben) von *Pachydiscus peramplus*. Der Abraum des Steinbruches besteht aber aus einem ganz anderen Material. Das Korn ist größer, die dunklen und grünen Gemengteile sind häufiger, das Gestein ist häufig weiß punktiert und glaukonitisch, die Gesamtfarbe im frischen Zustand grünlich mit rostigen Flecken, welche auch die Fossilien rostrot färben. Das Gestein läßt die Fossilien nur als Steinkerne los. Auffallend ist der Fossilreichtum, das Auftreten von Gasteropoden und das plötzliche Erscheinen der Gattungen *Cyprina*, *Astarte*, *Cardium* etc., von denen im gelben Plänersandstein keine Spur vorhanden ist, in bedeutender Menge, vor allem aber die überaus zahlreichen Steinkerne von *Arca subglabra* d'Orb. Die folgende Zusammenstellung kann noch keinen Anspruch auf Vollständigkeit erheben und ich hoffe, daß es mir später möglich sein wird, dieselbe durch neue Funde zu ergänzen.

Nautilus sublaevigatus d'Orb.
Ammonites Woolgari Mant.
Ammonites peramplus Mant.
Scala decorata Gein.
Natica Roemeri Gein.
Natica extensa Sow.
Pleurotomaria linearis Mant.
Pleurotomaria perspectiva Mant. sp.
Rostellaria stenoptera Goldf.
Rostellaria Buchi Goldf.
Fusus Nereidis Münst.
Fusus sp. c. *f. Tritonium Proserpinae* Mün.
Fusus sp. Steinkern.
Voluta elongata Sow. sp.
Actaeonella sp. *c. f. A. acuminata* Fr.
Cardium alutaceum Münst.
Cardium deforme Gein.
Crassatella regularis d'Orb.
Crassatella Marrotiana d'Orb. *c. f. Austriaca* Fr.
Astarte Beaumontii Leym.
Astarte transversa Leym.
Mutiella Ringmerensis Mant.
Corbis rotundata d'Orb.
Cyprina quadrata d'Orb.
Cyprina quadrata var. altissima Fr.
Cyprina intermedia d'Orb. (Hübleri Gein.)
Eriphyla lenticularis Schloth.
Arca subglabra d'Orb.
Pinna decussata Goldf.
Pholas sclerotites Gein.
Tellina semicostata Gein.
Perna sp.
Inoceramus Brogniarti Sow.
Lima multicostata Gein.
Lima pseudocardium Reuß.
Pecten curvatus Gein.
Pecten decemcostatus Münst.
Pecten Dujardinii Roem.
Vola quinquecostata Sow. Oberschale.
Vola quinquecostata Sow. Unterschale.
Exogyra columba Sow.
Exogyra sp.
Ostrea hippopodium Nilss.
Ostrea hippopodium Nilss. *var. vesicularis.*
Cidaris Reussi Gein. Stacheln.
Serpula socialis Goldf.
Serpula gordialis Schloth.
Parasmilia centralis Mant.
Placoseris Geinitzi?
Spongites div. spec., Fucoides div. spec.

Ein Vergleich dieser Fauna mit den böhmischen Faunenhorizonten des Unterturons lehrte, daß dieselbe den »Malnitzer Schichten« Fritsch's zuzurechnen ist, und zwar speziell dem Malnitzer Grünsand entspricht. Über dieses Niveau reicht das, was heute die Erosion und Denudation von den Kreideablagerungen übriggelassen hat, in dieser Gegend nicht, es wäre denn, daß sich in der Nähe des Holzberges vielleicht noch ein weiterer Horizont nachweisen läßt, was ich mir vorbehalten möchte.

Auch für Dittersdorf und Umgebung, wo Tietze höhere Niveaus vermutete, konnte ich solche nicht feststellen und es sei zur Erhärtung dieser Tatsache noch zum Abschlusse ein Register der häufigeren Versteinerungen in den Dittersdorfer Steinbrüchen, welches ich mit Hilfe des Herrn Oberlehrer Tuppy, der seit Jahren dort sammelt, zusammengestellt habe, angeführt.

Otodus appendiculatus Ag.
Nautilus rugatus Fr. Schloth.
Ammonitenreste (*Desmoceras?*).
Pinna decussata Goldf.
Panopaea plicata d'Orb.
Panopaea regularis d'Orb.
Panopaea purgitis Brogn.
Venus fabacea Röm.
Perna sp.
Inoceramus labiatus Schloth.
Inoceramus Brogniarti Sow.
Lima elongata Sow.
Lima multicostata Gein.
Lima pseudocardium Reuss.
Pecten Dujardinii Roem.
Pecten decemcostatus Münst.
Pecten curvatus Gein. (*Kalkowskyi* Petr.)
Vola quinquecostata Sow.
Exogyra columba Sow.
Exogyra lateralis Nilss.
Ostrea frons Park.
Ostrea semiplana Sow.
Ostrea hippopodium Nilss.
Micrastes cor testudin Goldf.
Serpula socialis Goldf.
Serpula ampullacea Gein.
Spongites div. spec., Fucoides div. spec.

Gegenwärtig sind dort die Versteinerungen ziemlich spärlich zu finden, doch erweist dieses Verzeichnis, daß man es hier sicher nur mit Weißenberger Schichten zu tun hat.

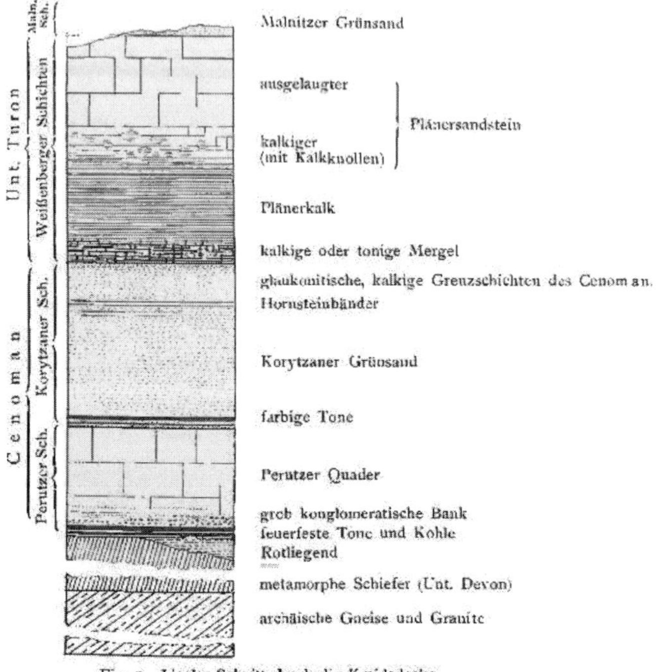

Fig. 7. Idealer Schnitt durch die Kreidedecke.

Tektonischer Teil.

(Dazu Profil Fig. 8.)

Schon die äußere, oberflächliche Konfiguration der Gegend von Tattenitz, Budigsdorf, Triebendorf und Dittersdorf läßt auf den Muldencharakter dieser Tallinie schließen, vielmehr aber noch zeigt ihn der geologische Bau. Sie ist die Parallelmulde zu der Landskron—Sichelsdorf—Reichenau—Kunzendorf—Mähr.-Trübauer Depression und wird von dieser durch den Phyllitrücken des Eichwald- und Goldberges, der sich wahrscheinlich noch unter den Reichenauer Berg hin erstreckt, geschieden. Während westlich von Eichwald und Reichenauer Berg die Kreidedecke durch postcretacische Erosion bis an den Steilrand des Schönhengst hin (abgesehen von den kleinen Resten bei Kunzendorf) vollständig abgetragen ist, ist sie östlich davon noch erhalten. Beide, sowohl die Landskron—Mähr.-Trübauer als die Budigsdorf—Dittersdorfer Depression, wurden von Tietze als nördliche Ausläufer der Boskowitzer Furche bezeichnet. Neuerdings hat Petraschek[1]) die innersudetischen Randbrüche bis nach Mähren herein verfolgt und es ist wahrscheinlich, daß in dieser Gegend ein Bruchgebiet das andere ablöst.

Die Reichenau—Mähr.-Trübauer Depression betrachtet Tietze als grabenförmig versenkte Kreide-Antiklinale, deren Reste die Plänerpartien von Kunzendorf bilden, welche ohne vermittelndes Cenoman bedeutend tiefer liegen als der turone Pläner des Schönhengst und des Reichenauer Berges. Was die Budigs-

[1]) Petraschek: Das Bruchgebiet des böhmischen Anteils der Mittelsudeten westlich des Neissegrabens (Zeitschr. d. deutsch. geol. Ges 56, B. 1904).

dorf—Triebendorfer Depression anbelangt, so macht auch sie den Eindruck einer längs einer Grabenversenkung eingesunkenen Mulde. Zwischen diesen beiden Grabenversenkungen blieb der Phyllitrücken des Eichwald- und Goldberges, der sich wahrscheinlich auch noch unter den Reichenauer Berg vorschiebt, als keilförmiger Horst stehen. Doch erfolgte die Bildung der östlichen Mulde viel später; denn bei gleichzeitiger Einsenkung wäre die so exponierte Kreidescholle des Reichenauer Berges der gewaltigen Erosionskraft, die westwärts den langen Rothliegendstreifen freilegte, sicher auch zum Opfer gefallen.

Die unter der Budigsdorf—Triebendorfer Talmulde verlaufenden Störungslinien sind auch oberflächlich durch Niveauverschiebungen in der Kreidedecke markiert. Es wurde bereits oben (Seite 5, 6) ein Aufschluß im Triebendorfer Tal an der Ostseite desselben beschrieben; es reichen dort die glaukonitischen Grenzschichten des Cenomans bis etwa in die halbe Höhe des Taleinrisses hinauf, während der Westrand ausschließlich von mächtigen Lößanhäufungen gebildet wird, unter denen hie und da der plattige Plänersandstein der oberen Weißenberger Schichten knapp an der Talsohle zum Vorschein kommt. Die westliche Scholle ist also längs eines Bruches tiefer abgesunken als die östliche. Ähnliche Verhältnisse der Lagerung treten auch in Budigsdorf auf, wo beim Tunnel ebenfalls noch cenomane Grenzschichten anstehen, während gegenüber die Schichtserie mit dem Pläuerkalk beginnt. Auch noch weiter nördlich in das Grenzbachtal läßt sich diese Asymmetrie der Talseiten verfolgen. Es handelt sich hiebei nicht um große Dislokationen, aber immerhin sind dieselben doch nicht zu übergehen. Eine bedeutende Niveauverschiebung aber dürfte noch vor Ablagerung des Unterturons stattgefunden haben, die quer in der Richtung des heutigen Sazawatals verlief, indem hier das direkt das alte Gebirge überlagernde Unterturon mit seiner Basis um beinahe 200 *m* tiefer liegt als die Grundkonglomerate des Cenomans vom Kirchberg.

Es lassen sich also auch wirkliche Störungen nachweisen und denkt man an das vielbesprochene, merkwürdige Detonationsphänomen des Reichenauer Berges und einer von der Landbevölkerung selbst beobachteten Niveauverschiebung (s. weiter unten), so will es uns fast bedünken, daß dieselben noch nicht ihr definitives Ende erreicht haben.

Was den Reichenauer Berg betrifft, so macht er mit seinen 70—75° östlich einfallenden Bänken unter turoner Kreide und mit seinem schmalen, dem Streichen konformen etwa h^{11} streichenden Bergrücken ganz den Eindruck einer an dem keilartig sich vorschiebenden Horst des Eichwald- und Goldbergrückens aufwärts geschleppten Randscholle der Budigsdorf—Triebendorfer Mulde. Das Fehlen des Cenomans könnte man sich durch die starke Schleppung erklären, zufolge der es in die Tiefe verquetscht wurde. Dieser Eindruck wird noch verstärkt durch die ziemlich flache Lagerung der Kreide in der Muldenmitte.

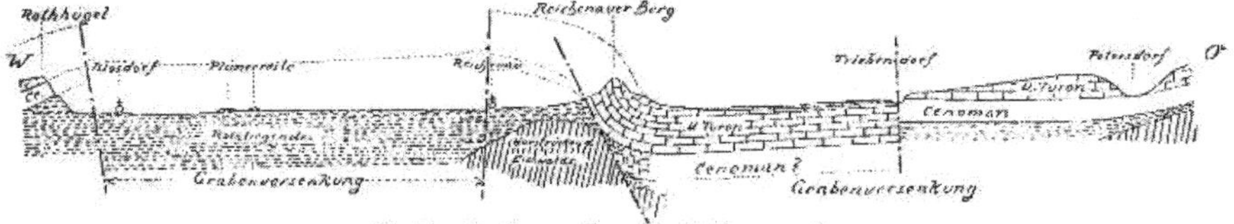

Fig. 8. Profil quer über den Reichenauer Berg.

Die Niveauverschiebung, die von älteren Einwohnern dieser Gegend erzählt wird, fand bereits Tietze sehr bemerkenswert. Man sah nämlich früher vom Blosdorfer Steinbruch aus über die Schneide des Reichenauer Berges hin nur die Spitze des Kirchturmes von Tattenitz, während jetzt die ganze Kirche bequem gesehen werden kann. Diese Niveauverschiebung würde also auch den Reichenauer Berg betreffen. Es liegt daher eigentlich sehr nahe, das Detonationsphänomen samt der erwähnten Niveauverschiebung mit tektonischen Ereignissen in Zusammenhang zu bringen. Es fehlen allerdings glaubwürdige Nachweise, daß das Detonationsphänomen mit Erdbeben verbunden war, es fehlen aber auch Gegenbeweise. Für die bewußten Knallerscheinungen, die man nach der Schilderung der Ohrenzeugen etwa mit dem Knallen der Eisdecken großer Teiche vergleichen und als Auslösung von Spannungen im Sedimentgestein über dem nachgebenden Grundgebirge betrachten könnte, wären ja schließlich keine so auffallenden Erderschütterungen als Gefolgeerscheinungen anzunehmen.

DIE GASTROPODEN, BIVALVEN UND BRACHIOPODEN DER GRODISCHTER SCHICHTEN.

Von

Else Ascher.

(Mit III Tafeln (XII—XIV.)

Vorwort.

Das Material, das den Gegenstand der vorliegenden Arbeit bildet, ist Eigentum der Münchener paläontologischen Staatssammlung.[1]) Es macht einen Teil der großen Fossilsammlung aus, die Ludw. Hohenegger während seiner Wirksamkeit als Direktor der erzherzoglichen Eisenwerke in Teschen angelegt. Hohenegger hat die aufgesammelten Versteinerungen selbst bestimmt und daraus die stratigraphischen Schlüsse gezogen, die ihn zum Begründer der Beskidengeologie machten.[2]) Einer eingehenden paläontologischen Bearbeitung wurden sie aber erst nach seinem Tode unterzogen, und zwar von verschiedener Seite. Was speziell die Faunen der Unterkreide anlangt, so hat den größten und wichtigsten Teil derselben, die Cephalopoden, Herr Prof. Uhlig behandelt: 1883 erschien »Die Cephalopodenfauna der Wernsdorfer Schichten«,[3]) 1901 »Über die Cephalopodenfauna der Teschener und Grodischter Schichten«.[4]) In letzterem Werke ergab sich für die Grodischter Schichten folgende Speziesliste:

Belemnites (Hibolites) jaculum Phil.
» *(Pseudobelus) bipartitus* Bl.
» *(Duvalia) conicus* Bl.
» *(Duvalia) dilatatus* Bl.
Nautilus neocomiensis d'Orb.
Phylloceras Rouyanum d'Orb.
Lytoceras sequens Vac.
» *subfimbriatum* d'Orb.
» *cf. quadrisulcatum* d'Orb.
» *Juilleti* d'Orb.
Hamulina sp. ind.
Haploceras salinarium Uhl.
» *Grasi* d'Orb.
Desmoceras cf. liptaviense Zeusch. sp.
Holcodiscus incertus d'Orb.
Ptychoceras sp. ind.
Crioceras sp. ind.
» *Duvali* Lév.
Aptychus Didayi Coq.
» *angulicostatus* Pict. et Lor.
» *Seranonis* Coq.

Diese beiden Monographien bedeuteten nicht nur die paläontologische Verwertung des Materials, sondern es wurde auf Grund der Fauna auch Hohenegger's Stratigraphie befestigt und teilweise auch

[1]) Ein Teil der Arten ist übrigens auch in der geologischen Sammlung der Wiener Universität vertreten.
[2]) Niedergelegt vor allem in seinem Hauptwerke: »Geognostische Karte der Nordkarpathen«.
[3]) Denkschr. Ak. Wiss. Wien, 46. Bd.
[4]) Denkschr. Ak. Wiss. math. nat. Cl. Wien, 72. Bd.

berichtigt — die meisten Horizonte erfuhren eine kleine Verschiebung nach abwärts — und damit jene Gliederung für die Unterkreide der Westkarpathen geschaffen, die heute allgemein anerkannt ist.

Einer Beschreibung warteten nun noch die Gastropoden, Bivalven und Brachiopoden, die in den Grodischter Schichten in nennenswerter Anzahl, im Unteren und Oberen Teschener Schiefer dagegen nur sehr vereinzelt vorkommen. Diese restliche Fauna wurde von Herrn Prof. Rothpletz in München in liebenswürdigster Weise dem hiesigen geologischen Institut anvertraut und von meinem hochverehrten Lehrer, Herrn Prof. Uhlig, mir zur Bearbeitung übergeben. Sei es mir an dieser Stelle gestattet, ihm meinen wärmsten Dank dafür auszusprechen sowie vor allem für seine fortdauernde Anleitung und für all die Fürsorge, die er meiner Arbeit zuteil werden ließ.

Desgleichen bin ich Herrn Kustos Kittl sehr zu Dank verpflichtet, der mir die Benützung des reichen Vergleichsmaterials im hiesigen k. k. naturhistorischen Hofmuseum gestattete, sowie Herrn Prof. Haug in Paris, der die Güte hatte, einige d'Orbigny'sche Originale im Jardin des Plantes für meine Zwecke zu vergleichen, und Herrn Prof. Koken in Tübingen, der mich mit seinem Rat unterstützte.

Wien, am 15. Juli 1905.

Literatur.

Agassiz: Mémoire sur les Trigonies. Études critiques sur les Mollusques fossiles. Neuchâtel, 1840.

Alth: Geognostisch-paläontologische Beschreibung der nächsten Umgebung von Lemberg. Haidinger's naturwiss. Abh. Wien, 1850.

Baily: Description of some cretaceous fossils from South Africa, Quart. Journ. of the Geol. Soc., vol. 11. London, 1855.

Behrendsen: Zur Geologie des Ostabhanges der argentinischen Cordillere. Zeitschrift d. Deutsch. geol. Gesellsch., 1892.

Burckhardt: Coupe géologique de la Cordillère entre Las Lajas et Curacautin. Annales del Museo de la Plata. La Plata, 1900.

Burckhardt: Beiträge zur Kenntnis der Jura- und Kreideformation der Cordillere. Palaeontographica. Bd. 50. Stuttgart, 1903.

Buvignier: Statistique géologique minéralogique, minérallurgique et paléontologique du département de la Meuse. Paris, 1852. (Die Zitate beziehen sich auf den Atlas.)

Coquand: Monographie paléontologique de l'étage aptien de l'Espagne. Marseille, 1866.

Cotteau: Paléontologie de l'Yonne. Bulletin de la Société des sciences historiques et naturelles de l'Yonne, Auxerre. 1854.

Dacqué: Beiträge zur Geologie des Somalilandes. Beiträge zur Paläontologie u. Geologie Österr.-Ungarns u. d. Orients. Bd. XVII. Wien und Leipzig, 1904.

Dunker: Monographie der norddeutschen Wealdenbildung. Braunschweig, 1846.

Eichwald: Lethaea Rossica. Stuttgart, 1868.

Fitton: Strata below the Chalk. Transactions of the Geological Society, II. Ser., v. IV. London. 1836.

Forbes: On fossil invertebrata from Southern India. Transactions of the Geological Society, II. Ser., v. VII. London 1845.

Frič: Die Chlomeker Schichten. Studien im Gebiete der böhmischen Kreideformation. Archiv der naturwissensch. Landesdurchforschung von Böhmen. Band X, Nr. 4. Prag, 1897.

Frič: Die Priesener Schichten. Ebendort. Band IX, Nr. 1. Prag, 1893.

Frič: Die Weißenberger und Malnitzer Schichten. Ebendort. Prag, 1877.

Gabb: Palaeontology of California.

Geinitz: Das Elbtalgebirge in Sachsen. Paläontographica, Bd. 20/1, 20/2. Kassel, 1871—1875.

Gemmellaro: Nerinee della ciaca dei dintorni di Palermo. Giornale di scienze naturali ed economiche. v. I, Palermo, 1866.

Gemmellaro: Sopra alcune faune giuresi e liasiche della Sicilia. Palermo, 1872—1882.

Gemmellaro: Studj paleontologici sulla fauna del calcare a Terebratula janitor del nord della Sicilia. Palermo, 1868—1876.

Goldfuß: Petrefacta Germaniae.

Greppin: Etudes sur les mollusques des couches coralligènes des environs d'Oberbuchsiten. Abhdlg. der schweizer. paläont. Gesellsch., Band XX. Genf, 1893.

Harbort: Die Fauna der Schaumburg-Lippe'schen Kreidemulde. Abhandl. der k. preuß. geol. Landesanstalt und Bergakademie. Neue Folge. Heft 45. Berlin, 1905.

Herbich: Paläontologische Studien über die Kalkklippen des siebenbürgischen Erzgebirges. Mitteilg. aus dem Jahrbuche der kgl. ungar. geol. Anstalt. Bd. I.

Hohenegger: Geognostische Karte der Nordkarpathen in Schlesien und den angrenzenden Teilen von Mähren und Galizien. Gotha, 1861.

Hudleston: A monograph of the Gastropoda of the interior Oolite. Transact. of the Paläontogr. Soc. London, 1887—1896.

Koken: Die Leitfossilien. Leipzig, 1896.

Leymerie: Mémoire sur le terrain crétacé du département de l'Aube. II. partie. Mémoires de la Société Géologique de France. Tome V, I. partie. Paris, 1842.

De Loriol: Études sur la faune du Gault de Cosne. Abh. schweiz. paläont. Gesellsch. Band IX. Genf, 1882.

De Loriol: Étude sur les Mollusques de l'Oxfordien supérieur et moyen du Jura bernois. Abh. schweiz. paläont. Gesellsch. Bd. XXIV, Genf 1897.

De Loriol: Études sur les Mollusques des couches coralligènes inférieures du Jura bernois. Abh. schweiz. paläont. Gesellsch. Bd. XIX, Genf 1892.

De Loriol: Étude sur les Mollusques et brachiopodes de l'Oxfordien du Jura bernois. Abh. schweiz. paläont. Gesellsch. Bd. XXVIII, Genf 1901.

De Loriol: Études sur les mollusques des couches coralligènes de Valfin (Jura). Abh. schweiz. paläont. Gesellsch. Band XV. Genf, 1888.

De Loriol: Description des animaux invertébrés fossiles contenus dans l'étage Néocomien moyen du mont Salève. Genf, Basel, 1861.

De Loriol, Royer et Tombeck: Description géologique et paléontologique des étages jurassiques supérieurs de la Haute-Marne. Paris, 1872.

De Loriol et Pellat: Monographie paléontologique et géologique des étages supérieurs de la formation jurassique des environs de Boulogne - sur - mer. Paris, 1874—1875.

De Loriol et Cotteau: Monographie paléontologique et géologique de l'étage portlandien du départment de l'Yonne. Paris 1868.

Matheron: Recherches paléontologiques dans le midi de la France. Marseille, 1878.

Moesch: Der Aargauer Jura. Bern, 1867.

Müller, G.: Die Molluskenfauna des Untersenon von Braunschweig und Ilsede. I. Lamellibranchiaten und Glossophoren. Abh. d. kgl. preuß. geol. Landesanstalt. Neue Folge. Heft 25, 1898.

d'Orbigny: Paléontologie française, Terrains jurassiques 2. Paris, 1850—1860 und terrains crétacés 2, 3, 4, Paris 1842—49.

d'Orbigny: Prodrôme. Paris, 1850.

Peron: Études paléontologiques sur les terrains du département de l'Yonne. Céphalopodes et Gastropodes de l'étage néocomien. Bulletin de la Société des Sciences historiques et naturelles de l'Yonne. Auxerre, 1900.

Pictet et Renevier: Description des fossiles du terrain aptien de la Perte-du-Rhône et de Sainte-Croix. Matériaux pour la Paléontologie Suisse, 1. série. Genf, 1854—1858.

Pictet et Campiche: Description des fossiles du terrain crétacé des environs de Sainte-Croix. II. partie. Matériaux p. l. P. S., 3. série. Genf, 1860.

Pictet et Campiche: Description des fossiles du terrain crétacé des environs de Sainte-Croix, III. partie. Matériaux p. l. P. S., 4. série. Genf, 1865—1868.

Pictet et Campiche: Description des fossiles du terrain crétacé des environs de Sainte-Croix, IV. partie. Matériaux p. l. P. S., 5. série. Genf, 1868—1871.

Quenstedt: Der Jura. Tübingen, 1858.

Retowski: Die tithonischen Ablagerungen von Theodosia. Bulletin de la Société impériale des naturalistes de Moscou. Moscou, 1894.

Reuß: Die Versteinerungen der bömischen Kreideformation. Stuttgart, 1845—1846.

Roemer, A. Fr.: Die Versteinerungen des norddeutschen Oolithengebirges. Hannover, 1836. Nachtrag 1839.

Roemer, A. Fr.: Die Versteinerungen des norddeutschen Kreidegebirges. Hannover, 1840.

Roemer, F.: Geologie von Oberschlesien. Breslau, 1870.

Sowerby: Mineral Conchology of Great Britain. London, 1812—1845.

Stanton: The Colorado Formation and its Invertebrate Fauna. Bulletin of the U. St. Geol. Survey Nr. 106. Washington, 1893.

Stoliczka: Cretaceous fauna of Southern India II. Gastropoda. Palaeontologia Indica. Calcutta, 1868.

Stoliczka: Cretaceous fauna of Southern India, III. Pelecypoda. Palaeontologia Indica. Calcutta, 1871.

Struckmann: Neue Beiträge zur Kenntnis des oberen Jura und der Wealdenbildungen der Umgegend von Hannover. Paläont. Abh. Dames und Kayser. Band I, 1. Heft. Berlin, 1882.

Thurmann et Etallon: Lethea Bruntrutana. Neue Denkschriften der Allgem. schweiz Gesellsch. f. d. gesamten Naturwissenschaften. Band XVII—XX. Zürich, 1861—1864.

Uhlig: Die Cephalopodenfauna der Wernsdorfer Schichten. Denkschr. d. mathem.-naturw. Klasse d. kais. Akad. d. Wiss. Band XLVI. Wien, 1883.

Uhlig: Über die Cephalopodenfauna der Teschener und Grodischter Schichten. Denkschr. d. mathem.-naturw. Klasse d. kais. Akad. d. Wiss. Band LXXII. Wien, 1901.

Weerth: Die Fauna des Neokomsandsteines im Teutoburger Walde. Paläont. Abh. Dames und Kayser. Band II, 1. Heft. Berlin, 1884.

Wollemann: Die Bivalven und Gastropoden des deutschen und holländischen Neokoms. Abh. d. kgl. preuß. geol. Landesanstalt. Neue Folge, Heft 31. Berlin, 1900.

Woods: A monograph of the cretaceous Lamellibranchia of England. Transactions Pal. Soc., v. LIII u. LIV. London, 1899, 1900.

Zittel: Handbuch der Paläontologie, I. Abt., Band I u. II. München und Leipzig, 1885.

Zittel: Die Bivalven der Gosaugebilde in den nordöstlichen Alpen. Denkschr. d. mathem.-naturw. Klasse d. kais. Akad. d. Wiss. Band XXIV, XXV, Wien, 1865, 1866.

Zittel: Die Gastropoden der Stramberger Schichten. Paläontographica, Suppl. II. Kassel, 1873.

Zeuschner: Geognost. Beschreibung des Nerineenkalkes von Inwald und Roczyny. Haidinger's naturw. Abh., Band III, Wien, 1850.

Einleitung.

Die Grodischter Schichten sind ein fortlaufendes Niveau in der Unterkreide der Beskiden und entsprechen dem Mittelneokom oder Hanterivien[1]). Zwischen zwei Mergelschiefer-Horizonten gelegen, dem Oberen Teschener Schiefer und den Wernsdorfer Schichten, stellen sie selbst in ihrer typischen Entwicklung eine Sandsteinfazies dar, — eine große Seltenheit in der alpin-karpatischen Unterkreide. Es ist ein Sandstein von grobem Korn und etwas eisenschüssigem Bindemittel, daher die braune Farbe bei der Verwitterung. Er macht aber mitunter einer schieferigen Ausbildung Platz, oder er wird durch festeren, etwas kalkhaltigen Hieroglyphensandstein oder endlich durch die blaugrauen, kalkig-tonigen »Mydlak«-Gesteine vertreten. Diesem Wechsel des lithologischen Charakters ist es zuzuschreiben, daß Hohenegger den »Grodischter Sandstein« nicht als selbständiges Schichtglied, sondern nur als lokale Bildung betrachtete, u. zw. als die Deltaanschwemmung eines großen Stromes. Er wurde in dieser Ansicht noch bestärkt, als er unter den Versteinerungen des Grodischter Sandsteins die Schalen von Unionen und Cyrenen zu erkennen glaubte. (Vergl. darüber im paläontologischen Teile: »Die angeblichen Cyrenen« pag 162 (28).) Erst die Aufnahmen von Uhlig legten den Sachverhalt klar.[2])

Die Gastropoden, Bivalven und Brachiopoden der Grodischter Schichten, deren Beschreibung auf den nächsten Seiten folgen soll, sind vielfach nur Bruchstücke, was bei ihrer Ablagerung in einer bewegten Strandzone und bei ihrer Erhaltung in einem so grobkörnigen Sediment kaum anders sein kann. Dadurch wurde oft eine sichere Identifizierung unmöglich gemacht; in anderen Fällen, wenn kein Anschluß an Bekanntes sich finden ließ, durften wir es doch nicht wagen, auf so unvollkommene Reste eine neue Art zu begründen, mußten uns also mit der Beschreibung des Vorhandenen und mit der Bezeichnung »*sp. ind.*« begnügen. Dies ist um so mehr zu bedauern, als wenig Hoffnung besteht, daß die Funde je durch neue, bessere ergänzt werden; denn fast alles, was vorliegt, hat der Bergbau ergeben und der ist nun schon seit Jahren aufgelassen.

Dagegen zeigen die Formen keine oder nur geringe Spuren von Abrollung. Stellenweise haben sie ihre Skulptur bis in die feinsten Details erhalten und beweisen dadurch, daß sie nicht von den Meereswogen herbeigerollt wurden, sondern als autochthone Tiere den Strand bevölkerten.

Wie schon erwähnt, hat Hohenegger sein Material zwar nicht selbst beschrieben, aber selbst bestimmt; die Serie war, als sie in meine Hände kam, noch mit seinen Originaletiketten versehen und diese enthielten nebst der Fundstätte meist die Bestimmung. Doch hat sich nur ein geringer Teil der Hohenegger'schen Benennungen als haltbar erwiesen. Er identifiziert meist mit der nächst verwandten Neokomspezies, die sich ihm aus der beschränkten Literatur, wie sie damals existierte, — er benützte hauptsächlich Sowerby, d'Orbigny, Goldfuß und Roemer — zum Vergleiche bot. Offenbar hatte er auf Grund der Cephalopoden bereits die Überzeugung gewonnen, daß es sich hier um ein Niveau des Neokoms handle, und nun ließ er sich durch diese Erkenntnis einerseits und anderseits durch den Mangel an wirklich zutreffendem Vergleichsmaterial hie und da zu allzu weitgehenden Identifizierungen verleiten. Das tat seinen

---

[1]) Uhlig: Teschener und Grodischter Schichten, S. 79.

[2]) Verhandlungen Geol. Reichsanst., 1888, S. 7.

so fruchtbaren stratigraphischen Schlußfolgerungen auch keinen Eintrag mehr. Manchmal hebt er übrigens selbst den Unterschied zwischen seiner Art und der zum Vergleiche angezogenen hervor und in einzelnen Fällen gibt er neue Namen. Daher erscheint bei mehreren der folgenden Spezies Hohenegger als Autor.

Paläontologischer Teil.

Gastropoden.

1. Turbo bitropistus n. sp.

(Taf. XII (I), Fig. 1 *a—c*.)

Länge	11 *mm*
Höhe des letzten Umganges . . .	73% der ganzen Länge
Durchmesser des letzten Umganges .	91% » »
Gewindewinkel	88°.

Ein schlecht erhaltenes Exemplar; drei Umgänge erhalten, Spitze abgebrochen. Jeder Umgang trägt an seiner größten Konvexität zwei scharfe Kiele, zwischen denen ein konkaves Band verläuft. Sie scheinen gekörnelt oder bedornt gewesen zu sein, aber das Stück ist zu sehr abgerieben, als daß man das deutlich erkennen könnte. Ob eine Spur von Nabeleinsenkung vorhanden ist oder nicht, läßt sich nicht sicher entscheiden. Auf keinen Fall ist ein weiter Nabel da. Die ganze Schale ist fein spiralig gestreift, auch das Band zwischen den Kielen. Außerdem eine zarte Anwachsstreifung.

Das Stück ist den zweikieligen und zugleich hohen Varietäten von *Delphinula tricarinata* Röm.[1]) = *Trochus plicato-carinatus* Goldf. aus der Oberkreide so ähnlich, daß man an einen direkten Anschluß denken dürfte, wenn nicht das Fehlen eines deutlichen Nabels die Einreihung unter *Delphinula* überhaupt ausschlösse.

Dagegen besteht eine wirkliche Verwandtschaft mit *Turbo Thurmanni* Pict. et Camp.[2]), aus dem Aptien von St. Croix, sowohl in Gestalt und Größe wie in Skulptur. Doch ist *T. Thurmanni* nicht mit vielen feinen Längsstreifen bedeckt wie meine Form, sondern mit weniger und dementsprechend gröberen, etwas gekörnelten Rippen.

Koniakau.

2. Trochus (Ziziphinus) metrius n. sp.

(Taf. XII (I), Fig. 2, *a—c*).

Länge	24 *mm*
Höhe des letzten Umganges	1/2 der ganzen Länge
Durchmesser des letzten Umganges . .	83% »
Gewindewinkel	55°.

11 Exemplare, zum Teil sehr schlecht erhalten.

Fünf bis sechs Windungen, die einen mäßig steilen Kegel bilden. Sie sind flach und schließen eng aneinander, die Nähte sind wenig eingesenkt. Jeder Umgang trägt am unteren Rande (der letzte in der Mitte) einen sehr schwachen, glatten Kiel und oberhalb desselben eine leichte Depression, die die übrige, höhere Partie der Windung manchmal etwas konvex erscheinen läßt. Basis ein wenig gewölbt.

Anwachs- und Längsstreifung, aber beides so fein, daß der *Trochus* für den oberflächlichen Beobachter völlig glatt aussieht. Auch die Basis zeigt Anwachs- und am Rande überdies Spiralstreifung.

Soweit mir die Merkmale zugänglich sind, weisen sie auf *Ziziphinus*. Ich konnte weder einen Nabel noch Falten an der Innenlippe finden. Allerdings ist diese an meinen Stücken nur schlecht sichtbar. Ebenso ist die Außenlippe nicht vollständig erhalten. Die Mündung scheint stark zusammengedrückt und nach rechts ausgezogen.

---

[1]) Roemer: Nordd. Kreidegeb., S. 81, Taf. XII, Fig. 3, 4, 6. — Müller: Untersenon von Braunschweig. S. 92, Taf. XII, Fig. 7—12. — Goldfuß: Petref. Germ. III, S. 59, Taf. CLXXXI, Fig. 11.

[2]) Pictet et Campiche: Sainte-Croix II, p. 482, Taf. LXXXIV, Fig. 4, 5.

Obwohl viele jurassische und cretacische *Trochus*-Arten bekannt sind, die mit der vorliegenden mehrweniger Ähnlichkeit zeigen, ist eine Verwechslung doch nach keiner Richtung möglich.

Die Oxford-Formen: *Tr. Helius* d'Orb.[1]), *Tr. Halesus* d'Orb.[2]) und *Tr. Pollux* d'Orb.[3]) besitzen weder Band noch Spiralstreifung. Derselbe Unterschied besteht gegenüber den zwei Stramberger Arten *Tr. singularis* Zitt.[4]) und *Tr. leiosoma* Zitt.[5]), die überdies noch bezahnt sind.

Mehr Annäherung zeigen ein paar untercretacische Arten, *Tr. striatulus* Desh.[6]) aus dem Neokom der Aube, *Tr. Zollikoferi* Pict. et Camp.[7]) aus dem Urgon von Sainte-Croix und *Tr. Razumowski* Pict. et Ren.[8]) aus dem Aptien der Perte-du-Rhône. Alle drei weisen Längsstreifung auf, allerdings eine stärkere als meine Exemplare, und ein Band. Doch ist *Tr. Razumowskii* sehr klein, ebenso der schwach genabelte *Tr. Zollikoferi*, und bei *Tr. striatulus* ist das Band zu einem weit vorspringenden Kiele entwickelt.

Meiner Spezies sehr ähnlich ist *Tectus tumulicus* Stol.[9]) aus der indischen Oberkreide, hat aber einen Zahn und seine Spiralstreifung verliert sich mit dem Alter.

Überdies unterscheidet sich mein *Trochus* von allen angezogenen Arten durch die charakteristischen Konturen seiner Umgänge: ganz leicht konkav im unteren Viertel, flach oder ganz leicht konvex in der Mitte.

Vier Exemplare vom Kouiakauer Schloß und von Grodischt, sieben vom Tierlitzker Bach.

Die Natica-Reihe.

A.

3. Natica Grodischtana Hohenegger msc.

(Taf. XII (I), Fig. 3, *a—c*.)

Länge	55 *mm*
Höhe des letzten Umganges	64% der ganzen Länge
Durchmesser des letzten Umganges .	73% » » »
Gewindewinkel	82°.

Sieben Exemplare.

Gewinde höher als breit. Fünf konvexe Umgänge, von denen der letzte über die Hälfte der ganzen Spira einnimmt. Nähte tief eingeschnitten. Ansteigen in leicht markierten Treppenabsätzen. Mündung birnförmig, unten abgerundet, oben spitz. Nabelspalte durch einen Wulst verdeckt, unter dem die Anwachsstreifen konvergierend verschwinden. Diese Anwachsstreifen sind kräftig entwickelt, rissig, unregelmäßig und werden von sehr feinen, regelmäßigen Spirallinien durchsetzt, von denen übrigens an einem Teil meiner Exemplare infolge des schlechten Erhaltungszustandes kaum Spuren zu sehen sind. Außerdem noch eine mikroskopisch schwache Querriefung zwischen den starken Anwachsstreifen.

Die Form stimmt, wie schon Hohenegger hervorhebt, vollständig überein mit *N. bulimoides* d'Orb.[10]) aus dem Neokom des Pariser Beckens (Yonne, Aube, Haute-Marne), unterscheidet sich aber von ihr wesentlich durch die feine Spiralstreifung. Jedoch sah ich im hiesigen Hofmuseum als *N. bulimoides* bestimmte französische Exemplare (allerdings nicht von einer der d'Orbigny'schen Lokalitäten, sondern von Besançon), die ebenfalls die feine Spiralstreifung zeigten, und so lag mir die Vermutung nahe, daß diese

[1]) d'Orbigny: P. fr. t. jur. 2, p. 292, pl. 318, Fig. 5—8.

[2]) Ebendort: p. 291, pl. 318, Fig. 1—4.

[3]) » p. 293, pl. 318, Fig. 9—12.

[4]) Zittel: Stramberger Gastropoden, p. 323, Taf. XLVIII, Fig. 18.

[5]) Ebendort: p. 323, Taf. XLVIII, Fig. 19.

[6]) Leymerie: Mém. Soc. géol., Taf. V, p. 13, pl. 17, Fig. 1. — d'Orbigny, P. fr. t. crét. 2, p. 183, pl. 177, Fig. 4—6.

[7]) Pictet et Campiche: Sainte-Croix II, p. 513, pl. 86, Fig. 4, 5.

[8]) Pictet et Renevier: Perte du Rhône, p. 39, pl. 4, Fig. 3.

[9]) Stoliczka: Gastropoda p. 371, pl. 24, Fig. 4 5.

[10]) d'Orbigny: P. f., t. crét. 2, p. 153, pl. 172, Fig. 2, 3.

Streifung überhaupt der *N. bulimoides* zukomme, von d'Orbigny aber wegen ihrer Feinheit übersehen worden sei. Herr Prof. Haug in Paris hatte nun die Liebenswürdigkeit, die d'Orbignyschen Originale daraufhin zu prüfen; er schreibt darüber: »Soweit die Exemplare überhaupt mit den Abbildungen übereinstimmen, sind letztere doch insofern richtig, daß auf keinem der Stücke eine Spiralstreifung zu sehen ist. Dies kann aber sehr wohl an dem Erhaltungszustande liegen, da die Arten aus einem eisenoolithreichen Kalke stammen, so daß alle feineren Verzierungen der Schale verschwunden sind. Aus dem Vorhandensein der Spiralstreifung bei Grodischter Exemplaren läßt sich daher wohl nicht auf spezifische Verschiedenheit schließen.«

Obwohl es nach all dem sehr wohl möglich ist, daß *N. bulimoides* wirklich spiral gestreift, folglich *N. Grodischtana* mit ihr identisch ist, glaube ich mich vorderhand doch noch zu keiner Identifizierung berechtigt. Maßgebend für den paläontologischen Begriff »*N. bulimoides* d'Orb.« sind ja einerseits d'Orbignys Tafeln (und Beschreibungen), anderseits seine Originalexemplare. Wenn weder an diesen noch an jenen etwas von den Spirallinien zu sehen ist, so muß Hoheneggers *N. Grodischtana* so lange aufrecht erhalten werden, bis neue Funde an den von d'Orbigny angegebenen Lokalitäten die Identität beider Arten ad oculos demonstrieren. Daß uns solche zukünftige Funde einmal zu dieser Identifizierung berechtigen werden, bezweifle ich jedoch um so mehr, als Peron,[1] der in jüngster Zeit Aufsammlungen in der Yonne vorgenommen und nach diesen d'Orbignys Beschreibungen vielfach ergänzt und berichtigt hat, an *N. bulimoides* d'Orb. nur die Größe bemängelt, von einer Spiralstreifung aber nichts erwähnt.

Vier Exemplare vom Koniakauer Schloß, drei von Tierlitzko.

An *N. Grodischtana* Hoh. schließt sich eine Menge von Exemplaren an, die alle konvexe, mehr weniger treppenförmig ansteigende Umgänge zeigen, stark eingesenkte Nähte und die drei Skulpturelemente: kräftige Anwachsstreifen, zwischen diesen eine kaum sichtbare Querstreifung und quer dazu feine, regelmäßige Längsstreifen. Nabelspalte ganz oder teilweise durch einen Mundwulst bedeckt. Alle diese Formen haben die Tendenz, ihren Gewindewinkel zu vergrößern, also breiter und niedriger zu werden, aber in verschiedenem Grade. Es ergibt sich daraus eine Reihe von Typen, die ineinander übergehen, — Hohenegger faßt sie alle unter *N. Grodischtana* zusammen —, die aber schließlich zu niedrigen, in breiten Treppenstufen ansteigenden Exemplaren (Taf. I, Fig. 5c) führen mit den Dimensionen:

Höhe des letzten Umganges	83%	der Länge
Durchmesser des letzten Umganges	96%	« «
Gewindewinkel	110°.	

Die starken graduellen Unterschiede zwingen mich, Grenzen innerhalb dieses Kontinuums zu ziehen, und ich darf dies um so eher tun, als ich die daraus resultierenden Spezies direkt an bekannte anschließen kann.

Zur subgenerischen Bestimmung. *Natica bulimoides* d'Orb. rechnet Zittel[2] zu *Amauropsis*, Stoliczka[3] zu *Ampullina*. Wenn man nun nicht auf Grund der Spiralstreifung ein eigenes Subgenus schaffen will,[4] sondern sich an die üblichen Einteilungsgründe für *Natica* hält, so sind *N. bulimoides* und *N. Grodischtana* aufs engste verwandt und daher nicht zu trennen. Ich folge also Zittel, wenn ich auch meine *N. Grodischtana* eine *Amauropsis* nenne.

Weniger klar ist die Einreihung bei den breitgedrückteren Formen der vorliegenden Reihe. Der Zittel'schen Fassung von *Ampullina* genügt keine der Typen, da ihnen der Nabellimbus fehlt. Zittel reiht Formen mit mehr weniger hohem Gewinde ohne Nabellimbus unter *Lunatia* ein, fordert aber einen Nabel für sie, der allerdings auch eng sein darf. Formen mit niedrigem Gewinde und Nabelspalte be-

[1]) Peron: Yonne, p. 122.

[2]) Zittel: Handbuch 2, S. 222.

[3]) Stoliczka: Gastropoda, p. 295.

[4]) Dies würde nur eine neue Komplikation in die Unterabteilungen von *Natica* bringen. Fein spiralgestreifte *Natica*-Spezies sind aus verschiedenen Horizonten bekannt. Vergl. z. B. im unteren Oolith die Formen, die Hudleston in die Sektion »*Euspiroid*« stellt, wie *N. adducta* Phill., *N. cf. Lorieri* d'Orb., *N. Dundriensis* Tawney (bei Hudleston, Infer. Ool. Gastrop.). Vergl. anderseits in der Oberkreide *Amaur. bulbiformis* Sow. (bei Stanton, Colorado-Formation), p. 137, pl. 30, Fig. 2—4.

trachtet er als Übergänge von *Amauropsis* zu *Lunatia* und rechtfertigt durch solche und viele andere Übergänge sein Urteil: »Die scharfe Trennung der Subgenera *Lunatia, Ampullina, Cernina* und *Amauropsis* stößt, wenn die fossilen Formen Berücksichtigung finden, auf unüberwindliche Schwierigkeiten.«[1])

B.

4. Natica (Amauropsis) euxina Retowski.

(Taf. XII (I)., Fig. 4, *a—c*.)

Natica (Amauropsis) euxina Retowski, Tithon v. Theodosia, S. 275, Taf. 14, Fig. 8, 9.

Länge	. 28 *mm*
Höhe des letzten Umganges .	. 71% der ganzen Länge
Durchmesser des letzten Umganges	. 71% » »
Gewindewinkel	. 90°

Sechs Stücke.

Diese Spezies steht der *N. Grodischtana* Hoh. am nächsten, zeigt aber doch schon einen größeren Gewindewinkel. Gesamtform länglich, fünf konvexe Umgänge, Nähte tief eingeschnürt. Auf dem sehr großen letzten Umgang ist der übrige Teil der Spirale nur wie ein kleines, sich rasch verjüngendes Dach aufgesetzt. Mündung verlängert, Nabelspalte zum größten Teil durch den Kallus bedeckt. Die Anwachsstreifen werden manchmal sehr stark und förmlich rissig, manchmal scheinen sie fast zu verschwinden. Diese *Natica* wurde von Retowski aus dem Tithon der Krim beschrieben.

Sie steht in demselben Verhältnis zu *N. laevigata* d'Orb[2]) aus dem unteren Neokom des Pariser Beckens[3]) wie *N. Grodischtana* Hoh. zu *N. bulimoides* d'Orb. Das einzige trennende Merkmal ist auch hier wieder die Spiralstreifung, die die schlesisch-russische Form zeigt und die französische nicht zeigt, zum mindesten weder in der Paléontologie française noch in Perons Revision.[4])

Es scheint also die *N. laevigata* des Pariser Beckens ebenso wie die *N. bulimoides* in den östlichen Gebieten durch eine spiralgestreifte Form vertreten zu sein, die ihr in allen übrigen Bestimmungsstücken völlig entspricht und die auch die große Häufigkeit des Vorkommens mit ihr gemeinsam hat. Vollkommen wird die Parallele durch den schon erwähnten Übergang der *N. laevigata* in die *N. bulimoides* einerseits, der *N. euxina* in die *N. Grodischtana* anderseits.

Koniakauer Schloß.

C.

5. Natica (Amauropsis) aff. suprajurensis Buv.

(Taf. XII (I), Fig. 5, *a—d*.)

Natica, suprajur. Buvignier, Meuse. Atlas, p. 31, pl. 23, Fig. 22—24.

Proportionen bei den einzelnen Individuen etwas verschieden, für das breiteste, Fig. 5 *c*, gelten die Maße:

Länge	42 *mm*
Höhe des letzten Umganges . . .	. 83% der ganzen Länge
Durchmesser des letzten Umganges	. 96% » »
Gewindewinkel	110°.

Sehr viele Stücke; die meisten stellen aber Übergangsformen zwischen diesem Extrem und der vorhergehenden Art dar. Immerhin fasse ich hier diejenigen Formen der *Natica*-Reihe zusammen, bei denen

[1]) Ebenda.

[2]) d'Orbigny: P. fr., t. crét. 2, p. 148, pl. 170, Fig. 4—6.

[3]) Übrigens auch in der norddeutschen Kreide nachgewiesen, vergl. Harbort, Schaumburg-Lippe'sche Kreidemulde, S. 88, T. X, Fig. 7, 8, und in Sainte-Croix, vergl. Pictet et Campiche, Sainte-Croix II, p. 373.

[4]) Peron Yonne, p. 121.

die Abänderung in der angegebenen Richtung am weitesten fortgeschritten ist. Gewindewinkel noch größer als bei *N. euxina* Ret. Gehäuse von oben nach unten zusammengedrückt, Umgänge weit ausladend und oben abgeplattet, so daß die niedrige Spirale in breiten Treppenstufen ansteigt. Besonders der letzte (übrigens auch sehr hohe) Umgang ist auffallend verbreitert, im extremsten Falle, Fig. 5 *c*, bildet er eine Basis für die aufgesetzte Spirale, doppelt so breit wie diese selbst. Fünf Umgänge. Schwache Nabelspalte hinter dem Kallus. Skulpturelemente wie bei *Amaur. Grodischtana* und *euxina*.

Meine Exemplare decken sich vollständig mit *N. suprajurens.* Buv., aus dem Portland der Meuse, nur sind manche etwas größer. Zwar scheint Buvignier mit der feinen Längsstreifung nur die Anwachsstreifung zu meinen; dagegen beschreibt de Loriol[1]) an seinen allerdings kleineren Exemplaren von *N. suprajur.* Buv. aus dem Portland der Haute-Marne eine wirkliche Längs- neben der Anwachsstreifung.

Arten ohne Längsstreifung, die aber sonst meiner *Natica* sehr nahestehen, kommen mehrfach im oberen Jura vor. Vergl. z. B. *N. questrecquensis* de Lor.[2]) aus dem Séquanien von Boulogne-sur-mer und *N. dubia Roem.*[3]) aus dem Portland von Wendhausen.

Grodischt, Koniakauer Schloß. Ein Stück vermutlich von Tierlitzko.

D.

6. Natica (Amauropsis) Uhligi n. sp.

(Taf. XII (I), Fig. 6, *a*—*c*.)

Länge	etwa 38 *mm*
Höhe des letzten Umganges	66% der ganzen Länge
Durchmesser des letzten Umganges . . .	68% » » »
Gewindewinkel . . .	87°.

Sieben Stücke.

Windungen stark konvex; ihre Anzahl läßt sich nicht angeben, da die Spitzen abgebrochen sind. Nähte eingeschnürt. Form wie bei *Amauropsis euxina.* Ret. Hinter dem breiten Kallus eine leichte Nabelspalte.

Die ganze Oberfläche ist mit erhabenen, etwas gekörnelten Längsrippen bedeckt, die an abgeriebenen Stellen aus zwei Lamellen zu bestehen scheinen. Die Zwischenfelder sind 1—2mal so breit. Starke Anwachsstreifen sind wenig zu bemerken, dagegen tritt die feine Querstreifung hier um so deutlicher hervor.

Diese Amauropsis gliedert sich in allen formbestimmenden Merkmalen eng an *A. euxina*, also an die mittleren Typen der vorliegenden *Natica*-Reihe an, schließt sich jedoch durch ihre abweichende Skulptur davon aus. Hier schmale, verhältnismäßig hohe Rippen und weite konkave Zwischenfelder; dort feine, schmale Spiralfurchen, zu denen sich die dazwischenliegenden breiteren Schalenstücke nach beiden Seiten in leichter Rundung hinabsenken.

Koniakauer Schloß.

Aus den Wernsdorfer Schichten, also dem Barremier, liegen ein paar Stücke vor, deren Skulptur den Typus der *A. euxina* zeigt, aber in stärkerer Entwicklung, so daß sie auf den ersten Blick an *A. Uhligi* erinnern. Ihr Profil ergibt eine Wellenlinie mit ziemlich gleich breiten Konvexitäten und Konkavitäten. Ich möchte sie als *A. euxina var.* an die Hauterivienform anschließen.

7. Steinkern einer Natica (Amauropsis).

Länge	. 16 *mm*
Höhe des letzten Umganges . .	. 50% der ganzen Länge
Durchmesser des letzten Umganges	. 63% » » »
Gewindewinkel	. 58°.

[1]) de Loriol: Haute-Marne, p. 107, pl. 7, Fig. 10, 11.

[2]) de Loriol: Boul. s. m., p. 98, pl. 9, Fig. 1—3.

[3]) Roemer Oolith, S. 157, Taf. X, Fig. 8.

Vier Umgänge erhalten, Spitze abgebrochen, Nähte tief eingeschnitten.

Zeigt viel Ähnlichkeit mit zwei obercretacischen Formen, der *N. vulgaris* Reuss[1]) aus dem Plänermergel von Priesen und der *N. exaltata* Goldf.[2]) aus dem Grünsand von Aachen.

Fundort?

8. Rissoina biploca n. sp.

(Taf. XII (I), Fig. 7, *a—c*.)

Länge	11 *mm*
Höhe des letzten Umganges	44% der ganzen Länge
Durchmesser des letzten Umganges . . .	47% » » »
Gewindewinkel	33°.

Ein Exemplar. Sehr klein, turmförmig. Sechs Windungen lassen sich zählen, sie nehmen an Höhe und Breite regelmäßig nach oben ab. Mündung fast kreisförmig, beide Bänder dünn. Die Außenlippe zeigt die Verdickung, die für *Rissoina* charakteristisch ist, nur in geringem Maße.

Jeder Umgang trägt Anwachs- und ein paar ebenso feine Längsstreifen. Auf zweien dieser letzteren stehen Knötchen; zehn stärkere bilden ein unteres, zehn schwächere ein oberes Band. Auf dem letzten Umgange bleiben die beiden Knötchenreihen auf die obere Hälfte beschränkt. Die untere ist mit einfachen Längsstreifen bedeckt.

Unter den wenigen bisher beschriebenen cretacischen Rissoinen zeigt keine nähere Beziehungen zu *Rissoina biploca*.

Fundort nicht angegeben, aber der Erhaltung nach zweifellos Grodischter Sandstein.

9. Littorina dictyophora n. sp.

(Taf. XII (I), Fig. 8, *a—c*.)

Länge	20 *mm*
Höhe des letzten Umganges	1/2 der ganzen Länge
Durchmesser des letzten Umganges . . .	3/4 » » »
Gewindewinkel	75°.

Sieben Stücke.[3])

Die Umgänge sind rund, zeigen übrigens an der Stelle der größten Ausladung eine Spur von Abplattung. An jeder Naht bildet das Gehäuse einen deutlichen Absatz. Mündung unten gerundet. An zwei Exemplaren läßt sich eine ganz leichte Nabelritze wahrnehmen.

Die Skulptur besteht aus 20 bis 30 Querrippen, die in regelmäßigen Abständen über jede Windung laufen, und aus feineren Längsrippen. Drei von diesen letzteren sind etwas stärker entwickelt und schließen zwischen sich den platteren Mittelteil der Windungen ein. Quer- und Längsrippen bilden miteinander ein regelmäßiges Gitterwerk mit rechteckigen oder etwas rhomboidisch verzogenen Maschen. Alle Durchkreuzungspunkte treten als leichte Anschwellungen hervor. Zwischen je zwei Längsstreifen erster Ordnung liegen ein paar schwächere, und zwar meist drei, unter denen die mittlere wieder am deutlichsten hervortritt. Zwischen den Querrippen mikroskopische Anwachslinien. Beide Arten der Berippung reichen bis zur Basis hinab.

Eine Verwechslung mit *Turbo fenestratus* d'Orb.[4]) aus dem Neokom des Pariser Beckens ist ausgeschlossen, denn bei diesem sind sowohl die Quer- und die Längsrippen, wie auch diese letzteren untereinander gleich stark.

---

[1]) Reuss: Böhm. Kreideformation I., S. 50, Taf. X, Fig. 22.

[2]) Goldfuss: Petr. Germ. III., S. 111, Taf. CXCIX, Fig. 13.

[3]) d'Orbigny: P. fr., t. crét. 2, p. 215, pl. 184, Fig. 1—3.

[4]) d'Orbigny: Prodrome, Taf. II, p. 70, étage 17, no. 140, abgebildet bei Peron: Yonne, p. 153, Taf. III, Fig. 4.

Ebenso zeigt *Turbo urgonensis*, von Pictet und Campiche aus der Umgebung von Sainte Croix[1]) beschrieben, nur einerlei Stärke der Längsstreifen. Zudem ist bei ihm im Gegensatz zu der karpatischen Form, die Querstreifung viel zarter und dichter als die Längsstreifung.

Zur generischen Bestimmung. Das ziemlich hohe Gehäuse und die ovale, oben zugespitzte Mündung machen mir die Zugehörigkeit zu *Littorina* wahrscheinlicher als die zu *Turbo*.

Koniakauer Schloß.

10. Chemnitzia eucosmeta n. sp.

(Taf. XIII (I), Fig. 5, *a*, *b*.)

Länge etwa	. 900 *mm*
Höhe des letzten Umganges	23% der ganzen Länge
Durchmesser des letzten Umganges . . .	30% » » »
Gewindewinkel	22°.

Fünf Stücke.

Diese Art stimmt in Größe und Umriß genau mit *Chemnitzia undosa* Sow.[2]) aus der indischen Oberkreide überein. Gewinde ebenso hoch, kegelförmig. Die Umgänge sind ebenso schwach konvex, die Nähte ebenso eingeschnürt. Feine Spiralstreifung. Kräftige Querrippen; ich zähle deren 18—24 auf den letzten Umgängen, Forbes gibt nur 15 an, Stoliczka[3]) dagegen 16—32, was also wieder der schlesischen Form entsprechen würde. Dagegen liegt ein Unterschied in der Form der Rippen: bei *Ch. undosa* sind diese in der Mitte der Umgänge geschwungen, bei meiner Art erst oben, nahe der Naht; überhaupt ist die Sichelkrümmung hier schwächer. Auf der unteren Hälfte der letzten Windung verliert sich die Querskulptur überhaupt. — Die Innenlippe ist auffallend dick und trägt einen dünnen, breiten Callus, was wieder die enge Beziehung zu *Ch. undosa* bezeugt.

Nahe verwandt ist *Ch. Sutherlandii* Baily[4]) aus Südafrika; doch sind der Abbildung nach die Sichelrippen bei ihr schwächer.

Übrigens zeigt auch *Ch. flexicostata* Zitt.[5]) aus dem Tithon von Stramberg eine gewisse Ähnlichkeit, wenn sie auch viel mehr und viel schwächere Rippen hat.

Grodischt. Koniakau.

11. Chemnitzia (Microschiza) Grodischtana Hohenegger msc.

(Taf. XII (I), Fig. 9, *a*—*c*.)

Länge bei der größten	36 *mm*
(die Mehrzahl ist aber bedeutend kleiner, mißt nur 10 bis 20 *mm*)	
Höhe des letzten Umganges etwa	28% der ganzen Länge
Durchmesser des letzten Umganges . . .	36% » » »
Gewindewinkel	30—40°.

Sehr große Menge von Stücken.

Kurze kegelförmige *Chemnitzia*. Etwa zehn Windungen. Durch eine leichte Nabelspalte von der Basis abgetrennt, zieht die etwas verdickte Innenlippe nach abwärts und umschließt mit der dünnen Außenlippe eine länglichrunde Mündung. Nähte deutlich, aber wenig vertieft. Dicht unterhalb jeder Naht ein schmales, wenig erhabenes Längsband. Die zahlreichen schwachen, etwas geschwungenen Querrippen, die

[1]) Pictet et Campiche: Sainte Croix II, p. 478, pl. 83, Fig. 7, 8.

[2]) Bei Forbes: Southern India, p. 125, pl. 15, Fig. 16.

[3]) Stoliczka: Gastropoda, p. 286, pl. 17, Fig. 19—21.

[4]) Baily: South Africa, Quat. journ. Geol. Soc., v. 11, London, 1855.

[5]) Zittel: Stramberger Gastropoden, S. 257, Taf. XLV, Fig. 20.

dichtgedrängt jeden Umgang bedecken, endigen hier mit je einem Köpfchen, wodurch das Band ein gekörneltes Ansehen bekommt. Auf dem letzten Umgange laufen die Rippen, immer feiner werdend, noch über die Basis und verschwinden hier in der Nabelspalte.

Die Querskulptur und die feine Nabelritze bestimmen mich zur Einreihung in dieses Subgenus.

Durch ihre dichtgedrängten Querrippen, vor allem aber durch das charakteristische gekörnelte Längsband, unterscheidet sich diese Art scharf von allen anderen *Microschiza*-Spezies.[1])

12. ? Chemnitzia orthoptycha n. sp.

(Taf. XIII (II), Fig. 9 *a*, *b*.)

Länge	30 *mm* (ergänzt)
Höhe des letzten Umganges	23% der ganzen Länge
Durchmesser des letzten Umganges	30% » »
Gewindewinkel	20°.

Ein Exemplar, nur die untere Hälfte erhalten. Die flachen Umgänge legen sich eng aneinander. Nähte wenig vertieft. Innenlippe gerade, unverdickt, Außenlippe ziemlich parallel zu ihr. Ganz schwacher Ausguß.

13 schmale, scharfe Rippen, die völlig gerade an den Seiten herablaufen, durch die Nähte kaum merklich unterbrochen. Die Rinnen dazwischen sind 2—3mal so breit. Außerdem ist die ganze Schale gleichmäßig mit ziemlich feinen Spiralstreifen bedeckt.

Die Spezies ist eine jener Zwischenformen zwischen *Holostomata* und *Siphonostomata*, die der generischen Einreihung große Schwierigkeiten entgegenstellen. Nach langem Schwanken ließ ich mich durch die Form der Mündung doch für *Chemnitzia* bestimmen. Noch weniger ist ein spezifischer Anschluß möglich. Es finden sich zwar im obersten Jura wie in verschiedenen Horizonten der Unterkreide Typen mit solchen markierten, über alle Umgänge sich fortsetzenden Querrippen, aber immer sind die Verschiedenheiten gegenüber *Ch. orthoptychum* sehr bedeutend.

Cerithinella cerithiformis Gemm.[2]) aus dem weißen Kalke von der Montagna del Casale (Prov. Palermo) hat einen kleineren Gewindewinkel, schmälere und schräger gestellte Windungen, und ihre Querrippen sind etwas gebogen und oben und unten leicht verdickt. Mündung bei Gemmellaro nicht ersichtlich.

Scalaria albensis d'Orb.[3]) aus dem Neokom der Yonne hat nur elf Rippen (nach Peron[4]) kann die Zahl allerdings bis auf 14 gehen) und sie werden an der Naht jedesmal durch ein glattes Längsband unterbrochen.

Scalaria Gastina d'Orb.[5]) aus dem Gault der Aube ist zu klein und zeigt keine Längsstreifung.

Übrigens weichen diese beiden sogenannten Scalarien schon durch ihre kürzere und rundere Mündung von *Ch. orthoptychum* ab.

Das cretacische *Cerithium Nerei* Münster[6]) hat einen größeren Gewindewinkel, weniger Spiralstreifen und 15—18 etwas gebogene Rippen.

Als Fundort ist nur Grodischter Sandstein angegeben.

13. Nerinea cf. bidentata Herb. (non Gemm.) ?

(Taf. XII (I), Fig. 10.)

Nerinea bidentata Gemm. bei Herbich, siebenbürg. Erzgebirge, S. 15, Taf. VI, Fig. 9, 10.

Ein Exemplar, oberer Teil der Spira verkümmert, so daß der Gewindewinkel abnormal konvex erscheint.

[1]) Vergl. solche bei Gemmellaro, Fauna liass e jur., p. 276 und 277. Taf. XXI, Fig. 14—17 und Taf. XXV, Fig. 12—15.

[2]) Gemmellaro: Fauna giures. e lias., p. 289, Taf. XXIII, Fig. 49, 50.

[3]) d'Orbigny: P. fr., t. crét. 2, p. 51, pl. 154, Fig. 4, 5.

[4]) Peron: Yonne, p. 81.

[5]) d'Orbigny: p. 58, pl. 155, Fig. 5—7.

[6]) Bei Goldfuß: Petr. Germ. III, S. 31, Taf. CLXXIV, Fig. 3.

Länge . . . . 20 *mm*
Wäre aber bei normaler Entwicklung . . . 40 *mm*
Höhe des letzten Umganges . . . . 20% der normalen ganzen Länge
Durchmesser des letzten Umganges . . . . 25% „
Normaler Gewindewinkel . . . . 24°.

Schale stark abgerieben, zum Teil ganz fehlend, Außenlippe abgebrochen.

Gehäuse kegelförmig. Sieben Umgänge sind erhalten, die Embryonalwindungen fehlen. Ungenabelt. Eine Falte an der Innenlippe, eine an der Spindel; da von der letzteren nur ein Rest vorhanden ist, kann ich die beiden nicht nach ihrer Größe vergleichen; ja bei dem schlechten Erhaltungszustand ist es sogar möglich, wenn auch nicht wahrscheinlich, daß noch weitere Falten da waren.

Die starke Abreibung läßt die Skulptur nur schwer erkennen. Umgänge in der Mitte konkav, am Rande erhaben, so daß das Schlitzband zwischen zwei breite Längsreifen zu liegen kommt. Von diesem trägt jeder 10—12 sehr stumpfe Knoten, und zwar korrespondieren immer je ein Knoten am oberen und einer am unteren Rande des Umganges und sind durch schwache Querrippen verbunden, so daß der konkave Mittelteil der Umgänge dadurch in flache, annähernd quadratische Fassetten zerlegt wird. Auf dem letzten Umgange erscheint der untere Längsreifen als knotiger Kiel.

Die kegelförmige Gestalt, das Fehlen des Nabels, die zwei einfachen Falten an Spindel und Innenlippe und der nicht umfassende letzte Umgang verweisen das Exemplar in das Subgenus *Nerinea s. str.*

Hohenegger nannte das Stück *Nerinea Renauxiana* d'Orb.[1]) Diese Spezies ist aber genabelt und zeigt eine andere Mündungsform und eine abweichende, wenn auch ähnliche Skulptur. Eine sichere spezifische Bestimmung macht der schlechte Erhaltungszustand allerdings überhaupt unmöglich; aber soweit sich aus dem Gegebenen urteilen läßt, scheint eine vollständige Übereinstimmung zu bestehen mit *N. bidentata* Herb. (non Gemm.) aus den oberjurassischen Klippen des siebenbürgischen Erzgebirges. Diese *Nerinea* ist untertithonisch, und zwar deshalb, weil sich nach Herbich für den dortigen Klippenkalk aus der Gesamtfauna dieses Alter ergibt; aber nicht deshalb, weil sie etwa mit der echten *N. bidentata* Gemm. aus der sizilianischen Ciaca identisch wäre, wie Herbich will. Denn die sizilische Art zeigt weder Knoten noch Rippen, ja Gemmellaro[2]) macht die Skulpturlosigkeit geradezu zum Charakteristikum der Spezies, so daß von einer Identität keine Rede sein kann. *N. bidentata* Herb. (non Gemm.) ist somit eine neue Art, die erst aus Siebenbürgen bekannt wurde, und beweist als neue Art stratigraphisch an sich noch gar nichts.

Dagegen sind nahe verwandt mit meiner Form die ebenfalls ungenabelten, geknoteten und gerippten Spezies *N. csaklyana* Herb.[3]) und *N. Syndjecavae* Herb.[4]) aus den siebenbürgischen Klippen; sie unterscheiden sich von ihr nur durch ihre Dimensionen und ihren etwas größeren Gewindewinkel.

Etwas entfernter steht die *N. Defrancei* Desh.[5]) *var. posthuma* Zitt.[6]) aus Stramberg, die aber drei Falten hat und deren Knoten nicht durch Querrippen verbunden sind.

Die *N. Voltzii* Zenschn.[7]) aus dem Nerineenkalke von Inwald unterscheidet sich von meiner Form ebenfalls durch das Fehlen dieser Querrippen, ist aber im übrigen sehr ähnlich.

Alle diese Beziehungen weisen auf Tithon.

In der Skulptur zeigt allerdings auch die cenomane *Nerinea Pailletteana* d'Orb.[8]) viel Verwandtschaft, hat aber eine große, massive Schale und vier Falten.

Grodischter Schloß.

[1]) d'Orbigny: P. fr., t. crét. 2, p. 76, pl. 157, Fig. 1—4.
[2]) Gemmellaro: Nerinee della Ciaca, p. 29, Taf. IV, Fig. 22, 23.
[3]) Herbich: Siebenb. Kalkklippen. S. 10, Taf. VII, Fig. 3—6.
[4]) Herbich: Ebenda, S. 10, Taf. VII, Fig. 9, 10.
[5]) Bei d'Orbigny: P. fr., t. jur. 2, p. 108, pl. 262, Fig. 12.
[6]) Zittel: Stramberger Gastropoden, S. 367, Taf. XLII, Fig. 6, 7.
[7]) Zenschner: Nerineenkalke von Inwald und Roszyny, S. 138, Taf. 16, Fig. 13, 14.
[8]) d'Orbigny: P. fr., t. crét. 2, p. 88, pl. 161, Fig. 1—3.

14. Cerithium Sanctae-Crucis Pict. et Camp.

(Taf. XII (I), Fig. 11, *a—c*.)

Cer. Sanctae-Crucis Pictet et Campiche, Sainte-Croix II, pag. 283, pl. 70, Fig. 14.

Zahlreiche Exemplare.

Länge bis über	. 50 *mm*
Höhe des letzten Umganges etwa	. 1/6 der ganzen Länge
Durchmesser des letzten Umganges etwa	1/3 »
Gewindewinkel etwa	. 10°.

Zahlreiche niedrige Windungen. Nähte deutlich sichtbar, aber nicht durch besondere Einschnürungen markiert. Jede Windung ist mit 10—20 sehr feinen, glatten, gleichmäßigen Längsstreifen bedeckt. Außerdem entsteht am oberen Rande, unmittelbar unter der Naht, eine leichte Anschwellung, die etwa 18—24 längliche Knötchen trägt.

Kurzer Kanal mit einem schwachen, etwas nach links gebogenen Ausguß. Der äußere Mundrand ist an keinem meiner Stücke erhalten. Der letzte Umgang biegt mit einer stumpfen Kante zur Basis um.

Diese Spezies hat ihre nächste Verwandte in *C. Ricordeanum* Cott.[1]) aus dem Neokom der Yonne (schon 1854 beschrieben, aber nicht abgebildet) und unterscheidet sich von diesem nach Pictet und Campiche nur durch seine dichtere und stärkere Streifung.

Hohenegger, dessen Bestimmung aus einer Zeit stammt, zu der die Art *C. Sanctae-Crucis* noch nicht aufgestellt war, vergleicht die karpatische Form mit *C. terebroides* d'Orb., hebt aber als trennendes Merkmal den Mangel an Spiralstreifung bei den französischen Exemplaren hervor. Dasselbe *C. terebroides*, von d'Orbigny[2]) in der Paléontologie française aus dem Neokom der Haute Marne und der Aube beschrieben, wurde 1854 von Cotteau auch in der Yonne nachgewiesen[3]), und zwar neben dem gestreiften *C. Ricordeanum*.

In neuester Zeit hat aber Peron[4]) bei seiner Revision von Cotteaus Prodrome die beiden Arten zusammengezogen; er sagt, daß sämtliche in Frage stehenden Cerithien die feine Spiralstreifung zeigen, d'Orbigny habe dieselbe an seinen Exemplaren nur wegen des schlechten Erhaltungszustandes übersehen. Dagegen läßt Peron das *C. Sanctae-Crucis* bestehen, da diese Art nach Pictet und Campiche dichter und stärker gestreift ist als das *C. Ricordeanum* Cott. und höhere Umgänge zeigt als das *C. terebroides* d'Orb. Überdies hat d'Orbignys Art nicht, wie *C. Sanctae-Crucis*, eine stumpfe Kante am letzten Umgang.

Wenn also Peron recht hat, d. h., wenn neben den gestreiften Exemplaren, wie er sie untersucht hat, im Pariser Becken tatsächlich keine glatten vorkommen, so haben wir es überhaupt nur mit zwei Arten zu tun und diese unterscheiden sich, abgesehen von der leichten Kante an der letzten Windung, bloß graduell: im Pariser Becken wurden feiner und schwächer gestreifte Formen mit niedrigeren Windungen nachgewiesen, im Jura und in den Karpaten stärker und dichter gestreifte mit höheren Windungen.

Coquand[5]) beschreibt aus dem Aptien von Utrillas (Aragonien) ein ungestreiftes *C. Tourneforti*, das sich von *C. terebroides*, wie es d'Orbigny charakterisiert hat, nur durch seine bedeutenderen Dimensionen abgrenzen läßt. Da nach Peron das *C. terebroides* in Wirklichkeit erheblich größer ist als in der Paléontologie française, so wird dieses Unterscheidungsmerkmal hinfällig. Die Frage nach einer allfälligen Identifizierung läßt sich natürlich erst beantworten, wenn ganz sichergestellt ist, ob das *C. terebroides* wirklich Spiralstreifen hat und das *C. Tourneforti* wirklich keine hat.

Zwei Exemplare sind aus dem Grodischter Sandstein von Tierlitzko, vier vom Koniakauer Schloß. Für die übrigen ist kein Fundort angegeben, doch stellen Farbe und Erhaltung es außer Zweifel, daß auch sie aus dem Grodischter Sandstein stammen.

[1]) Cotteau: Yonne, 1854, p. 43.

[2]) d'Orbigny: P. fr., t. crét. 2, p. 352, pl. 227, Fig. 1.

[3]) Cotteau: Ebendort.

[4]) Peron: Yonne, p. 189.

[5]) Coquand: Étage aptien de l'Espagne, p. 85, pl. 5, Fig. 8.

15. ? Turitella cf. (Cerithium) inornatum Buv.

(Taf. XIII (II), Fig. 6, *a*, *b*.)

Cerithium inornatum Buvignier, Meuse, p. 41, pl. 27, Fig. 17, 18.

Länge	. 28 *mm*
Höhe des letzten Umganges	. 18% der ganzen Länge
Durchmesser des letzten Umganges . . .	21% » » »
Gewindewinkel	. . . 14°.

Zahlreiche Stücke. Kleine, steil ansteigende Form, Nähte wenig eingesenkt, die zahlreichen Umgänge legen sich glatt und fast ganz flach aneinander. An keinem Stücke sind beide Mundränder vollständig erhalten, doch scheint nach dem, was man sehen kann, kein Ausguß da zu sein, und der ganze Verlauf der Konturen der letzten Windung bewog mich, die Spezies nach einigem Schwanken nicht zu *Cerithium*, sondern zu *Turitella* zu stellen. Die Windungen scheinen auf den ersten Blick glatt, daher der Name; nur eine ganz feine, dichte Längsstreifung folgt ihrem Verlaufe.

Auf diese Art paßt vollkommen die Charakterisierung, die d'Orbigny im Prodrome für *Turitella robineausa* [1]) aus dem Pariser Becken gibt: »Die Schale ist mit feinen Längsstreifen auf den ebenen, nicht vorspringenden Umgängen versehen.« Diese paar Worte sind aber natürlich nicht ausreichend zu einer Identifizierung.

Peron [2]) bildet nun in seiner Revision des Cotteau'schen Kataloges Exemplare aus der Yonne ab, in denen er d'Orbignys Spezies zu erkennen glaubt. Wenn er mit seiner Auslegung recht hat, so liegt hier im Grodischter Sandstein keine *T. robineausa* d'Orb. vor, wenn auch eine nahe Verwandte; denn Perons Formen sind etwas größer, verjüngen sich rascher und ihre Umgänge sind, wenigstens in der Jugend, konvexer.

Noch schärfer unterscheidet sich meine Art von *T. Rauliniana* d'Orb. [3]) aus dem Gault der Ardennen (nach Peron möglicherweise identisch mit *T. robineausa*), denn die Gaultform hat eine Kante am letzten Umgang.

Auf den ersten Blick zeigt auch *Cerithium Cotteaui* Per. [4]) viel Ähnlichkeit mit den vorliegenden Stücken, doch abgesehen davon, daß es viel größer ist, spitzer zuläuft und stärkere Anwachsstreifen hat, weist es sich durch seinen deutlichen Kanal als echtes *Cerithium* aus.

Dagegen stimmt die Spezies mit dem *Cerithium inornatum* Buv. aus den Corallien der Meuse so vollkommen überein, daß ich nicht anders kann, als die beiden trotz des sehr großen Altersunterschiedes identifizieren, ein krasses Beispiel für die Langlebigkeit der Gastropoden. Allerdings ist auch an Buvigniers Stück die Mündung nicht ganz erhalten; daher stellt auch er die generische Bestimmung nicht als völlig sicher hin, vermutet indes, ein *Cerithium* vor sich zu haben. Seine Abbildung gibt nur die Rückseite; diese deckt sich aber in den Konturen so genau mit dem Umriß meiner Exemplare, daß ich an der Identität keinen Zweifel hegen kann, möge man es nun in beiden Fällen wirklich mit einer *Turitella* oder mit einem anderen Genus zu tun haben. *Cerithium* erscheint mir unwahrscheinlich.

Koniakauer Schloß.

16. Fusus (Chrysodomus ?) Rothpletzi n. sp.

(Taf. XIII (II), Fig. 1 *a*, *b*.)

Länge	. 52 *mm*
Höhe des letzten Umganges	. 48% der ganzen Länge
Durchmesser des letzten Umganges . . .	. 42% » » »
Gewindewinkel	. . 40°.

[1]) d'Orbigny: Prodrome, Taf. II, p. 67.

[2]) Peron: Yonne, p. 86, pl. I, Fig. 4.

[3]) d'Orbigny: P. fr., Taf. II, p. 39, pl. 151.

[4]) Peron: Yonne, p. 201, pl. IV, Fig. 8.

Drei schlecht erhaltene Stücke. Hohenegger nennt sie *Phasianella cf. supracretacea* d'Orb.[1]), doch schließt der deutliche, wenn auch kurze Kanal, der an dem einen Stücke noch vorhanden ist, eine Einreihung unter *Phasianella* aus. Die Außenlippe ist nirgends erhalten. Für *Fusus* spricht die spindelförmige Gestalt der Schale, und zwar scheint nach dem hohen Gewinde, dem kurzen Kanal und der einfachen Spindel ein *Chrysodomus* vorzuliegen.

Die Anzahl der Windungen läßt sich an meinen unvollständigen Exemplaren nicht genau angeben; etwa sieben bis zehn. Nähte deutlich eingeschnitten; Umgänge schwach konvex, unter der Naht etwas abgeplattet. Kanal kurz und unten ein wenig nach links gebogen.

Die Schale ist sehr glatt und glänzend. Sie war mit feinen, gleichmäßigen Spiralstreifen bedeckt; an meinen abgeriebenen Bruchstücken sind nur noch vereinzelte Spuren davon zu sehen. An einem Exemplar lassen die oberen Umgänge bei genauerer Betrachtung auch ein paar schwache, etwas schiefgestellte Querrippen erkennen.

Die Form zeigt große Ähnlichkeit mit dem *F. Zitteli* Struckm.[2]) aus dem Kimmerigde von Hannover, doch hat dieser keine feine Längsstreifung, sein letzter Umgang ist bauchiger und von Querrippen ist nichts zu sehen.

Eine nahe Verwandte scheint auch *Chemnitzia arenosa* Reuss. zu sein, von Frič[3]) aus dem Pläner der Weißenberger Schichten angeführt. Denn wenn die Abbildung bei Frič richtig ist, so ist das Stück keine *Chemnitzia*, sondern ein *Fusus*, der sich von dem vorliegenden nur durch ein etwas steileres Gewinde und einen längeren Kanal unterscheidet.

Koniakauer Schloß.

17. Fusus (Chrysodomus) oxyptychus n. sp.

(Taf. XIII (II), Fig. 2 *a*, *b*.)

Länge	33 *mm*
Höhe des letzten Umganges	54% der ganzen Länge
Durchmesser des letzten Umganges	56% » » »
Gewindewinkel	62—88°.

13 Stücke. Ziemlich kurzer und breiter *Fusus*, doch kommen auch gestrecktere Exemplare vor. Sechs konvexe Windungen, durch tief eingeschnittene Nähte getrennt; daher das Gehäuse treppenförmig ansteigend. Die Spindel verläuft gerade nach abwärts und gestattet zuletzt in einer leichten Biegung nach links rückwärts einem schwachen Kanale Austritt. Die Außenlippe ist an keinem meiner Stücke ganz erhalten, doch läßt sich erkennen, daß sich ihr oberer Teil weit nach rechts ausrundet.

Auf den Umgängen Querrippen, deren Zahl von unten nach oben abnimmt (auf der letzten Windung 12—14). Sie bilden hochaufragende, scharfkantige Kämme, die ihre größte Höhe in der oberen Hälfte jedes Umganges erreichen. Sie laufen von Naht zu Naht, aber nicht so, daß jede Rippe ihre direkte Fortsetzung in einer des nächsten Umganges fände, sondern unabhängig voneinander einsetzend. Nur die untere Hälfte der letzten Windung bleibt frei. Am Steinkern entspricht jeder Rippe eine ganz leichte Erhebung. — Außerdem ist die ganze Schalenoberfläche bis zum Spindelende mit gleichmäßigen Längsstreifen bedeckt, zwischen denen hie und da ein feinerer liegt. Sie sind dort am stärksten, wo sie die Rippen übersetzen. — Das dritte, übrigens sehr schwach entwickelte Skulpturelement ist eine feine Anwachsstreifung.

Verwandte Formen sind aus verschiedenen Horizonten der Kreide bekannt. Dem Habitus nach steht meiner Art am nächsten der *F. formosus* Eichw.[4]) aus dem russischen Neokom. Ich würde die beiden ohne weiteres identifizieren, wenn nicht Eichwald von drei sehr schwachen Spindelfalten spräche; allerdings sollen dieselben kaum wahrnehmbar sein und auch die Abbildung gibt sie nicht wieder.

[1]) d'Orbigny: P. fr. t. crét. 2, p. 234, pl. 187, Fig. 4.
[2]) Struckmann: Oberjura und Wealden von Hannover, S. 32, Taf. V, Fig. 10, 11.
[3]) Frič: Weißenberger Schichten, S. 105.
[4]) Eichwald: Lethaea Rossica, p. 946, pl. 31, Fig. 7.

Sehr ähnlich ist auch *F. marticensis* Math.[1]) aus dem Untersenon Südfrankreichs, doch hat er schwächere, stumpfere Querrippen und breitere, weniger zahlreiche, völlig gleichmäßige Längsstreifen.

Dieselben Unterschiede bestehen gegenüber *F. Gageli* Müller[2]) aus dem Untersenon von Braunschweig. Übrigens hat *F. Gageli* auch einen längeren Kanal und weniger Rippen.

Noch entfernter steht der cenomane *F. Requienianus* d'Orb.[3]), der ebenfalls flache Querrippen hat, außerdem aber einen größeren Gewindewinkel und statt der feinen Längsstreifung ziemlich starke und weit voneinander abstehende Rippen.

Frič führt verwandte Formen aus der böhmischen Oberkreide an, *F. cf. Requienianus* d'Orb. und *F. Nereidis* Münst. aus den Priesener Schichten.[4]) Sie sind schon auf Grund ihres langen, schmalen Kanals mit meiner Form nicht zu verwechseln.

Zwei Stücke aus dem Grodischter Konglomerat, elf aus dem Grodischter Sandstein, und zwar teils aus Grodischt, teils vom Koniakauer Schloß.

18. Fusus (Chrysodomus) Grodischtanus n. sp.

(Taf. XIII (II), Fig. 3 *a—c*.)

Länge	24 *mm*
Höhe des letzten Umganges	54% der ganzen Länge
Durchmesser des letzten Umganges	56% » » »
Gewindewinkel	40—65°.

Zahlreiche Stücke.

Diese Art schließt sich eng an die vorhergehende an und unterscheidet sich von ihr auf den ersten Blick überhaupt nur durch ihre viel geringere Größe. Bei genauerer Betrachtung ergeben sich noch weitere Unterschiede: der Kanal ist etwas länger und endet in einen deutlichen, nach links gebogenen Ausguß; die Außenlippe ist noch stärker ausgerundet. Anzahl der Rippen etwa acht bis elf auf jedem Umgange. Ganz abweichend ist die Längsstreifung: es erscheinen Linien von zweierlei Stärke, und zwar so, daß zwischen je zwei stärkeren ein paar feinere, mit freiem Auge kaum mehr sichtbare liegen, die unter sich wieder etwas ungleich sind. Wo die stärkeren Streifen die Querrippen übersetzen, bilden sie auf diesen feine Stachelknötchen.

Ebenso nahe Beziehungen bestehen zum *F. Itierianus* d'Orb.[5]) aus dem Gault der Perte du Rhône, der aber einen etwas kürzeren Kanal hat und stumpfere, nicht geschwungene Querrippen.

Gegen *F. Brunsvicensis* Woll.[6]) aus dem norddeutschen Neokom machen sich dieselben Unterschiede geltend. Außerdem zeigt die Braunschweiger Form keine Differenzierung der Längsstreifen.

Grodischt, Koniakauer Schacht.

19. Fusus (Chrysodomus) zonatus n. sp.

(Taf. XIII (II), Fig. 4 *a—c*.)

Länge	21 *mm*
Höhe des letzten Umganges	57% der ganzen Länge
Durchmesser des letzten Umganges	60% » »
Gewindewinkel	40—60°.

Sechs Exemplare.

---

[1]) Matheron: Recherches Pal., Taf. XII, Fig. 8.
[2]) Müller: Untersenon von Braunschweig, S. 121, Taf. XVI, Fig. 15, 16.
[3]) d'Orbigny: P. fr., t. crét. 2, p. 342, pl. 225, Fig. 3.
[4]) Frič: Priesener Schichten, S. 86.
[5]) d'Orbigny: P. fr., t. crét. 2, p. 536, pl. 223, Fig. 2, 3.
[6]) Wollemann: Deutsches Neokom, S. 174, Taf. VIII, Fig. 11, 12

Diese Spezies ist eine nahe Verwandte von *F. Grodischtanus*, nur zeigt sie einen etwas kürzeren und ganz geraden Kanal und kleine Abweichungen in der Längsskulptur: auch hier sind die Spiralrippen von verschiedener Stärke, aber anders verteilt. Das oberste Drittel jedes Umganges ist glatt, dann folgt eine stark markierte Längsrippe, hierauf wieder ein glattes Band, endlich mehrere Rippen in annähernd gleichen Abständen, drei auf dem vorletzten Umgange. Sie sind etwas schwächer als die oberste. Der letzte Umgang zählt noch um einige mehr, die allmählich auf die Basis übergehen. Wo die Spiralrippen die Querrippen übersetzen, entstehen kleine Verdickungen, an der obersten Spiralrippe sogar förmliche Dornen. Außerdem ist die ganze Schale mit einer mikroskopisch feinen Längs- und Anwachsstreifung bedeckt.

Fusus zonatus hat einen sehr nahen Verwandten in dem obercretacischen *F. Buchi* J. Müll.[1]) aus dem Untersenon von Braunschweig. Die Längskante oberhalb der Mitte der Schlußwindung, die Müller beschreibt, entspricht genau der obersten, stärksten Spiralrippe an meinen Stücken. Nur fehlen der Oberkreide-Spezies die glatten Längsfelder. Eine vollständige Identifizierung ist übrigens schon deshalb nicht möglich, weil *F. Buchi* in seiner Skulptur etwas variabel ist.

Tierlitzker Bach.

20. Actaeonina Haugi n. sp.

(Taf. XII (I), Fig. 12 *a—c*.)

Länge	22 *mm*
Höhe des letzten Umganges	½ der ganzen Länge
Durchmesser des letzten Umganges	⅓ » »
Gewindewinkel	30°.

Zahlreiche Stücke.

Gewinde hoch, turmförmig. Der letzte Umgang, der die Hälfte der ganzen Höhe einnimmt, zeigt meist eine Spur von Depression oder mindestens völlig geradlinigen Verlauf statt Konvexität. Im übrigen sind die Umgänge schwach konvex und verschmälern sich treppenförmig, aber sehr langsam. Dem freien Auge erscheinen sie fast glatt; unter der Lupe zeigt sich deutlich eine feine Anwachs- und eine noch feinere Spiralstreifung.

Hohenegger nennt die Stücke *Actaeon Dupiniana* d'Orb.[2]), bemerkt aber selbst, daß ihnen die Gitterskulptur auf den Abdachungsflächen fehle. Dagegen zeigt die schlesische Kreideform die engsten Beziehungen zu *Actaeon* (*Actaeonina*) *acuta* d'Orb.[3]) aus dem französischen Corallien. Mit *Actaeonina acuta* d'Orb. wurde von Étallon *Actaeonina Dormoisiana* d'Orb.[4]) vereinigt[5]), die einen größeren Gewindewinkel und einen verhältnismäßig viel höheren letzten Umgang hat. De Loriol, der anfangs[6]) dagegen Stellung nimmt, bekennt sich später[7]) auf Grund vieler Übergangsformen zu derselben Ansicht. Meine Exemplare schließen sich fast durchwegs an die *A. acuta* in der älteren, d'Orbignyschen Fassung an, denn der letzte Umgang geht sehr selten über die Hälfte der ganzen Höhe hinauf.

In der Größe bleibt meine Art allerdings weit hinter dem d'Orbigny'schen Originaltypus zurück, paßt aber ungezwungen in die von späteren Autoren gezogenen weiten Grenzen. D'Orbigny gibt 150 *mm* Länge an, de Loriol 86 bis 154[8]); Greppin sagt ausdrücklich: »Größe sehr verschieden«, und mißt an seinen Exemplaren 15 bis 50 *mm*.[9])

Meine neokome ist daher von der Corallienart durch nichts unterschieden als durch zwei wenig auffallende Merkmale: die ungemein feine Spiralstreifung, die keiner der französischen Autoren für *A. acuta*

[1]) J. Müller: Untersenon von Braunschweig, S. 120, Taf. XVI, Fig. 1—3.
[2]) d'Orbigny: P. fr., t. crét. 2, p. 116, pl. 167, Fig. 1—3.
[3]) d'Orbigny: P. fr., t. jur. 2, p. 175, pl. 287, Fig. 2.
[4]) d'Orbigny: P. fr., t. jur. 2, p. 174, pl. 287, Fig. 1.
[5]) Vergl.: de Loriols Zitate, Haute-Marne, p. 74.
[6]) de Loriol: Haute-Marne, p. 74.
[7]) de Loriol: Valfin, p. 43, pl. 2, Fig. 7—9, pl. 3, Fig. 1.
[8]) de Loriol, ebendort.
[9]) Greppin, Oberbuchsiten, p. 21, pl. 1, Fig. 1—3.

angibt, und die leichte Depression am letzten Umgang. Was das erstere Charakteristikum anlangt, so verdanke ich auch hier der Güte des Herrn Prof. Haug in Paris direkte Auskunft über d'Orbignys Originalien. Sie lautet genau analog der für *N. bulimoides*; ich muß daher auch hier den Unterschied aufrecht erhalten und annehmen, daß die Verhältnisse hier ähnlich liegen wie bei den beiden *Natica*-Arten; vergl. S. 140 (6). Die Depression an der Schlußwindung hat *A. Haugi* gemein mit *A. waldeckensis* Étall.[1]) aus dem Untervirgulien des Berner Jura, einer mit der *Actaeonina acuta* ebenfalls nahe verwandten Form, die ungestreift ist wie diese.

Koniakauer Schloß.

21. Actaeon sp.

(Taf. XIII (II), Fig. 8 *a—c*.)

Länge	7 *mm*
Höhe des letzten Umganges	71% der ganzen Länge
Durchmesser des letzten Umganges . .	71% " "
Gewindewinkel	60°.

Vier Exemplare. Die Stücke sind gerade an Spindel und Außenlippe so schlecht erhalten, daß sie sich weder nach der Spezies, noch nach dem Subgenus bestimmen lassen. Selbst die Einreihung in das Genus *Actaeon* ist etwas zweifelhaft, da man nicht sicher erkennen kann, ob und wieviel Spindelfalten da sind. Für *Actaeon* sprechen jedenfalls die allgemeine Form und die spirale Streifung, auch scheinen Falten dazusein.

Fünf Windungen, von denen die letzte über die Hälfte der Gesamtfläche einnimmt und bauchig ist. Obere Umgänge schief abgeflacht, Nähte stark eingesenkt. Oberfläche mit feinen Längsstreifen in gleichen Abständen bedeckt. Anwachsstreifen kaum mit der Lupe zu sehen. Mündung oval. Innenlippe scheint etwas inkrustiert zu sein.

Eine Identifizierung mit einer bekannten Spezies wage ich, wie gesagt, bei so schlecht erhaltenen Stücken nicht; vielleicht am ähnlichsten ist *Tornatella Leblanci* de Lor. mit einer Spindelfalte aus dem Portland von Boulogne-sur-mer[2]).

Etwas ferner stehen *Actaeon cf. marullensis* d'Orb. aus dem Neokom des Teutoburger Waldes[3]) mit zwei Falten und *Actaeon albens* Pict. et Camp. aus dem Aptien von Sainte-Croix[4]) mit einer Falte.

Im allgemeinen Habitus zeigt auch die kleine *Tornatella seculina* Buv. aus dem Portland der Meuse[5]) große Ähnlichkeit. Nach Abbildung und Beschreibung scheint sie überhaupt keine Spindelfalte zu besitzen.

Es sind also Beziehungen zu verschiedenen Horizonten da; sie wiegen aber nicht schwer, denn dieser ziemlich indifferente *Actaeon*-Typus findet sich bei zahlreichen Spezies und hat eine große vertikale Verbreitung.[6]) Zu einem Ergebnis könnte man nur mit tadellos erhaltenen Exemplaren kommen, die es gestatten, alle charakteristischen Merkmale festzustellen.

Koniakauer Schloß.

Lamellibranchiaten.

22. Ctenostreon cf. pseudobroboscidea de Lor.

Lima pseudoproboscidea de Loriol 1866. Descr. des fossiles de l'oolithe, du corallien etc. du Mont Salève, dans l'ouvrage de M. Favre, p. 62 (Zitat aus Pictet et Campiche Sainte-Croix IV, p. 161).

Lima Picteti de Loriol, Mont Salève, p. 96, pl. 12, Fig. 1—3.

---

[1]) Étallon: Lethea Bruntr., 111, pl. 14, Fig. 5.

[2]) de Loriol: Boulogne s. m., p. 49, pl. 6, Fig. 14—17.

[3]) Weerth: Teutoburger Wald, S. 28, Taf. VII, Fig. 4.

[4]) Pictet et Campiche: Sainte-Croix, p. 190, pl. 61, Fig. 5, 6, 7.

[5]) Buvignier: Meuse, p. 33, pl. 23, Fig. 34.

[6]) Vergl. z. B. *Tornatella pulchella* Deslonch. und *Tornatella oolithicus* Hudlest. aus dem Unteroolith (in Hudleston, Inf. Ool. Gastrop., p. 465 u. 467) und anderseits *Actaeon propinquus* Stanton aus der Oberkreide. (Stanton, Colorado-Formation, p. 161, pl. 34, Fig. 5—8.)

Länge über 70 *mm*, weitere Maße lassen sich nicht angeben.

Steinkern einer linken Klappe, an dem aber sowohl das Schloß, wie die obere Hälfte der Valve fehlen. Hie und da spärliche, stark abgeriebene Schalenreste auf dem Steinkern. Oberfläche gewölbt. Erhalten sind (im Abdruck) der größte Teil des linken, d. h. unteren Ohres, die unteren sieben Rippen und ein Stück der achten. Sie lassen sich nach ihrer Anordnung sehr gut zu den 8—9 Rippen ergänzen, die de Loriol für seine vollständigen Exemplare aus dem Mittelneokom des Mont Salève (bei Genf) angibt. Zwischen ihnen etwa ebenso breite Furchen. Die Schalenreste zeigen noch die Spuren der kräftigen Anwachsstreifung. Sogar das Ohr, das nur als Steinkern da ist, weist Abdrücke feiner, konzentrischer Wellenlinien auf, wie sie den betreffenden Linien an de Loriols Abbildung entsprechen. Von Schuppen auf den Rippen ist natürlich nichts zu sehen, doch machen die unregelmäßigen, welligen Konturen es wahrscheinlich, daß sie vorhanden waren.

Die mangelhafte Erhaltung erlaubt keine völlig sichere Bestimmung; doch weist alles, was sich an meinem Bruchstück von Steinkern überhaupt noch erkennen läßt, auf *Lima pseudoproboscidea* = *Picteti* de Lor. hin.

Kozakowitz.

23. Exogyra Couloni d'Orb?

Exogyra Couloni d'Orbigny, P. fr., t. crét. 3; p. 698, pl. 467, Fig. 1—3, pl. 468.
Exogyra Couloni d'Orb. bei Weerth, Neokomsandst. d. Teutob. Waldes, S. 55.

Dimensionen lassen sich nicht angeben.

Jugendexemplar, nur zum Teil aus dem Sandstein freigelegt.

Alles, was sich überhaupt an dem Stück erkennen läßt, deutet auf *E. Couloni* d'Orb. Bei der Unentwickeltheit des Exemplars kann ich allerdings nicht mit völliger Sicherheit entscheiden, ob nicht vielleicht *E. Tombeckiana* d'Orb.[1]) vorliegt, übrigens eine der *E. Couloni* so nahe verwandte Form, daß d'Orbigny selbst die beiden nicht ohne Bedenken trennt. Doch sprechen die runde Form und die glatte Oberfläche der Deckelklappe für *E. Couloni*.

Koniakau.

24. Pecten sp.

(Taf. XIV (III), Fig. 1 *a. b.*)

Länge	13 *mm*
Höhe	108% der Länge
Dicke sehr gering	
Apikalwinkel	105°.

Nur eine Klappe, davon nur die Außenseite frei. Links noch Reste eines kleinen Ohres erhalten, aber zu wenig, als daß man daraus erschließen könnte, welche Klappe vorliegt.

Umriß stumpf deltoidisch, fast kreisförmig. Schale wenig gewölbt, am ehesten noch in der Wirbelgegend. 20—24 ganz fein gekörnelte Rippen. Zwischen je zwei derselben schaltet sich ungefähr in halber Entfernung vom Wirbel eine feinere ein, doch ist diese Einschaltung, besonders gegen den Rand zu, keine ganz regelmäßige. Von Rippen dritten Ranges sind kaum Spuren vorhanden. Anwachsstreifen auch mit der Lupe nur schwer bemerkbar.

Es liegt mir von diesem Pecten einerseits zu wenig vor, um ihn als neue Spezies beschreiben zu können, anderseits läßt er sich auch mit keiner schon bestehenden indentifizieren, obwohl Pectines mit ungleich starken Rippen aus dem Jura wie aus der Kreide bekannt sind.

Am ähnlichsten ist ein *Pecten sp.* aus dem Stramberger Kalk, der sich in der hiesigen Universitätssammlung befindet. Er ist aber etwas größer und derber in seiner Skulptur.

Der ebenfalls tithonische *Pecten Oppeli* Gemm. e di Blas[2]) hat weniger Radialrippen und erscheint durch zahlreiche kräftige konzentrische Rippen gegittert.

[1]) d'Orbigny, P. fr., t. crét. 3, p. 701, pl. 467, Fig. 4—6.

[2]) Gemmellaro e di Blasi: Pettini del Titonio inf. Sic., p. 16, Taf. II, Fig. 20—23. (Atti l'Acc. Gioenia Sc. Nat. Cat., Ser. III, Taf. IX.) — Gemmellaro: Terebr. janitor III, p. 66, Taf. X, Fig. 20—23.

Der *Pecten comans* Röm.[1]) aus dem Hilskonglomerat hat je zwei Schaltrippen zwischen den Hauptrippen und eine größere Rippenzahl überhaupt.

Ebenso zeigt der *Pecten obliquus* Sow.[2]) aus dem unteren Grünsande immer je zwei Schaltrippen; überdies ist er länger und etwas schief, und seine Rippen sind blätterig.

Diese entfernten Beziehungen zu so verschiedenen Horizonten sind natürlich ziemlich wertlos.

Eine subgenerische Bestimmung läßt das Fehlen der Ohren nicht zu.

Koniakauer Schloß.

25. Oxytoma Cornueliana d'Orb.

(Taf. XIV (III), Fig. 2.)

Avicula Cornueliana d'Orbigny: P. fr., t. cr. 3, pl. 389, p. 471, Fig. 3.
Avicula macroptera Römer: Kreide, p. 137.

Nur eine unvollständige linke Schale.

Länge etwa	17 *mm*
Höhe »	82% der Länge
Dicke »	60% » »
Apikalwinkel etwa	90°.

Vorderes Ohr abgebrochen, ebenso ein Teil der Schalenfläche. In der vorderen Hälfte liegt der Steinkern bloß; er zeigt Rippen, die den Hauptrippen der Schale entsprechen. Auf dieser selbst lassen sich 13 starke Rippen zählen; sie stellen nach L. Waagen[3]) die Primär- und die ebenso kräftig gewordenen Sekundärrippen der Ausgangsform *Oxytoma inaequivalvis* Sow.[4]) aus dem Rhät dar. In dem Zwischenraum zwischen je zweien liegt eine Rippe zweiten, bezw. dritten Ranges und mehrere kaum mehr unterscheidbare Rippen vierten Ranges. Mit Annäherung an das hintere Ohr verschwindet der Unterschied zwischen diesen Skulpturelementen und sie treten als ziemlich gleichmäßige feine Streifen auf das Ohr hinüber, ein charakteristisches Merkmal für *Oxytoma Cornueliana*.

Mein Exemplar stimmt vollkommen mit der Abbildung bei d'Orbigny überein, nur ist es kleiner und zarter. Daß das hintere Ohr einen verhältnismäßig tieferen Ausschnitt zeigt, ist nach Waagen eine bedeutungslose individuelle Abweichung.

d'Orbignys *Avicula Corn.* aus dem Neokom der Haute-Marne ist identisch mit *Avicula macroptera* Roemer aus dem Hilskonglomerat, wie die Spezies denn auch in neuester Zeit mehrfach aus dem norddeutschen Neokom beschrieben wurde.[5])

Koniakauer Schloß.

26. Myoconcha aff. transatlantica Burck.

(Taf. XIII (II), Fig. 12 *a—h*.)

Myoconcha transatlantica, Burckhardt: Jura und Kreide der Cordillere, S. 77, Taf. XVI, Fig. 3—5.

Maße lassen sich nicht angeben.

Große Menge von Bruchstücken, fast ausschließlich aus der Wirbelgegend. Von Hohenegger teils als *Unio Menkei* K. D.[6]), teils als *Unio subsinuata* K. D.[7]) bestimmt, zeigen sie auf den ersten Blick tatsächlich viel Ähnlichkeit mit diesen Wealdenformen. Doch ist ihr Wirbel fast ganz an die Stirn vorgeschoben, und dementsprechend ist auch der Verlauf der konzentrischen Anwachslinien ein ganz asymmetrischer: sie ziehen als dichtes Bündel von fast parallelen Geraden unter dem Wirbel nach rückwärts und

[1]) Römer: Kreide, S. 51, Taf. VIII, Fig. 6.
[2]) Sowerby: Min. Conch. IV, p. 95, pl. 370, Fig. 2.
[3]) L. Waagen: Der Formenkreis der Oxytoma inaequivalvis, Jahrbuch k. k. Geol. Reichsanst. 1901, S. 1.
[4]) Sowerby: Min. Conch. III, p. 78, pl. 244, Fig. 2, 3.
[5]) Weerth: Vergl. die Zitate in Harbort, Schaumburg-Lippesche Kreidemulde, S. 35.
[6]) Dunker: Wealden, S. 28, Taf. XI, Fig. 1—3.
[7]) Ebendort, S. 26, Taf. XI, Fig. 4, 5.

lösen sich erst hier in konzentrische Ellipsen auf. Noch deutlicher zeigt die Innenseite, daß keine *Unio*, sondern eine *Myoconcha* vorliegt: ganz vorn in einer Verdickung der Schale der charakteristische tiefe vordere Schließmuskeleindruck und etwas hinter und über ihm der kleine Fußmuskeleindruck.

Da überall nur der vordere Teil erhalten ist, so läßt sich die Spezies zwar wohl als *Myoconcha* erkennen, aber nicht vollständig beschreiben. Der Umriß der Schale ist nicht sicher festzustellen; doch macht ein kleineres Exemplar, Fig. 12 *a*—*c*, an dem wenigstens der Steinkern und die Schloßkante ziemlich weit zurückreichen, es wahrscheinlich, daß die Gestalt nicht, wie sonst bei *Myoconcha*, schinkenförmig ist, vorn schmal und hinten breit, sondern ziemlich elliptisch. Jedenfalls ist der Vorderrand auffallend breit wie bei keiner anderen mir bekannten europäischen *Myoconcha*. Damit hängt zusammen, daß der Wirbel nicht ganz vorn an der Spitze liegt, sondern etwas nach hinten oben gerückt. Zwischen ihm und dem sanft gerundeten Vorderende bemerkt man eine Einsattelung, aus der die Anwachsstreifen divergierend entspringen.

An der ganzen vorderen Partie ist die Schale stark verdickt. Diese Verdickung erscheint auf der Innenseite als breite Platte, die, von unten heraufziehend, die vordere Region einnimmt und nach rückwärts mit mehr minder steiler Kante zum Hauptinnenraum abfällt. Dieser setzt hier mit zwei grubigen Vertiefungen ein, *A* und *B* in Fig. 12 *e* (vergl. dazu den Steinkern Fig. 12 *f*), von denen die größere, obere, an manchen Exemplaren weit unter die Verdickung hineingreift, so daß die Kante überhängend wird. In diese Platte eingesenkt ist der vordere Schließmuskeleindruck *C*, der sehr tief ist, birnförmig und die Spitze nach hinten oben kehrt. In der Verlängerung der Spitze, im obersten Teile der Platte, liegt der kleine Fußmuskeleindruck *D*.

Die einzelnen Stücke weichen in mehrfacher Beziehung stark voneinander ab. Die Dicke der Schalen ist sehr verschieden, und zwar durchaus nicht immer der Größe entsprechend, ist also nicht bloß eine Funktion des Alters. Der tiefe vordere Muskeleindruck ist manchmal hinten am Rande der Verdickungsplatte von einer Erhöhung begrenzt, Stoliczkas »raised rib«.[1] Die Platte selbst fällt nach rückwärts bald sanft, bald steil, bald überhängend ab. Der Wirbel liegt bald der Spitze näher, bald ist er weiter zurückgeschoben; dementsprechend ist die Stirn verschieden breit und auch der Winkel verschieden, den Schloß- und Mantelrand, von vorn nach rückwärts divergierend, miteinander einschließen. Doch handelt es sich dabei nicht um spezifische Unterschiede, sondern, wie ich mich bei näherem Studium überzeugte, lediglich um individuelle Abweichungen. Ihre völlig regellose Kombination beweist das.

Sichere Spuren von Schloßzähnen konnte ich nicht entdecken, was aber bei dem schlechten Erhaltungszustande noch nichts besagt. Dagegen zeigt das erwähnte kleine Exemplar, an dem der Schloßrand noch zum Teil erhalten ist, die lange, tief eingesenkte Bandgrube samt der darunter hinziehenden Stützleiste. Außen sieht man eine tiefe Rinne, die neben der Medianlinie verläuft mit einer sehr schwachen Divergenz von ihr. Weiter entfernt vom Wirbelrand ist eine Spur von Kielansatz zu bemerken. Deutlicher zeigt sich dessen Fortsetzung auf dem Steinkern. Eine radiale Streifung kann ich nicht konstatieren, wohl aber stellenweise eine chagrinartige Körnelung.

Meine Art ist, wie der Kiel beweist, mit der *M. angulata* d'Orb.[2]) aus dem französischen Turon verwandt, unterscheidet sich aber von ihr völlig durch den etwas zurückgeschobenen Wirbel und die damit zusammenhängende mehr ovale Form. Dieselben Unterschiede bestehen gegenüber den meisten anderen, europäischen *Myoconchen*, der *M. cretacea* d'Orb.[3]) aus dem Turon, der *M. dilatata* Zitt.[4]) aus der Gosau der *M. sabaudiana* de Lor.[5]) aus dem Neokom und der *M. gaultina* Pict. et Camp[6]) aus dem Gault des Jura. Die *M. elliptica* Roem.[7]) aus einem nicht näher bezeichneten untercretacischen Mergelhorizont ist vorn zwar ziemlich breit, trägt aber starke Längsrippen und kommt daher bei einem Vergleiche nicht in Betracht.

---

[1]) Stoliczka: Pelecypoda, S. 360.
[2]) d'Orbigny: P. fr., t. crét. 3, p. 261, pl. 336.
[3]) Ebendort, p. 260, pl. 335.
[4]) Zittel: Bivalven der Gosau, S. 154, Taf. XI, Fig. 3.
[5]) de Loriol: Mont Salève, p. 91, pl. 11, Fig. 10.
[6]) Pictet et Campiche: Sainte-Croix III. p. 344, pl. 126. Fig. 11.
[7]) Roemer: Kreide, S. 66, Taf. VIII. Fig. 17.

Am ähnlichsten von allen europäischen Myoconchen ist eine jurassische *M. sp.* F. Roem.[1]) aus der Gegend von Landsberg in Schlesien (Parkinsoni-Zone), ist aber nicht beschrieben; scheint übrigens ungekielt.

Dagegen läßt sich meine Art unmittelbar anschließen an *M. transatlantica* Burckh., die von ihm zuerst als *M. aff. angulata* beschrieben wurde.[2]) Aptien der südamerikanischen Kordillere. Sie ist gekielt, nur etwas schwächer als die echte *M. angulata* d'Orb., zeigt aber dabei das verbreiterte Vorderende, den zurückgeschobenen Wirbel und den ovalen Umriß der schlesischen Formen. Zur völligen Übereinstimmung fehlt diesen nichts als die Radialstreifung am Wirbel. Einen Vergleich der Bezahnung läßt der Erhaltungszustand meiner Exemplare allerdings nicht zu.

Koniakauer Schloß.

27. Myoconcha sp. ind. (M. angulata d'Orb.?)

(Tafel XIV III, Fig. 3 *a*, *b*.)

Bei zweien meiner *Myoconcha*-Bruchstücke ist der Wirbel ganz nach vorn gerückt, so daß sie den gewöhnlichen schmalstirnigen Typus darstellen. Leider ist nur der vorderste Teil erhalten und es läßt sich daher nicht sagen, ob die Schale gekielt ist oder nicht. Im ersteren Falle hätten wir es hier im Hauterivien wahrscheinlich mit einer echten *M. angulata* d'Orb. zu tun, wie sie bisher nur aus der Oberkreide beschrieben wurde, oder mindestens mit ihrer nächsten Verwandten.

Unmöglich ist das immerhin nicht, nachdem bereits der breitstirnige *Angulaten*-Typus aus der südamerikanischen und nunmehr auch aus der schlesischen Unterkreide vorliegt.

Koniakauer Schloß.

28. Nucula Cornueliana d'Orb.

Nucula Cornueliana d'Orbigny, P. fr. t. crét. 3, p. 165, pl. 300, Fig. 6—10.
N. planata Desh. Leymerie, terr. crét. de l'Aube, p. 7, pl. 9, Fig. 3, 4.
N. planata Desh. d'Orbigny, P. fr. t. crét. 3, p. 163, pl. 300, Fig. 1—5 (obtusa).

Länge .	20 *mm*
Höhe	75% der Länge
Dicke . . .	50% » »
Apikalwinkel	. 110°.

Nur eine linke Klappe. Sehr ungleichseitig, Wirbel fast ganz an das Vorderende gerückt; abgerundet. Unter dem Wirbel die Lunula, tief eingesenkt, aber durch keine deutliche Kante begrenzt. Vorderes Ende in stumpfem Eck abgeschnitten, hinteres bedeutend verlängert, rund, ausgeschweift. Arealrand lang, gerade, fast wagrecht verlaufend. Konzentrische Anwachsstreifen von unregelmäßiger Stärke. Von der seichten Furche, die vom Wirbel nach rückwärts ziehen soll, ist an meinem mangelhaft erhaltenen Exemplar nichts zu sehen.

Pictet zieht anfangs[3]) die *N. Cornueliana* d'Orb. zusammen mit der *N. planata* Desh., der *N. impressa* Sow.[4]) und einigen anderen. In der Identifizierung von *N. Cornueliana* d'Orb. und *N. impressa* Sow. ist er d'Orbignys Vorgange[5]) gefolgt. Es ist aber die echte *N. impressa*, die Forbes auch aus dem unteren Grünsande beschreibt[6]) und die bis in die Oberkreide geht[7]), bedeutend breiter und kürzer als die *N. Cornueliana*, ein Unterschied, der Pictet später nötigt, die Identifizierung fallen zu lassen.[8])

---

[1]) Roemer F.: Oberschlesien, S. 217, Taf. XIX, Fig. 6.
[2]) Burckhardt: Coupe géol., p. 9, pl. 23, Fig. 1—4.
[3]) Pictet et Renevier: Perte-du Rhône et Sainte-Croix, p. 108.
[4]) Sowerby: Min. Conch. V, pl. 475, Fig. 3, p. 118.
[5]) d'Orbigny: P. fr., t. crét. 3, p. 165 pl. 300, Fig. 6—10.
[6]) Forbes: Quat. journ. 1845, p. 245.
[7]) Reuss: Versteinerungen II, S. 6, Taf. XXXIV, Fig. 6, 7.
Frič: Chlomeker Schichten, S. 56, Fig. 61.
[8]) Pictet et Campiche: Sainte-Croix III, p. 404.

In bezug auf *N. Cornueliana* und *N. planata* hält er zwar an der Vereinigung der beiden Spezies fest[1]), unterscheidet aber doch zwei Varietäten innerhalb seiner *N. Cornueliana*, eine etwas breitere, kürzere als eigentliche *N. Cornueliana* und eine längere, schmälere als *N. planata*; meine Form gehört zur ersteren.

N. Cornueliana geht nach Pictet vom Neocom bis ins Aptien und ist auch im norddeutschen Neocom mehrfach nachgewiesen[2]) worden.

Koniakauer Schloß.

29. Leda sp. Nr. 1.

(Taf. XIII (II), Fig. 13.)

Länge	7 *mm*
Höhe .	71% der Länge
Dicke	. 57% » »
Apikalwinkel. . . .	120°.

Nur eine rechte Klappe, eingebettet im Sandstein. Hinteres Ende abgebrochen, aber die Kontur läßt sich nach dem Steinkern ergänzen.

Ziemlich stark gewölbt. Wirbel abgerundet, Unterrand gebogen. Vorderes Ende in einem stumpfen Eck abgeschnitten, hinteres in einen kurzen Schnabel ausgezogen. Skulpturlos.

Diese kleine *Leda*, die etwa den Charakter der *Nucula* (*Leda*) *lacryma* Sow.[3]) aus dem braunen Jura trägt, zeigt Verwandtschaft mit der *L. Roederi* de Lor.[4]) und der *L. argovensis* Moesch[5]) aus dem oberen Oxford der Nordschweiz; doch ist sie unten gerundeter als die erstere und ist verhältnismäßig länger als die letztere.

Eine verwandte neokome Art kenne ich nicht. *N. scapha* d'Orb.[6]), auf die Hohenegger sie bezieht, hat einen gestreckteren Vorderteil, einen konkaven Wirbelrand und einen weniger gebogenen Ventralrand.

Von *Leda navicula* Harb.[7]) aus dem norddeutschen Neokom unterscheidet sie sich schon durch den gänzlichen Mangel an Skulptur. Überdies ist ihr Hinterende viel spitzer.

Koniakau.

30. Leda sp. Nr. 2.

(Taf. XIV (III), Fig. 4.)

Länge	10 *mm*
Höhe . .	60% der Länge
Dicke . . .	etwa 50% der Länge
Apikalwinkel. . .	120—130°.

Drei einzelne Klappen im Sandstein, nur eine läßt die Verhältnisse deutlich erkennen. Ihr Hinterende ist abgebrochen, läßt sich aber nach dem Steinkern ergänzen.

Ziemlich flach, sehr dünnschalig, glatt. Fast gleichseitig, Hinterteil nur wenig länger als der vordere. Vom Wirbel fallen die Kanten nach vorn und nach hinten ziemlich gleich steil ab. Hinteres Ende spitz, aber kurz geschnäbelt; Vorderende ebenfalls ziemlich spitz, nur wenig abgerundet. Ventralrand wenig gebogen. Oberfläche völlig glatt.

Hohenegger vereinigt diese Art mit der vorhergehenden als *Nucula scapha*. Doch unterscheidet sie sich von meiner ersten *Leda* sp. wesentlich durch die flachere Schale, die mehr symmetrische Gestalt

---

[1]) Ebendort.

[2]) Weerth: Neokom des Teutoburger Waldes, S. 46. — Wollemann: Deutsches Neokom, S. 82. — Harbort: Schaumburg-Lippesche Kreidemulde, S. 52, Taf. IX, Fig. 11.

[3]) Sowerby: Min. conch. V, p. 119, pl. 476, Fig. 3.

[4]) de Loriol: Oxf. Jura bernois super. et moyen, p. 117, pl. 14, Fig. 23—25, Bd. XXIV, Abh. Schw. P. G.

[5]) Moesch: Aargauer Jura, S. 302, Taf. IV, Fig. 12.

[6]) d'Orbigny: P. fr., t. crét. 3, p. 761, pl. 301, Fig. 1—3.

[7]) Harbort: Schaumburg-Lippesche Kreidemulde. S. 55, Taf. IX, Fig. 12.

und das spitzere Vorderende. *N. scapha* kann auch sie nicht sein, weil ihr Hinterrand nicht konkav und ihr Vorderende nicht abgerundet ist.

Auch für eine Vereinigung mit *Leda navicula* Harb.[1]) aus dem norddeutschen Neokom sind Vorder- und Hinterende zu spitz.

Wie bei so vielen meiner Exemplare findet sich kein direkter Anschluß an bekannte Arten und doch erlaubt die schlechte Erhaltung nicht die Begründung einer neuen Spezies. Die größte Ähnlichkeit in der Form hat *N. lineata* Sow.[2]) Aber von der deutlichen Streifung, die dieser Art den Namen gegeben, ist an den schlesischen Stücken keine Spur zu sehen, und es ist doch auch bei einer Erhaltung im groben Sandstein schwer anzunehmen, daß eine Skulptur, wenn sie vorhanden gewesen, so völlig spurlos vernichtet worden wäre; es ist das um so unwahrscheinlicher, als andere Spezies ja die feinsten Einzelheiten ihrer Skulptur bewahrt haben.

Koniakau.

31. Trigonia ornata d'Orb.

Tr. ornata d'Orbigny: P. fr., t. cr. 3, p. 136, pl. 288, Fig. 5—9.
Tr. ornata d'Orb. bei Wollemann: Deutsches Neokom, S. 88.

Apikalwinkel etwas über 90°; die anderen Dimensionen lassen sich nicht angeben, da nur Bruchstücke vorliegen.

Zwei größtenteils erhaltene linke Valven, ein kleines Bruchstück einer rechten.

Vorderrand abgerundet. Über den Verlauf von Ventral- und Schloßrand läßt sich bei dieser Unvollständigkeit der Erhaltung nichts sagen. Vom Wirbel zieht eine deutlich hervortretende Arealkante nach rückwärts. Von ihr läuft in kleinen, regelmäßigen Abständen nach vorn zur Seitenfläche und nach rückwärts zur Area je eine Rippe. Die Rippen der Area sind krenuliert und verlaufen, soweit ich sie verfolgen kann, gerade. Die Areola (Schildchen) ist an dem einen Stücke gar nicht, an dem anderen sehr undeutlich erhalten, so daß ich über ihre Beschaffenheit nichts weiß. Die Rippen der Seitenfläche steigen zuerst ziemlich steil nach abwärts und schwenken dann im Bogen in die Richtung parallel dem Mantelrand. Dabei verbreitern sie sich auf das zwei- bis dreifache und nehmen auch an Höhe etwas zu. Nach oben, gegen den Wirbel zu, fallen sie ziemlich steil ab, nach unten verflachen sie sich allmählich und gehen in die Zwischenfurche über. Sie sind stark krenuliert, und zwar am gröbsten dort, wo sie am breitesten sind, also in der größten Entfernung vom Wirbel. Die Krenulierung gibt der Schale den Anschein, daß eine radiale Streifung die konzentrische gitterförmig kreuze, und die Rippen werden dadurch in Reihen einzelner Knoten aufgelöst.

d'Orbigny beschreibt *Tr. ornata* aus dem französischen Neokom, Wollemann aus dem deutschen, Pictet und Renevier[3]) beschreiben sie aus dem Aptien der Perte-du-Rhône (Jura). Meine Exemplare, an denen die Rippen etwas dichter gedrängt stehen als an der Abbildung bei d'Orbigny, stimmen vollkommen mit den Trigonien von Lympne, die Woods[4]) abbildet, sowie mit den Trigonien von Marolles (Dép. Aube), die sich in der hiesigen Universitätssammlung befinden.

Statt des Fundortes gibt Hohenegger für meine Stücke nur »Neocomien« an, doch beweist die Färbung, daß sie aus dem Grodischter Sandstein stammen.

32. Trigonia sp. ind.

(Taf. XIII (II), Fig. 10 *a*, *b*.)

Länge	10 *mm*
Höhe	80% der Länge
Dicke	80% »
Apikalwinkel . . .	125°.

[1]) Harbort: Schaumburg-Lippesche Kreidemulde, S. 55, Taf. IX, Fig. 12.

[2]) Fitton: Strata below the Chalk, p. 342, pl. 17, Fig. 9. — Auch bei Woods: Cret. Lamellibr., p. 7, pl. 1, Fig. 28—32.

[3]) Pictet et Renevier: Perte-du-Rhône, p. 96, pl. 12, Fig. 4.

[4]) Woods: Cretaceous Lamellibr., p. 85, pl. 19, Fig. 13.

Eine linke Valve. Sehr kleines Jugendexemplar. Trotzdem sind 14 Längsrippen da; sie stehen dichtgedrängt. Die Zwischenräume sind nicht breiter als die Rippen. Rippen vorn ein wenig nach aufwärts geschwungen. Durch eine Furche vom berippten Seitenfeld getrennt, verläuft der fein krenulierte Arealkiel. Die Area ist breit und mit ungleichen Radialrippen bedeckt. Ganz innen grenzt jederseits eine stärkere Rippe das Schildchen ab. (Dieses selbst scheint quergestreift, ist an meinem Stücke aber nicht deutlich erhalten.) Den ganzen übrigen Raum der Area nehmen zehn Radialrippen ein, und zwar von außen nach innen vier feinere, dann eine kräftigere, dann wieder fünf feinere. Alle sind sehr schwach gekörnelt.

Das Exemplar gehört zur Gruppe der *Costatae*, die ihre Hauptentwicklung im Jura hat und nur mit wenigen Spezies bis in die Kreide geht. Die einzelnen Typen der Gruppe sind fast alle sehr nahe miteinander verwandt und unterscheiden sich oft nur graduell, unter anderem durch breiteren oder schmäleren Abstand zwischen den einzelnen Rippen. Aus der Unterkreide wurde meines Wissens bis jetzt nur der breitfurchige Typus beschrieben, und zwar als *Tr. carinata* Ag.[1]) Findet sich an vielen Lokalitäten.[2]) d'Orbigny[3]) betont ausdrücklich, daß bei *Tr. carinata* die Zwischenräume zwischen den Rippen bedeutend breiter sind als diese selbst; an meinem Stücke sind sie eher schmäler. Das Jugendexemplar, das er abbildet, ist etwa 4 *cm* hoch und zählt nur acht Rippen, mein nicht halb so großes Stück deren 14. Überdies ist auch die Zahl der radialen Arealrippen bei *Tr. carinata* zu klein für eine Identifizierung. Mein Jugendexemplar hat um ein bis zwei mehr als d'Orbignys erwachsene Stücke, und doch nimmt die Zahl mit dem Alter zu. Ich kann daher diese ausgesprochen dichtberippte Form nicht mit der neokomen *Tr. carinata* identifizieren, sondern muß einen Anschluß für sie im oberen Jura suchen.

Hier ist der dichtberippte Typus aus verschiedenen Horizonten bekannt.

Quenstedt bildet aus dem Jura von Nattheim eine *Tr. costata silicea*[4]) ab, die ebenfalls mehr Rippen hat als die gewöhnliche *costata*, beschreibt sie aber nicht näher. Nach der Abbildung scheint die Area nicht mit meiner Form übereinzustimmen.

Am besten paßt meine *Trigonia* zu *Tr. Meriani* de Lor.[5]) (non. Ag.) aus dem unteren Corallien des Berner Jura; diese hat zahlreiche, dicht gedrängt stehende konzentrische Rippen und verhältnismäßig viele radiale Arealrippen. Von der zarten Körnelung, die die konzentrischen Rippen an ganz großen Exemplaren vorn erfahren, ist bei meiner Jugendform natürlich nicht die Rede. Überhaupt läßt sich ein vollständiger Vergleich zwischen de Loriols erwachsenem und meinem ganz jungen Exemplar nicht durchführen. Ich kann nur sagen, daß mein Stück den Bedingungen genügt, die man an die Jugendform von *Tr. Meriani* de Lor. zu stellen hätte.

Die echte *Tr. Meriani* Ag.[6]), ebenfalls aus dem Schweizer Corallien, hat keinen krenulierten Kiel und hat der Abbildung nach ziemlich breite Zwischenräume zwischen den Rippen, obwohl Agassiz sagt: Rippen zahlreich. Auch Thurmann und Étallon[7]) bilden die *Tr. Meriani* mit ziemlich breiten Zwischenfurchen ab.

Sehr nahe verwandt ist dagegen *Tr. Étalloni* de Lor.[8]) aus dem Séquanien der Haute-Marne, so daß de Loriol selbst eine Identifizierung von *Tr. Meriani* und *Étalloni* für möglich hält. Allerdings schreibt er ihr weniger Arealrippen zu und kommt ein paar Jahre später bei seiner Beschreibung von *Tr. Meriani*[9]) gar nicht mehr auf diese Beziehung zurück.

Andere verwandte Formen, z. B. *Tr. monilifera* Ag.[10]), nähern sich wieder mehr dem breitfurchigen Typus.

[1]) Agassiz: Trigonies, p. 43, pl. 7, Fig. 7—10.
[2]) Ausführliches Literaturverzeichnis bei Pictet et Campiche, Sainte-Croix III, p. 365.
[3]) d'Orbigny: P. fr., t. crét. 3, p. 132, pl. 286.
[4]) Quenstedt: Jura, S. 759, Taf. XCIII, Fig. 4.
[5]) de Loriol: Couches coralligènes, Jura Inf. bernois, p. 266, pl. 28, Fig. 1—3. Bd. 19. Abh. Schw. P. G.
[6]) Agassiz: Trigonies, p. 41, pl. 11, Fig. 9.
[7]) Thurmann et Étallon: Leth. Brunt., p. 205, pl. 26, Fig. 2.
[8]) de Loriol: Haute-Marne, p. 313, pl. 17, Fig. 13, 14, 15.
[9]) de Loriol: Vergl. obiges Zitat.
[10]) Agassiz: Trigonies, p. 40, pl. 3, Fig. 4—6.

Es bestehen nun zwei Möglichkeiten: entweder geht eine der engrippigen jurassischen Spezies ins Neokom hinauf, oder es liegt eine neue, dem Neokom eigene Art vor, deren Reifestadium noch nicht beschrieben wurde. Welches von beiden der Fall ist, läßt sich auf Grund des einen Jugendexemplars nicht entscheiden. Sicheres Ergebnis ist nur, daß der engrippige *Costaten*-Typus überhaupt im Neokom auftritt.

Aus der Oberkreide ist er bereits wieder bekannt: *Tr. auguste-costata* Behrendsen[1]) aus der oberen Kreide von Carylauhue (argentin. Cordillere). Auch *Tr. indica* Stol.[2]) aus der südindischen Arrialoor-Gruppe ist ziemlich eng berippt.

Meine *Trigonia* füllt daher eine Lücke aus, die bisher zwischen diesen obercretacischen und den schmalfurchigen oberjurassischen Arten bestand.

Ernsdorf.

33. Lucina aff. valentula de Lor.

(Taf. XIV (III), Fig. 5 *a, b*.)

Lucina valentula de Lor., de Loriol et Cotteau, Portlandien de l'Yonne, p. 577, pl. 10, Fig. 14.

Länge	13 *mm*
Höhe	86% der Länge
Dicke	61% » »
Apikalwinkel	125°.

Nur eine rechte Klappe. Der Umriß ist fast kreisförmig, fast so lang wie hoch, unten etwas abgeflacht. Wirbel nur wenig hinter der Mitte, spitz nach vorn gebogen, nicht stark vorragend. Hinteres Ende rund abgestutzt. In den Vorderrand ist die *Lunula* eingesenkt, nicht tief, aber immerhin deutlich. Konzentrische Streifen von etwas ungleicher Stärke. Die Schale ist ziemlich aufgeblasen.

Meine Form unterscheidet sich von der echten *L. valentula* de Lor., aus dem Portland der Yonne, nur durch etwas geringere Dimensionen.

Eine nahestehende Kreidespezies ist *L. globiformis* Leym.[3]) aus dem Neokom des Départements Aube. Doch ist sie, wie schon ihr Name sagt, kugelig aufgebläht; überdies liegt ihr Wirbel weiter vorn.

Koniakauer Schloß.

34. Lucina sp. ind.

Taf. XIV (III), Fig. 6.

Länge	22 *mm*
Höhe	100% der Länge
Dicke	54% » »
Apikalwinkel	130°.

Sechs Stücke, nur zum Teil erhalten.

Umriß fast ganz kreisförmig, Wirbel wenig vorragend, aus der Mitte etwas nach hinten gerückt. Die vordere Kante fällt steiler ab als die hintere. Lunula nur schwach angedeutet. Schalen wenig gewölbt. Vom Wirbel läuft eine ganz flache Erhebung nach unten. Viele feine Anwachsstreifen, die gegen den Rand zu etwas stärker werden.

Die nächste Verwandte ist *Lucina Hauchecornei* Wollem.[4]) aus dem norddeutschen Neokom. Ihre Wirbel liegen aber weiter vorn.

Entfernter steht *L. fallax* Forbes[5]) aus der indischen Oberkreide. Nur eines der von Stoliczka abgebildeten Exemplare[6]) stimmt überein.

---

[1]) Behrendsen: Argent. Cordillere, S. 28, Taf. III, Fig. 7.
[2]) Stoliczka: Pelecypoda, p. 315, pl. 15, Fig. 14, 15.
[3]) Leymerie: Terr. crét. de l'Aube II, p. 4, pl. 3, Fig. 8.
[4]) Wollemann: Deutsches Neokom, S. 104, Taf. V, Fig. 3.
[5]) Forbes: Southern India, p. 143, pl. 17, Fig. 8.
[6]) Stoliczka: Pelecypoda, p. 256, pl. 13, Fig. 13.

Dagegen wurden einige sehr ähnliche Arten aus dem französischen Tithon beschrieben: Von *L. plebeja* Contejeau[1]) unterscheidet sich meine Spezies nur durch das Fehlen eigentlicher Rippen und durch das Fehlen einer deutlichen Lunula. Im Vergleiche mit *L. portlandica* Sow.[2]) ist sie schiefer und ihr Vorderrand fällt steiler ab.

Zur Identifizierung mit *L. obliqua* Goldf.[3]) aus dem Nattheimer Kalke fehlt die Lunula.

Nach allen diesen Vergleichen ist es mir wahrscheinlich, daß eine neue Art vorliegt, doch hindert mich der Erhaltungszustand, der auch bei dem einzigen brauchbaren Exemplar viel zu wünschen übrig läßt, die Muschel als *nova species* zu benennen.

Koniakau.

35. Lucina obliqua Goldf.

Lucina obliqua Goldfuss, Petref. Germ. II, S. 217, Taf. CXLVI, Fig. 14.

Länge	11 *mm*
Höhe	. 82% der Länge
Dicke . . .	. 72% » »
Apikalwinkel . . .	105°.

Ein fast vollständig erhaltenes Exemplar, fünf Bruchstücke.

Umriß breit elliptisch, nicht viel länger als hoch, schief. Vorn und hinten breit abgerundet, Wirbel fast in der Mitte, nur unmerklich nach hinten gerückt. Der Hinterrand verläuft gerade und schief nach abwärts, der Vorderrand senkt sich zu einer tiefen Lunula und zieht dann ein Stück horizontal weiter. Schalen wenig gewölbt. Vom Wirbel verläuft eine Anschwellung gegen den Ventralrand, die sich aber in der Mitte der Schale verliert. Sehr feine konzentrische Streifung.

Mit *L. obliqua* Goldf. aus dem Nattheimer Korallenkalke völlig identisch. Unter den Kreideformen ist mit ihr verwandt *L. Teutoburgensis* Wollem.[4]) aus dem norddeutschen Neokom, deren Umriß aber nicht so schief und deren Apikalwinkel etwas größer ist.

Koniakauer Schloß.

Die angeblichen Cyrenen.

Hohenegger findet unter den Versteinerungen des Grodischter Sandsteins[5]) auch Spuren einer Süßwasserfauna, und zwar einige Unionen und drei Cyrenen, *C. Astarte* Dkr., *C. elliptica* Dkr. und *C. latoovata* Roem. Die Unionen erwiesen sich bei näherer Untersuchung als *Myoconcha*. (Vergl. diese.) Aber auch die Bestimmungen der Cyrenen sind nicht haltbar.

A.

36. ? Cyrena sp. ind.,

nach Hohenegger *Cyrena Astarte* Dunker, Wealden, S. 36, Taf. XII, Fig. 12.

Erhalten ist nur ein Bruckstück, eingebettet im groben Sandstein, 7 *cm* lang, 5 *cm* breit. Es ist fast ganz flach und vollständig mit ungleich starken Streifen bedeckt, die sehr regelmäßige konzentrische Kreisstücke darstellen. Nur wenig nimmt ihre Krümmung in der Richtung gegen den Wirbel zu, was auf weiten Abstand vom Wirbel, mithin auf sehr bedeutende Dimensionen schließen läßt.

Eine so riesenhafte Cyrene kennt weder Dunker noch Roemer, ja die Größe im Vereine mit der Flachheit der Schale macht es mir überhaupt zweifelhaft, ob wir es mit einer Cyrene zu tun haben und nicht vielleicht eher mit einem sehr großen *Pecten* (*Syncyclonema*.) Eine sichere Beurteilung ist natürlich

[1]) Contejeau: Kimméridgien de Montbéliard, p. 271, pl. 12, Fig. 6, bei de Loriol et Cotteau: Portlandien de l'Yonne, p. 570, pl. 12, Fig. 5. — de Loriol: Boulogne-s.-m., p. 229, pl. 14, Fig. 8.

[2]) Fitton: Strata below the Chalk, p. 347, pl. 22, Fig. 11. — de Loriol: Boulogne-s-m., p. 70, pl. 13, Fig. 48.

[3]) Goldfuss: Petr. Germ. II, S. 217, Taf. CXLVI, Fig. 14.

[4]) Wollemann: Deutsches Neokom, S. 105, Taf. V, Fig. 4, 5.

[5]) Hohenegger: Geognostische Karte, S. 27.

unmöglich; auf keinen Fall aber ist es *C. Astarte*, die 2 bis 3 *cm* hoch wird, sehr ungleichseitig und fein gestreift ist.

Koniakauer Schloß.

B.

37. ? Cyrena sp. ind.,

(Taf. XIV (III), Fig. 7)

nach Hohenegger *Cyrena lato-ovata* Roemer, Oolith, S. 116, Taf. IX, Fig. 4.

Länge	45 *mm*
Höhe .	73% der Länge
Dicke	30% »
Apikalwinkel	135°.

Eine linke Klappe. Schloßpartie nicht erhalten. Der Umriß läßt sich einem breiten Dreieck mit gerundeter Basis vergleichen. Fast gleichseitig, hintere Hälfte etwas länger und schmäler als die vordere, übrigens beide abgerundet. Konzentrische Streifen von verschiedener Stärke. Hohenegger bezieht das Stück auf *Cyrena lato-ovata* Roem. in Dunkers Wealden[1]), hebt aber selbst hervor, daß die schlesische Form viel größer und feiner gestreift ist als die norddeutsche. Dunkers Exemplar hat weit und dabei regelmäßig abstehende konzentrische Streifen, das meinige ist völlig bedeckt mit Linien von ganz ungleicher Stärke und ganz ungleichem Abstand.

Noch weniger stimmt die Form mit Roemers Originalabbildung überein; diese ist viel höher im Vergleich zur Länge, und in bezug auf Größe und Streifung gelten dieselben Abweichungen.

Koniakauer Schloß.

C.

38. ? Cyrena sp. ind.

(Taf. XIV (III), Fig. 8 *a, b*)

nach Hohenegger *Cyrena elliptica* Dunker, Wealden, S. 33, Taf. X, Fig. 32.

Länge .	25 *mm*
Höhe . . .	76% der Länge
Dicke	40% » »
Apikalwinkel	125°.

Eine Klappe.

Ebenso weicht Hoheneggers *Cyrena elliptica* von Dunkers Abbildung und Beschreibung ab. Der Umriß ist eher dreieckig als elliptisch, die Wirbel liegen nicht im ersten Drittel, sondern ziemlich genau in der Mitte, und die Streifung ist nicht fein, sondern zum Teil grob und geradezu rissig. Auch hier ist die Schloßgegend nicht erhalten. Die Form entspricht der vorhergehenden, nur ist sie kleiner und verhältnismäßig höher.

Koniakauer Schloß.

Für *Cyrena lato-ovata* und *Cyrena elliptica* läßt sich nur die spezifische Bestimmung widerlegen, nicht aber die generische. Das Schloß fehlt, wie erwähnt, an beiden Stücken, nur an dem einen sieht man, undeutlich genug, eine lange seitliche Grube, die sich allenfalls als Grube eines Seitenzahnes deuten ließe, wie er bei Cyrenen vorkommt. Ein deutliches Abgeriebensein der Wirbel ist nicht zu bemerken, wohl aber paßt die kräftige braune Epidermis auf Cyrena, sowie vor allem die Form der Schale, die konzentrische Streifung, kurz, der äußere Habitus. Nun ist dieser Habitus aber ziemlich indifferent und entspricht ebenso gut z. B. einer *Crassatella* oder einer *Astarte*. Somit läßt sich nichts entscheiden.

[1]) Dunker: Wealden, S. 32, Taf. X, Fig. 33.

Von den drei Cyrenen Hoheneggers bleibt also nichts übrig als die vage Möglichkeit, daß zwei von ihnen, die sehr Verschiedenes sein können, auch Cyrenen sein können, — im besten Falle, daß alle drei Cyrenen sein können.

Es ist aber auch gar nicht einzusehen, warum in den Grodischter Schichten keine Cyrenen vorkommen sollten; eingeschwemmte Flußmuscheln haben in solchen küstennahen Ablagerungen gar nichts Befremdliches. Nur die stratigraphische Konsequenz, die Hohenegger aus diesem Vorkommen gezogen, hat sich bei den Neuaufnahmen des Gebietes als unhaltbar erwiesen.[1])

An der Erkenntnis, daß die Grodischter Schichten ein selbständiger mariner Horizont sind, würde auch ein größerer Reichtum an Flußmuscheln, als drei fragliche Cyrenen ihn darstellen, nichts mehr ändern. Wenn ich daher Hoheneggers Cyrenen anzweifle und seine Unionen in Myoconchen umdeute, so ist das nur noch paläontologisch, aber nicht mehr stratigraphisch von Belang.

39. Lucina Rouyana d'Orb.

(Taf. XIV (III), Fig. 9 *a—c.*)

Lucina Rouyana d'Orbigny: P. fr., t. crét. 3, p. 118, pl. 283 bis, Fig. 8—10.

Länge	8 *mm*
Höhe	87% der Länge
Dicke	62% » »
Apikalwinkel	etwa 90°.

Zahlreiche Stücke, gut erhalten.

Ziemlich gleichseitig, Wirbel nur wenig vor der Mitte gelegen. Das vordere Ende ist abgestutzt und bildet ein stumpfes Eck, das hintere ist abgerundet und der Unterrand stark gebogen, woraus ein nahezu kreisförmiger Umriß resultiert. Gehäuse kugelig aufgeblasen. Deutlich eingesenkte Lunula, durch abgeflachte Kanten begrenzt. Hinten eine breite Area (= Loriol's »Corselet«), ebenfalls durch stumpfe Kanten abgegrenzt. Auf ihr verlaufen zwei gebogene, sehr scharfe Kanten und schließen die vertiefte Areola (= Loriol's »Area cardinale«) ein. Vom Wirbel herab zum Ventralrand verläuft eine kaum merkliche Anschwellung. Anwachsstreifen von ungleicher Stärke und senkrecht dazu eine mikroskopisch feine Radialstreifung. Die Schale scheint hinten eine Strecke weit mit einer engen Spalte zu klaffen.

Wurde von d'Orbigny aus dem Neokom der Hautes Alpes beschrieben; seine Exemplare sind etwas größer als die meinen, aber der Unterschied ist sehr gering.

Hohenegger vermutet in den vorliegenden Formen eine neue *Corbula*-Spezies und nennt sie *Corbula Picteti*. Offenbar wurde er dazu durch die scheinbare Ungleichklappigkeit geführt. In Wirklichkeit sind die beiden Klappen nicht verschieden groß, sondern nur in vertikaler Richtung ein klein wenig gegeneinander verschoben, so daß ein Wirbel etwas höher zu liegen kommt als der andere. Übrigens zeigt sich diese Quetscherscheinung durchaus nicht an allen Exemplaren, ist, wo sie überhaupt auftritt, minimal und hat bei einigen Stücken die rechte, bei anderen die linke Klappe gehoben. Läge wirklich eine *Corbula* vor, so müßte durchwegs die rechte Klappe erheblich größer sein als die linke.

Stanislowitz.

40. Pholas (Turnus) nanus. n. sp.

(Taf. XIV (III), Fig. 10 *a—d.*)

Länge	5 *mm*
Höhe	65% der Länge
Dicke	65% » »
Apikalwinkel	110°.

Markasitkugeln bis zu 10, 12 *mm* Durchmesser, halb umhüllt von verkohltem Holze. Aus diesen Kugeln lassen sich die ebenfalls verkiesten Individuen herausschälen. Offenbar haben sich die Muscheln

[1]) Vergl. darüber die Einleitung.

kugelförmige Höhlen im Holze gebohrt und der Raum zwischen Holz und Tier wurde nachträglich mit Markasit erfüllt.

Die Schale selbst ist ungleichseitig, vorn abgestutzt, stark klaffend, hinten ausgezogen, wenig klaffend, nur ein langer Spalt ist da. Oben und unten geschlossen. Wirbel stark eingebogen, die ganze Muschel sehr aufgebläht, kugelig. Vom Wirbel läuft eine Furche nach abwärts mit einer schwachen Abweichung nach rückwärts. Sie ist gekörnelt nnd rechts und links von einer Leiste begrenzt. Die Schale trägt eine sehr feine Anwachsstreifung, die parallel den Rändern geht, also hinter der Medianfurche wagrecht verläuft, sich an ihr unter einem scharfen Winkel von etwa 130° bricht und vor ihr aufsteigt. Doch ist die hintere Hälfte schwächer und weniger dicht gestreift und wird in einiger Entfernung von der Furche ganz glatt. Hinten ist eine Area eingesenkt, von gebogenen, scharfen Kanten begrenzt. Sie zeigt nur mikroskopische feine Anwachsstreifung. In ihrer Mitte zieht sich aus der Nähe des Wirbels bis zum Hinterende der Muschel die lange, schmale hintere Öffnung hin. Die inneren Leisten sind an meinen Stücken nicht sichtbar.

Aus der weiten vorderen wie aus der schmalen hinteren Öffnung quillt Füllmasse.

Zur generischen Bestimmung: Daß die Stücke der Untergattung *Turnus* angehören, ist sehr wahrscheinlich, aber nicht absolut gewiß. Die gekrümmten Wirbel, die weit klaffende Vorderseite, die konzentrisch gestreifte Oberfläche, die mediane Furche — alles das spricht für *Turnus*. Nur bin ich nicht ganz sicher, ob wirklich keine akzessorischen Platten da sind, — ein Hauptunterschied zwischen *Turnus* und *Martesia*. Wahrscheinlich ist es nicht, an keinem der Stücke war etwas davon zu finden; da diese aber erst aus den Markasitschalen herausgekratzt werden mußten, so wäre es ja immerhin denkbar, daß solche Platten da waren. Doch spricht noch ein Umstand gegen das Vorhandensein wenigstens der vorderen Platte: vorn, wo die Schalen weit klaffen (ebenso hinten), läßt sich die Markasithülle am schwersten entfernen. Hier stand offenbar die äußere mit der inneren Füllmasse in direkter Verbindung. Wäre eine trennende Brustplatte dazwischen gewesen, wie *Martesia* sie aufweist, so müßte sich der Markasit hier ebenso leicht ablösen wie an anderen Stellen. Nur ein Exemplar (Tafel III, Fig. 9 d) zeigt den Steinkern hier ganz frei und mit völlig glatter, regelmäßig geformter Oberfläche, was allerdings den Gedanken nahelegt, daß ehemals eine Platte diese vordere Öffnung gedeckt habe.

Alles in allem spricht die größere Wahrscheinlichkeit entschieden für das Fehlen der Platten, und dies im Vereine mit den erwähnten sonstigen Merkmalen bestimmt mich, die Form als *Turnus* anzusprechen.

Gabb, der Autor des Subgenus, schreibt ihm, wenn auch mit einigem Zweifeln, kalkige Röhren zu.[1]) Von solchen ist an meinen Stücken keine Spur zu bemerken. Vergleiche darüber weiter unten.

In der Art der Auftretens erinnert meine Art am meisten an *Pholas sclerotites* Gein.[2]) aus der Oberkreide des Elbtalgebirges. Leider ist dort sowohl Beschreibung wie Abbildung zu undeutlich für einen genaueren Vergleich.

Hohenegger nennt die Stücke *Pholas Cornueliana* d'Orb.[3]) (französisches Aptien). Diese Bestimmung ist schon deshalb unzulässig, weil d'Orbigny seinem Genus *Pholas* akzessorische Platten zuschreibt, also nur das heutige Subgenus *Martesia* darunter versteht (allenfalls noch *Xilophaga* Turton und *Jouanettia* Desm., falls diese schon in der Kreide vorkommen). Überdies ist *Pholas Cornueliana* größer, zeigt schwächere Streifung, der Hinterrand fällt bei weitem nicht so steil ab und vorn unten, wo die Schale an meiner Form schräg abschneidet, ist jederseits noch ein glattes, längliches Schalenstück angesetzt, das die Vorderseite zu einer sanften Rundung ergänzt. Von einem solchen angesetzten Schalenstücke ist bei meinem *Turnus* keine Spur vorhanden, auch nicht etwa unter dem vorlagernden Markasit, wie ich mich durch Anschleifen überzeugte.

Dasselbe Ansatzstück zeigt *Pholas Sanctae-Crucis* Pict. et Camp.[4]) aus dem unteren Gault von

---

[1]) Gabb: California, v. I, S. 145.

[2]) Geinitz: Elbtalgebirge, I. Teil, S. 233, Taf. XLIX, Fig. 22, 23; Taf. LII, Fig. 1—3.

[3]) d'Orbigny: P. fr., t. crét. 3, p. 305, pl. 349, Fig. 1—4.

[4]) Pictet et Campiche: Sainte-Croix III, p. 24, pl. 100, Fig. 1.

22*

Sainte-Croix. Auch diese Spezies ist größer und schwächer gestreift als die schlesische. Noch größer ist die Verschiedenheit gegenüber *Pholas Rhodani* Pict. et Camp.[1]) aus dem Gault von Sainte-Croix.

Ph. Roemeri = *Fistulana constricta* Roem.[2]) aus dem norddeutschen Neokom ist ebenfalls eine *Martesia*.

Dagegen sind *Turnus plenus* Gabb.[3]) aus der Kreide von Kalifornien, *Teredo Argonnensis* Buv.[4]) und *Teredo Varennensis* Buv.[5]) beide aus dem Gault von Varennes (Dép. Meuse) echte Vertreter von *Turnus*. *Turnus plenus* unterscheidet sich von *Turnus nanus* durch den etwas geschweiften Vorderrand, die breite, gerundete Hinterseite und den Mangel einer Area; *Teredo* (*Turnus*) *Argonnensis* hat ebenfalls eine breite, gerundete Hinterseite und keine Area; der Arealkante entspricht eine Furche, die sich verliert, ohne den Mantelrand ganz zu erreichen. *Teredo* (*Turnus*) *Varennensis* scheint zwar eine Area zu haben, doch ist sie schnabelförmig nach hinten ausgezogen; der Ventralrand verläuft nicht gerade wie an meinen Stücken, sondern ladet in weitem Bogen nach unten aus, wodurch die Form fast ebenso hoch wie lang wird.

Ebenso wie Gabb gibt auch Buvignier Kalkröhren für seine Spezies an, aber auch er stellt es als zweifelhaft hin, ob die Muschel und die Kalkröhre wirklich zusammengehören. In demselben Sinne kritisiert er Geinitz, der[6]) *Teredo Argonn.* auf die als *Serpula*, bezw. *Gastrochaena amphisbaena* Goldf.[7]) bezeichneten Kalkröhren bezieht.

Zittel, der *Ter. Argonn.* Buv. als Beispiel für *Turnus* anführt,[8]) schreibt diesem Subgenus und überhaupt dem Genus *Pholas* keine Kalkröhren zu und Koken[9]) hebt deren Fehlen ausdrücklich als Unterschied gegenüber *Teredo* hervor. Ich folge daher diesen neueren Autoren, wenn ich meine röhrenlosen Exemplare zu *Turnus* stelle.

Wie bereits angeführt, unterscheidet sich die Art wesentlich von allen bekannten *Pholas*-Arten, auch den beiden nächstverwandten Spezies aus der Meuse.

Mehr Ähnlichkeit in der Form zeigt sie mit der bedeutend größeren *Pholas Lüpkei* Wollem.[10]) aus dem norddeutschen Neokom, die aber nur in Steinkernen vorliegt.

Grodischt und Krasna (Florianistollen).

Brachiopoden.

41. Rhynchonella peregrina Buch.

(Taf. XIV (III), Fig. 11.)

Terebratula peregrina Buch.: 1834, class. des Ter. Nr. 28, Mem. de la Soc. géol., v. III, p. 156, pl. 15, Fig. 28.
Rhynchonella peregrina d'Orbigny: P. fr., t. crét. 4, p. 16, pl. 493.

Länge . . .	26 *mm*
Breite	31 »

Ein Jugendexemplar. Erhalten ist (teilweise) die kleine Klappe samt Ausguß. Medianseptum. Apikalwinkel sehr stumpf. Über 30 scharfkantige Rippen.

Das Exemplar stimmt vollständig mit der d'Orbigny'schen Beschreibung dieser Neokomform, man müßte denn aus der geringeren Anzahl der Rippen ein Unterscheidungsmerkmal machen. Die Rippenzahl scheint aber bei dieser Spezies überhaupt zu schwanken. d'Orbigny sagt: »ungefähr 50«; seine Abbildung zeigt 36 deutlich erkennbare Rippen und gegen die Seitenränder zu noch eine Anzahl ganz feiner Streifen.

[1]) Ebendort, p. 25, pl. 100, Fig. 2.
[2]) Roemer: Kreide, S. 76, Taf. X, Fig. 11.
[3]) Gabb: California, v. I, p. 146, pl. 22, Fig. 116.
[4]) Buvignier: Meuse, p. 6, pl. 6, Fig. 33—39.
[5]) Ebendort, p. 6, pl. 6, Fig. 40—48.
[6]) Geinitz: Elbtalgeb. I. Teil, S. 235, Taf. LII, Fig. 8—12.
[7]) Goldfuss: Petref. Germ. I, S. 339, Taf. LXX, Fig. 16.
[8]) Zittel: Handbuch, S. 138.
[9]) Koken: Leitfossilien, S. 222.
[10]) Wollemann: Deutsches Neokom, S. 147, Taf. VII, Fig. 3.

Die hiesige Universitätssammlung besitzt ein französisches Exemplar (Chatillon), das der d'Orbigny'schen Figur völlig entspricht, und ein mährisches[1]) mit 28 Hauptrippen, ohne solche unentwickelte Seitenrippen. Angesichts dieser großen Differenzen trage ich kein Bedenken, auch mein Stück mit 32 Rippen als echte *Rh. peregrina* zu bezeichnen.

Koniakauer Schloß.

42. Rhynchonella silesica n. sp.

(Taf. XIV (III), Fig. 12 *a—d*.)

Länge . . . 60—90 *mm* (schätzungsweise)
Breite . . gegen 90 *mm* »
Dicke . . 43 *mm*.

Zwei Exemplare, ein ausgewachsenes, dem die Wirbelpartie fehlt, und eine Jugendform.

Die Stücke schließen sich einerseits eng an *Rh. peregrina* an, anderseits zeigen sie doch so erhebliche Abweichungen, daß sie nicht mehr als bloße Varietät betrachtet werden können. Die Rippen, hier noch weniger zahlreich, dichotomieren zum großen Teile, und zwar so, daß aus jeder ursprünglichen Rippe zwei neue von sehr ungleicher Stärke entstehen. Deutlich ist das an dem ausgewachsenen Stücke zu sehen, doch zeigt auch das junge schon Neigung zur Rippenspaltung.

Der charakteristische Mangel eines Sinus zeichnet auch diese *Rhynchonella* aus, wie sie sich überhaupt in ihren übrigen Merkmalen von *Rh. peregrina* nicht unterscheidet.

Koniakau.

43. Mehrere unbestimmbare Brachiopoden.

Im Anschlusse an diese Rhynchonellen sei erwähnt, daß noch ein paar Brachiopoden vorliegen, die sich aber teils als Jugendformen, teils als Bruchstücke nicht näher bestimmen lassen.

Ein paar ganz junge Stücke von Kozakowitz nennt Hohenegger *Terebratula multiformis* Roemer[2]) = *Rhynchonella depressa* d'Orb.[3]), eine Bestimmung, die sehr wohl zutreffen kann, die sich aber für so indifferente Jugendformen ebenso wenig beweisen wie widerlegen läßt.

Eines der Exemplare scheint eine zweite *Rh. peregrina* Buch., eines auch von Kozakowitz scheint ein *Trigonosemus* (vielleicht *elegans* König?) zu sein.

44. Terebratulina auriculata d'Orb.

(Taf. XIV (III), Fig. 13 *a—c*.)

Terebratulina auriculata Roemer: Kreide, S. 39, Taf. VII, Fig. 9.
» d'Orbigny: P. fr. t. cr. 4, p. 58, pl. 502, Fig. 3, 4.

Länge . 9 *mm*
Breite . . 78% der Länge
Dicke . . . . 30% » »
Apikalwinkel . . . 80°.

Sehr kleine, junge *Terebratulina*, von Hohenegger als *auriculata* Roem. = *(bi)auriculata* d'Orb. aus dem norddeutschen Hilskgl. und dem französischen Neokom) bestimmt. Die Übereinstimmung ist eine (recht gute. Die zarte, unausgesprochene Jugendform legt zwar eine Identifizierung mit der (sehr nahe verwandten) *T. martiniana* d'Orb.[4]) fast ebenso nahe, doch zwingt die Form der Stirnkommissur (einfacher Sinus mit der Konvexität an der Bauchklappe) doch zum Anschlusse an *T. auriculata*.

Koniakauer Schloß.

---

[1]) Vergl. Remeš: *Rhynchonella peregrina* bei Freiberg in Mähren, Verh. geol. Reichsanst. 1903, S. 223.
[2]) Roemer: Kreide, S. 37, Taf. XVIII, Fig. 8.
[3]) d'Orbigny: P. fr. t. crét. 4, p. 18, pl. 491, Fig. 1—7.
[4]) d'Orbigny: P. fr. t. crét. 4, p. 59, pl. 502, Fig. 8—12.

45. Terebratulina sp.

(Taf. XIV (III), Fig. 14.)

Länge . . .	11 *mm*
Breite	$73^0/_0$ der Länge
Apikalwinkel . . .	gegen 70^0.

Nur eine Klappe, vermutlich die große, im Abdruck erhalten. Oval, nach oben spitz zulaufend. Bedeckt mit zahlreichen feinen, dichotomierenden Rippen. Diese werden im unteren Drittel von ebenso feinen Längsstreifen gitterartig durchkreuzt.

Ich kann diese Form an keine mir bekannte anschließen. *Terebratula striata* d'Orb.[1]) aus der Oberkreide zeigt eine gewisse Ähnlichkeit, ist aber viel größer, gestreckter, oben abgestumpft und besitzt nicht diese Gitterstreifung.

Fundort nicht angegeben; dem umgebenden Gestein nach jedenfalls Grodischter Sandstein.

Anhang:

Einige Spezies aus dem Unteren und dem Oberen Teschener Schiefer.

1. Trochus sp.

(Taf. XIII (II), Fig. 11 *a*, *b*.)

Länge	5 *mm*
Höhe des letzten Umganges	$40^0/_0$ der ganzen Länge
Durchmesser des letzten Umganges . .	$140^0/_0$ » » »
Gewindewinkel	75^0.

Ein ganz kleines Exemplar, so stark abgerieben, daß man die Skulptur nur mit Mühe wahrnimmt. Breiter als hoch. Mündung sehr zusammengedrückt, nach rechts verzogen. Basis schwach gewölbt; eine kleine Nabeleinsenkung ist vorhanden. Nähte so schwach, daß sich die sechs Umgänge kaum trennen lassen. Oberfläche mit feinen Knötchen besetzt, die zugleich in Längs- und in Querreihen stehen, etwa 20 bis 24 im Umkreis auf den unteren Windungen. Jeder Umgang trägt drei Reihen. Der letzte weist einen ziemlich scharfen Kiel auf, wenn auch keine eigentliche Kante. Spiralstreifung an der Basis.

Verwandte aber doch wesentlich verschiedene Formen finden sich in verschiedenen Horizonten der Kreide. *Tr. Oerlinghusanus* Weerth[2]) aus dem norddeutschen Neokom ist größer und seine Spiralverzierung besteht nicht aus einzelnen Knötchen, sondern aus fortlaufenden Längsstreifen, die nur granuliert sind.

Die Gaultform *Tr. nevirnensis* de Lor.[3]) ist bedeutend größer und stimmt in der Skulptur nur annähernd; auch ist die Basis an ihrem Umfange rund.

Am ähnlichsten ist *Tr. echinulatus* Alth.[4]) aus der galizischen Oberkreide. Aber seine Windungen tragen unten einen vorspringenden Kiel.

Tr. haimeanus d'Orb.[5]) aus dem Neokom des Pariser Beckens, abgebildet bei Peron[6]), ist doppelt so groß, hat nicht drei, sondern vier Knötchenreihen auf jedem Umgang und seine Skulptur setzt sich auch auf die Basis fort.

Ich wage es nicht, auf dieses einzige Exemplar, dessen Skulptur so undeutlich zu erkennen ist, eine neue Spezies zu begründen.

Wendriner Straße.

---

[1]) d'Orbigny: P. fr. t. crét. 4, p. 66, pl. 504, Fig. 9—17.
[2]) Weerth: Teutoburger Wald, S. 32, Taf. VII, Fig. 14.
[3]) de Loriol: Cosne, p. 34. pl. IV., Fig. 16—22.
[4]) Alth: Lemberg S. 46, Taf. XI, Fig. 10.
[5]) d'Orbigny: Prodrome, p.
[6]) Peron: Yonne, p. 138, pl. III, I.

2. ? Rissoina Hoheneggeri n. sp.

(Taf XIII (II), Fig. 7 *a*, *b*.)

Länge	23 *mm*
Höhe des letzten Umganges	17 bis 20% der ganzen Länge
Durchmesser des letzten Umganges	17% »
Gewindewinkel	20°.

Zwölf Exemplare. Sehr klein und zart; sechs Windungen, durch tief einschneidende Nähte getrennt. Die Umgänge tragen 10—13 feine Querrippen, die auf dem letzten Umgange gegen unten zu verschwinden, außerdem zahlreiche, ungemein feine Längsstreifen. Mündung rund, fast kreisförmig, nur wenig in die Länge gezogen.

Verwandt mit *R. incerta* d'Orb.[1]) aus dem Gault, unterscheidet sich aber von ihr durch tiefer eingeschnürte Nähte.

Die generische Bestimmung ist keine sichere. Ich kann die zarten Stücke nicht ganz aus dem Gestein bloßlegen, daher auch nicht konstatieren, ob die Außenlippe verdickt ist. Die allgemeine Form, die Querrippen und die ganzrandige Mündung machen eine Zugehörigkeit zu *Rissoina* wahrscheinlich.

Oberer Teschener Schiefer von Trzanowitz.

3. Ostrea (Alectryonia) macroptera d'Orb. (non Sow.).

O. macroptera d'Orbigny, P. fr. t. crét. 3, p. 695, pl. 465. Weitere Zitate siehe dort.
O. rectangularis Roemer, Ool., Nachtr., S. 24, Taf. XVIII, Fig. 15.
O. rectangularis Pictet et Campiche, Sainte-Croix, p. 275, pl. 184, Fig. 1—4.

Bruchstück, nur das Ende des Flügels erhalten. Trotzdem ist die Zugehörigkeit zu *A. makroptera* unverkennbar. Die flache Oberseite, die leicht konkave Unterseite, die schwachen Längsrippen oben, die sich am Ende zu Knoten verdicken und an den steil abfallenden Rändern zahnartig aneinanderschließen, lassen keinen Zweifel darüber aufkommen.

Nach Pictet et Campiche[2]) ist sie besonders charakteristich für das Hauterivien, obwohl sie auch etwas höher hinauf geht.

Wendrin.

4. Unbestimmbare Brachiopodenreste.

Zu sehen sind nur Stücke der Schalenoberfläche, vermutlich der kleinen Klappe angehörig. Soweit sich bei Brachiopoden nach der Außenseite allein etwas beurteilen läßt, scheint *Terebratella pectunculoides* Schloth.[3]) oder eine nahe Verwandte von ihr vorzuliegen.

Schlußbemerkungen.

Ich sagte eingangs, Hohenegger habe in der damals vorhandenen Literatur wenig Vergleichsmaterial gefunden; nun füge ich hinzu: es gibt auch jetzt, 40 Jahre später, verhältnismäßig wenig Vergleichsmaterial für diese Fauna.

Von den 45 vorliegenden Arten kann ich nur 13 direkt mit bekannten identifizieren, drei weitere lassen sich nur bedingt anschließen. Unter den 29 noch übrigen sind 16 neue, 13 mußte ich teils als Jugendformen, teils wegen des mangelhaften Erhaltungszustandes als »*sp. ind.*« bezeichnen. Doch sind auch unter diesen fünf, wenn nicht sechs, die ich für neue Arten halte und die ich nur wegen der Unvollständigkeit ihrer Merkmale nicht als solche beschreiben kann.

---

[1]) d'Orbigny: P. fr. t. crét. 2, p. 62, pl. 155, Fig. 11—13.
[2]) Pictet et Campiche: Ebendort, p. 277.
[3]) Quenstedt: Jura, S. 742, Taf. XC, Fig. 47—51.

Wenn sich in einer Fauna kaum mehr als ein Drittel der Arten identifizieren läßt, so hat man ein Recht, nach den Gründen zu fragen.

Zunächst spielt da der zufällige Umstand mit, daß aus dem Neokom zwar viele Cephalopoden beschrieben wurden, aber, wenigstens in neuerer Zeit, verhältnismäßig wenig andere Mollusken. Den größten Reichtum an Formen fand ich bei älteren französischen Autoren, vor allem in d'Orbigny's grundlegendem Werke (nunmehr teilweise ergänzt und berichtigt durch Peron's Revision von Cotteau's Prodrome der Yonne), dann bei Pictet und seinen Mitarbeitern; auf sie stützte ich mich daher in erster Linie. Vergleichspunkte zum norddeutschen Neokom boten Harbort, Weerth und Wollemann; doch sind die Faunen, die sie beschrieben, nicht eben reich.

Ein zweiter Grund liegt in der Sache selbst: Bivalven und Gastropoden zeigen die Tendenz, sich in den einzelnen Entwicklungsbezirken rasch zu spezialisieren und dadurch eine Fauna, die der Zeit nach einheitlich wäre, in Einzelfaunen aufzulösen.

Dazu kommt als drittes und wichtigstes Moment der Unterschied der Fazies. Wir kennen in der alpin-mediterranen Region zweierlei Entwicklungen des Neokoms: die Fleckenmergel (Cephalopoden- oder fazies vaseux), die eine stille, mehr minder tiefe, küstenferne See abgesetzt, und die Caprotinen- oder Schrattenkalke, reichbesiedelte Riffe, wie sie uns vor allem in der Westschweiz, Südfrankreich, in den Ostkarpaten und am Balkan entgegentreten. Ein Küstensediment aus grobklastischem, terrigenem Material, wie der Grodischter Sandstein es darstellt, ist eine ziemlich einzig dastehende Bildung im alpin-karpatischen Neokom. Vielleicht war das mit ein Grund, warum Hohenegger diese Schichten nicht als eigenen Horizont anerkennen wollte. Um sich eine so auffallende Erscheinung zu erklären, mußte er besondere Entstehungsbedingungen annehmen und so kam er zu seiner Delta-Hypothese.

Wir wissen jetzt zwar, daß der Grodischter Sandstein marin entstanden ist, als der Niederschlag des Karpatenmeeres, das hier an der alten sudetischen Küste brandete. Aber wenn wir ein Analogon zu ihm finden wollen, so müssen wir in den Teutoburger Wald oder in andere Gebiete des norddeutschen Neokom-Sandsteins wandern und dabei überschreiten wir die Provinzgrenze und müssen von vornherein darauf gefaßt sein, die faunistische Ähnlichkeit, die sich auf gleiche Lebensbedingungen gründet, durch klimatische Differenzen und Mangel direkter Meeresverbindung wieder verwischt zu sehen.

Daher auch hier ein Anschluß nur in beschränktem Maße.

Je mehr neue Formen, desto geringer die stratigraphische Verwertbarkeit einer Fauna. Hätte diese Arbeit irgend einem stratigraphischen Zwecke zu dienen, so wäre ihr Ergebnis so ziemlich gleich Null. Übrigens wäre es das nicht nur wegen des Reichtums an neuen Arten, sondern auch wegen der bekannten Langlebigkeit der Tiergruppen, die hier vorliegen. Von allen untersuchten Formen hat vielleicht *Rhynchonella peregrina* den größten stratigraphischen Wert: es ist das eine Art, die in vorzüglicher Weise das Mittelneokom kennzeichnet.

Die Mehrzahl aber scheinen Spezies von langer Lebensdauer zu sein. Unter den 13 Formen, die identifiziert werden konnten (die 3 mit »*aff.*« nicht eingerechnet), befinden sich nur 8 neokome. Man muß, um für die anderen Anschluß zu finden, einerseits bis in die Oberkreide hinaufgehen, anderseits bis ins Tithon, ja einmal sogar bis ins Corallien hinunter. Die Tabelle auf der folgenden Seite gibt einen Überblick über diese Verhältnisse.

Aus ihr ist zu entnehmen: Von den 13 direkt identifizierten Spezies kommen auf:

Corallien 1, Tithon und Aquivalente 3, Neokom 8, Aptien 1.

Von den 3 mit »*aff.*« identifizierten kommen auf:

Tithon 2, Aptien 1.

Von 8 weiteren zeigen nahe Verwandtschaft zu Formen aus dem:

Corallien 1, Oberjura im allgemeinen 2, Neokom 2, Oberkreide 3.

Bei allen anderen Formen sind die Beziehungen zu unsicher, um hier Erwähnung zu verdienen.

	Spezies	Identisch mit einer Art aus	Nahe verwandt mit einer Art aus
1	*Turbo bitropistus* n. sp.	—	—
2	*Trochus metrius* n. sp.	—	—
3	*Turitella cf. inornata* Buv.	französisches Corallien	—
4	*Natica Grodischtana* Hohenegger msc.	—	französisches Neokom
5	» *euxina* Retowski	Tithon der Krim	—
6	» *aff. suprajurensis* Buv.	—	französisches Portland
7	» *Uhligi* n. sp.	—	—
8	» sp. ind. (Steinkern)	—	—
9	*Rissoina biploca* n. sp.	—	—
10	*Littorina dictyophora* n. sp.	—	—
11	*Chemnitzia eucosmeta* n. sp.	—	südindische und südafrikanische Oberkreide
12	» *Grodischtana* Hohenegger msc.	—	—
13	» *orthoptycha* n. sp.	—	—
14	*Nerinea cf. bidentata* Herb.	Tithon von Siebenbürgen	—
15	*Cerithium Sanctae-Crucis* Pict. et Camp.	Aptien des Jura	—
16	*Fusus Rothpletzi* n. sp.	—	norddeutsches Kimmerigde
17	» *oxyptychus* n. sp.	—	französisches und deutsches Untersenon
18	» *Grodischtanus* n. sp.	—	französisches Gault, norddeutsches Neokom
19	» *zonatus* n. sp.	—	norddeutsches Untersenon
20	*Actaeonina Haugi* n. sp.	—	französisches und Jura-Corallien
21	*Actaeon* sp.	—	—
22	*Ctenostreon cf. pseudoproboscidea* de Lor.	Neokom des Jura	—
23	*Exogyra Couloni* d'Orb.	deutsches und französisches Neokom	—
24	*Pecten* sp.	—	—
25	*Oxytoma Cornueliana* d'Orb.	deutsches und französisches Neokom	—
26	*Myoconcha aff. transatlantica* Burck.	—	südamerikanisches Aptien
27	» sp.	—	—
28	*Nucula Cornueliana* d'Orb.	deutsches und französisches Neokom und Aptien	—
29	*Leda* sp. 1.	—	—
30	» sp. 2.	—	—
31	*Trigonia ornata* d'Orb.	deutsches und französisches Neokom und Aptien	—
32	» sp.	—	französ. u. deutscher Oberjura (südamerikanische Oberkreide)
33	*Lucina Rouyana* d'Orb.	französisches Neokom	—
34	» *aff. valentula* de Lor.	—	französisches Portland
35	» *obliqua* Goldf.	Nattheimer Kalk	—
36	» sp.	—	—
37—39	Die drei Cyrenen	—	—
40	*Turnus nanus* n. sp.	—	—
41	*Rhynchonella peregrina* v. Buch.	französisches Neokom	—
42	» *silesica* n. sp.	—	—
43	Verschiedene Brachiopodenreste	—	—
44	*Terebratulina auriculata* d'Orb.	deutsches und französisches Neokom	—
45	» sp.	—	—

Unter den 24 Spezies, die überhaupt einen Vergleich gestatten, sind also:

neokom	42%
nicht neokom	58%.

Von den letzteren kommen auf:

Oberjura im allgemeinen	8%
Corallien	8%
Tithon	21%
Aptien	8%
Oberkreide	12%.

Das gibt im Durchschnitt auch ungefähr einen neokomen Charakter; übrigens wird durch das Überwiegen der jurassischen Typen der Schwerpunkt etwas nach unten gerückt.

Allerdings eine stratigraphische Bestimmung in den allerweitesten Grenzen.[1]

Glücklicherweise war es gar nicht meine Aufgabe, stratigraphische Schlüsse zu ziehen. Ich hatte nicht auf Grund bekannter Spezies den Horizont festzustellen, denn der Horizont ist mit Hilfe der sicher leitenden Cephalopoden bereits als Hauterivien erkannt. Meine Aufgabe war vielmehr die umgekehrte, deskriptive: ich hatte für einen bereits bekannten Horizont die vorkommenden Spezies festzustellen.

Sowie die vorliegende Fauna wenig Anhaltspunkte für die geologische Altersbestimmung bietet, so läßt sie auch kaum einen Schluß auf den provinziellen Charakter zu. Nur die schon hervorgehobene *Rhynchonella peregrina* macht als Form von ausgesprochen mediterranem Gepräge eine Ausnahme.

[1] Für die genauere Gliederung des Neokoms sagen uns diese langlebigen Typen natürlich noch weniger; ich habe dieselbe daher gar nicht berührt.

DIE PALÄOZOISCHEN GEBILDE PODOLIENS.

Von

Jos. von Siemiradzki,

Prof. der Geologie an der Universität Lemberg.

Mit VII Tafeln (XV—XXI.)

I. Stratigraphischer Teil.

Die paläozoischen Gebilde Podoliens haben eine bereits zahlreiche Literatur: Andrzejowski, Eichwald, Malewski, Barbot de Marny, F. Schmidt, F. Roemer, Al. v. Alth u. a. haben sich mit diesem Gegenstande beschäftigt, indess ist die Frage bei weitem nicht erschöpft und die sehr reiche und gut erhaltene Fauna kaum in ihren allgemeinen Zügen bekannt.

Für den galizischen Teil Podoliens ist bisher die schöne Arbeit von Al. v. Alth die beste, leider blieb dieselbe unvollendet und umfaßt allein die Fauna der Krustazeen und Fische. Die in den geologischen Karten von Alth und Bieniasz zuerst eingeführte und später durch eine kurze Notiz von Szajnocha allgemein verbreitete stratigraphische Einteilung des podolischen Silurs galt bis noch vor kurzem als maßgebend.

Nach jener stratigraphischen Klassifikation wurde allgemein angenommen, daß die paläozoischen Schichten Podoliens sehr langsam von Ost nach West einfallen, und die sukzessiven paläontologischen Horizonte dementsprechend in meridional verlaufende Zonen eingeteilt werden können, deren Verlauf die Flußtäler des Zbrucz, Niczlawa und Seret fl. angeben sollten (Skalaer, Borszczower und Czortkower Schichten), während in Russisch-Podolien ältere Silurhorizonte allein auftreten sollten.

Die vor einigen Jahren erschienene Monographie von Wieniukow hat nun mit einem Schlage diese so schön einfache Einteilungsweise zerstört, indem gezeigt wurde, daß in Russisch-Podolien nicht nur die ältesten, sondern auch jüngere Schichten mit *Scaphaspis* und *Eurypterus* in einer mächtigen Entwicklung und großer Ausdehnung vorkommen und daß dadurch die bisher übliche Auffassung der Schichtenfolge unhaltbar sei.

Nach unseren heutigen Kenntnissen stellt sich der stratigraphische Bau der Podolischen Ebene etwas anders dar:

Das paläozoische Gebiet Podoliens bildet ein ausgedehntes, südlich durch das Dniestertal abgeschnittenes Plateau, welches trotz der anscheinend vollkommen horizontalen Lagerung der Schichten im großen und ganzen nach NW einfällt, um nach längerer Unterbrechung durch mächtige Kreide- und Miozänbildungen wiederum im Streichen erst am Ufer der Weichsel (Sandomirer Mittelgebirge) aufzutauchen.

23*

Außer dem NW-Einfallen der ganzen Platte sind in derselben auch ausgedehnte Dislokationen anderer Art merklich, nämlich Flexuren oder sehr breite und flache Antiklinen in SO—NW-Richtung.

Seine größte absolute Höhe erreicht das Podolische Silurgebiet (260 *m*) auf einer Linie, welche von Czercz und Łaskoruń in Russisch-Podolien über Husiatyn und Trembowla verläuft. Von dieser Linie fallen die paläozoischen Schichten überall sehr sanft nach SW ein. Der Niveauunterschied zwischen der erwähnten Linie und der tiefsten Stelle dieser Formation am Dniester-Ufer (im gleichen paläontologischen Horizont genommen) beträgt sowohl zwischen Husiatyn und Zaleszczyki im Westen als zwischen Niehin und Żwaniec im Osten etwa 50 *m*.

Ein starkes Einfallen nach SW der sonst horizontal gelagerten Schichten sieht man sehr deutlich zwischen Czortkow und Biała neben der Eisenbahnstrecke, ferner an den unterdevonischen Sandsteinen von Jazłowiec und endlich zwischen Zaleszczyki und Czernelica.

Die Schichten liegen, wie gesagt, die oben erwähnten Flexurlinien an den Horsträndern ausgenommen, ganz horizontal und es hängt dementsprechend das Alter der zu Tage tretenden Schichten viel weniger von der topographischen Lage eines Ortes als von der Tiefe der Taleinschnitte ab. Es ist daher klar, daß im Westen und Norden des Gebietes, wo die Flußtäler eine geringe Tiefe besitzen, nur unterdevonische Schichten und die darunterlagernden Beyrichienschiefer zu Tage treten, während im SO, wo die mächtigen cañons des Dniester und seiner Zuflüsse sich immer tiefer in ihre Unterlage einschneiden, in den Talböden immer ältere Silurhorizonte zum Vorschein kommen, während die Devonschichten durch die mächtige Erosion zu inselartigen Partien reduziert worden sind. Es ist jedoch nicht zu vergessen, daß nicht nur Beyrichienschiefer, sondern auch unterdevonische Fossilien in den obersten Schichten des Dniesterufers bis zur russischen Grenze vorkommen, und ebenso weiter östlich, in Kamieniec Podolski, Dumanów, Łaskoruń etc. gefunden worden sind und am Zbrucz und dessen Zuflüssen überall im Hangenden des Silurs vorkommen. Es ist daher eine regionale Trennung der Silurhorizonte, wie dieselbe bisher üblich war, ganz unzulässig. Dagegen sind die vielen faziellen Unterschiede einzelner Silurhorizonte bisher gänzlich außer acht gelassen worden.

Ich habe an einem anderen Orte (Geologia ziem Polskich S. 48—49) auf die Unzulässigkeit der bisher üblichen Einteilung der podolischen Silurschichten in »Skalaer«, »Borszczower«, »Czortkower« und »Iwanier« Schichten hingewiesen, schon aus dem Grunde, weil die von Szajnocha für jene angeblichen Horizonte als charakteristisch aufgezählten Versteinerungen zum größten Teile nichtssagende bloße neue Namen (*Spirifer podolicus*, *Rhynchonella Niczlawiensis* u. dgl.) sind. Diese Namen beziehen sich auf teils wirklich neue, später von Wieniukow beschriebene Arten, teils auf solche, welche der Verfasser nicht bestimmen konnte, obgleich dieselben längst in den klassischen Werken von Barrande, Murchison und Lindström beschrieben worden sind.

Um in dem Chaos aus verschiedenen Horizonten zusammengeworfener Versteinerungen Ordnung schaffen zu können, habe ich die Profile in Skala, Borszczów, Czortków, Zaleszczyki und Uścieczko sorgfältig untersucht und die charakteristischen Versteinerungen in jeder einzelnen Schicht im anstehenden Gesteine gesammelt. Die auf diese Weise zusammengestellten Profile gebe ich im nachstehenden dem aufmerksamen Leser zur Beurteilung, um dem Vorwurfe einer rein subjektiven Auffassung jener Profile vorzubeugen. Als Hauptresultat kam nun heraus, daß in dem angeblich allerältesten Profil von Skala, in welchem nach Szajnocha nur Versteinerungen des *Aymestry limestone* vorkommen sollten, eine zusammenhängende Serie von Horizonten vom Rastritenschiefer bis zum unteren Devon (Schichten F. Barrande's) aufeinanderfolgen und die angeblich jüngeren Schiefer von Borszczow sich als eine Brachiopodenfazies jener sämtlichen Horizonte (die untersten Rastritenschichten ausgenommen) erwiesen haben.

Um ein zusammenhängendes Bild vom ganzen podolischen Paläozoikum zu bekommen, beginne ich die kritische Übersicht der besten Schichtenprofile mit einem der östlichsten Aufschlüsse, nämlich mit dem Profil der Smotryczufer bei Kamieniec Podolski, um dann die immer weiter westlich gelegenen und nach der bisher üblichen Klassifikation angeblich immer jüngeren Profile von Skała, Borszczów, Czortków, Zaleszczyki und Uścieczko mit jenem zu vergleichen.

Kamieniec Podolski. Die Ufer des Smotrycz bilden an diesem Orte einen etwa 40 *m* tiefen Cañon mit steilen Wänden, an denen durch zahlreiche Steinbrüche in verschiedener Höhe eine reichliche Fauna gesammelt wurde.

1. Zu unterst liegt fester grauer dickbänkiger Korallenkalk mit mergeligen Zwischenlagen, in welchem ausschließlich Arten des oberen Wenlock (*Wenl. limestone*) gefunden worden sind: *Heliolites decipiens*, *Hel. interstinctus*, *Halysites catenularia*, *Cyathophyllum articulatum*, *Cystiphyllum cylindricum*, *Omphyma subturbinatum*, *Favosites Forbesi*, *F. Gotlandica*, *F. Hisingeri*, *F. aspera*, *Syringopora fascicularis*, *S. bifurcata*, *Alveolites Labechei*, *Labechia conferta*, *Stromatopora typica*, *Coenostroma discoideum*, *Orthis canalis*, *Leptaena transversalis*, *Strophomena rhomboidalis*, *Chonetes striatella*, *Atrypa reticularis*, *Spirifer elevatus*, *Spirifer crispus*, *Spirifer Schmidti*, *Cyrtia exporrecta*, *Whitefeldia tumida*, *Meristina didyma*, *Pentamerus galeatus*, *Rhynchonella nucula*, *Rh. Wilsoni*, *Horiostoma discors*, *Hor. globosum*, *Hor. sculptum*, *Hor. rugosum*, *Encrinurus punctatus*, *Illaenus Bouchardi*.

2. Darüber folgt eine 2—4 *m* mächtige Bank von bituminösem dunkelgrauen bis schwarzem, kristallinischen Crinoiden und Korallenkalk, welcher in einzelnen Partien gelblichweiß gefärbt ist und als »Marmor« früher ausgebeutet wurde. Diese Bank enthält mehrere sehr charakteristische Versteinerungen (neben dem Wittschen Garten und in Polskie Folwarki), vor allem sind manche Stücke von 5 *cm* langen Exemplaren von *Eurypterus Fischeri* erfüllt. In denselben Handstücken kommen Korallen (*Favosites Hisingeri*) und Stromatoporen (*Coenostroma discoideum*) vor. Weiter sind hier mehrere Orthoceren gefunden worden, welche aus der Grenze zwischen dem Wenlock limestone und dem Lower Ludlow stammen, wie *Orthoceras Hisingeri* Boll., *O. annulatocostatum* Boll., *O. virgatum* Sw., *O. pseudo imbricatum* Bar. Aus dieser Schicht dürfte auch ein in der Krakauer Sammlung aufbewahrtes Stück von *Discoceras* cf. *rapax* Barr. stammen. Von Gastropoden kommen *Horiostoma discors*, *Hor. globosum* und *Pleurotomaria Lloydi* Sw. vor; von Bivalven *Orthonota solenoides*. Brachiopoden sind sehr selten.

3. Über der Eurypterusbank folgt wiederum eine 10 *m* mächtige Schicht von grauen dickbänkigen Korallenkalken mit mergeligen Zwischenlagen, dessen Fauna etwas von der unteren Bank abweicht, besonders durch das Fehlen der Leitfossilien der Wenlocketage und die Gegenwart mehrerer Gastropoden der *f*-Stufe Gotlands:

Cyathophyllum cf. *vermiculare*, *C. podolicum*, *C. articulatum*, *Thecia Swinderiana*, *Favosites Gotlandica*, *F. Hisingeri*, *Syringopora fascicularis*, *Alveolites Labechei*, *Labechia conferta*, *Stromatopora typica*, *Orthis canalis*, *O. rustica*, *Strophomena rhomboidalis*, *Chonetes striatella*, *Atrypa reticularis*, *A. Thetis*, *Spirifer elevatus*, *Sp. crispus*, *Sp. Schmidti*, *Sp. Bragensis*, *Whitefeldia tumida*, *Meristina didyma*, *Pentamerus galeatus*, *P. integer*, *Rhynchonella nucula*, *Rh. Wilsoni*, *Lucina prisca*, *Mytilus parens*, *Pleurotomaria alata*, *Pl. cirrhosa*, *Murchisonia compressa*, *M. podolica*.

4. Derselbe graue grobbänkige Kalkstein mit mergeligen Zwischenlagen wie Nr. 3 erstreckt sich noch weiter 12 *m* nach oben. Jedoch ist seine Fauna etwas von dem vorigen verschieden — die Korallen treten sehr stark zurück — Brachiopoden herrschen vor: *Syringopora fascicularis*, *Favosites Hisingeri*, *F. Gotlandica*, *Cyathophyllum* cf. *vermiculare*, *Alveolites Labechei*, *Orthoceras Hisingeri*, *Lucina prisca*, *Pterinea retroflexa*, *Mytilus parens*, *Horiostoma globosum*, *H. discors*, *Bellerophon Uralicus*, *Orthis canalis*, *Chonetes striatella*, *Atrypa reticularis*, *Spirifer elevatus*, *Sp. crispus*, *Sp. Schmidti*, *Whitefeldia tumida*, *Meristina didyma*, *Rhynchonella nucula*, *Rh. cuneata*, *Rh. Wilsoni*, *Rh. Dumanowi*, *Rh. subfamula*, *P. galeatus*, *Pent. Vogulicus*, *Encrinurus punctatus*, *Illaenus Barriensis*.

Die Fauna der zwei Schichten 3—4 entspricht dem Gotländer Korallenkalke der Stufe *f*. Lindströms, welcher dem Englischen *Aymestry limestone* von Dames parallelisiert wird.

5. Mergeliger blättriger, gelblich bis bläulichgrauer Schiefer, dessen Schichten von bis zur Unkenntlichkeit zerdrückten Versteinerungen erfüllt sind. Wieniukow hat daraus folgende bestimmen können: *Strophomena* sp., *Chonetes striatella*, *Spirifer elevatus*, *Sp. crispus*, *Meristina didyma*, *Rhynchonella Wilsoni*, *Pterinea* sp., *Pt. retroflexa*, *Pt. migrans*, *Tentaculites ornatus*, *Beyrichia inornata*, *Beyrichia Buchiana*, *Primitia concinna*, *Pr. oblonga*. Es ist die typische Fauna der in ganz Podolien verbreiteten Ten-

taculiten und Beyrichienschiefer, welche weiter westlich (Czortków) dem upper Ludlow und den passage-beds entsprechen.

Die ganze Schicht ist 2 *m* mächtig.

6. Oben liegt noch ein Schichtenkomplex von dünnplattigen grauen Kalksteinen und Mergelkalken, in deren Mitte eine feste Kalksteinbank von 2 *m* Mächtigkeit auftritt. Der ganze Komplex ist 6 *m* mächtig und enthält hauptsächlich noch obersilurische Formen: *Hallia mitrata, Favosites Hisingeri, Chonetes striatella, Atrypa reticularis, Spirifer elevatus, Meristina didyma, Pentamerus galeatus, Rhynchonella Wilsoni, Rh. nucula, Encrinurus punctatus.* Daneben jedoch auch unterdevonische Arten: *Rhynchonella nympha* var., *pseudolivonica* Barr., *Atrypa sublepida* Vern., *Atrypa Arimaspus* Eichw., *Atrypa Thetis* Barr. und *Pentamerus optatus* Barr., welche von Wieniukow irrtümlich zum Teil in den vierten Horizont gestellt worden sind.

Skała. Neben der Schloßruine liegt eine tiefe Schlucht, in welcher die ganze Serie des hiesigen Silurs aufgedeckt ist. Die Höhe des Aufschlusses beträgt 70 *m*, die oberen Schichten erreichen 250 *m* Seehöhe.

1. Zu unterst liegen weiche graue Mergelkalke mit grünlichen Tonschieferzwischenlagen, welche nach oben zu in hellgraue kompakte dickbänkige Kalksteine übergehen, an denen von Versteinerungen allein undeutliche Crinoiden zu sehen sind. Diese unterste Schicht ist neben dem Schlosse nicht sichtbar, jedoch etwa 1 *km* südlicher neben dem Zollhause am Zbruczufer in einem Steinbruche aufgedeckt. Obgleich nun in dieser Schicht keine Versteinerungen zu sehen sind, ist ihr Alter aus zwei Umständen erkennbar: einerseits liegt darüber eine *Coenostroma*-Bank mit Fossilien des oberen Wenlock. Anderseits wurde von Prof. Alth in Skała ein unbestimmbarer *Orthoceras* cfr. *longulum* Barr. gefunden, an welchem zwei Graptolithenstücke haften — ein *Monograptus* sp. und ein deutlich bestimmbarer *Rastrites Linnaei* Barr. Fügen wir noch hinzu, daß in Skała abgeriebene Exemplare eines unbestimmbaren *Endoceras* nicht selten vorkommen, so können wir daraus schließen, daß die festen grauen Crinoidenkalke dem unteren Wenlock angehören, während die darunter lagernden Tonschiefer wahrscheinlich noch etwas älter sein dürften.

2. Über dem harten hellgrauen Kalksteine liegt grauer mit ölgrauen Tonschiefern alternierender knolliger Kalkstein, dessen eine Schicht total aus angehäuften verschiedenartig geformten Knollen einer *Stromatopore* mit sehr dichtem Gewebe (*Coenostroma*) gebildet wird. Diese Schicht halte ich für ein Äquivalent des oberen Wenlock (Stufe *d* Gotlands).

3. Schwarzer fester Kalkstein mit Trilobiten und großen Leperditien, in welchem *Gomphoceras pyriforme* gefunden wurde. Entspricht dem schwarzen Crinoidenkalke mit *Eurypterus* von Kamieniec.

4. Hellgrauer plattiger Mergelkalk mit ölgrauen Tonschieferzwischenlagen, rostfarbig gefleckt. Enthält *Favosites Hisingeri, Spirifer Bragensis, Sp. Schmidti, Heliolites interstinctus, H. megastoma.*

5. Eine zirka 10 *m* mächtige Stromatoporenbank, welche hauptsächlich aus riesigen Knollen von *Stromatopora typica* und *Labechia conferta* besteht. In die zusammenhängende Stromatoporenmasse sind einzelne große Polyparien von *Acervularia ananas, Syringopora fascicularis, S. bifurcata* etc. eingebettet.

6. Grauer Crinoiden- und Korallenkalk mit kopfgroßen vereinzelten Stromatoporen, *Cyathophyllum articulatum, Rhynchonella nucula, Lucina prisca, Spirifer elevatus.* (Nr. 4—6 = Stufe *f* Gotländer Korallenkalk.)

7. Grauer Mergelschiefer mit dünnen Zwischenlagen von ölgrauem Kalkstein, welche von zerdrückten Tentaculiten und *Waldheimia podolica* ganz erfüllt sind. In dieser oberen Schicht, welche eine geringe Mächtigkeit besitzt und deshalb nicht genau in einzelne Horizonte zerlegt werden kann, kommen ebenso wie in Kamieniec devonische Arten vor, darunter so charakteristische Arten wie *Stringocephalus bohemicus* Barr. und *Streptorhynchus umbraculum*, welch letztere Art bis in den kleinsten Details mit Exemplaren aus dem unteren Calceolamergel Polens übereinstimmen.

Wir haben also vor uns ebenso wie in Kamieniec eine ununterbrochene Serie von paläozoischen Schichten vom unteren Wenlock über sämtliche Gotländer Stufen bis zum unteren Devon vertreten. Dieser Schluß, welcher schon aus den soeben erwähnten im anstehenden Gestein gesammelten Versteinerungen berechtigt erscheint, wird im vollen Maße bestätigt, wenn wir die ganze bisher aus Skała ohne nähere Angabe des Horizonts gesammelte Fauna, welche in den Sammlungen von Andrzejowski, Łomnicki, Alth und Bieniasz mir zur Bearbeitung vorlag, in Betracht ziehen. Es sind folgende Formen:

Acervularia ananas L., *Amplexus borussicus* Weißml., *Cyathophyllum articulatum* Wahlb., *Favosites Gotlandica* His., *F. Hisingeri* E. H., *F. aspera* E. H., *Pachypora Lonsdalei* E. H., *Monticulipora Fletscheri* E. H., *Syringopora fascicularis* L., *S. bifurcata* Lonsd., *Omphyma subturbinatum* L., *Heliolites interstincta* L., *H. decipiens* Mc. Coy., *H. megastoma* Mc. Coy., *H. dubius* Roem., *Actinocystis Grayi* Sow., *Monticulipora pulchella* E. H., *Stromatopora typica* Rosen., *Coenostroma discoideum* Nich., *Labechia conferta* E. H., *Crotalocrinus rugosus* Mill., *Cyathocrinus* sp., *Orthis hybrida* Sw., *O. palliata* Barr., *Strophomena podolica* m., *Str. Studenitzae* Wien., *Streptorhynchus umbraculum* Schlth., *Spirifer elevatus* Dalm., *Sp. Bragensis* Wien., *Sp. Schmidti* Lindst., *Glassia compressa* Sw., *Gl. obovata* Sw., *Stringocephalus bohemicus* Barr., *Whitefeldia tumida* Dalm., *Merista Calypso* Barr., *Meristella canaliculata* Wien., *Atrypa reticularis* L., *A. Arimaspus* Eichw., *Rhynchonella nucula* Sw., *Rh. Hebe* Barr., *Rh. Wilsoni* Sw., *Rh. borealiformis* Szajn., *Waldheimia podolica* m., *Pterinea Danbyi* Mac Coy., *Nucula lineata* Phill., *Lucina prisca* His., *Grammysia complanata* Mac Coy., *Horiostoma globosum* Sw., *Pleurotomaria bicincta* Hall., *Murchisonia compressa, Loxonema sinnosum, Platyceras disjunctum* Gieb., *Gomphoceras pyriforme* Sw., *Orthoceras cochleatum* His., *O. longulum* (?) Barr., *Clinoceras podolicum* m., *Clinoc. ellipticum* m., *Endoceras* sp. ind., *Dalmannia caudata* Emmr., *Proëtus podolicus* Alth., *Calymene tuberculata* Brünn., *Rastrites Linnaei, Monograptus* sp. ind., *Leperditia tyraica.*

In der oben aufgezählten Fossilienliste finden wir charakteristische Leitfossilien für jeden der oben erwähnten Horizonte.

So gehören: *Glassia compressa, Horiostoma globosum, Rhynchonella borealiformis, Orthis hybrida* ausschließlich der Wenlockstufe, *Gomphoceras pyriforme* und *Loxonema sinuosum* dem unteren Ludlow (*Pterygotus*-Bank) an, *Heliolites decipiens, H. interstincta, Acervularia ananas, Syringopora fascicularis, Monticulipora Fletscheri* kommen im Korallenkalke von Skala unmittelbar unter den Tentaculitenschiefern und entsprechen demnach dem oberen Korallenkalke Gotlands (*f*-Stufe Lindströms). *Pterinea Danbyi* und *Grammysia complanata* sind Leitfossilien des oberen Ludlow. Endlich *Streptorhynchus umbraculum, Stringocephalus bohemicus, Meristella canaliculata, Orthis palliata* u. a. gehören mehreren Stufen des Unterdevon an.

Borszczow. Etwa 1 *km* südlich von der Stadt sieht man am rechten Ufer des Niczławabaches gut aufgeschlossene grünlichgraue Tonschiefer mit dünnen mergeligen Zwischenlagen und dünnen Bänken eines bituminösen Kalksteins, welche trotz ihrer petrographischen Einförmigkeit in verschiedenen Horizonten eine sehr reiche und variierte Fauna geliefert haben.

1. Die unteren weichen Schiefer ohne harte Zwischenlagen enthalten außer einer Menge loser Crinoidenstielglieder nur wenige Arten von Brachiopoden des unteren Wenlock: *Orthis hybrida* Sw. *O. canaliculata* Lindstr., *Glassia compressa* Sw., zu welchen noch die in gleichen Schichten in Filipkowce an der Niczławamündung gefundene *Bilobites biloba* hinzufügen ist.

2. In etwas höheren Schichten habe ich folgende Formen gesammelt: *Orthis hybrida* Sw., *O. canalis* Sw., *O. canaliculata* Lindstr., *Whitefeldia tumida* Dalm., *Spirifer elevatus* Dalm., *Favosites Forbesi* E. H., eine große unbestimmte *Leperditia*-Art und eine ganze Bank aus *Rhynchonella borealiformis*, welche an diese Schicht gebunden ist und sowohl nach unten wie nach oben nur auf eine kurze Strecke in einzelnen Individuen vertreten ist.

Ich halte diese *Borealis*-Bank für ein Äquivalent des oberen Wenlock. Der Horizont ist sehr konstant und wird von nächstfolgender ebenfalls paläontologisch gut präzisierter Stufe bedeckt.

3. In einer nur mehrere Dezimeter mächtigen Schicht findet man als häufigste Versteinerung *Glassia obovata*, ein Leitfossil der Stufe *e* (lower Ludlow), daneben: *Orthis canalis* Sw., *O. crassa* Lind., *O. lunata* (selten) *Whitefeldia tumida, Spirifer elevatus, Spirifer Bragensis* (selten) *Favosites Forbesi, Platyceras* cf. *cornutum, Dalmannia caudata* Emmr.

In ganz gleicher Lagerung hart über der *Borealis*-Bank liegt in entsprechenden Schieferschichten etwas südlicher in Filipkowce u. s. w. eine dünne aber sehr charakteristische Mergelbank, welche neben

Crinoidenstielen und *Monticulipora pulchella* aus einer Menge zertrümmerter Trilobiten, darunter hauptsächlich *Dalmannia caudata* besteht, so daß daraus ein förmlicher Trilobitenschiefer entsteht; bei der sonstigen Seltenheit von Trilobiten im podolischen Silur ist diese leicht zu findende Schicht von besonderem Interesse. Ihre Lage im Hangenden des Wenlock limestone entspricht den Crinoidenkalken mit *Eurypterus* von Kamieniec etc.

4. Über der *Rhynchonella*-Bank und der dieselbe bedeckenden Trilobitenschicht kommt wiederum eine charakteristische Fauna vor, nämlich das massenhafte Auftreten von *Spirifer Bragensis*, welchem sich *Platyceras* cf. *disjunctum* Gieb., *Whitefeldia tumida*, *Orthis lunata*, *O. canalis*, *Spirifer elevatus* gesellen.

Ihrer Lage nach entspricht jene Spiriferenschicht der Stufe *f*. Gotlands (Aymestry limestone).

5. Die weichen Mergelschiefer mit Spiriferen werden oben von einer harten grauen Mergelbank abgeschlossen, in welcher ich ein gutes Exemplar von *Pterinea Danbyi*, eines Leitfossils des oberen Ludlow gefunden habe. Von hier an wechselt die Fauna plötzlich. Die Schiefer sind von einer Menge Strophomenen-Schalen erfüllt, worunter *Strophomena Studenitzae* Wien. am häufigsten vorkommt. Neben ihr ist *Orthis palliata* Barr. nicht selten. Nach oben zu treten devonische Arten hinzu: *Streptorhychus umbraculum*, *Spirifer robustus* Barr., *Merista Calypso* Barr., *Rhynchonelia nympha* var., *pseudolivonica* Barr., *Bellerophon* cfr. *Hintzei*.

Wir haben also hier vor uns wiederum die vollständige Serie vom unteren Wenlock bis zum Unterdevon — wie in Kamieniec und Skala —, nur ist hier eine Brachiopodenfazies an der Stelle der Korallenkalke ausgebildet.

Czortków. Die steilen Ufer des Serettales in der Stadt selbst und nördlich davon gegen Biała und Wygnanka bestehen aus sehr einförmigen ölgrauen Tonschiefern mit dünnen Zwischenlagen eines grauen halbkristallinischen Kalksteins, welche größtenteils zur Beyrichienstufe gehören. Sammelt man jedoch Gesteinsproben in verschiedener Höhe, so kann man feststellen, daß zu unterst noch manche Formen der älteren Schichten vorkommen, welche nach oben zu gänzlich verschwinden. An der Basis der 80 *m* hohen Felswand, welche bis zu 60 *m* Höhe aus silurischen Schiefern besteht, liegt eine feste grünlichgraue Kalksteinbank, welche von großen Bivalven und Spiriferen ganz erfüllt ist. Ich bestimmte daraus: *Orthonota solenoides* Sw., *Tentaculites ornatus*, *Spirifer Bragensis* Wien. als die häufigsten Formen. Daneben kommen: *Orthis rustica* Sw., *O. canalis* Sw., *Spirifer elevatus* Dalm., *Rhynchonella borealiformis* Szajn., *Atrypa reticularis* L., *Pterinea opportuna* Barr., *Pt. retroflexa* His., *Meristina didyma* Dalm. etc. vor.

2. Darüber liegt ölgrauer Tonschiefer mit spärlichen Individuen von *Tentaculites ornatus*.

3. In zirka 30 *m* Höhe kommt eine Kalksteinbank mit *Grammysia rotundata*.

4. *Cephalopodenbank* mit *Orthoceras podolicum* Alth., *O. Roemeri* Alth., *Cyrtoceras formidandum* Barr., *Grammysia cingulata* Mc. Coy., *Spirifer Bragensis* Wien., *Waldheimia podolica* m., *Tentaculites ornatus*, *Beyrichia inornata* Alth., *Primitia oblonga* Jones., *Beyrichia Salteriana* Jones.

5. Eine dünne Kalksteinbank mit *Waldheima podolica* m. und *Tentaculites ornatus*.

6. Tonschiefer mit *Tentaculites ornatus*, *Waldheimia podolica* und *Primitia oblonga*.

7. 40 *m* über dem Talboden ölgrauer Tonschiefer mit dünnen Kalksteinbänken. Die Kalksteinbänke sind von kleinen Bivalven und Ostracoden überfüllt: *Nucula lineata* Phill., *Primitia plicata* Krause.

8. Wie Nr. 7: *Cucullella ovata* Phill., *Nucula plicata* Phill., *Primitia oblonga* Jones., *Pr. plicata* Krause, *Beyrichia Wilkensiana* Jones.

9. Ölgrauer Tonschiefer mit *Leptodomus laevis* Sw.

10. Wie Nr. 9: *Beyrichia inornata* Alth., *Primitia oblonga*.

11. Wie vorige: *Cucullella ovata* Phill., *Cucullella tenuiarata* Sandb., *Cucullella cultrata* Sandb., *Primitia oblonga*, *Beyrichia inornata*.

Folgt man dem oben beschriebenen Profil gegen N nach Biala längs der Eisenbahnlinie weiter, so sehen wir, daß die silurischen Schiefer ziemlich stark nach SW einfallen; bei Biała gehen dieselben allmählich in rote und grüne glimmerreiche Schiefer über, welche bereits eine unterdevonische Fauna: *Pecten densistria* Sandb., *Leptodomus laevis* Sw., *Edmondia podolica* n. sp. enthalten. Diese Schichten führen keine Beyrichien mehr, während das ganze Profil zwischen Czortków und Biala demjenigen von Czortków vollkommen gleich ist.

Zaleszczyki. Die steilen, über 150 *m* hohen Böschungen des Dniestertales bieten ausgezeichnete Profile durch die hiesigen Schichten. Besonders lehrreich ist das Profil, welches in einer engen Schlucht gegenüber der Stadt am rechten Ufer unterhalb der kleinen Kirche zu sehen ist, da in derselben sämtliche Schichten ohne die geringste Unterbrechung in regelmäßiger Reihenfolge entblößt und beinahe sämtlich fossilführend sind. Obgleich nun die fossile Fauna von Zaleszczyki an Individuen sehr reich ist, so ist dennoch die Artenzahl gering. Es umfaßt das genannte Profil die ganze Serie von der *Pterygotus*-Bank über die Beyrichienschiefer bis zum *Old red* mit Panzerganoiden, welche durch A. I. v. Alths. Monographie bekannt sind.

1. Zu unterst liegt ölgrauer Tonschiefer, aus welchem Alths Exemplare von *Pterygotus* sp. stammen. Ich habe im anstehenden Gesteine keine Reste dieses Krustazeen gefunden, wohl aber ein gut erhaltenes Schwanzstück desselben auf der Halde der benachbarten Uferböschung. In der Schieferschicht 1. habe ich *Waldheimia podolica* n. sp., *Orthonota* sp., *Nucula* sp. und *Onchus* sp., gefunden.

2. Grünlichgrauer Tonschiefer mit einer Bivalvenbank: *Grammysia complanata*, *Cucullella ovata*, *Spirifer elevatus*, *Waldheimia podolica* m., *Tentaculites ornatus*. Die Mehrzahl der Versteinerungen bilden Bivalven; Tentaculiten sind noch selten. Der Erhaltungszustand der Bivalven ist sehr schlecht, die Schalen sind zerstört und die bloßgelegten Steinkerne an ihrer Oberfläche mit einer unzähligen Menge von *Primitia oblonga* Jones. und seltenen Beyrichien (*B. podolica* Alth.) erfüllt. Außerdem findet man viele stark glänzende Bruchstücke von *Lingula*-Schalen.

3. Grüner Tonschiefer mit *Leperditia tyraica* F. Schmidt.

4. Grauer fester Kalkstein, ganz mit Schalen von *Leperditia tyraica* erfüllt. In dieser durch die riesengroßen Leperditien (bis 30 *mm* lang) leicht kenntlichen Schicht hat Alth am gegenüberliegenden Ufer neben dem Judenfriedhof mehrere gut erhaltene Reste einer kleinen sehr zierlichen *Pteraspis*-Art gefunden, welche er *Pt. podolicus* und *Scaphaspis Kneri* nannte. In der Krakauer Sammlung liegt eine gute Suite beider Panzerhälften im schwarzen halbkristallinen Leperditienkalke aus dem Judenfriedhofe von Zaleszczyki vor. Daneben: *Pterinea retroflexa*, *Tentaculites ornatus*, *Spirorbis tenuis*, *Favosites Forbesi*, *Arca decipiens*.

5. Etwa 6 *m* über dem Wasserspiegel beginnt ein Schichtenkomplex von halbkristallinischen grauen Kalksteinbänken und grünlichgrauen Tonschiefern, welche von weißen Calcitadern durchzogen sind und sich dadurch sowohl von liegenden als von hangenden Nebenschichten scharf ausscheiden. Der Schichtenkomplex enthält eine reichliche Fauna von Cephalopoden, Bivalven und Beyrichien, welche in ihrem Ganzen der Gotländer oberen Cephalopodenbank, den Beyrichienschichten oder den *upper Ludlow beds* entsprechen. Die Cephalopodenbank liegt in der Mitte des Schichtenkomplexes. Die häufigsten Arten sind: *Orthoceras podolicum* Alth. n. sp., *Orthoceras Roemeri* Alth. n. sp., *Cyrtoceras formidandum* Barr., *Grammysia cingulata* Mc. Coy., *Nucula lineata* Phill., *Waldheimia podolica* m., *Primitia oblonga* Jones, *Beyrichia inornata* Alth., *Beyrichia Buchiana* Jones., *Cucullella tenuiarata* Sandb. (ziemlich selten).

6. Grünlichgraue Tonschiefer ohne Kalkzwischenlagen: *Cucullella tenuiarata* Sandb., *Primitia oblonga* Jones., *Beyrichia podolica* Alth., *Beyrichia Buchiana* Jones.

7. Ölgrauer Tonschiefer mit kleinen Bivalven erfüllt: *Cucullella ovata* Phill., *Cucullella tenuiarata* Sandb., *Primitia oblonga*, *Beyrichia inornata* Alth.

8. Grünlichgraue Kalksteinbank mit sehr vielen Tentaculiten und Beyrichien: *Tentaculites ornatus*, *Waldheimia podolica* m., *Pterinea retroflexa* His., *Cucullella tenuiarata* Sandb., *Monticulipora pulchella* E. H., *Primitia concinna* Jones., *Primitia muta* Jones., *Beyrichia inornata* Alth., *Beyrichia Buchiana* Jones., *Isochilina* sp. ind.

9. Wie Nr. 8, aber wenig Tentaculiten. Daneben *Cucullella*, *Nucula*, *Primitia oblonga*.

10. Grauer glimmerreicher Tonschiefer mit Mergelknollen: *Orthoceras podolicum* m., *Primitia oblonga*, *Retzia Haidingeri* Barr., *Beyrichia Wilkensiana* Jones., kleine glänzende Ganoidschuppen.

11. Etwa in halber Uferhöhe liegt eine graue Kalksteinbank mit angehäuften Schalen von *Cucullella tenuiarata* Sandb. Daneben: *Primitia oblonga, Beyrichia Buchiana, Isochilina* sp. Dicht über dieser Kalksteinbank habe ich ein Exemplar von *Scaphaspis Haueri* Alth. gefunden.

12. Grünlichgrauer Tonschiefer mit Tentaculiten, *Cucullella tenuiarata, Waldheimia* (?). (Beyrichien fehlen.)

13. Kristallinisch körniger grauer Kalkstein mit *Clinoceras podolicum* (?) nob. und *Cucullella* sp.

14. Ölgrauer Kalkstein mit undeutlichen Favositiden, Tentaculiten und unbestimmbaren kleinen Bivalven (*Cucullella?, Nucula?*).

15. Grüner dünnplattiger Sandstein.

16. Braunroter grüngefleckter Tonschiefer.

17. Grünlichgrauer weicher Tonschiefer mit *Arca decipiens* Mc. Coy.

18. Grauer schieferiger glimmerreicher Sandstein.

19. Braunroter Tonschiefer.

20. Grüner Letten.

21. Grauer harter kristallinischer Kalkstein.

22. Braunroter Tonschiefer.

23. Grauer Tonschiefer mit unbestimmbaren organischen Resten.

24. Grüner glimmerhaltiger Kalkstein mit *Arca decipiens* und *Cucullella cultrata* Sandb.

25. Grünlichgrauer Fucoidensandstein.

Das Profil reicht bis 100 *m* über den Flußspiegel.

Uścieczko. Es ist der westlichste Punkt, an welchem silurische Schichten zu Tage treten. Man sieht dieselben sowohl an den steilen Ufern des Dżuryńtales, wo man zuerst eine langsame Neigung der Schichten nach NW deutlich sehen kann, wie an den schroffen, 160 *m* hohen Böschungen des Dniestertales zwischen Uścieczko und Iwanie. Das Profil gleicht vollkommen demjenigen von Zaleszczyki, nur sind die Schichten nicht so schön wie an jenem Orte aufgeschlossen. Zu unterst liegen ölgraue Tonschiefer mit Kalksteinbänken, in welchen ich *Tentaculites ornatus, Cucullella* sp. und *Primitia oblonga* gefunden habe. Weiter folgt eine Serie von ölgrauen glimmerreichen Tonschiefern mit dünnen Zwischenlagen eines grauen körnigkristallinischen Kalksteines, welcher ähnlichen Bildungen in Zaleszczyki und Czortków gleich ist und in welchem ich *Orthoceras Roemeri* Alth., *Cyrtoceras formidandum* Barr., *Pterinea concentrica, Nucula lineata, Grammysia cingulata, Arca decipiens, Cucullella tenuiarata, Leperditia tyraica, Beyrichia inornata* und *Primitia oblonga* gefunden habe. Die Schichten werden nach oben zu immer glimmerreicher und mehr sandig. In den oberen Schichten dieses Komplexes habe ich ein kleines Exemplar von *Scaphaspis Haueri* gesammelt. Weiter hinauf folgen wie bei Zaleszczyki: eine kalkige Sandsteinbank mit Fucoiden, dann grüne und rote Tonschiefer und glimmerreiche Sandsteinschiefer, welche allmählich in einen roten Sandstein mit Ganoidschuppen übergeht. Unter denselben habe ich mehrere sehr gut erhaltene Schuppen von *Glyptolaemus Kinnairdi* Huxl. gefunden. (Hier hatte Al. v. Alth auch mehrere unbestimmbare *Coccosteus*-Reste gesammelt.)

Aus der Zusammenstellung oben beschriebener Profile, welche sich gegenseitig ergänzen und sämtliche Schichten des podolischen Paläozoikum enthalten, ergibt sich die Möglichkeit einer rationellen Gliederung derselben in paläontologische Horizonte sowie deren Parallelisierung mit entsprechenden Schichten anderer Länder.

Besonders lehrreich ist das Schichtenprofil in der Gegend von Zaleszczyki, wo man bei einer vollkommen horizontalen Lagerung der Schichten den allmähligen Übergang der sogenannten »Iwanier«-Stufe, d. h. roter und grüner Tonschiefer mit Kalksteinzwischenlagen (Schichten 11—25 meines Profils), einerseits in westlicher Richtung in rote glimmerreiche plattige Sandsteine mit Fischresten (Old red), anderseits in östlicher Richtung in grünlichgraue Schiefer mit kristallinischen Kalksteinzwischenlagen, welche von hier an überall bis nach Kamieniec Podolski unterdevonische Versteinerungen von den drei untersten Stufen (F, 1 und F, 2 Barrandes und untere Calceolamergel inclus.) enthalten, beobachten kann. Diese obersten Schichten, welche sich von den darunterliegenden petrographisch ganz ähnlichen Bildungen allein durch ihre Fauna unterscheiden, haben nun als Tiefseebildungen eine verhältnismäßig geringe Mächtigkeit von nur wenigen Metern, nehmen aber zugleich mit dem Eintreten der Strandfazies (Zaleszczyki) bedeutend an Mächtigkeit zu.

Das Lager von zahlreichen *Scaphaspis*-Resten in der Schicht 11, also noch mitten in den Beyrichienschiefern, über welchen noch ein Schieferkomplex mit *Cucullella tenuiarata* und *Cucullella cultrata* von zirka 30 *m* Mächtigkeit liegt, ist für das Alter der westlich und östlich angrenzenden Schichten bei ihrer vollkommen horizontalen Lagerung maßgebend. Die Schicht 11 von Zaleszczyki entspricht unzweifelhaft der Pteraspisstufe des untersten Old red in England. Nun ist aber hervorzuheben, daß in Buczacz und Złotniki, also weit von der äußersten Grenze des Obersilurs, wo nach der bisher üblichen Auffassung der podolischen Stratigraphie viel jüngere Schichten des Old red zu erwarten wären, ganz dieselben *Scaphaspis*-Formen wie in Zaleszczyki im echten Old red gefunden worden sind (*Pteraspis angustatus*, *Scaphaspis Lloydi*, *Sc. elongatus*), während in höheren Schichten dieses Sandsteins *Coccosteus*-Reste von Łomnicki gefunden worden sind, mithin die Serie des Old red in Buczacz und überhaupt am Strypatale bei einer Mächtigkeit von etwas mehr als 100 *m* ganz dieselben Schichten enthält wie das kaum halb so mächtige Schichtensystem von Uscieczko, in welchem ebenfalls unten eine *Scaphaspis*-Bank, oben *Coccosteus*- und *Glyptolaemus*-Reste vorkommen.

Die Schicht Nr. 10 von Zaleszczyki mit *Orthoceras podolicum* und *Beyrichia Wilkensiana* bildet die obere Grenze der silurischen Beyrichienschiefer; die Schicht Nr. 11 — mit Scaphaspis, Beyrichien und Cucullellen — die unterste Stufe des Devons, und ist leicht daran kenntlich, daß in derselben auch dort, wo sie keine Scaphaspiden führt, kleine Cucullellen (*C. tenuiarata*) und unterdevonische *Nucula*-Arten (*N. lineata* Phill., *N. plicata* Phill.) massenhaft angehäuft sind; diese Schicht liegt z. B. in Czortków ganz oben über den Tentaculitenschichten.

Der devonische Schichtenkomplex oberhalb der *Scaphaspis*-Bank in Zaleszczyki zerfällt in zwei Stufen, welche petrographisch nicht zu unterscheiden sind; unten wie oben kommen Kalkzwischenlagen mit Cephalopoden und bunte glimmerreiche Schiefer vor; jedoch herrscht unten eine Bivalvenfauna mit *Cucullella teniuarata* und *Nucula* — oben eine andere mit der charakteristischen *Cucullella cultrata* Sandb. und *Arca* (*Sanguinolites*) *decipiens* Mac Coy. vor. Die obersten Schichten enthalten nur unbestimmbare Fucoiden-Reste und dürften dem oberen Old red mit *Coccosteus*-Resten entsprechen, dessen Gegenwart am Kryszczatyk bei Zaleszczyki von Alth festgestellt wurde. Wir haben also über den silurischen Tentaculiten und Beyrichienschiefern drei Stufen vor uns:

1. Schichten mit *Cucullella tenuiarata* (Leitfossil der Taunusgrauwacke);
2. Schichten mit *Cucullella cultrata* (äquivalent des Spiriferensandsteins);
3. Fucoidensandstein und oberes Old red mit *Coccosteus*- und *Glyptolaemus*-Resten.

Ganz ähnlich sind die Lagerungsverhältnisse an der Grenze des Silur und Old red bei Czortków und Biala etc. geschaffen.

In östlicher Richtung verändert sich die Fazies dieser Schichten sehr bald; schon am Niczławatale herrschen ausschließlich ölgraue weiche Tonschiefer mit nur wenigen mergeligen Zwischenlagen vor; die harten grauen kristallinischen Kalke der Czortkówer Fazies sind verschwunden und die oberen Schichten des Ludlow sind zugleich mit dem unteren Devon nur in der Gestalt von weichen Mergelschiefern mit dünnen kalkigen Zwischenlagen vertreten. Die Mächtigkeit jener oberen Schichten schwindet auf einige Meter zurück. Zugleich verändert sich die Fauna. Die in Zaleszczyki und Czortków stark vorherrschenden Bivalven der Strandfazies werden sehr selten, ebenso verschwinden die für den oberen Ludlow und die Beyrichienkalke charakteristischen Cephalopoden um von einer reinen Brachiopodenfauna ersetzt zu werden. Die obersten Old red-Bildungen sind durch das Vorkommen von *Streptorhynchus umbraculum*, *Strophomena interstrialis*, *Merista Calypso* vertreten; die *Scaphaspis*-Schichten durch *Merista Hecate* und *Rhynchonella nympha* var. *pseudolivonica*.

Am Zbrucz ist die obere Schicht unverändert. Wir finden in Skala in den obersten Schieferschichten *Streptorhynchus umbraculum* und *Stringocephalus bohemicus*, neben etwas älteren Formen der Etage F, 1 Barrandes (*Orthis palliata* und *Atrypa Arimaspus*). Nördlich von Skala, in der Gegend von Chorostków, ist diese obere Devonschicht sehr deutlich in der Gestalt von schwarzen Crinoidenkalken und gelben losen Korallenmergeln entwickelt, welche durch das häufige Vorkommen von *Retzia Haidingeri* und *Amplexus eurycalyx*, einer sonst in Podolien nur vereinzelt in den obersten »Borszczower« Schiefern vorkommenden Form, charakterisiert ist. Gleiche schwarze Korallenkalke am oberen Zbrucz (Kozina) mit *Meristella canaliculata* Wien. dürften wenigstens zum Teil auch hieher gehören.

Die allgemeine Verbreitung von devonischen Brachiopoden, wie *Streptorhynchus umbraculum*, *Strophomena interstrialis*, *Rhynchonella pseudolivonica* u. s. w., welche südlich bis zum Dniester, östlich bis über Kamieniec reichen, beweist zur Genüge, daß die devonische Decke eine gleiche horizontale Verbreitung wie die silurischen Gebilde Podoliens besaß, und letztere überall südlich bis zum Dniestertale bedeckte.

2. Unter der Cucullellen- und Scaphapis-Bank kommt in Zaleszczyki ein Schichtenkomplex von grauen Tonschiefern und grauen kristallinischen Kalksteinen, welche durch das massenhafte Vorkommen von Beyrichien charakterisiert werden — zuoberst kommt in der Schicht 10. *Beyrichia Wilkensiana*, zuunterst (Schicht 2) *Beyrichia podolica* Alth. vor — sonst sind die anderen Arten über den ganzen Komplex verbreitet (*Beyrichia Buchiana* und *Primitia oblonga* sind die häufigsten). Neben Beyrichien kommt in der Mitte des Schichtenkomplexes eine Cephalopodenbank mit *Orthoceras podolicum* und *O. Roemeri* (aus der *Loxoceras*-Gruppe) und vielen Bivalven (*Grammysia*, *Orthonota*, *Leptodomus* etc.). Diese Schichten, welche in Czortków ausschließlich ausgebildet sind (Czortkówer Schichten), gehören der Ludlow-Stufe Englands an. Auch diese Schicht erleidet in östlicher Richtung einen bedeutenden Fazieswechsel: Die Orthoceren und Bivalven werden immer seltener, dafür tritt eine dünne Kalksteinbank im ölgrauen Mergelschiefer auf, welche ausschließlich aus *Tentaculites ornatus* und *Waldheimia podolica* besteht. Diese Schicht, in welcher die Versteinerungen gewöhnlich massenhaft angehäuft, aber bis zur Unkenntlichkeit zerdrückt sind, läßt sich auf dem ganzen silurischen Gebiete Podoliens östlich bis Kamieniec verfolgen.

Der untere Teil der Beyrichienschichten von Zaleszczyki (Nr. 3—4) ist von massenhaft auftretenden großen Exemplaren von *Leperditia tyraica* gebildet und stellt, wie es scheint, ein sehr konstantes Horizont des podolischen Silurs dar. Dasselbe liegt sowohl in Zaleszczyki als in Skala am Zbrucz dicht über derjenigen Schicht, in welcher *Eurypterus*- und *Pterygotus*-Reste hie und da gefunden worden sind. In Zaleszczyki liegt auch tatsächlich unter der Leperditienbank eine Schicht von ölgrauen Schiefern mit *Pterygotus* sp., welche nach der von F. Dames gegebenen Gliederung der Gotländer Silurschichten der Basis des englischen Ludlow entspricht.

In östlicher Richtung verändert sich auch diese Schicht sehr merklich, indem ihr oberer Teil (der *Aymestry limestone*) am Zbrucz und Smotrycz in mächtige Korallen- und Stromatoporenbänke übergeht. Die westliche Bivalven- und Cephalopodenfazies (untere Czortkówer Schichten) geht gegen Osten (Borszczow etc.) in Brachiopodenschiefer mit drei aufeinanderfolgenden Faunen über: oben liegt eine Bank von *Strophomena Studenitzae*, welche dem obersten Beyrichienschiefer entspricht. In der Mitte kommen massenhaft Spiriferen (*Spir. bragensis* und *Spir. elevatus*) vor, an der Basis liegt eine Bank, welche von großen Rhynchonellen (*Rh. borealiformis*) erfüllt ist und in welcher an manchen Stellen (Filipkowce, Dźwinogrod) eine dünne Mergelbank mit unzähligen Trilobitenresten vorkommt, deren stratigraphische Lage an der Basis des Ludlow ebenfalls der *Pterygotus*-Etage entspricht. Am Zbrucz in Skala ist der untere Teil jenes Komplexes als Brachiopodenschiefer mit Spiriferen und Strophomenen ausgebildet; der obere bildet eine mächtige Korallen- und Stromatoporenbank. Am Smotrycz ist umgekehrt der untere Teil des Schichtenkomplexes als Korallenbank, der obere als Brachiopodenkalk ausgebildet.

3. Der nächstfolgende Horizont unter der Leperditienbank und der ihr gleichalterigen Brachiopodenschicht mit *Rhynchonella borealiformis* bildet in Zaleczczyki die *Pterygotus*-Bank, welche ihr Äquivalent an der Niczława in den Trilobitenschiefern von Filipkowce und Dźwinogrod findet, in Skala durch eine Schicht mit *Glassia obovata*, Leperditien und Trilobiten vertreten ist und endlich in Kamieniec als eine Crinoidenbank mit *Eurypterus Fischeri* sich entwickelt hat.

4. Die tiefer liegenden Wenlockschichten sind in Zaleszczyki nicht aufgedeckt. Man findet dieselben erst von Sinkow am Dniester an am Fuße der Aufschlüsse entblößt. Es sind zuerst weiche graue Mergel-

schiefer mit Brachiopoden, hauptsächlich verschiedene *Orthis*-Arten, darunter am häufigsten *Orthis hybrida* und *O. canaliculata*. Gegen Osten wird auch diese Schicht verändert. Unter der dunklen Crinoiden- und Korallenbank der *Eurypterus*-Stufe liegt am Zbrucz eine untere Stromatoporenbank mit *Coenostroma discoideum*, *Lucina prisca*, *Horiostoma globosum* und *discors*, welche der *d*-Stufe Lindströms, nach Dames dem oberen Wenlock entspricht. In Kamieniec liegt in diesem Horizont grobbänkiger grauer unterer Korallenkalk mit mergeligen Zwischenlagen.

5. Die allerälteste Schicht mit Versteinerungen des unteren Wenlock ist hauptsächlich nur am Dniester von Filipkowce bis Kitajgorod sichtbar; es sind Brachiopodenkalke und Schiefer mit *Bilobites biloba*, *Leptaena transversalis* und sehr wenigen Korallen.

Als Leithorizont für die Beurteilung der Neigung der anscheinend horizontalen Schichten auf größeren Strecken kann uns am besten die Leperditien-Schicht (*Eurypterus* und *Pterygotus*, Trilobitenstufe) dienen, welche ihrer geringen Mächtigkeit wegen einen guten Anhaltspunkt für die Beurteilung ihrer hypsometrischen Lage im Profil gestattet.

Die Leperditien-Schicht liegt nun in Zaleszczyki und Dobrowlany in einer Höhe von etwa 10 *m* über dem Wasserspiegel, d. h. 170 *m* Seehöhe. An der Zbruczmündung bei Żwaniec etwas niedriger (155 *m* Seehöhe), etwas höher am Zbrucz bei Zawale in 150 *m*; in Skala bedeutend höher (190 *m* Seehöhe).

Aus diesen Daten ergibt sich eine Neigung der Leperditien-Schicht gegen NW zwischen Żwaniec und Zawale und eine Neigung nach SW zwischen Skala und Zaleszczyki, welche nahezu 40 *m* beträgt. Diese Fallrichtungen können nur durch die Annahme einer 40 *m* hohen Hebung am NO-Rande des podolischen Horstes, an welcher das Silur seine größte absolute Höhe von 260 *m* erreicht, zugleich mit einer Senkung der ganzen paläozoischen Platte nach NW, wie ich oben angegeben habe, ihre Erklärung finden.

Aus der Lagerung der podolischen Silurschichten geht also hervor, daß man in einem von West nach Ost genommenen Profil wesentlich gleichalterige, wenngleich verschieden faziell ausgebildete Schichten finden muß. In der Tat haben wir von Kitajgorod am Dniester in Russisch-Podolien bis Zaleszczyki überall gleichalterige Gebilde vor uns, nur haben wir der Tiefe des Taleinschnittes gemäß im westlichen Teile des Profils allein die obere Partie, die Beyrichien und Tentaculiten-Schichten, gegen Osten zu unter denselben immer ältere Horizonte vor uns.

Ähnlich verhalten sich meridionale Profile (am Smotrycz, Zbrucz, Niczlawatale), wo man von Süd nach Nord ebenfalls die ganze Serie der paläozoischen Bildungen durchquert. Die ältesten Horizonte sind im Süden, am Dniestertale aufgeschlossen, wo die genannten Täler sich am tiefsten in das unterliegende Plateau eingeschnitten haben.

Die allerältesten Horizonte des podolischen Silurs, welche leider trotz ihrer bedeutenden Mächtigkeit und großer Ausdehnung bisher keine Versteinerungen geliefert haben, finden wir allein in Russisch-Podolien im Tale des Dniester und seiner linken Zuflüsse von Jampol hinauf bis Studenica, wo die ursprünglich beinahe meridionale Richtung des Dniestertales eine plötzliche Biegung nach West erleidet. Zuunterst treten bunte, meist grüngefärbte Arkosen, welche nach oben zu mit bunten Tonschiefern alternieren, auf. Derartige Arkosen sieht man an den Dniesterufern von Jampol hinauf bis zur Mündung des Kalusik-Baches. Von hier hinauf gehen die Arkosen in grün und violett gefärbte Tonschiefer über, welche durch ihr Reichtum am großen kugeligen Phosphoritkonkretionen wohlbekannt sind (Mohylow, Ladawa etc.).

Von Ladawa hinauf trifft man in dem oberen Teile der bunten Schiefer die ersten Bänke eines bituminösen dunkelgrauen, durch Imprägnierung mit phosphorsaurem Kalke halbkristallinischen Kalksteins, in welchen zuerst in Ladawa Versteinerungen des unteren Wenlock gefunden werden (*Leptaena transversalis*, *Strophomena rhomboidalis*, *Spirifer crispus*, *Trimerella* sp. ind., *Pterinea reticulata*, *Plumulites* sp., *Hallia mitrata*).

In Durniakowce am Dniester bestehen die steilen Felswände bis 28 *m* Höhe aus dunkelviolettem Tonschiefer mit grünen Sandsteineinlagerungen. Darüber folgt eine 2·5 *m* mächtige Suite von abwechselnden grauen Tonschiefern und grauen Kalksteinbänken und zuletzt eine 1·5 *m* mächtige Kalksteinbank ohne Versteinerungen.

In Studenica am Dniester hat Wieniukow die erste reichliche Fauna gefunden, welche er als unterstes Glied der ganzen Silurformation Podoliens betrachtet und dem Wenlockshale gleichstellt. Aus dem Vergleiche der dortigen Fauna mit dem sehr ähnlichen Profil von Borszczow ergibt es sich jedoch, daß hier trotz der geringen Mächtigkeit der Schichten dennoch mehrere Horizonte aufeinander gelagert sind. Zuunterst liegen hier bunte Tonschiefer mit Sandsteinzwischenlagen bis zu einer Höhe von 14 bis 18 *m*. Darüber folgt eine Suite von dunklen Kalksteinen und dunklen Tonschiefern mit spärlichen Versteinerungen (10 *m*) und zuoberst eine 6 *m* mächtige Kalksteinbank mit sehr vielen Versteinerungen, welche, wie gesagt, Wieniukow sämtlich zum unteren Wenlock stellt. Wir werden nun prüfen, ob diese Annahme berechtigt sei. Die Liste von Wieniukow enthält folgende Arten:

Hallia mitrata Schlth., *Favosites gotlandica* Lk., *Halysites catenularia* L., *Monticulipora Bowerbanki* E. H., *Heliolites interstinctus* L., *Stromatopora* sp., *Lingula Lewisi* Sw., *Orthis canalis* Sw., *O. rustica* Sw., *O.* cf. *lunata* Sw., *O. hybrida* Sw., *Bilobites biloba* L., *Leptaena transversalis* Wahl., *Strophomena rhomboidalis* Wilk., *S. euglypha* His., *S. comitans* Barr., *S. Studenitzae* Wien., *S. antiquata* Sw., *Chonetes striatella* Dalm., *Atrypa reticularis* L., *A. marginalis* Dalm., *A. imbricata* Sw., *A. Barrandei* Dav., *A. Thisbe* Barr., *A. cordata* Lind., *A. analoga* Wien., *A. Lindströmi* Wien., *Grueneraldtia prunum* Dalm., *Glassia obovata* Sw., *Gl. compressa* Sw., *Spirifer elevatus* Dalm., *Sp. crispus* His., *Sp. togatus* Barr., *Cyrtia exporrecta* Wahlb., *Retzia aplanata* Wien., *Whitefeldia tumida* Dalm., *Merista Hecate* Barr., *Pentamerus galeatus* Dalm., *P. linguifer* Sw., *P. podolicus* Wien., *Rhynchonella Wilssoni* Sw., *Rh. ancillans* Barr., *Rh. delicata* Wien., *Pterinea concentrica* Wien., *Ptychodesma Nilsoni* His., *Mytilus parens* Barr., *Cypricardinia squamosa* Barr., *Lunulicardium bohemicum* Barr., *Horiostoma heliciforme* Wien., *Pleurotomaria labrosa* Hall., *Cyclonema multicarinatum* Lind., *Loxonema sinuosum* Sw., *Platyceras cornutum* His., *Orthoceras Hisingeri* (*O. annulatum* Wien.), *Orthoc. Kendalense* Blake., (*O. Althi* Wien.), *O. annulatocostatum* Boll. (*O. multilineatum* Wien.), *Encrinurus punctatus* Wahlb., *Sphaeroxochus mirus* Beyr., *Illaenus Bouchardi* Barr., *Calymene tuberculata* Brünn., *Phacops caudatus* Brünn., *Proëtus concinnus* Dalm.

Sehen wir nun von den neu aufgestellten Arten und von solchen, welche eine sehr große vertikale Verbreitung besitzen, ab, und halten wir uns allein an diejenigen Formen, welche an bestimmte Silurhorizonte gebunden sind, so erhalten wir folgendes Bild.

Ausschließlich dem Wenlockshales eigen sind: *Leptaena transversalis, Cyrtia exporrecta, Bilobites biloba, Atrypa cordata, Orthis hybrida, Strophomena antiquata, Glassia compressa.*

Zum Wenlock limestone, ohne in die Wenlockshales herabzugehen, gehören folgende Arten: *Orthoceras Hisingeri* Boll. (auch im lower Ludlow), *Heliolites interstinctus, Halysites catenularia, Orthis rustica.*

Zum lower Ludlow gehören: *Glassia obovata* und *Loxonema sinuosum.*

Zum Aymestry limestone gehören: *Cyclonema multicarinatum, Platyceras cornutum, Ptychodesma Nilssoni, Pleurotomaria labrosa.*

Endlich gehören *Orthoceras Kendalense* und *Orth. annulatocostatum* zur Fauna des Beyrichienkalkes (upper Ludlow).

Da nun eine ganz gleiche Fauna in Borszczow trotz der ebenfalls geringen Mächtigkeit und Einförmigkeit der Schichten auf mehrere aufeinanderfolgende Horizonte verteilt ist, so müssen wir auch für Studenica dasselbe annehmen, wir haben nämlich vor uns eine vollständige Serie vom unteren Wenlock bis zum oberen Ludlow.

Von Kitajgorod an, wo das Dniestertal sich gegen West wendet, bis Żwaniec, sind die Schichtungsverhältnisse sehr gleichförmig.

Der untere Teil der Talböschungen bis 6—8 *m* Höhe besteht aus hellgrauen dünnplattigen, beim Verwittern knolligwerdenden Korallenkalken, welche eine reichliche Fauna des Wenlock limestone, lower

Ludlow und Aymestry limestone enthalten. Von den vielen von Wieniukow aufgezählten Formen hebe ich außer den gleichgültigen Formen folgende für die genannten Horizonte charakteristischen Arten hervor:

1. Für den Wenlock limestone: *Halysites catenularia*, *Heliolites decipiens*, *H. interstinctus*, *Orthis crassa* Lind., *Leptaena transversalis*, *Horiostoma globosum*, *Lucina prisca*.
2. Für den lower Ludlow: *Pleurotomaria Lloydi*, *Glassia obovata*.
3. Für den Aymestry limestone: *Pleurotomaria alata*, *Pl. cirrhosa*, *Pl. bicincta*, *Murchisonia compressa*.

Zwischen den knolligen Korallenkalken kommen öfters dünne Bänke von halbkristallinen Crinoidenkalken und schieferige Schichten mit Brachiopoden (*Orthis canalis*, *Orthis crassa*, *Spirifer Schmidti*, *Spirifer elevatus*, *Pentamerus galeatus* etc.) vor.

Über dem knolligen Korallenkalk kommt eine harte, stark zerklüftete graue Kalksteinbank von 3 *m* Mächtigkeit, welche überall an den steilen Uferböschungen scharf hervortritt. Da nun diese Kalksteinbank stets in gleicher Höhe über dem Flußspiegel zu sehen ist, letzterer aber zwischen Żwaniec und Kitajgorod um volle 20 *m* herabsinkt, so folgt daraus, daß die anscheinend horizontalen Schichten außer ihrer Neigung von 1 bis 2% nach NW (im Streichen) auch gegen O langsam einfallen. Über der harten Kalksteinbank folgt weiter eine 10 bis 12 *m* mächtige Suite von alternierenden dünnbänkigen Kalksteinen und ölgrauen Tonschiefern, in deren Mitte eine feste Bank sichtbar ist, welche ausschließlich aus Schalen von *Leperditia tyraica* gebildet ist.

Die Fauna dieser oberen Schichten ist sehr arm und wenig charakteristisch, stimmt jedoch vollkommen mit der reichen Fauna der weiter westlich entwickelten Beyrichienschichten überein. Wieniukow hat in jenen oberen Schiefern am Dniester: *Pterinea retroflexa*, *Orthonota* sp., *Tentaculites ornatus*, *T. annulatus*, *Calymene tuberculata*, *Rhynchonella nucula* und an einem Punkte, in Zawale am Zbrucz auch Beyrichien (*P. Reussi* Alth., *B. inclinata* Wien., *B. idonea* Wien., *Entomis reniformis* Wien.), gefunden. Obgleich jene Beyrichienarten von den gewöhnlichen Formen verschieden sind, so beweist doch der Vergleich jener Tentaculitenschichten mit den ganz ähnlich gelegenen Schiefern von Kamieniec, in welchen typische Formen des Beyrichienkalkes wie *Beyr. Buchiana*, *B. inornata*, *Primitia oblonga* und *Pr. concinna* vorkommen, ihre Identität mit dem weiter westlich mächtig entwickelten Beyrichienschichten (Czortków, Zaleszczyki, Uścieczko).

Hervorzuheben ist der Umstand, daß in den von Wieniukow untersuchten Orten am Dniester in jenen oberen Tentaculitenschichten neben obersilurischen Arten niemals devonische Formen gefunden worden sind, was nur in dem Sinne zu deuten ist, daß dieselben nicht, wie man glauben könnte, bereits im Beyrichienschiefer in Podolien auftreten, sondern in einem selbständigen, petrographisch gleichen Horizont über den Beyrichienschichten in Kamieniec und nördlich wie westlich davon vorkommen. Die Serie des Obersilurs ist in Russisch-Podolien am Dniester vollständig bis zum Beyrichienkalke, aber wie gesagt ist keine einzige devonische Art hier gefunden worden, während solche von Kamieniec an überall den Arten des Beyrichienkalkes beigemischt sind.

Begeben wir uns von der Dniesterlinie in einem beliebigen Nebentale nach Norden, so tritt uns diese Tatsache sehr deutlich entgegen, besonders deutlich im Tale des Smotrycz, Żwaniec und Zbrucz.

Smotryctzal. An der Mündung bei Uście haben wir das oben beschriebene am ganzen Dniestertale sich wiederholende Profil: unten knollige Korallenkalke, in der Mitte die harte Kalksteinschicht, oben ein 10 bis 14 *m* mächtiger Schichtenkomplex von mergeligen Kalken und grünlichgrauen Tonschiefern. Den nächstfolgenden Aufschluß flußaufwärts haben wir bei Kamieniec, wo, wie wir gesehen haben, im oberen Tonschiefer Beyrichien und neben Beyrichien auch *Rhynchonella nympha*, *Atrypa Arimaspus* und *Atrypa sublepida* vorkommen.

Oberhalb Kamieniec in Pudłowce sind nur die oberen Korallenkalke der Etage *f* Gotlands und darunter liegende Stufen erhalten (Korallen, Gastropoden, *Orthoceras annulatocostatum* Boll. und *Pentamerus vogulicus* Vern.).

Weiter den Smotrycz hinauf sind die Aufschlüsse bei Dumanow, Niehin und Czercz erwähnenswert, in welchen neben anderen *Rhynchonella nympha* var. *pseudolivonica* Barr. und *Pentamerus Seberi* var. *rectifrons* gefunden worden sind, sonst ist die Fauna arm und nicht charakteristisch: sie besteht aus mehreren Brachiopoden und Korallen von einer großen vertikalen Verbreitung. In den unteren Horizonten liegt in Dumanow und Niehin eine dunkelgraue Crinoiden- und Korallenbank.

Żwaniectal. Zahlreiche Aufschlüsse am Dniester-Ufer zwischen Żwaniec, Braha, Chocim sind gleich wie in Uście geschaffen. Die oberen schieferigen Schichten über der Leperditienbank enthalten sehr wenige und unbedeutende Versteinerungen, darunter keine devonischen Arten.

In Nagorzany sind die oberen 8 *m* mächtigen schieferigen Schichten besser als am Dniester charakterisiert; sie enthalten über der Leperditienbank: *Chonetes striatella*, *Rhynchonella nucula*, *Pterinea retroflexa*, *Orthonota* sp., *Tentaculites ornatus*, *T. annulatus*, *Calymene tuberculata*, also eine Fauna des Beyrichienkalkes ohne Beimischung von devonischen Formen. Weiter hinauf folgt der Aufschluß von Orynin. Die Aufschlüsse sind unbedeutend; es treten hier allein die Korallenkalke der Stufe *f* und die Leperditienbank, welche ihre obere Grenze bildet, auf; jüngere Schichten sind nicht bekannt.

Noch höher auf der Parallele von Czercz liegt der Aufschluß von Laskoruń. Graue dickbänkige Kalksteine mit grauen Tonschieferzwischenlagen enthalten unter anderen *Spirifer robustus* Barr., *Strophomena interstrialis* Phill., also unterdevonische Arten; die anderen Formen, meist Brachiopoden mit wenigen Korallen und Gastropoden, gehören Arten, welche durch das ganze Obersilur hindurchgehen, an.

Zbrucztal. Kozaczówka (an der Mündung). In der Sammlung von Bieniasz und Alth habe ich aus dieser Ortschaft folgende Formen bestimmt: *Monticulipora pulchella*, *Amplexus eurycalyx*, *Pachypora Lonsdalei*, *Orthis canalis*, *O. hybrida* Sw., *Glassia obovata* Sw., *Atrypa reticularis* L., *Rhynchonella nucula* Sw., *Rh. Wilsoni* Sw., *Rh. borealiformis* Szajn., *Spirifer bragensis* Wien., *Strophomena Studenitzae* Wien., *Streptorhynchus umbraculum* Schlth., *Nucula lineata* Phill., *Waldheimia podolica* m., die Fauna gleicht derjenigen von Borszczów und umfaßt Leitfossilien des Wenlockshale (*Orthis hybrida*, *Rhynchonella borealiformis*), des lower Ludlow (*Glassia obovata*), des Beyrichienkalkes (*Waldheimia podolica*, *Strophomena Studenitzae*, *Nucula lineata* Phill.).

Paniowce. In der Sammlung von Alth und Bieniasz: *Monticulipera pulchella*, *Cyathophyllum articulatum*, *Hallia mitrata*, *Orthis hybrida* Sw., *Orthis palliata* Barr., *Glassia compressa* Sw., *Whitefeldia tumida* Dalm., *Meristella canaliculata* Wien., *Spirifer Bragensis* Wien., *Atrypa reticularis* L., *Pentamerus linguifer* Dalm., *Rhynchonella Davidsoni*, *Rh. borealiformis*, *Waldheimia podolica*, *Leperditia tyraica*, *Loxonema sinuosum*.

Zawale. Am linken Ufer liegen unter dem miocänen Kalksteine und Gips:

1. Zuerst alternierende Schichten von grauem Kalkstein und bläulichgrauen Tonschiefern, in deren Mitte eine Leperditienbank liegt.
2. Darunter liegt wie überall am Dniester harter grauer Kalkstein.
3. Zuunterst grauer plattiger Kalkstein mit Korallen, Stromatoporen, Brachiopoden etc. In den oberen Schiefern hat Wieniukow Beyrichien (*B. idonea* Wien., *B. inclinata* Wien., *B. Reussi* Alth., *Entomis reniformis* Wien.) gefunden. In den unteren Kalken findet man Leitfossilien mehrerer Horizonte von der Etage *d* (Gotland) aufwärts, so: *Orthoceras pseudoimbricatum*, *Horiostoma discors*, *Lucina prisca* von der Etage *d*, *Pterinea retroflexa* und *Leperditia tyraica* von höheren Schichten.

Kudryńce. Profil wie in Zawale: *Chonetes striatella* Dalm., *Spirifer Bragensis* Wien., *Glassia compressa* Sw., *Rhynchonella borealiformis* Szajn., *Atrypa Arimaspus* Eichw., *Loxonema sinuosum*.

Aus Czarnokozińce kenne ich nur *Leperditia tyraica* Schmidt.

Nach Bieniasz sind die Aufschlüsse in Czarnokozińce, Zalesie, Niwra und Załucze ähnlich wie in Kudryńce; Korallenkalke unten, oben gelbliche Mergelschiefer ohne Versteinerungen.

Wierzbówka. Grünliche Mergelschiefer mit grauen Kalkzwischenlagen (*Monticulipora pulchella*) *Amplexus borussicus*.

Podfilipie. Unten dunkelgrauer knolliger Kalkstein, oben mit einer fossilreichen Crinoidenbank. Weiter grauer Kalkstein mit Kalcitgoden und fester dunkler Kalkstein, nach oben zu in gelblichen Mergelkalk übergehend, oben grauer körniger Kalk.

Bereżanka und Iwanków: Dünnplattige graue Kalksteine mit *Leperditia tyraica*.

Skała: Das Profil von Skala habe ich oben beschrieben.

Zbrzyż und Kocinbińczyki: Gelbliche erdige Mergelkalke und dunkle Korallenkalke mit *Leperditia tyraica*, *Rhynchonella nucula*, *Spirifer elevatus* und *Orthis canalis*.

Sidorów: Unten am Wasserspiegel liegen gelbe dünngeschichtete Kalksteine, darunter weiche Schiefer mit Leperditien und Gastropoden.

Husiatyn: Am steilen Zbruczufer werden in zahlreichen Steinbrüchen feste aschgraue dickbänkige Kalksteine mit weißen Kalzitgeoden ausgebeutet. Das Silur erreicht hier 250 *m* absolute Höhe.

Ganz ähnliche Kalksteine sieht man weiter hinauf bei Olchowczyk und Holeniszczów (*Spirifer elevatus*).

Bei Holeniszczów mündet in den Zbrucz ein Zufluß, die Gniła und Tajna, in welchen bis in die Umgegend von Chorostków sehr lehrreiche Aufschlüsse des obersten Silur und unteren Devon auftreten.

Tajnatal: Mündung: Trybuchowce-Liczkowce. Unter der cenomanen Kreide und Miozän liegen gelblichgraue Mergelschiefer ohne Versteinerungen, darunter eine gelbe Mergelschicht mit *Amplexus eurycalyx* und *Merista Calypso* Barr. Zu unterst harter grauer Kalkstein (*Murchisonia compressa*, *Leperditia tyraica*, *Cyathoph. articulatum*, *Hallia mitrata*).

Niżborg Stary: Korallenkalke von Mergelschiefern bedeckt.

Myszkowce: 10 *m* über dem Wasserspiegel der Tajna tritt unter dem Miozän ein hellgrünlichgrauer mergeliger Kalkstein (*Spirifer Bragensis*, *Waldheimia podolica*).

Mazurówka und Michałki bei Celejów: Unten liegt grauer Kalkstein mit einer obersilurischen Fauna: *Favosites Forbesi*, *Atrypa reticularis*, *Pentamerus galeatus*, *Platystrophia podolica*, *Orthis canalis*, *O. crassa*, *O. palliata*, *Sp. Bragensis*, *Strophomena Studenitzae*, *Pterinea retroflexa*, *Orthis hybrida*, *Rhynchonella Wilssoni*, *Strophomena podolica*.

Über dem Silur liegt eine gelbe Mergelbank mit kalkigen Zwischenlagen, in welcher eine rein devonische Fauna gefunden wird: *Streptorhynchus umbraculum*, *Atrypa reticularis*, *Cyrtina heteroclita*, *Favosites* sp., *Hallia mitrata*, *Coenites podolicus* n. sp., *Cyathophyllum caespitosum*, *Amplexus eurycalyx*, *Pseudohornera similis* Phill., *Retzia Haidingeri* Barr., *Heliolites porosa*, *Strophomena rhomboidalis* Wilk., *Rhynchonella Daleydensis*.

Uwisła: Unten fester grauer Kalkstein mit *Pachypora Lonsdalei*, *Glassia obovata*, *Spirifer Bragensis*, *Orthis canaliculata*. Darüber gelber lockerer Mergel mit einer Bank von *Amplexus eurycalyx* Weissml., *Coenites podolicus* und sehr vielen schön erhaltenen Exemplaren von *Retzia Haidingeri* Barr. Es scheint, als ob an dieser Stelle die unterdevonischen Amplexusmergel die Wenlockschichten direkt bedecken.

Gniłatal: Hauptsächlich Tonschiefer mit geringen Kalkzwischenlagen. Von Versteinerungen sind nur Leperditien und Korallen bekannt.

Zwischen Horodnica und Wojewodyńce: Grünliche oder hellgraue Tonschiefer ohne Versteinerungen.

Borki Małe: Gelbliche Tonschiefer am Fuße der Entblößung.

Oberes Zbrucztal oberhalb Holeniszczów:

Holeniszczów: Oben grauer Kalkstein mit grauen und grünlichen Tonschieferzwischenlagen (*Favosites gotlandica* Lk., *F. Hisingeri* E. H., *Labechia conferta* E. H., *Atrypa reticularis* L., *Spirifer elevatus* Dalm., *Meristina didyma* Dalm., *Gruenewaldtia prunum* Dalm., *Pentamerus galeatus* Dalm., *Rhynchonella Wilssoni*.

Unten grauer mergeliger Kalkstein ohne Versteinerungen.

Kręciłów: *Spirifer Schmidti* Lindstr., *Retzia aplanata* Wien., *Cyathophyllum articulatum*.

Satanów: Unter dem Miozän liegt grauer mergeliger Kalkstein mit grünlichgrauen Tonschieferzwischenlagen (*Hallia mitrata* Schlth., *Syringopora fascicularis* L., *Alveolites Labechei* E. H., *Orthis crassa*, *Streptorhynchus umbraculum*, *Chonetes striatella*, *Atrypa reticularis*, *Grunewaldtia prunum* Dalm., *Spirifer elevatus* Dalm., *Sp. Bragensis*, *Sp. Thetidis* Barr., *Sp. Schmidti* Lindstr., *Meristina didyma* Dalm.,

Pentamerus galeatus Dalm., *Rhynchonella Wilssoni*, *Rh. Dumanowi* Wien., *Rh. Satanowi* Wien., *Lucina prisca*, *Tentaculites annulatus* Sw., *Encrinurus punctatus* Walhb., *Beyrichia inornata* Alth., *Beyr. Reussi* Alth., *Orthonota* sp., *Scaphaspis obovatus* Alth.

Unten liegt grobbänkiger fester bläulichgrauer Kalkstein mit *Favosites gotlandica*, *Heliolites interstinctus*, *Stromatopora* sp., *Lucina prisca* und *Pleurotomaria* aff. *cirrhosa* Lindstr. Die Schichten sind schwach nach NW geneigt.

Von Satanówka am Zbrucz habe ich: *Horiostoma globosum*, *Cyclonema carinatum* und *Holopella acicularis* Roem. bestimmt.

Aus Kałabarówka gegenüber Satanów: *Cucullella tenuiarata* Sandb., *Omphyma subturbinata*, *Heliolites interstinctus*, *Favosites Forbesi*, *Coenostroma discoidea*.

Kozina: Dünnbänkiger dunkler knolliger Kalkstein: *Cyathophyllum articulatum*, *Hallia mitrata*, *Favosites Gotlandica*, *Fav. Forbesi*, *Syringopora fascicularis*, *Horiostoma globosum*, *Ambonychia striata* Sw., *Orthis canaliculata* Lindstr., *O. hybrida* Sw., *Chonetes striatella* Dalm., *Spirifer Bragensis* Wien., *Grunewaldtia prunum* Dalm., *Glassia compressa* Sw., *Meristina didyma* Dalm., *Merista Calypso* Barr., *Meristella canaliculata* Wien. (sehr häufig), *Pentamerus galeatus* Dalm., *P. linguifer*, *Rhynchonella Wilssoni*, *Rh. Dumanowi* Wien., *Waldheimia podolica* m., *Stringocephalus bohemicus* Barr., *Leperditia tyraica* Schmidt.; also gleich Skała sämtliche Stufen von Wenlock bis zum Devon.

Kokoszyńce: Grünlichgraue nach Verwitterung gelbliche Mergelschiefer.

Łuka Mała und Postołówka: Am Fuße der Aufschlüsse grünlichgraue Tonschiefer mit *Chonetes striatella*.

Hier liegt der nördlichste Punkt, bis zu welchem silurische Schichten am Zbrucz sichtbar sind.

Kehren wir jetzt wieder zum Dniester auf galizischem Gebiete zurück:

Von der Zbruczmündung erhebt sich das Terrain terrassenartig bis Okopy. Die felsigen Wände bestehen zwischen Okopy und Bielawińce ausschließlich aus silurischen Schichten mit spärlichen Resten von Cenoman und Diluvium. Die absolute Höhe des Silurs erreicht an dieser Stelle 150—160 *m*, die relative Höhe über dem Dniesterniveau 40—50 *m*. 1. Unten liegt plattiger grauer Mergelkalk. 2. Darüber gelber Mergel ohne Versteinerungen. 3. Oben graue und schwarze bituminöse körnige Korallen- und Crinoidenbänke, welche nach oben zu in graue Tonschiefer mit Brachiopoden übergehen. 4. Darüber folgen gelbliche Mergelschiefer mit Zwischenlagen von bituminösem körnigen Kalkstein. 5. Graue feste Korallenkalke und zu oberst 6. graue Tonschiefer ohne Versteinerungen. Außer Korallen kenne ich aus diesem Orte nur *Murchisonia Demidoffi* Vern. und *Leperditia tyraica*.

Das Alter jener Schichten wird jedoch durch die Kenntnis der reichen, von Łomnicki gesammelten Fauna von Dźwinogród klar: Die Dniesterufer zwischen Trubczyn und Dźwinogród bestehen aus schwarzen und grauen körnigen Kalken mit einer sehr reichen Fauna:

Favosites Gotlandica, *F. Hisingeri*, *Syringopora bifurcata*, *S. fascicularis*, *Heliolites interstinctus*, *Monticulipora Fletscheri*, *M. pulchella*, *Monticulipora papillata*, *Alveolites Labechei*, *Coenites juniperinus*, *C. intertextus*, *Actinocystis Grayi*, *Cyathophyllum articulatum*, *Amplexus borussicus*, *Hallia mitrata*, *Coenostroma discoidea* Lonsd., *Actinocrinus* sp., *Entrochus asteriscus* Roem., *Crotalocrinus rugosus* Mill., *Bilobites biloba* L., *Orthis canalis* Sw., *Chonetes minuta* Kon., *Spirifer Bragensis* Wien., *Spir. Schmidti* Lind., *Merista Hecate* Barr., *Merista Calypso* Barr., *Meristella canaliculata* Wien., *Atrypa reticularis* L., *A. semiorbis* Barr., *A. Arimaspus* Eichw., *Pentamerus galeatus* Dalm., *Rhynchonella delicata* Wien., *Rh. borealiformis* Szajn., *Waldheimia podolica* m., *Ambonychia striata*, *Horiostoma globosum*, *Hor. simplex* Wien., *Orthoceras Ludense* Sw., *O. annulatocostatum* Boll., *Gomphoceras ellipticum* Sw., *Clinoceras podolicum* m., *Clin. ellipticum* m., *Leperditia tyraica*, *Calymene tuberculata*.

Diese Fauna entspricht vollkommen derjenigen von Borszczów und gehört der ganzen Serie des podolischen Silurs an: *Bilobites biloba*, und *Spirifer Schmidti* gehen nicht über die Schicht c. Lindströms (Wenlock shale) hinaus, *Horiostoma globosum* und die Korallen gehören der Etage *d* (Wenlock limestone) an. *Orthoceras Ludense*, *Gomphoceras ellipticum* und *Ambonychia striata* sind Leitfossilien des unteren Ludlow (Etage *e*), *Orthoceras annulato costatum* und *Waldheimia podolica* gehören dem Beyrichienkalke an. Endlich *Atrypa semiorbis*, *A. Arimaspus*, *Merista Calypso*, *Meristella canaliculata* sind unterdevonische Formen.

Bei Dźwinogród mündet in den Dniester der Dźwiniaczka-Bach, an welchem ebenfalls gute Aufschlüsse vorhanden sind.

Babińce: In einem schwarzen bituminösen Kalksteine habe ich folgende Arten gefunden: *Dualina* cf. *robusta* Barr., *Rhynchonella borealiformis*, *Pentamerus linguifer*, *Spirifer Brugensis*, *Strophomena Studenitzae*, *Streptorhynchus umbraculum*, *Cyphaspis rugulosus* Alth., *Dalmannia caudata*, *Entomis reniformis* Wien., *Isochilina erratica* Krause.

Kudryńce: Desgl.: *Chonetes striatella*, *Spirifer Brugensis*, *Glassia compressa* Sw., *Atrypa Arimaspus* Eichw., *Rhynchonella borealiformis*, *Loxonema sinuosum*.

Silurische Schichten sieht man weiter am Dniester zwischen Dźwinogród und Wolkowce, sowie zwischen Olchowce und Mielnica. Den besten Aufschluß in diesem Gebiete bietet Dzwonków, wo nach Alth folgendes Profil zu sehen ist:

1. Zu unterst gelblichgraue Mergelkalke.
2. Dunkelgrauer Korallenkalk.
3. Eine 12 *m* mächtige Serie von grauen festen Kalksteinbänken mit weißen Kalzitadern.
4. Grauer Tonschiefer mit losen Korallen (*Monticulipora?*).
5. Schwarzgraue schieferige Kalksteinbank mit sehr vielen Versteinerungen, hauptsächlich Crinoidenstielgliedern und Korallen (*Syringopora*, *Favosites*, *Cyathophyllum*, *Heliolites*, *Lubechia conferta*), seltener sind Brachiopoden: *Atrypa reticularis*, *Spirifer*, *Orthis*, *Strophomena*, sehr selten sind Trilobiten und kleine Ostracoden.
6. Graue schieferige Mergelkalke mit Korallen.
7. Dunkelgraue mergelige Kalkschiefer mit vielen Korallen und Trilobiten (*Dalmannia caudata*) (Trilobitenbank).

Die oberste Trilobitenbank wurde von Alth und Bieniasz als Dźwinogroder Schichten ausgeschieden und als Zwischenglied zwischen den »Skalaer« und »Borszczówer« Schichten betrachtet. Nun ist aber jene Trilobitenschicht weiter westlich in Filipkowce sehr schön entwickelt und liegt hart unter der Schicht mit *Rhynchonella borealiformis*, mithin an der oberen Grenze des Wenlock. Sie kann daher nicht jünger, sondern muß älter sein als die oberen Skalaer Korallenkalke, welche dem Aymestry limestone angehören und weiter westlich durch Brachiopodenschichten (Borszczówer Schichten) zum Teil vertreten sind.

Von Wolkowce am Dniester liegen mir in einem schwarzen körnigen Krinoidenkalke folgende Arten vor: *Ambonychia striata* Sw., *Pentamerus linguifer*, *Orthis canalis* Sw., *Strophomena Studenitzae*, *Strophomena mimica* Barr., *Bellerophon uralicus* Vern., *Monticulipora pulchella* E. H., *Orthoceras Ludense*, *Dalmannia caudata* Emmr., *Cyphosoma rugulosum* Alth., *Proëtus podolicus* Alth., *Primitia oblonga* Jones., *Beyrichia podolica* Alth., *Orthonota solenoides* Sw., also Arten der Etagen *e* (*O. Ludense* und *Ambonychia striata*) *f*., (*Bellerophon uralicus*) und der Beyrichienkalke vor.

Olchowce: *Orthoceras Ludense*, *Horiostoma heliciforme* Wien., *Spirifer elevatus*, *Rhynchonella Wilsoni*, *Rh. borealiformis*.

Mielnica: *Whitefeldia tumida*, *Pentamerus linguifer*, *Dalmannia caudata*.

Chudykowce: *Monticulipora pulchella*, *Cyathophyllum articulatum*., *Fav. Forbesi*, *Orthis canalis*, *O. hybrida*, *O. palliata* Barr., *Strophomena Studenitzae* Wien., *Streptorhynchus umbraculum*, *Chonetes striatella* Dalm., *Spirifer elevatus*, *Spir. Bragensis*, *Glassia obovata*, *Meristina didyma*, *Atrypa Thetis* Barr., *Pentamerus linguifer*, *Rhynchonella Wilssoni*, *Rh. borealiformis*, *Waldheimia podolica* m., *Bellerophon* aff. *Hintzei* Frech., *Orthoceras Kendalense Blake*., *Gomphoceras ellipticum* Sw., *Trochoceras optatum* Barr., *Cucullella tenuiarata* Sandb., *Dalmannia caudata*, *Proëtus podolicus* Alth., *Cyphaspis rugulosus* Alth., *Primitia concinna* Jones., *Beyrichia inornata* Alth., *Beyr. Buchiana* Jones. Dem unteren Wenlock gehört: *Orthis hybrida*, dem unteren Devon: *Cucullella tenuiarata*, *Bellerophon* aff. *Hintzei*, *Streptorhynchus umbraculum* und *Orthis palliata* an.

Michałków: *Orthis canalis* Sw., *O. hybrida*, *O. lunata* Sw., *Chonetes striatella*, *Atrypa reticularis*, *Pentamerus galeatus*, *Rhynchonella borealiformis*, *Platyceras* aff. *cornutum*, *Proëtus podolicus* Alth., *Cyathocrinus* sp.

Uście Biskupie: *Orthis hybrida*, *Ortis palliata* Barr., *Pentamerus galeatus*, *Rhynchonella borealiformis*, *Streptorhynchus umbraculum*, *Platyceras disjunctum* Gieb., *Pterinea Danbyi* Mc. Coy., *Grammysia podolica* m., *Anarcestes podolicus* n. sp., *Dalmannia caudata* Emmr., *Hallia mitrata*.

In Uście Biskupie mündet in den Dniester die Niczława, an welcher nach den Karten von Bieniasz und Alth ausschließlich sog. »Borszczower« Schichten auftreten. Wir haben nun oben gezeigt, daß dieser Begriff nur eine fazielle Bedeutung besitzt, indem in Borszczów sämtliche obersilurische Stufen bis zum unteren Devon vertreten sind. Dasselbe ist auch für verschiedene Ortschaften am Niczławatale der Fall, woher die zahlreichen mir vorliegenden Versteinerungen ohne nähere Horizontierung gesammelt worden sind. So vor allem in Filipkowce, woher ich über eine sehr reiche Sammlung Łomnickis verfügen konnte. Die Fauna entspricht gleich Borszczów sämtlichen Etagen des Obersilurs bis zum unteren Devon: *Cyathophyllum articulatum*, *Favosites Forbesi*, *Acervularia ananas* L., *Crotalocrinus rugosus* Nill., *Glyptocrinus* Sp. ind., *Orthis canalis* Sw., *O. hybrida*, *O. canaliculata* Lindstr., *O. lunata* Sw., *O. rustica* Sw., *O. crassa* Lindstr., *O. palliata* Barr., *O. germana* Barr., *Strophomena Studenitzae* Wien. (bildet zusammenhängende Bänke über der *Spiriferen*-Bank), *Strophomena extensa* Gagel., *Str. podolica* n. sp., *Streptorhynchus umbraculum*, *Chonetes striatella* Dalm., *Spirifer Schmidti* Lindstr., *Sp. Bragensis* Wien., *Sp. robustus* Barr., *Sp.* aff. *Nerei* Barr., *Glassia compressa* Sw., *Gl. obovata* Sw., *Whitefeldia tumida* Dalm., *Merista Hecate* Barr., *Meristina didyma* Dalm., *Merista Calypso* Barr., *Meristella canaliculata* Wien., *Atrypa reticularis* L., *A. semiorbis* Barr., *Pentamerus linguifer*, *Rhynchonella cuneata*, *Rh. Wilssoni*, *Rh. Davidsoni*, *Rh. borealiformis* Szajn. (kommt massenhaft in einer Schicht über der *Dalmannia*-Bank vor), *Waldheimia podolica* m., *Ambonychia striata* Sw., *Pterinea Danbyi* Mc. Coy., *Pt. retroflexa* His., *Pterinea reticulata* His., *Orthonota solenoides* Sw. *Platyceras disjunctum* Gieb., *Bellerophon* aff. *Hintzei* Frech., *Orthoceras Kendalense* Blake., *Clinoceras podolicum* m., *Cyrtoceras intermedium* Barr., *Cyrtoceras breve* n. sp., *Anarcestes podolicus* n. sp., *Calymene tuberculata* Emmr., *Dalmannia caudata* (bildet eine ganze dünne Bank unter der *Borealis*-Schicht), *Proëtus podolicus* Alth., *Leperditia tyraica* Schmidt., *Primitia oblonga* Jones., *Proëtus Dieduszyckianus* Alth.

Sapachów: *Monticulipora pulchella*, *Pachypora Lousdalei*, *Hallia mitrata*, *Michelinia geometrica* *Pentacrinus* sp.

Von Krzywcze am Cygankabache liegen mir in einem schwarzen Kalksteine: *Orthoceras Kendalense* Blake, *Platystrophia podolica* n. sp., *Strophomena Studenitzae*, *Streptorhynchus umbraculum*, *Pentamerus linguifer*, *Rhynchonella Wilssoni*, *Rh. borealiformis* und *Bellerophon* sp. vor.

Niczławatal: Babińce: *Tentaculites ornatus*.

Chudyjowce: Zu unterst liegt die Dalmannienbank. Darüber ist im grauen Schiefer eine Kalksteinbank aus zerdrückten Schalen von *Strophomena Studenitzae* eingebettet: *Orthis hybrida*, *O. canaliculata* Lindstr., *O. canalis* Sw., *O. crassa*, *O. palliata* Barr., *Spirifer elevatus*, *Strophomena Studenitzae*, *Glassia obovata*, *G. compressa*, *Whitefeldia tumida*, *Merista Hecate* Barr., *Meristella canaliculata* Wien., *Atrypa reticularis*, *Pentamerus linguifer*, *Rhynchonella borealiformis*, *Platyceras disjunctum*, *Dalmannia caudata*, *Monticulipora Fletscheri*, *M. pulchella*, *Hallia mitrata*, *Favos. Hisingeri*, *F. Forbesi*, *Michelinia geometrica*.

Szyszkowce: Graue Mergelschiefer mit massenhaft auftretenden *Monticulipora pulchella*; in den unteren Schichten kommen Kalkbänke mit *Strophomenen* und *Rhynchonella borealiformis* vor: *Orthis hybrida*, *Rhynchonella borealiformis*, *Strophomena Studenitzae*, *Str. podolica* n. sp., *Platyceras disjunctum*, *Monticulipora Fletscheri*.

Skowiatyn: *Orthis canalis* Sw., *O. hybrida*, *O. crassa* Lindstr., *O. palliata* Barr., *Platystrophia podolica* n. sp., *Streptorhynchus umbraculum*, *Strophomena Studenitzae*, *Spirifer Bragensis*, *Glassia compressa*, *Gl. obovata*, *Whitefeldia tumida*, *Merista Hecate*, *Atrypa reticularis*, *Pentamerus linguifer*, *Platyceras podolicum, Platyceras disjunctum, Orthoceras Hisingeri* Boll., *O. Ludense* Sw., *O. Kendalense* Blake., *Anarcestes podolicus* n. sp., *Pterinea Danbyi* Mc. Coy., *Dalmannia caudata.*

Korolówka: Oben dünnblättrige grünlichgelbe Schiefer mit einer Strophomenenbank. Unter dieser eine Schicht mit massenhaften *Rhynchonella borealiformis.* Noch niedriger Tonschiefer mit einer dünnen Bank von *Dalmannia caudata* und *Monticulipora pulchella, M. Fletscheri.* Unten kommt eine Bank mit Leperditien und zuletzt grünlichgraue Schiefer mit *Orthis hybrida.* Aus diesem Orte habe ich folgende Formen bestimmen können: *Orthis canalis* Sw., *O. hybrida, Chonetes striatella, Spirifer Bragensis, Glassia compressa, Whitefeldia tumida, Merista Hecate, Meristella canaliculata, Atrypa reticularis, Pterinea retroflexa* His., *Leptodomus laevis* Sw., *Grammysia complanata* Sw., *Cyrtoceras podolicum* m., *Dalmannia caudata* Emmr.

Borszczów-Profil oben. Ich füge nur eine vollständige Liste der mir aus Borszczów bekannten Versteinerungen hinzu: *Monticulipora pulchella, M. papillata, Pachypora Lonsdalei, Cyathoph. articulatum, C.* cf. *vermiculare, Orthis canalis* Sw., *O. hybrida, O. crassa, O. lunata, O. canaliculata, Platystrophia podolica* m., *Strophomena Studenitzae, Streptorhynchus umbraculum, Strophomena podolica, Chonetes striatella, Spirifer elevatus, Sp. bragensis, Sp. robustus* Barr., *Grunewaldtia pranum* Dalm., *Glassia compressa, G. obovata, Whitefeldia tumida, Merista Hecate* Barr., *Meristina didyma* Dalm., *Merista Calypso* Barr., *Atrypa reticularis, A. Thetis* Barr., *Pentamerus galeatus, P. linguifer, Rhynchonella nucula, Rh. borealiformis, Rh. nympha, Discina rugata, Platyceras disjunctum, Horiostoma heliciforme* Wien., *Bellerophon* aff. *Hintzei, Orthoceras Kendalense* Blake., *Dalmannia caudata, Primitia oblonga* Jones.

Wysuczka bei Borszczów: *Spirifer elevatus, Sp. Bragensis, Rhynchonella borealiformis, Meristella canaliculata, Streptorhynchus umbraculum, Strophomena Studenitzae, Orthis canaliculata, Orthoceras Ludense, Beyrichia inornata, Primitia oblonga, Dalmannia caudata.*

Wierzchniakowce bei Borszczów. Graue oben grünliche Mergelschiefer, wie in Borszczów, mit einer sehr reichen Fauna: *Sphaerospongia podolica* n. sp., *Cyathocrinus, Crotalocrinus, Glyptocrinus, Orthis canalis* Sw., *O. canaliculata, O. crassa, O. hybrida, O. rustica, O. palliata, Platystrophia podolica* m., *Atrypa reticularis, Strophomena Studenitzae, Str. rhomboidalis, Str. podolica, Spirifer elevatus, Sp. Bragensis, Sp. robustus* Barr., *Glassia compressa, Gl. obovata, Merista Hecate* Barr., *Atrypa Thetis* Barr., *Rhynchonella Wilsoni, Rh. borealiformis, Platyceras cornutum, Pl. disjunctum, Orthoceras Kendalense* Blake., *Clinoceras podolicum* n. sp.

Głęboczek: *Spirifer Bragensis, Rhynchonella borealiformis, Monticulipora pulchella.*

Lanowce. Graue Mergelschiefer mit Brachiopoden, reichen bis 250 *m* über dem Meeresspiegel: *Pachypora Lonsdalei, Orthis canalis, O. hybrida, O. crassa, O. canaliculata, O. palliata, Platystrophia podolica, Strophomena Studenitzae, Spirifer Bragensis, Sp. robustus, Cyrtia multiplicata, Glassia obovata, Whitefeldia tumida, Merista Hecate, Atrypa reticularis, Pentamerus linguifer* r., *Rhynchonella borealiformis, Rh. Davidsoni, Strophomena extensa, Pterinea Danbyi* Mc. Coy., *Grammysia cingulata* Mc. Coy., *Platyceras disjunctum, Glossoceras carinatum* Alth.

Kozaczyzna: *Murchisonia compressa, Platyceras disjunctum, Pterinea retroflexa, Orthoceras Kendalense, Cyrtoceras anormale.*

Zielińce: *Orthis canalis, O. canaliculata, O. hybrida, O. palliata, Strophomena extensa, Spirifer Schmidti, Sp. elevatus, Sp. Bragensis, Sp. plicatellus, Glassia obovata, Merista Hecate, Meristina didyma, Pentamerus linguifer, Rhynchonella Wilsoni, Rh. borealiformis, Pleurotomaria labrosa, Pterinea Danbyi, Orthoceras Kendalense.*

Tarnawka: *Strophomena interstrialis* Phill.

Dawidkowce: Graue bis rötliche halbkristalline Kalksteine mit zertrümmerten Brachiopodenschalen, alternieren mit ölgrünem Brachiopodenschiefer: *Spirifer Bragensis, Pterinea lineata, Orthonota* sp., *Orthoceras Kendalense, Dalmannia caudata* (also ausschließlich Formen des Beyrichienkalkes).

Słobódka: *Leperditia tyraica.*

In Czarnokońce Małe und Kolendziany erscheinen die silurischen Schiefer in der Isohypse von 245 *m* unter dem Miozän.

Szmańkowce: Ölgraue Tonschiefer mit *Orthoceras podolicum*, dazwischen dünne Kalkplatten, welche mit *Waldheimia podolica* und *Tentaculites ornatus* erfüllt sind. Noch weiter nördlich treten unterdevonische und obersilurische Schiefer mit Kalksteinzwischenlagen bei Kopyczyńce in der unmittelbaren Fortsetzung gleicher Bildungen des Gnilatales. Ich habe daraus *Heliolites porosa*, *Streptorhynchus umbraculum*, *Coenites podolicus* bestimmt. Aus dem benachbarten Orte Kociubińce besitzt die Krakauer Akademie eine Kalksteinstufe mit *Leperditia tyraica*.

Westlich von der Niczławamündung treten hauptsächlich nur Beyrichien-Schichten (Czortkówer Schichten) auf, jedoch kann man ältere Horizonte bis zum unteren Ludlow am Fuße der Entblößungen finden. Es sind überall sehr einförmige alternierende grünlichgraue Tonschiefer und dünne Bänke von kristallinischen grauen Kalksteinen. Die bezeichnenden Fossilien sind: das massenhafte Auftreten von Tentaculiten und *Waldheimia podolica*, von Cephalopoden: *Orthoceras podolicum* Alth.

Kotodróbka: *Hallia mitrata*, *Orthis canalis*, *O. hybrida*, *Strophomena Studenitzae*, *Atrypa reticularis*, *Pentamerus linguifer*, *Rhynchonella borealiformis*.

Zamuszyn: *Orthis hybrida*, *O. canaliculata*, *O. palliata*, *Streptorhynchus umbraculum*, *Strophomena comitans* Barr., *Spirifer Bragensis* Wien., *Sp. crispus*, *Glassia compressa*, *Gl. obovata* Sw., *Atrypa reticularis* L., *Pentamerus linguifer*, *Rhynchonella borealiformis*, *Platyceras disjunctum*, *Dalmannia caudata*.

Sinków: Dünnschieferige graue, halbkristallinische Kalke mit grünen Tonschiefern alternierend: *Favosites Hisingeri*, *Syringopora fascicularis*, *Heliolites dubius*, *Pachypora Lonsdalei*, *Monticulipora pulchella*, *M. papillata*, *Cyathophyllum articulatum*, *Crotalocrinus rugosus*, *Orthis hybrida*, *Strophomena Studenitzae*, *Str. podolica* m., *Chonetes striatella*, *Spirifer Bragensis*, *Atrypa reticularis*, *Rhynchonella borealiformis*, *Waldheimia podolica*, *Cyrtoceras intermedium*, *Cyrtoceras podolicum* m., *Clinoceras podolicum* m.

Doroszowce am rechten Dniesterufer: *Pterinea retroflexa*, *Tentaculites ornatus*.

Gródek an der Seretmündung: Ölgrüne Schiefer mit Kalksteinzwischenlagen bilden die halbe Höhe des steilen linken Seretufers: *Spirifer elevatus*, *Whitefeldia tumida*, *Pentamerus linguifer*, *Glassia obovata*, *Pterinea retroflexa*, *Nucula lineata* Phill., *Orthoceras podolicum* Alth.

Serettal: Kułakowce: Unter dem Cenoman sieht man dieselben Schichten wie in Gródek.

Kasperowce: Unten am Fuße der steilen Ufer des Seret und Dupa sieht man dieselben Schichten wie in Kułakowce und Gródek, sie gehen nach oben zu in grüne und dunkelrote Schiefer des unteren Devon über: *Orthoceras Hagenowi* Boll., *Beyrichia inornata*, *B. Reussi*, *Primitia oblonga*, *Prim. concinna*, *Pr. muta*, *Favosites Forbesi*.

Im Nebentale der Dupa sieht man silurische Schichten allein in der Nähe der Mündung in der Ortschaft Bedrykowce: unten sieht man hier dünngeschichtete, manchmal knollige Kalke, oben grüne und rote Mergelschiefer. In halber Uferhöhe sieht man auch hellgraue kristallinische Korallenkalke und etwa 30 *cm* unter diesem die kalkige Leperditienbank, welche von hier aus überall an der Basis der Beyrichienschiefer auftritt. Alth hat daraus *Beyrichia Reussi* und *Primitia rectangularis* beschrieben.

Folgen wir dem Seretlaufe weiter hinauf. Bilcze: Die silurischen Schichten reichen bis zu $^3/_4$ Uferhöhe. Man sieht hier aschgraue dünnschieferige Mergelschiefer mit Kalkzwischenlagen, welche hauptsächlich *Waldheimia podolica* und Tentaculiten führen: *Cyathophyllum articulatum*, *Syringopora* sp., Crinoidenstiele, *Spirifer Bragensis*, *Sp. Schmidti*, *Strophomena antiquata* (?), *Rhynchonella nucula*, *Waldheimia podolica*, *Orthoceras podolicum*, *Stromatopora* sp., *Beyrichia Reussi*, *Beyr. Bilczensis* Alth., *Calymene tuberculata*.

Myszków: *Spirifer Bragensis*, *Waldheimia podolica*.

Kapuścińce: *Beyrichia Reussi* Alth.

Ułaszkowce: *Beyrichia Reussi*.

Susołówka: Das Silur reicht bis zur Isohypse von 250 *m*. Ölgraue bis rötliche Tentaculiten- und Brachiopodenschiefer: *Strophomena Studenitzae*, *Spirifer Bragensis*, *Waldheimia podolica*, *Rhynchonella borealiformis*, *Rhynchonella nympha*, *Tentaculites ornatus*, *Favosites Forbesi*.

Jagielnica: *Orthoceras podolicum, Cucullella ovata, C. tenuiarata, Pterinea retroflexa, Orthonota solenoides, O. oolithophila, Tentaculites annulatus, Waldheimia, Beyrichia* sp., *Primitia oblonga, Favosites* sp.

Uhryń. Die steilen Ufer bestehen bis $^3/_4$ Höhe aus silurischen dünnschieferigen grauen bis grünlichen Mergelschiefern mit plattigen halbkristallinen Kalksteinzwischenlagen: *Orthoceras podolicum, Orth. Roemeri, Orth. intermedium, Orthonota oolithophila* Roem., *Orthonota solenoides, Grammysia podolica, Leptodomus laevis, Strophomena Studenitzae, Str. podolica, Spirifer Bragensis, Glassia obovata, Waldheimia podolica, Tentaculites ornatus.*

Czortków-Profil oben beschrieben. Ich gebe hier noch eine vollständige Liste der bisher in Czortków gefundenen Formen: *Orthoceras podolicum, O. Roemeri, O. Berendti, O. excentricum, O. intermedium, Cyrtoceras intermedium, C. podolicum, C. formidandum, Pterinea retroflexa, Pt. opportuna, Nucula lineata, Cucullella tenuiarata, Orthonota solenoides, Grammysia cingulata, Gr. rotundata, Gr. podolica, Leptodomus laevis, L. podolicus, Orthis canalis* Sw., *O. rustica, Strophomena Studenitzae, Streptorhynchus umbraculum, Spirifer Bragensis, Atrypa reticularis, Rhynchonella borealiformis, Waldheimia podolica, Orthonota semisulcata, Orthonota impressa, Cucullella ovata, Cucullella cultrata* Sandb., *Arca decipiens* Mc. Coy., *Leperditia tyraica, Beyrichia inornata, Beyr. Wilkensiana, Primitia concinna, Primitia oblonga, Tentaculites ornatus, Retzia Haidingeri* Barr.

Biała-Profil wie in Czortków, nur sind die Schichten nach SW geneigt und gehen nach oben zu in jüngere rote und grüne Schiefer über: *Cyrtoceras formidandum* Barr., *Pecten densistria* Sandb., *Leptodomus laevis* Sw., *Edmondia podolica* n. sp., *Retzia Haidingeri* Barr., *Nucula lineata, Onchus* sp., *Leperditia tyraica, Primitia concinna, Pr. oblonga, Prim. muta, Beyrichia inornata, Tentaculites ornatus.*

Am gegenüberliegenden Ufer liegt Wygnanka-Profil ganz gleich wie in Czortków: *Orthoceras Roemeri, O. excentricum, O. intermedium, Nucula lineata, N. plicata, Leptodomus laevis, Edmondia podolica* n. sp., *Cucullella ovata, Spirifer Bragensis, Waldheimia podolica, Tentaculites ornatus, Arca decipiens, Primitia oblonga, Entomis reniformis* Wien., *Beyrichia Bilczensis* Alth., *B. Salteriana* Jones., *Beyr. podolica* Alth.

Nagorzanka-Profil wie Czortków: *Orthoceras podolicum, O. Roemeri, Leptodomus laevis, Cucullella* sp., *Leperditia tyraica.*

Kalinowszczyzna: *Leperditia tyraica, Beyrichia Buchiana, Beyr. inornata.*

Biały Potok: Gelblichweiße Mergelschiefer mit *Leperditia tyraica.*

Skorodyńce: *Orthoceras podolicum, O. Roemeri, O. cochleatum, Cyrtoceras podolicum, Modiolopsis* (?) *podolica, Leperditia tyraica, Tentaculites ornatus.*

Tudorow: *Orthoceras Roemeri, Clinoceras ellipticum, Cucullella ovata, Orthonota semisulcata, Pterinea retroflexa, Tentaculites ornatus, Retzia Haidingeri, Beyrichia inornata, Primitia oblonga, Entomis reniformis.*

Zwiniacz: *Cucullella tenuiarata, Primitia* sp.

Budzanów: Unter den unterdevonischen Fischsandsteinen liegen grüne und graue Schiefer mit *Nucula lineata, Leperditia tyraica, Cucullella* sp., *Primitia oblonga.*

Janów: *Cyrtoceras podolicum, Nucula lineata, Pterinea retroflexa, Waldheimia podolica, Cucullella* sp., *Retzia Haidingeri* Barr., *Lep. tyraica, Aparchites ovatus, Primitia oblonga, Entomis reniformis.*

Dolhe: *Mytilus insolutus* Barr., *Nucula plicata, Cucullella tenuiarata, Leperditia tyraica, Primitia oblonga.*

Trembowla: Unter den roten plattigen Sandsteinen mit Fischresten liegen bunte, grüne oder rote, manchmal sandige Schiefer mit Zwischenlagen eines halbkristallinischen Kalksteines, welcher Leperditien, Beyrichien, Tentaculiten, *Arca decipiens* und unbestimmbare Fischschuppen enthalten.

Die westlichsten Aufschlüsse des Silurs am Dniester bei Zaleszczyki und zwischen Iwanie und Uścieczko habe ich oben beschrieben.

Old red in Podolien.

Westlich von der Linie, welche die Ortschaften Zaleszczyki und Trembowla verbindet, gehen die bunten Schiefer des Unterdevon, welche wir in Zaleszczyki und Uścieczko kennen gelernt haben, in typischen Old red über. Die spärliche Fischfauna, welche in demselben gefunden wurde, gehört mehreren Horizonten an, von der untersten *Pteraspis*-Stufe, welche meist nicht im eigentlichen Sandsteine, sondern in Sandsteinzwischenlagen der roten und grünen Schiefer oder wie in Zaleszczyki noch in kalkigen Bänken vorkommen, bis zur oberen mit *Cocosteus* und *Glyptolepis*, welche den unteren Calceolamergeln gleichalterig ist und als Strandbildung desselben unterdevonischen Meeres aufzufassen ist, welches die wenig mächtigen Tiefseebildungen mit devonischen Brachiopoden im ganzen paläozoischen Gebiete östlich von der Old red-Partie abgelegt hat.

Im Dniestertale erscheinen die roten und grünen Sandsteine zuerst bei Dobrowlany in etwa 170 *m* Seehöhe und sind überall in horizontaler Lagerung bis nach Niżniów an den schroffen Felswänden sichtbar. In Niżniów, bei einer absoluten Höhe von 192 *m*, kommen dieselben unter das Wasserniveau und werden von jurassischen Kalken bedeckt.

Im Seret-Tale erscheint der Old red zuerst etwas nördlich von Czortków und ist in sämtlichen Nebentälern westlich vom Seret entblößt. In Laskowce erreicht derselbe 320 *m* Seehöhe. Von hier aus schreiten die roten Sandsteine auch auf die Ostseite des Seret bis Trembowla über, wo die berühmten Steinbrüche in denselben angelegt sind. Oberhalb Trembowla reicht der Old red über Strussow, Mikulińce und Czartoryja bis Ostrów bei Berezowica und im Gniezna-Tale bis Borki Wielkie und Smykowce. Die Sandsteinschichten oberhalb Trembowla sind vom gewöhnlichen Old red merklich verschieden; es sind grünliche, dick- bis dünnplattige, mit grünlichen Tonschiefern alternierende Sandsteine. Diese grünen Schichten liegen bei Trembowla im Hangenden der roten Sandsteine.

Im Dżuryń-Tale reichen die roten Sandsteine von der Mündung bis in die Nähe von Bazar.

Im Kyrnica-Tale von der Mündung bis Drohiczówka.

Im Strypa-Tale bilden die devonischen Sandsteine recht malerische Cañons; besonders malerisch sind die Gegenden von Jazłowiec, Buczacz u. s. w. Bei Dżwinogród erreicht der rote Sandstein 300 *m* Seehöhe.

Zwischen Kujdanów und Sapowa liegen oben sandig tonige Schiefer von rotbrauner Farbe. Darunter folgen rötliche oder grünlichgraue Sandsteine. Die Schichten sind an dieser Stelle stark gefaltet und gebrochen und zeigen ein antiklinales Fallen nach SW und NO.

Die nördlichsten Aufschlüsse des Old red im Strypa-Tale liegen bei Burkanów, Złotniki und Sokolów. An diesen Orten tritt harter weißer Sandstein mit quarzigem Bindemittel, welcher keine schieferigen Zwischenlagen führt, dagegen Nester von grünlichem Tonschiefer auf. Im Tale des Złoty Potok reicht der rote Sandstein bis zur Stadt, im Baryszka-Tale bis zur Isohypse 300 *m*; im Koropiec-Tale bis zur Ortschaft Tyssów oberhalb Welesniów.

Amphipora-Kalke.

In zerrissenen inselartigen Partien erscheint in unmittelbarem Hangenden des Old red grauer bis schwarzer bituminöser, dolomitischer Kalkstein mit *Amphipora ramosa*, welchem sich gelbe dolomitische Mergel und schwarze Tonschiefer gesellen: im Tale der Złota Lipa sieht man ihn bei Zawadówka, Zawałów, Korzowa und Zaturzyn. Diese Formation ist bisher nur kartographisch aufgenommen worden, in paläontologischer Hinsicht außer der häufig vorkommenden *Amphipora ramosa* unbekannt.

Ich teile nach der Zusammenstellung des mir vorliegenden paläontologischen Materials die paläozoischen Schichten Podoliens in folgende Horizonte, welche denjenigen Gotlands und Englands sehr gut entsprechen:

1. Bunte Arkosen am unteren Dniester von Jampol aufwärts bis Studenica.
2. Violette und grüne Tonschiefer mit Phosphoritkonkretionen.

Die zwei oben genannten Schichtenkomplexe führen gar keine Versteinerungen, da jedoch dieselben ganz allmählich in Schichten des unteren Wenlock übergehen, müssen dieselben als untersilurisch und zum Teil vielleicht kambrisch (wie die Arkosen des Sandomirer Gebirges) angesehen werden.

3. Dunkle mit phosphorsaurem Kalke imprägnierte halbkristalline Kalke und dunkelgraue Tonschiefer als unterstes Glied der Silurformation am Dniester von Studenica hinauf bis Dźwinogród am Dniester und gleichalterige hellgraue plattige Kalke mit Schieferzwischenlagen bei Skala am Zbrucz (*Orthoceras* cf. *longulum* Barr., *Endoceras* sp., *Rastrites Linnaei*, *Monograptus* sp., *Platyceras cornutum* His., *Horiostoma heliciforme* Wien., *Lingula Lewisi* Sw., *Trimerella* sp., *Orthis hybrida* Sw., *Orthis rustica* Sw., *Orthis canalis* Sw., *Bilobites biloba* L., *Strophomena rhomboidalis* Wilk., *Str. antiquata* Sw., *Leptaena transversalis* Wahlb., *Spirifer elevatus* Dalm., *Spir. crispus* L., *Cyrtia exporrecta* Wahlb., *Pentamerus galeatus* Dalm., *Pent. linguifer* Sw., *Rhynchonella delicata* Wien., *Atrypa reticularis* L., *A. imbricata* Sw., *A. marginalis* Dalm., *A. cordata* Lind., *A. sinuata* Wien., *A. Lindströmi* Wien., *A. Barrandei* Dav., *Gruenewaldtia prunum* Dalm, *Glassia compressa* Sw., *Whitefeldia tumida* Dalm., *Hallia mitrata* E. H., *Favosites gotlandica* Lk., *Fav. Forbesi* E. H., *Halysites catenularia* L., *Heliolites interstincta* L.)

Diese Fauna entspricht vollkommen derjenigen der Zonen *a*, *b*, *c* Lindströms auf Gotland (Wisby-Schichten) und den Wenlockshales Englands.

Wieniukows-Horizont I gehört indeß nur zum Teil hieher, da Wieniukow in Studenica und Kitajgorod die ganze Fauna aus sämtlichen Schichten als ein Ganzes zusammenfaßte, während darunter eine große Anzahl unterdevonischer aus Böhmen eingewanderter Arten mitverstanden ist.

Indem ich nun beinahe sämtliche von Wieniukow aus Studenica und Kitajgorod im I. Horizont aufgezählten böhmischen Arten an anderen Orten Podoliens allein in der obersten bereits unterdevonischen Schicht gefunden habe und auch die von Wieniukow aus Studenica beschriebene *Strophomena Studenitzae* geradezu ein Leitfossil der Übergangsschicht zwischen Obersilur und Devon im ganzen podolischen Silurgebiete darstellt, muß ich die Deutung Wieniukows Horizont I allein auf die unteren Schichten von Studenica und Kitajgorod, welche *Bilobites biloba* und *Leptaena transversalis* führen, beschränken. Ob nun dieselben von devonischen Bildungen transgressiv überlagert sind, wie das aus der geringen Mächtigkeit des ganzen Schichtenkomplexes und dem Fehlen von Leitfossilen jüngerer obersilurischer Horizonte an jenen Stellen wahrscheinlich zu sein scheint, oder ob auch andere Stufen der Silurformation hier auftreten, muß ich unentschieden lassen.

4. Unterer Korallenkalk Russisch-Podoliens, desgleichen am Zbrucz sowie gleichalterige Tiefseebildungen der Brachiopodenfazies im Niczława-Tale (untere Borszczówer Schichten).

Die Fauna dieser Schichten enthält: *Calymene tuberculata* Brünn., *Phacops caudata* Dalm., *Phac. Downingiae* Murch., *Illaenus Bouchardi* Barr., *Proëtus podolicus*, *Pr. concinnus*, *Orthoceras cochleatum* Qu., *Orth. Hisingeri* Boll., *Euomphalus Orinini* Wien., *Platyceras cornutum* His., *Subulites* cf. *ventricosa* Hall., *Horiostoma discors* Sw., *Hor. rugosum* Sw., *Hor. globosum* Schlth., *Hor. sculptum* Sw., *Hor. simplex* Wien., *Pleurotomaria labrosa* Hall., *Lucina prisca* His., *Pterinea retroflexa* His., *Orthis hybrida* Sw., *O. rustica* Sw., *O. canalis* Sw., *O. canaliculata* Lind., *O. crassa* Lind., *Strophomena rhomboidalis* Wilk., *Str. funiculata* M. Coy, *Leptaena transversalis* Wahlb., *Chonetes striatella* Dalm., *Spirifer Schmidti* Lindstr., *Sp. elevatus* Dalm, *Sp. crispus* L., *Cyrtia exporrecta* Wahlb., *Pentamerus galeatus* Dalm., *Pent. linguifer* Sw., *Rhynchonella nucula* Sw., *Rh. cuneata* Dalm., *Rh. bidentata* His., *Rh. Wilsoni* Sw., *Atrypa reticularis* L., *A. marginalis* Dalm., *Gruenewaldtia prunum* Dalm., *Meristina didyma* Dalm., *Whitefeldia tumida* Dalm., *Hallia mitrata* E. H., *Ptychophyllum truncatum* E. H., *Rhizophyllum gotlandicum* Roem., *Cyathophyllum articulatum* Walb., *C. angustum* Lonsd., *Omphyma turbinata* L., *O. subturbinata* d'Orb., *Favosites gotlandica* Lk., *F. Forbesi* E. H., *F. Hisingeri* E. H., *F. aspera* d'Orb., *F. Bowerbanki* E. H., *Pachypora Lonsdalei* E. H., *P. lamellicornis* Lind., *Coenites linearis* E. H., *Coenites intertextus* Eichw., *C. juniperinus* Eichw., *Alveolites Labechei* Lonsd., *Syringopora fascicularis* L., *Monticulipora Fletscheri* E. H., *M. pulchella* E. H., *M. papillata* E. H., *Heliolites interstincta*, *H. decipiens* M. Coy., *H. megastoma* M. Coy., *Stromatopora typica* Ros., *Coenostroma discoideum* Lonsd., *Labechia conferta* E. H., *Actinostroma astroites* Rosen., *Crotalocrinus rugosus* Mill., *Phacites gotlandicus* Wahlb.

Vergleichstabelle der paläo-

Russisch-Podolien	Zbrucz-Tal (Skalaer Korallenfazies)	Niczława-Tal (Borszczówer Brachiopodenfazies)	Seret-Tal (Czortkówer Cephalopoden- u. Bivalvenfazies)
i) Dünnplattige Kalke mit *Rhynchonella nympha* v. *pseudolivonica*, *Streptorhynchus umbraculum* und *Atrypa sublepida*	*h*) Hellgelber Mergelkalk mit *Stringocephalus bohemicus*, *Amplexus eurycalyx*, *Retzia Haidingeri*, *Streptorhynchus umbraculum*, *Pterygotus* n. sp., *Pteraspis*	*i*) Schiefer mit *Rhynchonella nympha*, *Merista Calypso*, *Streptorhynchus umbraculum*, *Bellerophon* aff., *Hintzei*, *Anarcestes podolicus*	*f*) Rote oder grüne Schiefer mit *Leptodomus laevis*, *Pecten densistria*, *Cucullella tenuiarata*
h) Tentaculiten und Beyrichienschiefer	*g*) Tentaculiten-Bank mit *Waldheimia podolica*	*h*) Strophomenen-Bank *Stroph. Studenitzae* und *Str. interstrialis*	*e*) Obere Cucullellenbank mit *Beyrichia Wilkensiana*
			d) Tentaculiten u. Waldheimienbank
		g) Feste Kalksteinbank mit *Pterinea Danbyi*	*c*) Cephalopodenbank m. *Orthoceras podolicum* u. *Beyrichia Salteriana*
g) Graue Kalke mit *Lucina prisca*, *Bellerophon Uralicus*, *Pentamerus vogulicus*	*f*) Schwarzer Kalkstein m. *Lucina prisca* und *Rhynchonella nucula*	*f*) Spiriferenbank mit *Spirifer Bragensis*, *Sp. elevatus*, *Orthis lunata*, *O. canaliculata*	*b*) Bivalvenbänke mit *Grammysia rotundata*
	e) Obere Stromatoporen- und Korallenbank		
f) Oberer Korallenkalk	*d*) Hellgrauer Mergelkalk mit Rostflecken: *Heliolites interstincta*, *Heliolites megastoma*		
e) Dunkle Crinoidenkalke mit *Eurypterus Fischeri*, *Orthoceras Hisingeri*, *Horiostoma globosum*	*c*) Dunkler Kalkstein mit *Leperditia tyraica* und *Gomphoceras pyriforme*, *Glassia obovata*	*e*) Schiefer mit *Glassia obovata*, *Spirifer elevatus*, *Orthis lunata*	*a*) Bivalvenbänke mit *Orthonota solenoides*, *Orthoceras Ludense*, *Rhynchonella borealiformis*
		d) Rhynchonellenbank (*Rhynch. borealiformis*)	
d) Unterer Korallenkalk	*b*) Untere Stromatoporenbank mit *Coenostroma discoideums*	*c*) Trilobitenbank mit *Dalmannia caudata*	—
		b) Schiefer mit *Orthis canalis*, *O. hybrida*, *Whitefeldia tumida*	
c) Schichten von Kitajgorod und Studenitza mit *Bilobites biloba* u. *Leptaena transversalis*	*a*) Grauer Kalkstein und Tonschiefer mit *Rastrites*, *Endoceras*, *Orthoceras* cf. *longulum*	*a*) *Glassia compressa*, *Orthis hybrida*, *Bilobites biloba*, Crinoiden	—
b) Violette Schiefer mit Phosphoriten	—	—	—
a) Bunte Arkosen	—	—	—

zoischen Gebilde Podoliens.

Zaleszczyki (Old red-Fazies)		Gotland (n. Lindström und Dames)	England	Polen	Böhmen	Harz und Thüringen	Rheinland
i') Bunte Schiefer mit *Cucullella cultrata*	*i''*) Roter Sandstein m. *Coccosteus* u. *Glyptolaemus*	—	Old red Sandstone	Unt. *Calceola*-Mergel	Ff_2 (Barr.) $D\ b$ (Katzer)	Haupt-Spiriferen-sanditen	Untere Koblenz-Grauwacke
h') Bunte Schiefer m. *Cucullella tenuiarata* u. *Cyrtoceras*	*h''*) Grauer Sandstein			Placodermen-sandstein			
g) *Pteraspis*-Bank				Spiriferen-sandstein			
f) Graue Schiefer mit *Retzia Haidingeri*, *Cucullella tenuiarata*, *Beyrichia Wilkensiana*		*h* Beyrichienkalk	Passage beds	Święty Krzyż Quarzit	Ff_1 (Barr.) $D\ a$ (Katzer)	Bruchberg Quarzit	—
e) Cephalopodenbank mit *Orthoceras podolicum*		*g* Beyrichienkalk	Upper Ludlow	Beyrichien Grauwacke von Niewachlow	$E\ e_2$ (Barrande = 3^{δ} (Katzer)	Tauner Grauwacke	—
d) Bivalvenbänke mit *Grammysia rotundata*		*f*	Aymestry limestone	*Interrupta*-Schiefer		*Interrupta*-Kalke	—
c) Leperditienbank		*e*	Lower Ludlow				—
b) Untere Bivalvenbank mit *Beyrichia podolica*							
a) Pterygotusschiefer							
—		*d*	Wenlock limestone				—
—		*c*	Wenlock shales			Untere Graptolithenschichten	—
		b	Llandeilo flags		$E\ e_1$		
—		—	Caradoc		—	—	—
—		—	—		—	—	—

Die Fauna der Schicht 4 entspricht dem Wenlock limestone Englands und der Zone *d* Gotlands.

5. Dunkle Crinoidenkalke mit *Eurypterus Fischeri* von Kamieniec, Dunkle Kalke mit *Gomphoceras pyriforme*, *Leperditia tyraica* und *Glassia obovata* von Skała, Trilobitenschiefer von Dźwinogród, Filipkowce etc., Schichten mit *Orthonota solenoides* (untere Czortkówer Schichten), *Pterygotus*-Schiefer von Zaleszczyki, Bank mit *Leperditia tyraica*.

Fauna: *Pteraspis podolicus*, *Orthoceras Ludense* Sw., *O. excentricum* Sw., *O. intermedium* Markl., *Orth. Hisingeri* Boll., *O. virgatum* Sw., *Gomphoceras ellipticum* M. Coy., *Gomph. pyriforme* Sw., *Pterinea retroflexa*, *Grammysia complanata*, *Orthonota solenoides* Sw., *Ptychodesma Nilsoni* His., *Horiostoma discors* Sw., *Hor. globosum* Schlth., *Pleurotomaria Lloydi* Sw., *Loxonema sinuosum* Sw., *Tentaculites ornatus* Sw., *Tent. annulatus* Schlth., *Orthis lunata* Sw., *Spirifer plicatellus* L., *Rhynchonella subfamula* Wien., *Rh. borealiformis* Szajn., *Monticulipora pulchella* E. H., *M. Fletscheri* E. H., *Calymene tuberculata* Brünn., *Phacops caudatus*, *Ph. Downingiae* Murch., *Proëtus concinnus* Dalm., *Pr. podolicus* Alth., *Pr. Dzieduszyckianus* Alth., *Cyphaspis rugulosus* Alth., *Eurypterus Fischeri* Schmidt., *Pterygotus* sp. ind., *Stylonurus* sp., *Encrinurus punctatus* Wahlb., *Leperditia tyraica*.

Die Schicht 5 entspricht der Zone *e* Gotlands (*Pterygotus*-Bank) und dem unteren Ludlow Englands.

6. Obere Korallen- und Stromatoporen-Bank von Kamieniec, Dumanów etc. in Russisch-Podolien, desgleichen am Zbrucz. In der Niczława (Borszczówer) Fazies graue Schiefer mit *Rhynchonella borealiformis*, *Spirifer Bragensis* und *Orthis lunata*. Untere Beyrichienkalke der Czortkówer Fazies.

Fauna: *Leperditia tyraica* Schmidt., *Beyrichia inornata* Alth., *Beyr. Buchiana* Jones., *Beyr. podolica* Alth., *Beyr. Salteriana* Jones., *Primitia concinna* Jones., *Pr. rectangularis* Alth., *Orthoceras Kendalense* Bl., *Cyrtoceras intermedium* Blake., *Horiostoma discors* Sw., *Hor. globosum* Schlth., *Cyclonema multicarinatum* Lind., *Pleurotomaria bicincta* Hall., *Pl. cirrhosa* Lind., *Murchisonia compressa* Lind., *M. Demidoffi* Vern., *M. podolica* Wien., *Bellerophon* cf. *uralicus* Vern., *Tentaculites ornatus*, *Tent. annulatus*, *Grammysia rotundata* Sw., *Lucina prisca* His., *Pterinea retroflexa* His., *Orthis rustica* Sw., *O. canaslis* Sw., *O. canaliculata* Lindstr., *O. crassa* Lind., *O. lunata* Sw., *Strophomena rhomboidalis* Wilk., *Chonetes striatella* Dalm., *Spirifer Schmidti* Lind., *Sp. elevatus* Dalm., *Sp. Bragensis* Wien., *Sp. crispus* L., *Pentamerus galeatus* Dalm., *P. podolicus* Wien., *P. Vogulicus* Vern., *Rhynchonella nucula* Sw., *Rh. Wilsoni* Sw., *Rh. Davidsoni* M. Coy., *Rh. Satanowi* Wien., *Rh. Dumanowi* Wien., *Rh. borealiformis* Szajn., *Atrypa reticularis* L., *Glassia obovata* Sw., *Meristina didyma* Dalm., *Hallia mitrata* E. H., *Cyathophyllum articulatum* Wahlb., *Acervularia ananas* L., *Actinocystis Grayi* E. H., *Favosites Forbesi* E. H., *F. Bowerbanki* E. H., *Alveolites Labechei* Lonsd., *Syringopora fascicularis* L., *S. bifurcata* L., *Thecia Swinderiana*, *Halysites catenularia* L., *Heliolites interstincta* L., *Stromatopora typica* Rosen., *Coenostroma discoideum* Lonsd., *Labechia conferta* E. H.

In der Brachiopodenfacies beginnt dieser Horizont mit einer Bank von *Rhynchonella borealiformis*, welche dicht über der *Trilobitenbank* liegt, und endet mit einer *Spiriferenbank* mit *Sp. Bragensis*.

Entspricht dem Aymestry limestone Englands und der Zone *f* Gotlands. Die zwei angeblich devonischen Formen aus dem Ural: *Pentamerus Vogulicus* und *Bellerophon uralicus* stehen dem *Pentamerus Knighti* und *Bellerophon Aymestriensis* so nahe, daß ich dieselben kaum als lokale Varietäten ansehen möchte, um so mehr, als die in Russisch-Podolien selten vorkommenden und schlecht erhaltenen Formen von Wieniukow mit den Adnotationen *cf.* und *aff.* bezeichnet worden sind, also wahrscheinlich Mittelformen zwischen den englischen Typen des Aymestry *limestone* und den uralischen gleichfalls obersilurischen (nicht devonischen) Arten darstellen.

7. Beyrichienkalke und Tentaculitenschiefer. Im östlichen Teile des Gebietes sind es ölgraue Schiefer mit Kalksteinzwischenlagen, welche ganze Lagen von zerdrückten Schalen von *Waldheimia podolica* und *Tentaculites ornatus* enthalten. Diese Schicht gehört jedoch nach der Analogie mit den weit vollständigeren Profilen des Serettales, nur den obersten Schichten der Beyrichienzone, welche ich schon als ein Äquivalent der Passage beds und der Etage *Ff* Barr. ansehen möchte.

In der Borszczówer (Niczława) Fazies sind es ölgraue Tonschiefer mit kalkigen Zwischenlagen, welche eine reiche Brachiopodenfauna führen. Unten, dicht über der Spiriferen-Bank des vorigen Horizonts liegt eine feste graue Kalksteinbank mit *Pterinea Danbyi*. Oben ist diese Zone durch eine zusammenhängende Bank von angehäuften Schalen von *Strophomena Studenitzae* abgegrenzt.

In der westlichen Beyrichien- und Cephalopoden-Fazies am Seret sind es ölgraue und grünliche Schiefer mit dünnen Kalksteinbänken, in welchen *Orthoceras podolicum*, Beyrichien- und verschiedene Grammysia-Arten am häufigsten sind. Die Fauna dieser Zone umfaßt folgende Arten:

Encrinurus punctatus Wahlb., *Beyrichia inornata* Alth., *B. idonea* Wien., *B. Buchiana* Jones., *B. inclinata* Wien., *B. Reussi* Alth., *B. Bilczensis* Alth., *Beyr. podolica* Alth., *B. Salteriana* Jones., *Entomis reniformis* Wien., *Primitia concinna* Jones, *P. oblonga* Jones, *Prim. muta* Jones., *Pr. plicata* Jones., *Aparchites ovatus* Jones., *Orthoceras podolicum* Alth , *O. Roemeri* Alth., *O. Hagenowi* Boll., *O. grave* Barr., *O. annulatocostatum* Boll., *O. Kendalense* Blake., *Cyrtoceras* cf. *vivax* Barr., *Cyrt. sinon* Barr., *C. podolicum* m., *C. anormale* Barr., *C. formidandum* Barr., *Trochoceras optatum* Barr., *Orthonota impressa* Sw., *O. oolithophila* Roem., *Grammysia cingulata* His., *Gr. podolica* m., *Gr. complanata* Sw., *Arca decipiens* M. Coy., *Nucula lineata* Phill., *N. plicata* Phill., *Cucullella ovata* Phill., *Leda* sp. ind., *Pterinea retroflexa* His., *Pter. Danbyi* M. Coy., *Pter. lineata* Gf., *Tentaculites ornatus* Sw., *Discina rugata* Sw., *Orthis canalis* Sw., *Orthis palliata* Barr., *Chonetes striatella* Dalm , *Spirifer elevatus* Dalm., *Sp. Bragensis* Wien., *Pentamerus galeatus* Dalm., *Atrypa reticularis* Barr., *Waldheimia podolica* m., *Acanthocladia assimilis* Murch., *Cornulites serpularium* Schlth., *Spirorbis tenuis* Sw., *Hallia mitrata* E. H., *Entrochus asteriscus*.

Obige Fauna entspricht dem Upper Ludlow Englands und der Zone *g* Gotlands.

8. Grenzschichten zwischen Silur und Devon, welche in verschiedenen Gegenden Podoliens sehr verschieden ausgebildet sind. Im westlichen Gebiete bei Zaleszczyki, Dobrowlany und Czortków sind es zum Teil rote und grüne, zum Teil ölgraue Tonschiefer mit Zwischenlagen von grauen Kalksteinen, welche mit kleinen Schalen von *Nucula* und *Cucullella* ganz überfüllt sind. Im Osten tritt an derselben Stelle grauer Schiefer mit vielen Strophomenen-Schalen auf, welche manchmal ganze Bänke durch ihre Anhäufung bilden. Fauna: *Beyrichia Wilkensiana* Jones., *Primitia oblonga* Jones., *Isochilina erratica* Krause., *Nucula lineata* Phill., *N. plicata* Phill., *Cucullella tenuiarata* Sandb., *Leptodomus laevis* Sw., *Orthoceras Berendti* Dew., *Platyceras disjunctum* Gieb., *Strophomena Studenitzae* Wien., *Str. extensa* Gagel., *Retzia Haidingeri* Barr., *Waldheimia podolica* m., *Rhynchonella ancillans* Barr., *Rhynch. Hebe* Barr., *Atrypa Thisbe* Barr., *Merista Hecate* Barr., *Orthis palliata* Barr., *Amplexus borussicus* Weißml.

Ihrer Lage nach entsprechen diese Schichten den Passage Beds Englands und den obersten Beyrichienschichten von Oesel.

9. Schichten mit *Pteraspis rostratus* Ag.

Im Westen sind es rote und grüne schieferige glimmerreiche Sandsteine mit Zwischenlagen von bunten Schiefertonen, welche in Zaleszczyki allmählich in graue und grüne Schiefer mit Zwischenlagen von kristallinischen Kalksteinen übergehen. Weiter ostwärts wird diese Zone der Beyrichienstufe vollkommen gleich und kann an Stellen, wo das obere Ludlow keine Beyrichien führt, von derselben nicht unterschieden werden. *Pteraspis*-Reste werden in einer kaum mehrere Dezimeter mächtigen Schicht gefunden, welche im Westen — ein roter oder grüner Sandstein, im Osten — eine dunkle Kalkzwischenlage in grünlichgrauem Schiefer st. Die Fauna enthält: *Pteraspis rostratus* Ag., *Pt. major* Alth., *Cyathaspis Sturi* Alth., *Scaphaspis radiatus*, *Scaph. obovatus* Alth., *Auchenaspis* sp., *Cephalospis* sp. Daneben dieselben kleinen Nuculiden wie im vorigen Horizont.

10. Über der *Pteraspis*-Bank kommen in Zaleszczyki grüne und graue Schiefer mit *Cyrtoceras* sp., *Cucullella tenuiarata* Sandb. und noch höher bunte Schiefer mit *Cucullella cultrata* Sandb. in großer Menge vor, welche aus dem Spiriferensandsteine des Harzes Unterdevons beschrieben worden sind. Nach West gehen diese oberen Schichten des podolischen Unterdevons in obere rote Sandsteine des Old red mit *Coccosteus* und *Glyptolaemus Kinnairdi* Huxl. über. In östlicher Richtung treten graue und gelbliche Mergelschiefer und Kalksteine mit einer unterdevonischen Fauna weit hinaus bis zu Studenica und Kamie-

nice im Osten, bis Kopyczyńce nach Nordosten auf. Die Fauna jener Schichten ist wohl mit dem Harzer Spiriferensandsteine gleichalterig, gehört jedoch einer verschiedenen Fazies an. Unter den Brachiopoden herrschen hauptsächlich aus Böhmen eingewanderte Formen, welche entweder der nach Katzer dem Spiriferensandsteine gleichalterigen Stufe *Ff* 2 Barandés ausschließlich eigen sind oder in Böhmen eine bedeutende bis zur Zone *Ff* 2 reichende vertikale Verbreitung besitzen. Außerdem treten manche neue oder nicht genau horizontierte Formen, wie z. B. zwei von Weißermel nach Diluvialgeschieben unbekannten Ursprungs beschriebene *Amplexus*-Arten, auf.

Die Fauna der devonischen Schichten außerhalb des Old red-Gebietes enthält Formen der *Ff* 2 Stufe neben mehreren Arten der untersten *Calceola*-Schichten (Dombrowa-Horizont Polens nach Gürich): *Pterygotus* n. sp., *Anarcestes podolicus* m., *Bellerophon* aff. *Hintzei* Frech., *Leptodomus laevis* Sw., *Edmondia podolica* m., *Arca decipiens* M. Coy., *Nucula lineata* Phill., *N. plicata* Phill., *Cucullella tenuiarata* Sandb., *Cucullella cultrata* Sandb., *Pterinea migrans* Barr., *Pterinea ventricoa* Gf., *Pecten densistria* Sandb., *Discina* aff. *praepostera* Barr., *Orthis germana* Barr., *Argiope podolica* m., *Strophomena interstrialis* Phill., *Str. comitans* Barr., *Str. mimica* Barr., *Streptorhynchus umbraculum* Schlth., *Spirifer Thetidis* Barr., *Spirif. Nerei* Barr., *Spir. robustus* Barr., *Cyrtia multiplicata* Dav., *Cyrtia heteroclita* Defr., *Pentamerus Sieberi* Barr., *Pent. Sieberi var. rectifrons* Barr., *Pent. integer* Barr., *Pent. optatus* Barr., *Rhynchonella obsolescens* Barr., *Rh. nympha* Barr. var. *pseudolivonica* Barr., *Rh. Daleydensis* Roem., *Atrypa reticularis* L., *A. aspera* Schlth., *A. Thetis* Barr., *A. linguata* Buch., *A. sublepida* Verp., *A. Arimaspus* Eichw., *A. semiorbis* Barr., *Stringocephalus bohemicus* Barr., *Retzia Haidingeri* Barr., *Merista Calypso* Barr., *Meristella canaliculata* Wien., *Pseudohornera similis* Phill., *Amplexus eurycalyx* Weißml., *Cyathophyllum caespitosum* Gf., *Michelinia geometrica* E. H., *Coenites podolica* m., *Heliolites porosa* Gf.

	Gotland							England							Böhmen				Polen				Harz		Podolien								
	Zone a–b	Zone c	Zone d	Zone e	Zone f	Zone g	Zone h	Wenlock shales	Wenlock limestone	Lower Ludlow	Aymestry limestone	Upper Ludlow	Passage beds	Old red-Sandstone	Ee_1 (Graptolitën-Schiefer)	Ee_2 Cephalopoden-Stufe	Ff_1 Lochkower Stufe	Ff_2 Mňfan-Stufe	Beyrichien-Grauwacke	Spiriferen-Sandstein	Placodermen-Sandstein	Dombrowa-Horizont	Tanner Grauwacke	Spiriferen-Sandstein	Wenlock 3	Wenlock 4	Ludlow 5	Ludlow 6	Ludlow 7	Passage beds 8	Devon 9	Devon 10	unbekannt
Vertebrata.																																	
Pteraspis rostratus Ag.	—	—	—	—	—	—	—	—	—	—	—	—	—	+	—	—	—	—	—	—	—	—	—	—	—	—	—	—	—	—	+	—	
Pter. Kneri Lank.	—	—	—	—	—	—	—	—	—	—	—	—	—	—	—	—	—	—	—	—	—	—	—	—	—	—	+	—	—	—	—	—	
Pter. major Alth.	—	—	—	—	—	—	—	—	—	—	—	—	—	—	—	—	—	—	—	—	—	—	—	—	—	—	—	—	—	—	+	—	
Pter. augustatus Alth.	—	—	—	—	—	—	—	—	—	—	—	—	—	—	—	—	—	—	—	—	—	—	—	—	—	—	—	—	—	—	—	+	
Cyathaspis Sturi Alth.	—	—	—	—	—	—	—	—	—	—	—	—	—	—	—	—	—	—	—	—	—	—	—	—	—	—	—	—	—	—	—	—	+
Scaphaspis radiatus Alth.	—	—	—	—	—	—	—	—	—	—	—	—	—	—	—	—	—	—	—	—	—	—	—	—	—	—	—	—	—	—	—	—	+
Scaph. obovatus Alth.	—	—	—	—	—	—	—	—	—	—	—	—	—	—	—	—	—	—	—	—	—	—	—	—	—	—	—	—	—	—	+	—	
Cephalaspis cf. *asper* Ag.	—	—	—	—	—	—	—	—	—	—	—	—	—	+	—	—	—	—	—	—	—	—	—	—	—	—	—	—	—	—	+	—	
Aucheuaspis sp.	—	—	—	—	—	—	—	—	—	—	—	—	—	—	—	—	—	—	—	—	—	—	—	—	—	—	—	—	—	—	+	—	
Glyptolaemus Kinnairdi Huxl.	—	—	—	—	—	—	—	—	—	—	—	—	—	+	—	—	—	—	—	—	—	—	—	—	—	—	—	—	—	—	—	+	
Coccosteus sp.	—	—	—	—	—	—	—	—	—	—	—	—	—	+	—	—	—	—	—	—	+	—	—	—	—	—	—	—	—	—	—	+	
Merostomata.																																	
Pterygotus sp.	—	—	—	—	—	—	—	—	—	—	—	—	—	—	—	—	—	—	—	—	—	—	—	—	—	—	+	—	—	—	—	—	
Pter. sp. ind.	—	—	—	—	—	—	—	—	—	—	—	—	—	—	—	—	—	—	—	—	—	—	—	—	—	—	—	—	—	—	—	+	
Stylonurus sp.	—	—	—	—	—	—	—	—	—	—	—	—	—	—	—	—	—	—	—	—	—	—	—	—	—	—	—	—	—	—	—	—	+
Eurypterus Fischeri Schm.	—	—	—	+	—	—	—	—	—	—	—	—	—	—	—	—	—	—	—	—	—	—	—	—	—	—	+	—	—	—	—	—	
Trilobitae.																																	
Calymene tuberculata Brünn.	—	—	+	—	+	—	—	—	+	+	+	—	—	—	—	+	+	—	—	—	—	—	—	—	+	+	+	—	—	—	—	—	
Illaenus Bouchardi Barr.	—	—	—	—	—	—	—	—	—	—	—	—	—	—	+	+	—	—	—	—	—	—	—	—	+	+	—	—	—	—	—	—	
Phacops caudatus Dalm.	—	+	+	—	—	—	—	+	+	+	—	—	—	—	—	—	—	—	—	—	—	—	—	—	+	+	—	—	—	—	—	—	
Phacops Downingiae Murch.	—	—	—	—	+	—	—	—	+	+	+	—	—	—	—	—	—	—	—	—	—	—	—	—	—	+	+	—	—	—	—	—	
Proëtus concinnus Dalm.	—	—	—	—	+	—	—	—	—	—	—	—	—	—	—	—	—	—	—	—	—	—	—	—	—	+	+	—	—	—	—	—	
Pr. podolicus Alth.	—	—	—	—	—	—	—	—	—	—	—	—	—	—	—	—	—	—	—	—	—	—	—	—	—	+	—	—	—	—	—	—	
Pr. Dzieduszyckianus Alth.	—	—	—	—	—	—	—	—	—	—	—	—	—	—	—	—	—	—	—	—	—	—	—	—	—	+	—	—	—	—	—	—	
Cyphaspis rugulosus Alth.	—	—	—	—	—	—	—	—	—	—	—	—	—	—	—	—	—	—	—	—	—	—	—	—	—	—	+	—	—	—	—	—	

	Gotland							England							Böhmen				Polen				Harz		Podolien								
																									Wenlock		Ludlow			Passage beds	Devon		
	Zone a–b	Zone c	Zone d	Zone e	Zone f	Zone g	Zone h	Wenlock shales	Woolhope limestone	Lower Ludlow	Aymestry limestone	Upper Ludlow	Passage beds	(Devon)	Ee_1	Ee_2	Ff_1	Ff_2	Beyrichien-Grauwacke	Spiriferen-Sandstein	Dombrowa-Horizont	Calceola-Mergel	Tanner Grauwacke	Spiriferen-Sandstein	3	4	5	6	7	8	9	10	unbekannt
Encrinurus obtusus Ang.	—	+	+	—	—	+	—	—	+	+	+	—	—	—	—	—	—	—	—	—	—	—	—	—	—	+	—	—	—	—	—	—	
Encr. punctatus Wahlb.	—	+	+	—	—	—	—	—	+	+	+	—	—	—	—	—	—	—	—	—	—	—	—	—	—	+	+	—	+	—	—	—	
Sphaeroxochus mirus Beyr.	—	—	+	—	—	—	—	—	—	+	+	—	—	—	+	+	—	—	—	—	—	—	—	—	—	+	+	—	—	—	—	—	
Ostracoda.																																	
Leperditia tyraica Schm.	—	—	—	—	—	—	—	—	—	—	—	—	—	—	—	—	—	—	—	—	—	—	—	—	—	—	+	+	—	—	—	—	
Beyrichia inornata Alth.	—	—	—	—	—	—	—	—	—	—	—	—	—	—	—	—	—	—	—	—	—	—	—	—	—	—	+	+	+	+	—	—	
Beyr. idonea Wien.	—	—	—	—	—	—	—	—	—	—	—	—	—	—	—	—	—	—	—	—	—	—	—	—	—	—	—	—	+	—	—	—	
Beyr. Buchiana Jon.	—	—	—	—	—	+	+	—	—	—	—	+	—	—	—	—	—	—	+	—	—	—	—	—	—	—	—	+	+	—	—	—	
Beyr. inclinata Wien.	—	—	—	—	—	—	—	—	—	—	—	—	—	—	—	—	—	—	—	—	—	—	—	—	—	—	—	—	+	—	—	—	
Beyr. Reussi Alth.	—	—	—	—	—	—	—	—	—	—	—	—	—	—	—	—	—	—	—	—	—	—	—	—	—	—	—	—	+	—	—	—	
Beyr. Bilczensis Alth.	—	—	—	—	—	—	—	—	—	—	—	—	—	—	—	—	—	—	—	—	—	—	—	—	—	—	—	—	+	—	—	—	
Beyr. podolica Alth.	—	—	—	—	—	—	—	—	—	—	—	—	—	—	—	—	—	—	—	—	—	—	—	—	—	—	+	+	+	—	—	—	
Beyr. Salteriana Jon.	—	—	—	—	—	+	—	—	—	—	—	+	—	—	—	—	—	—	—	—	—	—	—	—	—	—	—	+	+	—	—	—	
Beyr. Wilkensiana Jon.	—	—	—	—	—	—	+	—	—	—	—	—	+	—	—	—	—	—	—	—	—	—	—	—	—	—	—	—	—	+	—	—	
Isochilina erratica Kr.	—	—	—	—	—	—	+	—	—	—	—	—	—	—	—	—	—	—	—	—	—	—	—	—	—	—	—	—	—	+	—	—	
Entomis reniformis Wien.	—	—	—	—	—	—	—	—	—	—	—	—	—	—	—	—	—	—	—	—	—	—	—	—	—	—	—	—	+	—	—	—	
Primitia concinna Jon.	—	—	—	—	—	+	—	—	—	—	—	+	—	—	—	—	—	—	—	—	—	—	—	—	—	—	—	+	+	—	—	—	
Prim. oblonga Jon.	—	—	—	—	—	+	—	—	—	—	—	+	—	—	—	—	—	—	—	—	—	—	—	—	—	—	+	+	+	+	—	—	
Prim. muta Jon.	—	—	—	—	—	+	—	—	—	—	—	+	—	—	—	—	—	—	—	—	—	—	—	—	—	—	—	—	+	—	—	—	
Prim. rectangularis Alth.	—	—	—	—	—	—	—	—	—	—	—	—	—	—	—	—	—	—	—	—	—	—	—	—	—	—	—	+	—	—	—	—	
Prim. plicata Jon.	—	—	—	—	—	—	—	—	—	—	—	+	—	—	—	—	—	—	—	—	—	—	—	—	—	—	—	—	+	—	—	—	
Aparchites ovatus Jon.	—	—	—	—	—	—	—	—	—	—	—	+	—	—	—	—	—	—	—	—	—	—	—	—	—	—	—	—	+	—	—	—	
Cirrhipedia.																																	
Plumilites sp.	—	—	—	—	—	—	—	—	—	—	—	—	—	—	—	—	—	—	—	—	—	—	—	—	+	—	—	—	—	—	—	—	
Cephalopoda.																																	
Orthoceras Ludense Sw.	—	—	+	+	—	—	—	—	+	+	—	—	—	—	+	—	—	—	—	—	—	—	—	—	—	—	+	—	—	—	—	—	
Orth. podolicum Alth.	—	—	—	—	—	—	—	—	—	—	—	—	—	—	—	—	—	—	—	—	—	—	—	—	—	—	—	—	+	+	—	—	

	Gotland							England							Böhmen				Polen				Harz		Podolien								
																									Wenlock		Ludlow			Passage beds	Devon		
	Zone a–b	Zone c	Zone d	Zone e	Zone f	Zone g	Zone h	Wenlock shales	Wenlock limestone	Lower Ludlow	Aymestry limestone	Upper Ludlow	Passage beds	(Devon)	$E e_1$	$E e_2$	$F f_1$	$F f_2$	Beyrichien-Grauwacke	Spiriferen-Sandstein	Dombrowa-Horizont	Calceola-Mergel	Tanner Grauwacke	Spiriferen-Sandstein	3	4	5	6	7	8	9	10	unbekannt
Orthoceras Roemeri Alth.	—	—	—	—	—	—	—	—	—	—	—	—	—	—	—	—	—	—	—	—	—	—	—	—	—	—	—	—	+	+	—	—	
Orth. Hagenowi Boll.	—	—	—	—	—	+	—	—	—	—	—	—	—	—	—	—	—	—	—	—	—	—	—	—	—	—	—	—	+	+	—	—	
Orth. excentricum Sw.	—	+	—	—	—	—	—	+	+	—	—	—	—	—	—	—	—	—	—	—	—	—	—	—	—	—	+	—	—	—	—	—	
Orth. Berendti Dew.	—	—	—	—	—	+	—	—	—	—	—	—	—	—	—	—	—	—	—	—	—	—	—	—	—	—	—	—	—	+	—	—	
Orth. intermedium Markl.	—	—	+	—	—	—	—	—	—	—	—	—	—	—	—	—	—	—	—	—	—	—	—	—	—	—	+	—	—	—	—	—	
Orth. pseudoimbricatum Barr.	—	—	+	—	—	—	—	—	—	—	—	—	—	—	—	+	—	—	—	—	—	—	—	—	—	+	—	—	—	—	—	—	
Orth. cf. *longulum* Barr.	—	—	—	—	—	—	—	—	—	—	—	—	—	—	+	—	—	—	—	—	—	—	—	—	+	—	—	—	—	—	—	—	
Orth. cf. *Sternbergi* Barr.	—	—	—	—	—	—	—	—	—	—	—	—	—	—	—	+	—	—	—	—	—	—	—	—	—	—	—	—	—	—	—	—	×
Orth. grave Barr.	—	—	—	—	—	—	—	—	—	—	—	—	—	—	—	+	—	—	—	—	—	—	—	—	—	—	—	—	+	—	—	—	
Orth. cochleatum Qu.	—	—	+	—	—	—	—	—	—	—	—	—	—	—	—	—	—	—	—	—	—	—	—	—	—	+	—	—	—	—	—	—	
Orth. Hisingeri Boll.	—	+	+	—	—	—	—	—	—	—	—	—	—	—	—	—	—	—	—	—	—	—	—	—	—	+	+	—	—	—	—	—	
Orth. annulatocostatum Boll.	—	—	—	—	—	+	—	—	—	—	—	—	—	—	—	—	—	—	—	—	—	—	—	—	—	—	—	—	+	—	—	—	
Orth. Kendalense Blake.	—	—	—	—	—	—	—	—	—	—	—	+	—	—	—	—	—	—	—	—	—	—	—	—	—	—	—	+	+	—	—	—	
Orth. cf. *virgatum* Sw.	—	—	—	—	—	—	—	—	—	+	—	—	—	—	—	—	—	—	—	—	—	—	—	—	—	—	+	—	—	—	—	—	
Endoceras sp.	—	—	—	—	—	—	—	—	—	—	—	—	—	—	—	—	—	—	—	—	—	—	—	—	+	—	—	—	—	—	—	—	
Clinoceras podolicum m.	—	—	—	—	—	—	—	—	—	—	—	—	—	—	—	—	—	—	—	—	—	—	—	—	—	—	—	—	—	—	—	—	×
Clin. ellipticum m.	—	—	—	—	—	—	—	—	—	—	—	—	—	—	—	—	—	—	—	—	—	—	—	—	—	—	—	—	—	—	—	—	×
Gomphoceras ellipticum M. Coy.	—	—	—	—	—	—	—	—	—	+	—	—	—	—	—	—	—	—	—	—	—	—	—	—	—	—	+	—	—	—	—	—	
Gomph. pyriforme Sw.	—	—	—	—	—	—	—	—	—	+	—	—	—	—	—	—	—	—	—	—	—	—	—	—	—	—	+	—	—	—	—	—	
Glossoceras carinatum Alth.	—	—	—	—	—	—	—	—	—	—	—	—	—	—	—	—	—	—	—	—	—	—	—	—	—	—	—	—	—	—	—	—	×
Cyrtoceras cf. *vivax* Barr.	—	—	—	—	—	—	—	—	—	—	—	—	—	—	—	+	—	—	—	—	—	—	—	—	—	—	—	—	+	—	—	—	
Cyrt. intermedium Blake.	—	—	—	—	—	—	—	—	—	+	—	—	—	—	—	—	—	—	—	—	—	—	—	—	—	—	—	+	—	—	—	—	
Cyrt. sinon Barr.	—	—	—	—	—	—	—	—	—	—	—	—	—	—	—	+	—	—	—	—	—	—	—	—	—	—	—	—	+	—	—	—	
Cyrt. podolicum m.	—	—	—	—	—	—	—	—	—	—	—	—	—	—	—	—	—	—	—	—	—	—	—	—	—	—	—	—	—	—	—	—	×
Cyrt. anormale Barr.	—	—	—	—	—	—	—	—	—	—	—	—	—	—	—	+	—	—	—	—	—	—	—	—	—	—	—	—	+	—	—	—	
Cyrt. formidandum Barr.	—	—	—	—	—	—	—	—	—	—	—	—	—	—	—	+	—	—	—	—	—	—	—	—	—	—	—	—	+	+	—	—	
Cyrt. breve m.	—	—	—	—	—	—	—	—	—	—	—	—	—	—	—	—	—	—	—	—	—	—	—	—	—	—	—	—	—	—	—	—	×
Discoceras cf. *rapax* Barr.	—	—	—	—	—	—	—	—	—	—	—	—	—	—	—	+	—	—	—	—	—	—	—	—	—	—	—	—	—	—	—	—	×
Trochoceras optatum Barr.	—	—	—	—	—	—	—	—	—	—	—	—	—	—	—	+	—	—	—	—	—	—	—	—	—	—	—	—	+	—	—	—	
Anarcestes podolicus m.	—	—	—	—	—	—	—	—	—	—	—	—	—	—	—	—	—	—	—	—	—	—	—	—	—	—	—	—	—	—	—	+	

	Gotland							England							Böhmen				Polen				Harz		Podolien								
																									Wenlock		Ludlow			Passage beds	Devon: *Pterapsis*	Devon: *Calceolus*	
	Zone *a—b*	Zone *c*	Zone *d*	Zone *e*	Zone *f*	Zone *g*	Zone *h*	Wenlock shales	Wenlock limestone	Lower Ludlow	Aymestry limestone	Upper Ludlow	Passage beds	(Devon)	Ee_1	Ee_2	Ff_1	Ff_2	Beyrichien-Schichten	Spiriferen-Sandstein	Dombrowa-Horizont	Calceola-Mergel	Tauner Grauwacke	Spiriferen-Sandstein	3	4	5	6	7	8	9	10	unbekannt
Gastropoda.																																	
Euomphalus Orinini Wien.	—	—	—	—	—	—	—	—	—	—	—	—	—	—	—	—	—	—	—	—	—	—	—	—	—	+	—	—	—	—	—	—	
Platyceras cornutum His.	—	—	+	—	—	—	—	—	—	—	—	—	—	—	—	—	—	—	—	—	—	—	—	—	+	+	—	—	—	—	—	—	
Platyc. disjunctum Gieb.	—	—	—	—	—	—	—	—	—	—	—	—	—	—	—	—	—	—	—	—	—	—	+	—	—	—	—	—	+	+	—	—	
Platyc. podolicum m.	—	—	—	—	—	—	—	—	—	—	—	—	—	—	—	—	—	—	—	—	—	—	—	—	—	—	—	—	—	—	—	—	×
Holopella acicularis Roem.	—	—	—	—	—	+	—	—	—	—	—	—	—	—	—	—	—	—	—	—	—	—	—	—	—	—	—	—	—	—	—	—	×
Subulites aff. *ventricosa* Hall.	—	—	—	—	—	—	—	—	—	—	—	—	—	—	—	—	—	—	—	—	—	—	—	—	—	+	—	—	—	—	—	—	
Horiostoma discors Sw.	—	—	+	—	—	—	—	—	+	—	—	—	—	—	—	—	—	—	—	—	—	—	—	—	—	+	+	+	—	—	—	—	
Hor. rugosum Sw.	—	—	+	—	—	—	—	—	+	—	—	—	—	—	—	—	—	—	—	—	—	—	—	—	—	+	—	—	—	—	—	—	
Hor. globosum Schlth.	—	—	+	—	—	—	—	—	+	—	—	—	—	—	—	—	—	—	—	—	—	—	—	—	—	+	+	+	—	—	—	—	
Hor. sculptum Sw.	—	—	+	—	—	—	—	—	+	—	—	—	—	—	—	—	—	—	—	—	—	—	—	—	—	+	—	—	—	—	—	—	
Hor. heliciforme Wien.	—	—	—	—	—	—	—	—	—	—	—	—	—	—	—	—	—	—	—	—	—	—	—	—	+	—	—	—	—	—	—	—	
Hor. simplex Wien.	—	—	—	—	—	—	—	—	—	—	—	—	—	—	—	—	—	—	—	—	—	—	—	—	—	+	—	—	—	—	—	—	
Cyclonema multicarinatum Lind.	—	—	—	—	+	—	—	—	—	—	+	—	—	—	—	—	—	—	—	—	—	—	—	—	—	—	—	+	—	—	—	—	
Pleurotomaria Lloydi Sw.	—	—	—	+	—	—	—	—	—	+	—	—	—	—	—	—	—	—	—	—	—	—	—	—	—	—	+	—	—	—	—	—	
Pl. bicincta Hall.	—	—	—	—	+	—	—	—	—	—	—	—	—	—	—	—	—	—	—	—	—	—	—	—	—	—	—	+	—	—	—	—	
Pl. cirrhosa Lind.	—	—	—	—	+	—	—	—	—	—	—	—	—	—	—	—	—	—	—	—	—	—	—	—	—	—	—	+	—	—	—	—	
Pl. alata Wahlb.	—	—	—	—	+	—	—	—	—	—	—	—	—	—	—	—	—	—	—	—	—	—	—	—	—	—	—	+	—	—	—	—	
Pl. labrosa Hall.	—	+	—	—	—	—	—	—	—	—	—	—	—	—	—	—	—	—	—	—	—	—	—	—	+	—	—	—	—	—	—	—	
Pl. oblita Andrz.	—	—	—	—	—	—	—	—	—	—	—	—	—	—	—	—	—	—	—	—	—	—	—	—	—	—	—	—	—	—	—	—	×
Murchisonia compressa Lind.	—	—	—	—	+	—	—	—	—	—	—	—	—	—	—	—	—	—	—	—	—	—	—	—	—	—	—	+	—	—	—	—	
Murch. Demidoffi Vern.	—	—	—	—	—	—	—	—	—	—	—	—	—	—	—	—	—	—	—	—	—	—	—	—	—	—	—	+	—	—	—	—	
Murch. cf. *Demidoffi* n. sp.	—	—	—	—	—	—	—	—	—	—	—	—	—	—	—	—	—	—	—	—	—	—	—	—	—	—	—	—	—	—	—	—	×
Murch. podolica Wien.	—	—	—	—	—	—	—	—	—	—	—	—	—	—	—	—	—	—	—	—	—	—	—	—	—	—	—	+	—	—	—	—	
Loxonema sinuosum Sw.	—	—	—	+	—	—	—	—	—	+	—	—	—	—	—	—	—	—	—	—	—	—	—	—	—	—	+	—	—	—	—	—	
Bellerophon cf. *uralicus* Vern.	—	—	—	—	—	—	—	—	—	—	—	—	—	—	—	—	—	—	—	—	—	—	—	—	—	—	—	+	—	—	—	—	
Bel. aff. *Hintzei* Frech.	—	—	—	—	—	—	—	—	—	—	—	—	—	—	—	—	—	—	—	—	—	—	+	—	—	—	—	—	—	—	—	+	
Pteropoda.																																	
Tentaculites ornatus Sw.	—	—	—	—	—	—	—	—	+	+	+	+	—	—	—	—	—	—	+	—	—	—	+	—	—	—	+	+	+	—	—	—	
Tent. annulatus Schlth.	—	—	—	—	—	+	—	—	+	+	+	+	—	—	—	—	—	—	—	—	—	—	—	—	—	—	+	+	—	—	—	—	

	Gotland							England							Böhmen				Polen				Harz		Podolien								
	Zone *a–b*	Zone *c*	Zone *d*	Zone *e*	Zone *f*	Zone *g*	Zone *h*	Wenlock shales	Wenlock limestone	Lower Ludlow	Aymestry limestone	Upper Ludlow	Passage beds	(Devon)	Ee_1	Ee_2	Ff_1	Ff_2	Beyrichien-Schichten	Spiriferen-Sandstein	Dombrowa-Horizont	Calceola-Mergel	Tanner Grauwacke	Spiriferen-Sandstein	Wenlock 3	Wenlock 4	Ludlow 5	Ludlow 6	Ludlow 7	Passage beds 8	Devon 9	Devon 10	unbekannt
Pelecypoda.																																	
Dualina cf. *robusta* Barr.	—	—	—	—	—	—	—	—	—	—	—	—	—	—	+	+	—	—	—	—	—	—	—	—	—	—	—	—	—	—	—	—	×
Lunulicardium cf. *bohemicum* Barr.	—	—	—	—	—	—	—	—	—	—	—	—	—	—	+	+	—	—	—	—	—	—	—	—	—	—	—	—	—	—	—	—	×
Spanila cf. *caesarea* Barr.	—	—	—	—	—	—	—	—	—	—	—	—	—	—	+	+	—	—	—	—	—	—	—	—	—	—	—	—	—	—	—	—	×
Leptodomus laevis Sw.	—	—	—	—	—	—	—	—	—	—	—	—	—	+	—	—	—	—	—	—	—	—	—	—	—	—	—	—	—	+	+	—	
Leptod. podolicus m.	—	—	—	—	—	—	—	—	—	—	—	—	—	—	—	—	—	—	—	—	—	—	—	—	—	—	—	—	—	—	—	—	×
Edmondia podolica m.	—	—	—	—	—	—	—	—	—	—	—	—	—	—	—	—	—	—	—	—	—	—	—	—	—	—	—	—	—	—	—	+	
Cypricardinia af. *squamosa* Barr.	—	—	—	—	—	—	—	—	—	—	+	—	—	—	—	—	—	+	—	—	—	—	—	—	—	—	—	—	—	—	—	—	×
Orthonota impressa Sw.	—	—	—	—	—	—	—	—	—	—	—	+	—	—	—	—	—	—	—	—	—	—	—	—	—	—	—	—	+	—	—	—	
Orthonota solenoides Sw.	—	—	—	—	—	—	—	—	—	—	+	—	—	—	—	—	—	—	—	—	—	—	—	—	—	—	+	—	—	—	—	—	
Orth. olithophila Roem.	—	—	—	—	—	+	—	—	—	—	—	—	—	—	—	—	—	—	—	—	—	—	—	—	—	—	—	—	+	—	—	—	
Grammysia cingulata His.	—	—	—	—	—	+	—	—	—	—	—	+	—	—	—	—	—	—	—	—	—	—	—	—	—	—	—	—	+	—	—	—	
Gram. podolica m.	—	—	—	—	—	—	—	—	—	—	—	—	—	—	—	—	—	—	—	—	—	—	—	—	—	—	—	—	+	—	—	—	
Gram. complanata Sw.	—	—	—	—	—	—	—	—	—	—	—	+	—	—	—	—	—	—	—	—	—	—	—	—	—	—	—	—	+	—	—	—	
Gram. rotundata Sw.	—	—	—	—	—	—	—	—	—	+	—	—	—	—	—	—	—	—	—	—	—	—	—	—	—	—	+	+	—	—	—	—	
Lucina prisca His.	—	+	+	—	—	—	—	—	—	—	—	—	—	—	—	—	—	—	—	—	—	—	—	—	—	+	—	+	—	—	—	—	
Arca decipiens M. Coy.	—	—	—	—	—	—	—	—	—	—	—	+	—	—	—	—	—	—	—	—	—	—	—	—	—	—	—	—	+	+	+	—	
Nucula lineata Phil.	—	—	—	—	—	—	—	—	—	—	—	—	+	+	—	—	—	—	—	—	—	—	—	—	—	—	—	—	+	+	+	—	
N. plicata Phil.	—	—	—	—	—	—	—	—	—	—	—	—	+	+	—	—	—	—	—	—	—	—	—	—	—	—	—	—	+	+	+	—	
Cucullella tenuiarata Sandb.	—	—	—	—	—	—	—	—	—	—	—	—	—	—	—	—	—	—	—	—	—	—	—	+	—	—	—	—	—	+	+	+	
Cucullella ovata Phil.	—	—	—	—	—	—	—	—	—	—	—	+	+	—	—	—	—	—	—	—	—	—	—	—	—	—	—	—	+	+	+	—	
Cucullella cultrata Sandb.	—	—	—	—	—	—	—	—	—	—	—	—	—	—	—	—	—	—	—	—	—	—	—	+	—	—	—	—	—	—	+	+	
Leda sp.	—	—	—	—	—	—	—	—	—	—	—	—	—	—	—	—	—	—	—	—	—	—	—	—	—	—	—	—	—	—	—	—	×
Pterinea retroflexa His.	—	—	+	—	+	+	—	—	—	—	+	+	—	—	—	—	—	—	—	—	—	—	—	—	—	+	+	+	+	—	—	—	
Pter. Danbyi M. Coy.	—	—	—	—	—	—	—	—	—	—	—	+	—	—	—	—	—	—	—	—	—	—	—	—	—	—	—	—	+	—	—	—	
Pter. migrans Barr.	—	—	—	—	—	—	—	—	—	—	—	—	—	—	—	—	+	—	—	—	—	—	—	—	—	—	—	—	—	—	—	+	
Pter. opportuna Barr.	—	—	—	—	—	—	—	—	—	—	—	—	—	—	—	+	—	—	—	—	—	—	—	—	—	—	—	—	—	—	—	+	
Pter. ventricosa Gf.	—	—	—	—	—	—	—	—	—	—	—	—	—	—	—	—	—	—	—	—	—	—	—	+	—	—	—	—	—	—	—	+	
Pter. lineata Gf.	—	—	—	—	—	—	—	—	—	—	—	+	—	—	—	—	—	—	—	—	—	—	—	—	—	—	—	—	+	—	—	—	
Ambonychia striata Sw.	—	—	—	—	+	—	—	—	—	+	+	—	—	—	—	—	—	—	—	—	—	—	—	—	—	—	+	—	—	—	—	—	

	Gotland							England							Böhmen				Polen				Harz		Podolien								
																									Wenlock		Ludlow			Passage beds	Devon		
	Zone *a*—*b*	Zone *c*	Zone *d*	Zone *e*	Zone *f*	Zone *g*	Zone *h*	Wenlock shales	Wenlock limestone	Lower Ludlow	Aymestry limestone	Upper Ludlow	Passage beds	(Devon)	Ee_1	Ee_2	Ff_1	Ff_2	Beyrichien-Schichten	Spiriferen-Sandstein	Dombrowa-Horizont	Calceola-Mergel	Tanner Grauwacke	Spiriferen-Sandstein	3	4	5	6	7	8	9	10	unbekannt
Mytilus parens Barr.	—	—	—	—	—	—	—	—	—	—	—	—	—	—	—	+	—	—	—	—	—	—	—	—	—	—	—	—	—	—	—	—	×
Myt. cf. *insolutus* Barr.	—	—	—	—	—	—	—	—	—	—	—	—	—	—	—	—	+	—	—	—	—	—	—	—	—	—	—	—	—	—	—	—	×
Modiolopsis (?) *podolica* m.	—	—	—	—	—	—	—	—	—	—	—	—	—	—	—	—	—	—	—	—	—	—	—	—	—	—	—	—	—	—	—	—	×
Ptychodesma Nilsoni His.	—	—	—	+	—	—	—	—	—	—	—	—	—	—	—	—	—	—	—	—	—	—	—	—	—	—	+	—	—	—	—	—	
Pecten cf. *densistria* Sandb.	—	—	—	—	—	—	—	—	—	—	—	—	—	—	—	—	—	—	—	—	—	—	—	+	—	—	—	—	—	—	—	+	
Brachiopoda.																																	
Lingula Lewisi Sw.	+	+	—	—	—	—	—	—	—	—	+	+	—	—	—	—	—	—	—	—	—	—	—	—	+	—	—	—	—	—	—	—	
Ling. striata Sw.	—	—	—	—	—	—	—	—	—	—	—	—	—	—	—	—	—	—	—	—	—	—	—	—	—	—	—	—	—	—	—	—	×
Ling. squammiformis Phill.	—	—	—	—	—	—	—	—	—	—	—	—	—	—	—	—	—	—	—	—	—	—	—	—	—	—	—	—	—	+	—	—	
Discina aff. *praepostera* Barr.	—	—	—	—	—	—	—	—	—	—	—	—	—	—	—	—	—	+	—	—	—	—	—	—	—	—	—	—	—	—	—	+	
Discina rugata Sw.	—	—	—	—	—	—	—	—	—	—	—	+	—	—	—	—	—	—	—	—	—	—	—	—	—	—	—	—	+	—	—	—	
Trimerella sp.	—	—	—	—	—	—	—	—	—	—	—	—	—	—	—	—	—	—	—	—	—	—	—	—	+	—	—	—	—	—	—	—	
Orthis hybrida Sw.	+	+	—	—	—	—	—	+	—	—	—	—	—	—	—	—	—	—	—	—	—	—	—	—	+	+	—	—	—	—	—	—	
O. rustica Sw.	—	+	+	—	—	—	—	+	+	—	—	—	—	—	—	—	—	—	—	—	—	—	—	—	+	+	—	—	—	—	—	—	
O. canalis Sw.	+	+	+	—	—	—	—	+	+	—	—	+	—	—	+	+	—	—	—	—	—	—	—	—	+	+	—	+	+	—	—	—	
O. canaliculata Lind.	+	+	—	—	—	—	—	—	—	—	+	—	—	—	—	—	—	—	—	—	—	—	—	—	—	+	—	+	—	—	—	—	
O. palliata Barr.	—	—	—	—	—	—	—	—	—	—	—	—	—	—	—	—	—	+	—	—	—	—	—	—	—	—	—	—	+	+	—	—	
O. crassa Lind.	+	+	—	—	—	—	—	—	+	+	+	—	—	—	—	—	+	—	—	—	—	—	—	—	—	+	—	+	—	—	—	—	
O. germana Barr.	—	—	—	—	—	—	—	—	—	—	—	—	—	—	—	+	—	—	—	—	—	—	—	—	—	—	—	—	—	—	—	—	×
O. lunata Sw.	—	—	—	—	—	—	—	—	—	+	—	+	—	—	—	—	—	—	—	—	—	—	—	—	—	—	+	+	—	—	—	—	
Bilobites biloba L.	+	+	—	—	—	—	—	+	—	—	—	—	—	—	—	—	—	—	—	—	—	—	—	—	+	—	—	—	—	—	—	—	
Platystrophia podolica m.	—	—	—	—	—	—	—	—	—	—	—	—	—	—	—	—	—	—	—	—	—	—	—	—	—	—	—	—	—	—	—	—	×
Argiope podolica m.	—	—	—	—	—	—	—	—	—	—	—	—	—	—	—	—	—	+	—	—	—	—	—	—	—	—	—	—	—	—	—	+	
Strophomena rhomboidalis Wilk.	+	+	+	—	+	—	—	+	+	—	—	—	—	—	—	+	+	+	—	—	—	—	—	—	+	+	—	+	—	—	—	—	
Str. extensa Gagel.	—	—	—	—	—	—	—	—	—	—	—	—	—	—	—	—	—	—	—	—	—	—	—	—	—	—	—	—	—	+	—	—	
Str. podolica m.	—	—	—	—	—	—	—	—	—	—	—	—	—	—	—	—	—	—	—	—	—	—	—	—	—	—	—	—	—	—	—	—	×
Str. interstrialis Phill.	—	—	—	—	—	—	—	—	—	—	—	—	—	+	—	—	—	—	—	—	—	+	—	—	—	—	—	—	—	—	—	+	
Str. comitans Barr.	—	—	—	—	—	—	—	—	—	—	—	—	—	—	+	+	+	+	—	—	—	—	—	—	—	—	—	—	—	—	—	+	
Str. antiquata Sw.	—	+	—	—	—	—	—	—	—	—	—	—	—	—	—	—	—	—	—	—	—	—	—	—	+	—	—	—	—	—	—	—	

	Gotland							England							Böhmen				Polen				Harz		Podolien								
	Zone a–b	Zone c	Zone d	Zone e	Zone f	Zone g	Zone h	Wenlock shales	Wenlock limestone	Lower Ludlow	Aymestry limestone	Upper Ludlow	Passage beds	(Devon)	$E e_1$	$E e_2$	$F f_1$	$F f_2$	Beyrichien-Schichten	Spiriferen-Sandstein	Dombrowa-Horizont	Calceola-Mergel	Tanner Grauwacke	Spiriferen-Sandstein	Wenlock 3	Wenlock 4	Ludlow 5	Ludlow 6	Ludlow 7	Passage beds 8	Devon 9	Devon 10	unbekannt
Str. Studenitzae Wien.	—	—	—	—	—	—	—	—	—	—	—	—	—	—	—	—	—	—	—	—	—	—	—	—	—	—	—	—	+	+	—	—	
Str. mimica Barr.	—	—	—	—	—	—	—	—	—	—	—	—	—	—	—	—	+	—	—	—	—	—	—	—	—	—	—	—	—	—	+	—	
Str. funiculata M. Coy.	+	+	+	—	—	—	—	+	+	—	—	—	—	—	—	+	—	—	—	—	—	—	—	—	—	+	—	—	—	—	—	—	
Leptaena transversalis Wahlb.	+	+	—	—	—	—	—	+	+	—	—	—	—	—	—	—	—	—	—	—	—	—	—	—	+	+	—	—	—	—	—	—	
Streptorhynchus umbraculum Schlth.	—	—	—	—	—	—	—	—	—	—	—	—	—	+	—	—	—	—	—	—	+	+	—	—	—	—	—	—	—	—	—	+	
Chonetes minuta Gf.	—	—	—	—	—	—	—	—	—	—	—	—	—	+	—	—	—	—	—	—	—	—	—	—	—	—	—	—	—	—	—	+	
Ch. striatella Dalm.	+	+	—	—	—	+	—	+	+	+	+	+	—	—	—	—	—	—	—	—	—	—	—	—	—	+	—	+	+	—	—	—	
Spirifer Schmidti Lind.	—	+	—	—	—	—	—	—	—	—	—	—	—	—	—	—	—	—	—	—	—	—	—	—	—	+	—	+	—	—	—	—	
Spir. elevatus Dalm.	+	+	—	—	—	+	—	—	+	+	+	+	—	—	—	—	—	—	+	—	—	—	—	—	+	+	—	+	+	—	—	—	
Spir. Brugensis Wien.	—	—	—	—	—	—	—	—	—	—	—	—	—	—	—	—	—	—	—	—	—	—	—	—	—	—	—	+	+	—	—	—	
Spir. crispus L.	+	—	—	—	+	—	—	—	+	—	—	—	—	—	—	—	—	—	—	—	—	—	—	—	+	+	—	+	—	—	—	—	
Spir. plicatellus L.	+	+	—	—	—	—	—	—	+	—	—	—	—	—	—	—	—	—	—	—	—	—	—	—	—	—	+	—	—	—	—	—	
Spir. Thetidis Barr.	—	—	—	—	—	—	—	—	—	—	—	—	—	—	—	—	—	+	—	—	—	—	—	—	—	—	—	—	—	—	—	+	
Spir. Nerei Barr.	—	—	—	—	—	—	—	—	—	—	—	—	—	—	—	—	—	+	—	—	—	—	—	—	—	—	—	—	—	—	—	+	
Spir. robustus Barr.	—	—	—	—	—	—	—	—	—	—	—	—	—	—	—	—	—	+	—	—	—	—	—	—	—	—	—	—	—	—	—	+	
Cyrtia exporrecta Wahlb.	—	+	—	—	—	—	—	—	+	+	—	—	—	—	+	+	+	+	—	—	—	—	—	—	+	+	—	—	—	—	—	—	
Cyrtia multiplicata Dav.	—	—	—	—	—	—	—	—	—	—	—	—	—	+	—	—	—	—	—	—	—	—	—	—	—	—	—	—	—	—	—	+	
Cyrtia heteroclita Defr.	—	—	—	—	—	—	—	—	—	—	—	—	—	—	—	—	—	—	—	—	—	—	—	—	—	—	—	—	—	—	—	+	
Pentamerus galeatus Dalm.	—	—	+	+	—	—	—	—	+	+	+	—	—	—	—	—	—	+	—	—	—	+	—	—	+	+	—	—	+	—	—	—	
Pent. linguifer Sw.	+	+	—	—	—	—	—	+	—	—	—	—	—	—	—	+	+	+	—	—	—	—	—	—	+	+	—	—	—	—	—	—	
Pent. Sieberi Barr.	—	—	—	—	—	—	—	—	—	—	—	—	—	—	—	+	+	+	—	—	—	—	—	—	—	—	—	—	—	—	—	+	
Pent. rectifrons Barr.	—	—	—	—	—	—	—	—	—	—	—	—	—	—	—	—	—	+	—	—	—	—	—	—	—	—	—	—	—	—	—	+	
Pent. integer Barr.	—	—	—	—	—	—	—	—	—	—	—	—	—	—	—	+	+	+	—	—	—	—	—	—	—	—	—	—	—	—	—	+	
Pent. optatus Barr.	—	—	—	—	—	—	—	—	—	—	—	—	—	—	—	+	+	+	—	—	—	—	—	—	—	—	—	—	—	—	—	+	
Pent. podolicus Wien.	—	—	—	—	—	—	—	—	—	—	—	—	—	—	—	—	—	—	—	—	—	—	—	—	—	—	—	—	—	—	—	—	×
Pent. Vogulicus Vern.	—	—	—	—	—	—	—	—	—	—	—	—	—	—	—	—	—	—	—	—	—	—	—	—	—	—	—	+	—	—	—	—	
Rhynchonella nucula Sw.	+	+	—	+	+	—	—	—	+	+	+	+	—	—	—	—	—	—	+	—	—	—	—	—	—	+	—	+	—	—	—	—	
Rh. cuneata Dalm.	+	+	—	+	—	—	—	—	+	—	—	—	—	—	—	+	—	—	—	—	—	—	—	—	—	+	—	—	—	—	—	—	
Rh. bidentata His.	+	—	+	—	+	—	—	—	+	+	—	—	—	—	—	—	—	—	—	—	—	—	—	—	—	+	—	—	—	—	—	—	
Rh. Wilssoni Sw.	+	—	+	—	—	+	—	—	+	+	—	+	—	—	—	—	—	+	—	—	—	—	—	—	—	+	—	+	—	—	—	—	

	Gotland							England							Böhmen				Polen				Harz		Podolien								
	Zone a–b	Zone c	Zone d	Zone e	Zone f	Zone g	Zone h	Wenlock shales	Wenlock limestone	Lower Ludlow	Aymestry limestone	Upper Ludlow	Passage beds	(Devon)	Ee_1	Ee_2	Ff_1	Ff_2	Beyrichien-Schichten	Spiriferen-Sandstein	Dombrowa-Horizont	Calceola-Mergel	Tanner Grauwacke	Spiriferen-Sandstein	Wenlock 3	4	Ludlow 5	6	7	Passage beds 8	Devon 9	10	unbekannt
Rh. Davidsoni M. Coy.	—	—	+	—	—	—	—	—	—	—	—	+	—	—	—	—	—	—	—	—	—	—	—	—	—	—	—	+	—	—	—	—	
Rh. Satanowi Wien.	—	—	—	—	—	—	—	—	—	—	—	—	—	—	—	—	—	—	—	—	—	—	—	—	—	—	—	+	—	—	—	—	
Rh. Dumanowi Wien.	—	—	—	—	—	—	—	—	—	—	—	—	—	—	—	—	—	—	—	—	—	—	—	—	—	—	—	+	—	—	—	—	
Rh. subfamula Wien.	—	—	—	—	—	—	—	—	—	—	—	—	—	—	—	—	—	—	—	—	—	—	—	—	—	—	—	—	+	—	—	—	
Rh. ancillans Barr.	—	—	—	—	—	—	—	—	—	—	—	—	—	—	—	+	—	—	—	—	—	—	—	—	—	—	—	—	—	+	—	—	
Rh. delicata Wien.	—	—	—	—	—	—	—	—	—	—	—	—	—	—	—	—	—	—	—	—	—	—	—	—	+	—	—	—	—	—	—	—	
Rh. Hebe Barr.	—	—	—	—	—	—	—	—	—	—	—	—	—	—	—	+	—	—	—	—	—	—	—	—	—	—	—	—	—	+	—	—	
Rh. obsolescens Barr.	—	—	—	—	—	—	—	—	—	—	—	—	—	—	—	—	—	—	—	—	—	—	—	—	—	—	—	—	—	—	—	+	
Rh. borealiformis Szajn.	—	—	—	—	—	—	—	—	—	—	—	—	—	—	—	—	—	—	—	—	—	—	—	—	—	+	+	+	—	—	—	—	
Rh. nympha Barr.	—	—	—	—	—	—	—	—	—	—	—	—	—	—	—	+	+	+	—	—	—	—	—	—	—	—	—	—	—	+	+	+	
Rh. pseudolivonica Barr.	—	—	—	—	—	—	—	—	—	—	—	—	—	—	—	—	—	+	—	—	—	—	—	—	—	—	—	—	—	—	—	+	
Rh. Daleydensis Roem.	—	—	—	—	—	—	—	—	—	—	—	—	—	—	—	—	—	—	—	—	+	—	—	+	—	—	—	—	—	—	—	+	
Atrypa reticularis L.	+	+	+	—	—	+	—	+	—	—	—	+	—	+	—	+	+	+	—	—	—	+	—	—	+	+	—	+	+	—	—	+	
A. imbricata Sw.	+	+	+	—	—	—	—	—	+	—	—	—	—	—	—	—	—	—	—	—	—	—	—	—	+	—	—	—	—	—	—	—	
A. marginalis Dalm.	—	+	+	—	—	—	—	—	+	—	—	—	—	—	—	+	—	—	—	—	—	—	—	—	+	+	—	—	—	—	—	—	
A. aspera Schlth.	—	—	—	—	—	—	—	—	—	—	—	—	—	+	—	—	—	—	—	—	—	+	—	—	—	—	—	—	—	—	—	+	
A. Thetis Barr.	—	—	—	—	—	—	—	—	—	—	—	—	—	—	+	+	+	+	—	—	—	—	—	—	—	—	—	—	—	+	+	+	
A. linguata Buch.	—	—	—	—	—	—	—	—	—	—	—	—	—	—	+	+	+	+	—	—	—	—	—	—	—	—	—	—	—	+	—	—	
A. sublepida Vern.	—	—	—	—	—	—	—	—	—	—	—	—	—	—	—	—	—	—	—	—	—	—	—	—	—	—	—	—	—	+	—	—	
A. Thisbe Barr.	—	—	—	—	—	—	—	—	—	—	—	—	—	—	—	+	—	—	—	—	—	—	—	—	—	—	—	—	—	+	—	—	
A. cordata Lind.	—	+	—	—	—	—	—	—	—	—	—	—	—	—	—	—	—	—	—	—	—	—	—	—	+	—	—	—	—	—	—	—	
A. Arimaspus Eichw.	—	—	—	—	—	—	—	—	—	—	—	—	—	—	—	—	—	+	—	—	—	—	—	—	—	—	—	—	—	—	—	+	
A. analoga Wien.	—	—	—	—	—	—	—	—	—	—	—	—	—	—	—	—	—	—	—	—	—	—	—	—	—	—	—	—	—	—	—	—	×
A. semiorbis Barr.	—	—	—	—	—	—	—	—	—	—	—	—	—	—	—	—	—	+	—	—	—	—	—	—	—	—	—	—	—	—	—	+	
A. sinuata Wien.	—	—	—	—	—	—	—	—	—	—	—	—	—	—	—	—	—	—	—	—	—	—	—	—	+	—	—	—	—	—	—	—	
A. Lindströmi Wien.	—	—	—	—	—	—	—	—	—	—	—	—	—	—	—	—	—	—	—	—	—	—	—	—	+	—	—	—	—	—	—	—	
A. Barrandei Dav.	—	—	—	—	—	—	—	+	—	—	—	—	—	—	—	+	—	—	—	—	—	—	—	—	+	—	—	—	—	—	—	—	
Grunewaldtia prunum Dalm.	—	+	—	—	—	—	—	—	—	—	—	—	—	—	—	—	—	—	—	—	—	—	—	—	+	+	—	—	—	—	—	—	
Glassia compressa Sw.	+	—	—	—	—	—	—	+	—	—	—	—	—	—	—	+	—	—	—	—	—	—	—	—	+	—	—	—	—	—	—	—	
Gl. obovata Sw.	—	—	—	—	—	—	—	—	—	+	—	—	—	—	+	+	+	+	—	—	—	—	—	—	—	—	—	+	—	—	—	—	

	Gotland							England							Böhmen				Polen				Harz		Podolien									
	Zone a–b	Zone c	Zone d	Zone e	Zone f	Zone g	Zone h	Wenlock shales	Wenlock limestone	Lower Ludlow	Aymestry limestone	Upper Ludlow	Passage beds	(Devon)	$E e_1$	$E e_2$	$F f_1$	$F f_2$	Beyrichien-Schichte	Spiriferen-Sandstein	Dombrowa-Horizont	Calceola-Mergel	Tanner Grauwacke	Spiriferen-Sandstein	Wenlock 3	Wenlock 4	Ludlow 5	Ludlow 6	Ludlow 7	Passage beds 8	Devon 9	Devon 10	unbekannt
Waldheimia podolica m.	—	—	—	—	—	—	—	—	—	—	—	—	—	—	—	—	—	—	—	—	—	—	—	—	—	—	—	—	+	+	—	—	
Stringocephalus Bohemicus Barr.	—	—	—	—	—	—	—	—	—	—	—	—	—	—	—	—	—	+	—	—	—	—	—	—	—	—	—	—	—	—	—	+	
Retzia Haidingeri Barr.	—	—	—	—	—	—	—	—	—	—	—	—	—	—	—	—	—	+	—	—	—	—	—	—	—	—	—	—	—	—	+	+	
Retzia aplanata Wien.	—	—	—	—	—	—	—	—	—	—	—	—	—	—	—	—	—	—	—	—	—	—	—	—	—	—	—	—	—	—	—	—	×
Meristina didyma Dalm.	+	+	+	—	—	—	—	—	+	—	+	—	—	—	—	—	—	—	—	—	—	—	—	—	—	+	—	+	—	—	—	—	
Merista Calypso Barr.	—	—	—	—	—	—	—	—	—	—	—	—	—	—	—	—	—	+	—	—	—	—	—	—	—	—	—	—	—	—	—	+	
Merista Hecate Barr.	—	—	—	—	—	—	—	—	—	—	—	—	—	—	—	+	—	—	—	—	—	—	—	—	—	—	—	—	—	+	—	—	
Meristella canaliculata Wien.	—	—	—	—	—	—	—	—	—	—	—	—	—	—	—	—	—	—	—	—	—	—	—	—	—	—	—	—	—	—	—	+	
Whitefeldia tumida Dalm.	—	—	+	—	+	—	—	—	+	—	—	—	—	—	—	+	—	—	—	—	—	—	—	—	+	+	—	—	—	—	—	—	
Bryozoa.																																	
Pseudohornera similis Phill.	—	—	—	—	—	—	—	—	—	—	—	—	—	+	—	—	—	—	—	—	—	—	—	—	—	—	—	—	—	—	—	+	
Acanthocladia assimilis Murch.	—	—	—	—	—	—	—	—	—	—	—	+	—	—	—	—	—	—	—	—	—	—	—	—	—	—	—	—	+	—	—	—	
Vermes.																																	
Cornulites serpularium Schlth.	—	—	—	—	—	+	—	—	—	—	—	+	—	—	—	—	—	—	+	—	—	—	—	—	—	—	—	—	+	—	—	—	
Spirorbis tenuis Sw.	—	—	—	—	—	—	—	—	—	+	—	+	—	—	—	—	—	—	—	—	—	—	—	—	—	—	—	—	+	—	—	—	
Zoantharia.																																	
Amplexus eurycalyx Weissml.	—	—	—	—	—	—	—	—	—	—	—	—	—	—	—	—	—	—	—	—	—	—	—	—	—	—	—	—	—	—	—	+	
Ampl. borussicus Weissml.	—	—	—	—	—	—	+	—	—	—	—	—	—	—	—	—	—	—	—	—	—	—	—	—	—	—	—	—	—	+	+	—	
Hallia mitrata E. H.	+	+	+	+	+	—	—	+	+	+	+	+	—	—	—	—	—	—	—	—	—	—	—	—	+	+	—	+	+	—	—	—	
Ptychophyllum truncatum E. H.	—	—	—	—	—	—	—	—	+	+	—	—	—	—	—	—	—	—	—	—	—	—	—	—	—	+	—	—	—	—	—	—	
Rhizophyllum gotlandicum Roem.	—	+	—	—	—	—	—	—	—	—	—	—	—	—	—	—	—	—	—	—	—	—	—	—	—	—	—	—	—	—	—	—	
Cyathophyllum articulatum Wahlb.	—	+	+	+	+	+	—	—	+	+	+	—	—	—	—	—	—	—	—	—	—	—	—	—	—	+	—	+	—	—	—	—	
Cyath. caespitosum Gf.	—	—	—	—	—	—	—	—	—	—	—	—	—	—	—	—	—	—	—	—	—	+	+	—	—	—	—	—	—	—	—	+	
Cyath. cf. *verniculare* Gf.	—	—	—	—	—	—	—	—	—	—	—	—	—	—	—	—	—	—	—	—	—	+	—	—	—	—	—	—	—	—	—	+	
Cyath. angustum Lonsd.	+	—	—	—	—	—	—	—	+	—	—	—	—	—	—	—	—	—	—	—	—	—	—	—	—	+	—	—	—	—	—	—	
Cyath. podolicum Wien.	—	—	—	—	—	—	—	—	—	—	—	—	—	—	—	—	—	—	—	—	—	—	—	—	—	—	—	—	—	—	—	—	×

	Gotland							England							Böhmen				Polen				Harz		Podolien								
	Zone *a–b*	Zone *c*	Zone *d*	Zone *e*	Zone *f*	Zone *g*	Zone *h*	Wenlock shales	Wenlock limestone	Lower Ludlow	Aymestry limestone	Upper Ludlow	Passage beds	(Devon)	Ee_1	Ee_2	Ff_1	Ff_2	Beyrichien-Schichten	Spiriferen-Sandstein	Dombrowa-Horizont	Calceola-Mergel	Tanner Grauwacke	Spiriferen-Sandstein	Wenlock 3	Wenlock 4	Ludlow 5	Ludlow 6	Ludlow 7	Passage beds 8	Devon 9	Devon 10	unbekannt
Omphyma turbinata L.	—	+	—	—	—	—	—	—	—	—	—	—	—	—	—	—	—	—	—	—	—	—	—	—	—	+	—	—	—	—	—	—	
Omphyma subturbinata Orb.	—	+	—	—	—	—	—	—	—	—	—	—	—	—	—	—	—	—	—	—	—	—	—	—	—	+	—	—	—	—	—	—	
Acervularia ananas L.	—	+	+	+	+	—	—	—	+	—	+	—	—	—	—	—	—	—	—	—	—	—	—	—	—	—	—	+	—	—	—	—	
Cystiphyllum cylindricum Lonsd.	—	—	—	—	—	—	—	—	+	+	—	—	—	—	—	—	—	—	—	—	—	—	—	—	—	—	+	—	—	—	—	—	
Actinocystis Grayi E. H.	—	+	+	+	+	—	—	—	+	—	+	—	—	—	—	—	—	—	—	—	—	—	—	—	—	+	—	—	—	—	—	—	
Favosites gotlandica Lk.	+	—	—	—	—	—	—	—	+	—	—	—	—	—	—	—	—	—	—	—	—	—	—	—	+	+	—	—	—	—	—	—	
Fav. Forbesi E. H.	+	+	+	+	+	+	+	—	+	+	+	+	—	—	—	—	—	—	—	—	—	—	—	—	+	+	—	+	+	—	—	—	
Fav. Hisingeri E. H.	—	+	+	—	—	—	—	—	—	—	—	—	—	—	—	—	—	—	—	—	—	—	—	—	—	+	—	—	—	—	—	—	
Fav. aspera Orb.	—	+	—	—	—	—	—	—	+	—	—	—	—	—	—	—	—	—	—	—	—	—	—	—	—	+	—	—	—	—	—	—	
Fav. Bowerbanki E. H.	—	—	—	—	—	—	—	—	+	+	+	—	—	—	—	—	—	—	—	—	—	—	—	—	—	+	—	+	—	—	—	—	
Michelinia geometrica E. H.	—	—	—	—	—	—	—	—	—	—	—	—	—	+	—	—	—	—	—	—	—	—	—	—	—	—	—	—	—	—	—	+	
Pachypora Lonsdalei Orb.	—	—	+	—	—	—	—	—	+	—	—	—	—	—	—	—	—	—	—	—	—	—	—	—	—	+	—	—	—	—	—	—	
Pach. lamellicornis Lind.	—	—	+	—	—	—	—	—	—	—	—	—	—	—	—	—	—	—	—	—	—	—	—	—	—	+	—	—	—	—	—	—	
Coenites podolica m.	—	—	—	—	—	—	—	—	—	—	—	—	—	—	—	—	—	—	—	—	—	—	—	—	—	—	—	—	—	—	—	+	
Coen. linearis E. H.	—	—	+	—	—	—	—	—	—	+	—	—	—	—	—	—	—	—	—	—	—	—	—	—	—	+	—	—	—	—	—	—	
Coen. juniperinus Eichw.		—	+	—	—	—	—	—	—	—	—	—	—	—	—	—	—	—	—	—	—	—	—	—	—	+	—	—	—	—	—	—	
Coen. intertextus Eichw.	—	—	+	—	—	—	—	—	—	—	—	—	—	—	—	—	—	—	—	—	—	—	—	—	—	+	—	—	—	—	—	—	
Alveolites Labechei Lonsd.	—	—	—	—	—	—	—	—	+	—	—	—	—	—	—	—	—	—	—	—	—	—	—	—	—	—	—	—	—	—	—	—	
Syringopora fascicularis L.	—	—	+	—	—	—	—	—	+	+	—	—	—	—	—	—	—	—	—	—	—	—	—	—	—	+	—	+	—	—	—	—	
Syring. bifurcata L.	—	—	+	—	—	—	—	—	+	+	—	—	—	—	—	—	—	—	—	—	—	—	—	—	—	—	—	+	—	—	—	—	
Thecia Swinderiana	—	—	—	—	+	—	—	—	+	+	—	—	—	—	—	—	—	—	—	—	—	—	—	—	—	—	—	+	—	—	—	—	
Halysites catenularia L.	+	+	+	—	—	—	—	+	+	+	—	—	—	—	—	—	—	—	—	—	—	—	—	—	+	+	—	—	—	—	—	—	
Monticulipora pulchella E. H.	—	—	—	—	—	—	—	—	+	+	—	—	—	—	—	—	—	—	—	—	—	—	—	—	—	—	+	—	—	—	—	—	
Mont. Fletscheri E. H.	—	—	+	—	—	—	—	—	—	—	—	—	—	—	—	—	—	—	—	—	—	—	—	—	—	+	+	—	—	—	—	—	
Mont. papillata M. Coy.	—	—	—	—	—	—	—	—	+	—	—	—	—	—	—	—	—	—	—	—	—	—	—	—	—	+	—	—	—	—	—	—	
Heliolites interstincta L.	—	—	+	—	—	—	—	—	+	+	—	—	—	—	—	—	—	—	—	—	—	—	—	—	+	+	—	+	—	—	—	—	
Hel. decipiens M. Coy.	—	—	+	—	—	—	—	—	+	+	—	—	—	—	—	—	—	—	—	—	—	—	—	—	—	+	—	—	—	—	—	—	
Hel. megastoma M. Coy.	—	+	—	—	—	—	—	—	+	—	—	—	—	—	—	—	—	—	—	—	—	—	—	—	—	+	—	—	—	—	—	—	
Hel. dubius Schmidt.	—	—	—	—	—	—	—	—	—	—	—	—	—	—	—	—	—	—	—	—	—	—	—	—	—	—	—	—	—	—	—	—	×
Hel. porosa Gf.	—	—	—	—	—	—	—	—	—	—	—	—	—	—	—	—	—	—	—	—	—	+	—	—	—	—	—	—	—	—	—	+	

	Gotland							England							Böhmen				Polen				Harz		Podolien								
																									Wenlock		Ludlow			Passage beds	Devon		
	Zone *a–b*	Zone *c*	Zone *d*	Zone *e*	Zone *f*	Zone *g*	Zone *h*	Wenlock shales	Wenlock limestone	Lower Ludlow	Aymestry limestone	Upper Ludlow	Passage beds	(Devon)	Ee_1	Ee_2	Ff_1	Ff_2	Beyrichien-Schichten	Spiriferen-Sandstein	Dombrowa-Horizont	Calceola-Mergel	Tanner Grauwacke	Spiriferen-Sandstein	3	4	5	6	7	8	9	10	unbekannt
Hydrozoa.																																	
Stromatopora typica Rosen.	—	—	—	—	+	—	—	—	+	—	—	—	—	—	—	—	—	—	—	—	—	—	—	—	—	+	—	+	—	—	—	—	
Coenostroma discoideum Lonsd.	—	—	—	—	—	—	—	—	+	—	—	—	—	—	—	—	—	—	—	—	—	—	—	—	—	+	—	+	—	—	—	—	
Labechia conferta E. H.	+	—	+	—	+	—	—	—	+	—	—	—	—	—	—	—	—	—	—	—	—	—	—	—	—	+	—	+	—	—	—	—	
Actinostroma astroites Rosen.	—	—	+	—	—	—	—	—	—	—	—	—	—	—	—	—	—	—	—	—	—	—	—	—	—	+	—	—	—	—	—	—	
Rastrites Linnaei	—	—	—	—	—	—	—	—	—	—	—	—	—	—	+	—	—	—	—	—	—	—	—	—	+	—	—	—	—	—	—	—	
Monograptus sp.	—	—	—	—	—	—	—	—	—	—	—	—	—	—	—	—	—	—	—	—	—	—	—	—	+	—	—	—	—	—	—	—	
Crinoidea.																																	
Glyptocrinus sp.	—	—	—	—	—	—	—	—	—	—	+	—	—	—	—	—	—	—	—	—	—	—	—	—	—	—	—	—	—	—	—	—	×
Cyathocrinus sp.	—	—	—	—	—	—	—	—	—	—	—	—	—	—	—	—	—	—	—	—	—	—	—	—	—	—	—	—	—	—	—	—	×
Crotalocrinus rugosus Mill.	—	—	+	—	—	—	—	—	+	+	—	—	—	—	—	—	—	—	—	—	—	—	—	—	—	+	—	—	—	—	—	—	
Phacites gotlandicus Wahlb.	—	—	+	—	—	—	—	—	—	—	—	—	—	—	—	—	—	—	—	—	—	—	—	—	—	+	—	—	—	—	—	—	
Entrochus asteriscus Roem.	—	—	—	—	—	+	—	—	—	—	—	+	—	—	—	—	—	—	—	—	—	—	—	—	—	—	—	—	+	—	—	—	
Receptaculitae.																																	
Sphaerospongia podolica m.	—	—	—	—	—	—	—	—	—	—	—	—	—	—	—	—	—	—	—	—	—	—	—	—	—	—	—	—	—	—	—	—	×

Aus der Zusammenstellung der paläozoischen Fauna Podoliens ergibt sich ein interessantes Resultat, das, wenn wir von den lokalen, neubeschriebenen und ausschließlich devonischen Formen absehen, nahezu 50% mit der Gotländer Fauna und eine gleiche Zahl von Arten mit dem englischen Wenlock und Ludlow übereinstimmen. Beiden genannten Faunen gemeinsam sind zirka 35%.

Mit dem böhmischen Becken ist die Übereinstimmung allein im obersten Horizont des Unterdevon und zum Teil des oberen Beyrichienkalkes kenntlich; von den 62 mit Böhmen gemeinsamen Arten gehören 30 ausschließlich dem Unterdevon (Stufe *Ff* 2 Barrandes) an, 20 sind kosmopolitische Formen, die übrigen sind meist Cephalopoden aus der Grenze der Etage *Ee* 2 und *F*.

Man ersieht daraus, daß eine Verbindung mit dem böhmischen Silurbecken nicht bestanden hat, sondern erst mit dem Beginn der Devonischen Periode eine Transgression von Böhmen nach Podolien stattgefunden hat. Es scheint sogar, daß zwischen dem obersten Silur am Zbrucz und den unterdevonischen gelben Mergelkalken eine Lücke besteht — denn wir kennen unter den bisher bekannten Formen des podolischen Unterdevons lauter Arten der *Ff* 2-Stufe, während Leitformen der *Ff* 1-Stufe zu fehlen scheinen. Im westlichen Teile des Gebietes besteht diese Lücke nicht, jedoch sind die untersten Devonschichten nach dem Typus der Harzer unteren Grauwacke ausgebildet. Wir kennen aus jenen Schichten sieben unterdevonische Formen, welche sich zu gleichen Teilen auf die Tauner Grauwacke und den Spiriferensandstein teilen.

Eine interessante Tatsache tritt aus der hier beigegebenen Tabelle ebenfalls hervor: nämlich die Migration von borealen Formen nach dem böhmischen Becken und umgekehrt, welche dadurch hervortreten, daß Arten, welche eine große vertikale Verbreitung in einem jener Becken besitzen, im anderen nur im Unterdevon erscheinen: so z. B. *Rh. Wilssoni* in Böhmen oder die aus Böhmen beschriebene *Orthis palliata*, welche dort dem Unterdevon angehört, in Podolien aber zu einer ganzen Mutationsreihe von *O. canaliculata* aus dem Wenlock bis zum Unterdevon gehört.

INHALT.

Seite

Dr. Franz Baron Nopcsa: Zur Kenntnis des Genus Streptospondylus (mit 18 Textfiguren) 59—83

Dr. K. Gustav Stenzel: Die Psaronien, Beobachtungen und Betrachtungen (mit 7 Tafeln: Tafel V—XI) . . . 85—123

Hans Wilschowitz: Beitrag zur Kenntnis der Kreide-Ablagerungen von Budigsdorf und Umgebung (mit 8 Textfiguren) . . . 126—134

Else Ascher: Die Gastropoden, Bivalven und Brachiopoden der Grodischter Schichten (mit 3 Tafeln: Tafel XII—XIV) . . . 135—172

Jos. von Siemiradzki: Die paläozoischen Gebilde Podoliens (I. Teil) . 173—212

K. u. K. Hofbuchdruckerei Karl Prochaska in Teschen.

BEITRÄGE

ZUR

PALÄONTOLOGIE UND GEOLOGIE

ÖSTERREICH-UNGARNS UND DES ORIENTS.

MITTEILUNGEN

DES

GEOLOGISCHEN UND PALÄONTOLOGISCHEN INSTITUTES
DER UNIVERSITÄT WIEN

HERAUSGEGEBEN

MIT UNTERSTÜTZUNG DES HOHEN K. K. MINISTERIUMS FÜR KULTUS UND UNTERRICHT

VON

VICTOR UHLIG, PROF. DER GEOLOGIE

CARL DIENER, PROF. DER PALÄONTOLOGIE

UND

G. VON ARTHABER, PRIVATDOZ. DER PALÄONTOLOGIE.

BAND XIX.

HEFT IV.

MIT 13 TAFELN UND 9 TEXTFIGUREN.

WIEN UND LEIPZIG.
WILHELM BRAUMÜLLER
K. U. K. HOF- UND UNIVERSITÄTS-BUCHHÄNDLER.
1906.

DIE PALÄOZOISCHEN GEBILDE PODOLIENS.

Von

Jos. von Siemiradzki,

Prof. der Geologie an der Universität Lemberg.

Mit VII Tafeln (XV—XXI).

II. Paläontologischer Teil.

Vertebrata (Pisces).

Ordo.: **Pteraspidae** Neum. Zitt.

Gen.: **Pteraspis** Kner. (**Scaphaspis** Ag.).

1. Pteraspis rostratus Ag.

1874. *Scaphaspis Lloydi* Alth. L. c. S. 49, Taf. II, Fig. 2.

Nach F. Schmidt gehören die zwei oben genannten Panzerhälften zusammen. Ein vollständiges Exemplar des Rückenpanzers mit der charakteristischen sehr langen Schnauze hat Lomnicki im roten Sandstein von Buczacz gefunden. Bauchschilder (*Scaph. Lloydi*) kommen in demselben roten Sandsteine in Buczacz, Dźwinogród an der Strypa und Iwanie vor. (Zone 9.)

2. Pteraspis Kneri Lank.

1874. *Scaphaspis Kneri* Lankaster. Quart. Journ. geol. soc., S. 194—197.
1874. *Pteraspis podolicus* Alth. L. c. S. 48, Taf. 1, Fig 5—10, Taf. 2. Fig. 1.
1874. *Scaphaspis Kneri* Alth. L. c. S. 48, Taf. II, Fig. 3, 5, 7, 8.

Beide Panzerhälften gehören einer kleinen zierlichen *Pteraspis*-Art an, welche durch die dichtgedrängten zackigen Verzierungen ihrer Oberfläche sich von anderen *Pteraspis*-Arten unterscheiden. Es ist die älteste Form unter den Pteraspiden, denn sie kommt nicht selten bereits im schwarzen Leperditienkalke der Zone 5 in Zaleszczyki (neben dem Judenfriedhof), Pieczarnia, Dobrowlany, Iwanie und Uścieczko vor.

3. Pteraspis major Alth.

1874. *Pter. major* Alth. L. c. S. 44, Taf. I, Fig. 1—4, Taf. III, Fig. 3—5.
1874. *Scaphaspis Haueri* (?) Alth. L. c. S. 50, Taf. IV, Fig. 6—7.

Die häufiste Art der *Pteraspis*-Schicht, häufiger sind die unteren Panzerhälften (*Scaph. Haueri*), Zaleszczyki, Dobrowalny, Uścieczko, Kasperowce, Luka, Tudorów. (Zone 9.)

4. Pteraspis angustatus Alth.

1874. *Pteraspis angustatus* Alth. L. c. S. 45, Taf. I, Fig. 1, Taf. III, Fig. 6—7.

1874. *Scaphaspis elongatus* Alth. L. c. S. 51, Taf. II, Fig. 4.

Die jüngste *Pteraspis*-Art, welche von Alth in dem oberen Teile des roten Sandsteines in der Nähe der Knochenschicht mit *Coccosteus*-Resten gefunden wurde. Iwanie, Kryszczatyk, Wojskie bei Uścieczko, Buczacz, Złotniki an der Strypa. (Zone 10.)

5. Cyathaspis Sturi Alth.

1874. *Cyathaspis Sturi* Alth. L. c. S. 46, Taf. V, Fig. 1—2.

Ein Exemplar von Stur zwischen Doroszowce und Wisileu in der Bukowina gefunden.

6. Scaphaspis radiatus Alth.

1874. *Scaphaspis radiatus* Alth. L. c. S. 50, Taf. II. Fig. 6.

Nur Brustschild bekannt. Zaleszczyki.

7. Scaphaspis obovatus Alth.

1874. *Scaphaspis obovatus* Alth. L. c. S. 51, Taf. III, Fig. 1.

Nach einem einzigen Brustschilde aus Dobrowlany beschrieben. Wieniukow hat dieselbe Form im schwarzen Kalksteine von Satanow am Zbrucz gefunden.

Ordo.: Cephalaspidae Huxley.

8. Cephalaspis sp. cfr. asper Alth.

1874. *Cephalaspis* sp. cfr. *asper* Alth. L. c. S. 40, Taf. IV, Fig. 8.

Von Alth im roten Sandsteine von Iwanie gefunden. (Zone 9.)

9. Auchenaspis sp. Alth.

1874. *Auchenaspis* sp. Alth. L. c. S. 40, Taf. IV, Fig. 1—3.

Bruchstücke dieser Gattung hat Alth im dunkelroten Sandsteine von Wojskie bei Uścieczko gefunden. (Zone 9 ?.)

Ordo.: Placoidei Mc. Coy.

10. Cocosteus sp. Alth.

1874. *Coccosteus* sp. Alth. L. c. S. 38, Taf. III, Fig. 16—21.

Alth hat zahlreiche unbestimmbare Reste von *Coccosteus* und anderen Placodermen in einer Knochenschicht des oberen roten Sandsteines von Wojskie bei Uścieczko gefunden. Łomnicki hat ähnliche Reste im obersten Old red von Kujdanow gefunden. (Zone 10.)

Ordo.: Heterocerci.

Gen.: Glyptolaemus Eg.

11. Glyptolaemus Kinnairdi Huxley.

1861. *Glyptolaemus Kinnairdi* Egerton. Figures and descriptions of British fossils. Decade X, pl. 1—2.

Im oberen roten Sandstein von Wojskie bei Uścieczko habe ich gut erhaltene *Ganoid*-Schuppen gefunden, welche mit der Zeichnung Egertons ganz genau übereinstimmen. Die Schuppen sind länglich viereckig mit stark runzeliger Oberfläche. (Zone 10.)

Merostomata.

Ordo.: **Gigantostraca.**

12. Pterygotus sp. ind.

1874. *Pterygotus* sp. Alth. L. c. S. 53, Taf. IV, Fig. 9—12.

Pterygotus-Reste wurden bisher nur an einer Stelle Podoliens, nämlich in den untersten Schiefern von Zaleszczyki unterhalb der Leperditien-Bank von Alth gefunden und abgebildet. Ich konnte im anstehenden Gesteine diese Art nicht herausfinden, doch sammelte ich mehrere Stücke im ölgrauen Schiefer an der Halde neben der Brücke von Zaleszczyki. (Zone 5.)

13. Pterygotus sp. ind.

(Taf. XIX (V), Fig. 24.)

Ein gut erhaltenes Telson im gelben devonischen Korallenmergel von Skała, neben welchem eine rechteckige Schwanzplatte erhalten ist, gehört wohl zu dieser Gattung, unterscheidet sich jedoch von den bekannten Formen durch die Verzierung der Oberfläche, an welcher außer dem kräftigen Mediankiele noch zwei Paare von ebenso kräftigen kürzeren Seitenkielen auftreten. (Zone 10.)

14. Stylonurus sp. Alth.

1874. *Stylonurus* Alth. L. c. S. 54, Taf. V, Fig. 4—6.

Nach Alth bei Mitkeu am Dniester gefunden. (Zone 5?)

15. Eurypterus Fischeri Eichw.

1857. *Eurypterus Fischeri* Eichw. Bull. d. l. soc. d. natur. d. Moscou, S. 336.
1883. *Eurypterus Fischeri* F. Schmidt. Die Crustaceen der Eurypterusschichten von Rootziküll auf Ösel. S. 50, Taf. II, III, III *a*, Fig. 14, Taf. VI, Fig. 7.
1899. *Eurypterus Fischeri* Wieniukow. L. c. S. 215, Taf. IX, Fig. 9.

Malewski hat diese charakteristische Form in Studenica, Kitajgorod am Dniester, in Zawale am Zbrucz und in Dumanów gefunden, Wieniukow in Dumanów und Ćwiklewcy am Smotrycz. Eichwald erwähnt dieselbe aus dem schwarzen Korallenkalke von Kamieniec, woher das Museum Dzieduszycki ebenfals mehrere Exemplare (Wittscher Garten, Polskie Folwarki) besitzt. Auch von Załucze am Smotrycz (oberhalb Dumanów) kenne ich diese Art in einem gelblichweißen mergeligen Kalke. (Zone 5.)

Crustacea.

Ordo.: **Trilobitae.**

Fam.: **Calymenidae** Brognart.

Gen.: **Calymene** Brognart.

16. Calymene tuberculata Brünn.

1781. *Trilobus tuberculatus* Brünnich. Danska Vid. Selsk. Skrift. Nya sammlg., Bd. 1, S. 389.
1822. *Calymene Blumenbachi* Brognart. Crust. foss., Bd. 2, Taf. 1, Fig. 1.
1864. *Calymene Blumenbachi* Salter. Monograph of Brit. trilobites, S. 93, Taf. VIII, Fig. 7—16.
1894. *Calymene tuberculata* Schmidt. Revision der ostbaltischen Trilobiten, Abt. 1, S. 13, Taf. I, Fig. 1—7.
1899. *Calymene tuberculata* Wieniukow. L. c., S. 212.

Nach Wieniukow in Studenica, Kitajgorod, Orynin, Nagórzany. Ein Pygidium habe ich in Skała in der Stromatoporenbank gefunden. Die von Alth zitierte, l. c. Taf. V, Fig. 8—10, abgebildete Form ist unsicher. Die auf Fig. 10 abgebildete Glabella gehört entschieden nicht zu Calymene. Der Althsche Beschreibungstypus wurde in Filipkowce gesammelt, ich kenne denselben durch Autopsie und kann nur bestätigen, daß der Erhaltungszustand des beinahe vollständig zerstörten Kopfschildes keine spezifische Bestimmung zuläßt, allerdings ist der Umriß breiter und zeigt ganz parallele Seitenränder, was bei *Calymene Blumenbachi* nicht vorkommt. Der unzerstörte vordere Teil der Glabella läßt allerdings die Zugehörigkeit zur Gattung *Calymene* feststellen. (Zone 4—6.)

Fam.: **Asaphidae** Salter.

Gen.: **Illaenus** Dalm.

17. Illaenus Bouchardi Barr.

1852. *Illaenus Bouchardi* Barrande. Syst. silur. d. Bohême, Bd. 1, S. 689, Taf. XXXIV, Fig. 26—38.
1899. *Ill. Bouchardi* Wieniukow. L. c. S. 211, Taf. IX, Fig. 8.

Bisher nur in Russisch-Podolien gefunden (Studenica, Kitajgorod, Orynin, Zawale, Żwaniec, Braha, Muksza, Kamieniec, Nagórzany. (Zone 4—5.)

Fam.: **Phacopidae** Salter.

Gen.: **Phacops.**

18. Phacops (Odontochile) caudata Brünn.

1781. *Trilobus caudatus* Brünnich. L. c. S. 392.
1827. *Asaphus caudatus* Dalmann. Üb. Paläaden, S. 42, Taf. II, Fig. 4.
1837. *Asaphus caudatus* Hisinger. Lethaea suecica, S. 13, Taf. II, Fig. 2.
1854. *Phacops caudatus* Angelin. Palaeontologia suecica fasc., I. S. 10, Taf. VIII, Fig. 2.
1837. *Phacops caudatus* Murchison. Silurian system, Taf. XVII, Fig. 2, Taf. XVIII, Fig. 1.
1837. *Phacops longicaudatus* Murchison. L. c. Taf. XVII, Fig. 3—6.
1845. *Dalmannia caudata* Emmrich Leonh. Jahrb., S. 40.
1864. *Phacops caudatus* Salter. Monograph. of British Trilobites, S. 49, Taf. III, Fig. 4—8.
1874. *Dalmannia caudata* Alth. Paläoz. Gebilde Podoliens, S. 58, Taf. V, Fig. 11—14.
1899. *Dalmannia caudata* Wieniukow. L. c. S. 213.

Die podolische Form steht in der Mitte zwischen der *var. vulgaris* und *var. longicaudata*.

Diese wohlbekannte und weit verbreitete Form ist die häufigste Trilobitenart Podoliens und bildet manchmal (Filipkowce) ganze Schichten durch Anhäufung ihrer Schalen. Außer Filipkowce, woher die schönsten Exemplare stammen, kenne ich diese Form aus Zamuszyn, Mosiorówka, Uście Biskupie, Borszczów, Dawidkowce, Skała, Korolówka, Mielnica, Skowiatyn, Wysuczka, Chudykowce, Babińce. (Zone 4—5.)

19. Phacops (Acaste) Downingiae Murch.

1837. *Calymene Downingiae* Murchison. Silurian system, S. 655, Taf. XIV, Fig. 3.
1822. *Calymene macrophthalma* Brognart. Crust. fossiles, Taf. I, Fig. 4.
1837. *Asaphus subcaudatus*; *A. Cowdori* Murchison. Silur. syst., Taf. VII, Fig. 9—10.
1843. *Phacops macrophthalmus* Burmeister. Üb. Organisation der Trilobiten, S. 139—140.
1864. *Phacops Downingiae* Salter. Monograph of. British trilobites, S. 24, Taf. II, Fig. 17—36.
1875. *Phacops Downingiae* F. Schmidt. Bemerkungen üb. Podol. Galizisch. Silurformation, S. 15, Taf. I, Fig. 1.
1881. *Phacops Downingiae* F. Schmidt. Revision der ostbaltischen Trilobiten, Abt. 1, S. 75, Taf. I, Fig. 2, Taf. XI, Fig. 18.
1899. *Phacops (Acaste) Downingiae* Wieniukow. L. c. S. 212.

Von Wieniukow in Żwaniec gefunden, selten in Mielnica und Strzałkowce, häufig im Trilobitenschiefer von Filipkowce. (Zone 5—6.)

Fam.: **Proëtidae** Barr.

Gen.: **Proëtus** Steininger.

20. Proëtus concinnus Dalm.

1827. *Calymene concinna* Dalm. Über Paläaden, Taf. I, Fig. 5.
1875. *Proëtus concinnus* Schmidt. Bemerkungen üb. Podol. galiz. Silurformation, S. 15.

1881. *Proëtus concinnus* F. Schmidt. Revision der ostbaltischen Trilobiten, Abt. 4, S. 41, Taf. IV, Fig. 1—9.
1899. *Proëtus concinnus* Wieniukow. L. c. S. 214.

Nach F. Schmidts Bestimmung kommt diese Art in Studenica, Smotrycz, Orynin und Kitajgorod vor; mir ist dieselbe nicht bekannt. (Zone 5—6.)

21. Proëtus podolicus Alth.

1874. *Proëtus podolicus* Alth. L. c. S. 59, Taf. V, Fig. 15.

Mehrere schöne eingerollte Exemplare wurden von Alth und Łomnicki im Trilobitenschiefer von Filipkowce gefunden. Außerdem kenne ich diese Art aus Michałków, Wołkowce, Chudykowce und Skala. Der Typus von Alth findet sich im Dzieduszyckischen Museum in Lemberg. (Zone 5.)

22. Proëtus Dzieduszyckianus Alth.

1874. *Proëtus Dzieduszyckianus* Alth. L. c. L. S. 60, Taf. V, Fig. 16.

Bisher nur der Althsche Beschreibungstypus aus dem Trilobitenschiefer von Filipkowce bekannt (Museum Dzieduszycki. (Zone 5.)

Gen.: **Cyphaspis** Burm.

23. Cyphaspis rugulosus Alth.

1874. *Cyphaspis rugulosus* Alth. L. c. S. 61, Taf. V, Fig. 17—19.

Nicht selten in Zamuszyn, Mosiorówka, Strzałkowce, Chudykowce, Uście Biskupe, Babińce und Sapachów. (Zone 6.)

Fam.: **Encrinuridae** Linnards.

Gen.: **Encrinurus** Emmrich.

24. Encrinurus punctatus Wahlb.

1821. *Entomostracites punctatus* Wahlb. N. Acta Upsal. Bd. 8, S. 32, Taf. II, Fig. 1.
1845. *Calymene variolaris* Brognart. Crust. foss., S. 14, Taf. I, Fig 3.
1827. *Calymene punctata* Dalmann. Üb. Paläaden. S. 64.
1837. *Calymene punctata* Hisinger. Lethaea suecica, S. 12, Taf. I, Fig. 9.
1845. *Encrinurus punctatus* Emmrich. Leonhardts Jahrbuch, S. 40.
1875. *Encrinurus punctatus* F. Schmidt. Bemerkungen üb. Podol. galiz. Silurformation, S. 14.
1881. *Encrinurus punctatus* F. Schmidt. Revision d. ostbaltischen Trilobiten, S. 225, Taf. XIV, Fig. 11—13, Taf. XV, Fig. 18.
1874. *Encrinurus punctatus* Alth. L. c. S. 55.
1899. *Encrinurus punctatus* Wieniukow. L. c. S. 209.

Nach Wieniukow und Schmidt in Kitajgorod, Satanów, Kamieniec, Orynin, Hryńczuk, Studenica, Żwaniec. In Galizien bisher nicht gefunden. (Zone 4—5.)

25. Encrinurus obtusus Ang.

1854. *Cryptonomus obtusus* Angelin. Paläontol. Scandin., S. 3, Taf. VI, Fig. 9.
1881. *Encrinurus obtusus* F. Schmidt. Revision ostbaltischer Trilobiten, Abt. 1, S. 224.
1899. *Encrinurus obtusus* Wieniukow. L. c. S. 209.

Hryńczuk, Orynin, Braha, Żwaniec, Chocim. (Zone 4.)

Fam.: **Cheiruridae.**

Gen.: **Sphaeroxochus** Beyrich.

26. Sphaeroxochus mirus Beyr.

1845. *Sphaeroxochus mirus* Beyrich. Üb. einige böhmische Trilobiten, S. 21.
1852. *Sphaeroxochus mirus* Barrande. Syst. silur. d. Bohéme, Bd. 1, S. 808, Taf. XLII, Fig. 16—23

1860. *Sphaeroxochus mirus* Roemer. Silur. Fauna d. westl. Tennessee, S. 81, Taf V, Fig. 20.
1862. *Sphaeroxochus mirus* Salter. Monograph of British Trilobites, S. 76, Taf. VII, Fig. 1—6.
1899. *Sphaeroxochus mirus* Wieniukow. L. c. S. 210.

Nach Wieniukow in Studenica und Kitajgorod gefunden. (Zone 4—5.)

Ordo.: **Ostracoda.**

Fam.: **Leperditidae** Jones.

Gen.: **Leperditia** Rouault.

27. Leperditia tyraica F. Schmidt.

1873. *Leperditia tyraica* Schmidt. Üb. d. russisch-silurischen Leperditien, S. 13, Taf. I, Fig. 10—12.
1874. *Leperditia Roemeri* Alth. Üb. d. paläozoischen Gebilde Podoliens, S. 68, Taf. V, Fig. 25—32, 34—36.
1899. *Leperditia tyraica* Wieniukow. L. c. S. 205.

Diese durch ihre riesenhafte Größe (sie erreicht bis 30 *mm* Länge) und die Gegenwart einer schwachen Leiste an der hinteren Schloßecke der linken Klappe leicht kenntliche Art bildet in Podolien eine feste Kalksteinbank, welche gewöhnlich nur diese Art enthält. Von anderen Ostracoden ist nur *Primitia oblonga* mit ihr zusammen bekannt.

Die Leperditienbank liegt unter dem Upper Ludlow (Cephalopoden- und Bivalven-Bank) und hart über der Trilobitenbank: in anderen benachbarten Schichten kommt *L. tyraica* nur vereinzelt und selten vor. Die Verbreitung der Art ist eine sehr große, da, wie gesagt, die oberen Ludlow-Schichten beinahe in sämtlichen podolischen Siluraufschlüssen entblößt sind. (Orynin, Nagorzane, Żwaniec, Karmelitka, Braha, Zawale, Pyżówka, Czarnokozińce, Filipkowce, Okopy, Dźwiniaczka, Iwanie, Uścieczko, Zaleszczyki, Dobrowlany, Skała, Sidorów, Skorodyńce, Paniowce, Słobódka, Trybuchowce, Liczkowce, Kociubińczyki, Nagórzanka, Biała, Dolhe, Budzanów, Kalinowszczyzna, Potoczyska, Dźwinogród, Zbrucz, Dupliska, Kozina. (Zone 5—6.)

Gen.: **Beyrichia** Mac Coy.

28. Beyrichia inornata Alth.

1874. *B. inornata* Alth. Paläoz. Geb. Podoliens, S. 64, Taf. V, Fig. 23.
1899. *B. inornata* Wieniukow. L. c. S 205.

Steht der *B. Salteriana* Jones am nächsten, unterscheidet sich davon hauptsächlich durch ihre kürzeren und schwächeren Furchen.

Kamieniec Pod., Satanów, Chudykowce, Kalinowszczyzna, Potoczyska, Tudorów, Zaleszczyki, Wysuczka, Czortków, Biała, Uścieczko. (Zone 5—8.)

29. Beyrichia idonea Wieniukow.

1899. Wieniukow. L. c. S. 206, Taf. VI, Fig. 9.

Von Zawale am Zbrucz beschrieben. (Zone 7.)

30. Beyrichia Buchiana Jones.

1855. *B. Buchiana* Jones u. Holl. Ann. a. Mag. of. nat. hist, S. 86, Taf. V, Fig. 1—3.
1877. *B. Buchiana* Krause. D. Fauna d. sog. Beyrichien- od. Chonetenkalkes d. nordd. Diluvialgeschiebe. Z. d. D. G. G., Bd. 29, S. 33, Taf. I, Fig. 14.
1885. *B. Buchiana* Reuter. D. Beyrichien d. obersilurischen Diluvialgeschiebe Ostpreußens. Z. d. D. G. G., Bd. 37, S. 642, Taf. XXVI, Fig. 13—A.
1888. *B. Buchiana* Kiesow. Üb. Gotländer Beyrichien. Z. d. D. G. G., S. 7, Taf. I, Fig. 10.
1899. *B. Buchiana* Wieniukow. L. c. S. 206, Taf. VI, Fig. 6.

Die häufigste Beyrichienart in Podolien; Wieniukow hat sie in Kamieniec gefunden. Häufig in den Beyrichienkalken und -Schiefern von Zaleszczyki, Dobrowlany, Iwanie, Uścieczko, Potoczyska, Kalinowszczyzna, Chudykowce. (Zone 6—7.)

31. **Beyrichia inclinata** Wieniukow.

1899. *Beyrichia inclinata* Wieniukow. L. c. S. 207, Taf. VI, Fig. 9.

Zawale am Zbrucz. (Zone 7.)

32. **Beyrichia Reussi** Alth.

1874. *B. Reussi* Alth. D. paläoz. Gebilde Podoliens, S. 63, Taf. V, Fig. 21.
1899. *B. Reussi* Wieniukow, L. c. S. 207.

Satanów und Zawale am Zbrucz, Kasperowce, Bedrykowce, Bilcze, Ułaszkowce, Zaleszczyki. (Zone 7.)

33. **Beyrichia Bilczensis** Alth.

1874. *Beyrichia Bilczensis* Alth, L. c. S. 63, Taf. V, Fig. 22.

Bilcze, Wygnanka (selten). (Zone 7.)

34. **Beyrichia podolica** Alth.

1874. *Beyrichia podolica* Alth. L. c. S. 62, Taf. V, Fig. 20.

Zaleszczyki, Chudykowce, Dobrowlany, Czortkow, Wygnanka an die unteren Schichten des Beyrichienschiefers beschränkt. (Zone 5—6.)

35. **Beyrichia Salteriana** Jones.

1855. *Beyrichia Salteriana* Jones. L. c. S. 89, Taf. V, Fig. 15—16.
1877. *Beyrichia Salteriana* Krause. D. Fauna des Beyrichienkalkes etc. Zeitschr. der deutschen geologischen Gesellschaft, S. 35, Taf. 1, Fig. 17. (Zone 6—7.)

Czortków und Wygnanka (selten).

36. **Beyrichia Wilkensiana** Jones.

1855. *Beyrichia Wilkensiana* Jones. L. c. S. 98, Taf. V, Fig. 17—21.
1877. *Beyrichia Wilkensiana* Krause. Üb. die Fauna des Beyrichienkalkes etc., S. 35, Taf. 1, Fig. 18. (Zone 8.)

Kamieniec, Skala; Czortków, Dobrowlany, an die obersten Schichten der Beyrichienstufe beschränkt.

Gen.: **Isochilina** Jones.

37. **Isochilina erratica** Krause.

1891. *Isochilina erratica* Krause. Zeitschr. der deutschen geologischen Gesellschaft, Taf. XXIX, Fig. 6—7.

Biala im roten Schiefer (selten). (Zone 8.)

Gen.: **Entomis** Jones.

38. **Entomis reniformis** Wien.

1899. *Entomis reniformis* Wieniukow. L. c. S. 207, Taf. VI, Fig. 10.

Zawale, Tudorów, Biała, Wygnanka, Janów, Zaleszczyki. (Zone 7.)

Gen.: **Primitia.** Jones.

39. **Primitia concinna** Jones.

1865. *Primitia concinna* Jones. et Holl. Annals. and magazin of natural hist., S. 249, Taf. X, Fig. 3, 4.
1874. *Pr. concinna* Alth. L. c. S. 65, Taf. V, Fig. 25.

Ziemlich selten zusammen mit *Primitia oblonga*: Kitajgorod, Kamieniec Pod., Kasperowce, Zaleszczyki, Dobrowlany, Potoczyska, Czortków, Biała, Chudykowce. (Zone 6—7.)

40. Primitia oblonga Jones.

1865. *Primitia oblonga* Jones. et Holl, Annals. and magazin of natural hist., S. 10, Taf. XIII., Fig. 14 *a*–*c*.
1874. *Pr. oblonga* Alth. L. c. S. 65, Taf. V, Fig. 28.

Kommt massenhaft, besonders in der unteren Abteilung der Beyrichienkalke von Zaleszczyki, Dobrowlany, Kasperowce, Borszczów, Wysuczka, Tudorów, Potoczyska, Biała, Wygnanka, Czortków, Budzanów, Janów, Dołhe, Iwanie, Uścieczko, Strzałkowce und Wysuczka vor. (Zone 5—8.)

41. Primitia muta Jones.

1865. *Primitia muta* Jones. et Holl. L. c. S. 12.
1874. *Prim. muta* (?) Alth. L. c., S. 66, Taf. V., Fig. 27.

Zusammen mit der vorigen in Zaleszczyki, Dobrowlany, Kasperowce, Biała. (Zone 7.)

42. Primitia rectangularis Alth.

1874. *Primitia rectangularis* Alth. L. c. S. 64, Taf. V, Fig. 24.

Sehr selten in Zaleszczyki, Bedrykowce, Biała. (Zone 7.)

43. Primitia plicata Krause.

1892. *Primitia plicata* Krause. Zeitschr. der deutschen geologischen Gesellschaft, S. 386, Taf. XXII, Fig. 1.

Czortków (selten). (Zone 7.)

Gen.: Aparchites Jones.

44. Aparchites ovatus Jones.

1865. *Primitia ovata* Jones. Annals. and magazin of natural hist., vol. 16, S. 423, Taf. XIII, Fig. 13 *a*, *b*, *c*.
1877. *Primitia ovata* Krause. Fauna des Beyrichienkalkes etc., S. 37.
1889. *Aparchites ovatus* Jones. Annals. and magazin of natural hist., S. 384.
1891. *Aparchites ovatus* Krause. Beitrag zur Kenntnis der Ostracodenfauna in den silurischen Diluvialgeschieben. Zeitschrift der deutschen geologischen Gesellschaft, S. 192, Taf. XXIX, Fig. 9*a*.

Janów bei Czortków (selten). (Zone 7.)

Ordo.: Cirrhipedia.

45. Plumulites Barr.

(Taf. XIX (V), Fig. 22.)

Unbestimmbare dreieckige *Plumulites*-Schuppen habe ich im schwarzen phosphorithaltigen Kalksteine von Ladawa am Dniester gefunden. (Zone 3.)

Mollusca.

Cephalopoda.

Ordo: Tetrabranchiata.

So: Nautiloidea.

Fam.: Orthoceratidae.

Gen.: Orthoceras Breyn.

46. Orthoceras Ludense Sowerby.

1839. *Orthoceras Ludense* (Sow.) Murchison. Silurian system., S. 619, Taf. IX, Fig. 1.
1857. *O. columnare* Boll. L. cit., S. 16, Taf. 1, Fig. 3.
1879. *O. temperans* Barrande. Syst. silur d. Boheme, Taf. CCXXX, CCCLXXXII, CDLI.
1888. *O. Ludense* Blake. L. cit., S. 156, Taf. 1, Fig. 3—5, 7.
1891. *O. Ludense* Rüdiger. L. cit., S. 72.

Eine große Form, welche sich durch ihren kreisrunden Querschnitt und hohe gerade Luftkammern deren Höhe $^{1}/_{3}$ des Durchmessers beträgt, sehr leicht von anderen podolischen Orthoceren unterscheiden läßt. Es liegen mir mehrere Bruchstücke, darunter einige von 6 *cm* Durchmesser, vor. Sipho nach Sowerby zentral, jedoch ist dessen Lage nach Blake sehr veränderlich. Unter den obersilurischen Arten kann keine einzige mit dieser leicht kenntlichen Form verwechselt werden. Ein Wohnkammerstück von 10 *cm* Länge und 7 *cm* Dicke ist vollkommen glatt. Sipho subzentral, groß; Septa gerade.

Dźwinogród, Wolkowce, Skowiatyn, Wysuczka, Olchowce, nach Malewski auch in Studenica in Russisch-Podolien. (Zone 5.)

47. Orthoceras (Loxoceras) podolicum Alth.

(In Mus. Acad. Cracoviensis), (Taf. XV (I), Fig. 1–5; Taf. XVI (II), Fig. 1.)

In der allgemeinen Gestalt dem *O. decipiens* Barr. sehr ähnlich, wovon sich diese Art hauptsächlich durch ihren eigentümlichen Querschnitt und Lage des Sipho unterscheidet. Es ist die häufigste Art der Czortkower Tentaculitenschiefer, wenngleich vollständige Exemplare, wie das hier abgebildete, zu Seltenheiten gehören. Bruchstücke mit Luftkammern und vollständige zerdrückte Wohnkammern sind in Czortków und Umgebung sehr häufig.

Das ganze Gehäuse ist 40 *cm* lang, wovon ein Drittel auf die Wohnkammer ausfällt. Das Gehäuse ist kaum merklich gekrümmt, wächst langsam an (Konvergenz = $^1/_{10}$ Länge), Kammern sehr niedrig = $^1/_7$—$^1/_8$ des Durchmessers, etwas schräg gegen die Siphonalseite geneigt. Der Grad dieser Neigung wechselt mit dem Wachstum der Schale. Querschnitt in der Jugend kurz elliptisch bis zu einem Durchmesser von 40 *mm*. Weiter hinauf tritt eine immer stärker ausgeprägte Depression der Siphonalseite ein, wodurch der Querschnitt eine eigentümlich nierenförmige Gestalt annimmt. Eine Veränderung des Querschnittes durch zufälligen Druck ist hier ausgeschlossen. Hunderte von Stücken zeigen stets dieselbe Depression und die Gestalt des Querschnittes ist allein an die Größe der Exemplare gebunden. Zerdrückte Stücke haben einen länglich elliptischen Querschnitt und meist sehr schräge Kammerwände. Zugleich mit der Depression der Siphonalseite tritt auf den Flanken ein schwacher Sinus nach vorn ein, welcher an jüngeren Stücken nicht vorkommt.

Sipho klein, an jungen Stücken subzentral, später immer stärker an den Rand gerückt, jedoch niemals randständig. An mehreren Stücken ist die Embryonalkammer bei 9 *mm* Durchmesser erhalten; man sieht auf derselben eine vierstrahlige Narbe mit großem zentralen Sipho.

Schale mit scharfen Zuwachsringen, welche dem Verlaufe der Kammerwandnähte genau folgen, dazwischen ist die Schale fein horizontal gerieft. Die Wohnkammer, welche einen Drittel der Gesamtlänge einnimmt, ist meist zerdrückt, so daß man deren Maßverhältnisse nicht genau bestimmen kann. Dieselbe ist bis zum etwas eingebogenen Mundrande sehr fein horizontal gerunzelt, was wohl nur als Abdruck der inneren Runzelschicht gedeutet werden kann.

Außer *Orthoc. decipiens*, welcher sich durch seinen zeitlebens kreisrunden Querschnitt unterscheidet, können bei unvollkommener Erhaltung auch noch mehrere andere Arten des Beyrichienkalkes damit verwechselt werden.

Orthoc. Roemeri Alth wächst bedeutend rascher an und die Depression der Rückenseite ist viel stärker ausgeprägt.

O. bullatum, *O. Hagenowi*, *O. Berendti* haben einen zeitlebens länglich elliptischen Querschnitt und der Sipho ist stets an der längeren Achse des Querschnittes gelegen.

O. excentricum kann in der Jugend leicht mit *O. podolicum* verwechselt werden; ältere unterscheiden sich leicht an dem kreisrunden Querschnitte, und, wenn die Schale erhalten ist, an der durchaus verschiedenen Verzierung derselben (Längsrippen).

Sehr häufig in den Czortkówer Tentaculitenschiefern (Czortków, Biała, Nagórzanka, Skorodyńce, Uhryń, Dobrowlany, Gródek, Bileze, Zaleszczyki). (Zone 7—8.)

48. Orthoceras (Loxoceras) Roemeri Alth.

(In Museo Acad. Cracoviensis), Taf. XVI (II), Fig. 2—5.

Steht dem *O. podolicum* am nächsten, unterscheidet sich jedoch davon leicht durch sein rascheres Wachstum (Konvergenz = $^1/_8$ der Länge) und bedeutend stärkere Veränderung des Querschnittes.

Junge Stücke bis 20 *mm* Durchmesser sind beinahe kreisrund, mit subzentralem Sipho, weiter wird der Querschnitt zuerst unregelmäßig elliptisch und an ganz erwachsenen infolge der sehr starken Depression der Antisiphonalseite gerundet dreieckig. Konvergenz der Schale = $^1/_8$ der Länge; Kammern niedrig = $^1/_6$ des größeren Durchmessers. Solange der Querschnitt annähernd kreisrund ist, sind die Kammerscheidewände an den Seiten rückwärts wellig gekrümmt, zugleich jedoch mit eintretender Depression der Antisiphonalseite verschwindet jener schwache Sinus und die Nähte werden an den Seiten gerade. Auf der Antisiphonalseite beschreiben die Kammerwandnähte einen breiten und schwachen Sinus nach vorn, welcher ebenfalls sich allmählich ausbreitet und an älteren Stücken sind die Nähte ganz gerade.

Schale mit schuppenartig erhabenen Zuwachsringen, welche den Kammerwänden entsprechen, dazwischen mit sehr feinen und dichten Zuwachslinien verziert.

Anfangskammer kahnförmig von beiden Seiten zusammengedrückt, mit einem starken Längskiel, in dessen Mitte der Sipho steht.

Ziemlich häufig in den Czortkówer Schichten (Beyrichienschiefer) von Czortków, Wygnanka, Uhryń, Skorodyńce, Tudorów, Dobrowlany, Nagorzanka, Uścieczko, Iwanie. (Zone 7—8.)

49. Orthoceras Hagenowi Boll.

1857. *O. Hagenowi* Boll. Cephalop., S. 77, Taf. VI, Fig. 19 *a—b*.
1869. *O. Hagenowi* Karsten. L. c. S. 50, Taf. XVIII, Fig. 3 *a—c*.
1880. *O. Hagenowi* Angelin. Fragmenta silurica, S. 7, Taf. V. Fig. 14—17
1891. *O. Hagenowi* Rüdiger. L. c. S. 61.

Gehäuse sehr langsam anwachsend (Konvergenz $^1/_{15}$ *dm*), Kammern niedrig = $^1/_6$ des Durchmessers. Querschnitt elliptisch mit stark exzentrischem kleinem perlschnurförmigem Sipho. Die Kammerwandnähte beschreiben an der schmalen Siphonalseite einen Sinus nach vorn, bleiben aber an der Antisiphonalseite eben, was einen Unterschied gegenüber dem sehr ähnlichen *O. Berendti* Rüdig. bildet. Schale glatt mit zarten Zuwachslinien.

Kasperowce (selten). (Zone 7).

50. Orthoceras Berendti Dewitz.

1880. *O. Berendti* Dewitz. Zeitschr. d. Deutsch. geol. Ges., Bd. 32, S. 389, Taf. XVIII, Fig. 9—11.
1891. *O. Berendti* Rüdiger. L. c. S. 62, Taf. I, Fig. 7.

Wachstum der Schale ziemlich rasch. Konvergenz = $^1/_7$ des Länge, Kammer niedrig = $^1/_9$ des größeren Durchmessers. Querschnitt elliptisch, Sipho exzentrisch auf der längeren Achse gelegen. Kammerwandnähte auf der Siphonal- und Antisiphonalseite nach vorn in einen Sinus ausgezogen. Schale fein quergerieft.

Von *O. bullatum* unterscheidet sich diese Art beinahe nur durch ihre Schalenverzierung; bei *O. bullatum* ist dieselbe längsgestreift. Steinkerne sind schwer zu unterscheiden.

Czortków, Dobrowlany, Zaleszczyki (obere Schicht mit *Pteraspis*). (Zone 8.)

51. Orthoceras excentricum Sow.

1839. *O. excentricum* Sowerby. Silur. syst., S. 631, Taf. XIII, Fig. 16.
1888. *O. excentricum* Blake. L. c. S. 152, Taf. XII, Fig. 2.

Subzylindrisch, langgestreckt, Querschnitt kreisrund, Kammern niedrig = $^1/_6$ des Durchmessers, schräg gegen die Siphonalseite geneigt. An beiden Seiten ein starker Sinus nach vorn, an der Siphonalseite ein breiter Sinus nach rückwärts.

Obgleich die Schale nicht erhalten ist, kann ich diese Form, welche mir in mehreren Bruchstücken vorliegt, doch keiner anderen Art zuzählen. *O. podolicum* hat bei gleichem Durchmesser einen total verschiedenen Querschnitt.

Czortków, Wygnanka, Dobrowlany, Zaleszczyki (Kryszczatyk), überall selten. (Zone 5.)

52. Ortboceras intermedium Markl.

1868—1874. *O. intermedium* (Marklin). Barrande. Syst. silur. d. Bohême, Taf. CCXXX, Fig. 4–6,
1880. *O. intermedium* Angelin. Fragmenta silurica, S. 7, Taf. V, Fig. 8, 9, 12.
1891. *O. intermedium* Rüdiger. L. c. S. 62.

Gehäuse subzylindrisch, Konvergenz = $^1/_{10}$ der Länge, Höhe der Kammern = $^1/_8$ des Durchmessers, Querschnitt elliptisch, kreisrund, Sipho subzentral, perlschnurförmig, klein. Die Kammerwandnähte bei der podolischen Varietät kaum merklich auf der siphonalen und antisiphonalen Seite nach vorn gehoben. Schale glatt mit sehr feinen und dichten Zuwachslinien.

Uhryń, Wygnanka, Czortków (selten). (Zone 5.)

53. Orthoceras pseudoimbricatum Barr.

(Taf. XVI (II), Fig. 14.)

1866. *O. pseudoimbricatum* Barrande. Syst. silur. d. Bohême, Taf. CDXL, Fig. 1—2.
1880. *O. lamellatum* Angelin. (?) Fragmenta silurica, S. 6, Taf. VII. Fig. 24—26.
1899. *O. pseudoimbricatum* Wieniukow. L. c.

Kammern niedrig, sehr schräg, zur Siphonalseite geneigt. Kammerhöhe = $^1/_{18}$ des Durchmessers, Sipho randständig, sehr weit = $^1/_3$ des Durchmessers, besteht aus zwei Teilen. Der äußere ist hohl, der innere, dicht am Schalenrande gelegene perlschnurförmig. Schale nicht erhalten. Durchmesser des einzigen mir vorliegenden Stückes = 40 *mm*.

Kamieniec Podolski. (Zone 4.)

54. Orthoceras cfr. longulum Barr.

(Taf. XVI (II), Fig. 9.)

(cfr.) *O. longulum* Barrande. Syst. silur. d. Bohême, Taf. CLXXXVII, Fig. 17—20.

Es liegt mir ein einziges Stück aus Skala vor, welches den allgemeinen Habitus von *Gomphoceras bohemicum* u. desgl. besitzt, jedoch zeigt die zum größten Teil erhaltene Wohnkammer keine Spur von Verjüngung, sondern scheint normal bis zum Ende ausgebildet zu sein. Von den Orthoceraten ist allein *Orthoc. longulum* Barr. damit vergleichbar.

Gehäuse kurz, mit niedrigen Kammern ($^1/_{10}$ des größeren Durchmessers). Die Kammerwände verlaufen ganz gerade, während bei *O. longulum* ein schwächerer Sinus nach oben auf der Siphonalseite merklich ist. Querschnitt elliptisch (bei *O. longulum* kreisrund), Sipho randständig, perlschnurförmig, klein.

An der Schale haften zwei Graptolithen-Stücke, darunter *Rastrites Linnaei*.

Skala (Krakauer Sammlung) Unikum. (Zone 3.)

55. Orthoceras sp. ind.

(Taf. XVI (II), Fig. 13.)

Mäßig langer, sehr regelmäßiger Kegel mit kreisrundem Querschnitt und niedrigen Kammern ($^1/_{10}$ Durchmesser), Schale und Sipho unbekannt.

Am meisten gleicht diese Form dem *O. Sternbergi* Barr. (loc. cit. Taf. CLXXXIX, Fig. 1—15). Auch *O. truncatum* Blake (l. c. Taf. XIV, Fig. 7—8) aus dem unteren Ludlow steht nahe, ist jedoch schlanker und hat etwas höhere Luftkammern.

Dżwinogród. Unikum in der Krakauer Sammlung.

56. Orthoceras grave Barr.

O. grave Barrande. Syst. silur. d. Bohême, Taf. CXCV, Fig. 8—11.

Das mir vorliegende einzige Stück der Krakauer Sammlung aus dem Beyrichienkalke von Zaleszczyki ist zwar nicht vollständig, läßt jedoch die charakteristischen Merkmale dieser Art gut erkennen. Die ungewöhnliche Dicke und außerordentlich niedrigen Kammern sowie die auf dem Steinkerne sichtbare dichte Längsstreifung lassen diese Form leicht erkennen. Das mir vorliegende Stück besteht aus Luftkammern, ist 90 *mm* breit, die Luftkammern dabei kaum 5 *mm* hoch. Der Querschnitt länglich elliptisch, nicht meßbar. Lage des Sipho nicht sichtbar. (Zone 7.)

57. Orthoceras cochleatum Sw.

1837. *Orthoceratites crassiventris* Hisinger. Leth. Suec., S. 30, Taf. X, Fig. 3.
1846. *O. cochleatum* Quenstedt. Cephalopoden, S. 42, Taf. I, Fig. 6—8.
1857. *O. cochleatum* Boll. Cephalopoden etc., S. 76, Taf. V, Fig. 17.
1860. *Actinoceras cochleatum* Eichwald. Lethaea rossica S. 1253.
1861. *O. crassiventre* Schmidt. L. c. S. 194.
1868—1874. *O. cochleatum* Barrande. Syst. silur. d. Bohème, Taf. CCXXXIII, CCXXXVII, CDXXXIX.
1876. *O. cochleatum* Roemer. Letaea erratica Taf. XVI, Fig. 5.
1880. *O. cochleatum* Angelin. Fragmenta silurica s. 6, Taf. VIII, Fig. 1—3; Taf. X, Fig. 6.
1891. *O. cochleatum* Rüdiger. L. c. S. 60.

Kammern niedrig = $^1/_8$ des Durchmessers, Querschnitt elliptisch, Kammerwände wellig gebogen, an der siphonalen und antisiphonalen Seite einen Sinus nach unten bildend. Siphonal- und Antisiphonalseite etwas flachgedrückt. Sipho submarginal, sehr weit = $^1/_3$ Durchmesser aus sehr breiten, deprimierten Sphaeroiden mit sternförmig gelapptem Umriß gebildet. Das größte Bruchstück ist 80 *mm* lang, 60 *mm* breit, Kammern 7 *mm* hoch, Sipho 25 *mm* breit.

Skala, Skorodyńce. (Zone 4.)

58. Orthoceras Hisingeri Boll.

(Taf. XVI (II), Fig. 6.)

1837. *Orthoceras annulatus* Hisinger (von Sow.). Lethaea suec., Taf. IX, Fig. 8.
1857. *O. Hisingeri* Boll. L. c. S. 18, Taf. V, Fig. 13.
1899. *O. annulatum* Wieniukow. L. c. S. 198, Taf. IX, Fig. 3.

Von *Orthoceras andulatum* Sw. (*undulatum* His.), mit welchem diese Art verwechselt wird, unterscheidet sich *O. Hisingeri* dadurch, daß die feinen Querlinien der Schalenskulptur nicht wie bei *O. annulatum* wellenförmig fein gezackt sind, sondern ganz gerade verlaufen. Wenn die Schale nicht erhalten ist, kann man die Steinkerne gar nicht unterscheiden. *O. annulatum* Sw. kommt indes meines Wissens im podolischen Silur nicht vor. Die mit Schale versehenen Stücke zeigen stets die charakteristische Schalenverzierung des *O. Hisingeri*.

Studenica, Kitajgorod, Orynin, Kamieniec, Skowiatyn. (Zone 4—5.)

59. Orthoceras annulato costatum Boll.

1857. *Orthoceras annulato costatum* Boll. Cephalopoden, S. 81, Taf. VII, Fig 24.
1877. *O. costatum* und *O. annulato costatum* Krause. L. c. S. 26.
1891. *O. annulato costatum* Rüdiger. L. c. S. 69.
1899. *O. multilineatum* Wieniukow. L. c. S. 202, Taf. IX, Fig. 5.
1885. *O. Damesi* Roemeri. Lethaea erratica, S. 104, Taf. VIII, Fig. 12.

Diese schlanke subzylindrische Form ist durch ihre charakteristische Schalenskulptur leicht kenntlich; junge Stücke (*O. multilineatum* Wien.) sind von feinen Längsrippen verschiedener Stärke verziert, erwachsene (*O. annulato costatum*) zeigen ein äußerst zierliches Gitterwerk von feinen Längsrippen und noch feineren Querlinien. An einem Stücke aus Dźwinogród in der Krakauer Sammlung von 21 *mm* Durchmesser liegen die feinen Längsrippen je 3 *mm*, die Querlinien $1^1/_2$ *mm* voneinander entfernt.

Kamieniec, Pudłowce, Studenica, Dźwinogród. (Zone 7.)

60. Orthoceras Kendalense Blake.

(Taf. XVI (II), Fig. 7—8.)

1888. *Orthoceras Kendalense* Blake. L. c. S. 100, Taf. III, Fig. 13.
1891. *O. sp.* Rüdiger. L. c. S. 66, Taf. III, Fig. 14.
1899. *O. Althi* Wieniukow. L. c. S. 20, Taf. IX, Fig. 4.

Gehäuse subzylindrisch, sehr schlank, leicht gekrümmt, Querschnitt kreisrund mit subzentralem Sipho, Schale mit schrägen, etwas gebogenen gerundeten Querwülsten, welche durch ihnen gleich breite Zwischenräume getrennt sind. Man zählt je drei solche Wülste auf eine Luftkammer. Kammern hoch, etwas unter 1/2 *m* Durchmesser. Die Schale ist sowohl auf den Ringwülsten als auf deren Zwischenräumen von äußerst feinen horizontalen Linien verziert. Gegen die Wohnkammer werden die Wülste sehr schwach und die Schalenverzierung besteht nun nur aus dichtgedrängten haarfeinen Horizontallinien.

Orthoceras ibex Sw. unterscheidet sich von unserer Art durch doppelt so weit entfernte Querwülste. *O. gothlandicum* Boll., *O. annulatum*, *O. Hisingeri*, *O. tracheale* ect. haben horizontale, nicht schräge Ringwülste, *O. Nicholianum* Blake. u. desgl. — feine Längsstreifen, welche die Ringwülste verqueren. Blake gibt diese Form aus dem upper Ludlow, Rüdiger aus dem Beyrichienkalke an. In Podolien kommt dieselbe einerseits in den sogenannten »Borszczower« Schichten, anderseits in den von Wieniukow als unterstes Glied des versteinerungsführenden Silurs Russich-Podoliens angesehenen Schichten von Kitajgorod und Studenica vor.

Borszczów, Dawidkowce, Krzywcze, Filipkowce, Chudykowce, Wierzchniakowce, Skowiatyn, Zielińce, Cyganka, Kozaczyzna, Denyskowce, Filipkowce; nach Wieniukow: Studenica und Kitajgorod; ein Stück aus Kamieniec im Museum Dzieduszycki.

Das größte Stück ist 10 *cm* lang und 3 *cm* dick. (Zone 6—7.)

61. Orthoceras cfr. virgatum Murch.

(Taf. XVI (II), Fig. 11.)

1839. *Orthoceras virgatum* Murch. (Sowerby) silur. syst., S. 632, Taf. XIII, Fig. 26.
1876. *O. angulatum* Roemer. Lethaea erratica, S. 127, Taf. IX, Fig. 19.
1891. *O. virgatum* Rüdiger. L. c. S. 73.

Gehäuse klein, konisch (Konvergenz = 1/4 der Länge), Querschnitt kreisrund, Sipho subzentral, klein, Kammern hoch = 1/5 des Durchmessers. Schale fein und dicht längsgestreift. An dem mir vorliegenden Stücke zählt man 40 feine gleichmäßige Längslinien (am Steinkerne).

Die oben besprochene Form gleicht vollkommen der von Roemer abgebildeten Art aus dem Graptolithengestein. Von *O. virgatum.* Sw. scheint diese Art etwas verschieden zu sein, namentlich weniger Rippen und eine stärkere Konvergenz zu besitzen.

In Form und Größe stimmt unsere Form sehr gut mit *Orthoc. striatopunctatum* Barr. überein. Ebenso nahe ist *Orthoc. annulato costatum* Boll., welcher sich durch seinen viel langsameren Wuchs auszeichnet. Ein genauer Vergleich ist wegen mangelnder Schale des einzigen mir vorliegenden Exemplares aus Kamieniec Podolski nicht möglich. (Zone 5.)

Gen.: Endoceras Hall.

62. Endoceras sp. ind.

1880. (?) *Orthoceras nummularium* Angelin (non Sowerby). Fragmenta silurica, Taf. VIII, Fig. 4—5, S. 6.

Aus dem Korallenkalke von Skala liegen mir zahlreiche, jedoch stets stark abgeriebene Bruchstücke eines Orthoceren vor, welche zwar spezifisch wegen mangelhafter Erhaltung unbestimmbar sind, jedoch ganz sicher zur Gattung *Endoceras* gehören. Das größte mir vorliegende Stück ist 12 *cm* lang, 5 *cm* dick, Querschnitt kreisrund, Kammern niedrig = 1/3 des Durchmessers, schräg und zur Antisiphonalseite vom randständigen Sipho aus geneigt, also umgekehrt, als es bei den meisten *Orthoceras*-Arten mit schrägen

Luftkammern der Fall ist. Sipho randständig, breit = $^1/_3$ des Durchmessers, deutlich doppelt. Die innere randständige Röhre nur $^1/_5$ des Durchmessers breit. Die Siphonalröhre hat geradlinige Ränder, der Sipho nicht perlschnurförmig erweitert.

Das Vorkommen einer Art dieser ausgesprochenen untersilurischen Sippe im oberen Silur ist allerdings befremdend und der stets stark angegriffene Erhaltungszustand derselben lässt deren Vorkommen auf sekundärer Lagerstätte vermuten. Allerdings sind bisher untersilurische Gebilde aus Podolien nicht bekannt, da der ganze untere Schichtenkomplex versteinerungsleer ist. (Zone 3.)

Gen.: **Clinoceras** Maske.

63. Clinoceras podolicum n. sp.

(Taf. XVII (III), Fig. 1—2.)

Obgleich die podolische Form in mancher Hinsicht vom Typus der Gattung (*Clinoc. dens* Maske) abweicht, so kann ich dennoch dieselbe keiner anderen Cephalopodengattung anreihen, da sie die wichtigsten Charaktere der Gattung *Clinoceras* besitzt.

Es liegen mir außer der vollständigen Wohnkammer mehrere erwachsene gekammerte Exemplare vor, deren Anfangskammern wahrscheinlich gleich anderen *Clinoceras*-Arten und ihnen gleichgestalteten Orthoceren spitz konisch sein dürften. Der gekammerte Teil der Schale ist im Querschnitt kurz eiförmig bis gerundet dreieckig, mit randständigem Sipho, dessen perlschnurförmige Elemente zahlreiche radiale Sternlamellen besitzen. Die niedrigen Kammern, deren Höhe = $^1/_{13}$ bis $^1/_{15}$ des Durchmessers beträgt, sind auf der Siphonalseite mit dem für die Gattung *Clinoceras* charakteristischen kurzen zungenförmigen Lappen versehen, welcher einen schmalen Sinus nach vorn bildet. Wohnkammer kurz, gleich $1^1/_4$ Durchmesser, vor dem Ende eingeschnürt, mit einem schwachen Ausgusse auf der Siphonalseite. Das größte mir bekannte Stück ist 13 *cm* lang, wovon 6 *cm* auf die Wohnkammer entfallen. Durchmesser desselben oben 32 und 29 *mm*, unten 27 und 25 *mm*.

Äußerlich sehr ähnlich ist *Orthoceras longulum* Barrande (l. cit. Taf. CLXXXVII, Fig. 17—20), bei welchem jedoch die Kammerwände keinen zungenförmigen Lappen auf der Siphonalseite bilden.

Skała, Sinków, Filipkowce, Wierzchniakowce, Chudykowce, Dźwinogród, überall selten.

64. Clinoceras ellipticum n. sp.

(Taf. XVII (III), Fig. 3.)

Äußerlich dem *Bathmoceras praeposterum* Barr. sehr ähnlich, jedoch ist der Sipho nicht dütenförmig, sondern perlschnurförmig mit radialen Sternleisten, wie bei *Cyrtoceras* und *Clinoceras* gebaut.

Gehäuse beinahe gerade, Kammern sehr niedrig ($^1/_{13}$ Durchmesser). Die Kammerwandnähte sind an jungen Stücken schwach, an erwachsenen stark zungenförmig nach vorn auf der Siphonalseite ausgezogen. Wohnkammer kurz, gleich dem größeren Durchmesser, gegen das Ende sehr schwach eingeschnürt. Mündung nicht erhalten. Schale unbekannt. Querschnitt elliptisch. Sipho randständig an der Längsachse.

Skała, Dźwinogród, Tudorów. Zaleszczyki selten.

Gen.: **Gomphoceras** Sow.

65. Gomphoceras ellipticum Mc. Coy.

(Taf. XVII (III), Fig. 10.)

1839. *Orthoceras pyriforme* Sowerby 7 (p. p.). Silurian system., Taf. VIII, Fig. 19, untere Figur.
1850. *Poterioceras ellipticum* Mac. Coy. Annals and Mag. Nat. hist., 2 Ser. vol., Fig. 7, S. 45.
1856. *Poterioceras* id. Sedgwick and Mac. Coy. Synopsis of the classification of the British paleozoc. rocks, S. 321.
1888. *Gomphoceras ellipticum* Blake. L. c. Taf. XXII, Fig. 1, 4.

Mehrere Exemplare dieser wohlbekannten Form wurden von Dr. Bieniasz in Chudykowce und Dźwinogród gesammelt. (Zone 5.)

66. Gomphoceras pyriforme Sow.

(Taf. XVII (III), Fig. 12.)

1839. *Orthoceras pyriforme* Sowerby. Silur. system, Taf. VIII, Fig. 19 (obere Figur).
1855. *Gomphoceras pyriforme* Mac. Coy. L. c. S. 322.
1888. *Gomphoceras pyriforme* Blake. L. c. Taf. XXII, Fig. 2.

Ein einziges Stück aus Skala in der Krakauer Sammlung. (Zone 5.)

Fam.: **Ascoceratidae.**

Gen.: **Glossoceras** Barr.

67. Glossoceras carinatum Alth.

(Taf. XVIII (IV), Fig. 7.)

Glossoceras carinatum Alth. In Museo Acad. Cracoviensis.

Ein einziges Exemplar dieser Art wurde von Prof. Alth in Lanowce gefunden. Dieselbe unterscheidet sich von den drei bisher bekannten Arten dieser Gattung durch seine gekielte Dorsalseite.

Fam.: **Cyrtoceratidae.**

Gen.: **Cyrtoceras** Gf.

68. Cyrtoceras vivax Barr.

(Taf. XVII (III), Fig. 4.)

1879. *Cyrtoc. vivax* Barrande. Syst. silur. d. Bohême, Taf. 119, Fig. 1—4.

Gehäuse kurz, gedrungen, mit niedrigen Kammern (= $^1/_8$ des Durchmessers), welche von der fast geraden Antisiphonalseite fächerförmig gegen die leicht gewölbte Siphonalseite verlaufen, einen Sinus nach vorn auf der Siphonalseite beschreibend.

Querschnitt kurz eiförmig, die schmälere Seite ist vom randständigen Sipho eingenommen.

Das einzige mir vorliegende Stück aus Rosochacz in der Sammlung der Krakauer Akademie ist etwas abgerieben und läßt keinen genauen Vergleich mit dem böhmischen Typus zu. Größe und allgemeine Gestalt der Barrandeschen Figur vollkommen entsprechend. (Zone 7.)

69. Cyrtoceras intermedium Blake.

Taf. XVIII (IV), Fig. 4.)

1888. *Cyrtoc. intermedium* Blake. L. c. Taf. XX, Fig. 6.

Gehäuse kurz, stark gekrümmt, mit niedrigen Kammern = $^1/_9$ Durchmesser, welche auf der Siphonalseite einen breiten Sinus nach vorn bilden. Querschnitt gerundet dreieckig mit schwach deprimierter Antisiphonalseite, Wohnkammer kurz = $1^1/_2$ Durchmesser.

Czortków (Krakauer Sammlung), selten. (Zone 6.)

70. Cyrtoceras sinon Barr.

(Taf. XVIII (IV), Fig. 1.)

1879. *Cyrtoceras sinon* Barrande. Syst. silur. d. Bohême, Taf. CLVII, Fig. 47—49.

Gehäuse hornförmig, ziemlich rasch anwachsend, mit herzförmigem Querschnitt und randständigem Sipho, Kammern niedrig = $^1/_9$ Durchmesser, Kammerwände an den Flanken wellig geschwungen, an den Seiten einen schwachen Sinus nach unten, an der Siphonalseite einen Sinus nach oben beschreibend.

Sinków, Filipkowce (selten.) (Zone 7.)

71. Cyrtoceras sp. indet.

(Taf. XVIII (IV), Fig. 2.)

Ein Stück aus Biała bei Czortków in der Krakauer Sammlung unterscheidet sich von allen bekannten *Cyrtoceras*-Arten durch seine ganz flachen Flanken. In der allgemeinen Gestalt, der geringen Krümmung und niedriegen Kammern gleicht diese Form dem *Cyrtoc. Roemeri* Barrande. (Taf. CCIII, Fig. 1—3), jedoch ist bei jenem der Querschnitt eiförmig mit gewölbten Flanken und die Wohnkammer ist stark seitlich komprimiert, während unsere Form keine Formveränderung mit dem Beginne der Wohnkammer erleidet. (Zone 8?)

72. Cyrtoceras podolicum n. sp.

(Taf. XVIII (IV), Fig. 5.)

Steht dem *Cyrtoc. sinon* am nächsten, unterscheidet sich jedoch davon durch mehrere wichtige Merkmale. Die Schale wächst bedeutend langsamer an, die Kammern sind niedriger = $^1/_{10}$ Durchmesser, der Querschnitt bedeutend stärker an der Antisiphonalseite deprimiert und viel breiter als bei *Cirtoc. sinon*. Die Kammerwandnähte beschreiben auf der Antisiphonalseite einen sehr breiten aber seichten Sinus nach unten, auf der Siphonalseite verlaufen die Nähte ganz gerade. Sipho randständig, perlschnurförmig mit radialen Sternleisten, Wohnkammer kurz.

Das größte mir vorliegende Stück ist 10 *cm* lang, oben 38 und 27 *mm* dick.

Sinków, Skorodyńce, Janów, Czortków, Korolówka.

73. Cyrtoceras anormale Barr.

(Taf. XVIII (IV), Fig. 6.)

1879. *Cyrtoceras anormale* Barrande. Syst. sil. d. Bohême, Taf. CXXXIX, Fig. 16—20.

Gehäuse kurz, stark bogenförmig gekrümmt, Antisiphonalseite stark flachgedrückt, Siphonalseite gewölbt, Kammern niedrig = $^1/_7$ Durchmesser, Kammerwandnähte auf der Siphonalseite einen starken Sinus nach vorn beschiebend, an der Antisiphonalseite gerade.

Kozaczyzna. Unikum. (Zone 7.)

74. Cyrtoceras formidandum Barr.

(Taf. XVII (III), Fig. 6.)

1879. *Cyrtoceras formidandum* Barrande. Syst. silur. d. Bohême, Taf. CXXXIX, Fig. 9—11.)

Gehäuse subzylindrisch, sehr schwach gekrümmt, Kammern sehr niedrig ($^1/_{12}$ Durchmesser), Querschnitt kurz eiförmig bis gerundet dreieckig, Antisiphonalseite flachgedrückt, Kammerwände schwach wellig geschwungen, auf der Siphonalseite einen Sinus nach vorn bildend, Wohnkammer gleich 1 $^1/_2$ Durchmesser, oben etwas seitlich komprimiert, auf der Siphonal- und Antisiphonalseite mit sehr kurzem Ausguß.

Von der nahe stehenden Form *Cyrtoc. Scharyi* Barr. an der starken Depression der Antisiphonalseite und dem gerundet dreieckigen Querschnitte zu unterscheiden.

Zaleszczyki, Czortków, Uścieczko, Iwanie, Dobrowlany, Biała. (Zone 7—8.)

75. Cyrtoceras breve n. sp.

(Taf. XVII (III), Fig. 5.)

Gehäuse subzylindrisch, sehr schwach gekrümmt, Kammern äußerst niedrig ($^1/_{15}$ Durchmesser), stark gewölbt. Die Kammerwände beschreiben auf der Siphonalseite einen schwachen Sinus nach vorn. Querschnitt k r e i s r u n d, Wohnkammer gleich lang und breit, mit einem kurzen Ausguß auf der Siphonalseite. Das größte Stück ist 60 *mm* lang, unten 30 *mm*, oben 35 *mm* dick, Sipho 5 *mm* breit.

Mehrere böhmische Formen stehen unserer Art sehr nahe, unterscheiden sich jedoch davon durch ihren mehr oder weniger komprimierten Querschnitt:

Zu erwähnen sind:

Cyrtoceras Scharyi Barrande. L. c. Taf. CXXXIV, Fig. 17—19; Taf. CCI, Fig. 4—6, hat eine lange Wohnkammer und eiförmigen Querschnitt.

Cyrtoc. potens Barr. L. c. Taf. CXXXI, Fig. 10—13, steht am nächsten, ist jedoch stark seitlich komprimiert mit elliptischem Querschnitt.

Cyrtoc. superbum Barrande, l. c. Taf. CXXVIII, Fig. 1—11, hat einen eiförmigen, gegen die Siphonalseite verengten Querschnitt.

Cyrtoc. gibbum Barr. Taf. CXXIX, Fig. 8—14, ist in seiner allgemeinen Gestalt sehr ähnlich, hat aber einen kurz eiförmigen, gegen den Sipho verengten Querschnitt.

Cyrtoc. formidandum Barr. l. c. Taf. CXXXIX, Fig. 9—11, Querschnitt kurz eiförmig wie bei voriger Art.

Sämtliche oben aufgezählten Arten stammen aus der Stufe *E* des böhmischen Silurs. Im englischen und schwedischen Silur sind derartige Formen unbekannt.

Filipkowce, Zaleszczyki (selten).

Fam.: **Nautilidae.**

Gen.: **Discoceras** Barr.

76. Discoceras cfr. rapax Barr.

(Taf. XVIII (IV), Fig. 17.)

1879. *Trochoceras rapax* Barrande. Syst. silur. d. Bohème, Taf. XXI, Fig. 1—5; Taf. XXII, Fig. 1.

Ein Bruchstück aus Kamieniec Podolski von 10 *cm* Länge und 5 *cm* Dicke gehört einer dem *Trochoc. rapax* sehr nahestehenden, wenn nicht identischen Form an. Die einzigen Unterschiede bestehen in der etwas spärlicheren Berippung und der etwas größeren Breite der Umgänge.

Krakauer Sammlung (coll. prof. Alth).

Fam.: **Trochoceratidae.**

Trochoceras Barr.

77. Trochoceras optatum Barr. (?)

Ein einziges mangelhaftes kleines Stück aus Chudykowce in der Krakauer Sammlung scheint mit dem *Tr. optatum* Barrande aus der Schicht Ee_2 von Lochkow identisch zu sein. (Zone 7.)

Subordo: **Ammonoidea.**

Fam.: **Goniatitidae.**

Gen.: **Anarcestes** Mojs.

78. Anarcestes podolicus nov. sp.

(Taf. XVIII (IV), Fig. 8—9.)

Kleine, beinahe kugelige Art mit einer sehr charakteristischen Schalenskulptur, welche allein mit derjenigen von *Goniatites tuberculosus* Murch. aus dem rheinischen Devon verglichen werden kann.

Schale beinahe kugelig, sehr eng genabelt. Auf jedem Umgange drei bis vier kräftige Wülste, welche den Raum zwischen der Naht und der breiten Externseite einnehmen, ohne auf die letztere zu übergehen. Diese Wülste sind voneinander durch ihnen gleich starke Gruben getrennt. Ihre Ausbildung ist jedoch sehr unregelmäßig: an vier mir vorliegenden Exemplaren sieht man, daß die Schalenwülste nicht immer symmetrisch liegen, sondern bald nur auf einer Seite der Schale zur Ausbildung gelangen, während die andere beinahe glatt bleibt; bald zwar gleichmäßig stark auf beiden Seiten ausgewachsen sind, aber einander gegenüber alternierend stehen.

Der breite Rücken ist deutlich gekielt, der Kiel beiderseits von einer sehr schwachen Rinne begleitet. Die ganze Schale ist etwa einem *Bellerophon* ähnlich, jedoch sieht man am größten mir bekannten Exemplare (Krakauer Sammlung) deutlich die Kammerwandnähte, welche einen sehr einfachen Verlauf besitzen: nur ein einziger breiter Lobus ist auf den Seiten sichtbar.

Das größte mir bekannte Stück hat 16 *mm* im Durchmesser. Wohnkammer den ganzen letzten Umgang einnehmend.

Filipkowce, Skowiatyn, Uście Biskupie (selten). (Zone 10.)

Gasteropoda.

Fam.: **Solariidae** Fisch.

Gen.: **Euomphalus** Sow.

79. Euomphalus Orinini Wieniukow.

1899. *Euomph. Orinini* Wieniukow. Loc. cit. S. 189, Taf. V, Fig. 13.

Von dieser schönen und charakteristischen Art, welche von Wieniukow in Orynin und Żwaniec gefunden worden ist, sind mir keine Exemplare bekannt. (Zone 4.)

Fam.: **Capulidae** Fisch.

Gen.: **Platyceras** Conr.

80. Platyceras cornutum His.

(Taf. XVIII (IV), Fig. 19.)

1837. *Pileopsis cornuta* Hisinger. Lethaea Suecica, S. 41, Taf. XII, Fig. 11.
1839. *Natica haliotis* Sowerby. Silur. system, S. 625, Taf. XII, Fig. 16.
1884. *Platyceras cornutum* Lindström. Loc. cit. S. 63, Taf. II, Fig. 29—51.
1899. *Platyceras cornutum* Wieniukow. Loc. cit. S. 195, Taf. VI, Fig. 5; Taf. VIII, Fig 17.

Nach Wieniukow allein in Studenica häufig, selten in Hryńczuk, Braha, Muksza, Kitajgorod. Ein Exemplar liegt mir aus Wierzchniakowce vor. (Zone 3—4.)

81. Patyceras disjunctum Gieb.

(Taf. XVIII (IV), Fig. 18.)

1858. *Capulus disjunctus* Giebel. Silur. Fauna d. Unterharzes, S. 25, Taf. III, Fig. 4.
1878. *Capulus disjunctus* Kayser. Fauna der älteren devonischen Ablagerungen des Harzes, S. 95, Taf. XVI, Fig. 6.
1899. *Platyceras disjunctum* Wieniukow. Loc. cit. S. 196, Taf. VI, Fig. 4.

In Russisch-Podolien gehört diese Art zu Seltenheiten: Wieniukow fand allein in Dumanow kleine Exemplare. In Galizien dagegen gehört dieselbe zu den häufigsten Versteinerungen der oberen Brachiopodenschiefer.

Skała, Skowiatyn, Filipkowce, Łanowce, Chudiowce, Szyszkowce, Wierzchniakowce, Sapachów, Strzałkowce, Kozaczyzna, Borszczów, Michałków, Uście Biskupie, Zamuszyn, Kołodróbka. (Zone 7—8.)

82. Platyceras podolicum n. sp.

(Taf. XVIII (IV), Fig. 15.)

Gehäuse konisch, schwach gekrümmt. Schale mit zungenförmig in der Mitte vorspringenden Zuwachsringen, dazwischen fein quergestreift. Ein einziges Stück aus Skowiatyn in der Krakauer Sammlung.

Fam.: **Scalariidae** Fisch.

Gen.: **Holopella** Mac. Coy.

83. Holopella acicularis F. Roemer.

(Taf. XVIII (IV), Fig. 11—12.)

1885. *Loxonema aciculare* F. Roemer. Lethaea erratica, S. 125, Taf. X, Fig. 21.
1894. *Loxonema enantiomorphum* Frech. Zeitschr. d. Deutsch. Geolog. Ges., S. 467, Taf. XXXV, Fig. 3.

Gehäuse fast zylindrisch, sehr lang, Windungen kaum breiter als hoch, an jungen höher als breit, mit tiefen Nähten. Schale nicht erhalten.

Sapachow, Satanówka. (Krakauer Sammlung.)

Fam.: **Subulitidae** Fisch.

Gen.: **Subulites** Conr.

84. Subulites sp. aff. ventricosa Hall.

1899. *Subulites* sp. Wieniukow. L. c. S. 195.

Wieniukow erwähnt einer schlecht erhaltenen *Subulites*-Art aus Żwaniec, welche dem *S. ventricosa* Hall. nahe stehen soll. (Zone 4.)

Fam.: **Turbinidae** Fisch.

Gen.: **Horiostoma** Mun. Chalm.

85. Horiostoma discors Sow.

1814. *Euomphalus discors* Sow. Miner. Conch. Bd. 1, S. 113, Taf. LII, Fig. 1.
1839. *Euomph. discors* Murchison (Sow.). Silurian system, Taf. XII, Fig. 18.
1852. *Euomph. depressus* Andrzejowski. Recherches s. l. syst. tyraique, Taf. IV, Fig. 3.
1855. *Euomph. discors* Mc. Coy. L. cit. S. 298.
1884. *Oriostoma discors* Lindström. On the silurian Gastropoda of Gotland, S. 157, Taf. XVI, Fig. 20—36; Taf. XVII, Fig. 1—4.
1899. *Oriostoma discors* Wieniukow. L. c. S. 180.

Nach Wieniukow die häufigste Schneckenart im russisch-podolischen Silur (Kamieniec, Żwaniec, Sokół, Braha, Orynin, Muksza, Malinowiecka Słoboda, Laskoruń, Zawale, Ustje, Pudłowce). In der Krakauer Sammlung aus der Gegend zwischen Chudykowce und Olchowce. (Zone 4—6.)

86. Horiostoma discors var. rugosum Sow.

1814. *Euomphalus rugosus* Sow. Min. conch., S. 113, Taf. LII, Fig. 2.
1852. *Euomphalus ornatus* Andrzejewski. Recherches sur le terrasz tyraique, Taf. IV, Fig. 2.
1855. *Euomphalus rugosus* Mc. Coy. L. cit. S. 298.
1884. *Oriostoma discors* var. *rugosum* Lindström. L. cit. S. 159, Taf. XVII, Fig. 5—10.
1899. *Oriostoma discors* var. *rugosum* Wieniukow. L. cit. S. 181.

Diese Varietät, welche sich vom, übrigens sehr veränderlichen, *Hor. discors* durch engeren Nabel und höheres Gehäuse unterscheidet, ist aus Galizien unbekannt. Wieniukow hat dieselbe in Kamieniec und Orynin gesammelt. (Zone 4.)

87. Horiostoma globosum Schloth.

1820. *Trochilites globosus* Schloth. Petrefaktenkunde, S. 162.
1823. *Euomphalus funatus* Sow. Min. Conch., Bd. 5, S. 71, Taf. CDL, Fig. 1—2.
1852. *Euomphalus ovalis* Andrzejowski, recherches s. l. Système tyraique, Taf. IV, Fig. 1.
1855. *Euomph. funatus* Mc. Coy. L. c. S. 298.
1884. *Oriostoma globosum* Lindström. L. c. S. 160, Taf. XVII, Fig. 24—25; Fig. 29—31, Taf. XVIII, Fig. 24, Taf. XX, Fig. 16.
1899. *Oriostoma globosum* Wieniukow. L. c. S. 182.

Sehr häufig im unteren Korallenkalk von Russisch-Podolien (Kamieniec, Podzamcze, Sokół, Braha, Orynin, Hryńczuk, Laskoruń, Malinowiecka Słoboda, Żwaniec). Ebenso häufig in Skała am Zbrucz, seltener in Kozina, Satanówka, Dźwinogród. In höheren Schichten unbekannt. (Zone 4—6.)

88. Horiostoma globosum var. sculptum Sw.

1839. *Euomphalus sculptus* Sowerby (Murchison) Silurian system, S. 626, Taf. XII, Fig. 17.
1855. *Euomphalus sculptus* Mc. Coy. L. c. S. 299.
1884. *Oriostoma globosum* var. *sculptum* Lindström. L. c. S. 162, Taf. XVII, Fig. 41—42.
1899. *Oriostoma globosum* var. *sculptum* Wieniukow. L. c. S. 183.

Nach Wieniukow zugleich mit der vorigen Varietät in Żwaniec, Braha, Kamieniec, Malinowiecka, Słoboda, Zawale am Zbrucz, in Galizien unbekannt. (Zone 4.)

30*

89. Horiostoma heliciforme Wieniukow.

1899. *Oriostoma heliciforme* Wieniukow. L. c. S. 184, Taf. VI, Fig 3.

Gehäuse kurz, aus 4—5 niedrigen gewölbten Windungen bestehend, welche durch tiefe Nähte voneinander getrennt sind. Schale mit spärlichen, ziemlich groben welligen Querfalten und dazwischen mit feinen welligen Zuwachsstreifen verziert. Mündung rund, Nabel eng.

Von Wieniukow in den untersten Schichten des podolischen Korallenkalkes in Studenica gefunden, kommt diese Art, wenngleich selten, auch diesseits des Zbrucz in Skała, Borszczów und Chudykowce vor. (Zone 3.)

90. Horiostoma simplex Wieniukow.

1899. *Oriostoma simplex* Wien (L. c. S. 185, Taf. VI, Fig. 7.)

Kleine Schalen mit kurzer Spirale; der sehr niedrige Kegel besteht aus 4—5 Umgängen und ist im ganzen einer *Natica* ähnlich. Diese Schale ist von zahlreichen, sehr feinen ungleichmäßig verteilten Längskielen verziert, deren man über 40 am letzten Umgange zählt. Diese Kiele sind auf der Unterseite des Gehäuses dichter als in der oberen Hälfte gedrängt. Von Wieniukow wurde diese Art selten in den Kalksteinschichten von Braha gefunden. Mir liegen ebenfalls Exemplare aus Dźwinogród vor. (Zone 4.)

Gen.: Cyclonema Hall.

91. Cyclonema carinatum Sw. var. multicarinatum Lindstr.

1884. *Cyclonema carinatum* var. *multicarinatum* Lindström. L. c. S. 179, Taf. XVIII, Fig. 31—32.
1899. *C. carinatum* var. *multicarinatum* Wieniukow.*L. c. S. 193, Taf. VI, Fig. 6.

Von der typischen *Cyclonema carinatum* Sow. unterscheidet sich diese Form durch ihre viel dichtere Skulptur. Am letzten Umgange zählt man über 14 Längskiele.

Von Wieniukow in Studenica gefunden, liegt mir diese Art aus Satanówka am Zbrucz und Zaleszczyki vor. (Zone 6.)

Fam. Pleurotomariidae Fisch.

Gen.: Pleurotomaria Defr.

92. Pleurotomaria Lloydii Sow.

1839. *Pleurotomaria Lloydii* Sowerby. Silur. syst., S. 619, Taf. VIII, Fig. 14.
1855. *Murchisonia Lloydii* Mac. Coy. L. c. S. 293.
1884. *Pleurotomaria Lloydii* Lindström. L. c. s. 101. Taf. VII, Fig. 43—49, Taf. VIII, Fig. 1.
1899. *Pleurotomaria Lloydii* Wieniukow. L. c. S. 185, Taf. VI, Fig. 2.

Kamieniec, Podolski, Żwaniec, in Galizien unbekannt. (Zone 5.)

93. Pleurotomaria bicincta Hall.

(Taf. XVIII (IV), Fig. 14.)

1847. *Murchisonia bicincta* Hall. Paleontology of New-York. Vol. 1. S. 177, Taf. XXXVIII, Fig. 5.
1884. *Pleurotomaria bicincta* Lindström. L. c. S. 106, Taf. VIII, Fig. 15—25.
1899. *Pleurotomaria bicincta* Wieniukow. L. c. S. 188.

Nur als Steinkerne erhalten: Żwaniec, Hryńczuk, Muksza, Skała. (Zone 6.)

94. Pleurotomaria aff. cirrhosa Lindstr.

1884. *Pleurotomaria cirrhosa* Lindström. On the silurian gastropoda of Gotland, S. 121, Taf. XI, Fig. 27—29, Taf. XII, Fig. 1—3.
1899. *Pleurotomaria* aff. *cirrhosa* Wieniukow. L. c. S. 188.

Nach Wieniukow in Żwaniec, Kamieniec, Orynin, Braha. Ein Stück aus Dobrowlany. (Zone 6.)

95. Pleurotomaria alata Wahlb.

(Taf. XVIII (IV), Fig. 20.)

1818. *Turbinites alatus* Wahlenberg. Petref. Svec., S. 69, Taf. III, Fig. 6 8.
1837. *Euomphalus alatus* Hisinger. Lethaea suecica, S. 36, Taf. XI, Fig. 7.
1876. *Euomphalus alatus* Roemer. Lethaea palaeozoica, Taf. XIV, Fig. 9.
1884. *Pleurotomaria alata* Lindström. L. c. S. 116. Taf. X, Fig. 18—32.
1899. *Pleurotomaria alata* Wieniukow. L. c. S. 186.

Oberer Korallenkalk von Kamieniec, Żwaniec, Orynin, Malinowiecka Słoboda. (Zone 6.)

96. Pleurotomaria labrosa Hall.

1859. *Pleurotomaria labrosa* Hall. Palaeontology of New-York, Bd. 3, S. 339, Taf. LXVI, Fig. 1—5.
1865. *Pleurotomaria occidens* Oehlert. Sur. les fossiles devoniens du departemanent de la Mayence (Bullet d. l. soc. geolog. de France, Bd. 5), S. 585, Taf. IX, Fig. 6.
1884. *Pleurotomaria labrosa* Lindström. L. c. S. 113, Taf. IX, Fig. 30—38.
1899. *Pleurotomaria labrosa* Wieniukow. L. c. S. 187.

Von Wieniukow in Studenica gefunden. Ein Exemplar mit gut erhaltener Schale aus Zielińce ist in der Sammlung der Krakauer Akademie aufbewahrt. (Zone 3—4.)

97. Pleurotomaria oblita Andrzejowski.

1852. *Trochus oblitus* Andrzejowski. Recherches sur le système tyraique, Taf. IV, Fig. 4.

Die von Andrzejowski abgebildete Form aus Wróblowce wurde seitdem nicht mehr gefunden. Dieselbe steht sehr nahe dem *Trochus caelatulus* Mc. Coy. von Old Radnor. (L. c. Taf. I, K., Fig. 40, S. 296.)

Gen.: **Murchisonia** d'Archiac und Verneuil.

98. Murchisonia compressa Lindstr.

1884. *Murchisonia compressa* Lindström. L. c. S. 129, Taf. XII, Fig. 15—19.
1893. *Murch. compressa* Czernyszew. Fauna des unteren Devon am Ostabhange des Ural, Taf. IV, Fig. 1—2.
1899. *Murch.* cfr. *compressa* Wieniukow. L. c. S. 190, Taf. VI, Fig. 1.

Kamieniec, Cybulówka, Żwaniec, Braha in Russisch-Podolien, Skała, Trybuchowce, Kozaczyzna in Galizien. (Zone 6.)

99. Murchisonia Demidoffi Vern.

1840. *Murchisonia cingulata* und *Demidoffi* Verneuil. Paläontologie de l. Russie, S. 339, Taf. XXII, Fig. 7.
1860. *Pleurotomaria cingulata* Eichwald. Lethaea rossica, Bd. 1, S. 1166, Taf. XLIII, Fig. 2.
1893. *Murchisonia Demidoffi* Czernyszew. Fauna des unteren Devon am Ostabhange des Ural, S. 35. Taf. II, Fig. 5—8.
1899. *Murch. Demidoffi* Wieniukow. L. c. S. 191, Taf. V, Fig. 11.

Diese aus dem Ural beschriebene Form kommt sehr selten in Podolien vor. Wieniukow hat dieselbe in Orynin, Łomnicki in Okopy gesammelt. (Zone 6.)

100. Murchisonia n. sp. aff. Demidoffi.

(Taf. XVIII (IV), Fig. 13.)

Das einzige mir vorliegende abgeriebene Exemplar aus Kozina läßt wegen mangelhafter Erhaltung keine genaue Beschreibung zu, indes ist diese Art sowohl von *M. Demidoffi* als von *M. cingulata* His. verschieden und muß einen neuen Namen erhalten. Das sehr lange spitze Gehäuse hat einen Apikalwinkel von kaum 15%, worin dieselbe mit *M. cingulata* übereinstimmt, indem jedoch *M. cingulata* gerundete Windungen besitzt, sind dieselben bei der podolischen Form etwas unterhalb der Mitte kantig, gleich der *M. Demidoffi*, welche sich durch ihren viel größeren Apikalwinkel davon unterscheidet.

101. Murchisonia podolica Wien.

1899. Wieniukow. L. c. S. 193, Taf. V, Fig 12.

Spindel hoch, Apikalwinkel 27%. Windungen sehr niedrig und breit, Band breit und flach. Kamieniec (nach Wieniukow). (Zone 6.)

Fam.: **Pseudomelaniidae** Fisch.

Gen.: **Loxonema** Phill.

102. Loxonema sinuosum Sow.

1839. *Terebra sinuosa* Sowerby. Sil. syst., S. 619, Taf. VIII, Fig. 15.
1884. *Loxonema sinuosum* Lindström. L. c. S. 142, Taf. XV, Fig. 1–5, 7.
1899. *Loxonema sinuosum* Wieniukow. L. c. S. 194, Taf. V, Fig. 10.

Von Wieniukow in Studenica gefunden, kommt diese Form auch in Skała und Paniowce selten vor (Zone 5.)

Fam.: **Bellerophontidae** Fisch.

Gen.: **Bellerophon** Montf.

103. Bellerophon cfr. uralicus Vern.

1845. *Bellerophon uralicus* Verneuil. Paläontologie d. l. Russie, S. 345, Taf. XXIII, Fig. 16.
1860. *Bellerophon uralicus* Eichwald. Lethaea rossica, I. Bd., S. 1074.
1893. *Bellerophon uralicus* Czernyszew. Fauna des unt. Devon am Ostabhange d. Ural, S. 27, Taf. III, Fig. 9–10.
1899. *Bellerophon* cf. *uralicus* Wieniukow. L. c. S. 179, Taf. VIII, Fig. 20.

Schlecht erhaltene Steinkerne dieser dem *Bell. Aymestriensis* äußerst nahe stehenden Form sind von Wieniukow bei Kamieniec Podolski zusammen mit *Pentamerus vogulicus* gefunden worden. Ich fand ein kleines Exemplar in Wołkowce. (Zone 6.)

104. Bellerophon aff. Hintzei Frech.

(Taf. XVIII (IV), Fig. 16.)

1889. *Bellerophon Pelops* var. *expansa* Barrois. Faune d'Erbray. S. 210, Taf. XV, Fig. 14.
1894. *Bellerophon Hintzei* Frech. Zeitschrift der deutschen geologischen Gesellschaft, S. 460, Taf. XXXIII, Fig. 3.

Eine kleine kugelige Form mit deutlichem Nabel und feinen fiederförmigen Streifen auf der Schale, welche vom Kiele aus nach vorn ausstrahlen. Scheint mit *Bell. Hintzei* aus dem unteren Devon der Ostalpen durchaus identisch zu sein.

Borszczów, Filipkowce, Uście Biskupie, Chudykowce (selten). (Zone 10.)

Pteropoda.

Gen.: **Tentaculites** Schloth.

105. Tentaculites ornatus Sowerby.

1839. *Tentaculites ornatus* Sowerby. Silurian system, S. 628, Taf. XII, Fig. 25.
1876. *Tentaculites ornatus* F. Roemer. Lethaea geognostica, Taf. XIV, Fig. 17.
1899. *Tentaculites ornatus* Wieniukow. L. c. S. 197.

Diese Art bildet ganze Schichten im oberen Schiefer von Kamieniec; in älteren Schichten Russisch-Podoliens, in Satanów und Nagórzany ist sie seltener. In Galizien ist das die häufigste Art der Beyrichienschiefer (Skała, Babińce, Sinków, Doroszowce, Korolówka, Gródek, Kułakowce, Zaleszczyki, Uhryń, Czortków, Myszków, Susolówka. (Zone 5–7.)

106. Tentaculites annulatus Schloth.

1820. *Tentaculites annulatus* Schlotheim. Die Petrefaktenkunde, Taf. XXIX, Fig. 8.
1839. *Tentaculites annulatus* Sowerby. Silur. system, S. 643, Taf. XIX, Fig. 16.
1899. *Tentaculites annulatus* Wieniukow. L. c. S. 198.

Viel seltener als der vorige in denselben Schichten (Beyrichienschiefer): Malinowiecka Słoboda, Żwaniec, Pohrylówka, Skala, Kozina, Zaleszczyki, Kasperowce, Jagielnica). (Zone 5—6.)

107. Tentaculites grandis F. Roem.

1870. *Tentaculites grandis* F. Roemer. Geologie von Oberschlesien S. 16.
1876. *Tentaculites scalaris* F. Roemer. Lethaea palaeozoica, Taf. XXV, Fig. 1.

Das schlanke Gehäuse ist von sehr dichtgedrängten, ganz gleichmäßigen Ringen verziert. Kommt in Gesellschaft von *T. ornatus* und *T. annulatus* in Zaleszczyki vor.

Pelecypoda.

Palaeoconchae Neum.

Fam.: **Dualinidae** Neum.

Gen.: **Dualina** Barr.

108. Dualina (?) sp. indet.

Ein einziges zerdrücktes Exemplar von 60 *mm* Länge und 46 *mm* Breite gehört seiner Form nach zur Gattung *Dualina*. Die kräftigen Wirbel sind zentral, Schale gleichseitig, die Ventralseite regelmäßig kreisrund. Die Schale ist mit zahlreichen dichtgedrängten Radialrippen und konzentrischen Zuwachsringen verziert. Am nächsten steht *Dualina robusta* Barr. Ein näherer Vergleich ist jedoch der schlechten Erhaltung wegen nicht möglich.

Babińce, obere Schicht (Krakauer Sammlung). Unikum.

Fam.: **Lunulicardiidae** Neum.

Gen.: **Lunulicardium** Barr.

109. Lunulicardium cf. bohemicum Barr.

1881. *Lunulic. bohemicum* Barrande. Syst. silur. d. Bohème, Bd. 6, Taf. CCXXXV, Fig. 1—59.
1899. id. Wieniukow. Loc. cit. S. 178, Taf. IX, Fig. 2.

Ein einziges Stück wurde von Wieniukow in Studenica gefunden.

Gen.: **Spanila** Barr.

110. Spanila sp.

1899. *Spanila* Wieniukow. Loc. cit. S. 179, Taf. VIII, Fig. 18.

Schlecht erhaltene Steinkerne einer dem *Spanila caesarea* Barr. nahestehenden Art wurden von Wieniukow in Żwaniec und Malinowiecka Słoboda gefunden.

Fam.: **Protomyidae** Neum.

Gen.: **Leptodomus** Mac. Coy.

111. Leptodomus laevis Sw.

(Taf. XIX (V), Fig. 15.)

1839. *Pullastra laevis* Sow. Silur. syst., Taf. III, Fig. 1 *a*.
1855. *Adonodontopsis laevis* Mac. Coy. Loc. cit. S. 271.

Eine größere Serie gut erhaltener Exemplare aus dem podolischen Silur läßt die Zugehörigkeit dieser Form zur Gattung *Leptodomus* sicher erkennen. Vor allem ist das Übereinandergreifen der ungleichen Klappen am Schloßrande sehr charakteristisch.

Schale eiförmig, ziemlich variabel in ihren Dimensionen. Die normale Form ist unter dem Wirbel am breitesten, es gibt jedoch Formen mit subparallelen Schloß- und Ventralrändern, oder auch solche, welche ihre größte Breite hinter den Wirbeln bezitzen.

Bezeichnend für alle Varietäten ist die Lage der niedrigen und stumpfen Wirbel weit vorn, der gebogene Schloßrand, welcher in den schief abgestutzten Hinterrand allmählich übergeht, die spitz ausgezogene Hinterecke und die Gegenwart einer Kante, welche vom Wirbel zum Hintereck verläuft, eine hintere Area abschneidend. Die Schale ist vollkommen glatt.

Czortków, Wygnanka, Lanowce, Uhryń, Biała. (Zone 8—9.)

112. Leptodomus podolicus n. sp.

(Taf. XIX (V), Fig. 16.)

Schale querverlängert, von elliptischem Umriß. Linke Schale am Schloßrande über die rechte übergreifend. Vorder- und Hinterseite gerundet, auf der linken Klappe zwei schwache Kanten, wovon die eine sich gegen die Mitte der Ventralseite, die zweite gegen die Hinterecke sich richtet; beide verschwinden jedoch frühzeitig, ohne den Rand der Schale zu erreichen.

Czortków, Korolówka, Nagorzanka, Zaleszczyki.

Gen.: **Edmondia** de Kon.

113. Edmondia podolica n. sp.

(Taf. XIX (V), Fig. 25.)

Schale kurz, gleich breit als lang, ungleichklappig, rechte Klappe übergreifend, Wirbel klein, niedrig, subterminal, mit einer tiefen Lunula, Schloßrand beinahe gerade, Ventral- und Hinterrand einen Kreisbogen beschreibend. Die Schalenskulptur besteht aus konzentrischen dichtgedrängten Zuwachsringen.

Biała, Wygnanka. (Zone 10.)

Fam.: **Cardiolidae** Neum.

Gen.: **Cypricardinia** Hall.

114. Cypricardinia aff. squamosa Barr.

1881. *Cypricardinia squamosa* Barrande. Syst. silur. d. Bohême, Taf. CCLVII, Fig. III, 1—19.
1899. id. Wieniukow. Loc. cit. S. 177, Taf. V, Fig. 9.

Nach Wieniukow selten in Studenica.

Fam.: **Solenopsidae** Neum.

Gen.: **Orthonota** Conr.

115. Orthonota impressa Sw.

(Taf. XIX (V), Fig. 14.)

1839. *Cypricardia (?) impressa* Sowerby. Silur. syst., Taf. V, Fig. 3, S. 609.
1855. *Leptodomus impressus* Mac. Coy. S. 279.

Schale länglich rechteckig, querverlängert. Vorderseite rechtwinklig zum Schloß- und Ventralrande. Wirbel niedrig, breit. Eine stumpfe Kante geht vom Wirbel bis zur Hinterecke, eine breite dreieckige hintere Area abschneidend, der mittlere Teil der Schale ist stark eingedrückt, wodurch der gerade Ventralrand etwas ausgehöhlt wird. Hinterseite schief abgestutzt. Lunula tief.

Iwanie. Krakauer Sammlung. Unikum. (Zone 7.)

116. Orthonota solenoides Sw.

(Taf. XIX (V), Fig. 12—13.)

1839. *Cypricardia solenoides* Sowerby. Silur. syst., Taf. VIII, Fig. 2.
1855. *Modiolopsis solenoides* Mac. Coy. Loc. cit. S. 269.
1860. *Cypricardia silurica* Eichwald. Leth. rossica, S. 10, Taf. XXXIX, Fig. 5.
1899. *Cypricardia silurica* Wieniukow. Loc. cit. S. 177, Taf. V, Fig. 7.

Langgezogene Muschel mit geradem Schloßrande, Ventralseite gerade, dem Schloßrande parallel Wirbel im vorderen Viertel gelegen. Vorderseite verlängert, Hinterseite abgestutzt, eine gerundete Hinterecke bildend. Von den Wirbeln verläuft eine stumpfe Kante bis zur Hinterecke.

Keine Lunula. Skulptur nur aus Zuwachsstreifen bestehend. Muschel nicht klaffend.

Czortków, Kamieniec, Jagielnica. (Zone 5.)

117. Orthonota oolithophila F. Roem.

1885. *Cardinia oolithophila* F. Roemer. Lethaea erratica, S. 334, Taf. VI, Fig. 1.

Schale trapezoidisch, mit terminalen Wirbeln, Schloßrand gerade, Vorderseite sehr kurz. Ventralseite dem Schloßrande parallel, in der Mitte ausgebuchtet. Hinterrand schief abgestutzt. Hinterecke abgerundet. Lunula klein und tief.

Uhryń, Jagielnica. (Zone 7.)

Fam.: **Grammysiidae** Neum.

Gen.: **Grammysia** Fisch.

118. Grammysia cingulata His

(Taf. XIX (V), Fig. 19.)

1837. *Nucula cingulata* Hisinger. Leth. Suecica, Taf. XXXIX, Fig. 1.
Orthonota cingulata Mac. Coy. Mem. geolog. survey, Taf. XVII, Fig. 3.
1855. *Grammysia cingulata* Mac. Coy. Loc. cit. S. 280, Taf. I, K. Fig. 28.

Czortków, Łanowce, Sapachów, Uścieczko, Iwanie. (Zone 7.)

119. Grammysia podolica n. sp.

(Taf. XIX (V), Fig. 20.)

Steht der *Gramm. complanata* Sw. sehr nahe, unterscheidet sich davon hauptsächlich durch ihre größere Länge und Dicke, geraden Ventralrand und kräftigere Skulptur.

Beinahe gleichklappig, ungleichseitig. Wirbel ganz nach vorn gerückt, Schloßrand gebogen, geht allmählich in den abgestutzten Hinterrand über. Vorderrand kurz, unter den kräftigen nach vorn gekrümmten Wirbeln eine tiefe Lunula. Schale vorn und hinten klaffend. Eine von den Wirbeln ausgehende Kante schneidet eine dreieckige Area neben dem Schloßrande bis zur hinteren Spitze ab. Ein zweiter Kiel verläuft ähnlich wie bei *Gramm. cingulata* vom Wirbel zur Mitte des Ventralrandes. Auf der rechten Klappe ist dieselbe stärker als auf der linken ausgeprägt. Die Schalenskulptur besteht aus konzentrischen Streifen, welche auf der Vorderseite zu kräftigen Runzeln zusammenschmelzen. Die hintere Area bleibt glatt.

Czortków, Strzałkowce, Uhryń, Uście Biskupie. (Zone 7.)

120. Grammysia complanata Sw.

(Taf. XIX (V), Fig. 21.)

1839. *Pullastra complanata* Sowerby. Silur. syst., Taf. V, Fig. 7.
1855. *Modiolopsis complanata* Mac. Coy. L. c. S. 266.

Von dieser bisher ungenügend bekannten Form liegen mir aus dem podolischen Silur Prachtexemplare vor, welche eine genauere Schilderung der Art und deren generische Zugehörigkeit bestimmen lassen. Schale quer verlängert, schief, Wirbel ebenso wie bei *G. podolica* breit und flach im vorderen Viertel gelegen. Schloßrand zusammen mit dem abgestutzten Hinterrande einen zusammenhängenden Bogen bildend, welcher bis zur ausgezogenen Hinterecke sich erstreckt. Ventralseite dem Schloßrande parallel, in der Mitte ausgebuchtet; Seitenskulptur aus konzentrischen Zuwachsringen bestehend, welche jedoch nicht wie bei *G. podolica* im vorderen Teile zu Runzeln anschwellen, sondern gleichmäßig die ganze Schale bedecken. Die hintere Kante hat denselben Verlauf wie bei *G. podolica*, ist jedoch stumpf und die hintere Area nicht so scharf wie bei jenem abgeschnitten. Der für die Gattung *Grammysia* charakteristische Mediankiel vom

Wirbel bis zur Mitte der Ventralseite ist zwar deutlich zu sehen, aber viel schwächer als bei *G. podolica* ausgeprägt. Das Gehäuse ist breiter und flacher als bei *G. podolica*, die Lunula breiter und seichter. Die Schale nicht klaffend, die hintere Ecke der Muschel ist abgerundet.

Skała, Strzałkowce, Korolówka, Zaleszczyki, Kostrzyżowka, Biała K (Zone 7.)

121. Grammysia rotundata Sw.

(Taf. XIX (V), Fig. 18—19.)

1839. *Mya rotundata* Sowerby. Silur. syst., Taf. VI, Fig. 1.

Schale querelliptisch, ungleichklappig, linke Schale größer als die rechte, mit darüber überragendem Wirbel. Wirbel subterminal. Auf der rechten Klappe nur eine Mediankante, welche vom Wirbel gegen die Mitte der Ventralseite verläuft, ohne dieselbe zu erreichen. Auf der linken Klappe außer einem ähnlichen, jedoch viel kräftigeren Kiele zwei schwache Kanten, welche eine hintere und eine vordere Area begrenzen. Lunula klein und tief.

Ich glaube diese Form mit Sowerbys Figur identifizieren zu können. Dagegen ist die von Mac Coy, unter demselben Namen abgebildete Muschel durchaus keine *Grammysia*, sondern wahrscheinlich eine nicht näher bekannte *Edmondia*-Art.

Zaleszczyki, Czortków. Krakauer Sammlung. (Zone 5—6.)

Ordo.: Heterodonta.

Fam.: Lucinidae Neum.

Gen.: Lucina Brognt.

122. Lucina prisca His.

1837. *Tellina prisca* Hisinger. Lethaea Suecica, S. 64, Taf. XIX, Fig. 8.
1876. *Lucina prisca* F. Roemer. Lethaea palaeozoica, Taf. XIV, Fig. 2.
1899. *Lucina (Ilionia) prisca* Wieniukow. L. c. S. 168.

Kamieniec, Orynin, Sokół, Pudłowce, Malinowiecka, Słoboda, Satanów, Uście, Zawale in Russisch-Podolien, Skała und Dźwinogród in Galizien. (Zone 4—6.)

Ordo.: Taxodontia Neum.

Fam.: Arcidae Neum.

Gen.: Arca L.

123. Arca decipiens Mac Coy.

(Taf. XIX (V), Fig. 8.)

1855. *Sanguinolites decipiens* Mac Coy. L. c. Taf. I, J. Fig. 24.

Queroval mit subzentralen Wirbeln, Schloßrand gerade. Unterrand dem Schloßrande parallel, im hinteren Teile schwach ausgebuchtet. Vom Wirbel bis zur Hinterecke verläuft ein stumpfer Kiel. Schale mit feinen Zuwachsstreifen verziert. Schloß aus einer Reihe kleiner, vom Wirbel divergierender Zähnchen bestehend.

Prelipcze, Uścieczko, Dobrowlany, Zaleszczyki, Pieczarnia, Czortków. (Zone 6—9.)

Fam.: Nuculidae Neum.

Gen.: Nucula Lk.

124. Nucula lineata Phill.

1841. *Nucula lineata* Phill. L. c. Taf. XVIII, Fig. 64.
1860. *Nucula triangularis* Eichwald. Lethaea rossica, S. 993, Taf. XXXVIII, Fig. 14.
1899. *Nucula triangularis* Wieniukow. L. c. S. 175.

Kleine Art von dreieckigem Umriß.

Kamieniec (nach Eichwald), Skala, Gródek, Czortków, Janów, Wygnanka, Kozaczówka, Uścieczko, Iwanie, Budzanów, Zaleszczyki, Dolhe. (Zone 7—9.)

125. Nucula plicata Phill.

1841. *Nucula plicata* Phillips. L. c. S. 38, Taf. XVIII, Fig. 63.

Dobrowlany, Wygnanka bei Czortków, Dolhe, Zaleszczyki (selten). (Zone 7—9.)

Gen.: **Cucullella** Mac. Coy.

126. Cucullella tenuiarata Sandb.

(Taf. XIX (V), Fig. 4—5.)

1826. *Nucula prisca* Goldfuss. Petref. Germ. Bd. 2, S. 151, Taf. CXXIV, Fig. 7.
1856. *Cucullella tenuiarata* Sandberger. L. c. S. 276, Taf. XXIX, Fig. 4.

Schale gleichklappig, ungleichseitig, Vorderseite gerundet, Hinterseite schnabelförmig verlängert, Wirbel etwas vor der Mitte, größte Breite der Schale unter den Wirbeln, Schale vorn klaffend, unter den Wirbeln eine kleine Lunula, Schloßrand beinahe gerade. Der Unterrand der Schale ist vor der hinteren Ecke sehr durch einen schwachen Eindruck der Schale, welcher sich wie bei *Paleoneilo* gegen die Wirbel richtet, schwach ausgeschnitten. Vor und hinter den Wirbeln zeigt der Steinkern starke Rinnen von internen Kielen; der vordere Kiel ist zweiteilig. Die Schale, welche nur an einem Exemplare vollständig erhalten blieb, ist äußerst fein und dicht konzentrisch gestreift, darunter heben sich einzelne stärkere Zuwachsringe aus.

Das größte Exemplar ist 30 *mm* lang und 18 *mm* breit.

Czortków, Iwanie, Olchowce, Chudykowce, Uścieczko, Kałaharówka, Zaleszczyki, Janów, Budzanów, Jagielnica. (Zone 8—10.)

127. Cucullella ovata Phill.

(Taf. XIX (V), Fig. 6.)

1839. *Cucullella ovata* Sowerby. Silur. syst., Taf. III, Fig. 12*b*.
1841. *Nucula ovata* Phillips. L. c. S. 39, Taf. XVIII, Fig. 65.
1855. *Cucullella ovata* Mac. Coy. L. c. S. 284.

Unterscheidet sich von *C. tenuiarata* durch den Mangel einer medianen Depression, den ovalen Umriß und die sehr dicke Schale.

Czortków, Tudorów, Dobrowlany, Iwańska Ubicz, Zaleszczyki, Biała kiernica, Jagielnica. (Zone 7—9.)

128. Cucullella cultrata Sandb.

(Taf. XIX (V), Fig. 9.)

1850—1856. *Cucullella* (*Nucula*) *cultrata* et *brevicultrata* Sandberger. Die Versteinerungen des rheinischen Schichtensystems von Nassau, S. 276, Taf. XXIX, Fig. 3 und 7.

Bildet zusammen mit *Cucullella tenuiarata* und *Nucula lineata* ganze Bänke im unteren Devon von Zaleszczyki, Czortków, Dobrowlany, Biała etc. (Zone 8—10.)

Gen.: **Leda** Schum.

129. Leda sp. ind.

(Taf. XIX (V), Fig. 7.)

Eine große *Leda*-Art, welche der *Leda* sp. Ulrich (Neues Jahrb. f. Min. 8. Beilagenbd., Taf. II, Fig. 14) aus Bolivien ähnlich ist, liegt mir in einem einzigen Steinkerne aus Skala vor. Das Schloß ist nicht erhalten, so daß die Gattungsbestimmung nicht sicher ist.

Ordo.: **Anisomyaria.**

Fam.: **Aviculidae.**

Gen.: **Pterinea** Gdf.

130. Pterinea retroflexa His.

1837. *Avicula retroflexa* Hisinger. Lethaea Suecica, S. 57, Taf. XVII, Fig. 12.
1839. *Avicula retroflexa* Sowerby. Silur. syst., S. 609, Taf. V, Fig. 9.
1855. *Pterinea retroflexa* Mac. Coy. Brit. palaeozoic fossils, S. 262, Taf. I, J. Fig. 7—8.
1858. *Pterinea retroflexa* Fr. Schmidt. Untersuchungen üb. d. silurisch. Formation von Estland, Livland u. Oesel, S. 210.
1876. *Pterinea retroflexa* F. Roemer. Lethaea palaeozoica, Taf. XIV, Fig. 1.
1877. *Pterinea retroflexa* Krause. Fauna des Beyrichienkalkes, S. 21.
1885. *Pterinea retroflexa* Roemer. Lethaea erratica, S. 349, Taf. VII, Fig. 20.
1899. *Pterinea retroflexa* Wieniukow. Loc. cit. S. 170, Taf. V, Fig. 4—5.

Diese für das obere Ludlow charakteristische Form kommt nicht selten im oberen Mergelschiefer von Kamieniec, den Kalken von Żwaniec, Nagórzany und Zawale in Russisch-Podolien sowie in den Czortkower Tentaculiten- und Beyrichienschiefern in Galizien vor, (Gródek, Tudorów, Doroszowce, Michalki bei Celejów, Filipkowce, Korolówka, Kozaczyzna, Szerszeniowce, Kostrzyżowka, Zaleszczyki, Dobrowlany, Czortków, Janów, Jagielnica. (Zone 4—7.)

131. Pterinea Danbyi Mac. Coy.

1855. *Avicula Danbyi* Mac. Coy. Brit. palaeozoic. fossils, S. 258, Taf. I, J. Fig. 11—15.

Diese schöne Muschel kommt ziemlich selten in den Borszczower Schichten (Zielińce, Skała, Borszczów, Filipkowce, Lanowce, Skowiatyn, Uście Biskupie) vor. Die Exemplare sind prachtvoll erhalten und stimmen trotz ihrer Variabilität mit den von Mac Coy gegebenen Figuren aus dem oberen Ludlow gänzlich überein, nur ist die Zahl der Radialrippen etwas größer. (Zone 7.)

132. Pterinea migrans Barr.

1881. *Avicula migrans* Barrande. Syst. silur. d. Bohème, Bd. 6, Taf. CCIC.
1899. *Pterinea migrans* Wieniukow. Loc. cit. S. 171, Taf. V, Fig. 2.

Nach Wieniukow in Kamieniec, Żwaniec, Dumanów, Wielka Muksza; in Galizien unbekannt. (Zone 10.)

133. Pterinea opportuna Barr.

(Taf. XIX (V), Fig. 3.)

1881. *Pterinea opportuna* Barrande. Syst. silur. d. Bohème, Bd. 6, Taf. CCXXIII.
1899. *Pterinea concentrica* Wieniukow. Loc. cit. S. 172, Taf. V, Fig. III.

Die von Wieniukow abgebildete Form ist wohl nur ein junges Exemplar von *Pter. opportuna* mit sehr grober Schalenskulptur. Ein erwachsenes Exemplar dieser Art in guter Erhaltung hat Prof. Łomnicki in Czortkow gefunden (Museum Dzieduszycki). (Zone 10.)

134. Pterinea sp. indet.

Aus dem phosphorithaltigen unteren Kalksteine von Ladawa liegt mir ein unbestimmbarer Steinkern einer *Pterinea* vor, welche ihrer Form nach der *Pter. reticulata* His. nahe zu stehen scheint.

135. Pterinea sp. indet.

1899. *Pterinea* sp. ind. Wieniukow. Loc. cit. S. 172, Taf. VI, Fig. 19.

Im oberen Mergelschiefer von Kamieniec hat Wieniukow eine kleine zierliche *Pterinea* gefunden, welche mit keiner bekannten Art übereinstimmt und einer neuen Art angehören dürfte. Nach dem abgebildeten Unikum ist jedoch eine Beschreibung derselben nicht möglich.

136. Pterinea ventricosa Gdf.

(Taf. XIX (V), Fig. 2.)

1826. *Avicula ventricosa* Gf. Petref. Germaniae, Bd. 2, S. 134, Taf. CXIX, Fig. 2.
1856. *Pterinea ventricosa* Sandberger. Versteinerungen des rheinischen Systems von Nassau, Taf. XXX, Fig. 2.
1841. *Pterinea ventricosa* Phillips. Figures and discriptions of the paleozoic fossils of Cornwall etc., Taf. XXII, Fig. 82.

Die langgezogene schiefe Schale mit sehr kurzem Schloßrande und schwach entwickelten Flügeln ist sehr charakteristisch. Wirbel niedrig, terminal, etwas nach vorn eingekrümmt, Vorderrand gerade, allmählich in den gerundeten Unterrand übergehend. Vorderer Flügel sehr klein, hinterer mäßig entwickelt. Die größte Breite der Schale liegt nahe dem Hinterrande; die Schale fällt gegen den Hinterrand viel steiler als gegen den Vorderrand ein.

Diese für die Koblenzer Grauwacke charakteristische Art wurde in den Übergangsschichten zwischen Silur und Devon zwischen Uścieczko und Iwanie am Dniester gefunden. (Zone 10.)

137. Pterinea lineata Gdf.

1826. (?) *Avicula lineata* Goldf. Petr. Germ., Taf. CXIX, Fig. 6.
1839. *Pterinea lineata* Sowerby. Silurian system., Taf. V, Fig. 10.
1855. *Pterinea lineata* Mac. Coy. Loc. cit. S. 261.

Dawidkowce. Krakauer Sammlung. (Unikum.) (Zone 7.)

Gen.: **Ambonychia** Hall.

138. Ambonychia striata Sow.

1839. *Cardium striatum* Sowerby. Silur. syst., S. 614, Taf. VI, Fig. 2.
1881. *Cardium faustum* Barrande. Loc. cit. Taf. LXXXIII, Fig. 9–19.
1855. *Ambonychia striata* Mac. Coy. Loc. cit. S. 264.
1880. *Ambonychia striata* Lindström. Fragmenta silurica, S. 17, Taf. XIX, Fig. 7—8.
1899. *Ambonychia striata* Wieniukow. Loc. cit. S. 169, Taf. V, Fig. 1.

Żwaniec, Karmelitka, Nagórzany, Braha, Kitajgorod, Studenica in Russisch-Podolien; Kozina, Dźwinogród, Filipkowce, Wołkowce in Galizien (selten). (Zone 5.)

Fam.: **Mytilidae** Neum.

Gen.: **Mytilus** L.

139. Mytilus parens Barr.

1881. *Mytilus parens* Barrande. Syst. silur. d. Bohême, Bd. 6, Taf. CCX und Taf. CCLXXXIV.
1899. *Mytilus parens* Wieniukow. Loc. cit. S. 173, Taf. V, Fig. 8.

Nach Wieniukow in Żwaniec, Kamieniec, Wielka Muksza, Studenica und Malinowiecka Słoboda. Mir liegt kein Exemplar dieser Art vor.

140. Mytilus cf. insolutus Barr.

1881. *Mytilus insolutus* Barrande. Loc. cit. Bd. 6, Taf. CLXXXV, Fig. III, 9—12.
1899. *Mytilus* cfr. *insolutus* Wieniukow. Loc. cit. S. 174, Taf. V, Fig. 6.

Von dieser unterdevonischen Form hat Wieniukow einige Stücke in Studenica gefunden. Mir liegt ein Exemplar der Krakauer Sammlung aus Dolhe in Galizien vor.

Gen.: **Modiolopsis** Hall.

141. Modiolopsis (?) podolica n. sp.

(Taf. XIX (V), Fig. 1.)

Langgestreckt, hinten breiter als vorn, Vorderrand sehr kurz, Unterrand gerade, Hinterecke zungenförmig ausgezogen, Schloßrand lang, in der Nähe des Wirbels mit kleinen Zähnchen. Der vordere Teil der

Muschel fällt gegen den unteren Rand steil ab. Die übrige Muschel gleichmäßig flach gewölbt. Vom Wirbel erstreckt sich am Steinkern gegen den Hinterrand eine sehr feine Furche, welche $^2/_3$ Länge der Schale erreicht und dieselbe in zwei beinahe gleiche Hälften teilt.

Obgleich die allgemeine Gestalt dem *Modiolopsis modiolaris* sehr ähnlich ist, so beweist doch die Gegenwart der erwähnten Längsfurche (Abdruck eines inneren Kieles) die Zugehörigkeit zu der Gattung *Pleurophorus* im Sinne Sandbergers, wie auch der von Sandberger beschriebene *Pleurophorus costatus* aus dem unteren Devon ebenfalls sehr ähnlich ist. Sehr befremdend sind indes die sehr deutlich am Steinkerne neben dem Wirbel erhaltenen Abdrücke einer taxodonten Zähnchenreihe, wie solche weder bei *Modiolopsis* noch bei *Pleurophorus* vorkommt. Da mir nur ein einziges Exemplar und dazu ein Steinkern vorliegt, kann ich nicht entscheiden, zu welcher Gattung diese eigentümliche Form eigentlich zu rechnen ist. Wäre das Schloß wirklich taxodont, müßte man dafür einen neuen Gattungsnamen schaffen.

Skorodyńce (Krakauer Sammlung) aus den grünen Übergangsschiefern zwischen Silur und Devon. (Unikum.)

Gen.: **Ptychodesma** Hall.

142. Ptychodesma Nilssoni His.

1837. *Modiola Nilssoni* Hisinger. Lethaea Suecica, S. 61, Taf. XVIII, Fig. 13.
1880. *Modiolopsis Nilssoni* Lindström. Fragmenta silurica, S. 18, Taf. II, Fig. 21—22.
1899. *Ptychodesma Nilssoni* Wieniukow. Loc. cit. S. 175, Taf. IX, Fig. 1.

Nach Wieniukow in Studenica gefunden. (Zone 5.)

Fam.: **Pectinidae.**

Gen.: **Pecten** Lk.

143. Pecten sp. indet.

Eine flache symmetrische Art mit kreisrundem Umriß, kurzen Seitenohren und glatter, allein von feinen Zuwachsstreifen verzierter Schale steht dem *Pecten densistria* Sandb. (L. c. Taf. XXX, Fig. 121, sehr nahe.

Biała bei Czortków. Krakauer Sammlung. (Unikum.) (Zone 10.)

Brachiopoda.

A. Ecardines.

Fam.: **Lingulidae.**

Gen.: **Lingula** Brug.

144. Lingula Lewisi. Sw.

1839. *Lingula Lewisi* Sowerby. Silur. syst., S. 615, Taf. VI, Fig. 9.
1866. *Lingula Lewisi* Davidson. Brit. Silur. brachiop., S. 35, Taf. III, Fig. 1—6.
1899. *Lingula Lewisi* Wieniukow. L. c. S. 95.

Studenica, Paniowce. (Zone 3.)

145. Lingula striata Sw.

1839. *Lingula striata* Sowerby. Silur. syst., Taf. VIII, Fig. 12.
1863. *Lingula striata* Davidson. Brit. Silur. brachiop., S. 45, Taf. III, Fig. 45—48.

Wygnanka bei Czortków. (Krakauer Sammlung.)

146. Lingula squammiformis Phill.

1836. *Lingula squammiformis* Phillips. Geology of Yorkshire, vol. 2, Taf. IX, Fig. 14.
1863. *Lingula squammiformis* Davidson. Brit. carbonif. brachiop., S. 205, Taf. XLIX, Fig. 1—10.
1863. *Lingula Mola* Salter. Quart. Journal geol. soc. vol. 19, S. 480.
1865. *Lingula squammiformis* Davidson. Brit. devon. brachiop., S. 105, Taf. XX, Fig. 11—12.

Biała, Zaleszczyki, im Beyrichienkalk. (Zone 8.)

Fam.: **Discinidae.**

Gen.: **Discina** Lk.

147. Discina aff. praepostera Bar.

(Taf. XX (VI), Fig. 10.)

1879. *Discina praepostera* Barrande. Syst. silur d. Bohême, Taf. XCIX, Fig. 7.

Leicht kenntlich an der eigentümlichen Schalenskulptur. Die discoidale Schale ist von kräftigen Rippen quergestreift. Zwischen den Rippen ist die Schale noch fein gestreift. Der einzige Unterschied gegenüber der böhmischen Form besteht in der geringeren Zahl der groben Querrippen und der Gegenwart der Zwischenstreifung, welche jedoch am Steinkerne nicht sichtbar ist. Auf dem Steinkerne sieht man nur die gröberen Querrippen.

Sapachów (Coll. Alth). (Zone 10.)

148. Discina rugata Sw.

1839. *Orbicula rugata* Sowerby. Silur. syst., S. 610, Taf. V, Fig. 11.
1865. *Discina rugata* Davidson. Brit. silur. brachiop., S. 63, Taf. V, Fig. 9—18.
1899. *Discina rugata* Wieniukow. L. c. S. 96.

Borszczów, Chudykowce (selten). (Zone 7.)

Fam.: **Trimerellidae.**

Gen.: **Trimerella** Bill.

149. Trimerella sp. indet.

(Taf. XX (VI), Fig. 16.)

Eine kleine spezifisch unbestimmbare *Trimerella* habe ich in dem phosphorithaltigen Kalksteine von Ladawa am Dniester in Russisch-Podolien gefunden (Museum Dzieduszycki). (Zone 3.)

B. **Testicardines.**

A. **Eleuterobranchiata.**

Fam.: **Orthidae.**

Gen.: **Orthis** Dalm.

150. Orthis hybrida Sow.

(Taf. XX (VI), Fig. 6—9.)

1839. *Orthis hybrida* Sowerby. Silur. syst., S. 630, Taf. XIII, Fig. 11.
1870. *Orthis hybrida* Davidson. Brit. silur. brachiopoda. S. 214, Taf. XXVII, Fig. 15—16.
1885. *Orthis canaliculata* Roemer. Lethaea erratica, Taf. VII. Fig. 5.
1899. *Orthis hybrida* Wieniukow. L. c. S. 100, Taf. VII, Fig. 4.

Diese häufigste Art der podolischen Brachiopodenschiefer ist an ihrer Atrypa ähnlichen Gestalt mit eingedrückter Ventralklappe und gewölbter Dorsalklappe kenntlich.

Schale flach linsenförmig, breiter als lang, von rundlichem bis gerundet viereckigem Umrisse. Die größte Dicke in der Nähe des sehr kurzen Schloßrandes; manche Exemplare sind papierdünn, andere erreichen eine erhebliche Dicke, beide Klappen gleich gewölbt, Ventralklappe am Stirnrande mehr oder weniger eingedrückt, wobei die Seitenränder der Schale flügelartig sich emporheben, wie bei *Atrypa* und *Rhynchonella*. Dorsalklappe gleichmäßig gewölbt ohne Sinus, der Schnabel der Ventralklappe klein, kurz, schwach gekrümmt, jedoch den Wirbel der Dorsalklappe nicht erreichend. Area der Ventralklappe kurz, dreieckig, mit einer großen dreieckigen Deltidialspalte, Area der Dorsalklappe viel niedriger, beinahe senkrecht zur Schloßebene, mit einer kleinen dreieckigen Deltidialspalte.

Muskeleindrücke der Ventralklappe kräftig, getrennt durch einen kräftigen inneren Mediankiel der Schale.

Schalenskulptur aus dichten Dichotomen, sehr feinen Radialrippen bestehend, welche an dickeren Exemplaren von kräftigen Zuwachslamellen gekreuzt werden.

Maßverhältnisse:

	I	II	III	IV
Breite:	20 *mm*,	16 *mm*,	18 *mm*,	16 *mm*.
Länge:	17 *mm*,	15 *mm*,	15 *mm*,	15 *mm*.
Dicke:	6 *mm*,	9 *mm*,	7 *mm*,	6 *mm*.

Davon sind Nr. 3—4 normale Formen, Nr. 1 eine dünne Varietät, Nr. 2 eine aufgeblähte Form.

Studenica, Nagórzany, Malinowiecka Sloboda, Kolodróbka, Uście Biskupie, Zamuszyn, Mazurówka, Skala, Kozina, Zielińce, Filipkowce, Łanowce, Korolówka, Wierzchniakowce, Szyszkowce, Borszczów, Chudiowce, Sinków, Skowiatyn, Sapachów, Strzałkowce, Chudykowce, Kozaczówka, Wysuczka, Paniowce, Michalków. (Zone 3—4.)

151. Orthis rustica Sw.

1839. *Orthis rustica* Sowerby. Silur. syst., Taf. XII, Fig. 9.
1870. *Orthis rustica* Davidson. Brit. silurian Brachiopoda, S. 238, Taf. XXXIV, Fig. 13—22.
1890. *Orthis rustica* Gagel. L. c. S. 30, Taf. II, Fig. 26.
1899. *Orthis rustica* Wieniukow. L. c. S. 99, Taf. I, Fig. 1—3.

Filipkowce, Wierzchniakowce, Czortków (selten). (Zone 3—4.)

152. Orthis canalis Sowerby.

(Taf. XX (VI), Fig. 1.)

1839. *Orthis canalis* Sowerby. Silur. syst. Taf. XIII, Fig. 12*a*.
1879. *Orthis elegantula* p. p. Barrande. Syst. silur de Bohême, Bd. 5, Taf. LXV, Fig. II.
1879. *Orthis pseudostolata* Barr. Ibid., Taf. CXXV, Fig. IV. 2.
1870. *Orthis elegantula* Davidson. British silurian brachiopoda, S. 211, Taf. XXVII, Fig. 1—9.
1899. *Orthis elegantula* Wieniukow. L. c. S. 97, Taf. VII, Fig. 3 (non *Orthis elegantula* Dalmann).

Trotzdem Davidson und Barrande *O. canalis* mit *O. elegantula* identifizieren, muß ich die Auffassung Sowerbys aufrecht erhalten, indem viele hunderte gut erhaltener podolischer Exemplare dieser Form trotz ihrer bedeutenden individuellen Variabilität, stets die für *O. canalis* Sw. charakteristischen Eigenschaften des Schlosses besitzen, während sich darunter kein einziges Exemplar gefunden hat, welches mit der Gotländer Form identifiziert werden könnte. Die englische Art aus dem Wenlockshale ist mit der podolischen durchaus identisch, ebenso identisch scheint die böhmische zu sein; die schwedische ist dagegen in mehreren wichtigen Merkmalen von unserer Form verschieden.

Der Umriß der Schale ist, gleich der *O. elegantula*, ein gerundet herzförmiger bis halbkreisförmiger mit größter Breite in der Nähe des Schloßrandes. Der Schloßrand ist nur wenig kürzer als jene.

Die Ventralklappe gewölbt, seitlich zusammengedrückt, mit eingekrümmtem Schnabel, welcher jedoch die dreieckige Area und die Deltidialspalte frei läßt. Die Dorsalklappe ist allein in der Nähe des Schloßrandes schwach gewölbt, sonst aber flach oder konkav. Der Wirbel der Dorsalklappe ist niedrig, gerade, die dorsale Schloßarea niedrig dreieckig, beinahe senkrecht zum Schloßrande gestellt. Vom Wirbel der Dorsalklappe geht eine starke Depression aus, welche sich allmählich gegen den Stirnrand ausbreitet und den größten Teil der Klappe einnimmt. Die Seitenränder sind S-förmig gebogen.

Die Schalenskulptur besteht aus dichtgedrängten feinen Radialrippen, welche sich meist in der Mitte spalten. Die Berippung ist jedoch nicht gleichmäßig: in regelmäßigen, obgleich individuell variierenden Abständen, heben sich einzelne Radialrippen deutlich über die übrige Schalenskulptur empor.

Orthis elegantula Dalm. und *Orthis Visbyensis* Lindstr. haben einen viel stärker eingekrümmten Schnabel, welcher den Wirbel und die Schloßarea der dorsalen Klappe vollständig verdeckt. Die Berippung ist gleichmäßig, ohne hervorragende gröbere Rippen, die Seitenränder sind geradlinig. *Orthis canaliculata* Lindstr. steht sehr nahe, unterscheidet sich von unserer Art allein durch ihren breiteren Umriß und stärkere Wölbung der Dorsalklappe. Seitenränder gerade.

Orthis basalis Dalm. ist ebenfalls nahe, hat jedoch einen ganz geraden oder sehr wenig gekrümmten, dabei aber viel stärkeren Schnabel und gleichmäßige Berippung. Seitenränder gerade.

Orthis canalis ist neben *Orthis hybrida* die häufigste Brachiopodenart der Brachiopodenschiefer (Borszczower Schichten) in Podolien. Studenica, Kitajgorod, Muksza, Nagórzany, Kamieniec, Sokół, Hryńczuk, Laskoruń, Uście Biskupie, Kołodróbka, Zamuszyn, Kozina, Filipkowce, Chudiowce, Chudykowce, Lanowce, Korolówka, Zieliñce, Dźwinogród, Czortków, Zbrucz, Wierzchniakowce, Michalków, Michalki bei Celejów, Skowiatyn, Sapachów, Strzalkowce, Kozaczówka, Borszczów. (Zone 3—7.)

153. Orthis canaliculata Lindstr.

(Taf. XX (VI), Fig. 3.)

1860. *Orthis canaliculata* Lindström, Bidrag till kännedomen om Gotlands Brachiopoder, S. 368, Taf. XIII, Fig. 10.
1858. *Orthis orbicularis* F. Schmidt. Untersuchungen über die Silurformation von Estland, S. 213.
1870. *Orthis canaliculata* Davidson. Brit. silur. brachiopoda, S. 218, Taf. XXVII, Fig. 12—13.
1890. *Orthis canaliculata* Gagel. L. c. S. 28, Taf. II, Fig. 14—15.

Schale von rundlichem Umriß, breiter als lang, Ventralklappe ziemlich stark gewölbt, öfters wie bei *O. elegantula* mit kielartig hervorragender Mittelpartie. Dorsalschale flacher: vom kaum über den Schloßrand hervorragendem Wirbel geht eine mediane Depression gleich der *O. canalis* bis zum Stirnrande. Diese Depression beginnt am Wirbel und erweitert sich sehr rasch, den ganzen Stirnrand einnehmend. Der Sinus des Stirnrandes wird jedoch von dieser Depression wenig beeinflußt und bleibt nur schwach gebogen, so daß die stärkste Depression in der Nähe desselben die Gestalt einer eingedrückten Grube erhält. Beide Klappen mit Area und Deltidialspalte, der Schnabel der großen Klappe beinahe gerade, die Schloßarea ganz offen lassend.

Die Schalenskulptur besteht aus dicht gedrängten, unregelmäßig gespalteten Radialrippen, welche hie und da, besonders an älteren Exemplaren in der Nähe des Stirnrandes von kräftigen Zuwachsringen gekreuzt werden, eine Skulptur bildend, welche der unterdevonischen *Orthis palliata* Barr. ähnlich wird.

Manche Exemplare sind am Stirnrande gerade abgestutzt und erscheinen dadurch bedeutend breiter als die normale Form. Bei anderen wiederum wird die mediane Depression der Dorsalklappe sehr schwach und derartige Exemplare gleichen (größere Schloßlänge ausgenommen) manchen Individuen von *O palliata* Barr.

Maßverhältnisse:

Breite:	25 *mm*,	16 *mm*,	20 *mm*,	10 *mm*.
Länge:	20 *mm*,	13 *mm*,	19 *mm*,	9 *mm*.
Dicke:	14 *mm*,	10 *mm*,	11 *mm*,	4 *mm*.

Filipkowce, Chudiowce, Zielińce, Wierzchniakowce, Lanowce, Zamuszyn, Borszczów, Wysuczka. (Zone 4—6.)

154. Orthis palliata Barr.

(Taf. XX (VI), Fig. 5.)

1879. *Orthis palliata* Barrande. Syst. silur. d. Bohême, Taf. LVIII, Fig. 7, Taf. LX, Fig. III.

In den oberen Schichten des podolischen Silurs kommt eine Form vor, welche durch Übergänge mit *O. canaliculata* verbunden, in ihren Extremen jedoch von der unterdevonischen Art Barrande's durchaus nicht zu unterscheiden ist. Da nun *O. palliata* in Böhmen ganz vereinzelt auftritt, während dieselbe in Podolien zusammen mit einem ganzen naheverwandten Formenzyklus durch Übergänge verbunden ist, so dürfte man annehmen, daß jene Form nach Böhmen aus Osten eingewandert ist.

Es liegt mir eine große Serie dieser Art vor, welche in ihren Extremen, wie gesagt, von der böhmischen Art gar nicht zu unterscheiden ist, jedoch gibt es einerseits Übergänge zu *Orthis canaliculata*, anderseits ist der häufigste, normale Typus etwas von der Barrandeschen Varietät verschieden, namentlich ist die Medianrinne der ventralen Klappe nur selten so scharf wie bei der Böhmischen (devonischen) Varietät ausgeprägt und der Umriß der Schale ist meist rundlich, wenngleich auch Exemplare mit abgestutztem und schwach ausgehöhltem Stirnrande nicht fehlen. Die Unterschiede gegenüber *Orthis canaliculata* bestehen in folgenden Merkmalen: Der Schloßrand ist bedeutend kürzer, die Dorsalklappe stärker gewölbt, die Depression der Dorsalklappe ist nicht eingedrückt, sondern bildet ein ganz flaches Band auf der stark gewölbten Schale, endlich ist auch auf der ventralen Klappe eine mehr oder weniger ausgeprägte Medianfurche sichtbar. Diese Furche ist sehr schmal, jedoch nur in den seltensten Fällen so normal median wie das Barrande angibt: gewöhnlich liegt diese schmale Rinne exzentrisch, rechts oder links von der Medianlinie und bewirkt dadurch eine Asymmetrie der Schale, welche zwar nur selten so stark ist, wie auf Taf. LX Barrandes, jedoch stets in der Schalenskulptur merklich ist. Bei Exemplaren, an denen, wie an dem hier abgebildeten Stücke aus Borszczow die Ventralrinne genau in der Mitte gelegen ist, bewirkt dieselbe auch eine Veränderung des Umrisses: der kreisrunde Stirnrand wird in der Mitte schwach ausgebuchtet. Die Schalenskulptur mit den kräftigen mantelartigen Zuwachslamellen, welche Barrande als für seine *O. palliata* bezeichnend hält, wiederholt sich bei allen verwandten Formen des podolischen Silurs, so bei *O. canaliculata*, *O. crassa* und *O. canalis*.

Filipkowce, Wierzchniakowce, Zielińce, Skowiatyn, Chudiowce, Chudykowce, Paniowce, Łanowce, Zamuszyn, Kolodróbka, Skała, Uście Biskupie. (Zone 7—8.)

155. Orthis crassa Lindström.

(Taf. XX (VI), Fig. 4.)

1860. *Orthis crassa* Lindström. L. c. S. 369, Taf. XIII, Fig. 11.
1870. *Orthis crassa* Davidson. Brit. silur. brachiopoda, S. 213, Taf. XXVII, Fig. 17—19.
1879. *Orthis pinguissima* Barr. L. c. Taf. LXII. Fig. 1.
1890. *Orthis crassa* Gagel. L. c. S. 29, Taf. II, Fig. 21.

Umriß beinahe kreisrund, beide Schalen gleich gewölbt, Dorsalklappe mit einem schwachen Sinus. Schnabel stark eingekrümmt, den Wirbel der dorsalen Klappe bedeckend. Schalenskulptur ähnlich der vorigen Art.

Wierzchniakowce, Chudiowce, Filipkowce, Skowiatyn, Borszczów, Łanowce, Michałki bei Celejów. (Zone 4—7.)

156. Orthis germana Barr.

(Taf. XX (VI), Fig. 12.)

1879. *Orthis germana* Barrande. Syst. silur. de Bohême, Taf. CXXVII, Fig. (V).

Nahe der *Orthis canaliculata* unterscheidet sich davon hauptsächlich durch ihren längeren Schloßrand.

Umriß halbkreisförmig, breiter als lang, das Schloß lang, die größte Breite der Schale am Schloßrande. Dorsalschale mit einem schwachen Sinus, Ventralschale mit kielartig erhabener Mitte, Schnabel mäßig groß, wenig gekrümmt, die Schloßarea freilassend. Schale von dicht gedrängten Radialrippen verziert.

Länge = 8·5 *mm*, Breite = 10 *mm*, größte Dicke = 5 *mm*.

Filipkowce, Unicum im Museum Dzieduszycki.

157. Orthis lunata Sw.

Taf. XX (VI), Fig. 11.)

1839. *Orthis lunata* Sowerby. Silur. syst., Taf. V, Fig. 15.
1870. *Orthis lunata* Davidson. L. c. S. 215, Taf. XXVIII, Fig. 1—5.
1879. *Orthis lunata* (?) Barrande. L. c. Bd. 5, Taf. LVIII, Fig. 6.
1899. *Orthis lunata* Wieniukow. L. c. S. 100, Taf. VII, Fig. 6.

Studenica, Kitajgorod, Filipkowce (selten), Borszczów, Michałków. (Zone 6—7.)

158. Orthis (Bilobites) biloba Linn.

1767. *Anomia biloba* Linné. Systema naturae ed 12, Bd. 1, S. 1154.
1839. *Spirifer sinuatus* Sowerby. Silur. syst., S. 630, Taf. XIII, Fig. 10.
1826. *Terebratula cardiospermiformis* Hisinger. Acta R. Ac. Soc. Holmiensis, Taf. VII, Fig. 6.
1827. *Delthyris cardiospermiformis* Dalmann. Uppställning och deskrifning af de i Sverige funne Terebratuliter, S. 124, Taf. III, Fig. 7.
1855. *Orthis biloba* Mac Coy. L. c. S. 213.
1870. *Orthis biloba* Davidson. L. c. S. 206, Taf. XXVIII, Fig. 10—15.
1876. *Orthis (Bilobites) biloba* Roemer. Lethaea palaeozoica, Taf. XII, Fig. 12.
1879. *Orthis dimera* (?) Barrande. Syst. silur. d. Bohême, Taf. XCI, Fig. X.
1899. *Bilobites biloba* Wieniukow. L. c. S. 102, Taf. 1, Fig. 5.

Diese für die Wenlock shales und den Gotländer Kalk charakteristische Art wurde von Wieniukow in Studenica und Kitajgorod von Łomnicki in Filipkowce gefunden, gehört jedoch zu Seltenheiten. Ob in der oben zitierten Synonymik auch die *Orthis dimera* Barr. aus dem böhmischen Unterdevon zu zählen ist, scheint mir fraglich, die böhmische Form ist breiter und spärlicher berippt. (Zone 3.)

Gen.: **Platystrophia** King.

159. Orthis (Platystrophia) podolica n. sp.

(Taf. XX (VI), Fig. 13.)

1830. *Terebratula lynx*. Eichwald. Naturhistorische Skizze von Lithauen, Volhynien und Podolien, S. 202.
1876. *Orthis (Platystrophia) biforata* Roemer. Lethaea palaeozoica, Taf. XII, Fig. 13.

Es ist wohl unwahrscheinlich, daß die untersilurische Art *Platystrophia lynx*. (*Pl. biforata*) bis zum obersten Silur unverändert geblieben sei. Lindström erwähnt dieselbe zwar aus Gotland, Davidson aus Dudley, jedoch muß ich diese obersilurische Form für eine selbständige Art ansehen.

Die Unterschiede gegenüber *Platystrophia biforata* bestehen hauptsächlich in der größeren Breite und verschiedener Ausbildung des Sinus der dorsalen Klappe. Schale stark quer verlängert, beide Klappen gleich stark gewölbt. Die Wulst der Ventralklappe sehr schwach, der Sinus der Dorsalklappe sehr tief und breit. Schale von kräftigen geraden Radialrippen verziert, wovon $^1/_3$ auf den Sinus eventuell die Wulst ausfällt.

Die Breite des Sinus beträgt $^3/_5$ der gesamten Breite, während bei der untersilurischen Form dieselbe nur $^1/_3$ derselben beträgt. Außerdem ist der Sinus der untersilurischen Form beiderseits von steilen glatten Wänden begrenzt, während bei der obersilurischen Art die Ränder des Sinus sich allmählich zu den Flügeln emporheben und die Berippung der Schale ganz gleichmäßig bleibt.

Maßverhältnisse: Größte Breite am Schloßrande = 26 *mm*, Länge = 17 *mm*, größte Dicke = 15 *mm*, Breite des Sinus am Stirnrande = 15 *mm*.

Borszczów, Skowiatyn, Krzywcze, Mazurówka, Wierzchniakowce, Lanowce (selten).

Gen.: **Argiope** David.

160. Argiope podolica n. sp.

(Taf. XX (VI), Fig. 30.)

1879. *Orthis Gervillei* Barr. Syst. silur. d. Bohême, Taf. LX, Fig. 3 (non caet).

Kleine quergestreckte Art mit kräftigen, bis an die Schloßränder herabgerückten Cruris und welligem Schalenumriß. Oberfläche fein radial gestreift. Ob diese Art zu *Orthis* gehört, scheint mir zweifelhaft.

Ein Exemplar dieser für das untere Devon (F_2 Barr.) charakteristischen Form wurde von Dr. Mazurek im unterdevonischen Korallenmergel von Uwisła gefunden. (Zone 10.)

Fam.: **Strophomenidae.**

Gen.: **Strophomena** Blv.

161. Strophomena rhomboidalis Wilkens.

1769. *Conchites rhomboidalis* Wilkens. Nachrichten v. selten. Verstein., S. 77.
1826. *Producta rugosa* Hisinger. Acta R. Ac. Sc. Holmiensis, S. 333.
1826. *Leptaena rugosa* und *depressa* Dalmann, L. c. S. 106, Taf. I, Fig. 1—2.
1837. *Leptaena tenuistriata* Sowerby. Silur. syst., S. 636, Taf. XXII, Fig. 2.
1870. *Strophomena rhomboidalis* Davidson. Brit. silur. brachiopoda, S. 281, Taf. XXXIX, Fig. 1—21, Taf. XLIV, Fig. 9.
1878. *Strophomena rhomboidalis* Kayser. Fauna d. unter. devon. Ablag. des Harzes, S. 189, Taf. XXIX, Fig. 16—18.
1879. *Strophomena rhomboidalis* Barrande. Syst. silur. d. Bohême, Taf. XLI, Fig. 1—38, Taf. LXXXV, Fig. III, Taf. XCII, Fig. III.
1885. *Strophomena rhomboidalis* Maurer. Fauna des Kalkes von Waldgirmes, S. 147, Taf. V, Fig. 22—25.
1893. *Strophomena rhomboidalis* Czernyszew. Fauna d. unteren Devon am Westabhange des Ural, S. 90.
1899. *Strophomena rhomboidalis* Wieniukow. L. c. S. 104, Taf. I, Fig. 10.

Nach Wieniukow in Russisch-Podolien häufig (Wielka Muksza, Studenica, Dumanów, Niehin, Orynin, Zawale, Braha, Wróblowce, Kitajgorod, Nagórzany, Ladawa. Westlich vom Zbrucz selten: Wierzchniakowce, Celejów. (Zone 3—6.)

162. Strophomena podolica n. sp.

(Taf. XX (VI), Fig. 18.)

1899. *Strophomena euglypha* Wieniukow. L. c. S. 105, Taf. I, Fig. 18.

Schale von dreieckigem Umrisse, bis 15 *mm* Länge, flach, dann allmählich um 90% umgebogen. Der Stirnrand ist nicht gleichmäßig gewölbt, sondern seitlich komprimiert, wodurch die Schalenmitte sich vom Stirnrande an kielartig erhebt. Schloßrand nicht vollständig erhalten, scheint etwas kürzer als die größte Breite der Schale zu sein.

Vom Wirbel aus strahlen 12—15 feine radiale Rippen aus, zwischen welchen sich von der Umbiegungsstelle der Schale an kürzere, aber gleich starke Rippen einschieben. Zwischen den Rippen ist die Schale fein punktiert gestreift.

Strophomena euglypha His., mit welcher Wieniukow diese Form identifiziert hatte, ist viel dichter und gleichmäßiger berippt.

Strophomena Haueri Barr. hat eine ähnliche Schalenskulptur und Umriß, ist aber am Stirnrande gleichmäßig gerundet und ihre Schale ist nur sehr wenig gewölbt.

Str. bohemica Barr. aus dem unteren Devon ist dichter berippt und bedeutend breiter, sonst aber ähnlich.

Maßverhältnisse: Größte Breite = 50 *mm*, Länge = 40 *mm*, Wölbung = 14 *mm*, Dicke = 3 *mm*.

Studenica, Żwaniec, Braha, Skala, Uście Biskupie, Borszczów, Filipkowce, Wierzchniakowce, Sinków, Szyszkowce, Uhryń.

163. Strophodonta interstrialis Phill.

1841. *Orthis interstrialis* Phill. Palaeoz. fossils, S. 61, Taf. XXV, Fig. 103.
1863. *Leptaena interstrialis* Davidson. Brit. devonian brachiopoda, S. 85, Taf. XVIII, Fig. 15—18.
1878. *Strophomena interstrialis* Kayser. Fauna der älteren Devonablagerungen des Harzes, S. 193, Taf. XXIX, Fig. 8—9.
1885. *Strophomena interstrialis* Maurer. Fauna der Kalke von Waldgirmes, S. 144, Taf. V, Fig. 17.
1899. *Strophomena interstrialis* Wieniukow. L. c. S. 105, Taf. I, Fig. 9.

Diese devonische Form kommt selten und nur in kleinen Exemplaren im podolischen Silur vor. Wieniukow hat dieselbe in Braha und Laskoruń, Łomnicki in Tarnawka gefunden. (Zone 10.)

164. Strophodonta comitans Barr.

1879. *Strophomena comitans* Barrande. Syst. silur. d. Bohême, Taf. LVI, Fig. 12, Taf. CXXVII, Fig. 2.
1885. *Strophomena comitans* Czernyszew. Fauna des unteren Devon am Westabhange des Ural, S. 59, Taf. VII, Fig. 18—19.
1899. *Strophomena comitans* Wieniukow. L. c. S. 106, Taf. VII, Fig. 7, Taf. VIII, Fig. 2.

Selten in Studenica und Kitajgorod, ein Exemplar aus Zamuszyn in der Krakauer Sammlung. (Zone 10.)

165. Strophomena antiquata Sow.

1839. *Orthis antiquata* Sowerby. Silur. syst., S. 630, Taf. XIII, Fig. 13.
1855. *Strophomena antiquata* Mac. Coy, L. c. S. 241.
1870. *Strophomena antiquata* Davidson. Brit. silur. brachiop., S. 299, Taf. XLIV, Fig. 2—13, 21, 22.
1890. *Strophomena antiquata* Gagel. L. c. S. 43, Taf. V, Fig. 25, Taf. III, Fig. 5.
1899. *Strophomena antiquata* Wieniukow. L. c. S. 108, Taf. I, Fig. 6—7.

Studenica und Kitajgorod nach Wieniukow. (Zone 3.)

166. Strophodonta Studenitzae Wien.

(Taf. XX (VI), Fig. 15.)

1899. *Strophomena Studenitzae* Wieniukow. L. c. S. 109, Taf. I, Fig. 6—7.

Diese in den podolischen Brachiopodenschiefern sehr häufige Form, welche durch ihre Anhäufung ganze Kalkbänke bildet, steht der *Str. interstrialis* Phill. sehr nahe, unterscheidet sich jedoch davon durch ihre viel dichtere Schalenskulptur und geringe Wölbung.

Schale halbkreisförmig, papierdünn, konvex-konkav; Schloßarea schmal, linear. Größte Breite am Schloßrande. Die Schalenskulptur besteht aus zweierlei Rippen: gröbere Rippen stehen doppelt so dicht als bei *Str. interstrialis* gedrängt: man zählt deren über 30 (statt 15 bei *Str. interstrialis*). Dazwischen schalten sich gleich starke, aber kürzere Rippen, welche die Wirbel nicht erreichen und sich schon über der Mitte verlieren, ein. Die Zwischenräume jener gröberen Primär- und Sekundärrippen sind von je vier bis fünf feinen Radialstreifen bedeckt.

Str. Phillipsi Barr. (l. c. Taf. XLIII, Fig. 17—28) aus dem unteren Devon Böhmens ist sehr nahe, aber ebenfalls spärlicher berippt und etwas stärker gewölbt.

Kitajgorod, Studenica, Skała, Czortków, Wierzchniakowce, Łanowce, Filipkowce, Borszczów, Sinków, Michalki bei Celejów, Uhryń, Szyszkowce, Susolówka, Skowiatyn, Korolówka, Chudiowce, Chudykowce, Sapachów, Kołodróbka, Strzałkowce, Krzywcze, Kozaczówka, Wysuczka, Babińce, Biała Kiernica, Zaleszczyki. (Zone 8.)

167. Strophomena mimica Barr.

(Taf. XX (VI), Fig. 17.)

1879. *Strophomena mimica* Barrande. Syst. silur. d. Bohême, Taf. CVII, Fig. 9.

Kleine quergestreckte Art mit einem starken Sinus der Ventralklappe und einer sehr charakteristischen Schalenskulptur. Die Schale ist sehr fein und dicht radialgestreift. Zwischen diesen feinen Streifen erheben sich 8—9 kräftige Rippen, wovon die mittlere im Sinus liegt.

Diese für die Etage F_1 Barrandes charakteristische Art wurde in mehreren Exemplaren im schwarzen Krinoidenkalke von Wołkowce gefunden. (Zone 9.)

168. Strophomena funiculata Mac. Coy.

— *Strophomena funiculata* Mac Coy. Silurian fossils of Ireland, S. 30, Taf. III, Fig. 11.
1855. *Strophomena funiculata* Mac Coy. L. c. S. 244.
1870. *Strophomena funiculata* Davidson. L. c. S. 290, Taf. XL, Fig. 9—13.
1890. *Strophomena funiculata* Gagel. L. c. S. 45, Taf. III, Fig. 11.
1899. *Strophomena semiovalis* Wieniukow. L. c. S. 110, Taf. VI, Fig. 18; Taf. VII, Fig. 10.

Ich kann keinen durchgreifenden Unterschied zwischen der Gotländer Form und *Str. semiovalis* Wieniukow finden.

Nach Wieniukow in Kitajgorod und W. Muksza. (Zone 4.)

Gen.: **Leptaena** Dalm.

169. Leptaena transversalis Wahlb.

1821. *Leptaena transversalis* Wahlenberg. Acta Upsal, vol. 8, S. 64, Taf.-Nr. 4.
1870. *Leptaena transversalis* Davidson. Brit. Silur. brachiopoda, S. 318, Taf. XLVIII, Fig. 1.
1878. *Leptaena transversalis* Barrande. L. c. Taf. V, Fig. 2.
1885. *Leptaena transversalis* Maurer. Fauna des Kalkes von Waldgirmes, S. 152, Taf. VI, Fig. 4—5.
1899. *Leptaena transversalis* Wieniukow. L. c. S. 103, Taf. I, Fig. 8.

Nach Wieniukow häufig in Russisch-Podolien: Kamieniec, Braha, Orynin, Wróblowce, Zawale, Hryńczuk, Sokół. Ein Exemplar im Museum Dzieduszycki aus Ladawa. In Galizien unbekannt. (Zone 3—4.)

Gen.: **Streptorhynchus** King.

170. Streptorhynchus umbraculum Schlth.

(Taf. XX (VI), Fig. 14.)

1820. *Terebratulites umbraculum* Schlth. Petrefaktenkunde, S. 256.
1837. *Orthis umbraculum* L. v. Buch. Über *Delthyris* oder *Spirifer* und *Orthis*, S. 69, Taf. I, Fig. 5—6.
1863. *Streptorhynchus umbraculum* Davidson. Brit. devonian brachiopoda, S. 76, Taf. XVI, Fig. 6, Taf. XVIII, Fig. 1—5.
1878. *Streptorhynchus umbraculum* Kayser. Fauna d. älteren Devonablagerungen des Harzes, S. 197, Taf. XXIX, Fig. 1—2, Taf. XXXIV, Fig. 1.
1885. *Streptorhynchus umbraculum* Czernyszew. Fauna des unteren Devons am Westabhange des Ural, S. 61.
1899. *Streptorhynchus umbraculum* Wieniukow. L. c. S. 111, Taf. I, Fig. 15; Taf. VII, Fig. 12.

Meine podolischen Exemplare stimmen bis auf die kleinsten Details mit gleich großen Exemplaren aus den unteren *Calceola*-Mergeln von Skaly und Grzegorzewice in Polen. Als eine charakteristische Eigenschaft dieser unterdevonischen Form wäre die bedeutende Schloßlänge zu erwähnen. Das Schloß ist nur wenig kürzer als die breiteste Stelle der Schale und häufig flügelartig ausgezogen. Diese Form ist auch im ganzen etwas kürzer als die rheinische; ein durchgreifender Unterschied ist jedoch nicht zu finden.

Ventralschale schwach konkav, Dorsalchale leicht konvex, größte Wölbung der Schale etwas oberhalb der Mitte, größte Breite in der Nähe des Schloßrandes.

Satanów, Nagórzany, Hryńczuk, Filipkowce, Skowiatyn, Czortków, Skała, Kopyczyńce, Michalki bei Celejów, Wierzchniakowce, Borszczów, Krzywcze, Kozaczówka, Wysuczka, Babińce, Uście Biskupie, Chudykowce, Zamuszyn, Kołodróbka, Sapachów. (Zone 10.)

171. Streptorhynchus extensus Gagel.

(Taf. XX (VI), Fig. 16.)

1890. *Strophomena extensa* Gagel. L. c. S. 17, Tafel III, Fig. 15.

Umriß quer verlängert, Schloßrand bedeutend kürzer als die größte Breite der Schale. Ventralschale mit einer großen dreieckigen Area und Pseudodeltidium. Die Area ist schwach konkav, Dorsalschale schwach gewölbt ohne Area. Oberfläche von zahlreichen gleichmäßigen, feingekörnelten Rippen bedeckt.

Breite = 38 *mm*, Länge = 28 *mm*, Dicke = 9 *mm*, Schloßlänge = 23 *mm*.

Zielińce, Filipkowce, selten (Museum Dzieduszycki). (Zone 8.)

Fam.: **Productidae.**

Gen.: **Chonetes** Dalm.

172. Chonetes minuta Gdf.

1836. *Orthis minuta* (Gdf.) L. v. Buch. Üb. Delthyris und Orthis, S. 68.
1845. *Chonetes minuta* Verneuil. Geology of Russia etc., S. 241.
1847. *Chonetes minuta* Koninck. Monographie des genres *Productus* et *Chonetes* S. 219, Taf. XX, Fig. 18.
1864—1865. *Chonetes minuta* Davidson. Brit. devonian brachiopoda, S. 96, Taf. XIX, Fig. 10—12.

Von dieser, an ihrem *Productus*-ähnlichem Aussehen leicht kenntlichen Form habe ich ein einziges Exemplar aus Dźwinogród in der Sammlung der Krakauer Akademie gefunden. (Zone 10.)

173. Chonetes striatella Dalm.

1720. *Pectunculi planiflabelliformes* Bruckmann. Silesia subterranea. S. 388, Taf. VII, Fig. 6.
1769. *Pectunculites* Walch. D. Steinreich, S. 151, Taf. XIV, Fig. 3.
1781. *Calcareus testaceus* Brugman. Lithologia Grinzigana, S. 13, Taf. I, Fig. 1.
1827. *Orthis striatella* Dalmann, L. c. S. 111, Taf. I, Fig. 5.
1828. *Leptaena lata* L. v. Buch. Abh. d. Berlin. Ak., S. 70, Taf. III, Fig. 1, 3, 5—9, 14, 15.
1839. *Leptaena lata* Sowerby. Silur. syst., S. 160, Taf. V, Fig. 13.
1843. *Chonetes sarcinulata* Verneuil. Paléontologie de la Russie, S. 242 (non Fig.).
1846. *Chonetes sarcinulata* Geinitz. Grundzüge der Versteinerungskunde, S. 547. Taf. XXII, Fig. 11.
1847. *Chonetes striatella* Koninck. Monographie des genres *Productus* et *Chonetes*, S. 200, Taf. XX, Fig. 5.
1870. *Chonetes striatella* Davidson. Brit. silur. brachiop., S 331, Taf. XLIX, Fig. 23—26.
1899. *Chonetes striatella* Wieniukow. L. c. S. 112, Taf. IV, Fig. 4.

Häufig in den oberen Silurschichten von Studenica, Kitajgorod, Sokół, Hryńczuk, Uście, Kamieniec, W. Muksza, Orynin, Żwaniec, Malinowiecka Słoboda, Laskorуń, Satanów, Kozina, Łuka mała, Filipkowce, Korolówka, Borszczów, Chudykowce, Michałków, Zamuszyn, Kołodróbka, Sapachów, Sinków, Kudryńce. (Zone 4—7.)

Fam.: **Spiriferidae.**

Gen.: **Spirifer** Sow.

174. Spirifer Schmidti Lindstr.

1860. *Spirifer Schmidti* Lindström. L. c. S. 358, Taf. XII, Fig. 1.
1899. *Spirifer Schmidti* Wieniukow. L. c. S. 135, Taf. II, Fig. 9—10.

Große in die Breite gezogene Art mit langem, geradem Schloßrande und spitzen Schloßecken. Ventralklappe stark gewölbt mit eingekrümmtem Schnabel. Area hoch, dreieckig, mit einer großen dreieckigen Deltidialöffnung. Der Sinus der Ventralschale beginnt am Wirbel und erweitert sich rasch, am Stirnrande $^1/_3$ der Gesamtbreite erreichend. Die Seitenwände des Sinus fallen schräg ein und bilden in ihrer Mitte eine ziemlich breite und tiefe Rinne, welche durch zwei Rippen begrenzt ist und das Aussehen eines zweiten internen Sinus hat. Jederseits des Sinus zählt man 6—7 gerundete kräftige Rippen.

Dorsalklappe weniger gewölbt; vom Wirbel aus geht eine schmale Rippe, welche sich sofort in zwei spaltet. Die Spaltrippen erweitern sich sehr rasch und werden von einer tiefen Rinne getrennt, welche am Stirnrande dem oben erwähnten internen Sinus korrespondiert.

Die ganze Schale ist fein radial gestreift und von feinen welligen Zuwachslamellen verquert.

Breite der ausgewachsenen Exemplare 31 *mm*, Länge 20 *mm*, Höhe 19 *mm*.

Żwaniec, Braha, Kamieniec, Muksza, Orynin, Malinowiecka Słoboda, Satanów, Zielińce, Dźwinogród, Filipkowce, Skała, Kręciłów. (Zone 4—6.)

175. Spirifer Schmidti var pyramidalis Wien.

1899. *Spirifer Schmidti* var. *pyramidalis* Wieniukow. L. c. Taf. II, Fig. 11.

Ventralklappe beinahe pyramidal, Schnabel kaum gekrümmt, Area sehr hoch, Schale sehr breit mit sehr spitzen Schloßrändern. Die Berippung dichter als bei der typischen Form (18—20 Rippen auf jeder Klappe). Bau des Sinus gleich wie bei *Sp. Schmidti*.

Breite 25 *mm*,	Länge 10 *mm*,	Höhe 10 *mm*
» 18 *mm*,	» 6 *mm*,	» 7 *mm*

selten, nach Wieniukow in Muksza.

176. Spirifer elevatus Dalm.

1828. *Delthyris elevata* Dalmann. L. c. S. 120, Taf. III, Fig. 3.
1866. *Spirifer elevatus* Davidson. Brit. silur. brachiop., S. 95, Taf. X, Fig. 7—11.

1875. *Spirifer elevatus* Fr. Schmidt. Einige Bemerkungen üb. d. podolisch-galizische Silurformation, S. 19. Taf. I, Fig. 5.
1883. *Spirifer elevatus* Kayser (in Richthofen: China, Bd. IV), S. 42, Taf. IV, Fig. 1, 6.
1885. *Spirifer elevatus* Roemer. Lethaea erratica, S. 98, Taf. VII, Fig. 1—2.
1899. *Spirifer elevatus* Wieniukow. L. c. S. 129, Taf. II, Fig. 3—5.
1890. *Spirifer elevatus* Gagel. L. c. S. 63, Taf. I, Fig. 41.

Studenica, Hryńczuk, Braha, Muksza, Uście, Orynin, Nagórzany, Dumanów, Kamieniec, Satanów, Malinowiecka Słoboda, Holeniszczów, Zawale, Skała, Zielińce, Wierzchniakowce, Zbrucz, Chudiowce, Gródek, Sapachów, Strzałkowce, Wysuczka, Chudykowce, Olchowce, Borszczów, nicht selten. (Zone 3—7.)

177. Spirifer Bragensis Wien.

1899. *Spirifer Bragensis* Wieniukow. L. c. S. 138, Taf. II, Fig. 7—8.

Gehört zu den häufigsten Fossilien des podolischen Silurs. Von dem ihm nächst verwandten *Spir. elevatus* unterscheidet sich *Spir. Bragensis* durch seine geringere Breite, kleinere Area, stark eingekrümmten Schnabel, seichten Sinus und seine breiten, flachen, gerundeten Rippen, welche gegen die Flanken meist sich verwischen. Manche Exemplare sind beinahe glatt. Die Rippen sind von dichten wellig gebogenen Zuwachslinien gekreuzt.

Breite der Schale 12 *mm*, Länge 11 *mm*, Höhe 10 *mm*
» » » 15 *mm*, » 14 *mm*, » 11 *mm*

Braha, Hryńczuk, Orynin, Sokół, Kamieniec, Satanów, Filipkowce, Sinków, Zielińce, Wierzchniakowce, Borszczów, Korolówka, Czortków, Dźwinogród, Kudryńce, Bilcze, Skała, Lanowce, Uhryń, Myszków, Michałki bei Celejów, Uwisła, Susolówka, Skowiatyn, Strzałkowce, Kozaczówka, Chudykowce, Wysuczka, Paniowce, Babińce, Głęboczek, Kozina, Zamuszyn, Kołodróbka, Dawidkowce. (Zone 6—7.)

178. Spirifer crispus L.

1826. *Terebratulites crispus* (L.) Hisinger. L. c. Taf. VII, Fig. 4.
1828. *Delthyris crispa* Dalmann. L. c. S. 122, Taf. III, Fig. 6.
1866. *Spirifera crispa* Davidson. Brit. silur. brachiopod., S. 97, Taf. X, Fig. 13—15.
1878. *Spirifer* aff. *crispus* Kayser. Fauna d. älteren Devonablagerungen des Harzes, S. 175, Taf. XXV, Fig. 41.
1890. *Spirifer crispus* Gagel. L. c. S. 64, Taf. I, Fig. 43.
1899. *Spirifer crispus* Wieniukow. L. c. S. 122, Taf. III, Fig. 9.

Studenica, Kitajgorod, Kamieniec, Braha, Hryńczuk, Uście, Zawale, Ladawa, Zamuszyn, Kołodróbka (selten). (Zone 3—6.)

179. Spirifer plicatellus L.

(Taf. XX (VI), Fig. 21.)

1758. *Anomia plicatella* Linné. Systema naturae, ed. 10. S. 1154.
1837. *Spirifer radiatus* Sowerby. Silur. syst., Taf. XII, Fig. 6.
1866. *Spirifera plicatella* var. *radiata* Davidson. Brit. silur. brachiop., S. 87, Taf. IX, Fig. 1—6.
1869. *Spirifer cyrtaena* Karsten. D. Versteinerungen des Übergangsgebirges in den Geröllen der Herzogtümer Schleswig und Holstein, S. 26, Taf. IX, Fig. 2.
1890. *Spirifer plicatellus* Gagel. L. c. S. 64, Taf. I, Fig. 44.
1899. *Spirifer togatus* Wieniukow. L. c. S. 133, Taf. II, Fig. 2; Taf. VII, Fig. 22.

Schale mit trapezförmigem Umriß, größte Breite am Schloßrande, Schloßecken breit gerundet, Ventralklappe stark gewölbt mit wenig vorragendem eingekrümmten Schnabel, an welchem man vier scharfe Rippen deutlich erkennen kann, wovon zwei äußere im weiteren Verlaufe den Sinus begrenzen, die zwei inneren dagegen sofort in der Sinusmitte spurlos verschwinden, Sinus tief, aber gleichmäßig abgerundet, nicht eckig flachgedrückt, wie bei *Sp. togatus*. Der Sinus greift in die Dorsalklappe tief zungenförmig hinein. Jederseits des Sinus sind mehrere, sehr schwache, breite und niedrige Rippen merklich, welche meist allein am wellenförmigen Verlaufe der Zuwachslinien erkennbar sind. Die Dorsalklappe ist weniger gewölbt, mit einer schmalen, hohen gerundeten Wulst, welche am Stirnrande durch den Sinus der Ventralklappe ausgebuchtet ist.

Die Schale ist äußerst fein und dicht radial gestreift, die Streifung allein unter der Lupe sichtbar und von etwas kräftigeren Zuwachslamellen verquert, welche am deutlichsten in der Nähe des Stirnrandes auftreten.

Wieniukow hat diese Form mit *Sp. togatus* Barr. identifiziert, jedoch mit Unrecht, da nicht allein an meinem Exemplare, aber auch an den schlecht erhaltenen Exemplaren von Wieniukow die charakteristischen Unterschiede der Gotländer und böhmischen Form deutlich hervortreten, nämlich der bedeutend kürzere Schnabel und die verschiedene Gestalt des Sinus, welcher bei *Sp. togatus* ganz flach und durch scharfe Kanten von den Sinuswänden getrennt ist, während bei *Sp. plicatellus* derselbe ganz gleichmäßig gerundet ist. Auch ist die Schalenskulptur verschieden, was allerdings an schlecht erhaltenen Stücken nicht zu sehen ist.

Studenica, Kitajgorod, Zielińce (selten). (Zone 5.)

180. Spirifer Tethidis Barrande.

1879. *Spirifer Tethidis* Barrande. Syst. silur. d. Bohême. Taf. VI, Fig. 1—6.
1897. *Spirifer Tethidis* Czernyszew. Fauna des unteren Devon am Westabhange des Ural, S. 54, Taf. V, Fig. 16.
1899. *Spirifer Thetidis* Wieniukow. L. c. S. 132, Taf. VII, Fig. 23.

Nach Wieniukow kommt diese devonische Art selten im obersten Silur (?) von Satanów vor. (Zone 10.)

181. Spirifer Nerei Barr.

(Taf. XX (VI), Fig. 19.)

1879. *Spirifer Nerei* Barrande. Syst. silur. d. Bohême, Taf. VI, Fig. 7—15; Taf. CXXIV.

Gut erhaltene Exemplare dieser schönen Art, welche sich von *Sp. elevatus* und *Sp. Bragensis* schon auf den ersten Blick durch ihre viel dichtere und feinere Berippung, von *Sp. Schmidti* durch einfachen Sinus und Wulst unterscheidet, kommen in Zaleszczyki zusammen mit *Waldheimia podolica* und *Monticulipora* aff. *pulchella* vor (Judenfriedhof). (Zone 9.)

182. Spirifer (?) n. sp. indet.

(Taf. XX (VI), Fig. 20.)

Ich wage es nicht, nach einem einzigen, vielleicht abnormen Exemplar eine neue Gattung aufzustellen. Das erwähnte Exemplar ist äußerlich dem *Spirifer Nerei* Barr. (Taf. CXXIV, Fig. 4*a* und Fig. 7) ähnlich, das Schloß ist jedoch von sämtlichen Spiriferen verschieden, indem der Schnabel der ventralen Klappe den Wirbel der Dorsalklappe teilweise bedeckt, und es ist an demselben keine Spur einer Area zu erkennen, während die Area der Dorsalklappe ganz normal ausgebildet ist und über dem Schloßrande deutlich hervorragt.

Filipkowce (Museum Dzieduszycki). (Zone 10?)

183. Spirifer robustus Barr.

(Taf. XXI (VII), Fig. 1.)

1879. *Spirifer robustus* Barrande. L. c. Taf. V, Fig. 1—4; Taf. CXXIV, Fig. IV.
1889. *Spirifer robustus* Barrois. Faune du calcaire d. Erbray, S. 140, Taf. IX, Fig. 6.
1893. *Spirifer robustus* Czernyszew. Fauna des unteren Devon am Westabhange des Ural, S. 48, Taf. VI, Fig. 1—4.
1899. *Spirifer robustus* Wieniukow. L. c. S. 135, Taf. VI, Fig. 15; Taf. VIII, Fig. 1.

Diese unterdevonische Form kommt nach Wieniukow selten in den obersten Schichten des podolischen Silurs (?) in Laskoruń vor. Ich kenne dieselbe außerdem aus Wierzchniakowce, Filipkowce, Łanowce, Borszczów und Michałki bei Celejów. (Zone 10.)

Gen.: Cyrtia Dalm.

184. Cyrtia exporrecta Wahlb.

1821. *Anomites exporrectus* Wahlenberg. N. Acta reg. soc. sc. etc., S. 64.
1828. *Cyrtina trapezoidalis* Hisinger. Bidrag. Sver. geogn. anteck., Bd. 4, S. 220, Taf. IV, Fig. 1.

1866. *Cyrtia exporrecta* Davidson. Brit. silur. brachiopoda, S. 99, Taf. IX, Fig. 13—24.
1879. *Cyrtia trapezoidalis* Barrande. Syst. silur. d. Bohême, Taf. VIII, Fig. 10—15.
1885. *Cyrtia exporrecta* Davidson. Supplement Brit. silur. brachiopod., S. 137, Taf. VI, Fig. 13; Taf. VIII, Fig. 4—5.
1899. *Cyrtia exporrecta* Wieniukow. L. c. S. 139, Taf. II, Fig. 12.

Kamieniec, Studenica, Kitajgorod, Smotrycz. (Zone 3—4.)

185. Cyrtia multiplicata Dav.

1841. *Spirifer cuspidatus* Phillips. Paleozoic. fossils of Cornwall, Devon and. Sommerset, S. 72, Taf. XXIX, Fig. 124 *B*.
1865. *Cyrtina heteroclyta* var. *multiplicata* Davidson. Brit. devonian brachiopoda, Taf. IX, Fig. 11—14.

Ganz identisch mit den Figuren von Davidson und Phillips.

Lanowce (unikum in der Krakauer Sammlung). (Zone 10.)

186. Cyrtia heteroclita Defr.

— *Calceola heteroclita* Defr. Dictionn. d. sc. natur., Bd. 80, Fig. 3.
1837. *Spirifer heteroclitus* Buch. Über *Delthyris* und *Orthis*, S. 40.
1841. *Spirifer heteroclitus* Phill. Palaeoz. fossils of Cornwall etc., S. 72, Taf. XXIX, Fig. 125.
1852. *Spirifera heteroclita* Mac. Coy. Brit. palaeoz. foss. S. 377.
1851. *Spirifer heteroclitus* Quenstedt. Hdb. d. Petrefaktenkunde, Taf. XXXVIII, Fig. 21.
1853. *Spirifer heteroclitus* Sandberger. Rhein. Schichtensystem von Nassau, S. 32, Taf. XXXII, Fig. 8.
1852. *Spirifer heteroclitus* Schnur. Palaeontographica, S. 3, Taf. XXXV, Fig. 6.
1863. *Cyrtina heteroclita* Davidson. Brit. devonian Brachiopoda, S. 48, Taf. 9, Fig. 1—16.

Kommt häufig im devonischen gelben Korallenmergel von Mazurówka und Uwisła bei Celejów vor. (Zone 10.)

Fam.: **Rhynchonellidae.**

Gen.: **Pentamerus** Sow.

187. Pentamerus galeatus Dalm.

1827. *Atrypa galeata* Dalmann. L. c. S. 130, Taf. V, Fig. 4.
1845. *Pentamerus galeatus* Verneuil. Palaeontologie d. l. Russie, S. 120, Taf. VIII, Fig. 3.
1860. *Pentamerus galeatus* Eichwald. Lethaea rossica, Bd. I, S. 783, Taf. XXXV, Fig. 19—20.
1866. *Pentamerus galeatus* Davidson. Brit. silur. brachiop., S. 145, Taf. XV, Fig. 13—23.
1878. *Pentamerus galeatus* Kayser. Fauna der unteren Devonablagerungen des Harzes, S. 159, Taf. XXVII, Fig. 10—12.
1885. *Pentamerus galeatus* Davidson. Suppl. to Brit. silur. brachiop., S. 164, Taf. IX, Fig. 25.
1885. *Pentamerus galeatus* Maurer. Fauna des Kalkes von Waldgirmes, S. 214, Taf. IX, Fig. 1—3.
1890. *Pentamerus galeatus* Gagel. L. c. S. 54, Taf. IV, Fig. 7—8.
1879. *Pentamerus galeatus* Barrande. Syst. silur. d. Bohême, Taf. XX, Fig. 1.
1890. *Pentamerus galeatus* Czernyszew. Fauna des unteren Devons am Ostabhange des Ural, S. 76.
1899. *Pentamerus galeatus* Wieniukow. L. c. 145, Taf. III, Fig. 2, 5.

Hryńczuk, Kitajgorod, Studenica, Zawale, Kamieniec, Braha, Ormiany, Orynin, Malinowiecka Słoboda, Laskoruń, Satanów, Nagórzany, Borszczów, Dźwinogród, Strzałkowce, Michałków, Uście Biskupie, Kozina, Mazurówka, häufiger in Russisch-Podolien als in Galizien. (Zone 3—7.)

188. Pentamerus linguifer Sw.

1839. *Atrypa linguifera* Sowerby. Silur syst., Taf. XIII, Fig. 8.
1866. *Pentamerus linguifer* Davidson. Brit. silur. brachiop., S. 149, Taf. XVII, Fig. 11—14.
1879. *Pentamerus linguifer* Barrande. Syst. silur. de Bohême, Taf. XXII, Fig. 2, 4; Taf. XXIV, Fig. III, Taf. CXIX, Fig. 9—10.
1835. *Pentamerus linguifer* Czernyszew. Fauna des unteren Devon am Westabhange des Ural, S. 56.
1899. *Pentamerus linguifer* Wieniukow. L. c. S. 147, Taf. III, Fig. 6, 7; Taf. VI, Fig. 19.

Bildet an mehreren Orten (Kołodróbka, Chudiowce, Chudykowce) ganze Bänke.

Kitajgorod, Studenica, Mielnica, Chudiowce, Sapachów, Kołodróbka, Skowiatyn, Krzywcze, Borszczów, Paniowce, Chudykowce, Kozina, Zamuszyn, Filipkowce, Gródek. (Zone 3—4.)

189. Pentamerus Sieberi Barr.

(Taf. XX (VI), Fig. 23.)

1847. *Pentamerus Sieberi* Barrande. Silur. brachiop. aus Böhmen, S. 464, Taf. XXI, Fig. 2.
1879. *Pentamerus Sieberi* Barrande. Syst. silur. d. Bohême, Taf. XXI und LXXVIII.
1899. *Pentamerus Sieberi* var *rectifrons* Wieniukow. L. c. S. 152, Taf. III, Fig. 3.

Wieniukow hat ein einziges Exemplar dieser Art in Dumanów gefunden; mir liegen noch vier andere aus Zaleszczyki, Zieliñce und Babiñce vor. Das größte davon ist 20 *mm* breit. Die podolische Varietät ist sehr spärlich im Sinus berippt, der Stirnrand ist nur schwach gebogen. (Zone 10.)

190. Pentamerus integer Barr.

(Taf. XX (VI), Fig. 22.)

1847. *Pentamerus integer* Barrande. Silur. brachiop. aus Böhmen, S. 464, Taf. XXII, Fig. 7.
1879. *Pentamerus integer* Barrande. Syst. silur. d. Bohême, Taf. XXII, Fig. 9, Taf. LXXX, Fig. 1.
1893. *Pentamerus integer* Czernyszew. Fauna des unteren Devons am Ostabhange des Urals, S. 78, Taf. XIII, Fig. 5—7.
1899. *Pentamerus integer* Wieniukow. L. c. S. 148, Taf. III, Fig. 8.

Von Wieniukow in Kamieniec und Smotryca gefunden. Ein Exemplar aus Lanowce im Museum Dzieduszycki ist 17 *mm* breit, 14 *mm* lang und 9 *mm* dick.

Schale breiter als lang, vollkommen glatt, Ventralschale mit einem sehr kleinen spitzen eingekrümmten Schnabel. Der Wirbel der Dorsalklappe viel dicker und höher als der Ventralklappe, fällt steil gegen den Schloßrand ein, wodurch die Dorsalklappe scheinbar dicker als die ventrale erscheint. (Zone 10.

191. Pentamerus optatus Barr.

1847. *Pentamerus optatus* Barrande, Silur. brachiop. aus Böhmen, S. 471, Taf. XXII, Fig. 4, 5.
1879. *Pentamerus optatus* Barrande. Syst. silur. d. Bohême, Taf. XXII, XXIV, CXIV, CXVI, CXVII, CXVIII, CXIX, CL.
1885. *Pentamerus optatus* Czernyszew. Fauna des unteren Devons am Westabhange des Ural, S. 53, Taf. VII, Fig. 94—95.
1899. *Pentamerus optatus* Wieniukow. L. c. S. 149, Taf. VIII, Fig. 3—4.

Nach Wieniukow in Kamieniec und Malinowiecka Słoboda. Ein kleines Exemplar aus Skala im Museum Dzieduszycki.

192. Pentamerus podolicus Wieniukow.

1899. *Pentamerus podolicus* Wien. l. c. S. 150, Taf. IV, Fig. 1; Taf. VIII, Fig. 6.

Eine dem *P. Sieberi* nahestehende kleine Form wurde von Wieniukow aus dem Kalksteine von Studenica beschrieben. Die Unterschiede gegenüber *P. Sieberi* bestehen in der stärkeren Schalenskulptur (die ganze Schale bis zu den Wirbeln ist berippt) und dem stumpferen Schloßwinkel.

193. Pentamerus Vogulicus Vern.

1845. *Pentamerus Vogulicus* Verneuil. Palaeontologie d. l. Russie, S. 113, Taf. VII, Fig. 2.
1854. *Pentamerus Vogulicus* Gruenewaldt. Versteinerungen der silurischen Kalksteine von Bogoslowsk, S. 25, Taf. IV, Fig. 14 *d*.
1893. *Pentamerus Vogulicus* Czernyszew. Fauna des unteren Devons am Ostabhange des Ural, S. 81, Taf. XI, Fig. 1.
1899. *Pentamerus Vogulicus* Wieniukow. L. c. S. 146, Taf. III, Fig. 4.

Wieniukow hat diese Form in den oberen Korallenkalken von Kamieniec, im Tale Podzamcze und in Pudłowce am Smotrycz gefunden. Ein gutes Exemplar aus Kamieniec habe ich in Prof. Alths Sammlung in Krakau gefunden. (Zone 6.)

Gen.: Rhynchonella Fisch. d. Waldh.

194. Rhynchonella nucula Sw.

1837. *Terebratula nucula* Sowerby. Silur. syst., S. 611, Taf. V, Fig. 20.
1868. *Rhynchonella nucula* Davidson. Brit. Silur. brachiop., S. 181, Taf. XXIV, Fig. 1—7.
1883. Id. Davidson: Supplement to brit. silur. brachiop., S. 157, Taf. X, Fig. 27—29.

1876. *Rhynchonella nucula* Roemer. Lethaea erratica, S. 97, Taf. VII, Fig. 7.
1890. *Rhynchonella nucula* Gagel. L. c. S. 55, Taf. V, Fig. 17.
1899. *Rhynchonella nucula* Wieniukow. L. c. S. 155, Taf. IV, Fig. 6—8.

Diese für die Beyrichienkalke sehr charakteristische Form findet sich sehr häufig in dementsprechenden Schichten Podoliens, ohne jedoch in höhere Horizonte zu übergehen.

Kamieniec, Sokół, Muksza, Hryńczuk, Uście, Satanów, Dumanów, Malinowiecka Słoboda, Nagórzany, Skała, Dźwinogród, Zbrucz, Kozaczówka, Borszczów. (Zone 4—6.)

195. Rhynchonella cuneata Dalm.

1827. *Terebratula cuneata* Dalm. L. c. S. 141, Taf. VI, Fig. 3.
1847. *Terebratula cuneata* Barrande. Silur. brachiop. aus Böhmen (Naturhist. Abhandlungen, I. Bd.), S. 80, Taf. XVII, Fig. 11.
1866. *Rhynchonella cuneata* Davidson. Brit. silur. brachiopoda, S. 164, Taf. XXI, Fig. 1—11.
1879. *Rhynchonella cuneata* Barrande. Syst. silur. d. Bohême, Taf. XXXIII, Fig. 10—13.
1883. *Rhynchonella cuneata* Davidson. Supplement to brit. silur. brachiop., S. 152, Taf. X, Fig. 9—10.
1899. *Rhynchonella cuneata* Wieniukow. L. c. S. 155.

Kamieniec, Dumanów, Niehin (selten), ein Exemplar aus Filipkowce im Museum Dzieduszycki. (Zone 4—6.)

196. Rhynchonella bidentata His.

1826. *Terebratula bidentata* Hisinger. Vetensk. akad. handlingar., S. 323, Taf. VIII, Fig. 5.
1828. *Terebratula bidentata* Hisinger. Ibid., S. 142, Taf. VI, Fig. 7.
1883. *Rhynchonella bidentata* Davidson. Supplem. to brit. silur. brachiopoda, S. 150, Taf. X, Fig. 3.
1899. *Rhynchonella bidentata* Wieniukow. L. c. S. 153, Taf. IV, Fig. 5.

Muksza, Nagórzany (selten). (Zone 4.)

197. Rhynchonella Wilssoni Sw.

1816. *Terebratula Wilssoni* Sowerby. Min. conch., Bd. 2, S. 38, Taf. CXVIII, Fig. 3.
1837. *Terebratula Wilssoni* Sowerby. Silurian system., S. 615, Taf. VI, Fig. 7.
1845. *Terebratula Wilssoni* Verneuil. Palaeontologie de la Russie, S. 87, Taf. X, Fig. 8.
1855. *Hemithyris Wilssoni* Mac Coy. Brit. palaeozoic fossils, S. 200.
1866. *Rhynchonella Wilssoni* Davidson. Brit. silur. brachiop., S. 167, Taf. XXIII, Fig. 1—9.
1883. *Rhynchonella Wilssoni* Davidson. Supplem. to brit. silur. brachiop., S. 156.
1890. *Rhynchonella Wilssoni* Gagel. L. c. S. 56, Taf. V, Fig. 10—11.
1899. *Rhynchonella* (*Wilssonia*) *Wilssoni* Wieniukow. L. c. S. 160, Taf. IV, Fig. 14—16; Taf. VIII, Fig. 7—8.

Die podolische Form dieser vielverbreiteten Art steht näher der *Rhynchonella princeps* Barr. als der typischen *Rh. Wilssoni* aus dem englischen Silur und stimmt in dieser Hinsicht mit Gotländer Exemplaren gänzlich überein. Die größte Dicke der Schale liegt bei der podolischen ebenso wie bei der Gotländer Form nicht in der Mitte, sondern erst am Stirnrande und ein Sinus der Ventralschale ist stets deutlich erkennbar.

Kamieniec, Orynin, Laskorуń, Kitajgorod, Hryńczuk, Malinowiecka Słoboda, Muksza, Satanów, Dumanów, Wierzchniakowce, Zielińce, Filipkowce, Sapachów, Strzałkowce, Krzywcze, Kozaczówka, Chudykowce, Olchowce, Skała, Mazurówka, Kozina. (Zone 4—7.)

Außer der typischen *Rh. Wilssoni* kommen in Podolien mit ihr zusammen mehrere Varietäten vor.

198. Rhynchonella Wilssoni var. Davidsoni Mac Coy.

1851. *Hemithyris Davidsoni* Mac Coy. Annals and magazin of natur. history., Bd. 8, S. 392.
1868. *Rhynchonella Wilssoni* var. *Davidsoni* Davidson. Brit. silur. brachiop., S. 172, Taf. XXIII, Fig. 11—14.
1875. *Rhynchonella Wilssoni* var. *Davidsoni* F. Schmidt. Einige Bemerkungen über die podolisch-galizische Silurformation, S. 19, Taf. I, Fig. 3.
1890. *Rhynchonella Wilssoni* var. *Davidsoni* Gagel. L. c. S. 56, Taf. V, Fig. 11.

1899. *Rhynchonella Davidsoni* Wieniukow. L. c. S. 158, Taf. IV, Fig. 13, Taf. VIII, Fig. 12.
1899. *Rhynchonella sphaerica* Wieniukow. L. c.

Unterscheidet sich von der typischen *Rh. Wilssoni* durch geringere Größe und geringere Zahl und größere Stärke der Rippen; *Rhynchonella sphaerica* Wieniukow (non Sow.) gehört ebenfalls hieher: es gibt sehr dicke Exemplare von der Form der podolischen *Rh. Wilssoni* mit größter Dicke am steil abfallenden Stirnrande und andere mit einer gleichmäßigeren Wölbung der Schale, wie sie Wieniukow abgebildet hat. Durchgreifende Unterschiede gibt es jedoch zwischen diesen zwei Varietäten nicht, und die im Texte von Wieniukow hervorgehobenen Unterschiede der dicken Varietät (*Rh. sphaerica* Wien.) von *Rh. Davidsoni* existieren nicht: der Sinus ist ebenso deutlich an jenen sehr dicken grobrippigen Exemplaren (*Rh. sphaerica* Wieniukow non Sw.) als an flacheren mehr gerundeten Exemplaren (*Rh. Davidsoni* Wien.) ausgeprägt, kann individuell auch fehlen, aber in einer größeren Serie von Exemplaren ist dieses kein bezeichnendes Merkmal. *Rh. sphaerica* Sw. ist ganz kugelig, ohne jede Spur eines Sinus und mit stärkster Wölbung in der Mitte.

Studenica, Kitajgorod, Lanowce, Kolodróbka, Paniowce, Strzalkowce, Filipkowce. (Zone 4.)

199. Rhynchonella Satanowi Wieniukow.

1899. *Rhynchonella Satanowi* Wieniukow. (L. c. S. 162, Taf. VI, Fig. 12.)

Kleine Form aus der unmittelbaren Verwandtschaft von *Rh. Wilssoni*, mit welcher sie zusammen vorkommt. Unterscheidet sich durch ihre spärlichen, groben gerundeten Rippen.

Satanów und Hryńczuk (nach Wieniukow). (Zone 6.)

200. Rhynchonella Dumanowi Wieniukow.

1899. *Rhynchonella Dumanowi* Wieniukow. L. c. S. 164, Taf. IV, Fig. 17—18; Taf. VI, Fig. 12—13; Taf. VIII, Fig. 11.

Wohl nur eine kleinwüchsige Varietät von *Rhynchonella Wilssoni*, welche sich von der typischen Form durch geringere Dicke und gröbere Berippung auszeichnet.

Dumanów, Satanów, Kamieniec, Kozina, Strzałkowce. (Zone 6.)

201. Rhynchonella subfamula Wieniukow.

1899. *Rhynchonella subfamula* Wieniukow. L. c. S. 162, Taf. IV, Fig. 19.

Unterscheidet sich von *Rh. famula* Barr. durch größere Anzahl von Falten im Sinus und andere Maßverhältnisse: die Schale ist länger als breit.

Kamieniec (oberer Korallenkalk). (Zone 6.)

202. Rhynchonella ancillans Barr.

1879. *Rhynchonella ancillans* Barrande. Syst. silur. de Bohème, Taf. XXXVI, Fig. I. 1—12.
1899. *Rhynchonella ancillans* Wieniukow. L. c. S. 166, Taf. VIII, Fig. 10.

Von Wieniukow in Studenica gefunden. (Zone 8.)

203. Rhynchonella delicata Wien.

(Taf. XXI (VII), Fig. 6.)

1899. *Rhynchonella delicata* Wieniukow. L. c. S. 167, Taf. VIII, Fig. 15.

Schale flach, dreieckig, Ventralklappe schwach gewölbt, mit einem sehr seichten, nur am Stirnrande erkennbaren Sinus; Dorsalklappe flach, mit einer Medianrinne, welche die Schale in zwei gleichgewölbte Hälften teilt. Die Schale ist von je zehn kräftigen glatten Rippen verziert, welche vom Wirbel bis zum Stirnrande unverändert bleiben.

Studenica, Dźwinogród (sehr selten). (Zone 3.)

204. Rhynchonella Hebe Barr.

(Taf. XXI (VII), Fig. 8.)

1847. *Terebratula Hebe* Barrande. Silurische Brachiop. aus Böhmen, S. 442, Taf. I, Fig. 11.
1879. *Rhynchonella Hebe* Barrande. Syst. silur. de Bohême, Taf. XXXIII, Fig. 14—17; Taf. CXXXIX, Fig. II.
1899. *Rhynchonella Hebe* Wieniukow. L. c. S. 163, Taf. VIII, Fig. 14.

Wieniukow hat diese Art in Dumanów gefunden. Ein Exemplar aus Skała am Zbrucz in der Krakauer Sammlung. (Zone 8.)

205. Rhynchonella obsolescens Barr.

(Taf. XXI (VII), Fig. 7.)

1879. Barrande. Syst. silur. de Bohême, Taf. CXIII, Fig. IV.

Umriß gerundet fünfeckig, beide Klappen gleich gewölbt, Dorsalklappe mit einer breiten und niedrigen Wulst, Ventralklappe mit einem breiten Sinus, welcher auf dem Stirnrande einen Bogen bildet. Die Seiten des Sinus und der Wulst gehen allmählich ohne scharfe Kanten in die Seiten über, Schnabel klein, spitz, durchbohrt mit einer Deltidialspalte. Ganze Schale mit dichten und feinen Radialstreifen bedeckt, welche am stärksten am Stirnrande, jedoch bis zu den Wirbeln sichtbar sind.

Łanowce (Unikum). Krakauer Sammlung. (Zone 10.)

206. Rhynchonella borealiformis Szajnocha.

(Taf. XXI (VII), Fig. 3—5.)

Die häufigste *Rhynchonella*-Art der podolischen Brachiopodenschichten, welche man zu Hunderten in Borszczów etc. sammeln kann.

Diese eigentümliche Form, welche auffallender Weise in Russisch-Podolien gänzlich fehlt, hat eine gewisse Ähnlichkeit mit *Rhynch. tarda* Barr. und mit *Rhynch. borealis* Schloth., variiert indes so stark, daß man auch Exemplare, welche an *Rhynch. nympha* oder *Rh. Davidsoni* sich annähern, häufig findet.

Als konstante Merkmale sämtlicher Varietäten sind zu nennen: Die Art der Berippung, der stumpfe Schloßwinkel und die sehr scharfe Begrenzung des Sinus und der Wulst von den Seiten der Schale. Am stärksten variiert die Dicke der Exemplare, womit auch der wechselnde Verlauf des Profils zusammenhängt.

Schale etwas breiter als lang, mit einem stumpfen Schloßwinkel. An normalen Formen sind beide Klappen mehr oder weniger gleich gewölbt. Ventralschale mäßig gewölbt mit einem kleinen spitzen eingekrümmten Schnabel und einem flachen tiefen scharf begrenzten Sinus, welcher oberhalb der Mitte beginnt und sich gegen den Stirnrand verbreitert und vertieft. Im Sinus liegen gewöhnlich drei grobe Falten. Der Sinus greift am Stirnrande tief in die Dorsalklappe herüber. Zu beiden Seiten des eingedrückten Sinus sieht man mehrere (gewöhnlich acht) feinere, aber ebenfalls flachgerundete, niemals eckige Falten, welche am Stirnrande eine zackige Linie bilden, ein Drittel aber vor dem Wirbel allmählich verschwinden. Bei gut erhaltener Schale sieht man jedoch, daß die linearen Furchen, welche diese Falten voneinander trennen, als feine Linien sich bis zum Schnabel erstrecken.

Die Dorsalklappe ist gleichmäßig im Kreisbogen gewölbt; ein Drittel vom Wirbel beginnt eine scharf abgegrenzte Wulst mit vier flachen Falten. Die Seiten sind gleich wie auf der Ventralklappe berippt.

Der Stirnrand ist durch den zungenförmigen Fortsatz des Sinus tief eckig ausgeschnitten, die Falten der beiden Klappen treffen sich in einer normalen Zickzacklinie zusammen. Die größte Dicke der Schale fällt bei derartigen normalen Typen in der halben Länge aus. Von dem oben beschriebenen Normaltypus kommen jedoch verschiedene Abweichungen vor, und zwar sind es bald flache Varietäten (Verhältnis der Dicke und Breite 1 : 2), welche häufig auch schwächer berippt sind (die Falten im Sinus sind noch flacher als im normalen Typus, an den Flanken zählt man nur je 3—5 sehr flache und niedrige Falten; oder aber ist der Sinus stark verlängert, wodurch der Umriß rhombisch oder bei sehr starker Krümmung von oben gesehen dreieckig erscheint. Damit ist eine starke Anschwellung der

Schale verbunden; die Dicke wird der Breite gleich, die höchste Stelle der Wulst rückt bis auf den Stirnrand herüber, der rechteckige Sinusfortsatz erreicht diese höchste Stelle der Dorsalwulst und bildet damit eine nach der Art von *Rhynch. Wilsoni* tief gezackte Naht, an welcher die tief ineinandergreifenden Falten der beiden Klappen an ihren Enden eine Zweiteilung erleiden. Derartige Exemplare ähneln sehr dicken Exemplaren von *Rhynch. Davidsoni* (var. *Sphaerica* Wieniukow non Sw.), wovon sie allein an der scharfen Abgrenzung der Wulst und des Sinus von den Schalenseiten zu unterscheiden sind.

Gegenüber *Rhynch. borealis* Schloth., deren manche Varietäten sehr ähnlich aussehen, unterscheidet sich *Rhynch. borealiformis* vor allem dadurch, daß ihr Sinus und Falten erst nahe der Mitte beginnen, während bei *Rhynch. borealis* dieselben sich bis zur Schnabelspitze erstrecken.

Rhynch. tarda Barr. ist ebenfalls ähnlich, hat aber einen breiteren Sinus mit einer größeren Faltenzahl und noch kürzere Stirnfalten.

Maßenverhältnisse:

	I	II	III	IV	V	VI	VII
Breite:	21 *mm*,	20 *mm*,	22 *mm*,	22 *mm*,	20 *mm*,	17 *mm*,	16 *mm*.
Länge:	19 *mm*,	20 *mm*,	24 *mm*,	25 *mm*,	22 *mm*,	18 *mm*,	17 *mm*.
Dicke:	14 *mm*,	15 *mm*,	14 *mm*,	14 *mm*,	18 *mm*,	18 *mm*,	17 *mm*.

Nr. 1—2 stellt die Maßverhältnisse der normalen Form, Nr. 3—4 der flachen, Nr. 5—7 der aufgeblähten Varietät dar.

Sehr häufig in den »Borszczower« Schichten.

Filipkowce, Szyszkowce, Kudryńce, Chudiowce, Lanowce, Zielińce, Sinków, Wierzchniakowce, Borszczów, Dźwinogród, Czortków, Skała, Michalki bei Celejów, Susołówka, Sapachów, Strzałkowce, Krzywce, Kozaczówka, Wysuczka, Paniowce, Cyganka, Babińce, Michalków, Uście Biskupie, Chudykowce, Olchowce, Głęboczek, Zamuszyn, Kołodróbka. (Zone 4—6.)

207. Rhynchonella Daleydensis Roemer.

1844. *Rhynchonella Daleydensis* C. Fr. Roemer. Rheinisches Übergangsgebirge, S. 65, Taf. I, Fig. 7.

Ich habe ein gutes, wenngleich kleines Exemplar dieser Form, welche an *Rhynch. nucula* etwas erinnert, im unterdevonischen Korallenmergel von Michalki bei Celejów gefunden.

208. Rhynchonella nympha Barr.

(Taf. XXI (VII), Fig. 2.)

1847. *Terebratula nympha* Barrande. Silur. brachiop. aus Böhmen, S. 422, Taf. XX, Fig. 6.
1854. *Terebratula nympha* Gruenewaldt. Versteinerungen der silurischen Kalksteine von Bogoslowsk, S. 14, Taf. I, Fig. 5.
1878. *Rhynchonella nympha* Kayser. Fauna der unteren Devonablagerungen des Harzes, S. 192, Taf. XXV, Fig. 1, 2, 6—11; Taf. XXVI, Fig. 15—18.
1879. *Rhynchonella nympha* Barrande. Syst. silur. de Bohême, Taf. XXIX, Fig. 10—18, Taf. XCIII, Fig. IV; Taf. CXXII Fig. I—V; Taf. CXLVII und CLIII.
1889. *Rhynchonella nympha* Barrois. Calcaire d'Erbray, S. 86, Taf. V, Fig. 2.
1893. *Rhynchonella nympha* Czernyszew. Fauna des unteren Devons am Ostabhange des Ural, S. 72.
1899. *Rhynchonella nympha* Wieniukow. L. c. S. 156, Taf. IV, Fig. 10—12.

Dorsalklappe gewölbt, manchmal stark aufgebläht, Wulst mit 3—5 Falten. Dieselbe erhebt sich von $\frac{1}{3}$ Länge an und steigt bis zum Stirnrande, an demselben seine größte Höhe erreichend. Ventralklappe schwach gewölbt mit einem kräftigen Sinus, welcher von der halben Länge beginnt und als ein flachzungenförmiger Fortsatz nach oben herübergreift. Schnabel klein, spitz, leicht gekrümmt, der Sinus ist an den Seiten abgerundet, nicht scharf von den Seiten getrennt. Die Schale ist von 22 bis 24 scharfen eckigen Falten verziert.

Es kommen außer der typischen Form auch zwei Varietäten vor, welche Barrande als *var. carens* und *var. pseudolivonica* bezeichnet hat.

Dumanów, Kamieniec, Filipkowce, Sapachów, Susołówka, Borszczów (selten). (Zone 8—10.)

Fam.: **Atrypidae.**

Gen.: **Atrypa.** Dalm.

209. Atrypa reticularis L.

1767. *Anomia reticularis* Linné. Systema naturae, S. 1152.
1828. *Atrypa reticularis* Dalmann. L. c. S. 127, Taf. IV, Fig. 2.
1834. *Terebratula prisca* L. v. Buch. Über Terebrateln, S. 71.
1837. *Terebratula affinis* Sowerby. Sil. syst., Taf. VI, Fig. 5.
1841. *Terebratulites priscus* Phillips. L. c. S. 81, Taf. XXXIII, Fig. 144.
1845. *Terebratula reticularis* Verneuil. Paleontologie d. l. Russie, S. 91, Taf. X, Fig. 12.
1855. *Spirigerina reticularis* Mac Coy. Palaeozoic fossils, S. 198.
1864. *Atrypa reticularis* Davidson. Brit. devonian brachiopoda, Taf. X, Fig. 3—4.
1866. *Atrypa reticularis* Davidson. Brit. silur. brachiopoda, S. 129, Taf. 14, Fig. 1—22.
1876. *Atrypa reticularis* Roemer. Lethaea erratica, S. 99, Taf. VII, Fig. 4.
1879. *Atrypa reticularis* Barrande. Syst. silur. d. Bohême, Taf. XIX, Fig. 2—19.
1890. *Atrypa reticularis* Gagel. L. c. S. 68, Taf. I, Fig. 35.
1899. *Atrypa reticularis* Wieniukow. L. c. S. 113.

Verschiedene Varietäten dieser vielverbreiteten und langlebigen Form kommen im podolischen Silur ziemlich häufig vor.

Studenica, Sokól, Hryńczuk, Kamieniec, Żwaniec, Karmelitka, Kitajgorod, Orynin, Zawale, Braha, W. Muksza, Uście, Nagórzany, Laskorуń, Filipkowce, Borszczów, Wierzchniakowce, Dźwinogród, Zielińce, Sinków, Skała, Skowiatyn, Korolówka, Chudiowce, Sapachów, Strzałkowce, Kozaczówka, Michałków, Mazurówka, Lanowce, Paniowce, Czortków, Zamuszyn. (Zone 3—10.)

210. Atrypa imbricata Sw.

1839. *Terebratula imbricata* Sowerby. Silur. system, Taf. XIV, Fig. 27.
1866. *Atrypa imbricata* Davidson. Brit. silur. brachiopoda, S. 135, Taf. XV, Fig. 3—8.
1880. *Atrypa imbricata* Lindström. Fragmenta silurica, S. 22, Taf. XII, Fig. 37—38.
1890. *Atrypa imbricata* Gagel. L. c. S. 69, Taf. I, Fig. 33.

Von Wieniukow in Studenica und Kitajgorod gefunden. (Zone 3.)

211. Atrypa marginalis Dalm.

1827. *Terebratula marginalis* Dalmann. L. c. S. 143, Taf. VI, Fig. 6.
1861. *Atrypa marginalis* Davidson. Brit. silur. brachiop., S. 133, Taf. XV, Fig. 1—2.
1879. *Atrypa marginalis* Barrande. L. c. Taf. XXXI, Fig. 3.
1880. *Atrypa marginalis* Lindström. Fragmenta silurica, S. 22, Taf. XII, Fig. 11—16.
1890. *Atrypa marginalis* Gagel. L. c. S. 68, Taf. I, Fig. 34.
1893. *Atrypa marginalis* Czernyszew. Fauna des unteren Devons am Ostabhange des Ural, S. 64.

Nach Wieniukow selten in Studenica und Orynin. (Zone 3—4.)

212. Atrypa aspera Schloth.

1813. *Terebratula aspera* Schloth. Leonhardts Taschenbuch für Mineral., S. 74, Taf. I, Fig. 7.
1827. *Atrypa aspera* Dalmann. L. c. S. 128, Taf. IV, Fig. 3.
1841. *Terebratula (Atrypa) aspera* Phillips. Palaeozoic fossils of Cornwall etc., S. 81, Taf. XXXIII, Fig. 114.
1845. *Spiriferina aspera* Mac Coy. L. c. S. 379.
1863. *Atrypa aspera* Davidson. Brit. devonian brachiopoda, S. 57, Taf. X, Fig. 5—8.

Von Wieniukow in Kamieniec gefunden. (Zone 10.)

213. Atrypa Thetis Barr.

(Taf. XXI (VII), Fig. 11.)

1847. *Terebratula Thetis* Barrande. Silur. Brachiopoden aus Böhmen, S. 394, Taf. XIV, Fig. 5.
1879. *Atrypa Thetis* Barrande. Syst. silur. d. Bohême, Taf. LXXXVI, Fig. IV, Taf. CXXXIII, Fig. I.
1881. *Atrypa Thetis* Maurer. Paläontologische Studien im Gebiete des rheinischen Devons 4, S. 39, Taf. III, Fig. 1.
1885. *Atrypa Thetis* Czernyszew. Fauna des unteren Devon am Westabhange des Ural, S. 40, Taf. VI, Fig. 70.
1899. *Atrypa Thetis* Wieniukow. L. c. S. 115, Taf. I, Fig. 20.

Kitajgorod, Kamieniec, Uście, Chudykowce, Borszczów, Wierzchniakowce (selten). (Zone 8—10.)

214. Atrypa linguata Buch.

1835. *Terebratula linguata* L. v. Buch. Üb. Terebrateln, S. 101.
1847. *Terebratula linguata* Barrande. Silur. brachiop. aus Böhmen, S. 385, Taf. XV, Fig. 2, 5.
1879. *Atrypa linguata* Barrande. Syst. silur. d. Bohême, Taf. XIV, Fig. II, Taf. CXXXIV, Fig. III, Taf. CXLVII, Fig. III.
1893. *Atrypa linguata* Czernyszew. Fauna des unteren Devons am Ostabhange des Ural, S. 60, Taf. IX, Fig. 8.
1899. *Atrypa linguata* (?) Wieniukow. L. c. S. 120, Taf. VII, Fig. 14.

Von Wieniukow in Uście am Dniestr gefunden. (Zone 8.)

215. Atrypa sublepida Vern.

1845. *Terebratula sublepida* Verneuil. Palaeontologie de la Russie, S. 96, Taf. X, Fig. 14.
1885. *Atrypa sublepida* Czernyszew. Fauna des unteren Devons am Westabhange des Ural, S. 41.
1893. *Atrypa sublepida* Czernyszew. Fauna des unteren Devons am Ostabhange des Ural, S. 64, Taf. VII, Fig. 16—21.

Nach Wieniukow selten in Kamieniec. (Zone 10.)

216. Atrypa Thisbe Barr.

1847. *Terebratula Thisbe* Barrande. Silur. Brachiop. aus Böhmen, S. 414, Taf. XVI, Fig. 4.
1879. *Atrypa Thisbe* Barrande. Syst. silur. de Bohême, Taf. LXXXIX, Fig. IV, Taf. CXLIV, Fig. I—XI.
1899. *Atrypa Thisbe* Wieniukow. L. c. S. 118, Taf. VII, Fig. 8, 11.

Von Wieniukow in Studenica gefunden. (Zone 8.)

217. Atrypa cordata Lindstr.

1860. *Spirigera cordata* Lindström. Bidrag till kännedomen om Gotlands Brachiopoder, S. 363, Taf. XII, Fig. 3.
1899. *Atrypa cordata* Wieniukow. L. c. S. 124, Taf. VII, Fig. 15.

In Studenica von Wieniukow gefunden. (Zone 3.)

218. Atrypa arimaspus Eichw.

1840. *Orthis Arimaspus* (Eichw.) L. v. Buch. Beiträge zur Bestimmung der Gebirgsformationen in Rußland, S. 108.
1845. *Terebratula Arimaspus* Verneuil. Palaeontologie d. l. Russie, S. 94, Taf. X, Fig. 11.
1847. *Terebratula comata* Barrande. Silur. Brachiop. aus Böhmen, S. 455, Taf. XIX, Fig. 7.
1854. *Terebratula Arimaspus* Gruenewaldt. Versteinerungen der silurischen Kalksteine von Bogoslowsk, S. 11, Taf. 1, Fig. 2.
1879. *Atrypa comata* Barrande. Syst. silur. d. Bohême, Taf. XXX, Fig. 7—8, Taf. LXXXVIII, Fig. II, Taf. CXXXVII, Fig. II, Taf. CXLVII, Fig. IX.
1885. *Atrypa Arimaspus* Czernyszew. Fauna des unteren Devons am Westabhange des Ural, S. 44.
1889. *Atrypa comata* Barrois. Faune du calcaire d'Erbray, S. 99, Taf. IV, Fig. 16.
1899. *Atrypa Arimaspus* Wieniukow. L. c. S. 116, Taf. VII, Fig. 9.

Kamieniec (obere Kalke), Skala, Dźwinogród, Kudryńce. (Zone 10.)

219. Atrypa analoga Wieniukow.

1899. *Atrypa analoga* Wieniukow. L. c. S. 120, Taf. I, Fig. 16, Taf. VII, Fig. 13, 17.

Nach Wieniukow in Studenica und Kitajgorod.

220. Atrypa semiorbis Barr.

1879. *Atrypa semiorbis* Barrande. Syst. silur. d. Bohême, Taf. XXXIV, Fig. 21—26.

Vier gut erhaltene Exemplare dieser unterdevonischen Form wurden von Prof. Lomnicki in Filipkowce und Dżwinogród gesammelt. (Zone 10.)

221. Atrypa sinuata Wieniukow.

1899. *Atrypa sinuata* Wieniukow. L. c. S. 123, Taf. VII, Fig. 16.

Von Wieniukow in Kitajgorod gefunden. (Zone 3.)

222. Atrypa Lindströmi Wien.

1899. *Atrypa Lindströmi* Wieniukow. L. c. S. 122, Taf. I, Fig. 17.

Diese der *Atrypa Angelini* Lindstr. verwandte Form wurde von Wieniukow aus Studenica beschrieben. (Zone 3.)

223. Atrypa Barrandei Dav.

1866. *Retzia Barrandei* Davidson. Brit. silur. brachiopoda, S. 128, Taf. XIII, Fig. 10—13.
1879. *Retzia Barrandei* Barrande. Syst. silur. d. Bohême, Taf. LXXXII, Fig. IV.
1882. *Atrypa Barrandei* Davidson. Supplem. brit. silur. brachiop., S. 114, Taf. VII, Fig. 7.
1890. *Atrypa Barrandei* Gagel. L. c. S. 69, Taf. I, Fig. 37.
1899. *Atrypa Barrandei* Wieniukow. L. c. S. 117, Taf. I, Fig. 14.

Studenica und Kitajgorod. (Zone 3.)

Gen.: Gruenewaldtia Czern.

224. Gruenewaldtia prunum Dalm.

(Taf. XX (IV), Fig. 28.)

1828. *Atrypa prunum* Dalmann. L. c. S. 133, Taf. V, Fig. 2.
1837. *Atrypa prunum* Hisinger. Lethaea suecia, S. 77, Taf. XXII, Fig. 4.
1840. *Terebratula prunum* L. v. Buch. Beiträge zur Bestimmung der Gebirgsformationen in Rußland, S. 115, Taf. III, Fig. 12—14.
1845. *Terebratula camelina* u. *Ter. subcamelina* Verneuil. Palaeontologie d. l. Russie, S. 60—62, Taf. IX, Fig. 4—5.
1854. *Terebratula prunum* Gruenewaldt. Versteinerungen d. silurischen Kalksteins von Bogoslowsk, S. 19, Taf. III, Fig. 11.
1885. *Merista prunum* Czernyszew. Fauna des unteren Devons am Westabhange des Ural, S. 32, Taf. VI, Fig. 57.
1890. *Atrypa prunum* Gagel. L. c. Taf. I, Fig. 31.
1893. *Gruenewaldtia camelina* Czernyszew. L. c. S. 68, Taf. XIII, Fig. 12—15.
1899. *Gruenewaldtia prunum* Wieniukow. L. c. S. 127. Taf. VII, Fig. 19—20.

Nach Wieniukow in Satanów häufig, seltener in Nagórzany, Studenica, Zawale. In Galizien wurde diese Art in Borszczów und Kozina gefunden. (Zone 3—4.)

Gen.: Glassia Dav.

225. Glassia obovata Sw.

1839. *Atrypa obovata* Sowerby. Silur. syst. Taf. VIII, Fig. 9.
1866. *Athyris obovata* Davidson. Brit. silur. brachiop., S. 121, Taf. XII, Fig. 19; Taf. XIII, Fig. 5.
1879. *Atrypa obovata* Barrande. L. c. Taf. LXXXIV, Fig. 1; Taf. CXXXV, Fig. VII—VIII—IX.
1882. *Glassia obovata* Davidson. Supplement Brit. silur. brachiop., S. 116, Taf. VII, Fig. 11—20.
1885. *Glassia obovata* Maurer. Fauna des Kalkes von Waldgirmes, S. 190, Taf. VIII, Fig. 9—10.
1876. *Glassia obovata* Roemer. Lethaea erratica, S. 119, Taf. IX, Fig. 11.
1890. *Glassia obovata* Gagel. L. c. S. 70, Taf. I, Fig. 35.
1899. *Glassia obovata* Wieniukow. L. c. S. 125, Taf. I, Fig. 21.

Umriß beinahe kreisrund, Ventralklappe etwas mehr als die dorsale gewölbt, mit einem kleinen Schnabel. Keine Medianrinne, Sinus und Wulst deutlich, jedoch nur am Stirnrande sichtbar. Schale von kräftigen Zuwachslamellen verziert.

Studenica, Muksza, Malinowiecka Sloboda, Uście, Zielińce, Filipkowce, Skała, Gródek, Uhryń, Lanowce, Skowiatyn, Chudiowce, Sapachów, Kozaczówka, Borszczów, Chudykowce, Zamuszyn, Kolodróbka, Wierzchniakowce, Uwisła. (Zone 6.)

226. **Glassia compressa** Sow.

Taf. XXI (VII), Fig. 9.

1839. *Atrypa compressa* Sowerby. Silur. syst. Taf. XIII, Fig. 5.
1847. *Terebratula compressa* Barrande. Silurische Brachiopoden aus Böhmen, S. 47, Taf. XIV, Fig. 3.
1867. *Athyris compressa* Davidson. Brit. silur. brachiop., S. 122, Taf. XII, Fig. 16-18.
1879. *Atrypa compressa* Barrande. Syst. silur. d. Bohême, Taf. LXXXV, Fig. 1—11. Taf. CXIV, Fig. IV, Taf. CXLII, Fig III, Taf. CXLVI, Fig. II-V.
1885. *Atrypa compressa* Czernyszew. L. c. S. 42, Taf. VI, Fig. 74.
1899. *Glassia compressa* Wieniukow. L. c. S. 126, Taf. II, Fig. 1.

Umriß der Schale gerundet fünfeckig, beide Klappen gleichmäßig gewölbt, Ventralklappe mit einem ziemlich starken Schnabel. Beide Klappen mit kräftigen Zuwachsringen bedeckt. Ventralklappe mit einem sehr schwachen Sinus. Beide Klappen tragen je eine schmale mehr oder weniger vertiefte Medianrinne, welche sich am Stirnrande vereinigen. Die podolische Form stimmt ganz mit der böhmischen Varietät überein, während der engliche Typus nach Davidsons Figuren keine Medianrinnen besitzt.

Studenica, Filipkowce, Korolówka, Kudryńce, Skowiatyn, Chudiowce, Sapachów, Strzałkowce, Borszczów, Paniowce, Skała, Kozina, Wierzchniakowce, Zamuszyn-Kolodrobka.

Das größte mir vorliegende Exemplar ist 15 *mm* breit, 14 *mm* lang und 10 *mm* dick. (Zone 3.)

Fam.: **Terebratulidae.**

Gen.: **Waldheimia** King.

227. **Waldheimia podolica** n. sp.

(Taf. XXI (VII), Fig. 10.)

Steht der *Waldheimia melonica* Barr. äußerst nahe, unterscheidet sich jedoch davon durch mehrere konstante Merkmale. Die Dorsalklappe ist bedeutend niedriger als die ventrale, während bei *W. melonica* beide Klappen gleich gewölbt sind; die Dorsalklappe ist am Stirnrande breit eingedrückt, eine schwache Sinuosität des Stirnrandes nach unten verursachend: bei *W. melonica* ist der Stirnrand vollkommen gerade. Der kleine Schnabel ist etwas eingekrümmt — bei *W. melonica* gerade, endlich ist die Schale stets dicht berippt, die Zahl der Rippen variiert von 35 bis 60. Der Brachialapparat, welcher zu wenig bekannt ist, um abgebildet werden zu können, stellt eine lange Brachialschleife dar, welche im oberen Teile durch eine Brücke verbunden zu sein scheint. Auch ist die podolische Form bedeutend kleinwüchsiger als die böhmische Art: die größten Exemplare erreichen kaum 12 *mm* im Durchmesser.

Diese leicht kenntliche Form ist sehr häufig in den podolischen Tentaculitenschichten und bildet meist durch ihre Anhäufung ganze Bänke von zerdrückten und ineinandergepreßten Schalen.

Czortków, Filipkowce, Sinków, Bilcze, Tudorów, Uhryń, Myszków, Skala, Susolówka, Strzałkowce, Kozaczówka, Paniowce, Kozina, Mazurówka, Dźwinogród, Jagielnica. (Zone 8.)

Fam.: **Stringocephalidae.**

Gen.: **Stringocephalus** Defr.

228. **Stringocephalus bohemicus** Barr.

(Taf. XX (VI), Fig. 27.)

1879. *Stringocephalus bohemicus.* Barrande syst. silur. de Bohême, Bd. 5, Taf. LXXXIII, Fig. IV.

Beide Klappen gleich stark gewölbt, Dorsalklappe beinahe kreisrund, Ventralklappe eiförmig durch den stark hervorragenden gewölbten aber kaum eingekrümmten Schnabel. Auf der Ventralklappe ein schwach angedeuteter Sinus, Schnabel sehr groß, ohne Area, mit gerundeten Arealkanten und sehr großem dreieckigen Deltidium, Schale glatt, Schloßrand gerundet. Von dieser seltenen unterdevonischen Form hat Prof. L o m n i c k i ein gutes Exemplar in Skała gefunden. (Zone 10.)

Ein zweites aus Kozina in der Krakauer Sammlung.

Fam.: **Nucleospiridae.**

Gen.: **Retzia** King.

229. Retzia Haidingeri Barrande.

(Taf. XXI (VII), Fig. 12.)

1879. *Retzia Haidingeri* Barrande. Syst. silur. de Bohême, Taf. XXXII, Fig. 13—29; Taf. XCIII, Fig. 6; Taf. CXXXV, Fig. III.

Ganz identisch mit der böhmischen Form von Konieprus, kommt häufig zusammen mit *Amplexus eurycalyx* in Mazurówka bei Celejów vor.

Biała, Czortków, Tudorów, Zaleszczyki. (Zone 9—10.)

230. Retzia (?) aplanata Wieniukow.

1899. *Retzia aplanata* Wieniukow. L. c. S. 140, Taf. III, Fig. 1.

Ähnlich grobrippigen Varietäten von *R. Haidingeri* Barr., unterscheidet sich durch Mangel von Medianeindrücken an beiden Klappen.

Studenica, Kamieniec, Kręciłów (selten).

Gen.: **Meristina** Hall.

231. Meristina didyma Dalm.

(Taf. XXI (VII), Fig. 13.)

1828. *Terebratula didyma* Dalmann. L. c. S. 62, Taf. VI, Fig. 7.
1866. *Meristella didyma* Davidson. Brit. silur. brachiop., S. 112, Taf. XII, Fig. 1—10.
1882. *Meristina didyma* Davidson. Supplement brit. silur. brachiop., S. 94, Taf. IV, Fig. 20—23.
1885. *Meristella didyma* Czernyszew. Fauna des unteren Devons am Westabhange des Ural, S 33, Taf. VI, Fig. 59—61.
1890. *Meristella didyma* Gagel. L. c. S. 66, Taf. I, Fig. 30.
1899. *Meristella didyma* Wieniukow. L. c. S. 142, Taf. I, Fig. 19; Taf. IV, Fig. 2, 3, 9.
1879. *Meristella Circe* Barrande. Syst. silur. de Bohême, Taf. XV, Fig. IV; Taf. CXLII, Fig. VIII.

Kamieniec, Hryńczuk, Satanów, Malinowiecka Słoboda, Zawale, Laskoruń, Nagorzany, Zielińce, Filipkowce, Chudykowce, Borszczów, Kozina. (Zone 4—6.)

Gen.: **Merista** Suess.

232. Merista Calypso Barr.

(Taf. XX (VI), Fig. 29.)

1879. *Merista Calypso* Barrande. L. c. Taf. XII, Fig. III; Taf. CXXXIV, Fig. II, 1; Taf. CXLII, Fig. VI.

Skała, Dźwinogród, Filipkowce, Borszczów, Trybuchowce, Kozina. (Zone 10.)

233. Merista Hecate Barr.

1847. *Terebratula Hecate* Barrande. Silur. Brachiop. aus Böhmen, S. 409, Taf. XVI, Fig. 12.
1879. *Merista Hecate* Barrande. Syst. silur. de Bohême, Taf. XII, Fig. IV; Taf. XCIII, Fig. 5; Taf. CXXIX, Fig. VII; Taf. CXLVII, Fig. V, 4.
1881. *Merista Hecate* Maurer. Kalkstein von Greifenstein, S. 45, Taf. III, Fig. 12.
1885. *Merista Hecate* Maurer. Fauna des Kalksteins von Waldgirmes, S. 169, Taf. VII, Fig. 13—14.
1899. *Merista Hecate* Wieniukow. L. c. S. 144, Taf. VIII, Fig. 5.

Studenica, Kitajgorod, Wierzchniakowce, Filipkowce, Borszczów, Zieliňce, Dźwinogród, Chudiowce, Korolówka, Skowiatyn, Strzalkowce, Lanowce. (Zone 8.)

Gen.: **Meristella** Hall.

234. Meristella canaliculata Wieniukow.

(Taf. XX (VI), Fig. 24—26.)

1899. *Meristella canaliculata* Wieniukow. L. c. S. 143, Taf. VII, Fig. 2.

Es liegt mir eine größere Serie dieser Form aus Kozina vor, welche die Schilderung Wieniukows zu ergänzen gestattet.

Die Art gehört in die nächste Verwandtschaft von *Merista Ypsilon* und ist in ihren Dimensionen ziemlich veränderlich.

Beide Klappen gleich gewölbt, wobei die stärkste Wölbung auf die halbe Länge ausfällt. Die größte Breite des gerundet fünfeckigen Umrisses liegt in der Nähe des bogenförmig gebogenen Schloßrandes. Der Schnabel der Ventralklappe sehr groß, gekrümmt, überhängend.

Auf der Ventralklappe eine schmale Rinne, welche sich vom Schnabel aus immer mehr vertieft und erweitert, bis sie am Stirnrande einen seichten Sinus bildet. Die entsprechende Wulst der Dorsalklappe ist sehr schwach, gewöhnlich abgeplattet und trägt manchmal eine schmale Rinne in ihrer Mitte. Schale von sehr ungleichen Zuwachslamellen verziert.

Maßverhältnisse:

	I	II	III	IV	V
Länge:	19 *mm*,	17 *mm*,	17 *mm*,	16 *mm*,	15 *mm*.
Breite:	16 *mm*,	14 *mm*,	17 *mm*,	11 *mm*,	13 *mm*.
Dicke:	13 *mm*,	14 *mm*,	12 *mm*,	12 *mm*,	14 *mm*.

Davon ist Nr. 1 die normale Form, Nr. 2 und 5 die aufgeblähte Varietät, Nr. 3 die breite, Nr. 4 die schmale Varietät.

Zawale, Dźwinogród, Chudiowce, Korolówka, Sapachów, Strzalkowce, Wysuczka, Paniowce, Skała, Kozina, Filipkowce. (Zone 10.)

Gen.: **Whitefeldia** Dav.

235. Whitefeldia tumida Dalm.

1828. *Atrypa tumida* Dalmann. L. c. S. 134, Taf. V, Fig. 3.
1837. *Atrypa tenuistriata* Sowerby. Silur. syst., Taf. XII, Fig. 3.
1866. *Meristella tumida* Davidson. Brit. silur. brachiop., S. 109, Taf. XI, Fig. 1—13.
1883. *Whitefeldia tumida* Davidson. Supplem. brit. silur. brachiop., S. 107, Taf. V, Fig. 5—6; Taf. VI, Fig. 1—9.
1879. *Meristella tumida* Barrande. Syst. silur. de Bohême, S. 11, Taf. CXII Fig. XVI; Taf. CXXII Fig. VIII.
1885. *Whitefeldia tumida* Maurer. Fauna des Kalkes von Waldgirmes, S. 174, Taf. VII, Fig. 23.
1890. *Whitefeldia tumida* Gagel. L. c. S. 67.
1899. *Whitefeldia tumida* Wieniukow. L. c. S. 141, Taf. II, Fig. 13—14.

Die podolische Form gehört zu der schmalen Varietät, typische Exemplare kommen selten vor. Junge Exemplare zeigen keine Spur eines Sinus, haben einen gerundet fünfeckigen Umriß und werden in der älteren Literatur aus Podolien meist unter dem Namen *Nucleospira pisum* zitiert.

Studenica, Kitajgorod, Kamieniec, Zawale, Filipkowce, Korolówka, Gródek, Mielnica, Skała, Skowiatyn, Chudiowce, Strzalkowce, Borszczów, Paniowce, Lanowce. (Zone 3—4.)

Bryozoa.

Gen.: **Pseudohornera** F. Roem.

236. Pseudohornera similis Phill.

1841. *Millepora similis* Phillips. Figures and description of palaeozoic fossils of Cornwall Devon and Sommerset, Taf. XI, Fig. 33.

Kleine flache unverzweigte Stämmchen mit mehreren Längsreihen von ovalen Zellen, welche voneinander durch Längskiele getrennt sind, kommen selten im gelben unterdevonischen Mergel von Uwisła und Michałki bei Celejów vor. (Zone 10.)

Gen.: **Acanthocladia** King.

237. Acanthocladia (Gorgonia) assimilis (Lonsd.) Murch.

1839. *Gorgonia assimilis* Murchison. Silur. system., S. 680, Taf. XV, Fig. 27.

Kompakte inkrustierende Massen mit büschelartig verzweigten Ästen, auf welchen große ovale Kelchmündungen dicht nebeneinander gedrängt sind. Am häufigsten findet man dieselben als Überzüge von Orthoceren-Schalen im Beyrichienschiefer von Czortkow etc. (Zone 7.)

Vermes.

238. Spirorbis tenuis Sow. (Murch.).

1839. *Spirorbis tenuis* Murchison. Silur. syst., S. 616, Taf. VIII, Fig. 1; Taf. XIII, Fig. 8.

Kleine Planorbis-artige Röhrchen dieser Art kommen gleichwie im englischen unteren Ludlow als an *Cyrtoceras*-Schalen angewachsen bei Sinków, Zaleszczyki und Czortkow vor.

239. Cornulites serpularium Schlth.

1820. *Cornulites serpularium* Schlth. Petrefaktenkunde, Taf. XXIX, Fig. 7.
1839. *Cornulites serpularium* Sowerby. Silur. syst., S. 627, Taf. XXVI, Fig. 5—8.
1899. *Cornulites serpularium* Wieniukow. L. c. S. 95.

Nach Wieniukow in Żwaniec, Orynin, Dumanów.

Anthozoa.

Ordo.: **Murocoralla** Steinm.

Fam.: **Zaphrentidae** Steinm.

Gen.: **Amplexus** Sow.

240. Amplexus (Coelophyllum) eurycalyx Weissermel.

(Taf. XXI (VII), Fig. 34.)

1894. *Ampl. eurycalyx* Weissermel. Zeitschr. d. Deutsch. geol. Ges., S. 634, Taf. L, Fig. 8—9; Taf. LI, Fig. 1.

Diese eigentümliche Form, welche nach einem einzigen Geschiebe unbestimmter Herkunft (wahrscheinlich aus Oesel stammend) beschrieben worden ist, bildet eine ganze Korallenbank im unterdevonischen Korallenmergel von Uwisła und Mazurówka bei Celejów, kommt auch vereinzelt in gleichalterigen Schichten anderer Orte Podoliens vor, wird jedoch in der Literatur gewöhnlich nach dem äußerlich etwas ähnlichen Habitus mit *Cyathophyllum articulatum* verwechselt.

Der prächtige Erhaltungszustand dieser Art läßt keinen Zweifel über dessen Bestimmung zu. Die meist lose nebeneinander liegenden, nicht zusammengewachsenen Einzelkorallen sind lang konisch bis subzylindrisch, langgezogen, mit einer sehr charakteristischen trichterförmigen Erweiterung der Kelchmündung, welcher sie ihre Benennung verdankt. Diese Erweiterung läßt auch bei wenig günstiger Erhaltung diese Art leicht unter dem Cyathophylliden-Material sofort erkennen. Die Korallen erreichen 2 *cm* Durchmesser vor der Erweiterung und 3 *cm* an der Kelchmündung. Wand 1—1·5 *mm* dick mit breiten dichtgedrängten Längsstreifen, welche den Septen entsprechen, und sehr schwachen Querstreifen, Anwachswülsten und Anwachsfurchen, Septa rudimentär. Dieselben beginnen am Kelchrande als flache Falten der Theca, welche eine feine Granulation unter der Lupe erkennen lassen. Nach unten zu werden diese Falten schmäler und treten stärker hervor. Man zählt im ganzen 50 Septen erster und zweiter Ordnung, welche an der Peripherie des Kelches als kaum 0·5 *mm* lange Zacken in das innere des Kelches eindringen. Der ganze

Innenraum der Theca wird von dichtgedrängten horizontalen Böden eingenommen. Vermehrung durch Kelchsprossung.

Diese Form vereinigt die rudimentären Septa von *Coelophyllum* mit den dichtgedrängten Böden von *Amplexus* und vereinigt beide Genera.

Das Original von Weissermel wurde in einem Geschiebe zusammen mit *Cyathophyllum pseudodianthus* gefunden, welches nach F. Schmidts Bestimmung aus der Zone J (7) von Oesel oder Karlsö stammen dürfte.

In Podolien kommt diese Art sehr häufig im gelben Mergel zusammen mit *Cyrtia heteroclyta* und *Retzia Haidingeri* in Uwisła, Mazurówka und Michalki bei Celejów, seltener in Skopów, Kozaczówka und Borszczów vor. (Zone 10.)

241. Amplexus aff. borussicus Weissermel.

(Taf. XXI (VII), Fig. 33.)

1894. *Ampl. borussicus* Weissermel. L. c. S. 632, Taf. L, Fig. 7.

Eine zweite unzweifelhafte *Amplexus*-Art kommt ebenfalls im podolischen Paläozoikum vor. Dieselbe bildet kleine wurmförmig gewundene langzylindrische Individuen, welche, gleich dem vorigen, meist lose nebeneinander angehäuft sind, seltener bündelförmige Stöcke bilden. Querschnitt 4—7 *mm* im Durchmesser. Septa rudimentär. Böden horizontal, sehr regelmäßig, zahlreich.

Weissermel hat diese Art nach einem Geschiebe unbekannter Herkunft beschrieben. Nächst verwandt dürften *Ampl. hercynicus* A. Roemer, bei welchem die Böden etwas unregelmäßiger verlaufen und nach oben gewölbt sind, *A. irregularis* Kayser mit gleichfalls unregelmäßig gestalteten Böden und *A. viduus* Lindström aus dem Obersilur von China (Richthofen, China, Bd. 4, S. 62—63) sein.

Amplexus cf. borussicus wurde in Skała und Wierzbówka am Zbrucz und Dźwinogród am Dniester gesammelt. (Zone 8—9.)

Gen.: **Hallia** M. Edw. und Haime.

242. Hallia mitrata E. H.

1820. *Hippurites mitratus* Schlotheim. Petrefaktenkunde, S. 352 (p. p.).
1837. *Turbinolia mitrata* Hisinger. Lethaea suecica, S. 100, Taf. XXVIII, Fig. 9, 10, 11.
1855. *Aulacophyllum mitratum* E. H., Brit. silur. corals, S. 280, Taf. LXVI, Fig. 1.
1883 *Aulacophyllum mitratum* E. Roemer. Lethaea palaeozoica, S. 375.
1886. *Hallia mitrata* Frech. L. c. S. 85, Taf. VIII, Fig. 9*b*.
1894. *Hallia mitrata* Weissermel. L. c. S. 614, Taf. XLVIII, Fig. 5—7.
1899. *Hallia mitrata* Wieniukow. L. c. S. 75.

Weit verbreitet im podolischen Silur, kommt in allen Horizonten vor.

Kamieniec, Ladawa, Żwaniec, Braha, Hryńczuk, Orynin, Studenica, Malinowiecka Słoboda, Satanów, Trybuchowce, Mazurówka bei Celejów, Kozina, Dźwinogród, Kolodróbka, Uście Biskupie, Paniowce, Chudiowce, Sapachów. (Zone 3—7.)

Gen.: **Ptychophyllum** M. Edw. und Haime.

243. Ptychophyllum truncatum E. H.

1758. *Madrepora truncata* Linné. Systema naturae ed 10., S. 795.
1855. *Cyathophyllum truncatum* E. H. Birt. silur. corals., S. 284, Taf. LXVI, Fig. 5.
1874. *Heliophyllum truncatum* Dybowski. Monographie der zoantharia sclerodermata rugosa, S. 89, Taf. IV, Fig. 1.
1899. *Ptychophyllum truncatum* Wieniukow. L. c. S. 76.

Von Wieniukow in Żwaniec, Orynin und Braha gesammelt. In Galizien bisher unbekannt. (Zone 4.)

Fam.: **Calceolidae** Steinm. (**Goniophyllinae** Dyb.).

Gen.: **Rhizophyllum** Lindstr.

244. Rhizophyllum Gotlandicum F. Roem.

1856. *Calceola Gotlandica* F. Roemer. Bericht von einer geolog. Reise nach Schweden, Neues Jahrb. f. Miner., S. 798.
1865. *Rhizophyllum Gotlandicum* Lindström. Några iaktag. öfver zoantharia rugosa, S. 287, Taf. XXX, Fig. 10—15; Taf. XXXI, Fig. 1—8.
1883. *Rhizophyllum Gotlandicum* Roemer, Lethaea palaeozoica, S. 408, Taf. X, Fig. 10.
1899. *Rhizophyllum Gotlandicum* Wieniukow. L. c. S. 78.

Von Wieniukow im Korallenkalke von Żwaniec gefunden. (Zone 4.)

Ordo.: **Septocoralla** Steinm.

Fam.: **Cyathophyllidae** Steinm.

Subf.: **Cyathophyllinae**.

Gen.: **Cyathophyllum** Gf. (s. str.)

245. Cyathophyllum articulatum Wahlb.

1821. *Madreporites articulatus* Wahlenberg. Nova acta soc. Upsal, vol. 8, S. 87.
1837. *Cyathophyllum articulatum* Hisinger. Lethaea suecica, S. 102, Taf. XXIX, Fig. 4.
1837. *Cyathophyllum vermiculare* Hisinger. Ibid., S. 102, Taf. XXIX, Fig. 2.
1851. *Cyathophyllum articulatum* E. H. Polyp. foss. terr. palaeoz., S. 377.
1854. *Cyathophyllum articulatum* E. H. Brit. foss. corals., S. 282, Taf. LXVII, Fig. 1.
1874. *Cyathophyllum articulatum* Dybowski. Monographie d. Zoantharia sclerodermata rugosa, S. 180, Taf. III, Fig. 1.
1883. *Cyathophyllum articulatum* F. Roemer. Lethaea paleozoica, S. 335, Taf. X, Fig. 2.
1894. *Cyathophyllum articulatum* Weissermel. L. c. S. 589, Taf. XLVII, Fig. 1.
1899. *Cyathophyllum articulatum* Wieniukow. L. c. S. 71.

Die häufigste Korallenart des podolischen Silurs, welche in verschiedenen Horizonten wiederkehrt.

Kamieniec (Podzamcze), Żwaniec, Muksza, Braha, Skała, Dźwinogród, Sinków, Kitajgorod, Filipkowce, Paniowce, Kozina, Trybuchowce, Borszczów, Kręciłów, Chudykowce. (Zone 4—6.)

246. Cyathophyllum caespitosum Gf.

1826. *Cyathophyllum caespitosum* Goldfuss. Petrefacta Germaniae, S. 60, Taf. XIX, Fig. 2.
1830. *Caryophyllia dubia* Blainville. Dictionnaire d'hist. naturelle, Bd. 60, S. 311.
1841. *Cyathophyllum caespitosum* Phillips. Palaeoz. fossils, S. 9, Taf. III, Fig. 10.
1853. *Cyathophyllum caespitosum* E. H. Brit. devonian corals, S. 229, Taf. LI, Fig. 2.

Mehrere kleine zylindrische Röhren dieser Art wurden im unterdevonischen Korallenkalke von Michalki bei Celejów und Uwisla gefunden. (Zone 10.)

247. Cyathophyllum cfr. vermiculare Gf.

1899. *Cyathophyllum* cf. *vermiculare* (Gf.) Wieniukow. L. c. S. 73, Taf. VI, Fig. 17; Taf. VII, Fig. 1.

Wieniukow hat diese devonische Form, welche nach seiner Beschreibung mit *C. vermiculare* var. *praecursor* Frech. ganz identisch sein soll, in den Korallenkalken von Kamieniec, Hryńczuk und Orynin gefunden.

248. Cyathophyllum podolicum Wieniukow.

1899. *Cyathophyllum podolicum* Wieniukow. L. c. S. 72, Taf. VI, Fig. 16; Taf. VIII, Fig. 16.

Wieniukow gibt folgende Charakteristik dieser mir unbekannten Art:

»Korallenstock zusammengesetzt, Einzelzellen gerade, langkonisch, Polyparien erreichen 30—40 *cm* Durchmesser. Die Einzelzellen liegen frei nebeneinander, verwachsen nur selten miteinander, ihr Querschnitt bleibt größtenteils rund, selten eckig. An der Oberfläche erwachsener Polyparien erscheinen dieselben als 5- bis 4-eckige tiefe Kelche mit hohem Rande, Epitheca ziemlich dick, mit ringförmigen Zuwachsringen. Die Septa erster Ordnung erreichen die Mitte der Kelche nicht, ihr Verlauf ist unregelmäßig wellig, selten ganz radial. Septa zweiter Ordnung sind meist sehr kurz, erreichen selten $^1/_3$ der Länge der vorigen. Die Zahl der Septen beträgt in jeder Ordnung 28 bis 32. Am Längsschnitt sieht man eine blasige Randzone, welche nur aus zwei Reihen großer, von unten nach oben ausgezogener Blasen besteht; $^3/_4$ des Visceralraumes sind von ganz horizontalen unregelmäßigen Böden eingenommen, Knospung seitlich. Gehört in die Gruppe von *C. caespitosum*, steht dem *C. isactis* Frech. aus dem mittleren Devon Deutschlands am nächsten.«

Kamieniec, Muksza, Braha.

249. Cyathophyllum angustum Lonsdale (Murch.).

1839. *Cyathophyllum angustum* Murchison. Silur. syst. S. 690, Taf. XVI, Fig. 9 (1839).
1850. *Cystiphyllum brevilamellatum* Mac Coy. Ann. u. Mag. of. nat. hist., 2., ser. vol. 6, S. 276.
1851. *Cystiphyllum brevilamellatum* Mac. Coy. Brit. palaeoz. foss., S. 32, Taf. I*b*, Fig. 19.
1854. *Cyathophyllum angustum* E. H. Brit. silur. corals., S. 281, Taf. LXVI, Fig. 4.

Ein Exemplar aus Kamieniec im Museum Dzieduszycki. (Zone 4.)

Gen.: **Omphyma** Raf.

250. Omphyma turbinata L.

1761. *Madrepora turbinata* Linné. Fauna suec., S. 536.
1855. *Omphyma turbinata* E. H. Brit. silur. corals, S. 287, Taf. LXIX, Fig. 1.
1883. *Omphyma turbinata* Roemer. Lethaea palaeozoica, S. 342.
1899. *Omphyma turbinata* Wien. L. c. S. 77.

Von Wieniukow in Muksza und Pudłowce gefunden (selten). (Zone 4.)

251. Omphyma subturbinata Orb.

1837. *Turbinolia turbinata* var. *verrucosa* et *echinata* Hisinger. Lethaea suecica, S. 100, Taf. XXVIII, Fig. 7—8.
1839. *Cyathophyllum turbinatum* Lonsdale (Murchison). Silurian system, S. 690, Taf. XVI, Fig. 11.
1850. *Cyathophyllum subturbinatum* Orbigny. Prodrome de Palaeontologie vol. 1, S. 47.
1851. *Omphyma subturbinata* Edw. e. Haime. Polypiers fossiles terr. pal., S. 401.
1854. *Omphyma subturbinata* E. H. Brit. silur. corals., S. 288. Taf. LXVIII, Fig. 1.
1883. *Omphyma subturbinata* F. Roemer. Lethaea palaeozoica, S. 341, Taf. X, Fig. 4.
1899. *Omphyma subturbinata* Wien. L. c. S. 78.

Kamieniec, Muksza, Skala, Kalaharówka (selten). (Zone 4.)

Gen.: **Acervularia** Schweigg.

252. Acervularia ananas L.

1767. *Madrepora ananas* Linné. Systema naturae, ed. 12, S. 1275.
1820. *Acervularia baltica* Schweigger. Handb. d. Naturgesch., S. 418.
1829. *Floscularia luxurians* Eichwald. Zoologia specialis Rossiae, S. 188, Taf. XI, Fig. 5.
1837. *Astraea ananas* Hisinger. Lethaea suecica, S. 98, Taf. XXVIII, Fig. 1.
1837. *Caryophyllia truncata* Hisinger. Ibid., S. 101, Taf. XXVIII, Fig. 14.
1851. *Acervularia ananas* E. H. Polypiers fossiles terr. palaeozoiques, S. 421.
1854. *Acervularia luxurians* E. H. Brit. silur. corals, S. 292, Taf. LXIX, Fig. 2.
1881. *Acervularia luxurians* Koch. Die ungeschlechtliche Vermehrung einiger paläozoischer Korallen (Palaeontographica, Bd. 29), S. 229.
1883. *Acervularia ananas* F. Roemer. Lethaea palaeozoica, S. 351, Taf. X, Fig. 5.
1885. *Acervularia baltica* Frech. Korallenfauna etc., S. 45.
1894. *Acervularia luxurians* Weissermel. L. c. S. 605, Taf. XLVIII, Fig. 4; Taf. XLIX, Fig. 1—3.
1899. *Acervularia ananas* Wieniukow. L. c. S. 79.

Der Name *Ac. ananas* ist für verschiedene Acervularien-Arten gebraucht worden. Frech will denselben für eine devonische Form behalten, indes unterliegt es wohl keinem Zweifel, daß die Linnésche Benennung sich auf die Gotländer Form bezieht und der Name *Ac. ananas* muß prioritätshalber für die silurische Form alle in angewendet werden, für welche die Benennungen *A. baltica* Schweigg. und *Ac. luxurians* Eichwald im Gebrauche sind.

Diese schöne Form kommt in prächtiger Erhaltung (die Zellen sind von fremder Ausfüllungsmasse vollkommen frei) in großen, über 30 *cm* hohen Polyparien nesterweise in der großen Stromatoporenbank von Skala am Zbrucz vor. Wieniukow zitiert dieselbe Form aus den oberen Korallenkalken von Niehin und Dumanów. Vereinzelt kommt sie auch im Brachiopodenschiefer von Filipkowce vor. (Zone 6.)

Fam.: **Cystiphyllidae** Steinm.

Gen.: **Cystiphyllum** Lonsd.

253. Cystiphyllum cylindricum Lonsd.

1728. *Fungites gotlandicus* Magnus Bromel. Acta Liter. succ., vol. 11, S. 46, S. 461, Nr. 18.
1839. *Cystiphyllum cylindricum* Lonsd. (Murch.). Silur. syst., S. 691, Taf. XVI, Fig. 3.
1854. *Cystiphyllum cylindricum* E. H. Brit. silur. corals., S. 297, Taf. LXXII, Fig. 3.
1873. *Cystiphyllum* sp. Dybowski. Zoantharia rugosa, S. 111, Taf. V, Fig. 2.
1873. *Microplasma Schmidti, M. Loveniamum, M. gotlandicum* Dybowski. L. c. S. 94—97.
1873. *Cyathophylloides irregularis* Dybowski. L. c. S. 125.
1882. *Cystiphyllum cylindricum* Lindström. L. c. Calsöarne, S. 28—30.
1894. *Cystiphyllum cylindricum* Weissermel. L. c. S. 641, Taf. LI, Fig. 4—5.

Nach Lindström sind die Figuren von *C. cylindricum* und *C. Grayi* in der Monographie von Edwards und Haime verwechselt (Taf. LXXII, Fig. 2, ist gleich *C. Grayi*, Nr. 3, ist gleich *C. cylindricum*).

Es liegt mir nur ein einziges Exemplar aus Zaleszczyki im Museum Dzieduszycki vor. (Zone 5.)

Gen.: **Actinocystis.**

254. Actinocystis Grayi E. H.

1854. *Cystiphyllum Grayi* E. H. Brit. silur. corals, S. 297, Taf. LXXII, Fig. 2 (non Fig. 3).
1894. *Actinocystis Grayi* Weissermel. L. c. S. 642, Taf. LI, Fig. 6—7.
1881. *Spongophyllum Schumanni* Mayer. L. c. S. 109, Taf. V, Fig. 12.

Skala, Dżwinogród. (Zone 4.)

Ordo.: **Tabulata.**

So.: **Favositoidea** Steinm.

Fam.: **Favositidae** E. H.

Gen.: **Favosites** Lamk.

255. Favosites gotlandica Lk.

1816. *Favosites gotlandica* Lamarck. Hist. d. anim. S. vert. vol. 2, S. 206.
1829. *Calamopora gotlandica* Goldfuß. Petrefacta Germaniae 1, Taf. XXVI, Fig. 3—*a*, 3—*b*, 3—*c*, 3—*e*.
1851. *Favosites gotlandica* E. H. Polyp. foss. terr. palaeoz., S. 232.
1854. *Favosites gotlandica* E. H. Brit. Silur. corals. S. 256, Taf. LX, Fig. 1.
1879. *Favosites gotlandica* Nicholson. The structure and affinities of tabulate corals: palaeozoic period, S. 46, Taf. I, Fig. 1—6.
1883. *Favosites gotlandica* Roemer. Lethaea palaeozoica, S. 421, Taf. IX, Fig. 4.
1889. *Favosites gotlandica* E. har. Toll. Wissenschaftliche Resultate d. Janalandes und d. Neusibirischen Inselexpedition, S. 46, Taf. IV, Fig. 4.
1893. *Favosites gotlandica* Czernyszew. Fauna d. unteren Devons am Ostabhange des Ural. S. 99, Taf. XIV, Fig. 10—11.
1894. *Favosites gotlandica* Weissermel. L. c. S. 647, Taf. LI, Fig. 8.
1899. *Favosites gotlandica* Wieniukow. L. c. S. 82.

Nach Wieniukow in Russisch-Podolien sehr verbreitet (Żwaniec, Sokół, Hryńczuk, Studenica, Orynin, Kamieniec, Pudłowce, Muksza, Malinowiecka Sloboda, Braha, Domanów. In Galizien selten. Ich kenne diese Art nur aus Skała, Kozina, Mazurówka bei Celejów und Dżwinogród. (Zone 3—4.)

256. Favosites Forbesi E. H.

1851. *Favosites Forbesi* Edw. E. Haime. Polyp. foss. terr. pal., S. 238.
1854. *Favosites Forbesi* E. H. Brit. foss. corals, S. 258, Taf. LX, Fig. 2.
1879. *Favosites Forbesi* Nicholson. Tabulate corals: palaeozoic period., S. 56—67, Taf. I, Fig. 7; Taf. II, Fig. 1—3; Taf. III Fig. 1—2.
1883. *Favosites Forbesi* Roemer. Lethaea palaeozoica, S. 421, Taf. IX, Fig. 5.
1892. *Favosites Forbesi* Lebedew. Obersilur. Fauna des Timan, S. 10.
1894. *Favosites Forbesi* Weissermel. L. c. S. 648, Taf. LII, Fig. 1.
1899. *Favosites Forbesi* Wieniukow. L. c. S. 82.

An der sehr ungleichen Größe seiner Kelche leicht kenntliche Art, kommt in kleinen knollenförmigen Polyparien in Kamieniec, Muksza, Żwaniec, Skała, Kałaharówka, Kozina, Chudykowce, Chudiowce, Kasperowce, Szczytowce, Filipkowce, Michałki bei Celejów, Zaleszczyki und Susołówka vor. (Zone 3—6.)

257. Favosites Hisingeri E. H.

1851. *Favosites Hisingeri* E. H. Polyp. foss. terr. palaeozoiques, S. 240, Taf. XVII, Fig. 2.
1899. *Favosites Hisingeri* Wieninkow. L. c. S. 82.

Bis kopfgroße Polyparien mit sehr regelmäßigen sechseckigen kleinen Kelchen von 0·6—0·8 *mm* Durchmesser. — Kamieniec, Podzamcze, Muksza, Łaskorun, Pudłowce, Zawale, Holeniszczów, Orynin, Ustje, Skała, Chudiowce, Dżwinogród, Sinków. (Zone 4.)

258. Favosites aspera Orb.

1829. *Calamopora alveolites* Gf. (p. p.). L. c. S. 77, Taf. XXVI, Fig. 1*b*.
1839. *Favosites alveolaris* Lonsd. (Murch.) Silurian. system., S. 681, Taf. XV, Fig. 2.
1840. *Calamopora alveolaris* Eichwald. Silur. Schichtensystem in Esthland, S. 198.
1845. *Favosites aspera* Murch. Vern. Keyserl. Geology of Russia, S. 610.
1846. *Calamopora alveolaris* Keyserling. Petschoraland, S. 177.
1850. *Favosites aspera* Orb. Prodrome etc., S. 49.
1854. *Favosites aspera* E. H. Brit. Silur. corals, S. 257, Taf. LX, Fig. 3.
1894. *Favosites aspera* Weissermel. L. c. S. 648, Taf. LI, Fig. 9.
1892. *Favosites aspera* Lebedew. Obersilur. Fauna d. Timan, S. 8, Taf. I, Fig. .
1899. *Favosites aspera* Wieniukow. L. c. S. 83.

Zinkow bei Kamieniec und Skała (sehr selten). (Zone 4.)

259. Favosites Bowerbanki E. H.

1839. *Favosites spongites* Lonsd. (Murch.) Silur. syst., S. 683, Taf. XV. bis. Fig. 8 *c, d, e*.
1854. *Monticulipora (?) Bowerbanki* E. H. Brit. Silur. corals, S. 268, Taf. LXIII, Fig. 1.
1888. *Chaetetes Bowerbanki* Lindström. Gotland, S. 16, 29.
1894. *Favosites Bowerbanki* Weissermel. L. c. S. 649, Taf. LII, Fig. 2—3.
1899. *Monticulipora (?) Bowerbanki* Wieniukow. L. c. S. 88.

Studenica, Braha, Hryńczuk, Ladawa am Dniester, Kamieniec, Skała. (Zone 3—4.)

Gen.: Michelinia d. Kon.

260. Michelinia geometrica E. H.

(Taf. XXI (VII), Fig. 32.)

1851. *Michelinia geometrica* E. H. Polyp. foss. terr. palaeoz., S. 252, Taf. XVII, Fig. 3.

In der Krakauer Sammlung habe ich zwei ganz gleiche kleine Polyparien einer *Michelinia*-Art aus Chudiowce und Sapachów gefunden, welche nach der Beschreibung mit *M. geometrica* übereinzustimmen scheint.

35*

Die nur 2 *cm* im Durchmesser messenden kreisrunden Stöcke bestehen aus einer regelmäßig sechseckigen Zentralzelle, welche von einem einzigen Kranze von gleich großen, jedoch weniger regelmäßigen Zellen umgeben ist. Der Durchmesser der hexagonalen Zentralzelle beträgt 8 *mm*. Von Septen ist nichts zu sehen, die flachen Kelche haben einen ebenen Boden, die niedrigen Wände sind von je zwei vertikalen Porenreihen durchbort, die Unterseite mit einer konzentrisch runzeligen Epithek. (Zone 10.)

Gen.: **Pachypora** Lindstr.

261. **Pachypora Lonsdalei** d'Orb.

1850. *Favosites Lonsdalei* d'Orb. Prodrome, vol. 1, S. 49.
1851. *Favosites cristata* E. H. Pol. foss. terr. palaeoz., S. 342.
1854. *Favosites cristata* E. H. Brit. silur. corals., S. 260, Taf. LXI, Fig. 3—4.
1873. *Favosites Lonsdalei* Lindström. Öfvers. kongl. vetesk. Akad. Förh.
1879. *Pachypora cristata* Nicholson. On the structure and affinities of tabulate corals, S. 87, Taf. IV, Fig. 4 *a—b*; Taf. V, Fig. 1 *a—b*.
1883. *Pachypora Lonsdalei* Roemer. Lethaea palaeozoica, S. 436.
1899. *Favosites cristata* Wieniukow. L. c. S. 84.
Favosites cristata, mit welcher diese Art verwechselt wird, ist eine oberdevonische Form.

P. Lonsdalei kommt ziemlich selten in den Brachiopodenschiefern von Sinków, Dźwinogród, Borszczów, Sapachów, Kozaczówka und Lanowce vor.

Wieniukow hat sie bei Muksza gefunden. (Zone 4.)

262. **Pachypora lamellicornis** Lindström.

1873. *Pachypora lamellicornis* Lindström. Några anteckningar om anthozoa tabulata, S. 14.
1879. *Pachypora lamellicornis* Nicholson. Tabulate corals, S. 81, Taf. IV, Fig. 2.
1899. *Pachypora lamellicornis* Wieniukow. L. c. S. 84.

Wieniukow hat diese Form im unteren Korallenkalke von Żwaniec und Malinowiecka Slobódka gefunden. Mir ist diese Art persönlich nicht vorgekommen. (Zone 4.)

Gen.: **Coenites** Eichw.

263. **Coenites podolica** n. sp.

(Taf. XXI (VII), Fig. 31.)

Im unterdevonischen Korallenmergel von Uwisła und Mazurówka bei Celejów kommen häufig verästelte, bis 4 *cm* lange, 2—4 *mm* dicke Stämmchen einer *Coenites*-Art vor, welche mit keiner mir bekannten Form identifiziert werden konnte. Am nächsten steht noch *Coenites tenella* Gürich aus dem mittleren Devon Polens, mit welcher unsere Art einen gleichen Habitus mit sehr weit zerstreuten Kelchöffnungen besitzt, jedoch ist die Gestalt der Kelchmündungen anders gestaltet.

Bei schlechter Erhaltung sieht man an den schmalen Stämmchen 2—3 unregelmäßige Längsreihen von runden oder ovalen Kelchöffnungen, welche durch 1·5mal breitere Zwischenräume voneinander getrennt sind und sich deutlich über die Oberfläche der Stämmchen mit ihrem unteren Rande erheben. Bei gutem Erhaltungszustande sieht man nun, daß die Kelche sehr schief zur Oberfläche stehen, eine halbmondförmige Form besitzen und unten durch eine scharfe und schmale, in der Mitte durch eine zahnförmige Bucht geteilte Lippe begrenzt sind. Im Querschnitt der runden Stämmchen sieht man einen sehr regelmäßigen Bau. Am Rande stehen acht kreisrunde, paarig geordnete Kelche, in deren Mitte ein zweiter Kranz von acht kleineren Kelchen und in der Mitte ein dritter von vier Kelchen zu sehen ist. Aus dem Querschnitte läßt sich die beinahe vertikale, sehr schief gegen die Oberfläche gerichtete Neigung der langen Kelche und ihre deutliche Zweiteilung in drei Kränzen erkennen. (Zone 10.)

264. Coenites linearis E. H.

1854. *Coenites linearis* E. H. Brit. silur. corals, S. 277, Taf. LXV, Fig. 3.
1860. *Coenites linearis* Eichwald. Lethaea rossica, vol. 1, S. 461.
1879. *Coenites linearis* Nicholson. Tabulate corals, S. 135, Taf. VII, Fig. 1.
1899. *Coenites linearis*(?) Wieniukow. L. c. S. 85.

Im unteren Korallenkalke von Kamieniec, Braha, Żwaniec. (Zone 4.)

265. Coenites juniperinus Eichw.

1829. *Coenites juniperinus* Eichwald. Zoologia specialis Rossiae I. S. 179.
1839. *Limaria clathrata* Lonsdale (Murchison). Silur. syst., S. 692, Taf. XVI bis. Fig. 7, 7*a*.
1854. *Coenites juniperinus* E. H. Brit. silur. corals, S. 277, Taf. LXV, Fig. 4.
1879. *Coenites juniperinus* Nicholson. Tabulate corals, S. 134, Taf. VI, Fig. 5, 5*a*.
1883. *Coenites juniperinus* Roemer. Lethaea palaeozoica, S. 444.
1884. *Coenites juniperinus* Weissermel. L. c. S. 654, Taf. LII, Fig. 6.

Diese für die Wenlocketage charakteristische Form wurde von Łomnicki in Dźwinogród gefunden. (Zone 4.)

266. Coenites intertextus Eichw.

1829. *Coenites intertextus* Eichwald. Zoologia specialis, S. 179, Taf. II, Fig. 16.
1839. *Limaria fruticosa* Lonsdale (Murchison). Silur. system, S. 692, Taf. XVI bis. Fig. 7*b*, 8, 8*a*.
1854. *Coenites intertextus* E. H. Brit. silur. corals, S. 276, Taf. LXV, Fig. 5.
1894. *Coenites intertextus* Weissermel. L. c. S. 654, Taf. LII, Fig. 7.

Kamieniec, Dźwinogród (selten). (Zone 4.)

267. Alveolites Labechei E. H.

1839. *Alveolites spongites* Lonsd. (Murch.). Silur. syst., Taf. XV bis. Fig. 8 *a—b*.
1851. *Alveolites Labechei* E. H. Brit. silur. corals, S. 262, Taf. LVI, Fig. 6.
1879. *Alveolites Labechei* Nicholson. Tabulate corals, S. 128, Taf. VI, Fig. 3.
1894. *Alveolites Labechei* Weissermel. L. c. S. 657, Taf. LII, Fig. 9.

Nach Wieniukow in dem oberen Korallenkalke von Satanów, Nagórzane und Kamieniec. In Galizien kenne ich nur ein Stück aus Dźwinogród in der Krakauer Sammlung.

Fam.: **Syringoporidae** Nich.

Gen.: **Syringopora.**

268. Syringopora fascicularis L.

1767. *Tubipora fascicularis* Linné. Systema naturae ed. 12. S. 1271.
1855. *Syringopora fascicularis* E. H. Brit. silurian corals, S. 274, Taf. LXV, Fig. 1.
1883. *Syringopora fascicularis* Roemer. Lethaea palaeozoica, S. 491.
1899. *Syringopora fascicularis* Wieniukow. L. c. S. 86.

Kamieniec, Podzamcze, Żwaniec, Malinowiecka Sloboda, Zawale (sehr häufig), Satanów, Skała, Dźwinogród, Sinków. (Zone 4—6.)

269. Syringopora bifurcata Lonsd.

1837. *Syringopora reticulata* Hisinger. Lethaea suecica, S. 95, Taf. XXVII, Fig. 2.
1839. *Syringopora reticulata* Lonsd. (Murch.). Silur. syst., S. 684, Taf. XV, Fig. 10.
1839. *Syringopora bifurcata* Lonsd. Ibid., S. 685, Taf. XV, Fig. 11.
1854. *Syringopora bifurcata* E. H. Brit. silur. corals, S. 273, Taf. LXIV, Fig. 3.
1894. *Syringopora bifurcata* Weissermel. L. c. S. 658, Taf. LIII, Fig. 3.
1883. *Syringopora bifurcata* F. Roemer. Lethaea palaeozoica, S. 491, Taf. IX, Fig. 9 *a—b*.

Skała, Kozina. (Zone 6.)

Fam.: **Halysitidae.**

Gen.: **Halysites** Fisch.

270. Halysites catenularia L.

1767. *Tubipora catenularia* Linné, Systema naturae ed. 12, S. 1270.
1855. *Halysites catenularia* E. H. Brit. foss. corals, S. 270, Taf. LXIV, Fig. 1.
1883. *Halysites catenularia* Roemer. Lethaea palaeozoica, S. 486, Taf. IX, Fig. 6.
1899. *Halysites catenularia* Wieniukow. L. c. S. 87.

Kommt nach Wieniukow ziemlich häufig im unteren Korallenkalke von Studenica, Kitajgorod, Smotrycz, Muksza, Orynin, Braha, Żwaniec und Kamieniec vor. (Zone 3—6.)

Subordo: **Chaetetoidea** Steinm.

Fam.: **Monticuliporidae** Nich.

Gen.: **Monticulipora** d'Orb.

271. Monticulipora pulchella E. H.

1851. *Chaetetes pulchella* E. H. Polyp. foss. terr. palaeozoiques., S. 271.
1854. *Monticulipora pulchella* E. H. Brit. silur. corals, S. 267, Taf. LXII, Fig. 5.

Kleine verästelte glatte Stöcke mit sehr kleinen, nur mit der Lupe erkennbaren zylindrischen Röhren von ungleicher Größe, welche dicht gedrängt sind. Die Polyparien verzweigen sich stets unter einem spitzen Winkel.

Diese Art kommt sehr häufig in den Brachiopoden- und Trilobitenkalken und Schiefern (Borszczower Fazies) in Borszczów, Dźwinogród, Sinków, Korolówka, Sapachów, Chudiowce, Chudykowce, Kozaczówka, Wysuczka, Paniowce, Wierzbówka, Skała etc. vor. (Zone 5.) Eine sehr nahe verwandte oder identische Form kommt auch in Zaleszczyki in der Zone 9 vor.

272. Monticulipora Fletscheri E. H.

1839. *Favosites spongites* (pp.) Lonsdale (Murch.). Silur. syst., Taf. XV bis. Fig. 9 *a*—*b*.
1851. *Chaetetes Fletscheri* E. H. Pol. foss. terr. palaeoz., S. 271.
1854. *Monticulipora Fletscheri* E. H. Brit. silur. corals, S. 267, Taf. LXII, Fig. 3.

Kleine ästige Stöcke mit sehr feinen runden Röhrchen, deren Zwischenräume dem Röhrendiameter gleich sind. Die Stöcke verästeln sich stets unter einem stumpfen Winkel, was ein leichtes Unterscheidungszeichen gegenüber *M. pulchella* bildet.

Mit *M. pulchella* zusammen, jedoch seltener: Skała, Filipkowce, Dźwinogród, Chudykowce, Szyszkowce, Korolówka. (Zone 4—5.)

273. Monticulipora papillata Mac Coy.

1851. *Nebulipora papillata* Mac Coy. Ann. a. mag. of nat. hist., S. 284.
1851. *Nebulipora papillata* Mac Coy. Brit. palaeoz. fossils, S. 24, Taf. I—*c*, Fig. 5.
1851. *Chaetetes tuberculata* E. H. Polyp. foss. terr. palaeoz., S. 268, Taf. XIX.
1854. *Monticulipora papillata* E. H. Brit. silur. corals, S. 266, Taf. LXII, Fig. 4.

Sinków, Dźwinogród, Borszczów (selten). (Zone 4.)

Subordo: **Heliolitoidea** Steinm.

Fam.: **Heliolitidae.**

Gen.: **Heliolites** Dana.

274. Heliolites interstinctus L.

1767. *Madrepora interstincta* Linné. Systema naturae ed. 12, S. 1276.
1854. *Heliolites interstincta* E. H. Brit. silur. corals, S. 249, Taf. LVII, Fig. 5.

1883. *Heliolites interstincta* Lindström. Obersilur. koral. v. Tshautien (Richthofens China, Bd. 4), S. 54, Taf. V *p*, Fig. 7.
1892. *Heliolites interstincta* Lebedew. Obersilurische Fauna von Timan. S. 13, Taf. I, Fig. 4.
1893. *Heliolites interstincta* Tschernyszew. Fauna d. unt. Devons am Ostabhange des Ural, S. 101, Taf. XIV, Fig. 13.
1889. *Heliolites interstincta* Ch. Barrois. Faune du calcaire d'Erbray, S. 30 Taf. III, Fig. 6.
1899. *Heliolites interstincta* Wieniukow. L. c. S. 89.

Kamieniec, Żwaniec, Pudłowce, Studenica, Hryńczuk, Orynin, Braha, Muksza, Skała, Dźwinogród, Kalaharówka. (Zone 3—6.)

275. Heliolites decipiens Mac Coy.

1850. *Fistulipora decipiens* Mac Coy. Ann. and mag. of nat. history, vol. 6, S. 285.
1854. *Heliolites Murchisoni* E. H. Brit. silur. corals, S. 250, Taf. LVII, Fig. 6.
1855. *Fistulipora decipiens* Lindström (Richthofens China, Bd. 4), S. 56, Taf. V, Fig. 6.
1899. *Heliolites decipiens* Wieniukow. L. c. S. 90.

Chotin, Braha, Żwaniec, Kamieniec, Orynin, Skała. (Zone 4.)

276. Heliolites porosa Gf.

1826. *Astraea porosa* Goldfuß. Petrefacta Germaniae, I, S. 64, Taf. XXI.
1828. *Heliopora pyriformis* Blainville. Manuel d'Actinologie, S. 392.
1853. *Heliolites porosa* M. Edwards et Haime. British devonian corals, S. 212, Taf. XLVII, Fig. 1.
1883. *Heliolites porosa* F. Roemer. Lethaea palaeozoica, S. 509, Taf. XXVI, Fig. 2.

Von der silurischen *H. interstincta*, mit welcher diese Form meist verwechselt wird, unterscheidet sich dieselbe durch ihr sehr grobmaschiges Coenenchym, dessen Röhren meist sechseckig sind. Die Kelche stehen bei der podolischen Form ziemlich nahe voneinander. Kommt häufig im unterdevonischen Korallenmergel von Michalki, Mazurówka und Uwisła bei Celejów vor.

277. Heliolites megastoma Mac Coy.

1846. *Porites megastoma* Mac Coy. Silur. fossils of Ireland, S. 62, Taf. IV, Fig. 19.
1855. *Heliolites megastoma* E. H. Brit. silur. corals, S. 251, Taf. LVIII, Fig. 2.
1885. *Heliolites megastoma* Roemer. Lethaea palaeozoica, S. 504.
1899. *Heliolites megastoma* Wieniukow. L. c. S. 90.

Die Kelche erreichen 2 *mm* im Durchmesser, sind dicht gedrängt, mit kräftigen Sepis. Żwaniec, Skała. (Zone 4.)

278. Heliolites dubius F. Schmidt.

1858. *Heliolites dubia* F. Schmidt. Untersuchungen über die Silurformation Estlands, S. 228.
1861. *Heliolites dubia* Römer. Sadewitz, S. 26, Taf. IV, Fig. 5.
1877. *Heliolites dubia* Dybowski. Chaetetiden, S. 113, Taf. IV, Fig. 2.
1883. *Heliolites dubius* Roemer. Lethaea palaeozoica, S. 505.

Diese bisher allein aus dem Untersilur (Lyckholmer Schicht) Estlands bekannte Form wurde von Łomnicki in Sinków gefunden. Der sehr gute Erhaltungszustand läßt keinen Zweifel über die Richtigkeit der Bestimmung zu.

279. Thecia Swinderiana Gf.

1829. *Agaricia Swinderiana* Gf. Petref. Germaniae, vol. 1, S. 109, Taf. XXXVIII, Fig. 3.
1855. *Thecia Swinderiana* E. H. Brit. silur. corals, S. 278, Taf. LXV, Fig. 7.
1879. *Thecia Swinderiana* Nicholson. Tabulate corals, S. 236, Taf. 11, Fig. 2.
1883. *Thecia Swinderiana* Roemer. Lethaea palaeozoica, S. 452, Taf. IX, Fig. 8.
1899. *Thecia Swinderiana* Wieniukow. L. c. S. 81.

Nach Wieniukow im Korallenkalke von Kamieniec, Pudłowce und Muksza. (Zone 6.)

Hydrozoa.

Fam.: **Stromatoporidae.**

Gen.: **Stromatopora** Gf.

280. **Stromatopora typica** v. Rosen.

1867. *Stromatopora typica* v. Rosen. Über die wirkliche Natur der Stromatoporen, S. 58, Taf. I, Fig. 1—3; Taf. II, Fig. 1.
1890. *Stromatopora typica* Nicholson. British Stromatoporoids, S. 169, Taf. I, Fig. 3; Taf. V, Fig. 14—15; Taf. XXI, Fig. 4—11; Taf. XXII, Fig. 1—2.
1899. *Stromatopora typica* Wieniukow. L. c. S. 91.

In Russisch-Podolien kommt diese Art nach Wieniukow in der Gestalt von 2 bis 3 *dm* dicken rundlichen Massen häufig mit flacher Basis, welche eine sehr deutliche laminare Struktur besitzen, vor. In Skała bildet diese Art zusammen mit *Labechia conferta* eine zusammenhängende Bank von über 10 *m* Mächtigkeit im oberen Korallenhorizonte.

Kamieniec, Żwaniec, Malinowiecka Słoboda, Muksza, Orynin, Zawale, Skała. (Zone 4—6.)

Gen.: **Coenostroma** Winchell.

281. **Coenostroma discoideum** Lonsd.

1839. *Porites discoidea* Lonsdale (Murch.): Silur. syst., S. 688, Taf. XVI, Fig. 1.
1852. *Stromatopora constellata* Hall. Palaeontology of New-York, Bd. 2, S. 324, Taf. LXXII, Fig. 2.
1860. *Stromatopora polymorpha* var. *constellata* Eichw. Lethaea rossica, S. 346, Taf. XXII, Fig. 13.
1870. *Coenostroma discoidea* Lindström. Description of the Anthozoa perforata of Gotland, S. 6, Taf. I, Fig. 6—13.
1891. *Stromatopora discoidea* Nicholson. Monograph of the British Stromatoporoids, S. 188, Taf. III, Fig. 3; Taf. VII, Fig. 1—2.
1899. *Coenostroma discoideum* Wieniukow. L. c. S. 92.

Unterscheidet sich von *Str. typica* durch die sehr kompakte Struktur; eine laminare Bauart ist allein an solchen Exemplaren deutlich sichtbar, welche abwechselnd heller und dunkler gefärbte Schichten zeigen. Die Gestalt der Kolonie ist niemals kugelig wie bei *Str. typica* sondern äußerst mannigfaltig, knollen- oder keulenförmig, selteuer sind flach ausgebreitete Kolonien mit höckeriger Oberfläche.

Von Wieniukow in Kamieniec, Żwaniec und Laskorun gefunden, bildet diese Art eine dünne Bank im unteren Korallenkalke von Skała und Kozina. (Zone 4—6.)

Gen.: **Labechia** E. H.

282. **Labechia conferta** E. H.

1855. *Labechia conferta* E. H. Brit. silur. corals, S. 269, Taf. LXII, Fig. 6.
1888. *Labechia conferta* Nicholson. Brit. Stromatoporoids, S. 158, Taf. III, Fig. 7—15, Taf. XX, Fig. 1—2.
1899. *Labechia conferta* Wieniukow. L. c. S. 80.

Kommt ziemlich häufig im Korallenkalke von Kamieniec, Żwaniec, Muksza, Pudłowce, Holeniszczów, Nagórzane, Skała und Dżwinogród vor. (Zone 4—6.)

Gen.: **Actinostroma** Nich.

283. **Actinostroma astroites** Rosen.

1867. *Stromatopora astroites* Rosen. Über die wirkl. Natur der Stromatoporen, S. 62, Taf. II*d*, Fig. 6—7.
1890. *Actinostroma astroites* Nicholson: British Stromatoporoids, S. 143, Taf. XVII, Fig. 1—7.

Es liegt mir nur ein einziges sicher bestimmbares Exemplar dieser Form aus dem unteren Korallenkalke von Skała vor, an welchem die ausgewitterten Durchschnitte die charakteristische Struktur des *Coenosteum*, namentlich aber die neben dem laminaren Bau äußerst feinen, durch das ganze *Coenosteum* kontinuierlich durchgehenden Radiallinien erkennen läßt. Die Struktur ist so kompakt, daß an angeschliffenen Stellen jede Spur der im ausgewitterten Zustande äußerst deutlichen Lamination schwindet und die zarten Kanäle unter der Lupe unsichtbar sind. Die Kolonie bildet einen spitzen Kegel von 1 *dm* Durchmesser an der Basis, dessen Oberfläche von unregelmäßigen Höckern und sehr dicht nebeneinander liegenden, stark verzweigten Astrorhizen bedeckt ist.

Skala (Museum Dzieduszycki). (Zone 4.)

Fam.: **Graptolitidae.**

284. Rastrites Linnaei.

(Taf. XVI (II), Fig. 9.)

Ein Bruchstück aus Skała in der Krakauer Sammlung (Alth. Koll.)

285. Monograptus sp. ebendaher.

Echinodermata.

Crinoidea.

Vollständige Kelche von Krinoideen sind äußerst selten; ich habe in dem ganzen mir vorliegenden Material kaum zwei Stück gefunden, wovon das eine hier abgebildete einer unbestimmten Art von

286. Glyptocrinus.

(Taf. XIX (V), Fig. 23)

gehört, ein zweites kleines und ungenügend erhaltenes Stück aus Michalków am Dniester einem

287. Cyathocrinus sp.

(Taf. XXI (VII), Fig. 30.)

Dagegen lose und zusammenhängende Stielglieder kommen in manchen Schichten massenhaft vor und gehören sehr verschiedenen Formen an, welche nicht einmal eine generische Bestimmung gestatten. Von bekannten Formen kann ich allein zwei: *Entrochus asteriscus* und *Phacites Gotlandicus* erwähnen; alle übrigen sind unbestimmbar, besonders beim Mangel eines genügenden Vergleichsmaterials. Ich habe sie daher allein abgebildet, um von der großen Varietät der in Podolien vorkommenden Formen einen Begriff zu geben.

288. Phacites Gotlandicus.

(Taf. XXI (VII), Fig. 23.)

1821. *Phacites gotlandicus* Wahlb. Petrificationes telluris Suecanae (N. Acta soc. reg. Upsal.), Bd. 8, S. 108.
1837. *Phacites gotlandicus* Hisinger. Lethaea suecica supplem., S. 115, Taf. XXXVI, Fig. 4.
1885. *Phacites gotlandicus* F. Roemer. Lethaea erratica, S. 86, Taf. VI, Fig. 6.

Kreisrunde kleine Krinoidenstielglieder mit charakteristischer beiderseits konkaver glatter Gelenkfläche kommen häufig in den Brachiopodenschiefern von Dźwinogród und Filipkowce vor.

Der Nährkanal ist, wenn gut erhalten, deutlich fünfeckig. (Zone 4.)

289. Entrochus asteriscus F. Roem.

(Taf. XXI (VII), Fig. 20.)

1839. *Crinoid. indet.* Murchison. Silur. syst., Taf. IV, Fig. 56.
1884. *Entrochus* sp. Krause. Beyrichienkalk, S. 12, Taf. I, Fig. 2.
1885. *Entrochus asteriscus* Roemer. Lethaea erratica, S. 94, Taf. VII, Fig. 18 *a—c*.

Selten im Brachiopodenschiefer von Dźwinogród. (Zone 7.)

290. Crotalocrinus rugosus Mill.

Taf. XXI (VII), Fig. 15.)

1821. *Cyathocrinites rugosus* Miller. Natural history of the Crinoidea, S. 89.
1826. *Cyathocrinites rugosus* Gf. Petrefacta Germaniae, S. 192, Taf. LIX, Fig. 1.
1843. *Crotalocrinites rugosus* Austin. Ann. a. Mag. of nat. hist. vol. 11, S. 189.
1878. *Crotalocrinus rugosus* Angelin Iconographia crinoidarum Sueciae, S. 26, Taf. VII, Fig. 4; Taf. XVII, Fig. 3 *a—b*, Fig. 8, 8 *a*.
1899. *Crotalocrinus rugosus* Wieniukow. L. c. S. 94.

Wieniukow hat bestimmbare Kelchplatten dieser Art in Kamieniec, Muksza und Dumanów gefunden. Ich kenne nur ein fingerdickes Stielstück derselben aus Kamieniec. Lose Stielglieder aus anderen Fundorten lassen sich nicht damit ohne weiteres identifizieren. (Zone 4.)

291. Cupressocrinus sp. ind.

(Taf. XXI (VII), Fig. 18, 24.)

Stielglieder mit vierstrahligem Nährkanal kommen vereinzelt im Brachiopodenschiefer von Dźwinogród vor.

292. Entrochus sp. ind.

Taf. XXI (VII), Fig. 14, 16, 17, 19, 21, 22, 23, 24, 25–29.)

Verschiedene generisch unbestimmbare Krinoidenstielglieder sind im Brachiopodenschiefer von Filipkowce, Dźwinogród, Borszczów etc. häufig.

Spongiae.

Ordo: Receptaculitidae.

293. Sphaerospongia podolica n. sp.

(Taf. XXI (VII), Fig. 35.)

Nach Hinde (Qu. Journ. 1884, S. 816 u. folg.) unterscheidet sich diese auf eine einzige devonische Art begründete Gattung von anderen Receptaculitiden durch die hexagonale, nicht rhombische, Gestalt ihrer Kalktäfelchen, die Gegenwart einer zentralen Protuberanz auf denselben und den wahrscheinlichen Mangel an Vertikalpfeilern.

Das mir vorliegende einzige sehr günstig erhaltene Exemplar läßt die charakteristischen Eigenschaften der Gattung *Sphaerospongia* erkennen, nur ist die ganze Schale nicht becherförmig wie bei der devonischen *S. tesselata* Phill., sondern flachtellerförmig ausgebildet, was übrigens bei dieser Gruppe ohne Bedeutung ist.

Das runde tellerförmige Gehäuse ist im Zentrum schwach eingedrückt. Vom Zentrum aus reihen sich die hexagonalen Täfelchen in Quincunx derart an, daß dieselben je nach der Beleuchtung bald in konzentrische Ringe, bald nach rechts, bald nach links gewundene radiale Reihen geordnet erscheinen. Jedes Täfelchen trägt eine flache runde Warze, welche beinahe die ganze Oberfläche der Platte einnimmt. Am zentralen Teile der Schale sind die Kalktäfelchen nicht erhalten, sonst aber sind dieselben von gleicher Größe, etwa 1 *mm* im Durchmesser. An einem Teile des Exemplares ist durch Verwitterung die äußere Schicht der hexagonalen Kalktäfelchen entfernt und man sieht darunter regelmäßig radiale und konzentrische kontinuierliche Reihen von einachsigen an einem Ende zugespitzten Nadeln, welche ein rechteckiges Gitterwerk bilden. Bei gänzlich zerstörter Schale liegen diese Nadeln wirr durcheinander gemengt. Vertikale Pfeiler konnte ich nicht unterscheiden.

Unikum in der gräflich Dzieduszyckischen Sammlung in Lemberg; wurde von Dr. M. Lomnicki in Wierzchniakowce gesammelt.

Generalregister.

Seite

Acanthocladia assimilis Lonsd. 266.
Acaste Downingiae Murch. 216.
Acervularia ananas L. 269.
Acervularia baltica Schweig. 269.
Acroculia. 230.
Actinocystis Grayi E. H. 270.
Actinostroma astroites Rosen. 276.
Actinodontopsis laevis Mac Coy. 235.
Alveolites Labechei E. H. 273.
Agaricia Swinderiana Gf. 275.
Alveolites Lonsdalei d'Orb. 272.
Alveolites spongites Lonsd. 271.
Ambonychia striata Sw. 239.
Amplexus borussicus Weissml. 267.
Amplexus hercynicus Roem. 267.
Amplexus eurycalyx Weissml. 266.
Amplexus viduus Lindstr. 267.
Anarcestes podolicus nob. 229.
Anomia biloba L. 245.
Anomia plicatella L. 250.
Anomia reticularis Dalm. 258.
Anomites exporrectus Wahlb. 251.
Aparchites ovatus Jones. 220.
Arca decipiens Mac Coy. 236.
Argiope podolica nob. 245.
Asaphus caudatus Dalm. 216.
Asaphus subcaudatus Murch. 216.
Asaphus Cowdori Murch. 216.
Astraea ananas His. 269.
Athyris compressa Sw. 263.
Athyris obovata Sw. 262.
Atrypa aspera Schlth. 258.
Atrypa analoga Wien. 261.
Atrypa Arimaspus Eichw. 261.
Atrypa comata Barr. 261.
Atrypa Barrandei Dav. 262.
Atrypa cordata Lindstr. 261.
Atrypa compressa Dav. 263.
Atrypa galeata Dalm. 252.
Atrypa imbricata Sw. 258.
Atrypa Lindströmi Wien. 262.
Atrypa linguata Buch. 261.

Seite

Atrypa linguifera Sw. 252.
Atrypa marginalis Dalm. 258.
Atrypa obovata Dalm. 262.
Atrypa prunum Dalm. 262.
Atrypa semiorbis Barr. 262.
Atrypa sinuata Wien. 262.
Atrypa sublepida Vern. 261.
Atrypa Thetis Barr. 261.
Atrypa Thisbe Barr. 261.
Atrypa tenuistriata. 265.
Atrypa tumida Dalm. 265.
Auchenaspis sp. 214.
Aulacophyllum mitratum E. H. 267.
Avicula Danbyi Mac Coy. 238.
Avicula lineata Gf. 239.
Avicula retroflexa His. 238.
Avicula ventricosa Gf. 239.
Avicula cf. *migrans* Barr. 238.

* * *

Bellerophon aff. Hintzei Frech. 234.
Bellerophon pelops v. *expansa* Barrois. 234.
Bellerophon uralicus Vern. 234.
Beyrichia Bilczensis Alth. 219.
Beyrichia idonea Wien. 218.
Beyrichia Buchiana Jones. 218.
Beyrichia inclinata Wien. 219.
Beyrichia inornata Alth. 218.
Beyrichia podolica Alth. 219.
Beyrichia Reussi Alth. 219.
Beyrichia Salteriana Jones. 219.
Beyrichia Wilkensiana Jones. 219.
Bilobites biloba L. 245.

* * *

Calamopora alveolaris Gf. 271.
Calamopora Gotlandica Lk. 270.
Calcareus testaceus Brugm. 249.
Calceola gotlandica Roem. 268.
Calymene Blumenbachi Brgn. 215.
Calymene concinna Dalm. 216.
Calymene Downingiae Murch. 216.

Seite

Calymene macrophthalma Beyr. 216.
Calymene punctata Dalm. 217.
Calymene tuberculata Brünn. 215.
Calymene variolaris Beyr. 217.
Capulus disjunctus Gieb. 230.
Cardinia oolithophila Roem. 235.
Cardium striatum Sw. 239.
Cardium faustum Barr. 239.
Cephalaspis sp. 213.
Calceola heteroclita Defr. 252.
Chaetetes papillata E. H. 274.
Chaetetes pulchella E. H. 274.
Chonetes minuta Gf. 248.
Chonetes sarcinulata Gein. 249.
Chonetes striatella Dalm. 249.
Clinoceras ellipticum nob. 226.
Clinoceras podolicum nob. 226.
Caryophyllia truncata His. 269.
Caryophyllia dubia Blv. 268.
Coccosteus sp. 213.
Coelophyllum eurycalyx Weissml. 266.
Coenites intertextus Eichw. 273.
Coenites juniperinus Eichw. 273.
Coenites linearis E. H. 273.
Coenites podolica nob. 272.
Coenostroma discoideum Lindstr. 276.
Conchites rhomboidalis Wilk. 246.
Cornulites serpularium. Schlth. 266.
Crotalocrinus rugosus Mill. 278.
Cryptonomus obtusus Ang. 217.
Cucullella cultrata Sandb. 237.
Cucullella ovata Phill. 237.
Cucullella tenuiarata Sandb. 237.
Cyathaspis Sturi Alth. 213.
Cyathophyllum articulatum Whlb. 268.
Cyathophyllum angustum Lonsd. 269.
Cyathophyllum brevilamellatum Mac Coy. 269.

Seite

Cyathophyllum caespitosum Gf. 268.
Cyathophyllum podolicum Wien 268.
Cyathophyllum cf. vermiculare Wien. 268.
Cyathophyllum vermiculare v. *praecursor* Frech. 268.
Cyathophyllum subturbinatum Orb. 269.
Cyathophyllum turbinatum Lonsd. 269.
Cyathophyllum truncatum E. H. 267.
Cycloceras. 223.
Cyclonema carinatum v. multicarinatum Lindstr. 232.
Cyathocrinus sp. 277.
Cyphaspis rugulosus Alth. 217.
Cypricardia impressa Sw. 236.
Cypricardia silurica Wien. 236.
Cypricardia solenoides Sw. 236.
Cypricardinia aff. squamosa Barr. 236.
Cyathophylloides irregularis Dyb. 270.
Cyrtia exporrecta Wahlb. 251.
Cyrtia trapezoidalis His. 251.
Cyrtina multiplicata Dav. 252.
Cyrtina heteroclita v. *multiplicata* Dav. 252.
Cyrtina heteroclita Dav. 252.
Cyrtoceras breve nob. 228.
Cyrtoceras anomale Barr. 228.
Cyrtoceras intermedium Blake. 227.
Cyrtoceras gibbum Barr. 229.
Cyrtoceras podolicum nob. 228.
Cyrtoceras formidandum Barr. 228.
Cyrtoceras sinon Barr. 227.
Cyrtoceras Scharyi Barr. 228.
Cyrtoceras potens Barr. 228.
Cyrtoceras superbum Barr. 229.
Cyrtoceras vivax Barr. 227.
Cystiphyllum cylindricum Lonsd. 270.
Cystiphyllum Grayi E. H. 270.

* *

Seite

Dalmannia caudata Emmr. 216.
Delthyris cardiospermiformis Dalm. 245.
Delthyris crispa Dalm. 250.
Delthyris elevata Dalm. 249.
Discina praepostera Barr. 241.
Discina rugata Sw. 241.
Discoceras rapax Barr. 229.
Dualina cf. robusta Barr. 235.

* * *

Edmondia podolica nob. 236.
Endoceras sp. 225.
Entomis reniformis Wien. 219.
Entrochus asteriscus Roem. 277.
Encrinurus punctatus Wahlb. 217.
Entomostracites punctatus Wahlb. 217.
Encrinurus obtusus Ang. 217.
Eucephalaspis sp. 214.
Euomphalus alatus His. 233.
Euomphalus discors Sw. 231.
Euomphalus depressus Andrz. 231.
Euomphalus funatus Sw. 231.
Euomphalus ornatus Andrz. 231.
Euomphalus ovalis Andrz. 231.
Euomphalus Orinini Wien. 230.
Euomphalus sculptus Sw. 231.
Eurypterus Fischeri F. Schmidt. 215.

* * *

Favosites alveolaris Lonsd. 271.
Favosites Bowerbanki E. H. 271.
Favosites aspera d'Orb. 271.
Favosites Forbesi E. H. 271.
Favosites gotlandica Lk. 270.
Favosites Hisingeri E. H. 271.
Favosites spongites Lonsd. 271.
Fistulipora decipiens Mac Coy. 275.
Flosculari a luxurians Eichw. 269.
Fungites gotlandicus Bromel. 270.

* * *

Glassia compressa Sw. 263.
Glassia obovata Sw. 262.
Glossoceras carinatum Alth. 227.
Glyptocrinus sp. 277.
Glyptolaemus Kinnairdi Huxl. 213.
Gomphoceras ellipticum Mac Coy. 226.
Gomphoceras pyriforme Sw. 227.

Seite

Gorgonia assimilis Lonsd. 266.
Grammysia cingulata His. 235.
Grammysia complanata Sw. 235.
Grammysia rotundata Sw. 236.
Grammysia podolica nob. 235.
Gruenewaldtia camelina Vern. 262.
Gruenewaldtia prunum Dalm. 262.

* * *

Hallia mitrata E. H. 267.
Halysites catenularia L. 274.
Heliolites decipiens Mac Coy. 275.
Heliolites dubius F. Schmidt. 275.
Heliolites interstinctus L. 274.
Heliolites megastoma Mac Coy. 275.
Heliolites Murchisoni E. H. 275.
Heliolites porosa Goldf. 275.
Heliophyllum truncatum. 267.
Hemithyris Davidsoni Mac Coy 254.
Hemithyris Wilsoni Mac Coy. 254.
Hippurites mitratus Schlth. 267.
Holopella acicularis Roem. 230.
Horiostoma discors Sw. 231.
Horiostoma discors v. rugosum Sw. 231.
Horiostoma globosum Schlth. 231.
Horiostoma globosum v. sculptum Sw. 231.
Horiostoma heliciforme Wien. 232.
Horiostoma simplex Wien. 232.

* * *

Illaenus Bouchardi Barr. 216.
Ilionia prisca His. 236.
Isochilina erratica Krause. 219.

* * *

Labechia conferta E. H. 276.
Leda sp. 237.
Leperditia Roemeri Alth. 218.
Leperditia tyraica F. Schmidt. 218.
Leptaena depressa Dalm. 246.
Leptaena interstrialis Dav. 246.
Leptaena rugosa Dalm. 246.
Leptaena tenuistriata Sw. 246.
Leptaena transversalis Wahlb. 248.
Leptaena lata Buch. 249.
Leptodomus impressus Mac Coy. 236.
Leptodomus laevis Sw. 235.

Seite

Leptodomus podolicus nob. 236.
Limaria clathrata Lonsd. 273.
Limaria fruticosa Lonsd. 273.
Lingula Lewisi Sw. 240.
Lingula striata Sw. 240.
Lingula squamaeformis Phill. 240.
Lingula Mola Salt. 240.
Loxonema aciculare Roem. 230.
Loxonema enantiomorphum Frech. 230.
Loxonema sinuosum Sw. 234.
Loxoceras. 221.
Lucina prisca His. 236.
Lunulicardium cf. bohemicum Barr. 235.

* * *

Madrepora turbinata L. 269.
Madrepora interstincta L. 274.
Madrepora truncata L. 267.
Madreporites articulatus Whlbg. 268.
Merista Hecate Barr. 264.
Merista Calypso Barr. 264.
Merista prunum Czern. 262.
Merista Ypsilon Barr. 265.
Meristella didyma Dav. 264.
Meristella Circe Barr. 264.
Meristella canaliculata Wien. 265.
Maristella tumida Dav. 265.
Meristina didyma Sw. 264.
Michelinia geometrica E. H. 271.
Microplasma gotlandicum Dyb. 270.
Microplasma Lovenianum Dyb. 270.
Microplasma Schmidti Dyb. 270.
Millepora similis Phill. 265.
Modiola Nilsoni His. 240.
Modiolopsis podolica nob. 239.
Modiolopsis modiolaris Sw. 240.
Modiolopsis Nilsoni His. 240.
Modiolopsis complanata Sw 235.
Modiolopsis solenoides Sw. 236.
Monograptus sp. ind. 277.
Monticulipora pulchella E. H. 274.
Monticulipora papillata Mac Coy. 274.
Monticulipora Fletscheri E. H. 274.

Seite

Murchisonia compressa Lindstr. 233.
Murchisonia bicincta Hall. 232.
Murchisonia cingulata Vern. 233.
Murchisonia podolica Wien. 234.
Murchisonia Lloydi Lindstr. 232.
Murchisonia Demidoffi Vern. 233.
Mya rotundata Sw. 236.
Mytillus cf. insolutus Barr. 239.
Mytillus parens Barr. 239.

* * *

Natica haliotis Sw. 230.
Nebulipora papillata Mac Coy. 274
Nucula cultrata Sandb. 237.
Nucula brevicultrata Sandb. 237.
Nucula lineata Phill. 236.
Nucula ovata Phill. 236.
Nucula cingulata His. 235.
Nucula triangularis Eichw. 236.
Nucula plicata Phill. 237.
Nucula prisca Gf. 237.

* * *

Omphyma turbinata L. 269.
Omphyma subturbinata Orb. 269.
Orbicula rugata Sw. 241.
Orthis basalis Dalm. 243.
Orthis biloba L. 245.
Orthis biforata Roem. 245.
Orthis antiquata Sw. 247.
Orthis Arimaspus Eichw. 261.
Orthis canaliculata Lindstr. 243.
Orthis canaliculata Roem. 241.
Orthis canalis Sw. 243.
Orthis crassa Lindstr. 244.
Orthis dimera Barr. 245.
Orthis Gervillei Barr. 245.
Orthis hybrida Sw. 241.
Orthis elegantula Dalm. 242.
Orthis germana Barr. 244.
Orthis interstrialis Phill. 246.
Orthis lunata Sw. 244.
Orthis orbicularis F. Schmidt 243.
Orthis minuta Buch. 248.
Orthis palliata Barr. 243.
Orthis pseudostolata Barr. 242.
Orthis rustica Sw. 244
Orthis pinguissima Barr. 244.
Orthis striatella Dalm. 249.

Seite

Orthis umbraculum Schlth. 248.
Orthis Visbyensis Lindstr. 242.
Orthoceras annulatum His. 224.
Orthoc. annulatocostatum Boll. 224.
Orthoceras Althi Wien. 225.
Orthoceras bullatum Sw. 221, 222.
Orthoceras Berendti Dev. 222.
Orthoceras angulatum Roem. 225
Orthoceras cochleatum Qu. 224.
Orthoceras columnare Boll. 220.
Orthoceras costatum Krause. 224.
Orthoceras crassiventre Schmidt. 224.
Orthoceras Damesi Roem. 224.
Orthoceras ellipticum Sw. 226.
Orthoceras excentricum Sw. 222.
Orthoceratites crassiventris His. 224.
Orthoceras grave Barr. 223.
Orthoceras Hagenowi Boll. 222.
Orthoceras Hisingeri Boll. 224.
Orthoceras intermedium Markl. 223.
Orthoceras ibex Sw. 225.
Orthoceras lamellatum Ang. 223.
Orthoceras Ludense Sw. 220.
Orthoceras Kendalense Blake. 225.
Orthoceras longulum Barr. 223.
Orthoceras multilineatum Wien. 224.
Orthoceras Nicholianum Blake. 225.
Orthoceras nummularium Ang. 225.
Orthoceras podolicum Alth. 221.
Orthoceras Roemeri Alth. 221.
Orthoceras Sternbergi Barr. 223.
Orthoceras temperans Barr. 220.
Orthoceras truncatum Blake. 223.
Orthoceras tracheale Sw. 225.
Orthoceras pyriforme Sw. 227.
Orthoceras virgatum Sw. 225.
Orthoceras pseudoimbricatum Barr. 223.
Orthonota cingulata Mac Coy 235.
Orthonota impressa Sw. 236.
Orthonota oolithophila Roem. 235.
Orthonota solenoides Sw. 236.

* * *

Seite

Pachypora cristata Nich. 272.
Pachypora lamellicornis d'Orb. Lindstr. 272.
Pachypora Lonsdalei d'Orb. 272.
Pectunculi planoflabelliformes Brünn. 249.
Pectunculites Walch. 249.
Pentamerus galeatus Dalm. 252.
Pentamerus integer Barr. 253.
Pentamerus linguifer Sw. 252.
Pentamerus optatus Barr. 253.
Pentamerus podolicus Wien. 253.
Pentamerus Sieberi Barr. 253.
Pentamerus Sieberi v. rectifrons Barr. 253.
Pentamerus Vogulicus Vern. 253.
Pecten cf. densistria Sandb. 240
Phacites gotlandicus His. 277.
Phacops caudatus Brünn. 216.
Phacops Downingiae Murch. 216.
Phacops longicaudatus Murch. 216
Phacops macrophthalmus Burm. 216.
Pileopsis cornuta His. 230.
Platystrophia podolica nob. 245.
Platyceras disjunctum Gieb. 230.
Platyceras cornutum His. 230.
Platyceras podolicum nob. 230.
Pleurotomaria alata Wahlb. 233.
Pleurotomaria bicincta Hall. 232.
Pleurotomaria cingulata Eichw. 233.
Pleurotomaria cirrhosa Lindstr. 232.
Pleurotomaria labrosa Hall. 233.
Pleurotomaria Lloydi Sw. 232.
Pleurotomaria oblita Andrz. 233.
Plumulites sp. 220.
Poterioceras ellipticum Mac Coy. 226.
Primitia concinna Jones. 219.
Primitia oblonga Jones. 220.
Primitia ovata Jones. 220.
Primitia muta Jones. 220.
Primitia plicata Krause. 220.
Primitia rectangularis Alth. 220.
Proëtus concinnus Dalm. 216.
Proëtus Dzieduszyckianus Alth. 217.

Seite

Proëtus podolicus Alth. 217.
Producta rugosa His. 246.
Porites discoidea Lonsd. 276.
Porites megastoma Mac Coy. 275.
Pseudohornera similis Phill. 265.
Pteraspis angustatus Alth. 213.
Pteraspis major Alth. 212.
Pteraspis podolicus Alth. 212.
Pteraspis rostratus Ag. 212.
Pterinea concentrica Wien. 238.
Pterinea Danbyi Mac Coy 238.
Pterinea lineata Gf. 239.
Pterinea migrans Barr. 238.
Pterinea opportuna Barr. 238.
Pterinea aff. reticulata His. 238.
Pterinea ventricosa Gf. 239.
Pterinea retroflexa His. 238.
Pterygotus sp. 215.
Ptychodesma Nilsoni His. 240.
Ptychophyllum truncatum E. H. 267.
Pullastra laevis Sw. 235.
Pullastra complanata Sw. 236.

* * *

Rastrites Linnaei Tullb 277.
Retzia aplanata Wien. 264.
Retzia Barrandei Dav. 262.
Retzia Haidingeri Barr. 262.
Rhizophyllum gotlandicum Roem. 268.
Rhynchonella ancillans Barr. 255.
Rhynchonella bidentata His. 254.
Rhynchonella borealiformis Szajn. 256.
Rhynchonella cuneata Dalm. 254.
Rhynchonella carens Barr. 257.
Rhynchonella Daleydensis Roem. 257.
Rhynchonella Davidsoni Mac Coy. 254.
Rhynchonella Dumanowi Wien 255.
Rhynchonella delicata Wien. 255.
Rhynchonella Hebe Barr. 256.
Rhynchonella nympha Barr. 257.
Rhynchonella obsolescens Barr. 256.
Rhynchonella nucula Sw. 253.
Rhynchonella pseudolivonica Barr. 257.

Seite

Rhynchonella Satanowi Wien 255.
Rhynchonella subfamula Wien 255.
Rhynchonella princeps Barr. 254.
Rhynchonella sphaerica Wien 254.
Rhynchonella tarda Barr. 256.
Rhynchonella Wilsoni Sw. 254.
Rhynchonella Wilsoni var. *Davidsoni* Dav. 254.

* * *

Sanguinolites decipiens Mac Coy 236.
Scaphaspis Haueri Alth. 213.
Scaphaspis Kneri Ag. 213.
Scaphaspis Lloydi Ag. 213.
Scaphaspis radiatus Alth. 214.
Scaphaspis obovatus Alth. 214.
Spanila cf. caesarea Barr. 235.
Spirifera crispa Dav. 250.
Spirifera plicatella var. *radiata* Dav. 250.
Spirifer Bragensis Wien 250.
Spirifer crispus L. 250.
Spirifer cyrtaena Karsten 250.
Spirifer elevatus Dalm. 249.
Spirifer heteroclitus 252.
Spirifer plicatellus L. 250.
Spirifer radiatus Sw. 250.
Spirifer robustus Barr. 251.
Spirifer Schmidti Lindstr. 249.
Spirifer Schmidti v. pyramidalis Wien 249.
Spirifer sinuatus Sw. 245.
Spirifer togatus Wien. 250.
Spirifer Nerei Barr. 251.
Spirifer Thetidis Barr. 251.
Spirifer cuspidatus Phill. 252.
Spirigera reticulata Mac Coy 258.
Spirigera cordata Lindstr.
Spiriferina aspera Mac Coy. 258.
Spirorbis tenuis Murch. 266.
Sphaerospongia podolica nob. 278.
Sphaeroxochus mirus Beyr. 217.
Spongophyllum Schumanni Mac Coy. 270.

Seite

Stromatopora constellata Eichw. 276.
Stromatopora polymorpha v. *constellata* Eichw. 276.
Stromatopora discoidea Nich. 276.
Stromatopora typica Rosen. 276.
Stromatopora astroites Rosen. 276.
Stringocephalus bohemicus Barr. 263.
Strophomena antiquata Sw. 247.
Strophomena bohemica Barr. 246.
Strophomena comitans Barr. 246.
Strophomena englypha Wien. 246.
Strophomena Haueri Barr. 246.
Strophomena extensa Gagel 248.
Strophomena interstrialis Phill. 246.
Strophomena podolica nob. 246.
Strophomena mimica Barr. 247.
Strophomena funiculata Mac Coy 247.
Strophomena Phillipsi Barr. 247.
Strophomena semiovalis Wien 247.
Strophomena Studenitzae Wien 247.
Streptorhynchus umbraculum Schlth. 248.

Seite

Strophomena rhomboidalis Wilk. 246.
Stylonurus sp. 215.
Syringopora bifurcata L. 273.
Syringopora fascicularis L. 273.
Syringopora reticulata Lonsd. 273.

* *

Tellina prisca His. 236.
Tentaculites annulatus Schlth. 234.
Tentaculites grandis Roem. 235.
Tentaculites scalaris Roem. 235.
Tentaculites ornatus Sw. 234.
Terebra sinuosa Sw. 234.
Terebratula affinis Sw. 258.
Terebratula aspera Schlth. 258.
Terebratula Arimaspus Eichw. 261.
Terebratula bidentata His. 254.
Terebratula camelina Vern. 262.
Terebratula comata Barr. 261.
Terebratula cuneata Dalm. 254.
Terebratula didyma Dalm. 264.
Terebratula imbricata Sw. 258.
Terebratula Hebe Barr. 256.
Terebratula Hecate Barr. 264.
Terebratula linguata Buch. 258.
Terebratula marginalis Dalm. 258.
Terebratula lynx Eichw. 245.
Terebratula nucula Sw. 253.

Seite

Terebratula nympha Barr. 257.
Terebratula prisca Buch. 258.
Terebratula Thetis Barr. 261.
Terebratula Thisbe Barr. 261.
Terebratula Wilssoni Sw. 254.
Terebratula sublepida Vern. 261.
Terebratula prunum. 262.
Terebratula subcamelina Vern. 262.
Terebratulites crispus L. 250.
Terebratulites priscus Phill. 258.
Terebratulites umbraculum Schlth. 248.
Thecia Swinderiana E. H. 275.
Trilobus caudatus Brünn. 216.
Trilobus tuberculatus Brünn. 215.
Trimerella sp. 241.
Trochoceras optatum Barr. 229.
Trochoceras rapax Barr. 229.
Trocholites globosus Schlth. 231.
Tubipora catenularia L. 274.
Turbinolia mitrata His. 267.
Turbinolia mitrata v. *verrucosa* His. 267.

* *

Waldheimia podolica nob. 263.
Whitefeidia tumida Dalm. 265.

Literaturverzeichnis siehe nächste Seite.

Literaturnachweis.

1720. **Brugmann**: Silesia subterranea.
1758. **Linné**: Systema naturae ed. 10.
1769. **Wilckens**: Nachrichten von seltenen Versteinerungen.
1781. **Brünnich**: Danske Vid. Selsk Skrifter, Nya Sammlung.
1814. **Sowerby**: Mineral Conchologie.
1816. **Lamarck**: Histoire naturelle des animaux sans vertebres.
1818—1821. **Wahlenberg**: Petrificationes telluris Suecanae (Acta soc. Upsal).
1822. **Al. Brognart**: Crustacés fossiles.
1826. **Goldfuss**: Petrefacta Germaniae.
1827. **Dalmann**: Über Paläaden oder sogenannte Trilobiten.
1827. **Dalmann**: Uppställning och deskrifning af de i Sverige funne Terebratuliter (Vet. Akad. Handlingar).
1828. **Hisinger**: Bidrag Sveriges geognos. t. Anteckningar.
1829. **Eichwald**: Zoologia specialis Rossiae.
1829. **Pusch**: Über die geognostische Konstitution der Karpathen und der Nordkarpathenländer (Karstens Archiv).
1833—1836. **Pusch**: Geognostische Beschreibung von Polen.
1833. **Lill de Lilienbach**: Description de la Galicie et de la Podolie (Mem. d. l. soc. geolog. d. France).
1820. **Miller**: Natural history of the Crinoides.
1820. **Schlotheim**: Die Petrefaktenkunde auf ihrem jetzigen Standpunkte.
1835. **L. v. Buch**: Über Terebrateln.
1836. **Phillips**: Geology of Yorkshire.
1837. **Hisinger**: Lethaea Svecica.
1837. **L. v. Buch**: Über *Delthyris* oder *Spirifer* und *Orthis*.
1839. **Murchison (Sowerby, Lonsdale)**: Silurian System.
1840. **L. v. Buch**: Beiträge zur Bestimmung der Gebirgsformationen in Rußland.
1841. **Phillips**: Palaeozoic fossils of Cornvall, W. Devon and Sommerset.
1843. **Burmeister**: Über die Organisation der Trilobiten.
1845. **Beyrich**: Über einige böhmische Trilobiten.
1845. **Murchison Verneuil** et **Keyserling**: Geology of Russia and the Ural Mountains.
1846. **Quenstedt**: Cephalopoden.
1846. **Geinitz**: Grundzüge der Versteinerungskunde.
1846. **Keyserling** und **Krusenstern**: Wissenschaftliche Beobachtungen auf einer Reise in das Petschoraland.
1846. **Eichwald**: Einige Bemerkungen zur Geognosie Skandinaviens und der westlichen Provinzen Rußlands.
1847. **De Koninck**: Monographie des genres *Productus* et *Chonetes*.
1847. **Barrande**: Silurische Brachiopoden aus Böhmen (Haidingers nath. Abhandlungen, 1. Bd.)
1847—1862. **Hall**: Palaeontology of New-York.
1850. **D'Orbigny**: Prodrome de Palaeontologie.
1850—1856. **Sandberger**: Die Versteinerungen des rheinischen Schichteusystems von Nassau.
1851. **Jones** e. **Holl**: Notes on the palaeozoic bivalved entomostraca (Annals a. magazin of natur hist.).
1851. **Milne Edwards** e. **Haime**: Monographie des polypiers fossiles des terrains palaeozoiques (Archives du museum d'hist. natur.).
1853—1854. **Milne Edwards** e. **Haime**: A monograph of the British fossil corals.
1852. **Andrzejowski**: Recherches sur le système Tyraique. (Bull. d. l. Soc. d. nat. de Moscou.)
1854. **Gruenewaldt**: Versteinerungen der silurischen Kalksteine von Bogoslowsk.
1854. **Angelin**: Palaeontologia Scandinaviae.
1855. **Sedgwick** a. **Mac Coy**: Synopsis of the classification of the British palaeozoic rocks with a systematic description of the fossils.
1856. **F. Roemer**: Bericht über eine geologische Reise nach Schweden.
1857. **Boll**: Die silurischen Cephalopoden Mecklenburgs (Archiv des Vereines der Freunde der Naturgeschichte in Mecklenburg).
1857. **Eichwald**: Über *Eurypterus Fischeri* (Bull. d. l. soc. d. natur. d. Moscou).
1858. **F. Schmidt**: Untersuchungen über die silurische Formation v. Estland, Livland und Oesel.
1858. **Giebel**: Silurische Fauna des Unterharzes.
1860. **F. Roemer**: Die silurische Fauna des westl. Tennessee.
1860. **Eichwald**: Lethaea Rossica.

1860. **Lindström:** Bidrag till kännedomen om Gotlands brachiopoder.
1861. Figures and description of British organic remains.
1861. **F. Roemer:** Über die Fauna der silurischen Diluvialgeschiebe von Sadewitz bei Oels in Niederschlesien.
1862. **Salter:** Monograph of te British Trilobites.
1862. **Boll:** Über die silurische *Orthis lynx* Eichw. und einige mit derselben verwechselte Arten.
1862. **Boll:** Beyrichien der Norddeutschen Silurgerölle (Arch. d. Ver. d. Freunde d. Naturgesch. v. Mecklenburg).
1862. **F. Roemer:** Über die silurischen Schichten der Gegend von Zaleszczyki in Galizien.
1863. **Davidson:** Monograph of the British devonian Brachiopoda.
1866. **Davidson:** Monograph of the British silurian Brachiopoda.
1865. **Oehlert:** Sur la faune devonienne du departement de Mayenne (Bull. d. l. soc. geol. d. France).
1865. **Kunth:** Die losen Versteinerungen im Diluvium von Tempelhof bei Berlin (Zeitschrift der deutschen geologischen Gesellschaft).
1865. **Lindström:** Några iaktag öfver zoantharia rugosa.
1866. **Malewski:** O silurijskoj formacii Dniestrowskaho bassejna. Kijew.
1867. **v. Rosen:** Über die wirkliche Natur der Stromatoporen 1867.
1867. **Barbot de Marny:** Otczet o pojezdkie w Galicju, Wolyń i Podolju.
1867. **Lindström:** Om tvenna nya öfversiluriska koraller fran Gotland.
1869. **Karsten:** Die Versteinerungen des Übergangsgebirges in den Geröllen der Provinzen Schleswig und Holstein.
1870. **Lindström:** Description of the Anthozoa perforata from Gotland.
1872. **Stur:** Der östliche Teil des Aufnahmsgebietes am Dniester in Galizien und Bukowina in den Umgebungen von Mielnica (Verh. d. k. k. geol. R.-A.).
1872. **Stur:** Der westliche Teil des Aufnahmsgebietes am Dniester in Galizien und Bukowina in den Umgebungen von Zaleszczyki (ebenda).
1873. **W. Dybowski:** Monographie der Zoantharia sclerodermata rugosa aus der Silurformation Estlands, Nordlivlands und der Insel Gotland.
1868. **Ray Lankaster u. Powrie:** A Monograph of the fishes of the Old red Sandstone.
1873. **Lomnicki:** Zapiski geologiczne i wycieczki na Podole (Spraw. kom. Fizjogr. Kraków VII).
1873. **F. Schmidt:** Notiz über die Silurformation am Dniester in Podolien und Galizien (N. Jb. f. Min.).
1873. **F. Schmidt:** Pteraspiden überhaupt und Pteraspis Kneri insbesondere (Verh. d. miner. Gesellschaft Petersburg).
1874. **F. Schmidt:** Über die silurischen Leperditien (Mem. d. I. Acad. de St. Petersburg).
1874. **Alth:** Über die paläozoischen Gebilde Podoliens und deren Versteinerungen.
1875. **F. Schmidt:** Einige Bemerkungen über die podolisch-galizische Silurformation und deren Petrefakten (Verh. d. miner. Gesellsch. Petersburg).
1875. **Wolf:** Gebiet am Zbrucz und Niczława (Verh. d. k. k. geol. R.-A.).
1875. **Wolf:** Quellgebiet des Seret und Umgebung (ebenda).
1876. **Wolf:** Geologisches Aufnahmsgesuch in Galizien im Jahre 1875 (ebenda).
1876. **Wolf:** Aus dem Quellgebiete der Strypa und Seret Flüsse (ebenda).
1876. **Wolf:** Reisebericht aus Galizien (ebenda).
1860. **Wolf:** Quellgebiet der Gniezna und Gnilabaches und am Zbrucz (ebenda).
1876. **Lindström:** On the affinities of Anthozoa tabulata (Ann. a. mag. of nat. hist.).
1877. **Dybowski:** Die Chaetetiden der ostbaltischen Silurformation.
1876. **F. Roemer:** Lethaea erratica (paläontolog. Abhandlungen von Dames).
1878. **Kayser:** Fauna der älteren Devonablagerungen des Harzes.
1879. **Barrande:** Système silurien du centre de la Bohême.
1879. **Nicholson:** On the structure and affinities of tabulate corals.
1877. **Krause:** Die Fauna des sogenannten Beyrichien- oder Chonetenkalkes des norddeutschen Diluviums.
1880. **Angelin et Lindström:** Fragmenta silurica.
1880. **Dewitz:** Beiträge zur Kenntnis der in ostpreußischen Silurgeschieben vorkommenden Cephalopoden (Schr. d. phys.-ökon. Gesellsch. Königsberg).
1881. **Maurer:** Paläontologische Studien aus dem Gebiete des rheinischen Devons (N. Jb. f. Miner., 1. Beil. Bd. Kalke von Greifenstein.
1881. **Meyer:** Rugose Korallen aus Ost- und Westpreußens Diluvialgeschiebe (Schrift. d. phys.-ökon. Ges. Königsberg).
1881. **F. Schmidt:** Revision ostbaltischer Trilobiten.
1883. **F. Schmidt:** Die Crustaceenfauna der Eurypterusschicht von Rootziküll auf Oesel.
1883. **Davidson:** Supplement to the British silurian Brachiopoda.
1892. **Lindström:** Anteckningar om silurlagren på Carlsöarne.
1884. **Lindström:** On the silurian Gastropoda of Gotland.

1883. **F. Roemer:** Lethaea palaeozoica.
1885. **Maurer:** Paläontologische Studien im Gebiete des rheinischen Devons, Fauna der Kalke von Waldgirmes.
1885. **Reuter:** Die Beyrichien der obersilurischen Geschiebe Ostpreußens (Zeitschr. der deutschen geolog. Gesellschaft).
1885. **Czernyszew:** Fauna des unteren Devons am Westabhange des Ural.
1885. **Frech:** Korallenfauna des deutschen Mitteldevon: Cyathophylliden und Zaphrentiden.
1888. **Nicholson:** A monograph of the British Stromatoporoids.
1888. **Blake:** A monograph of the British fossil Cephalopoda: Silurian species.
1888. **Kiesow:** Über gotländische Beyrichien (Zeitschrift der deutschen geologischen Gesellschaft).
1889. **Szajnocha:** O stratygrafii pokładów sylurskich galicyjskiego Podola.
1890. **Dames:** Über die Schichtenfolge der silurischen Bildungen Gotlands und ihre Beziehungen zu den obersilurischen Geschieben Norddeutschlands (Sitzber. d. kgl. preuß. Akademie).
1890. **Wiśniowski:** Zapiski geologiczne z Podola.
1890. **Gagel:** Die Brachiopoden der kambrischen und silurischen Geschiebe im Diluvium der Provinzen Ost- und Westpreußens (Schrift. d. phys. ökon. Gesellsch. Königsberg).
1891. **Krause:** Beiträge zur Kenntnis der Ostracodenfauna in den silurischen Diluvialgeschieben (Zeitschrift der deutschen geologischen Gesellschaft).
1891. **Rüdiger:** Silurische Cephalopoden im Mecklenburger Diluvium.
1892. **Lebedew:** Obersilurische Fauna von Timan.
1893. **Czernyszew:** Fauna des unteren Devons am Ostabhange des Ural.
1894. **Frech:** Über das Devon der Ostalpen (die Fauna des unterdevonischen Riffkalkes), (Zeitschrift der deutschen geologischen Gesellschaft).
1894. **Weissermel:** Die Korallen der Silurgeschiebe Ostpreußens und des östlichen Westpreußens (Zeitschrift der deutschen geologischen Gesellschaft).
1899. **Wenjukow:** Die Fauna der silurischen Ablagerungen des Gouv. Podolien.

BEITRÄGE ZUR KENNTNIS DER ORGANISATION UND DER ANPASSUNGSERSCHEINUNGEN DES GENUS *METRIORHYNCHUS*.

Von

Gustav von Arthaber,

Dr. phil. Privatdozent der Paläontologie.

(Mit VI Tafeln (XXII—XXVII) und 9 Textfiguren.)

Seit dem Jahre 1901 besitzt das Paläontologische Institut der Universität Wien ein Exemplar von *Metriorhynchus*, das wir heute mit der von E. Schmidt[1]) aufgestellten Art *Metriorhynchus Jaekeli* identifizieren (vergl. pag. 293 f) und deren Beschreibung die Grundlage für die hier folgenden Betrachtungen allgemeinerer Natur geboten haben.

Jenes, so wie alle anderen Exemplare, welche sich in den Sammlungen des geologischen und paläontologischen Institutes des kgl. Museums für Naturkunde zu Berlin, in der paläontologischen Sammlung des kgl. bayrischen Staates in München, der geologisch-mineralogischen Abteilung des kgl. Naturalienkabinettes in Stuttgart und des geologisch-mineralogischen Instituts der Universität Tübingen befinden, ebenso wie die Exemplare, welche im britischen Museum in London aufbewahrt werden und wie ein Exemplar, das noch im Besitze des Herrn B. Stürtz in Bonn ist, stammen aus den Tongruben von Fletton[2]) bei Peterborough in der Grafschaft Huntingdon. Mr. A. Leeds, der seit 30 Jahren dieses Lager des Oxfordclay wissenschaftlich ausbeutet, verdankt die Paläontologie die Hebung und Konservierung der unschätzbaren Werte, die er in dieser langen Zeit mit rastlosem Eifer aufgesammelt hat, deren reichste und schönste Suiten sich im britischen Museum in London und der Tübinger Universitätssammlung befinden.

Durch das Auftreten von *Aspidoceras perarmatum* Sow. und des *Belemnites hastatus* de Blain. ist das Niveau jener Tonlager als Oxfordien fixiert.

Nebst einer großen Anzahl von Cephalopoden, Gastropoden und Bivalven, die ich in der Tübinger Sammlung zu sehen Gelegenheit hatte, seien im folgenden nur die großen Wirbeltiere angeführt, die dort zum Teil in vorzüglicher Aufstellung zu den vielen Prachtstücken jenes modernen Institutes gehören:

Pachycormus macropomus Ag.
Asteracanthus ornatissimus Ag.
Leedsia problematica Sm. Woodw.
Steneosaurus dasycephalus Seeley.
Cryptoclidus oxoniensis Phil. sp.
Pliosaurus ferox Owen.
Pliosaurus grandis Owen.

---

[1]) Zeitschr. d. deutsch. geol. Ges., Bd. 56, Monatsber., p. 97, 1904.

[2]) Nicht »Falton« wie Schmidt und Fraas (Paläontogr., Bd. 49) schreiben.

37*

Ophthalmosaurus icenicus Seeley.
Peloneustes philarchus Seeley.
Muraenosaurus Leedsi Seeley.
Metriorhynchus Jaekeli E. Schmidt.

Jene Fauna setzt sich also, was die Reptilien betrifft, zum größten Teile aus *Ichthyosauriern* und *Plesiosauriern* zusammen, die vorzügliche Schwimmer waren und Anpassungserscheinungen für das Leben im Meere aufweisen, die zu den vollkommensten gehören, welche wir kennen. Daß sich zu diesen Formen auch *Crocodilier* mit ähnlich vorzüglichen Anpassungserscheinungen gesellten, ist nicht zu wundern, denn die Umformung und Adaption dieser *Teleosauriden* ist unter der starken Konkurrenz der älteren, schon größtenteils seit langem an das Wasserleben adaptierten Formen gewiß auf das höchste gesteigert gewesen. Dies ergibt sich daraus, daß sowohl die *Ichthyosaurier* als die *Plesiosaurier* schon im Lias in ausgezeichneter Weise adaptiert waren, während die nächsten Verwandten von *Metriorhynchus* zur selben Zeit noch schwere Panzer trugen, keinen Ruderschwanz und allerdings vorn verkürzte aber immerhin noch deutlich zum Leben auf dem Lande angepaßte Extremitäten besaßen. In der relativ kurzen Zeit vom Lias bis in den Malm mußte der Panzer verschwinden und durch eine fettige Fischhaut ersetzt werden, mußten die Eigentümlichkeiten im Bau der Extremitäten für das Leben auf dem festen Lande verschwinden und durch andere für das Wasserleben passende ersetzt werden; schließlich mußte sich der Schwanz zur Fisch- und *Ichthyosaurier*-Flosse umformen, die zur Propellerbewegung diente.

Das Genus *Metriorhynchus* finden wir zutiefst im unteren Kallovien von Sannerville bei Caën, von wo auf einen Schädel allein die Art *Metriorhynchus Blainvillei* vom älteren Deslongshamps aufgestellt worden ist; die anderen normännischen Arten *Metriorhynchus brachyrhynchus* Desl., *M. superciliosus* Blain. sp., *M. Moreli* Desl. stammen alle aus dem Oxford der näheren und weiteren Umgebung von Caën (Departement Calvados) und sind ebenfalls nur auf die Unterscheidungsmerkmale im Bau der Schädel aufgestellt. Dasselbe gilt von der jüngsten französischen Spezies *Metriorhynchus hastifer* Desl. aus dem unteren Kimmeridge des Cap la Hève. Ob eine noch jüngere Form aus dem unteren Neocom von Gigondas (Vaucluse), die Raspail[1]) als *Neustosaurus Gigondarum* beschrieben hat, zu *Metriorhynchus* oder *Geosaurus* zu stellen sei, kann ich nicht entscheiden, da es mir nicht gelungen ist, Raspails Werk aus dem Jahre 1842 zu beschaffen. Jedenfalls liegt aber eine sehr naheverwandte Art vor, und auch im englischen Kimmeridge finden sich in Form von Zähnen und Wirbeln noch Reste, die von Lydekker[2]) ebenfalls zu *Metriorhynchus* gestellt werden.

Im Oxfordton von Fletton finden sich mit Bestimmtheit mindestens zwei Arten von *Metriorhynchus*; eine kleinere, welcher von E. Schmidt der Name *Metriorhynchus Jaekeli* gegeben worden ist, und eine größere, die sich an *Metriorhynchus Moreli* anschließt. Erstere ist die häufigere Form, die sich — in an Größe variierenden Individuen — in den Berliner, Wiener, Tübinger und Münchener Sammlungen findet; letztere scheint nur durch ein Exemplar in der Stuttgarter Sammlung vertreten zu sein und vielleicht noch in einem großen zweiten Exemplar der Münchener und Tübinger Sammlung vorzuliegen.

Wenn auch die Arten des englischen Oxfordtones variieren, so hat doch die Annahme große Wahrscheinlichkeit für sich, daß sie ontogenetisch und osteologisch auf derselben Entwicklungsstufe standen und daher mag der Titel der vorliegenden Arbeit seine Berechtigung finden. Freilich wäre es sehr interessant, wenn uns auch aus dem Callovien bis hinauf ins Neocom wenigstens spärliche Skelettreste von *Metriorhynchiden* vorliegen würden, damit wir an ihnen das Fortschreiten der Anpassung an das Wasserleben beobachten könnten, doch hat dieser Wunsch wenig Aussicht auf Erfüllung.

Die Schwierigkeit bei der Durchführung des gewählten Themas lag besonders darin, daß alle mir zugänglichen Exemplare von *Metriorhynchus* an Größe verschieden sind und daher die vielen, dem Wiener Exemplar fehlenden Skeletteile, die natürlich auch von verschiedenen Körperseiten stammten, erst auf die Größe des Wiener Exemplars gebracht werden mußten. Daß dabei Unrichtigkeiten unterlaufen sein mögen,

[1]) F. Baron Nopčsa: Zentralblatt f. Min. G. und P. 1903, pag. 504.

[2]) Catalogue foss. Reptil. Brit. Mus. Part. I, pag. 100, London 1888.

soll sofort zugegeben werden, hoffentlich ist trotzdem der Typus und Grad der Ausbildung von *Metriorhynchus* richtig erkannt worden.

Unmöglich aber wäre die Durchführung der vorliegenden Arbeit gewesen, wenn ich nicht die weitgehendste Unterstützung von Seiten der verehrten Fachgenossen gefunden hätte und darum sei es mir gestattet meinen verbindlichsten Dank den Herren auszusprechen: Geheimrat Prof. Dr. Branco, Prof. Dr. O. Jaekel und Dr. W. Janensch in Berlin, Prof. Dr. A. Rothpletz und Dr. F. Broili in München, Prof. Dr. E. Fraas und Dr. F. Schütze in Stuttgart, Herrn Prof. Dr. E. Koken in Tübingen und Herrn B. Stürtz in Bonn.

Schädel.

(Taf. XXII (I), Fig. 1, 2, Taf. XXIII (II), Fig. 1—5.)

	In *mm*: Länge[1])	Breite	Angaben:
Schädel	603	176	Länge in der Mittellinie von der Spitze der Prämaxille zur äußersten Spitze der Quadrata; größte Breite über die Präfrontalia
Intermaxillare	118	43	größte Breite
Maxillare	60	50	in der Höhe der Nasalienspitze
Nasale	169	108	in der Höhe der Präfontalienspitze
Präfrontale	75	46	größte Breite
Frontale	142	24 132	kleinste Breite größte Breite, d. h. Distanz der äußeren Spitzen
Parietale	64	12	kleinste Breite
Quadrata	—	163	größte Breite

Die Länge des Schädels verhält sich zur Breite wie 3·4 : 1 oder, wenn wir die Breite des Abstandes der Quadrata (1·63 *mm*) heranziehen, wie 3·7 : 1.

Die Oberfläche der Schädelknochen ist rauh und mit längsgestellten Gruben und feineren Wülsten versehen, welche bald schwächer werden, z. B. auf den inneren Partien der Nasalia, bald sich mehr oder weniger stark vergröbern und vertiefen. Am stärksten skulpturiert sind die Präfrontalia und das Frontale, auf denen sie sternförmig von der Mitte ausstrahlend angeordnet sind.

Wenn wir uns den Kopf von *Metriorhynchus* gewiß nicht mit Hautplatten bedeckt vorstellen dürfen, so ist die rauhe Knochenoberfläche gewiß ein hereditäres Merkmal gepanzerter Vorfahren.

[1]) In der Medianlinie.

Der Schädel des vorliegenden Exemplares ist mäßig stark von oben nach unten zusammengedrückt, sodaß die paarigen Knochen längs der Mittellinie auseinander gebrochen und nach Innen gepreßt sind. Außerdem fehlt von der linken Seite ein kleines Stück des Maxillare, der größte Teil des Nasale, ein Stück des Frontale, des Jugale und das ganze Präfrontale; von rechts fehlt das Jugale, ein Teil des Postfrontale und das Mastoideum; von der Unterseite fehlt die ganze innere Gaumenregion. Der Schädel hat eine spitzkeilförmige Gestalt, deren größte Breite im vorderen Bogen der Postfrontalia liegt, während die Quadrata wieder zurückweichen.

Die Intermaxillaria besitzen eine breite, langgestreckte Nasengrube, welche in der Mitte eine schmale, 24 *mm* lange Durchbohrung zeigt; von der rückwärtigen Begrenzung ragt jederseits ein 13 *mm* langer stumpf-konischer Zacken vor. Von der Seite gesehen, sind die Intermaxillaria im mittleren Teile stark verjüngt und verdicken sich rasch gegen das Schnauzenende; nach rückwärts zu schieben sie sich spitz keilförmig zwischen die Maxillen ein, mit denen sie durch grobe Nähte verbunden sind. Die Intermaxillaria tragen auf der Unterseite drei, in Alveolen steckende Zähne, welche von vorn nach rückwärts an Größe zunehmen.

Die Maxillaria sind entsprechend der schmalen, langen Schnauze lang und schmal; sie legen sich auf der Oberseite in der Mittellinie längs einer 60 *mm* langen Symphyse an einander und weichen dann beiderseits allmählich gegen das Jugale zurück; sie erreichen auf der Unterkante eine Länge von 179 *mm*. Die Zähne stehen in einer tiefen Alveolarrinne, deren Innenrand wulstig verdickt ist und bis in den vorderen Teil des Jochbogens reicht; sie sind von einander nicht durch dünne Knochenscheiden, sondern durch massive Knochenbrücken getrennt, welche vorn breiter, rückwärts schmäler sind. Beiderseits stehen 23 Zähne, welche vorn kleiner sind, rasch an Größe zunehmen und vom zehnten Zahne an nach rückwärts zu allmählich wieder kleiner werden. Betrachtet man die Bezahnung im Ganzen, dann sieht man deutlich, daß die Knochenbrücken zwischen den Zähnen im rückwärtigen Kieferteil alle (im Verhältnis zur Größe des Zahnes) gleich sind. Im vorderen Teil hingegen, der mehr als die Hälfte der Alveolarpartie beträgt, werden diese Knochenbrücken massiver, breiter und die Zähne rücken, als Ergebnis der Streckung der Schnauze, weiter auseinander.

Beim vorliegenden Exemplar zählt man 52 Zähne im Oberkiefer.

Freie Zahn-Individuen sind nicht vorhanden; die älteren großen Zähne sind zumeist weggebrochen und in den Gruben stehen die kleinen Ersatzzähne. Bezüglich der Form der Zähne (Taf. XXII (I), Fig. 3, 4) sei daher auf die, von E. Schmidt (l. c. p. 99) gegebene Beschreibung verwiesen.

Die Nasalia sind spitz-keilförmig, weit nach vorn vorspringend, in die Maxillaria eingeschoben und schwellen gegen die Präfontalia nicht unbedeutend an. Dies ergibt sich, trotz der Verdrückung des Individuums und trotzdem die Nasalpartie korrespondierend auf beiden Seiten gerade da durch zwei Brüche durchsetzt ist. Nach rückwärts ist die Verbindung gegen das Frontale durch grobe Zackennaht verfestigt, während alle anderen Begrenzungslinien mehr oder weniger geradlinig verlaufen. Die Oberflächenskulptur verstärkt sich erheblich gegen die Außenseite und besonders gegen die Präfontalia zu.

Das Frontale hat die bekannte platanenblattartige Gestalt und schließt sich mit den obengenannten groben Näten an die Nasalia sowie an die Postfrontalia an; es ist oberhalb der Orbita stark eingezogen und die größte Breite liegt zwischen den äußeren, rückwärtigen Spitzen. Der Stiel des Platanenblattes ist durch die schmale Knochenbrücke zwischen den oberen Schläfenöffnungen gebildet.

Das Lacrimale, das hier fast ganz verdrückt ist, scheint ein breiter, kurzer Knochen mit einer länglichen Tränengrube gewesen zu sein.

Die Präfrontalia haben abgestumpft dreieckige Gestalt und überdachen, mäßig weit vorspringend die Orbita; der rückwärtige, freiliegende Rand ist stark gekerbt, der seitliche glatt und abgerundet; der ganze Knochen ist massiv und erreicht die größte Dicke in der Mitte.

Die Postfrontalia bilden die äußere Begrenzung der oberen Schläfengruben. Sie verlaufen im vorderen Teil bogig, dann geradlinig auf der Außenseite und legen sich, in eine dreikantige Spitze auslaufend, auf das Squamosum auf. Im vorderen Teil der Postfrontalia erreicht der Schädel seine größte Breite, die dann nach rückwärts zu sich wieder verringert. Die Postfrontalbogen haben auf der Innenseite eine vorn gerundete, nach hinten schärfer werdende Kante; der Knochen ist massiv, besonders im vorderen Teil, wegen der größten Breite des Schädels und des Zusammentreffens von Jugale und Transversum.

Das Parietale ist ein hohes, massives Stück, das in der Medianlinie eine tiefe Rinne aufweist, die sowohl auf dem Frontale, wie auch gegen das Hinterende rasch verschwindet; hier erreicht der Schädel seine höchste Dicke. Das Parietale, bildet gegen den Gaumen zu, gegen vorn, seitlich und gegen rückwärts flach werdend und sich verbreiternd, einen teilweisen Abschluß der Schläfengruben gegen innen.

Das Squamosum (Mastoideum) bildet den Abschluß der oberen Schläfenlöcher nach hinten und liegt sowohl unter dem rückwärtigen Ende des Postfrontale als auf dem beiderseits spitz ausgezogenen Hinterende des Parietale. Seine obere Kante ist beim vorliegenden Exemplar weggebrochen.

Die Cerebralregion des Schädels ist stark verdrückt, sodaß das Hinterhauptsloch zu einem schmalen Spalte geworden ist. Die paarigen Supraorbitalia besitzen die Breite des Condylus, auf dem beiderseits kleine Exoccipitalia aufsitzen; darunter folgen die äußerst massiven und kräftigen Basioccipitalia. Die Occipitalia lateralia sind breit und hoch gewesen, doch sind sie teilweise unter das Squamosum geschoben da auch die Quadrata nach aufwärts gepreßt wurden. Diese sind äußerst massiv, die kräftigsten Knochenstücke des ganzen Schädels und bilden das breite Rollgelenk für die Artikulation des Unterkiefers.

Von Durchbrechungen der rückwärtigen Schädelwand lassen sich beim vorliegenden Exemplar beobachten: auf den Occipitalia lateralia liegen zu unterst die beiden größten Durchbrechungen des Foramen caroticum externum; dann folgen gegen oben und außen das Foramen jugulare mit einer daneben liegenden kleinen Öffnung, welche zum Austritt der Nervenfäden des Vagus und Glossopharygeus oder was wahrscheinlicher, der Vena jugularis dienen. Höher oben und der Medianlinie genähert ist die doppelte Öffnung für den Nervus hypoglossus. Auf der Innenseite der Basioccipitalia liegen in der Medianlinie das unpaare Foramen aperturae Eustachii und etwas tiefer die kleinen parigen Öffnungen der Kanäle, welche im Zusammenhang mit jenem die eustachische Röhre bilden und Seitenäste in die Paukenhöhle entsenden. Auf dem Quadratum lassen sich keine Durchbrechungen beobachten.

Die inneren Knochen der rückwärtigen Schädelpartie fehlen; erhalten ist nur ein Stück des Palatinum, das sich mit grober Knochennaht an das Maxillare anschließt; ferner das flach gebogene Jugale das im vorderen Teile ziemlich dünn und dreikantig mit abgestumpften Kanten, im rückwärtigen kräftig und 20 *mm* hoch ist; dort ist noch die Gabelstelle gegen das Transversum hin ungestört vorhanden.

Von den großen Öffnungen im Schädeldach sind, abgesehen von der Nasengrube, die Orbita und die Foramina temporalia zu nennen. Erstere sind unverhältnismäßig groß, so wie bei allen *Metriorhynchus*-Arten, so daß Fraas' Annahme, daß das Auge durch einen knöchernen Scleroticalring geschützt gewesen sei, volle Berechtigung hat. Der Umfang der Orbita — beim vorliegenden Exemplar länglich deformiert — ist annähernd kreisrund; das Auge selbst ist von oben durch das vorspringende Präfontale gut geschützt und besaß wohl Schutz gegen den Wasserdruck aber keinen Ausblick gegen oben.

Die Foramina temporalia sind länglich vierseitig mit abgestumpften Ecken und gegen unten ungefähr zu $^1/_3$ durch die flachen Knochenböden des Frontale, Parietale und Mastoideum geschlossen.

Die weiteren Durchbrechungen besonders der Gaumenpartie sind nicht erhalten.

Der Unterkiefer ist vollständig erhalten, aber die beiden Äste sind derart flachgedrückt, daß die einzelnen Knochen aus ihrer normalen Verbindung gelöst sind; dies macht sich besonders am Dentale des linken Astes bemerkbar, das ganz nach außen gedrückt ist.

Die Länge beträgt 630 *mm*.

Das Articulare bildet die fast dreieckige, gegen vorn stark, gegen rückwärts nur flach aufgebogene Artikulationsfläche des Unterkiefers; das Foramen aëreum ist aus der Mitte ziemlich weit gegen die innere Spitze des Dreiecks geschoben; das Articulare liegt auf der Außenseite dem Angulare und Supraangulare auf und greift mit einem kurzen, keilförmigen Stück auf der Innenseite zwischen beide Knochen ein. Der untere und rückwärtige Teil des Unterkiefers wird auf der Außenseite durch das gegen vorn spitzauslaufende Angulare halbiert, welches knapp unter der Kante des Articulare beginnt und auf der Innenseite des Kieferastes in eine lange, schmale Spitze ausgezogen ist. Das Supraangulare bildet die

Oberkante des Kiefers zwischen Coronoideum und Articulare, dann jenseits des Coronoideum zwischen diesem und dem Dentale; es schließt sich gegen unten (auf der Außenseite) an das Angulare an und gegen vorn dringt das Dentale mit breiter Zunge in jenes ein. Das Coronoideum ist von der Außenseite eben noch sichtbar und das Complementare erscheint auf der Innenseite als langer, schmaler, gegen das Dentale zu vortretender Knochen, der knapp unter der Oberkante des Kiefers liegt. In wieweit es Anteil an der Begrenzung der Öffnung der inneren Kieferwand nimmt, läßt sich nicht beobachten, da jene freiliegenden Stücke weggebrochen sind. Das Spleniale liegt in der Mittelregion des Kiefers, erscheint außen als schmales, die Unterkante des Kiefers bildendes Stück und reicht auf der Innenseite bis unter das Dentale und ist gegen rückwärts durch Angulare und Complementare begrenzt.

Das Dentale besitzt auf der Außenseite eine Länge von $^2/_3$, auf der Innenseite von etwas über $^1/_3$ der Kieferlänge und wird auf ersterer, wie schon gesagt, durch das Spleniale von der Unterkante abgedrängt. Der vorliegende Unterkiefer besitzt je 21 Zähne, von denen der vierte Zahn der größte ist; hinter diesem folgt eine Lücke und gegen rückwärts fünf fast gleich große, dann allmählich kleiner werdende Zähne, zwischen denen, besonders in der Vorderregion breite solide Knochenbrücken bestehen.

Im Ganzen entsprechen den 52 Zähnen des Oberkiefers 42 im Unterkiefer.

Beide Kieferäste liegen mit langer Symphyse aneinander, welche das Dentale und ein gutes Stück des Spleniale noch begreift; die Länge entspricht ungefähr der Entfernung des Symphysenendes zum inneren Höcker des Articulare. Ein Foramen mandibulare externum fehlt und auf der Innenseite des vorliegenden Individuums ist die Umgrenzung des inneren Foramens sowie das rückwärtige Ende des Mandibular-Kanals eingedrückt, sodaß sich nicht mehr konstatieren läßt, welche Knochenstücke an ersterem teilgenommen haben.

Besprechung der Artunterschiede von Metriorhynchus.

Die umfassendste Zusammenstellung über die Funde an der französischen Fundstelle im Calvados finden wir beim jüngeren Deslongchamps[1]); wir befassen uns hier aber nur mit der Familie der *Teleosaurier* und speziell mit dem Genus *Metriorhynchus*.

Die einzelnen Arten desselben sind bis in die jüngste Zeit lediglich auf Merkmale des Schädels aufgestellt worden, ja es existieren nur drei Arbeiten, welche in kürzester Form Einiges über die Organisation und den Bau dieser Gattung mitteilen: von J. W. Hulke[2]) und aus neuester Zeit von W. E. Schmidt[3]) und O. Jaekel[4]).

Als Art-Unterscheidungsmerkmal ist mit Recht in erster Linie die Entwicklung der Schnauze angesehen worden, da diese selbstverständlich in engster Beziehung zum Grade der Spezialisation des ganzen Individuums stehen muß. Als »Schnauze« wird hier der Facialteil des Schädels im Gegensatz zum Cerebralteil aufgefaßt und die Schnauzenlänge, in der Medianlinie des Schädels gemessen, umfaßt daher die Intermaxillaria, Maxillaria und Nasalia im Gegensatze zu Frontale und Parietale. Das ist im Grunde dieselbe Definition des »Museau«, deren Maße wir in E. Deslongchamps' Arbeiten finden.

Wenn wir von dieser Basis ausgehen und die Maße des Frontale + Parietale, also des Cerebralteiles des Schädels auf 1 reduzieren, dann wird im Verhältnis dazu die Schnauzenlänge zu setzen sein: bei

Metriorhynchus brachyrhynchus Desl.	= 1·4
Blainvillei Desl.	= 1·6
superciliosus Blainv. sp.	= 1·7
hastifer Desl.	= 1·7
Jaekeli E. Schm.	= 1·7
(*Wiener Exemplar*)	= 1·7
Moreli Desl.	= 2·0

[1]) Prodrôme des Téléosauriens du Calvados. Notes paléontologiques, Vol. I (1863—1880), pag. 95 ff.

[2]) Proceed. London zool. Soc. 1888, pag. 417 ff.

[3]) Monatsber. der Zeitschr. d. geol. Ges. 1904, pag. 97 ff.

[4]) ebenda, pag. 109 ff.

Das heißt mit anderen Worten: Die kurzschnauzigste Art ist *M. brachyrhynchus*, die langschnauzigste *M. Moreli*; während die anderen Arten fast den gleichen Grad der Schnauzenentwicklung besitzen oder, wenn wir annehmen daß die Länge der Schnauze bei den, an das Leben im Meere angepaßten Crocodiliern in engster Beziehung zum Grade ihrer Spezialisation steht, dann erscheint *M. Moreli* als der höchst organisierte Typus dieser Gruppe.

Was die stratigraphische Verteilung der Arten betrifft, so ist es auffallend, daß nicht die kurzschnauzigste Form die älteste ist, sondern *M. Blainvillei*, welche im Callovien auftritt und schon in die Übergangsreihe gehört, die zwischen dem kurz- und langschnauzigsten Typus vermittelt. Etwas Ähnliches gilt von dem langschnauzigen *M. Moreli*, der aus demselben Niveau stammt, während die stratigraphisch jüngste Form *M. hastifer* aus dem Kimmeridge ebenfalls nur jener vermittelnden Reihe angehört.

Diese drei Gruppen innerhalb der Gattung *Metriorhynchus* finden wir auch bei E. Fraas [1]) wieder, jedoch sind ihnen nicht dieselben Formen zugeteilt, da für *M. hastifer* eine besondere Gruppe aufgestellt worden ist, und zwar wegen seiner auffallend gedrungenen Schnauze, während der höchstspezialisierte *M. Moreli* mit Formen unserer Übergangsreihe zusammengeworfen ist.

Eine wieder etwas abweichende Gruppierung nimmt E. Schmidt (l. c.) an, der — was entschieden unrichtig sein muß — den kurzschnauzigen *M. brachyrhynchus*, dessen Nasalia direkt die Prämaxille berühren, mit dem Berliner Exemplar (*M. Jaekeli*), bei dem Nasalia und Prämaxille durch ein langes Maxillarstück getrennt sind, in eine Gruppe vereinigt; eine zweite Gruppe umfaßt bei ihm *M. Moreli* mit dem dickschnauzigen *M. hastifer*, während die dritte Gruppe die übrigen zwei Arten unserer Übergangsreihe enthält. *Metriorhynchus brachyrhynchus*, *M. hastifer* und *M. Moreli* sind gute Arten, die auf den ersten Blick auseinander gehalten werden können; schwieriger hingegen ist die Unterscheidung von *Metriorhynchus Blainvillei* und *M. superciliosus*. Abgesehen davon, daß erstere Art die geologisch ältere aus dem Callovien ist und bisher überhaupt nur in einem einzigen, wissenschaftlich bekannten Exemplar vorliegt, während *M. superciliosus* aus dem Oxford die häufigste Art der ganzen Gattung ist, bestehen immerhin einige Unterschiede: bei fast gleicher Länge beider Arten ist die Schnauze von *M. superciliosus* bedeutend graciler, die Nasalia sind in ihrem rückwärtigen, den Präfrontalien anliegendem Teile aufgebläht, »bombé«, und letztere treten stärker über die Orbita vor, als dies bei *M. Blainvillei* der Fall ist.

In der Bezahnung, auf die von Fraas ziemliches Gewicht gelegt wird, sind beide Arten ähnlich, da die zierlichere Form um ein, höchstens zwei Zahnpaare im Oberkiefer mehr besitzt als der etwas plumpere *M. Blainvillei*, was durch ebenfalls schlankere, zierlichere Zahnindividuen hervorgerufen wird.

Übrigens ist die Bezahnung des Oberkiefers bei allen *Metriorhynchus*-Typen fast dieselbe und schwankt zwischen 50 und 56 Individuen; die Angabe, daß *M. brachyrhynchus* und *M. hastifer* weniger als 25 resp. 50 Zähne im Oberkiefer[2]) besaßen, ist auf die unvollständige Erhaltung jener Schädel zurückzuführen.[3])

In der Arbeit von E. Schmidt (l. c.), ist mit keinem Worte begründet, weshalb die Aufstellung eines neuen Speziesnamens erfolgt ist und welche Merkmale diese Art oder dieses Individuum von den anderen schon bekannten Arten unterscheiden. Der neue Namen scheint ein Verlegenheitsnamen zu sein, doch lassen sich die Gründe hiefür vollkommen verstehen, wenn man in Betracht zieht, daß der Schädel jenes *Metriorhynchus*-Exemplares der Berliner Sammlung in vertikaler Richtung ziemlich stark verquetscht ist, sodaß gewölbte und hohlliegende Knochen teilweise verdrückt sind, daher abgeflacht und verbreitert erscheinen, daß durch diese Verquetschung einzelne Knochennähte gelöst und der ganze Habitus, Umriß etc. bis zu einem gewissen Grade unnatürlich verändert worden ist. Nur eine Rekonstruktion, die auch wieder individuell beeinflußt und daher abermals verschiedene Resultate ergeben würde, kann einigermaßen die Ermittlung verwandtschaftlicher Beziehungen jenes Exemplares ergeben.

Die kleine und zierliche Form des *M. superciliosus* mit der schmalen Schnauze und den seitlich stark vorspringenden und gegen vorn spitz zulaufenden Präfrontalien kann wohl kaum in Betracht kommen; auch kann aus den oben angegebenen Gründen — im Gegensatz zu E. Schmidt — *M. brachyrhynchus*

[1]) Palaeontogr., Bd. LXIV, pag. 67.

[2]) Fraas: L. c. p. 67. — E. Schmidt: L. c. p. 101.

[3]) Deslongchamps: Notes paléontolog., Pl. XXIII, XXIV.

nicht verglichen werden und folglich bleibt nur mehr *M. Blainvillei*, trotzdem er aus dem Callovien stammt, als einzige Form übrig, die mit Recht zum Vergleich herangezogen werden kann.

M. Blainvillei unterscheidet sich aber durch folgende Merkmale von *M. Jaekeli*:

1. Die Entfernung zwischen Intermaxillare und Nasale ist größer und in der Medianlinie gemessen verhält sich Maxillare: Nasale wie 1 : 7·2 (bei *M. Jaekeli* wie 1 : 9).

2. Die Nasalia sind, was bei *M. Jaekeli* der Fall, vor den Präfrontalien nicht aufgetrieben, sondern im Gegenteile dazu etwas eingesenkt.

3. Die Präfrontalia, welche bei beiden Arten nur relativ wenig über die Augen und den allgemeinen Schädelumriß vorragen, haben eher einen verschoben vierseitigen Umriß, bei *M. Jaekeli* deutlich trianguläre Gestalt.

4. Die Foramina temporalia sind bei *M. Blainvillei* breit-vierseitig mit abgestumpften Ecken und »scheinen« bei *M. Jaekeli* länger zu sein, jedoch läßt sich schwer erkennen, ob dieses Merkmal nicht durch die Verdrückung allein entstanden ist.

Diese Unterschiede im Schädelbau rechtfertigen bis zu einem gewissen Grade die Abtrennung einer neuen Art von dem älteren Typus, da ja die Artfassung innerhalb der *Metriorhynchus*-Gruppe ohnedies eine ziemlich enge ist.

Gute Übereinstimmung im Schädelbau besteht zwischen dem Berliner *M. Jaekeli* und dem Exemplar des Wiener paläontologischen Universitätsinstitutes, das wir daher ebenfalls als *M. Jaekeli* bezeichnen müssen.

Allerdings bleiben gewisse Unterschiede bestehen, auf die aber nicht zu großes Gewicht gelegt zu werden braucht. Der bedeutsamste ist, daß bei einer Schädellänge von 650 *mm* des Berliner Exemplares (wobei aber nicht angegeben ist, ob diese Maße von der Schnauzenspitze in der Medianlinie bis zum Hinterrande des Parietale oder der Quadrata abgenommen sind) gegen 603 *mm* bis zum äußersten Punkte der Quadrata, beim Wiener Exemplar resp. 555 *mm* bis zum Hinterrande des Parietale, bei diesem trotz der geringeren Größe Nasalia und Intermaxillaria durch ein längeres Maxillarstück getrennt sind, als wir es beim Berliner Exemplar finden. Das Verhältnis zwischen Maxillare und Nasale ist bei diesem 1 : 9, beim Wiener Exemplar wie 1 : 8; die Unterschiede sind also nicht groß und könnten eventuell auch durch Geschlechtsunterschiede zu erklären sein.

Ein anderer Unterschied würde, der Beschreibung nach, in der Gestalt der oberen Schläfenöffnungen liegen, die vom Berliner Exemplar als »oval« angegeben werden. Das ist jedoch keineswegs der Fall, denn ihr Umriß zeigt die gleiche einseitig rechteckige Gestalt mit abgestumpften Ecken, die wir bei allen *Metriorhynchus*-Typen finden. Auch der Unterschied, der in der Oberflächenskulptur der Schädelknochen liegt, dürfte kaum nennenswert sein; diese Skulptur ist wohl keineswegs nur auf Frontale und Präfrontale beim Berliner Exemplar beschränkt, sondern nur da am stärksten ausgebildet und tritt auch — allerdings bedeutend schwächer — sowohl auf dem Nasale, Maxillare, der Prämaxille und dem vorderen Teile des Postfrontale auf.

Wirbelsäule.

Das interessanteste Ergebnis der Bearbeitung der neuen Exemplare von *Metriorhynchus Jaekeli* ist zweifelsohne die genaue Kenntnis des anatomischen Baues, welche bisher für alle Arten eine recht mangelhafte war. Denn abgesehen von der oben zitierten Arbeit von Hulke, welche die Beschreibung und Abbildung einzelner Skelettelemente bot, hat erst jene von E. Schmidt (l. c.) uns ein allgemeineres und zutreffenderes Bild des Skelettbaues dieser Gattung entworfen, in dem aber manche Irrtümer vorkommen, welche durch die Unvollständigkeit des Erhaltungszustandes des Berliner Exemplares und eine sich daraus ergebende irrige Auffassung mancher Skeletteile bedingt waren.

Beim recenten Alligator werden im Gegensatz zu E. Fraas[1]) (l. c. p. 51) unterschieden:

7 Halswirbel,
12 Rumpfwirbel,
5 Lendenwirbel,

also im ganzen 24 präsacrale Wirbel.

[1]) Vgl. Brühl: Skelett der Crocodilinen, p. 1, Wien 1862.

E. Fraas nimmt (l. c. p. 50 u. f.) bei den drei vorzüglich erhaltenen Exemplaren des nahe verwandten *Geosaurus suevicus* der Stuttgarter und Tübinger Sammlung 25 präsacrale Wirbel an, die sich verteilen auf:

7 Halswirbel,
16 Rumpfwirbel,
2 Lendenwirbel.

Schmidt (l. c. p. 102 u. f.) schließt sich in der Auffassung der präsacralen Wirbelanzahl an Fraas enge an, läßt aber nur 6 Halswirbel, dagegen 17 Rumpfwirbel gelten. Wir werden in der Folge sehen, welche Auffassung die richtigere ist.

1. Über Atlas und Epistropheus und deren Rippen.

(Taf. XXIII (II), Fig. 6, 7.)

Atlas und Axis samt dem, beide Wirbelemente trennenden Processus odontoides (Dens epistrophei) liegt mir in mehreren Exemplaren vor.

Wie schon Hulke (l. c. p. 418, Taf. XVIII, Fig. 1) beschrieben hatte, ist der Processus odontoides bei älteren Individuen stets durch Synostose mit der Axis zu einem Stücke verschmolzen, dem dann die zwei Elemente des Atlas: Hypocentrum und die beiden Neuralia vorgelagert sind. Beim Wiener Exemplar, das von einem jüngeren Individuum herrühren dürfte, ist hingegen Processus odontoides und Axis noch wohl geschieden.

Der Atlas besteht aus einem kappenförmigen, unpaaren Stück, dem Hypocentrum, welches nach der im folgenden ausgeführten Ansicht das Wirbelcentrum darstellt. Das Stück ist entsprechend seiner Funktion äußerst massiv; ist in der Mitte zur Aufnahme des Hinterhaupts-Condylus ausgeschnitten und besitzt zur Artikulation desselben breite, nach innen und rückwärts flach ansteigende Gelenkflächen; seine Seitenteile reichen bis zur halben Höhe des Processus odontoides und schließen mit einer kleinen Ansatzfläche für die Neuralia. Im unteren Teile reicht das Hypocentrum weit zurück und findet beinahe Anschluß an die Axis; dadurch, daß sich nahe über der Mittellinie der Unterseite zwei breit-ovale Ansatzflächen, welche schräg gegen den Processus odontoides gestellt sind für die beiden Atlasrippen ausbilden, entsteht zwischen ihnen an der Basis des Wirbels eine schmale Vertiefung. Die Neuralia sind zwei massive, flügelförmige Stücke, welche mit schmaler Ansatzstelle auf den Seitenteilen des Hypocentrum aufsitzen; sie springen ebenso weit nach rückwärts und oben vor wie das Hypocentrum nach rückwärts und unten; sie entwickeln eine ziemlich lange Postzygapophyse, die sich an die kleine Präzygapophyse des Epistropheus anlegt und ziemlich geradlinig gegen oben begrenzt zu sein scheint. Entsprechend der Postzygapophyse scheint sich gegen vorn eine kleine Präzygapophyse anzudeuten, an die sich der — verloren gegangene — Proatlas anlegte. Von vorn betrachtet, umschließen die Neuralia den Neuralkanal; dann bleibt darunter zwischen ihnen und dem Hypocentrum eine trapezoidale Öffnung frei, die von rückwärts die hineinragende Vorderwand des Processus odontoides schließt.

Die Atlasrippen sind länger als die doppelte Länge des Epistropheus beträgt; sie sind spießförmig und im rückwärtigen Teile etwas nach abwärts gebogen; die Innenseite ist flach, die Außenseite besonders im vorderen Abschnitt dreieckig abgerundet; die Gelenkfläche ist fast halbmondförmig, das untere Ende abgestumpft, auf dem eine knorpelige Verlängerung aufsaß.

Der Processus odontoides ist von annähernd cubischer Gestalt. Mit einer glatten rückwärtigen Fläche schließt er sich an die Axis an, während die vorderen Ecken für den Ansatz der Neuralia und des Hypocentrum breit abgestutzt sind. Dadurch bekommt er — von der Seite betrachtet — eine trapezoidale Gestalt, deren Seitenflächen ähnlich jenen der Axis etwas eingeschnürt sind. An seiner vorderen Kante ist dort, wo die Atlasrippe am Atlaskörper gelenkt eine schwache Vertiefung, an der hinteren Kante hingegen eine kleine Erhöhung, welche mit einer ebensolchen Erhöhung an der Axis als Ansatzstelle für die scheinbar verkümmernde Axis- oder Epistropheusrippe diente. Auf der Oberseite ist eine breite Vertiefung für das Neuralrohr.

Die Axis besitzt schon die Wirbelgestalt der übrigen Halswirbel. Die Gelenkflächen sind flach concav, der Wirbel in der Mitte etwas eingeschnürt, besitzt auf der Unterseite eine gerundete, je nach dem Grade der Verdrückung, stärker oder schwächer hervortretende, längsgestellte Mittellinie. Die oberen Bogen sind deutlich vom Wirbelkörper abgesetzt und vereinigen sich oberhalb des Neuralrohres zu einem steil von vorn gegen hinten ansteigenden Dornfortsatze, während sich vorn zwei kleine Präzygapophysen, hinten zwei kräftige und seitlich weit ausladende Postzygapophysen mit ovalen Gelenkflächen ausbilden. Im vorderen Drittel des Wirbels ist am oberen Bogen die ziemlich weit nach außen und abwärts vorspringende Diapophyse für die Epistropheusrippe entwickelt, während die dazugehörige Parapophyse knapp an der Vorderkante und zum größten Teil auf der Axis liegt, hingegen zum kleinsten noch auf dem Processus odontoides übergreift.

Die zur Axis gehörige ganze oder halbe Gabelrippe ist bei keinem Exemplar erhalten.

Ontogenetische Beziehungen zwischen Atlas, Axis und deren Rippen.

Jaekel[1]) hat die interessante Beobachtung gemacht, daß der Processus odontoides des Berliner Exemplares auf der Unterseite eine Nahtlinie aufweist (Fig. 1). Der Erhaltungszustand jenes Stückes ist derart, daß der ganze Wirbelkörper gegen oben etwas verschoben ist, wodurch beim Anblick von der Seite auch die Unterseite ein wenig sichtbar wird.

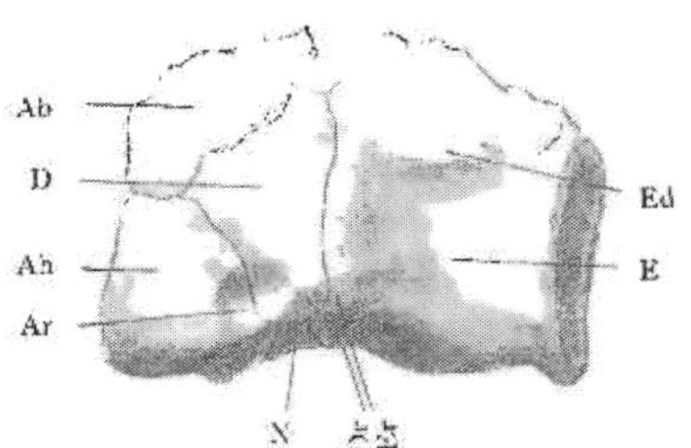

Fig. 1. Atlas und Axis des Berliner Exemplares von *Metriorhynchus* (n. Jaekel) $^1/_1$ nat. Gr.; Oxford.
Ah = Hypocentrum des Atlas.
Ab = oberer Bogen des Atlas.
Ar = Gelenkpfanne der Atlasrippe.
D = Dens epistrophei (Proc. odont., Pleurocentra).
Dr, Er = gemeinsame Tuberositaet der Epistropheusrippe.
E = Epistropheus.
Ed = Diapophyse desselben.
N = Naht der Pleurocentra.

Eine ähnliche Beobachtung hat auch Hulke (loc. cit. pag. 419, Taf. XVIII, Fig. 1) schon gemacht, dafür aber eine andere Deutung gesucht, wie sie Jaekel gefunden hat. Dieser nimmt als Grund für jene Nahtlinie an, daß die Ossification des Processus odontoides von oben aus fortgeschritten sei, weshalb die noch sichtbare Nahtlinie embryologische Bedeutung besitze.

Als welches Element des temnospondylen Urwirbels dieser Processus odontoides aufzufassen und als zu welchem Wirbel gehörig er zu betrachten sei, ergibt sich für ihn aus folgenden Schlüssen:

Temnospondyle Rumpfwirbel bestehen aus folgenden Elementen:

1. Das vorn gelegene, unpaare, daher median gelagerte Hypocentrum.

2. Die paarig angelegten, zumeist aber schon verschmolzenen oberen Bögen (Neuralia oder Neurapophysen).

3. Die paarig ausgebildeten, nach hinten gerückten lateralen Pleurocentren.

Dort wo diese drei Elemente zusammenstoßen, bilden sie eine Pfanne, die im Schulter- und Beckengürtel besondere Ausbildung und Bedeutung erlangt.

Überträgt man diese bekannte Auffassung der Wirbelelemente auf den Atlas, dann ergibt sich, daß dem Hypocentrum als eigentlichem Wirbelkörper das unpaare untere Atlasstück entspricht und daß der Processus odontoides nicht, wie zumeist angenommen, das Atlascentrum darstellt, sondern aus den beiden verschmolzenen Pleurocentren hervorgegangen ist, was die basale Naht des Processus odontoides beweist.

Wenn diese Linie die von Jaekel angenommene Bedeutung tatsächlich besitzt, dann muß sie auch auf der Axisseite des Processus odontoides hervortreten. In der Tat zeigt auch der Processus odontoides des Wiener *Metriorhynchus*-Exemplars auf jener Fläche eine von oben herablaufende Linie (Fig. 2), längs

[1]) Zeitschr. d. geol. Ges., 1904, pag. 109 ff. (Monatsber.).

welcher der ganze Knochen seitlich etwas verschoben ist. Jaekels Beobachtung ist also richtig und jene Linie tatsächlich eine Nahtlinie, die bei diesem jüngeren *Metriorhynchus*-Individuum noch als embryonales Merkmal sichtbar geblieben ist.

Atlascentrum und oberer Bogen des Atlas bilden die Gelenkpfanne für den einfachen Reptilcondylus, welche durch diese zwei Elemente schon ringsum geschlossen wird. Deshalb wird das dritte Wirbelelement, die Pleurocentra, aus dem Atlas hinausgedrängt und vom nächsten Wirbel, dem Epistropheus, aufgenommen, mit dem es bei alten Individuen durch Synostose verschmilzt, kurz der Processus odontoides ist als Element des Atlas angelegt, aber im Entwicklungsgange mit dem Epistropheus verschmolzen.

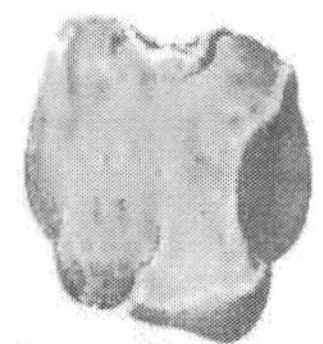

Fig. 2. Dens epistrophei (= Proc. odontoides = Pleurocentra) des Wiener Exemplares von *Metriorhynchus*. Die der Axis zugekehrte Fläche in nat. Gr.; Oxford.

Diese Auffassung steht mancher älteren direkt entgegen. E. Deslongchamps Vater[1]) hatte den Processus odontoides als Rest eines reduzierten Wirbels aufgefaßt. Albrecht[2]) hat durch die Verfolgung der Spinalnerven bei Fischen, Amphibien und Reptilien den Beweis erbringen können, daß — da der erste Spinalnerv bei Fischen und Amphibien den ersten Halswirbel, der zweite den zweiten, der dritte den dritten Wirbel durchbohrt, bei Reptilien hingegen der erste Spinalnerv den Proatlas (= Dachstück Brühls = unpaares Schlußstück des Atlas Rathkes), der zweite den Atlas, der dritte den Epistropheus passiert — es unmöglich ist, den Processus odontoides als Wirbelrudiment zu deuten. Hingegen geht aus diesem Nachweise hervor, daß der erste Cervicalwirbel der Amphibien dem Proatlas der Reptilien entspricht, der somit ein noch vor dem Atlas gelegenes Wirbelrudiment der Reptilien darstellt, von dem aber nur mehr die oberen Bögen verknöchert erhalten sind, welche sich aber immer noch mit einer Apophyse an eine, als Präzygapophyse des Atlas zu deutende Fläche anlegen.

Diese Deutung des Proatlas wird uns später von Wichtigkeit für die Deutung der Halsrippen der Crocodilinen werden.

Die am weitesten verbreitete Ansicht über den Processus odontoides der Reptilien ist hingegen jene, welche auch Koken[3]) vertritt und welche dahin geht, daß der Processus odontoides das Wirbelzentrum des Atlas selbst sei.

Da es mir unwahrscheinlich erscheint, daß das Zentrum eines Wirbels, also dessen integrierendster Bestandteil, genetisch aus seiner eigenen Wirbeleinheit hinausgedrängt werden und sogar mit dem nächsten Wirbelzentrum verschmelzen könne, und da, wie wir oben gesehen haben, seine Entstehung aus zwei lateral gelagerten Stücken sich deutlich nachweisen läßt, deshalb kann ich diese allgemeine Ansicht nicht akzeptieren, sondern schließe mit jener von Jaekel ausgesprochenen an, daß der Processus odontoides ein Element des Atlas sei, und zwar nicht dessen Zentrum, sondern dessen verschmolzene Pleurocentra.

Bei den Crocodilinen finden wir daher vom Cranium angefangen die Folge:

1. Wirbel = Proatlas
2. » = Atlas + Dens epistrophei
3. » = Epistropheus.

Die hinter dem Atlas-Epistropheus gelegenen Halswirbel der Reptilien zeichnen sich durch den Besitz je eines Paares von Gabelrippen aus, welche mit Parapophyse und Diapophyse gelenken. Bei den rezenten Crocodilinen besitzt hingegen der Epistropheus überhaupt keine Halsrippe, wohl aber der Dens epistrophei, und zwar ist diese im Gegensatz zu den, hinter der Axis folgenden kurzbeilförmigen Halsrippen breit und langgestreckt, seine beiden Gabelstücke hingegen sind relativ kurz. Der Atlas hingegen

[1]) I. Mémoire sur les Téléosauriens de l'époque jurassique; Mém. Soc. Linée. Normandie, Vol. XII, 1863, pag. 46.

[2]) Über den Proatlas etc. Zoolog. Anzeiger III, 1880, pag. 473.

[3]) Loc. cit. pag. 795 ff.

trägt am unpaaren Hypocentrum ein Paar lange, spießförmige, einköpfige Rippen, kurz bei den rezenten Formen finden wir im Bereiche der drei ersten Halswirbel nur zwei Paar Halsrippen. Wie ist dies genetisch zu erklären?

Koken (loc. cit. pag. 800) vertritt die Ansicht, daß bei den mesosuchen Crocodiliern die besonders lange Atlasrippe aus zwei verschmolzenen Rippen entstanden sei (aus welchen, wird aber nicht präzisiert) und daß auch die Epistropheusrippe aus zwei Stücken besteht, von denen aber nur das eine als Capitulum zwischen Epistropheus und Processus odontoides artikuliert. Aus welchen Stücken, wird aber ebenfalls nicht gesagt, und im Ganzen hätten wir dann drei primär veranlagte Wirbel und vier primäre Rippen, was unmöglich ist.

Wenn wir von der Tatsache ausgehen, daß bei Fischen und Amphibien jedem Halswirbel ein Rippenpaar entspricht, dann müssen wir dies auch bei den Reptilien erwarten. Es trägt außerdem Zentrum und Neurapophyse je eine primäre Rippe, welche aber rasch verschmelzen und zu den zweiköpfigen Rippen der Hals- und Brustregion werden. Freilich kann das eine Element secundär sich reduzieren oder verschwinden, wodurch die zweiköpfige zu einer einköpfigen Rippe werden kann. Außerdem kann Capitulum oder Tuberculum oder auch die ganze Rippe ihre ursprüngliche Angliederungsstelle verlassen — bei den rezenten Crocodilen trägt der Epistropheus überhaupt keine Rippe — und wandert dann in der Halsregion fast stets nach vor, d. h. geht auf das cranial nächste Wirbelelement über.

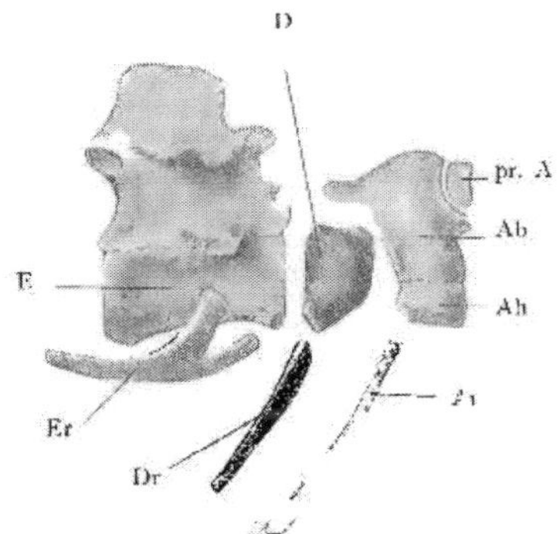

Fig. 3. Atlas, Axis und Dens epistrophei von Pelagosaurus temporalis (nach Deslongchamps); oberer Lias.
Ah = Hypocentrum des Atlas.
Ab = Oberer Bogen des Atlas.
pr. A = Proatlas.
Ar = Atlasrippe.
D = Dens epistrophei.
Dr = Rippe des Dens epistrophei.
E = Epistopheus.
Er = Gabelrippe desselben.

Die Zugehörigkeit der Halsrippen zu den Wirbeln ist schon viel umstritten worden; suchen wir also einmal auf rein stratigraphischem Wege uns Klarheit darüber zu verschaffen.

Bei *Pelagosaurus temporalis* aus dem Lias (Fig. 3) trägt das unpaare Atlasstück eine lange Atlasrippe, welche durch ihre Verdickung und Länge anzudeuten scheint, daß sie aus zwei Stücken verschmolzen ist. Da der Dens epistrophei und die Axis selbst eigene kurze Rippen besitzen, kann nur eine anzunehmende Rippe des Proatlas-Wirbels mit der vorderen Atlasrippe verschmolzen sein. Da ferner der Epistropheus eine vollständige Gabelrippe besitzt, so muß die kurze Rippe des Processus odontoides ein Rippenelement des primären Atlaswirbels sein. Ob wir sie als Capitular oder Tubercularteil derselben auffassen wollen, ist Ansichtssache; wahrscheinlich besaß dieses Rippenpaar überhaupt noch unverschmolzene Elemente.

Diese Anordnung finden wir bei den *Pelagosauriern* und *Mystriosauriern* des Lias.[1])

Bei den *Teleosauriern* des oberen Jura, z. B. *Teleosaurus cadomensis* Geoffr. oder *Pelagosaurus typus* Br. (Fig. 4) des Oxford trägt der Epistropheus noch die Gabelrippe, die etwas weiter mit ihren Ansatzstellen nach vorn gerückt ist; der Processus odontoides trägt keine Rippe sowie keine Angliederungsstellen dafür, hingegen ist die Rippe des Atlas unverhältnismäßig groß geworden, aber einköpfig geblieben. Die besondere Größe kann sich nur daraus ergeben haben, daß zur Verstärkung des Atlas bei der Balance des Craniums noch das Rippenelement des Processus odontoides herangezogen worden ist.

Bei den *Crocodiliern* der unteren Kreide, z. B. dem *Enaliosuchus macrospondylus* Koken (Fig 5) aus dem Neocom bleiben für Atlas und Processus odontoides und deren Rippenelemente

[1]) Vgl. auch Koken: L. c. pag. 792 u. ff.

dieselben Verhältnisse wie sie im oberen Jura bestanden, doch ändert sich die Berippung des Epistropheus. Die Gabelrippe zerfällt in ihre Elemente und der diapophysale Teil verknöchert nicht mehr ganz, sondern, da die Ossifikation von oben ausgeht, nur mehr dessen oberstes Stück; er verkümmert zu einem kleinen Zipfel, während das Capitulum seine Stellung am Vorderrand des Epistropheus beibehalten hat.[1]) Leider ist er bei dem Originale im Berliner Museum nicht erhalten, wohl aber die Grube, auf der er aufsaß.

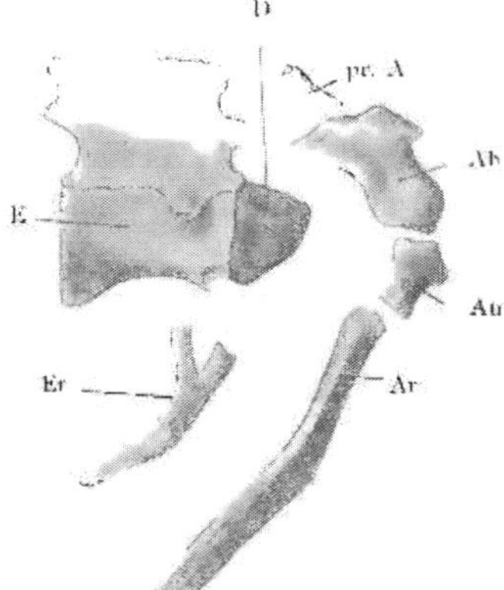

Fig. 4. Atlas, Axis und Dens epistrophei von Pelagosaurus typus Br. (nach Deslongchamps); Oxford.

Ah Hypocentrum des Atlas.
Ab = Oberer Bogen des Atlas.
pr. A = Proatlas.
Ar = Atlasrippe.
D = Dens epistrophei.
E = Epistropheus.
Er = Gabelrippe desselben.

Bei den *Crocodiliern* des Miocän z. B. dem *Alligator Darwini* Ludw. (Fig. 6) des Mainzer Beckens blieben dieselben Beziehungen zwischen Epistropheus und seiner parapophysalen Rippenhälfte bestehen; sie ist auffallend flach und breit und zeigt eine deutliche Randpartie sowie eine flache innere und ist im Gelenkteil kräftig verbreitert. Das Auftreten dieser Rippe beweist zugleich das Vorhandensein einer solchen bei *Enaliosuchus*. Der Processus odontoides trägt keine Rippe, aber der Atlas noch immer seine besonders kräftige Atlasrippe.

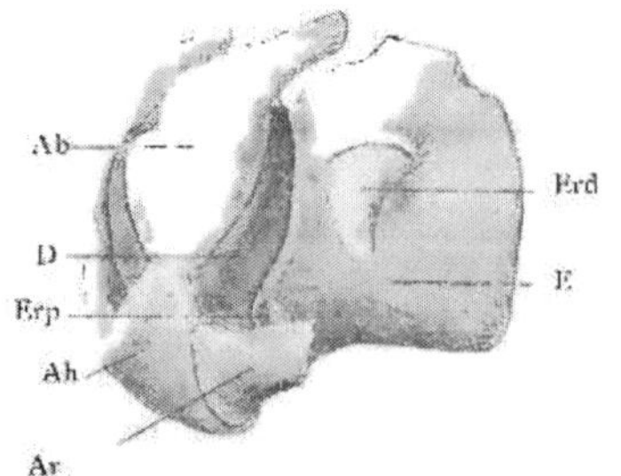

Fig. 5. Atlas, Axis und Dens epistrophei von Enaliosuchus macrospoudylus Kok. (nach Koken); Neocom.

Ah = Hypocentrum des Atlas.
Ab = Oberer Bogen des Atlas.
Ar = Atlasrippe.
D = Dens epistrophei.
E Epistropheus.
Erd = Diapophysaler Zipfel der Epistropheusrippe.
Erp = Parapophysales Stück der Epistropheusrippe.

Bei den rezenten *Crocodilinen* endlich, z. B. dem *Alligator Missisipensis* Gray (Fig. 7) bleibt die Atlasrippe immer noch in der gleichen Länge und Stärke, hingegen sitzt diejenige des Epistropheus nicht mehr an diesem selbst, der rippenfrei geworden ist, sondern ist nach vorn gerückt und auf den Processus odontoides übergegangen, auf dem sich am caudalen Rande zwei Facetten ausgebildet haben. Da die Rippe des Epistropheus schon im Neocom einköpfig geworden ist, kann diese abermalige Zweiteilung nur ein secundäres Merkmal sein, und zwar eine Anpassungserscheinung der ursprünglich ein-

[1]) Vgl. dagegen Koken: l. c. pag. 806. — Jaekel: l. c. pag. 111.

köpfigen Rippe, um eine solidere Stütze zu erlangen, damit die Atlasrippe, als Balancestück des Schädels, von ihr besser unterstützt werden kann. Daß diese capitulare Teilung des Epistropheus eine secundäre Erscheinung ist geht aus Folgendem hervor: primär sind die beiden Stücke der einen Halsrippe gleich stark; dann ist der diapophysale Teil verloren gegangen und jetzt sind die beiden secundären Teilstücke ungleich stark; der eine (stärkere) besitzt ein deutliches Capitulum und gelenkt am Processus odontoides, der andere ist ungleich schwächer und nur ligamentös an diesen angeschlossen.

Fassen wir das Ganze in wenige Worte zusammen: Die ursprünglich einfache Rippe des Atlas hat allmählich diejenige des Proatlas und des Processus odontoides aufgenommen, ist also aus

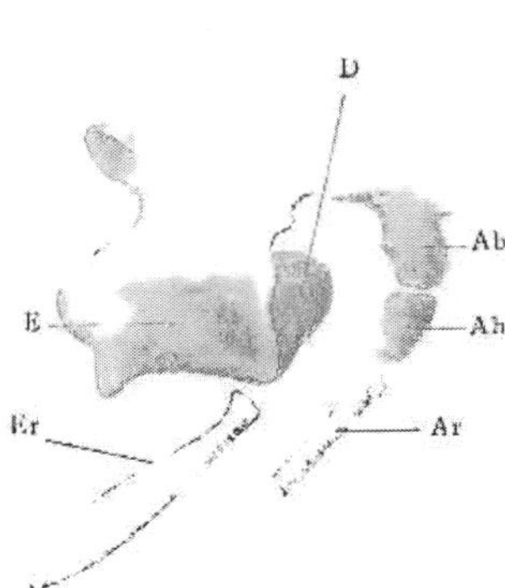

Fig. 6. Atlas, Axis und Epistropheus von Alligator Darwini Ludw. (nach Ludwig); Miocän.

Ah = Hypocentrum des Atlas.
Ab = oberer Bogen.
Ar = Atlas-Rippe.
D = Dens Epistrophei.
E = Epistropheus.
Er = Epistropheusrippe.

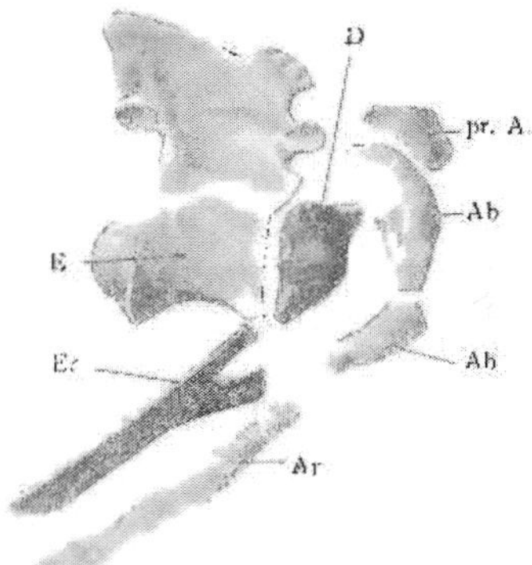

Fig. 7. Atlas, Axis und Dens epistrophei von Alligator mississipensis (nach Deslongchamps); recent.

Ah = Hypocentrum des Atlas.
Ab = Oberer Bogen des Atlas.
pr. A = Proatlas.
Ar = Atlasrippe.
D = Dens mit den Tuberositaeten für die Epistropheusrippe.
E = Epistropheus.
Er = Epistropheusrippe.

drei Stücken verschmolzen; die ursprünglich zweiteilige Rippe des Epistropheus ist allmählich einteilig geworden, hat sich dann abermals secundär geteilt, hat ihre ursprüngliche Stellung verlassen, ist nach vorn gewandert und wird jetzt secundär vom Processus odontoides getragen.

Gegen diese genetische Deutung der Beziehungen der ersten Wirbel zu ihren Rippen gibt es einige, scheinbar begründete Einwände. Der Nächstliegende ist, daß hier die *Crocodilinen* als einheitliche Reihe aufgefaßt seien, während die *Thalattosuchier* einen, an das Wasserleben angepaßten Seitenzweig des terrestren oder fluviatilen Hauptstammes darstellen. Dem ist aber entgegenzuhalten:

1. daß wir die terrestren Ahnen sowohl der *Crocodilinen* als auch der *Thalattosuchier* überhaupt nicht kennen und

2. daß der einzige jüngste *Thalattosuchier Neustosaurus Gigondarum* Raspail[1]), aus dem Neocom von Vaucluse die Schädel- und Halspartie nicht erhalten hat.

Mit anderen Worten fehlt der *Thalattosuchier*-Reihe die Fortsetzung gegen oben, der *Crocodilinen*-Hauptreihe, oder wenn ich sie mit einem Namen als »*Geosuchier*-Reihe« bezeichnen darf,

[1]) Raspail: Observation sur un nouveau genre de Saurien fossile, le Neustosaurus Gigondarum, Paris, Meilhac, 1842. — Nopcsa, F. Baron: Über die systematische Stellung von Neustosaurus Raspail; Zentralblatt für M. P. u. G., 1903, pag. 504

gewissermaßen der Anfang, so daß es unmöglich ist, am zeitlichen Parallelismus der Typen den genetischen Parallelismus überprüfen zu können. Aber, wenn es auch gewiß richtig ist, daß beim kurzlebigen Seitenzweig die Entwicklung rascher fortschritt als beim langlebigen Hauptstamm, so beweist dennoch nichts, daß die Entwicklung — betreffs der hier in Frage stehenden Elemente des Skelettbaues — bei beiden Reihen eine andere Richtung eingeschlagen hätte, sondern im Gegenteile die Beobachtungen, die wir aus der älteren Zeit des Crocodilinenstammes gemacht haben, fügen sich gut in die Reihe der ontogenetischen Beobachtungen aus dessen jüngerer Zeit ein und so geht daraus nur das eine hervor, daß der Stamm sowohl wie der Seitenzweig des Crocodilinen-Phylums — allerdings wohl nicht zeitlich genau übereinstimmend — die gleichen entwicklungsgeschichtlichen Etappen durchlaufen hat und das ist wieder ein Beweis für die Abstammung beider aus der gleichen Wurzel.

Ein bedeutsamerer Einwand gegen die eben geschilderte Deutung der zweiteiligen Axisrippe beim rezenten Alligator liegt im Dollo'schen Satze, der »irreversibilité de l'évolution«. Aber auch dieses Axiom ist nicht umumstößlich und seine theoretische Regel bindet die Entwicklung der Organismenwelt keineswegs vollständig, welche Ausnahmen derselben, und zwar nicht einmal selten gestattet. Ich weise nur auf die isodonten Cetaceen hin, die von anisodonten Vorfahren abstammen, die ihrerseits wieder isodonte Ahnen besessen haben. So würde auch unser Fall nur eine Ausnahme jener Regel darstellen, denn eine andere ontogenetische Erklärung vermag ich für die sekundäre Teilung jener Axisrippe nicht zu finden.

2. Die folgenden (3.—7.) Halswirbel und deren Rippen.

(Taf. XXIII (II), Fig. 8, Taf. XXIV (III), Fig. 1, 2, 3.)

Es lag zwar die Vermutung nahe, daß *Metriorhynchus* als ein, an das Wasserleben angepaßter Crocodilier eine größere Anzahl von Halswirbel besitzen könne als unsere rezenten Crocodiliertypen, die nicht mit Ruderschwanz ausgerüstet, also nicht für das Leben im Salzwasser spezialisiert sind, aber diese Vermutung hat sich auch für *Metriorhynchus* nicht bestätigt. Schwierig ist ja nur die Trennung der Rumpf- von der Halsregion dann, wenn es sich um die Fixierung des letzten Halswirbels handelt. Das Maßgebende für die Bestimmung der Hals- und Rumpfwirbel ist die Lage der Parapophysen und Diapophysen und ihre Stellung zueinander.

Beim rezenten *Alligator* ist die Parapophyse des achten Wirbels, also des ersten Rumpfwirbels knapp an den Unterrand des oberen Bogens hinaufgerückt, wird aber noch ganz vom Wirbelkörper des achten Wirbels getragen. Die dazu gehörige Rippe besitzt nicht mehr die kurze, beilförmige Gestalt der Gabelrippen der Halsregion, sondern ist nach rückwärts bedeutend länger im Vergleich zum gegabelten Vorderteil ausgezogen.

Übertragen wir diese Auffassung auf *Metriorhynchus*, dann verbleiben — abgesehen von Atlas und Axis — noch fünf Halswirbel, welche von vorn nach rückwärts nur um wenig an Größe zunehmen, sich hingegen in der Lage und Ausbildung von Parapophyse und Diapophyse deutlich von einander unterscheiden.

Vom dritten bis zum siebenten Halswirbel bleibt die Lage der Diapophyse vollkommen dieselbe: sie liegt in der Mitte der Wirbellänge und rückt eher ein wenig aus dieser heraus gegen vorn; sie geht vom oberen Bogen aus, ist ganz kurz auf dem dritten, wird aber bis zum siebenten Wirbel immer länger — den Übergang zu den langen Diapophysen der Rumpfwirbel bildend —, biegt ihre Gelenkfläche etwas nach abwärts und nähert sie dadurch der Parapophyse.

Die Parapophyse jedoch verändert ihre Lage, indem sie erst nach vorwärts, später nach aufwärts wandert; sie liegt (den Wirbel von der Seite betrachtet) beim dritten Halswirbel in der Mitte desselben, genau unterhalb der Diapophyse und knapp über der Basislinie; beim vierten ist sie ein wenig nach vorn gerückt, beim fünften liegt sie schon am Vorderrande, ist etwas erhöht und sitzt bei diesem und den folgenden Wirbeln auf einem immer höher werdenden Sockel; beim sechsten rückt sie am Vorderrande des Wirbels nach aufwärts und sitzt beim siebenten schon in halber Wirbelhöhe; beim achten (also beim ersten Rumpfwirbel) rückt sie über die Mitte, beim neunten (dem zweiten Rumpfwirbel) wird sie zum größeren Teil vom Wirbelkörper, zum kleineren vom oberen Bogen getragen und rückt dann immer höher hinauf, sodaß sie ähnlich wie die Diapophyse ganz auf den oberen Bogen übergeht.

Beschreibung: In Anbetracht der immerhin bedeutenden Schwankungen in den Maßzahlen der gleichen Wirbel bei den verschiedenen Individuen, welche in den Sammlungen mir zugänglich waren, halte ich es für überflüssig, ganze Listen von Maßzahlen zu geben, die außerdem noch dadurch nur problematischen Wert haben, da alle Individuen mehr oder minder stark verdrückt sind. Es handelt sich hier nicht um die detaillierte Beschreibung des Wiener Exemplars von *Metriorhynchus*, sondern um die genaue Fixierung des entwicklungsgeschichtlichen Momentes.

Auf Taf. XXIV, Fig. 2, ist als »Typus der Halswirbel« ein möglichst wenig verdrückter Wirbel — der siebente Wirbel — abgebildet.

Der Wirbel besitzt gleich große und flach biconcave (amphicoele) Gelenkflächen; von vorn gesehen ist der Umriß gerundet-eiförmig, von der Seite betrachtet, in der Mitte ziemlich stark eingezogen und von unten aus gesehen ebenfalls in den Flanken stark verjüngt; desto höher treten dann die sockelförmigen Parapophysenträger hervor (Fig. 2 *b, c*). Die oberen Bogen sitzen mit grober Naht auf dem Wirbelkörper auf und tragen die nach abwärts gebogenen starken Diapophysen. Prä- sowie Postzygapophysen sind massiv in der Gelenkregion, gegen den Bogen zu leicht verjüngt; der Dornfortsatz ist an seiner Basis kräftig, den Wirbelkörper beträchtlich an Höhe überragend und an der Vorderseite stärker verschmälert als an der rückwärtigen. Die Unterseite des Wirbels besitzt eine kammartig vortretende, längsstehende Mittellinie im hinteren Teile, welche zwischen den parapophysalen Sockeln verschwindet und in Folge von Verdrückung des Wirbels meist stärker hervortritt, als es in Wirklichkeit der Fall ist.

Die Halsrippen verändern sich in ihrer Gestalt ebenso wie es oben betreffs der diapophysalen Stücke der Halswirbel, beim Vorschreiten vom dritten zum siebenten Halswirbel, hervorgehoben worden ist.

Beim dritten Wirbel ist der Diapophysenträger des oberen Bogens kurz, folglich ist das Tubercularende der dritten Halsrippe lang; beim siebenten Wirbel hingegen jener lang und dieser daher kurz. Zwischen diesen Endpunkten liegen die Übergänge, welche sich allmählich vollziehen.

Leider kann nur die Abbildung der siebenten Halsrippe nach dem Original gegeben werden (Taf. XXIII (II), Fig. 3), während jene der fünften Rippe nach einer Photographie des Berliner Exemplars und einem Fragment aus der Münchner Sammlung angefertigt worden ist (Taf. XXIII (II), Fig. 8).

Die Halsrippe besteht aus einem längsgestellten, kielförmigen, vorn mehr gerundeten, hinten zugespitztem und zugeschärftem Basalstück, aus dessen Mitte heraus sich der capitulare und tuberculare Gelenkträger in Gabelform entwickeln. Auf der Außenseite ist die Rippe convex, auf der inneren concav gestaltet; das Basalstück ist an der unteren Kante zugeschärft und die Rippen liegen dachziegelförmig, sich mit ihren Enden deckend, übereinander.

3. Wirbel der Rumpfregion (8.—23.) und deren Rippen.

(Taf. XXIV (III), Fig. 4—8.)

Es ist schon oben hervorgehoben worden, daß beim rezenten *Alligator* allgemein 12 Rumpf- und 5 Lendenwirbel angenommen werden, daß aber Fraas bei den gut erhaltenen Exemplaren des nahe verwandten *Geosaurus*, aus den Nusplinger Plattenkalken 16 Rumpf- und 2 Lendenwirbel gezählt und dann E. Schmidt, bei Beschreibung des Berliner Exemplars von *Metriorhynchus*, 17 Rumpf- und 2 Lendenwirbel angenommen hat.

So einfach und günstig wie die Verhältnisse für die Beantwortung der Rumpf- und Lendenwirbelfrage für *Geosaurus* lagen, daß auf einer Platte ohne nennbare Verwerfung der einzelnen Skelettelemente die ganze Wirbelsäule erhalten geblieben ist, liegen die Verhältnisse für *Metriorhynchus* nicht. In den Gruben von Fletton werden die Skeletteile einzeln im Ton eingebettet gefunden; da aber, abgesehen von anderen großen Reptilien, im Laufe der letzten Jahre zahlreiche Exemplare von *Metriorhynchus* aus den Funden zusammengestellt und nacheinander an die verschiedenen Museen verkauft worden sind, so läßt sich aus der Art des Vorkommens kein positiver Schluß über die Zugehörigkeit einzelner Skeletteile zu einem bestimmten Individuum ziehen.

Deshalb sind wir lediglich auf die Analogien angewiesen, welche uns der nahe verwandte *Geosaurus* bietet, und sind daher ebenfalls zur Annahme von 16 Rumpf- und 2 Lendenwirbeln gezwungen.

Das Maßgebende für die Unterscheidung der Rumpf- und Lendenwirbel liegt in der Gestalt der seitlichen Fortsätze der oberen Bogen; sie sind bei ersteren zweiköpfig, zur Aufnahme der doppelten Gelenkflächen der Rumpfrippen und laufen bei letzteren in eine stumpfe, etwas kariös veränderte Spitze aus, die nicht mehr zum Ansatz einer zweiköpfigen, sondern nur einer einköpfigen Rippe dient. Deshalb sind die seitlichen Fortsätze der Rumpfwirbel breit, der Lendenwirbel schmäler, und diesen Unterschied kann man trefflich auf der Abbildung der Nusplinger Platte bei Fraas (l. c. Taf. V, Fig. 2) sehen.

Bei *Metriorhynchus* ist daher, ebenso wie dies Fraas schon von *Geosaurus* hervorgehoben hat, im Vergleich zu unseren rezenten, Land und Süßwasser bewohnenden Crocodilinen eine auffallende Streckung des Rumpfes zu beobachten, denn abgesehen von der überhaupt um eins erhöhten präsacralen Wirbelzahl ist diejenige der Dorsalwirbel vermehrt, dagegen die Anzahl der Lumbalwirbel auf zwei herabgemindert.

Bei *Metriorhynchus* liegen also in der Dorsalregion der 8.—23., in der Lumbalregion der 24. und 25. Wirbel der ganzen Wirbelfolge.

Mit dieser Annahme stimmen hingegen die verschiedenen, in den von mir besuchten Museen aufgestellten Individuen nicht genau überein, da in der Rumpf- und Lendenregion des Berliner und Münchener 19, des Tübinger Exemplares 17 Wirbel liegen, während jenes des Stuttgarter Naturalienkabinettes 18 Wirbel enthält.

Oben (pag. 301) ist darauf hingewiesen worden, daß der dritte bis fünfte Halswirbel samt den Rippen gut charakterisiert sind; wir fügen hinzu, daß dies auch von den Rumpfwirbeln vom dritten angefangen der Fall ist; daß der Übergang zwischen Hals- und Rumpfregion sich allmählich innerhalb der zwei letzten Hals- und zwei ersten Rumpfwirbel vollzieht und daß es nur beim Funde eines einzelnen derartigen Wirbels schwer fallen mag, ob dieser als Hals- oder Rumpfwirbel aufgefaßt werden müsse. Maßgebend für die Wirbel ist die Lage der Par- und Diapophysen, für die Rippen die immer größer werdende Entfernung zwischen Capitulum und Tuberculum; dabei rücken die Gelenkträger, welche bei den vorderen Halsrippen aus der Mitte der Rippe heraustreten, immer mehr nach vorn und treten schließlich gewissermaßen über das Ende noch hinaus. Der nach oben geschobene Kammwulst der zwei ersten Rumpfrippen ist nichts anderes als die aufwärts geschobene untere Kante der ersten Halsrippen (vgl. Fig. 3*b*, 4*b*, 6*b*.).

Beschreibung: Beim ersten Rumpfwirbel ist die Parapophyse noch mehr an den oberen Bogen herangerückt, sitzt auf einem ziemlich hohen Sockel auf, wird aber noch ganz vom Wirbelkörper getragen. Die Diapophyse ist lang, herabgebogen und ähnelt sehr jener des letzten Halswirbels.

Die dazu gehörige Rumpfrippe (Fig. 4*a*, *b*) zeigt deutlich die immer länger sich streckende Gestalt derselben im Vergleich zur letzten Halsrippe (Fig. 3*a*, *b*). Obgleich die Streckung nur zu dem Zwecke erfolgt, um Anschluß an das Sternum zu erzielen, wird dieses dennoch durch die erste Rippe nicht erreicht.

Der zweite Rumpfwirbel (Fig. 5*a*, *b*) besitzt ebenso wie der vorangehende und die folgenden eine zylindrische Gestalt, welche in der Mitte ziemlich stark verjüngt ist und auf der Unterseite eine, bei den ersten Wirbeln mäßig deutliche, dann rasch verschwindende, längsgestellte Kante aufweis ähnlich jener der Halswirbel; die Gelenkflächen sind, so wie bei jenen, ebenfalls flach concav. Die Fläche der Parapophyse sitzt wieder auf einem kräftigen, erhabenen Sockel auf und wird zu einem Teile vom Wirbelkörper, zum anderen vom oberen Bogen gebildet. Der seitliche Fortsatz, welcher die Diapophyse trägt ist kräftig, etwas länger als jener des ersten Wirbels aber weniger herabgebogen. Diese Stellung der beiden Gelenkflächen bedingt auch eine größere Spannweite der Gelenkträger der zweiten Rumpfrippe. Der Dornfortsatz ist relativ dünn und entspricht an Länge ungefähr Dreiviertel der Wirbellänge; die Präzygapophysen sind kräftig und sowohl weitgreifender als auch bedeutend niederer wie die Postzygapophysen.

Die zweite Rumpfrippe (Fig. 6*a*, *b*) besitzt schon den Typus der Rumpfrippen der folgenden Wirbel. Sie ist im Gegensatz zur ersten schlanker und bedeutend länger geworden und deutet in der Biegung schon die Wölbung des Thorax an. Der oben schon besprochene Kammwulst, der bei den folgenden Rippen fast ganz verschwindet, ist noch kleiner geworden und höher hinaufgerückt, aber das Rippenende ist nicht mehr zugespitzt, sondern abgestumpft und stand daher ebenso schon mit dem Sternum in knorpeliger Verbindung wie beim rezenten *Alligator*.

3.—16. (=10.—23.) Rumpfwirbel und deren Rippen.

Sämtliche folgenden Wirbel besitzen fast die gleiche Gestalt, welche jener der beiden ersten Rumpfwirbel ähnelt. Bei den mir zugänglichen Exemplaren konnte höchstens eine ganz geringe Längenzunahme der Wirbel der Dorsalregion von vorn gegen rückwärts beobachtet werden und keineswegs eine so außerordentliche wie sie Fraas (l. c. pag. 51) von *Geosaurus suevicus* schildert, sodaß sich schließlich Breite und Länge wie 1 : 2 verhält. Freilich scheint diese Angabe auffallend und auch mit der Abbildung (Taf. V) einigermaßen in Widerspruch zu stehen.

Par- und Diapophyse sind auf den oberen Bogen übergegangen und werden von einem kräftigen und breiten seitlichen Fortsatz getragen. Die Breite desselben wechselt etwas; sie ist schmäler bei den vorderen (etwa dem dritten bis sechsten Wirbel), wird dann breiter bei den folgenden (etwa siebenten bis zwölften Wirbel) und wieder schmäler bei den letzten Rumpfwirbeln; gleichen Schritt damit haltend, ändert sich auch dreimal die Länge resp. Spannweite dieser Fortsätze.

Die Dornfortsätze sind untereinander fast gleich hoch; sie sind etwas eckiger sowohl wie niederer im Vergleich zu den letzten Hals- und zwei ersten Rumpfwirbeln, so daß wir in der Nackenpartie eine Art Kamm annehmen müssen.

Auf Taf. XXIV (III), Fig. 7 *a*, *b*, *c*, ist die Abbildung des 14. Rumpfwirbels vom kleineren Wiener Exemplar samt der zugehörigen Rippe gegeben.

Die Rumpfrippen (vgl. Abbildung der Rumpfrippen, ibid. Fig. 4 *a*, *b*, 6 *a*, *b*, 7 *a*, *c*) sind in der vorderen und rückwärtigen Region kürzer, in der mittleren länger, genau den breiteren mittleren Wirbelfortsätzen entsprechend. Sie sind im oberen Teile, zwischen Capitulum und Tuberculum gerundet, im unteren abgeflacht und etwas verbreitert; die Außenseite ist stärker gerundet als die Innenseite, auf der — ähnlich wie auf den Rippen der Übergangsregion des Halses zur Brust — noch eine flache Furche kenntlich bleibt. Das untere, aufgerauhte Ende der Rippe ist wieder etwas verbreitert, gestaucht und zum Ansatze der knorpeligen Verbindungsstücke mit dem Sternalapparat adaptiert.

Processus uncinati konnten nicht beobachtet werden.

Die allgemeine Gestalt der Rumpfrippen ist flach gebogen, ihre Stellung gegen den Wirbel etwas nach rückwärts gerichtet, so daß wir, eben so wie bei *Geosaurus*, eine seitlich zusammengedrückte schlanke Gestalt des Rumpfes angedeutet finden.

4. Der 1. und 2. Lendenwirbel (24. und 25. Wirbel).

(Taf. XXV (IV), Fig. 2 *a*, *b*.)

Die Lendenwirbel sind betreffs ihrer Unterscheidung von den Rumpfwirbeln schon oben kurz charakterisiert worden. Maßgebend ist die Gestalt der seitlichen Fortsätze, die schmäler aber länger als jene der letzten Rumpfwirbel geworden sind, sie biegen sich zugleich stärker nach abwärts und zeigen eine einzige Ansatzstelle für eine kurze verknöcherte oder längere Knorpelrippe. Dieser Querfortsatz ist ein Element des oberen Bogens und kein Analogon der sogenannten Sacralrippe. In diesen seitlichen Fortsätzen bildet sich ein anderer Typus derselben im Gegensatz zu jenem aus, der für die Dorsalregion geltend war. Die Fortsätze sind schmal und kaum breiter als jene des ersten Rumpfwirbels. Da dadurch ihre Festigkeit bedeutend Einbuße erleiden würde, läuft eine kräftige, sockelartige Stützleiste vom Wirbelkörper selbst bis fast zur Spitze, welche somit den Fortsätzen die mangelnde Solidität verleiht.

Jener Typus gilt für die zwei Lenden- und ebenso auch für die beiden Sacralwirbel.

Da jene seitlichen Fortsätze natürlich ein genaues Analogon jener der Rumpfwirbel darstellen, so entspricht die Gelenkfläche am Ende des Fortsatzes der Diapophyse, während die Parapophyse nur mehr durch eine Art aufliegender Verdickung, oberhalb des Vorderrandes des Fortsatzes angedeutet bleibt.

5. Bauchrippen.

Beim Erhaltungszustande von *Metriorhynchus* in den Oxfordtonen ist es begreiflich, daß Bauchrippen sich bei den bekannten Museal-Exemplaren nicht vorfinden. Sie waren aber gewiß vorhanden, vielleicht jenen von *Geosaurus* ähnlich (vgl. l. c. Taf. V, VII, Fig. 8, 9), wurden aber bei der Aufsammlung wohl übersehen oder als wertlos und unbestimmbar bei Seite gelegt, da sie durch Verdrückung vielleicht ganz deformiert waren.

6. 1. und 2. Sacralwirbel (26. und 27. Wirbel).

(Taf. XXV (IV), Fig. 1.)

In Folge des hohen Grades von Plastizität, welchen die Knochen im feuchten Ton erlangen und des Druckes unter dem jener liegt, sind sie in der verschiedensten Weise deformiert und zumeist verquetscht. Das kann man an fast allen Knochen, besonders den größeren, beobachten und darunter haben auch die beiden Beckenwirbel mit ihren langen, sogenannten Sacralrippen in bedeutender Weise gelitten. Soweit mir bekannt, sind nur beim Tübinger Exemplar die Dornfortsätze zum Teil erhalten und die Sacralrippen sind entweder dort, wo sie sich mittels Naht an den Wirbelkörper ansetzen, aus dieser Nahtverbindung gelöst und dorsoventral verdrückt (Wiener Exemplar) oder sie sind mitsamt den Wirbeln selbst caudacervical flachgequetscht (Stuttgarter Exemplar). Wir sind daher bei der Rekonstruktion der Wirbel samt Fortsätzen und Apophysen lediglich auf Analogien und Wahrscheinlichkeit angewiesen.

Die beiden Sacralwirbel entsprechen an Größe ungefähr den Lendenwirbeln, scheinen aber im Querschnitt nicht so schlank ovalgerundet zu sein wie alle anderen Wirbel, sondern entsprechend der Funktion, die sie als Anschlußpunkte für die Hinterextremitäten zu erfüllen haben, breiter gerundet, kräftiger und gedrungener gebaut zu sein wie jene.

Auf dem Wirbelkörper (dem Zentrum) sitzen die oberen Bogen, welche mit diesem verschmelzen auf, »umspannen« ihn aber nicht, wie es Fraas (l. c. p. 27) von *Dacosaurus* schildert; jedenfalls ist dieses Umspannen dort höchst auffallend. Prä- und Postzygapophysen sind nirgends erhalten, scheinen aber (aus einzelnen Resten zu schließen) in der gewohnten Weise gebaut zu sein und sind höchstens etwas kräftiger und breiter als bei den Lendenwirbeln entwickelt; auch die Dornfortsätze sind zumeist nicht erhalten. Hingegen gibt Hulke (l. c. Taf. XVIII, Fig. 4, pag. 426 die Abbildung eines zweiten Sacralwirbels mit auffallend langem, oben verdicktem und, von vorn gesehen, etwas gedrehtem Dornfortsatze.

Nach meinen Skizzen — denn das Original liegt mir leider nicht vor — ähneln jene des Tübinger Exemplars dieser Abbildung, so daß wir uns die Neurapophysen kräftig und auffallend lang vorstellen; ob freilich nicht die Länge der Dornfortsätze des Tübinger Exemplars zum Teil auf Rechnung einer Ergänzung zu setzen sind, vermag ich hier nicht anzugeben.

Die sogenannten Sacralrippen sind mittels Naht mit dem oberen Bogen und dem Wirbelkörper verbunden; ihre Länge ist je nach Art und Alter des Individuums verschieden, aber immer etwas größer als die doppelte Höhe des Wirbelquerschnittes; sie reichen bogenförmig nach abwärts und ihre Spannung gibt die Breite des Beckens an, die stets kleiner ist als die Länge beider Ischia, weshalb sich für diese nie jene horizontale Stellung ergeben kann, wie sie Fraas (l. c. p. 34, 58, Taf. VIII, Fig. 8) von *Dacosaurus* und *Geosaurus* beschreibt. Die Rippenstücke selbst sind sehr massiv, entsprechend ihrer Funktion als Träger des Beckens und Pivot der Hinterextremität; sie sind seitlich verbreitert mit kräftigen Verstärkungen sowohl an der Unterseite gegen den Wirbel zu, als gegen oben; dadurch ergibt sich für die Distalpartie ein dreieckiger Querschnitt, dessen Spitze durch einen Kammwulst gebildet wird, der gegen den Wirbelkörper zu sich verbreitert und allmählich in der Prä- sowie Postzygapophyse ausläuft. Entsprechend diesem Querschnitt ist auch das Distalende der Rippe annähernd dreiseitig und die Enden beider Rippen sind gegeneinander geneigt, einen stumpfen Winkel bildend, in den das Ilium sich eindrängt. Von der Seite gesehen, sind beide Rippen gegeneinander gebogen und ihre Innenseiten umschließen eine länglich-ovale Öffnung. Aus der Stellung der Distalenden (beim ersten Sacralwirbel nach rückwärts, beim zweiten nach vorn) ist der erste vom zweiten Sacralwirbel gut zu unterscheiden.

Die Gestalt der Sacralrippen von *Metriorhynchus* ist freilich gänzlich verschieden von jener, die Fraas von *Geosaurus* (l. c. pag. 52) beschreibt. Dort sind die beiden Wirbel mit ihren Rippen deutlich von einander getrennt, so zwar, daß bei ihnen sich nicht einmal eine kleine Fläche herausbildet längs derer letztere sich aneinander angelegt haben. Hier aber bei *Geosaurus* verschmelzen die Sacralrippen distal so vollständig mit einander, daß nicht einmal eine Naht mehr die Trennungslinie andeutet. Sollte hier nicht vielleicht ein Beobachtungsfehler vorliegen? Die rekonstruierte Abbildung (Taf. VIII, Fig. 4) scheint nicht ganz mit der Photographie der vorzüglich erhaltenen Stuttgarter Platte A (Taf. V, Fig. 2) übereinzustimmen, wenigstens läßt sich bei der starken Verkleinerung in der Photographie jene Verschmelzung der Sacralrippen-Enden nicht erkennen, die vielmehr aussehen als wenn an der rückwärtigen Seite der ersten und der vorderen Seite der zweiten Sacralrippe sich eine Schnittlinie zeigen würde, längs welcher die beiden Rippen sich an einander angelegt hätten. Für letztere Auffassung, daß beide Rippen getrennt und wie bei *Metriorhynchus* stumpfwinkelig gegen einander gestellt waren, spricht auch die Gestalt des Ilium, das (Taf. VIII, Fig. 56) nicht eine längliche Ansatzstelle für die verwachsenen Sacralrippenenden aufweist, sondern ähnlich wie bei *Metriorhynchus* deren zwei. Wäre dies der Fall, dann würde abermals große Ähnlichkeit auch in der Gestalt der Sacralregion herrschen.

Es ist in jüngster Zeit eine interessante Studie von Jaekel[1]) erschienen, welche die »Mundbildung der Wirbeltiere« behandelnd, auf die Homologien bei Mund- und Kiemenbögen, Rippen sowie Schulter- und Beckengürtel in ihrer primären Anlage hinweist. Diese Deutung jener Skelettelemente-Gruppen und ihre Gegenüberstellung läßt den Aufbau jener Gruppe aus den gleichen Elementen erkennen, die dann im Entwicklungsgange der Organismenreihe teils obliterieren, teils nach der einen oder anderen Richtung variieren.

Betrachten wir den primitiven Schultergürtel, so besteht dieser aus den vier Elementen: Suprascapula, Scapula, Coracoid und Präcoracoid. Da im Beckengürtel der Scapula u. s. w. das Ilium, Ischium und Pubis entspricht, so kann das Homologon der Suprascapula nur durch die sogenannte Sacralrippe gebildet werden, die einst von Owen als Pleurapophyse bezeichnet worden ist und mittelst Naht am oberen Bogen sowohl wie an den Wirbelkörper anschließt und also beiden fremd gegenüber steht. Sie dürfte hingegen in Parallele mit dem Suprascapulare der *Rynchocephalen* zu setzen sein, was jedenfalls große Wahrscheinlichkeit für sich hat und auch wir akzeptieren diese Deutung.

Die Wirbelsäule zeigt einen deutlichen Schnitt zwischen den Lenden- und Sacralwirbeln, während erstere aufs innigste mit den Rumpfwirbeln verbunden sind. Das geht schon daraus hervor, daß beide Wirbelgruppen dieselbe Adaption der gleichen Wirbelelemente für die gleiche Funktion des Rippentragens aufweisen

Das ändert sich aber plötzlich vom ersten Sacralwirbel an: Die Processus transversi verschwinden, die Neuralia rücken höher hinauf und sitzen nur mehr auf der Oberseite des für die Aufnahme des Neuralrohres etwas abgeflachten Wirbelzylinders auf und bilden, abgesehen von ihrer Funktion als Ansatzstellen für die Muskulatur, nur die feste Hülle des Nervenstranges. Die Querfortsätze werden hingegen durch ein neu hinzutretendes Element, durch die oben besprochene Sacralrippe gebildet, da diese mittelst einer Naht mit dem Wirbel verbunden ist und nicht aus ihm hervorgeht. Genau wie bei den Sacralwirbeln bleibt dieselbe Gruppierung auch zumindest bei den vorderen Caudalwirbeln bestehen, deren Querfortsätze ebenfalls nicht vom oberen Bogen geliefert werden, sondern durch ein der Sacralrippe entsprechendes fremdes Skelettelement, das so wie diese ebenfalls nahtförmig mit dem oberen Bogen und dem Wirbelcentrum verzapft ist.

Es wiederholt sich also betreffs der Gruppierung der Wirbelsäule-Elemente im postsacralen Teile dasselbe wie im präsacralen: hier schließen sich die Lendenwirbel aufs engste in Bau und Organisation an die Rumpfwirbel an und erleichtern daher die Vermehrung resp. Verminderung dieser in Bezug auf jene; dort sind die Schwanzwirbel ein genaues Homologon der Beckenwirbel, wodurch die Aufnahme neuer Wirbel aus der Schwanzreihe für die Beckenserie ermöglicht wird. Daraus ergibt sich das Gesetz, daß die Vermehrung der Wirbelanzahl getrennt in beiden Abschnitten der Wirbelsäule, präsacral und postsacral, vor sich geht und daß aus der rückwärtigen Partie Wirbel in die vordere Partie aufgenommen werden, aber nicht umgekehrt. Die Vermehrung der Dorsal-

[1]) Sitzungsber. Ges. naturf. Freunde, Berlin 1906, pag. 8.

wirbel, z. B. bei den an marines Leben angepaßten Crocodilinen im Vergleich zu den Festland- und Süßwasser-bewohnenden Formen, erfolgt auf Kosten der Lendenwirbel. Die Vermehrung der Sacralwirbel bei den *Dinosauriern* und *Pterosauriern* hingegen geht auf Kosten der Caudalwirbel vor sich.

Deshalb stellt der Processus transversus des postsacralen Abschnittes ein ganz anderes Element dar wie das mit der gleichen Bezeichnung fixierte Stück der präsacralen Wirbel und aus diesem Grunde können wir der Ansicht Jaekels (l. c. pag. 12) nicht beipflichten, der die Processus transversi bei prä- und postsacralen Wirbeln als ident und als homolog den Sacralrippen der Beckenregion ansieht.

4. Wirbel der Caudalregion.

(Taf. XXV (IV), Fig. 3*a*, *b*, 4, 6.)

Betreffs der Anzahl der Wirbel müssen wir wieder von der Analogie mit *Geosaurus* ausgehen, denn in Folge der schon oben angegebenen Gründe ist die Zahl der Caudalwirbel bei den verschiedenen Exemplaren von *Metriorhynchus* eine ganz verschiedene. Bei den vier, so ziemlich vollständigen Exemplaren, welche die Umbeugung der Wirbelsäule zum Ruderschwanz zeigen, enthält das

Wiener	Exemplar	33	Caudalwirbel,
Tübinger	»	33	»
Stuttgarter	»	30	»
Münchener	»	36	»

Wenn wir auch annehmen können, daß hier mehr, dort weniger der kleinen letzten Endwirbel fehlen dürften, so herrscht trotzdem keine Gleichartigkeit in der Caudalwirbel-Folge, denn bei all diesen vier Exemplaren trägt jener Wirbel, welcher den Scheitel der Abbiegung der Wirbelsäule bildet, eine andere Zahl in der Wirbelreihe: beim Wiener Exemplar ist es z. B. der 25., beim Münchener der 26. Wirbel, trotzdem mit Sicherheit anzunehmen ist, daß hier ebenso eine Gesetzmäßigkeit herrscht wie in der Anzahl der Hals- und Rumpfwirbel.

Gehen wir von *Geosaurus* aus, dann ist nach Fraas (l. c. pag. 54. Taf. VII, Fig. 7) der 27. Wirbel jener, der gegen den vorangehenden auffallend kleiner geworden ist: das heißt die Umbiegung beginnt hier und im Scheitel derselben liegt der 28., welcher sich durch einen besonders kräftig entwickelten Dornfortsatz auszeichnet. Vergleicht man dagegen die Photografie (Taf. V, Fig. 2), dann bildet der 31. Wirbel den Scheitel. Hier liegt also gewiß ein Irrtum vor. Da aber auf der Photographie jener Stuttgarter Platte *A* noch unter den Wirbeln die mit Bleistift eingetragenen kleinen Zahlen zu lesen sind, halten wir uns an die Photographie und nehmen daher bei *Geosaurus* den 31. Wirbel als jenen an, welcher den Scheitel des Bogens bildet.

Es fehlen also beim Wiener Exemplar aus der Reihe der vor dem Scheitelpunkt liegenden Wirbel sechs, beim Münchener nur fünf Wirbel.

Die Bedeutung der Abbiegung der Wirbelsäule und der Umwandlung ihres Endes zu einer Schwanzflosse ist von Fraas (l. c.) schon genügend gewürdigt worden; wir möchten nur nochmals betonen, daß die Ausbildung des Ruderschwanzes das auffallendste Anpassungsmerkmal an das marine Leben dieser *Crocodilier* bildet, welches also eine zweifellose Analogie zur Entwicklung der Schwanzflosse bei den *Ichthyosauriern* darstellt: unter der gleichen Lebensbedingung hat sich im gleichen Sinne ein und dasselbe Anpassungsmerkmal herausgebildet.

Vergleichen wir mit der oben bezeichneten Geosaurusplatte die Caudalwirbel des Wiener *Metriorhynchus*-Exemplars, dann sind bei diesem

der	1.	= (28.[1])	Caudalwirbel	vorhanden,
»	2.	= (29.)	»	fehlt,
»	3.—8.	= (30.—35.)	»	vorhanden,
	9. u. 10.	= (36., 37.)		fehlt,
»	11.—15.	= (38.—42.)		vorhanden,

[1]) Wirbel der ganzen Wirbelsäule.

der 16. u. 17. = (43., 44.) Caudalwirbel fehlt,
» 18. = (45.) » vorhanden,
» 19. u. 20. = (46., 47.) » fehlt,
» 21.—39. = (48.—66.) » vorhanden,
» 40.—44. (45.?) = (67.—71.) (72.?) Caudalwirbel fehlt.

Die Caudalwirbel verjüngen sich allmählich vom 1.—26. (28.—53.) Wirbel; von diesem angefangen beginnt die Krümmung der Schwanzflosse und die Wirbel erlangen aus dem anfänglich rechteckigen Querschnitt rasch einen trapezförmigen, bei dem die Schmalseite die Basis bildet; auf den kurzen 32. (60.) Wirbel, welcher schon unterhalb des Scheitels der Abbiegung liegt, folgt ein längerer 33. (61.), von dem angefangen die Wirbel bis zur Schwanzspitze sich abermals verjüngen.

Besonders charakteristisch sind die Dornfortsätze ausgebildet, die allein beim Münchener Exemplar und leider auch da nur vom 22.—32. Wirbel erhalten sind. Sie stimmen genau mit den Dornfortsätzen bei *Geosaurus* überein, die Fraas (l. c. pag. 52, Taf. V, VII, Fig. 6, 7) treffend beschrieben hat. Wir können daher aus der Gestalt der hinteren auch auf die vorderen Dornfortsätze schließen und für diese die gleiche Gestalt annehmen, die wir von *Geosaurus* her kennen.

Der Ruderschwanz erforderte eine außerordentlich starke Muskulatur, da speziell das caudale Flossenstück als Propeller wirken mußte. Um diesen kräftigen Muskeln auch eine kräftige, solide Ansatzstelle zu schaffen ist die, im Allgemeinen abgerundete Form der caudalen Dornfortsätze abgeändert worden: sie sind im vorderen Teile des Fortsatzes beim dritten Wirbel eingekerbt; die Kerbe greift rasch tiefer bei den folgenden Wirbeln, deren Fortsätze dadurch in zwei Teile geteilt werden, ein kleinerer vorderer — Fraas nennt ihn Vorreiter — und breiterer rückwärtiger Teil, der über den Wirbel hinaus nach rückwärts ausgezogen ist. Vom 25.—31. Wirbel sind die Dornfortsätze auffällig niederer als bei den vorangehenden, dafür sind sowohl der »Vorreiter« als der rückwärtige Teil gedrungener, massiver entwickelt und an Stelle des flachen, abgerundeten, rückwärtigen Endes tritt eine abgestutzte und zugleich verdickte Form. Der Dornfortsatz des 31. Wirbels ist davon abweichend: da er den Scheitel des Schwanzbogens bildet, ist er besonders kräftig gestaltet, ist aber nicht wie die vorangehenden niedergedrückt, sondern steht senkrecht in die Höhe und ist gegen oben besonders stark verdickt; auffallenderweise fehlen ihm die Postzygapophysen. Die folgenden Wirbel zeigen die umgekehrte Stellung der Dornfortsätze: sie sind cervical, also gegen den Scheitelwirbel zu gewendet, um der Schwanzkrümmung Stütze und Festigkeit zu bieten. Der 32. Wirbel berührt mit seinen Präzygapophysen und dem kräftigen Dornfortsatze jenen des 31. Wirbels. Auffallenderweise ist beim Münchener Exemplar (bei den anderen fehlen die Fortsätze überhaupt) nur die rechte Postzygapophyse vorhanden, während eine linke überhaupt nicht ausgebildet ist, sodaß wir zur Annahme gedrängt werden, daß beim 32. Wirbel nur eine linke Postzygapophyse entwickelt war; vom 33. Wirbel an ist wohl wieder Gleichmäßigkeit eingetreten und den letzten, den Endwirbeln, haben wahrscheinlich wie bei *Geosaurus* die Dornfortsätze, die ja nur geringe Funktion mehr zu erfüllen hatten, überhaupt gefehlt.

Wie die Dornfortsätze auf der Oberseite des Wirbels, hatten die Hämapophysen auf der Unterseite derselben eine besondere Aufgabe und dienten teils als bewegliche »Spannstege« für die Muskulatur, teils als knöcherne Verstärkung auf der Unterseite der abgebogenen Schwanzregion.

Nur beim Berliner Exemplar sind einige Hämapophysen erhalten, welche ihrer Größe nach aus der vorderen Caudalpartie stammen. Wir sind daher auch betreffs dieser wieder auf die Analogien mit *Geosaurus* hingewiesen. Fraas (l. c.) gibt an, daß vom dritten Caudalwirbel an — bei *Metriorhynchus* ist dies erst beim vierten der Fall — die rückwärtige Unterseite des Wirbels etwas abflacht und daß sich rechts und links davon Gelenkflächen für die Hämapophysen (Chevron bones) ausbilden. Jene Abflachung wird dann immer breiter und länger und vom zehnten Wirbel an (Münchener Exemplar) hat sich eine rechteckige Fläche ausgebildet, die vom Hinter- zum Vorderrand reicht und erst vom 34. Wirbel an, also erst jenseits des Caudalscheitels, wieder verschwindet. Zugleich kerbt sich auch in jener Schwanzpartie der Vorderrand des Wirbels etwas ein, dadurch den Chevron bones freiere Bewegung lassend. In der abgebogenen Caudalpartie allein sind jene Gelenkfacetten auffallend schwach, was auf sehr dünne Angliederungsstücke der Chevron bones in dieser Caudalregion hinweist.

Die Hämapophysen, die nach der bekannten Auffassung ein Analogon der gabelförmigen Bauchrippenstücke darstellen, sind anfänglich ebenfalls gabelförmig (Taf. XXV (IV), Fig. 6) langgestielt und auffallend breit und kräftig, dort wo sie sich an den Wirbel ansetzen. Sie werden (nach Fraas) nach rückwärts zu rasch kleiner, ändern ihre Gestalt, indem sie sich hakenförmig nach rückwärts biegen und bei dieser Biegung verbreitern. Unterhalb der Schwanzkrümmung vom 29.—33. Wirbel werden sie scheibenförmig nach vorn und rückwärts verbreitert, um den abgebogenen Schwanz gegen unten zu stützen, erlangen weiter nach rückwärts zu wieder allmählich die hakenförmige Gestalt und verschwinden so wie die Neurapophysen bei den letzten Wirbeln ganz.

So ungefähr müssen wir uns die Gestalt der Hämapophysen nach *Geosaurus* rekonstruieren.

Die Deformierung, welche die Wirbel fast stets erlitten haben, macht sich auch bei der zusammenhängenden Betrachtung der caudalen Querfortsätze in unangenehmer Weise geltend. Nach dem Vorbilde der Sacralwirbel sind (betreffs der Processus transversi) auch die ersten Caudalwirbel gestaltet, und zwar in sofern, daß — wir müssen sie der Analogie halber Caudalrippen nennen — diese mittelst Naht mit Wirbelkörper und oberem Bogen verbunden sind. Je nachdem ein Caudalwirbel schief oder senkrecht zur Längsachse oder längs dieser verdrückt ist, läßt sich diese Beobachtung besser, schlechter oder garnicht machen; z. B. beim Wiener Exemplar ist sie sehr gut, beim Stuttgarter und Münchener nur bei einzelnen Wirbeln möglich. Die ersten Caudalrippen sind etwa $1^1/_2$mal so lang wie ihr Wirbel breit ist, besitzen einen ähnlichen Querschnitt wie die Sacralrippen, d. h. sind durch eine leistenförmige Verdickung gegen unten sowohl wie gegen oben verstärkt; bei den nach rückwärts folgenden Wirbeln reduzieren sich die Rippen rasch und sind beim etwa 19. oder 20. Wirbel verschwunden; ihre Ansatzstellen sind von der Grenze zwischen Wirbelkörper und oberem Bogen auf ersteren allein übergegangen und stehen an der Vorderkante desselben. Beim sechsten Caudalwirbel des Wiener Exemplars läßt sich der nahtförmige Anschluß der Rippe an den Wirbel noch gut beobachten, später nicht mehr; zugleich verkürzen sie sich rasch und verschwinden bald überhaupt.

Die Caudalrippen von *Metriorhynchus* sind jenen von *Geosaurus* sehr ähnlich denn der Unterschied in der Länge der Querfortsätze (vgl. Fraas, l. c. Taf. VII, Fig. 6) ist nur scheinbar und durch die perspektivische Zeichnung veranlaßt, wie die Photographie der Stuttgarter Platte (Taf. V, Fig. 2) beweist.

Brust-, Beckengürtel und Extremitäten.

(Taf. XXV (IV), Fig. 7—10, Taf. XXVI (V), Fig. 1—7.)

Da in der Entwicklung des Ruderschwanzes eine tiefgreifende Anpassungserscheinung an das Leben im Meere ausgesprochen ist, war zu erwarten, daß auch die Extremitäten, Brust- und Beckengürtel eine ähnlich weitgehende Modifikation erfahren würden.

Nachdem Fraas die Organisation von *Dacosaurus* und *Geosaurus* beschrieben und jene Umwandlungs- und Anpassungserscheinungen uns kennen gelehrt hat, die sich in so glänzender Weise speziell bei letzterer Form beobachten ließen, war auch für die Kenntnis von *Metriorhynchus* der Weg gewiesen, auf dem wir den Ersatz der bestehenden Lücken in unserer Kenntnis der Organisation von *Metriorhynchus* durch neue Tatsachen finden würden.

Bis zu einem gewissen Grade besteht allerdings eine Analogie der Anpassungserscheinungen an das Wasserleben bei beiden Formengruppen, aber eben im Grade derselben liegt auch der Unterschied. Er wird uns erklärlich wenn wir bedenken, daß *Metriorhynchus* die ältere und *Geosaurus* die jüngere Form ist, und wir begreifen auch, daß die Modifikationen hier größere und dort nur geringere Resultate erzielt haben, die alle im vorliegenden Falle sich aufs schönste mit den stratigraphischen Ergebnissen decken.

1. Schultergürtel.

Der Schultergürtel ist, nachdem wir sieben Halswirbel angenommen haben, in der Region des ersten und zweiten Rumpfwirbels (d. h. des achten und neunten Wirbels der ganzen Wirbelfolge) gelagert. Erhalten ist davon nur das Coracoid und die Scapula. Beides sind relativ kurze Knochen, die einander ähnlich ausgebildet sind durch ihre, in der Mitte eingeschnürte und sowohl proximal als distal verbreiterte Gestalt. Auffallend ist die geringe Knochenstärke, die aber wohl durch die Verdrückung der Knochen im Tonlager zu erklären ist.

Das Coracoid (Taf. XXV, Fig. 7), welches merkwürdigerweise nur beim Berliner Exemplar (von der linken Seite) allein erhalten ist und allen anderen Individuen aus den Stuttgarter, Tübinger, Münchener und Wiener Sammlungen fehlt, hat eine ventral halbmondförmig begrenzte Form, ist im Mittelstück bis etwa auf ein Drittel der ventralen Ausdehnung eingeschnürt und verbreitert sich dann rasch gegen die Gelenkseite, welche bogig begrenzt ist. Die Gelenkfläche selbst ist breit-oval und gestattete dem Humerus freie Bewegung; an der Gelenkseite, und zwar dem Gelenkende etwas genähert liegt das Foramen des Coracoids.

Die Scapula (Taf. XXV, Fig. 8), die ebenfalls merkwürdigerweise wieder nur beim Wiener Exemplar (von der rechten Seite) erhalten ist, zeigt dorsal eine halbmondförmige Begrenzung und abgestutzte

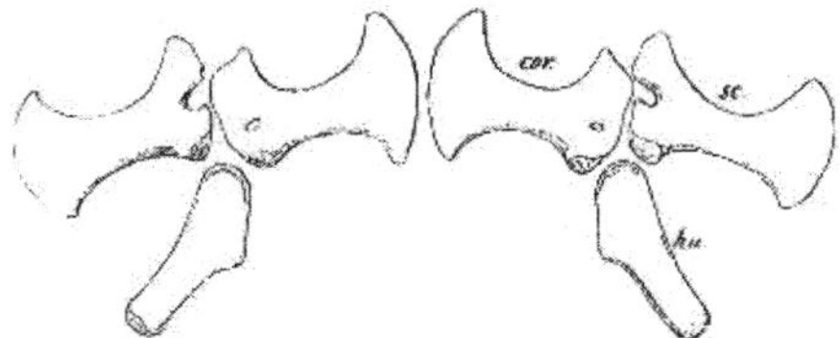

Fig. 8. Brustgürtel von *Metriorhynchus*. ca. ⅓ nat. Gr.

dorsale Kante, an welche sich das knorpelig-sehnige Verbindungsstück mit der Wirbelsäule anheftete; hier gestattet der Erhaltungszustand die Verdrückung des Knochens zu beobachten. Die Einschnürung in der Mitte ist noch etwas stärker wie beim Coracoid, dann verbreitert sich das Stück wieder rasch gegen die ventrale Seite zu; der Knochen ist massiv gegen die ventrale resp. Gelenkseite zu entwickelt und nur der distale Flügel ist, entsprechend seiner geringeren Funktion, etwas stärker abgeflacht; die Gelenkfläche ist ebenso breit wie jene des Coracoids; zwischen den beiden Enden der Ventralseite liegt eine tiefe Kerbe, welche ungefähr dem Foramen des Coracoids entspricht; durch die breiten Gelenkflächen in Coracoid und Scapula entstand ein breites Acetabulum, das der Paddelbewegung der Vorderextremität volle Freiheit ließ.

2. Vorderextremität.

Sie ist relativ verkürzt und zu einer paddelähnlichen Gestalt umgeformt; leider war es nicht möglich, die ganze Extremität auch mit Hilfe der Bestände aller jener Sammlungen, die ich besuchen konnte, zusammenzustellen. Hier war der eine, dort der andere Knochen vorhanden und die Schwierigkeit lag darin, daß dieselben in der Größe auf jene des Wiener Exemplars und vielfach für die andere Körperseite umgezeichnet werden mußten. Daß dabei manche Irrtümer mit unterlaufen sein mögen, soll sofort zugegeben werden; höchst wahrscheinlich sind sie aber nicht schwerwiegender Natur. Vom Carpus fand sich nur ein einziger Knochen (Stuttgarter Kabinett), vom Metacarpus nur der des ersten Fingers (Tübinger Sammlung) und das erste Glied des ersten Fingers (bei einem noch verkäuflichen Exemplar aus dem Besitze des Herrn B. Stürtz in Bonn); die übrigen Metacarpalien und Phalangen fehlen vollständig und sind in entsprechender Größe nach *Geosaurus* (Fraas l. c. Taf. VIII, Fig. 3) gezeichnet worden.

a) Humerus (Taf. XXV, Fig. 9); ist aus einem relativ schlanken Stücke gebildet, welches sich distal etwas verjüngt. Das proximale Gelenk ist breit-gerundet und hier ist der Knochen am stärksten, das distale ist mehr abgeflacht, hat abgerundete Kanten und seine Stärke ist etwas geringer wie jene des Proximalteiles;

der Trochanter ist kräftig ausgebildet und an der Spitze etwas verdickt; in ihm erreicht der Humerus die größte Breite und der Knochen erscheint hier etwas convex nach außen gekrümmt.

Der Humerus liegt in drei Exemplaren der Stuttgarter, Wiener und Berliner Sammlung vor; sie differieren alle in der Größe, stammen aber auffallenderweise alle von der linken Körperseite. Das Berliner Exemplar wurde von E. Schmidt (l. c. Taf. XII, Fig. 1) abgebildet.

b) Ulna und Radius (Taf. XXV, Fig. 5) sind im Vergleich zum Humerus, den sie an Länge etwas übertreffen, ziemlich groß. Der abgebildete Radius gehört dem Wiener Exemplar an; ein zweiter liegt mir aus der Münchener Sammlung vor. Die proximale Seite ist gerundet, von innen gegen außen ansteigend; von oben gesehen ist die Gelenkfläche auf der, der Ulna zugekehrten Seite breit, auf der äußeren abgeflacht; das distale Ende ist weniger verbreitert als das proximale, seine Gelenkfläche ist flach-gerundet und seine Dicke gering. Der Radius ist in der Mitte eingeschnürt, stabförmig von rundlich-ovaler Gestalt.

Die Ulna ist am proximalen Ende auffallend breit, auf der dem Radius abgewendeten Seite stark gekrümmt und verjüngt sich gegen das distale Ende zu einer Gelenkfläche, die kleiner als jene des Radius ist; der Knochen ist im proximalen Teile dick und die Gelenkfläche, von oben gesehen, innen breit und gegen außen abgeflacht, die allgemeine Form von innen gegen außen ansteigend, also ähnlich jener des Radius gestaltet. Hiedurch entsteht eine für das Distalende des Humerus unverhältnismäßig breite Gelenkung. Zwischen Radius und Ulna bleibt der Länge nach eine gestreckt-ovale Öffnung frei; beide Knochen legen sich proximal mit breiter Artikulationsfläche aneinander, distal berühren sie sich nur (vgl. Textfig. 9).

c) Carpus (Taf. XXV, Fig. 10). Leider ist aus der Mittelhand nur ein einziger Knochen erhalten, der dem Stuttgarter Exemplar angehört, von der linken Seite stammt und ziemlich stark verdrückt ist. Dieser Knochen, der als Radiale zu deuten ist, scheint im ganzen flach-schüsselförmig gestaltet zu sein mit stärkerer Aufbiegung sowohl auf der Körperseite als auch gegen die proximale und distale Gelenkfläche zu; sein Umriß ist annähernd quadratisch mit abgerundeten Ecken; die relativ schmale proximale Gelenkfläche entspricht der ähnlich schmalen Ausbildung des Distalendes des Radius.

d) Metacarpus (Taf. XXV, Fig. 11). Von ihm liegt, wie schon oben erwähnt, nur ein Knochen vor, dessen Zugehörigkeit zum ersten Metacarpale angenommen wurde und der beim Tübinger Exemplar allein erhalten ist.

Es ist ein langgestreckter, schwach nach außen gebogener Knochen, dessen Länge kleiner als die halbe Länge des Radius ist; die proximale Gelenkfläche ist relativ breit und schließt an die distal verbreiterte des Radiale an; die Distale ist kleiner als erstere und schräge gegen innen gestellt; der Metacarpus ist im ganzen auf der Außenseite dick, verschmälert sich gegen die Innenseite und zeigt daselbst eine abgestumpfte Kante; am proximalen Ende ist er von außen her verjüngt, sodaß sich scheinbar eine Art Trochanter herausbildet.

e) Digitale (Taf. XXV, Fig. 12). Wie schon betont, ist nur ein einziges Fingerglied beim Stürtz'schen Exemplar erhalten, das einem bedeutend größeren Individuum angehören dürfte; es ist etwas verdrückt, wodurch es auf der Außenseite wohl flacher als in Wirklichkeit erscheint und besitzt im allgemeinen eine trianguläre Gestalt mit kürzerer Innen- und längerer Außenseite. Die proximale Gelenkfläche ist breit, rund-oval, nach vorn (cervical) gegen die Körperseite zu ansteigend und entsprechend der von außen nach innen gestellten distalen Gelenkfläche des Metacarpus von innen nach außen gestellt; das distale Gelenk ist klein, oval und parallel zum proximalen, von innen nach außen gestellt.

Schultergürtel und Vorderextremität, so wie sie hier beschrieben und abgebildet wurden, stehen in Widerspruch mit der bisher üblichen Auffassung. Bevor wir uns der Diskussion derselben zuwenden, soll in Kürze das historische Material dafür zusammengetragen werden. Als erster hat Hulke[1]) in seiner »Skeletal anatomy of the Mesosuchia«, wie schon eingangs hervorgehoben worden war, Scapula, Coracoid und Humerus von *Metriorhynchus* beschrieben und die Knochen des Schultergürtels abgebildet: von der Scapula lag nur ein Fragment der Distalpartie vor, welches Hulke schematisch in unrichtiger Weise ergänzt hatte; er deutete den jenseits der tiefen Kerbe, also vor der distalen Gelenkfläche

[1]) Proc. Zool. Soc. London 1888, Nr. 30, pag. 427 ff.

liegenden Fortsatz als Präscapula und sah darin ein Analogon des »acromial process« bei den Anomodontiden, was aber, wie mir scheint, jedenfalls gewagt war. Das Coracoid, sicher kenntlich durch seine Perforierung, war auffallend durch seine Kleinheit im Vergleiche zur Rekonstruktion der Scapula. Wenn wir letztere heute nach dem Wiener Exemplar ergänzen, verringert sich der Größenunterschied bedeutend, immerhin bleibt die Scapula etwas größer als das Coracoid. Dagegen ist in Rücksicht zu ziehen, daß das Coracoid des Berliner Exemplars, welches wohl einem größeren Individuum als es das Wiener ist, angehörte, um ein bedeutendes größer ist als die Wiener Skapula. Entweder haben also Scapula und Coracoid, welche Hulke vorlagen, nicht demselben Individuum angehört oder zwischen dem Berliner und Wiener Exemplar bestanden, wenn nicht Art- so doch Geschlechtsunterschiede. Der Humerus ist von Hulke leider nicht abgebildet worden, dürfte aber der Beschreibung nach annähernd im Größenverhältnis und der Gestalt mit unserem Exemplar übereinstimmen.

Dann hat Fraas (l. c.) zu wiederholten Malen sich mit denselben Knochen jenes Schultergürtels befaßt, deren Bestimmung in Zweifel gezogen (p. 31) und im Fragment der Scapula der Hulke'schen Zeichnung das »gelenktragende« Ende des Ischium gesehen. Daß diese Auffassung irrig war, ist heute erwiesen wie die Abbildung des Ischium im folgenden (Taf. XXV, Fig. 14) zeigt und wie die Abbildung des Ischium von *Steneosaurus* bei Hulke (Taf. XIX, Fig. 5) ahnen ließ.

Als Letzter, soweit mir bekannt, hat E. Schmidt (l. c.) Brustgürtel und Vorderextremität besprochen und trotzdem ihm das Ischium des Berliner Exemplars von *Metriorhynchus* vorlag, die Fraas'sche Deutung des Scapula-Fragments aus der Arbeit Hulkes akzeptiert. Er stellt (Taf. XII, Fig. 1) den Schultergürtel zusammen aus dem Coracoid und einem Knochen, den er als Scapula deutet, der aber ein Radius ist; der Humerus ist ähnlich dem Wiener Exemplar.

Es war mir aufgefallen, daß bei allen Exemplaren, die sich in den verschiedenen Sammlungen finden, stets derselbe Knochen als Scapula montiert war und doch gar nicht Scapula-ähnlich aussah, bis ich in der Münchener Sammlung bei einem fragmentair erhaltenen zweiten *Metriorhynchus*-Exemplar auf demselben Knochen die Bezeichnung »Scapula« mit Mr. Leeds Handschrift fand. Durch Vermittlung des Herrn B. Stürtz, dem ich eine Skizze der mir bekannt gewordenen Extremitätenknochen geschickt und der diese an Mr. Leeds weitergegeben hatte, erhielt ich von Mr. Leeds einen Brief, in dem er mich warnte, denselben Fehler wie Hulke zu begehen, welchen er ebenfalls schon vor Erscheinen seiner Publikation auf das Falsche der Bestimmung jenes Knochens als Scapula aufmerksam gemacht hätte; jener Knochen sei nichts anderes als »another coracoid«, was wohl als »Coracoid einer anderen Form« zu verstehen ist. Zugegeben, daß die Möglichkeit vorhanden ist, daß das Foramen des Coracoids sich bis zu jener Kerbe erweitern könne, so liegt doch kein Grund vor, warum jener Knochen durchaus keine Scapula sein dürfe. Ich bin Mr. Leeds für sein Interesse wohl zu großem Danke verpflichtet, beharre aber dennoch auf meiner ursprünglichen Ansicht, denn jener angebliche Scapula-Knochen aus der Münchener Sammlung mit der Leeds'schen Bestimmung kann nur ein Extremitäten-Knochen sein.

Er zeigt (Textfigur 9) oben eine breite Gelenkfläche und einen so vollständigen Anschluß an einen zweiten Knochen, der oben so wie jener gestaltet ist; beide verjüngen sich nach unten zu, wo beide nur schmälere Gelenkflächen zum Anschlusse der schwächeren Carpalknochen besitzen; beide stimmen so genau in der Größe überein und berühren sich auch distal, wenn man die beiden proximalen Gelenkflächen aufeinander legt, daß beide Knochen zweifellos nur zusammengehören können und dann als Radius und Ulna gedeutet werden müssen. Wenn jener Knochen aber ein Radius ist, kann er nicht die Scapula sein, die dann wohl richtig durch den (Taf. XXV, Fig. 8) abgebildeten Knochen dargestellt wird.

Fraas fand die von Hulke abgebildete Scapula zu groß im Verhältnis zum Coracoid, wodurch ein »Monstrum eines Schultergürtels« entstehen würde. Ganz wörtlich darf man das nicht nehmen, denn ähnliche »Monstrositäten« finden sich bei den nahe verwandten *Parasuchiern*, speziell bei *Belodon*, und in jüngster Zeit hat Mr. Gregor[1]) in einer Arbeit, welche die amerikanischen *Parasuchier* zum Gegenstande hat und speziell die *Phytosauridae*: *Phytosaurus* (*Belodon*) und *Rhytidodon* behandelt, von letzterem

[1]) *The Phytosauria* etc.; Memoirs Americ. Mus. Nat. Hist., Vol. IX, Part. 2, 1906.

den Schultergürtel abgebildet (Pl. IX, Fig. 20), bei dem die Scapula mehr als zweimal so lang als das Coracoid ist. Auf dieser Abbildung besitzt die Scapula allerdings einen entfernten Grad von Ähnlichkeit mit der Leeds'schen »Scapula«, zeigt aber deutlich den scapularen Gelenkflächenteil für das Acetabulum des Humerus, den jene nicht besitzt.

Andererseits ist Scapula und Coracoid bei *Mystriosaurus Mandelslohi* (?) Br.[1] (Taf. V, Fig. 3) und *Mystriosaurus Tiedemanni* Br. (Taf. II *B*.) ganz ähnlich ausgebildet, wie wir es für *Metriorhynchus* annehmen.

Es ist ja eine längst bekannte und oft bewährte Tatsache, daß bei der Anpassung von Wirbeltiertypen an das Wasserleben bei den Extremitätenknochen, und zwar besonders im Schulter- oder Beckengürtel sich die Tendenz beobachten läßt, die Knochen zu verbreitern und zu verkürzen. In glänzendster Weise zeigt dies *Ichthyosaurus*; daß aber *Metriorhynchus* schon eine verkürzte Scapula besitzt, darf deshalb ebensowenig überraschen, wie daß der Humerus noch nicht so stark verkürzt und verbreitert ist wie bei den oberen Weißjura-Thalattosuchiern.

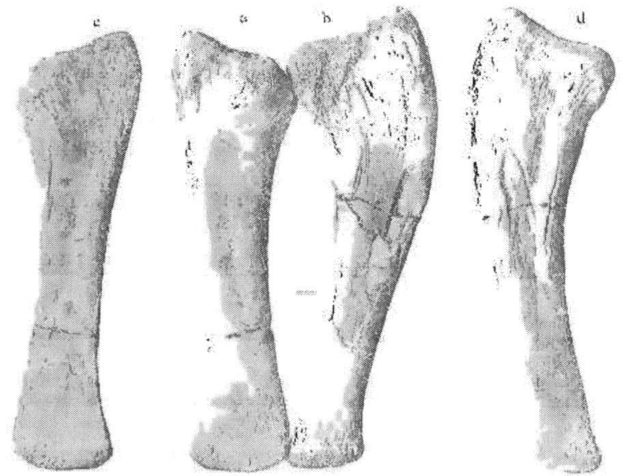

Fig. 9. Ulna und Radius der linken Seite des Münchener (2.) Exemplars.
a Radius, b Ulna, beide von außen; c Radius, d Ulna, beide von innen; nat. Größe.

Wenn wir also auf unserer ursprünglichen Ansicht beharren, dann würde der Schulterapparat von *Metriorhynchus* sich so darstellen wie die Textfigur 8 es andeutet.

Sternum, Clavicula oder Interclavicula sind nicht in der mindesten Andeutung vorhanden. Ob sie aber fehlen? Von *Rhytidodon* (l. c.) wird eine Clavicula abgebildet; Bronn und Kaup bilden auf Taf. V ein Sternum von *Mystriosaurus Mandelslohi?* Br. ab und bei *Geosaurus* liegt auf der Stuttgarter Platte *A* vor dem Coracoid ein länglicher Knochen, der eventuell als Clavicula zu deuten wäre.

So wie die Scapula differiert auch der Humerus von *Metriorhynchus*, *Geosaurus* und *Dacosaurus* bedeutend; letztere Arten stehen sich diesbezüglich sehr nahe, doch ist ihr Humerus stark verbreitert und verkürzt, gegen jenen von *Metriorhynchus*, der seinerseits wieder verkleinert und verkürzt gegen den Humerus der *Lias-Teleosaurier* (*Mystriosaurus*, *Pelagosaurus*) ist. Dieses Verhältnis ist nur durch geringere resp. größere Anpassung an das Wasserleben zu erklären, welche der aquatische Seitenzweig der Crocodilinen in der Zeit zwischen *Lias* und oberstem Jura erlangt hat.

Dasselbe gilt auch für die Umformung des Unterarmes, welche bei den Weißjura-Formen in so vollständiger Weise erfolgt ist, daß Radius und Ulna zu flachen Knochenplatten verändert worden sind,

[1] Bronn und Kaup: Abhandlungen über die gavialartigen Reptilien der Liasformation, Stuttgart 1842.

während bei *Metriorhynchus* jene Knochen noch dieselbe Gestalt bewahrt haben, die sie bei den Typen des Lias: *Pelagosaurus* und *Mystriosaurus* sowie beim jüngeren *Teleosaurus* aus dem Dogger besaßen. Daß die proximale Gelenkfläche des Unterarmes, wie eben betont, so auffallend groß im Vergleich zum Humerus-Ende ist, hat wohl seinen Grund darin, daß dieser in seinem schmalen distalen Teile gewissermaßen den knöchernen Kern in der breiten ligamentär knorplig-sehnigen Masse darstellte, die Oberarm und Unterarm verband.

Indessen ergreift die Umformung bei der Anpassung — trotzdem die allgemeine Gestalt von Radius und Ulna noch nicht besonders auffallend verändert worden ist — auch schon diese beiden Knochen. Wir kennen ja nicht die, das Festland bewohnt habenden Ahnen aus der Hauptreihe des *Crocodilinen*-Stammes von denen, wie Fraas gezeigt hat, sich die *Thalattosuchier* abgezweigt haben, und hypothetisch ist daher die Annahme, daß jene alten *Crocodilinen* im Bau der Extremitäten ähnlich den heutigen Formen waren, denn unter den gleichen Lebensbedingungen bleibt der Skelettbau sehr konservativ. Bei den lebenden *Crocodilinen* finden wir eine »gekreuzte« Stellung der Unterarmknochen, d. h. ihre gleichsinnigen Schnittebenen treffen sich unter einem Winkel und liegen nicht in derselben Ebene; an Humerus- und Unterarmknochen treten deutliche Rollgelenke auf. Letztere müssen wir bei terrestrem Leben dieser hochentwickelten Reptilgruppe wahrscheinlich auch für die terrestren Ahnen der heutigen *Crocodilinen* annehmen und die »gekreuzte« Stellung der Unterarmknochen ist dann die notwendige Folge der gleichen Gangart bei Ahnen und Nachkommen. Bei den wasserbewohnenden Formen wird aber diese »gekreuzte« Stellung aufgegeben, da die Extremität parallel zur Medianlinie gestellt werden muß, um die Ruderbewegung zu ermöglichen.[1])

Bei *Metriorhynchus* nun liegen die Unterarmknochen schon in einer Ebene — gerade so wie bei den älteren *Teleosaurier*: *Teleosaurus*, *Mystriosaurus* und *Pelagosaurus* —, während sie bei den *Parasuchiern* (*Belodon*) noch gekreuzt zu sein scheinen. Deshalb verschwindet das Rollgelenk im Ober- und Unterarm, deshalb ist die proximale Artikulationsfläche des letzteren so auffallend groß geworden und deshalb hat sich jene distale ligamentäre Verbindung des Humerus herausgebildet, die bei den höchst spezialisierten Typen mit aquatischer Lebensweise, z. B. den *Pythonomorphen*, *Ichthyosauriern*, *Sauropterygiern* die verloren gegangenen Rollgelenke in den Extremitätenknochen ersetzt.

Weil dieselben auch am Distalende des Unterarmes fehlen, deshalb sind die Carpalia flach und plattig geworden und stehen deshalb in deutlichem Gegensatz zu den Tarsalien.

Das einzig erhaltene Metacarpale von *Metriorhynchus* besitzt ebenfalls — als Anpassungsmerkmal minderen Grades — noch nicht die breite, plattige Gestalt des Metacarpus der Weißjura-Teleosaurier, die Fraas (l. c. Taf. IV, Fig. 3) von *Dacosaurus* und (Taf. VIII, Fig. 3) *Geosaurus* abbildet, sondern er steht in der Umformung zwischen diesen jüngeren und den oben genannten älteren Formen, *Mystriosaurus* und *Pelagosaurus* deren Metacarpalien und Phalangen noch die zylindrische Gestalt besitzen.

Trotzdem sind wir, besonders wegen Gestaltung, Verkürzung und Lage des Humerus, des Oberarmes und der Carpalia, gezwungen, eine paddelartige Gestalt der Vorderextremitäten bei *Metriorhynchus* anzunehmen, wenn auch diese »Paddle« gewiß noch nicht so stark verkürzt und funktionell reduziert war, wie dies Fraas für *Dacosaurus* und besonders für *Geosaurus* nachweisen konnte.

3. Beckengürtel.

Der Beckengürtel ist aus einem relativ kleinen Ilium, einem flachen, ziemlich großen Ischium und ebensolchem Pubis gebildet.

a) Das Ilium (Taf. XXV, Fig. 13) ähnelt in seiner Gestalt einem ungleichseitigen, verschobenen, d. h. auf die Spitze gestellten Viereck mit abgestumpften Ecken; die Mitte desselben ist flach ausgehöhlt auf der Außen- und ein wenig aufgewölbt auf der Innenseite; an die Wölbung der letzteren, deren Oberfläche aufgerauht ist, schließen sich mit breiter, ebenfalls aufgerauhter Oberfläche die Sacralrippen vor und hinter einer Linie an, welche senkrecht zur Wirbel-Achse das Ilium in zwei fast gleiche Teile zerlegt. Die Außen-

[1]) O. Abel: Die Sirenen der mediterranen Tertiärbildungen Österreichs; Abhandl. k. k. geol. R.-A., Bd. XIX, 2, 1904.

seite des Iliums ist randlich fast durchwegs aufgewölbt und es entsteht dadurch das Acetabulum des Femur. Von den drei Ecken des Ilium-Vierecks ist das vordere besonders stark verdickt und begrenzt dadurch die Bewegung des Femur gegen vorn und aufwärts; ihm gegenüber sitzt eine kleinere Verdickung, welche die Bewegung nach rückwärts und aufwärts einschränkt; die in der Mittellinie liegende obere Ecke ist breit abgerundet und die hintere Ecke nasenförmig nach hinten ausgezogen. Der obere Rand, welcher diese drei Ecken verbindet, ist breit verdickt und von oben her besonders im rückwärtigen Teile abgeflacht; die vierte, untere Ecke ist in kaum merklicher Weise verdickt, da die untere Begrenzung des Acetabulums durch die Oberseite des Ischium gebildet wird. Das

b) Ischium (Taf. XXV, Fig. 14) ist durch einen auf der Außen- wie Innenseite fast gleichmäßig flachen Knochen gebildet. Denkt man sich die oben für das Ilium angegebene Halbierungslinie über das in die gleiche Ebene gelegte Ischium verlängert, dann zerlegt sie dasselbe in zwei ungleiche Teile, einen breiten vorderen und kleinen rückwärtigen, auf der gemessen das Ischium fast doppelt so groß wie das Ilium ist. Die obere Seite des Ischium ist kurz und aus einem zapfenartigen kleineren vorderen Stück gebildet, an welches sich das Pubis anschließt; das hintere Stück zeigt eine breite vertikale Gelenkfläche für das Femur, welche zugleich dessen Acetabulum gegen unten schließt; zwischen beiden Teilen liegt eine tiefe Grube. Beim rezenten *Alligator* durchbricht ein Foramen den Rand des Ilium und Ischium, das bei *Metriorhynchus* noch nicht vorhanden ist, sondern erst durch jene Grube im Oberrand des Ischium allein angedeutet wird. Der Vorderrand desselben ist flach ausgeschnitten und dem Zapfen oben entspricht ein sporenartiger Vorsprung am unteren Eck; die Unterseite des Ischium ist fast geradlinig begrenzt und nur in der Mitte etwas ausgebuchtet, die rückwärtige Seite leicht gewellt; das hintere Eck ist im Gegensatz zum Sporen-artigen vorderen breit abgestutzt.

c) Das Pubis (Taf. XXV, Fig. 15) ist ein flacher, schaufelförmiger Knochen, dessen Außenseite ein wenig gewölbt, dessen Innenseite ganz flach ist; die Vorderseite ist flach gewölbt, besitzt gegen unten einen kleinen Vorsprung und ist kantig abgeschnitten; die beiden Pubes waren also ligamentär verbunden. Der distale Teil ist viel massiver, im Querschnitt rundoval und schließt sich mit relativ großer Gelenkfläche an den zapfenartigen Vorsprung des Ischium an. Diese breite Gelenkfläche scheint auf einen größeren Grad von Beweglichkeit des Pubis hinzuweisen, als es bei den rezenten Formen möglich ist (Taf. XXVI (V), Fig. 7).

4. Hinterextremität.

Dieselbe ist aus einem auffallend langen Oberschenkel, kurzem Unterschenkel, relativ maßivem Tarsus und langen Metatarsen und Phalangen gebildet.

a) Das Femur (Taf. XXVI, Fig. 1) ist ein auffallend langer in einer flachen Sigmoide gekrümmter Knochen, der im proximalen Teile massiv ausgebildet, im distalen mehr abgeflacht ist. Die proximale sowohl wie die distale Gelenkfläche sind kugelig und ihr Querschnitt dreieckig. Bei ersterer liegt die flache Seite gegen außen, die Spitze des Dreiecks gegen innen; die vordere (cervicale) Dreiecksseite legt sich an das Acetabulum, die hintere (caudale) gelenkt an dem schwachen rückwärtigen Tuberkel des Iliums, welches die Bewegung des Gelenkkopfes gegen rück- und aufwärts hemmt. Unter diesem selbst ist das Femur auf der unteren Seite etwas eingeschnürt, auf der oberen kantig und diese Kante verschwindet erst in dem undeutlich markierten inneren Trochanter. Entsprechend der Abflachung des Femur (vom zweiten Drittel an) wird aus dem gerundeten ein spitzovaler Querschnitt, sodaß auf der Unter- wie Oberseite sich eine stumpfe Kante herausbildet. Der Querschnitt des distalen Gelenkes ist so gestellt, daß die Spitze des Dreiecks durch die untere Kante des Femur gebildet wird; die gegenüberliegende Seite ist schmal und darin eine Grube für die Bewegung gegen die Fibula zu eingesenkt; die Außenseite ist rund-gewölbt, die Innenseite etwas konkav gestaltet.

Bei fast allen Exemplaren sind Femora erhalten.

b) Die Tibia und Fibula (Taf. XXVI, Fig. 2) betragen an Größe ungefähr ein Drittel der Länge des Femur und sind daher im Vergleiche zu jenen der rezenten Crocodilinen außerordentlich stark verkürzt. Die Tibia ist aus einem massiven Knochen gebildet, dessen proximaler Gelenkkopf einen annähernd trapezoidalen, dessen Distaler einen dreieckigen Querschnitt besitzt; ersterer ist breit konkav, nach vorn etwas gesenkt und auf der inneren (Körper-)Seite etwas abgeflacht, letzterer flach konkav. Der Proximalteil der Tibia ist flach gewölbt. Der Distale stumpf dreikantig und der Ausgleich beider Gestaltungen erfolgt im oberen Drittel; die Seite der Tibia gegen die Fibula ist etwas stärker eingezogen als die andere.

Die Fibula ist ein schlanker Knochen, der in »gekreuzter« Stellung sich an die breite Tibia-Seite anlegt; die obere Gelenkfläche ist flach konkav und besitzt einen, in eine Kerbe der Tibia passenden Vorsprung, die untere ist ebenfalls konkav und vorn von breitgerundeter, hinten abgeflachter, schmaler Gestalt, während die proximale Gelenkfläche vorn schmal, hinten breitgerundet ist und von vorne gegen rückwärts (vgl. Zeichnung) ansteigt. Dieses proximale Tibia-Gelenk greift bei starker Beugung des Unterschenkels nach aufwärts in die Kerbe des Femur-Gelenkes ein. Von vorn gesehen ist die Fibula auf der Tibia-Seite geradlinig begrenzt, die Außenseite ganz flach konkav.

Tibia und Fibula sind, wohl infolge der Solidität der Knochen, relativ häufiger erhalten geblieben; wir finden beim Tübinger Exemplar die Fibula, beim Stuttgarter Tibia und Fibula von links, beim Münchener dieselben Knochen von rechts, deren Abbildung (auf die Größe des Wiener Exemplars reduziert) hier gebracht worden ist; vom Berliner Exemplar liegt die Tibia von rechts vor.

c) Vom Tarsus (Taf. XXVI, Fig. 3) sind dagegen nur beim Stuttgarter und Tübinger Exemplar je ein Knochen erhalten, der als Astragalus bestimmt werden muß, während beim Exemplar des Herrn B. Stürtz in Bonn von einem Individuum Calcaneus und Astragalus sowie das Cuboideum (4. Tars.) vorliegen, welche vom rechten Fuße stammen. Da das Bonner Exemplar aber bedeutend größer als das Wiener ist, mußten auch die Knochen des Tarsus auf die Größe dieses Exemplars gebracht werden, deren Abbildung wir bringen.

Der Calcaneus (Tibiale) ist leider etwas verdrückt; er besitzt auf der Innenseite einen gerundeten Ausschnitt für den Astragalus, die Außenseite ist konvex; die Unterseite besitzt einen schräg abgestutzten inneren Rand, der gegen die Oberseite des Astragalus artikuliert; die Oberseite steht in Berührung mit der Tibia, ihr etwas aufgebogener innerer Rand berührt eben noch die Fibula auf der Innenseite.

Auch der Astragalus (Fibiale) ist von oben her etwas verquetscht, jedoch gestattet das Stuttgarter Exemplar die Rekonstruktion. Es ist ein massiver, etwas verschoben-, konisch-vierseitiger Körper mit breiten Rollgelenkflächen auf der Innen(Calcaneus-)seite gegen diesen und gegen das Cuboideum, und flach gewölbten Seitenflächen auf Ober-, Unter-, Hinter- und Vorderseite, welche gegen Fibula und den Metatarsus artikulieren; die abgerundete Spitze des Astragalus liegt gegen rück- und auswärts und deshalb ist auch die Unterseite der Fibula so stark nach rückwärts verlängert.

Das Cuboideum liegt vorn und unten zwischen Astragalus und Calcaneus; es besitzt pyramidenförmige Gestalt, deren Flächen, Kanten und Ecken abgerundet sind; die Form nähert sich also entfernt einer Kugel; die allseitigen Rollgelenke artikulieren gegen Astragalus und Calcaneus, die zweiseitig etwas abgeschrägte Unterseite gegen den zweiten und dritten Metatarsus; die Vorderseite ist am flachsten gerundet.

Ob außerdem ein verknöchertes Cuneiforme anzunehmen sei, läßt sich schwer bestimmen, seine Annahme ist aber nach der hohen Entwicklung der übrigen Tarsalien wahrscheinlich.

d) Der Metatarsus (Taf. XXVI, Fig. 4) ist zum größten Teile aus den Beständen der fünf Museen zusammenstellbar, wenn auch die Größe der Individuen differieren und die Reduktion der Metatarsalien nur nach der Fraas'schen Skizze auf die Größe des Wiener Exemplars erfolgen konnte. Glücklicherweise gehören alle erhaltenen Metatarsalien nur einer (rechten) Seite der verschiedenen Individuen an. Vom vollständigerem Münchener Exemplar liegt der zweite und dritte, von dem zweiten, fragmentair erhaltenen der dritte und vierte, vom Stuttgarter der vierte, vom Stürtz'schen der dritte Metatarsus vor.

Der erste Metatarsus ist entsprechend seiner funktionellen Bedeutung als Zerteiler des Wassers bei der Schwimmbewegung gewiß so wie bei Geosaurus das kräftigste Metatarsalelement gewesen; er fehlt leider bei allen von mir untersuchten Exemplaren.

Der zweite Metatarsus ist in die Richtung der einen Gelenkfläche des Cuboids gestellt; sein proximaler Gelenkkopf ist ziemlich breit, gegen den ersten Metatarsus breit abgeschnitten, der sich proximal an ihn an-, nicht aufgelegt hat; gegen den dritten Metatarsus ist er abgeschrägt, denn dieser lag ihm auf;

der zweite Metatarsus verjüngt sich allmählich gegen unten und verbreitert sich gegen den distalen Gelenkkopf, der die Breite des proximalen besitzt; ersterer ist ein wenig gegen außen gedreht und die Gelenkfläche schmäler als die proximale, jedoch mit deutlichem Rollgelenke, ebenso wie die anderen Metatarsalien versehen.

Beim dritten Metatarsus ist die Drehung nach außen noch stärker. Das proximale Gelenk steht in der Richtung der zweiten Gelenkfläche des Cuboids; sein Kopf besteht aus zwei Rollgelenken, die gegen einander verschoben sind, indem das eine obere den zweiten Metatarsus deckt, das andere sich unter den vierten schiebt. Der Stabteil verjüngt sich allmählich gegen unten und ist entsprechend der distalen Gelenkfläche etwas gedreht; diese ist schmäler als die proximale, besitzt gegen das distale Gelenk des zweiten Metatarsus eine schwache Abflachung, die darauf hindeutet, daß bei einer bestimmten Bewegung beide Metatarsen sich distal ebenfalls berühren konnten; im ganzen ist der dritte Metatarsus etwas länger als der zweite.

Der vierte Metatarsus ist massiver als der zweite und dritte und zugleich der längste Metatarsus des Fußes. Der proximale Gelenkkopf ist breit gerundet und von Dreiecksform, deren abgerundete Spitze über den dritten Metatarsus sich legt, während die gegenüberstehende Seite zur Aufnahme des (fehlenden) fünften Metatarsus eingekerbt ist; der distale Gelenkkopf ist relativ schmal gerundet, seine Breite aber größer wie die proximale; gleich oberhalb des distalen Gelenkes ist der Stabteil des Metatarsus eingeschnürt auf der, dem dritten Metatarsus zugekehrten Seite und auf das dadurch etwas vorspringende Stück konnte sich bei besonderer Bewegung dieser distal auflegen.

Die Phalangen-Glieder fehlen; nur beim Stuttgarter Exemplar liegt ein relativ schlanker Knochen, der eventuell als erste Phalange der vierten Zehe zu deuten wäre. Da der vierte Metatarsus durch den stärksten Knochen gebildet ist, müssen wir wohl, so wie es Fraas von *Geosaurus* beschrieben hat, diesen und die vierte Zehe als den längsten fünfgliedrigen Fuß-Strahl auffassen; kürzer ist der fünfgliedrige vierte, noch kürzer der viergliedrige dritte und der kürzeste ist der dreigliedrige erste Fuß-Strahl. Die fünfte Zehe ist reduziert auf einen kurzen Metatarsus-Stummel.

Es ist schon oben die Befestigungsart des Iliums erwähnt worden, ferner daß letzteres fast allein das Acetabulum bildet und daß die verdickte hintere Gelenkfläche des Ischium die Bewegung des Femur ebenso gegen unten fixiert wie das gegen außen stark verdickte vordere Eck des Ilium diese gegen auf- und vorwärts begrenzt. Auffallend ist, daß sowohl von Hulke (l. c. p. 430, Taf. XIX, Fig. 1, 2) als von Fraas (l. c. p. 32, 57) als auch von E. Schmidt (l. c. p. 108, Taf. XII, Fig. 2) das Ilium übereinstimmend verkehrt gestellt wird, sodaß der nach rückwärts ausgezogene obere Randteil nach vorn zeigt. Diese Stellung des Ilium samt seinen, das Acetabulum umgrenzenden Tuberositäten, hätte zur Folge, daß das Femur und damit die Hinterextremität überhaupt beim Schwimmen entweder gar nicht an den Körper hätte angelegt werden können — da die Tuberosität rechts unten (vgl. Schmidt, Taf. XII, Fig. 2) das Femur daran hinderte — oder nur um den Preis, daß der Femur-Kopf ganz aus der Pfanne heraustrat; beides ist unmöglich, denn bei einer, an das Wasserleben angepaßten Form kann man keine »breitspurige« Stellung der Beine annehmen.

Durch die Art der Verbindung des Ilium mit den Sacralrippen ergibt sich eine etwas schräge, gegen innen und unten geneigte Stellung desselben; dem entsprechend springt der breite hintere Gelenkkopf des Ischium vor, während dieses selbst entsprechend seiner, das Ischium übertreffenden Höhe (oder Länge) etwas schräger als dieses gestellt war; deshalb verbinden sich beide Ischia, schräg nach abwärts gestellt, in einer medianen Symphyse miteinander. Es ist schon oben, gelegentlich der Beschreibung des Ischiums, betont worden, daß eine horizontale Stellung der Ischia und Pubes so wie bei *Plesiosaurus* und wie sie Fraas auch von *Geosaurus* bespricht und zeichnet, nicht gut möglich ist, da die doppelte Länge der Ischia bedeutend größer als die Spannweite des sacralen Rippenbogens ist. Ein anderer Beweis liegt im osteologischen Wert der verdickten hinteren Gelenkfläche des Ischium für das Acetabulum; wäre das Ischium horizontal oder nur annähernd horizontal gestanden, dann wäre die Gelenkpfanne nach unten offen und das verdickte Gelenkende des Ilium zwecklos gewesen. Außerdem erinnere ich mich, ein prachtvolles Exemplar des Lias-Teleosauriers *Mystriosaurus Bollensis* bei Herrn A. Hauff in Holzmaden gesehen zu haben, welches keineswegs die horizontale, sondern die schräge Stellung der Ischia zeigt.

Auffallend groß ist die Länge der Femora. Während bei den rezenten *Crocodilinen* die Länge des Unterschenkels mehr als $^2/_3$ des Oberschenkels beträgt, ist sie bei den Lias-*Teleosauriern* ungefähr $^2/_3$ der Femur-Länge; bei *Metriorhynchus* ist sie auf $^1/_2$ herabgesunken und beträgt bei *Geosaurus* aus dem oberen Weißjura nur mehr weniger als $^1/_3$, ein Beweis, wie rasch die Verkürzung des Unterschenkels sich vom Lias bis in den Weißjura vollzog. Trotzdem haben bei *Metriorhynchus* Tibia und Fibula ihre »gekreuzte« Stellung aus der Trias- und Liaszeit beibehalten, sie sind noch immer antiponiert und haben noch nicht die paraponierte Stellung der Unterarm-Knochen erlangt oder als Zwischenglied zwischen beiden jene Stellung, welche wir bei *Geosaurus* Fraas (l. c. Taf. VIII, Fig. 9) finden; hier liegt die Tibia mit dem proximalen Ende auf der Fibula auf, während beide distal schon paraponiert sind.

Jener Knochen, der bei Schmidt (l. c. Taf. XII, Fig. 4) als Tibia, in der Tafelerklärung aber als »Metatarsus I. des rechten Fußes« bezeichnet wird, scheint der Zeichnung und der Größe nach wirklich eine Tibia zu sein.

Wenn aus dem Längenverhältnis des Ober- zum Unterschenkel sich ein gewisser Grad von Umformung durch die Anpassung an die fischähnliche, besonders auf der Locomotion durch den Ruderschwanz basierte »Torpedo«-Gestalt unserer Thalattosuchier-Sippe schon ergibt, so zeigen die deutlich ausgesprochenen Rollgelenke am Ober- und Mittelfuß, daß in der Hinterextremität diese Umformung dennoch nicht jene Resultate erzielt hat wie wir sie bei der vorderen Extremität gefunden haben. *Metriorhynchus* scheint sich daher — z. B. beim »Watscheln« im Seichtwasser, ähnlich wie es die Robben auch tun — auf die Hinterextremität gestützt und sich so fortgeschoben zu haben, und die auffallend einseitige Entwicklung der Metatarsalien scheint diese Ansicht auch zu stützen. Und wenn die *Parasuchier* der Trias (*Belodon*) ebenso wie die *Teleosaurier* des Lias (*Pelagosaurus*, *Mystriosaurus*) gekrochen oder gegangen und die *Teleosaurier* des Portland geschwommen sind (*Geosaurus*, *Dacosaurus*), dann sind die *Teleosaurier* des Oxford (*Metriorhynchus*) geschwommen und hatten sich aber noch bis zu einem gewissen Grade die Fähigkeit der Fortbewegung im Seichtwasser oder am Strande erhalten.

Das ergibt sich, wie gesagt, aus den deutlichen Rollgelenken des Tarsus, die bei *Geosaurus* verschwunden und schon »zu abgerundeten, polygonalen Scheiben« geworden sind[1]), hier aber noch deutliche kugelige Gelenkstücke darstellen, von einer Höhe der Entwicklung, die an jene der rezenten Crocodilinen heranreicht. Die proximale Reihe der Tarsalien konnte ja Dank des Entgegenkommens des Herrn Stürtz, vollständig rekonstruiert werden, von der distalen Reihe hingegen kennen wir erst ein Stück und sind daher zur Annahme gedrängt, daß das zweite, das Cuneiforme eventuell nicht mehr verknöchert war.

Mr. A. Leeds teilt mir ferner freundlichst mit, er habe gefunden, daß bei allen Individuen Calcaneus und Astragalus »are fixed together«; dies ist nur so zu verstehen, daß ein gewisser hoher Grad von Unbeweglichkeit des Mittelfußes bei wahrscheinlich alten Individuen auch dieser Sippe eintritt, daß ferner bei erwachsenen Individuen nur ein, bei jungen zwei Stücke in der Distalreihe zu finden sind. Sollte das schon angelegte Cuneiforme wieder resorbiert werden? Indessen verdienen diese Angaben des ausgezeichneten Beobachters hier wohl ihren Platz zu finden.

Von den Metatarsalien fehlen leider der erste und vierte. Mr. Leeds ist der Ansicht, daß der (vgl. Textfigur 9), als Ulna beschriebene Knochen als erstes Metatarsale aufzufassen sei. Da wir oben aber nachgewiesen zu haben glauben, daß jener Knochen die Ulna tatsächlich darstellt, fehlt uns leider das erste Metatarsale vollständig, sodaß wir zur Rekonstruktion desselben, u. zw. nach *Geosaurus* gezwungen waren. Schon oben ist der distalen Ausbildung der Metatarsal-Gelenke gedacht worden, aus der wir ein distales Sich-auf-einander-Legen der Metatarsalia folgern mußten, sowie daß bei der Kriechbewegung der Fuß auf den Daumen hochkantig aufgesetzt wurde und ein Auftreten auf die flache Sohle ausgeschlossen war. Die Metatarsalia und Phalangen zusammen ergeben einen Extremitätenstrahl. Bei *Mystriosaurus* und *Pelagosaurus* aus dem Lias ist der dritte und vierte Strahl je fünfgliederig und beide sind fast gleich an Länge: bei *Geosaurus* ist der vierte Strahl weitaus der längste und dasselbe gilt, nach dem langen Metatarsale zu schließen, auch für *Metriorhynchus*, während bei den *Festlands-Crocodilinen* obwohl der dritte und vierte Strahl fünfgliederig sind und der erste die massivsten Elemente besitzt, dennoch der zweite der

[1]) Fraas (L. c. p. 59).

längste Strahl ist. Der äußerste Strahl ist so lang und kräftig ausgezogen, damit die Ruderfläche des Fußes möglichst verbreitert und verlängert werde, während bei den Festlandstypen der erste und zweite Strahl lediglich zur Stütze diente, während der Fuß selbst nicht auswärts, sondern etwas nach einwärts gestellt, die Haupt-Körperlast trug.

Den Hinterfuß haben wir uns wohl, nicht flossenähnlich wie den Vorderfuß, in einem Hautsack steckend, sondern frei, vielleicht mit Schwimmhaut zwischen den Zehen vorzustellen.

Schlußbetrachtungen.

In den vorangehenden Seiten haben wir den Nachweis beizubringen gesucht, daß die Wirbelsäule von *Metriorhynchus* zusammengesetzt wird aus:

7 Halswirbel .	(1—7)
16 Rumpfwirbel .	(8—23)
2 Lendenwirbel	(24, 25)
2 Sacralwirbel .	(26, 27)
44 (45?) Caudalwirbel. .	(28—71 [72?])

Die Vorwärtsbewegung des Tieres beim Schwimmen im Meere war durch einen besonders zur Propellerbewegung eigens adaptierten Ruderschwanz unterstützt.

Wir konnten ferner die Beweise dafür liefern, daß das unpaare untere Atlasstück das eigentliche Atlascentrum darstellt und der Processus odontoides (Dens epistrophei) dagegen aus den verschmolzenen Pleurocentren hervorgegangen sei.

Wir suchten ferner die Tatsache, daß bei den rezenten *Crocodilinen*, die Axis im Gegensatze zu allen anderen Halswirbeln keine Halsrippen trägt, dadurch zu erklären, daß in der Succession der Crocodilinenformen vom Lias bis in die heutige Fauna ein allmähliches Wandern der Halsrippen-Ansätze gegen vorn stattfindet, sodaß als momentan letzte Etappe der Zustand des Halsrippen-Ansatzes des rezenten *Alligators* resultiert, während die entwicklungsgeschichtlichen Zwischenstadien zwischen der Lias- und rezenten Fauna durch Typen aus der Oxford-, Kreide- und Miozänzeit sich festhalten lassen.

Schließlich wurde bei *Metriorhynchus* nachgewiesen, daß die Adaption dieser Crocodilier an das marine Leben im Vergleich zu ihren triadischen Festlandsahnen (*Parasuchier*), abgesehen vom Ruderschwanz, in den Extremitäten deutlich zum Ausdrucke kommt, u. zw. in der Weise, daß Schulterapparat und Vorderextremität reduziert werden und die Rollgelenke der letzteren verschwinden, während bei den Hinterextremitäten jene Reduktion erst geringe Erfolge erzielte, indem die Verkürzung nur einzelne Knochen umwandelte (Unterschenkel), während die Rollgelenke im Fuße bestehen blieben.

Aus diesen Erscheinungen wurde gefolgert, daß der Fuß auch noch zum Kriechen verwendet werden mußte und die *Metriorhynchiden* ähnlich wie die *Geosaurier* gewiß nicht so vorzügliche Schwimmer waren wie man gemeiniglich angenommen hatte.

Die Adaption der ursprünglich terrestren Crocodilier an das marine Leben vollzieht sich in ähnlicher Weise wie wir dieselbe bei den *Pythonomorphen* (z. B. Platecarpus, Clydastes, Mosasaurus), *Sauropterygiern* (z. B. Nothosauriden, Plesiosauriden), am besten bei den *Ichthyopterygiern* am Werke sehen.

Die Verkürzung beginnt bei den Crocodilinen im Schultergelenk, u. zw. wird die Scapula von Metriorhynchus enorm verkürzt gegen die Scapula der triadischen Festlandsbewohner (*Belodon*); die fortschreitende Verkürzung des Coracoids läßt sich bei der Aufeinanderfolge triadischer, liasischer und oberjurassischer Typen (*Belodon*, *Mystriosaurus*, *Metriorhynchus* resp. *Geosaurus*) gut beobachten, während die Reduktion des Humerus sich rascher in der Zeit vom Lias bis zum Oberjura (*Mystriosaurus*, *Geosaurus*) vollzogen hat. In der Stellung der Unterarmknochen zu einander ist bis in den Oxford hinauf erst die Paraposition derselben erreicht worden und nachdem sie sich nebeneinander in eine Ebene gelegt haben, vollzieht sich die weitere Adaption rasch, denn schon die Weißjuraform *Geosaurus* besitzt einen vollständig reduzierten Unterarm, dessen Ulna und Radius zu Ichthyosaurus-artigen Knochenplatten abgeändert haben. Ähnlich verhalten sich die Carpalia, die schon zur Oxfordzeit zu flach-kubischen Knochen sich zum Teil ver-

41*

ändert haben, während auch zur Weißjurazeit (*Geosaurus*) die Umformung der Metacarpalia noch nicht jene Resultate erzielte, deren Ideal die Umformung der Metacarpalia und Phalangen zu Knochenplatten darstellt, wie sie bei Ichthyosaurus schon zur Liaszeit oder eventuell noch früher erreicht worden ist.

Bei Metriorhynchus ist keine nennenswerte Umwandlung weder im Beckenapparat noch in der Hinterextremität erreicht worden, mit alleiniger Ausnahme der Längenreduktion der Unterschenkelknochen, und dasselbe gilt für die Formen des Portland.

Das Ideal der Umformung des terrestren Reptilstammes zu marinem Leben stellen entschieden die *Ichthyosaurier* dar: Der Körper wird schlank-zylindrisch, »Torpedo«-ähnlich, der Schwanz formt sich zur Fischflosse um, welche »Propeller«-ähnlich wirkt, Becken und Hinterextremitäten verkümmern, da ihre Funktion der Ruderschwanz übernommen hat, während die Vorderextremitäten noch kräftig bei der Vorwärtsbewegung und bei der Balancierung mitwirken. Das finden wir, wie gesagt, bei den *Ichthyosauriern* und ferner in der heutigen Fauna bei *Delphiniden* und *Balaeniden*. Bei den jurassischen, an das Wasserleben adaptierten Crocodilinen hatten die Hinterextremitäten funktionell bedeutend bei der Fortbewegung mitzuwirken. Bei weiterer Folge dieser Art der Locomotion kann es auch zu einer Vergrößerung der Beckenknochen (*Plesiosauriden*) kommen. Da im Gegensatz zu Ichthyosaurus mit der kräftigen Vorderextremität diese bei unseren Crocodilinen verkümmert ist, muß auch eine weitere Anpassung an eine fischähnliche Gestalt für dieselben ausgeschlossen gewesen sein, da die Anpassungsmerkmale (für unsere Anschauung wenigstens) in einer falschen Richtung sich entwickelt haben.

Wenn wir all diese an das marine Leben angepaßten Formen überblicken, dann trennen sich dieselben in zwei Gruppen:

a) Die erste Gruppe umfaßt jene Formen mit reduzierten Vorder- und kräftigen Hinterextremitäten bei denen das Becken[1]) selbst eher vergrößert wird; Ruderschwanz vorhanden oder fehlt:

Rhynchocephalen (*Homaeosaurus*, oberer Malm),
Sauropterygier (*Nothosauriden*, *Plesiosauriden*, untere Trias — Kreide),
Crocodilier (*Teleosauriden*, Lias — untere Kreide).

Süßwasser-Testudinaten (*Trionychiden*, von oberer Kreide an). Alle diese Formen besitzen daher vorwiegend jurassisches Alter.

b) Die zweite Gruppe umfaßt die Formen mit besonders kräftig entwickelter Vorderextremität, mit stark reduziertem Becken und stark verkürzter Hinterextremität; Ruderschwanz meist vorhanden.

Pythonomorphen (z. B. *Clydastes*, obere Kreide),
Ichthyopterygier (*Ichthyosaurus*, mittlere Trias — untere Kreide),
Cetaceen (z. B. *Delphiniden*, *Balaeniden*, Tertiär — rezent).

Marine Testudinaten (*Thalassochelys* obere Kreide, verwandte Formen rezent).

Obgleich Ichthyosaurus in Folge seiner vollkommenen Anpassung einen langlebigen Typus darstellt, scheint dennoch diese vollkommener angepaßte Gruppe als die jüngere aufzufassen zu sein. Freilich läßt sich auch die gerade entgegengesetzte Anschauung begründen, wenn man von dem Standpunkte ausgeht, daß die langsame, allmähliche, von der Trias bis in die rezente Fauna reichende Anpassungserscheinung einen im Tertiär wiederkehrenden, bewährten Dauertypus darstellt, daher dieser Typus als der ursprünglichere aufzufassen sei.

In beiden obenerwähnten Gruppen sind auch Vertreter der *Testudinaten* angeführt worden, deren Entwicklung sich in Folge des starren Panzers wieder in einer anderen Richtung bewegt, aber dennoch auch die Reduktion resp. Verstärkung der Extremitätenpaare zeigt.[2])

[1]) Mit einziger Ausnahme der Trionychiden.

[2]) Um Irrtümern vorzubeugen sei besonders betont, daß in der vorstehenden Studie vorläufig mit Absicht die Systematik noch nicht berührt worden ist und auch die systematische Gruppe der *Crocodilinen* noch in jenem Umfang belassen wurde, den sie in K. v. Zittels »Grundzügen« einnimmt.

Druckfehler-Berichtigung:

Pag. 318, Zeile 22 und 23, lies *Metriorhynchiden* statt *Teleosaurier*.

INHALT.

Seite

Jos. von Siemiradzki: Die paläozoischen Gebilde Podoliens (II. Teil mit 7 Tafeln; XV—XXI) 213—286

G. von Arthaber: Beiträge zur Kenntnis der Organisation und der Anpassungserscheinungen des Genus *Metriorhynchus* (mit 6 Tafeln, XXII—XXVII und 9 Textfiguren) . . 287—320

K. u. K. Hofbuchdruckerei Karl Prochaska in Teschen.

TAFEL I.

Dr. W. Janensch: Über Archaeophis proavus Mass.

TAFEL I.

Fig. 1. **Gesamtansicht** von **Archaeophis proavus Mass.** in natürlicher Größe; bei X Anfang des Schwanzes pag 13

Fig. 2. Partie aus dem hinteren Rumpfabschnitt, etwa zwischen Wirbel 390 und 425; $2^1/_2$fache Vergrößerung.

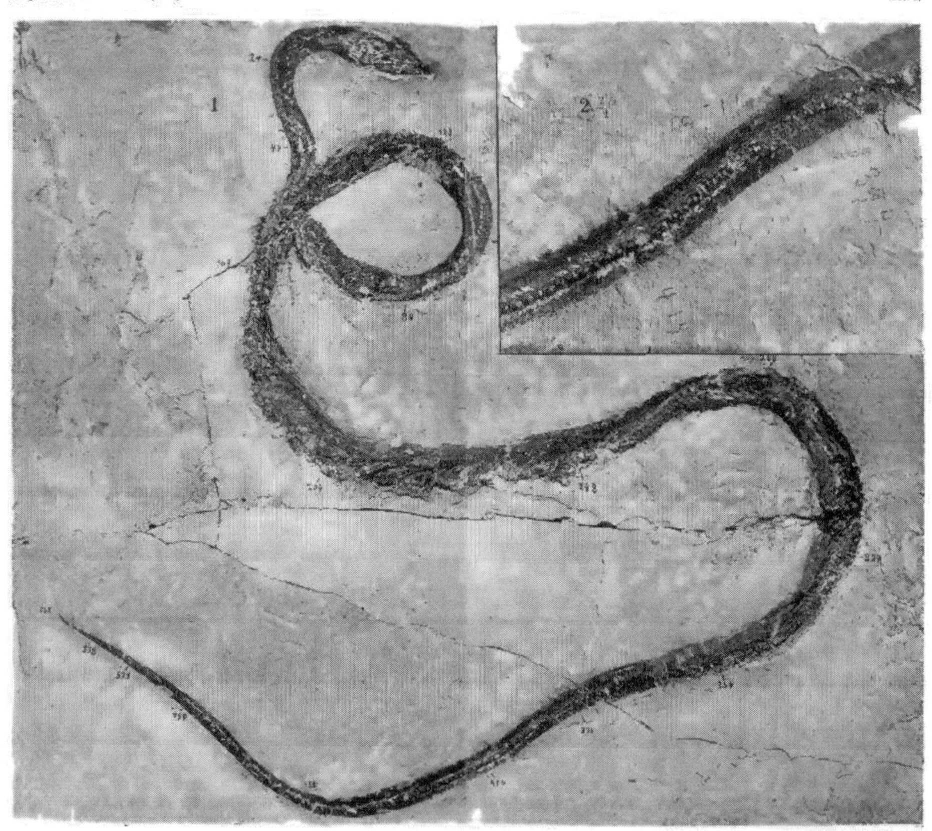

Kunstanstalt Max Jaffé, Wien.

Verlag v. Wilhelm Braumüller, k. u. k. Hof- u. Universitäts-Buchhändler in Wien.

TAFEL II.

Dr. W. Janensch: Über Archaeophis proavus Mass.

TAFEL II.

Fig. 1. **Schädelansicht von unten,** $3^1/_3$fach vergrößert . . . . pag. 2—5

Fig. 2. **Rekonstruktion des Kieferapparates** — der linke Unterkiefer ist fortgelassen, $3^1/_3$fach vergrößert. . pag. 5, 6

Pr = Prämaxillare. Pt = Pterygoid.
Ma = Maxillare. Q = Quadratum.
Pa — Palatinum. Sq = Squamosum.
Uk = Unterkiefer.

Die Ersatzzähne sind hell gezeichnet.

Fig. 3. **Zahn von der Seite gesehen,** 20fach vergrößert . . . . pag. 6

Fig. 4. **Zahn von vorn gesehen,** 20fach vergrößert . . . . pag. 6

Fig. 5. **Zahn von hinten gesehen,** 20fach vergrößert . . . . pag. 6

Fig. 6. **Zahn, Querschnitt,** etwa 35fach vergrößert . . . . pag. 6, 7

Fig. 7. **Ersatzzahn,** 20fach vergrößert . . . . pag. 7

Fig. 8. **Wirbel 46 von der Seite gesehen,** 10fach vergrößert, zum Teil nach anderen Wirbeln ergänzt . . . pag. 9, 10

Pr = Präzygapophyse, Zy = Zygosphen, Hy = Hypapophyse, Hä = Hämapophyse, Tr = Querfortsatz.

Fig. 9. **Wirbel 78 von unten gesehen,** 10fach vergrößert . . . . pag. 9, 10

Fig. 10. **Wirbelquerschnitt,** 10fach vergrößert . . . . pag. 9, 10

Fig. 11. **Wirbelkörper und Hypapophyse** von Wirbel 330, 10fach vergrößert . . . . pag. 10

Fig. 12. **Wirbelkörper und Hämapophysen** des Schwanzwirbels 471, 10fach vergrößert . . . . pag. 11

Fig. 13. **Rippe im vordersten Rumpfabschnitt,** etwa bei Wirbel 35, 5fach vergrößert . . . . pag. 11, 12

Fig. 14. **Rippe in der Mitte des Rumpfes,** 5fach vergrößert . . . . pag. 12

Fig. 15. **Rippe aus dem hintersten Teil des Rumpfes,** etwa bei Wirbel 435 5fach vergrößert . . . . pag. 12

Fig. 16. **Querschnitte der Rippe** Fig. 13, 50fach vergrößert. *a*) 1 *mm* vom Vorderende, *b*) 2·5 *mm* vom Vorderende, *c*) in der hinteren Hälfte. Links die Innenseite der Rippe . . . . pag. 12

Fig. 17. **Querschnitte einer Rippe,** etwa bei Wirbel 170, 50fach vergrößert. *a*) 2 *mm* vom Vorderende, *b*) 6 *mm* vom Vorderende, *c*) in der hinteren Hälfte. Links die Innenseite der Rippe . . . . pag 12

Fig. 18. **Einzelne Schuppe,** 20fach vergrößert . . . . pag. 14

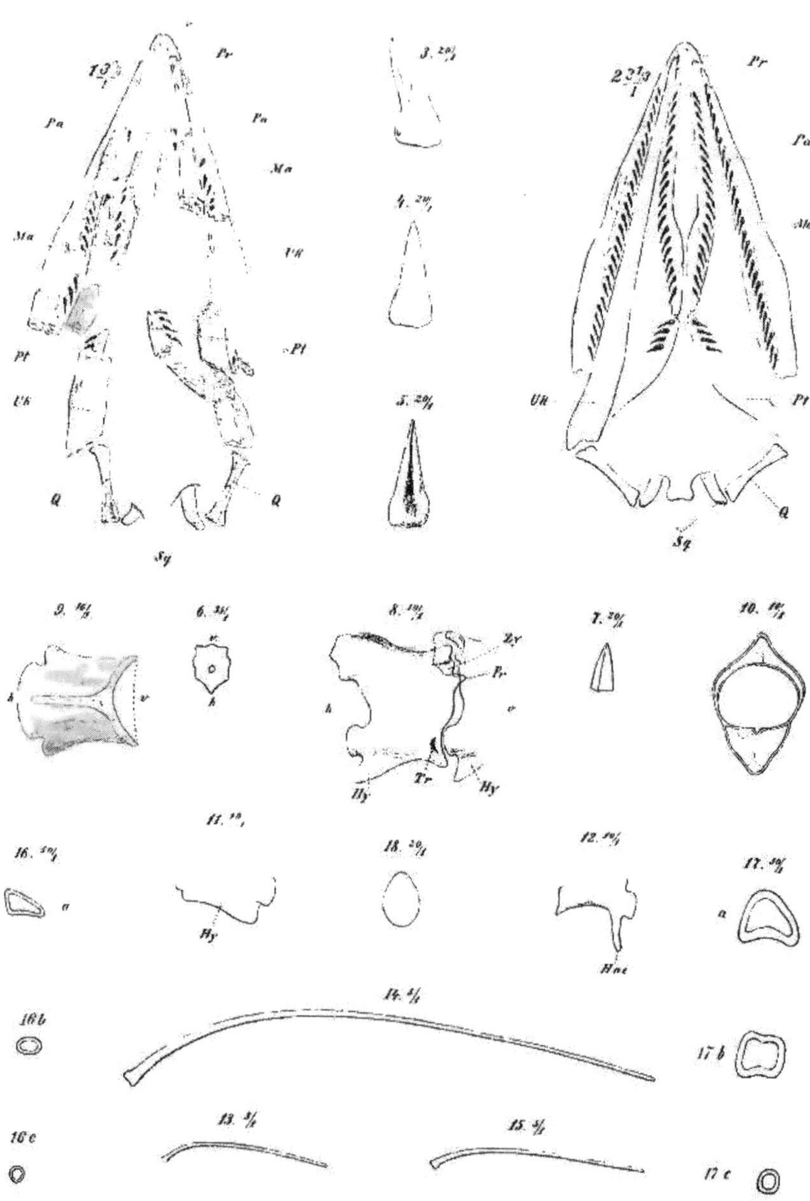

Lith. Kunstanstalt v. Friedr. Sperl, Wien, III/1.

Beiträge zur Palaeontologie und Geologie Oesterreich-Ungarns und des Orients, Bd. XIX. 1906.

Verlag v. Wilh. Braumüller, k. u. k. Hof- u. Universitäts-Buchhändler in Wien.

TAFEL III.

Cornu: Enallogene Einschlüsse in den Trachyten der Euganeen.

TAFEL III.

Fig. 1. Hornfelsstruktur eines Schiefereinschlusses. Bei gekreuzten Nikols. Schwache Vergrößerung . pag. 44 [10]

Fig. 2. Spinell, Biotit und Orthoklas in einem Schiefereinschluß des Typus *a* (Zovon). Starke Vergrößerung . . . . pag. 44 [10]

Fig. 3. Idiomorphe Orthoklaszwillinge nach dem Karlsbader Gesetz, die Hauptmasse eines Schiefereinschlusses vom Typus *b* bildend. Spinell, Biotit, Sillimanit. Bei gekreuzten Nikols. Schwache Vergrößerung wie bei Fig. 1 . . . . pag. 37 [3] 44 [10]

Fig. 4. Sillimanitaggregat in dem in Fig. 3 abgebildeten Einschluß bei starker Vergrößerung . . . pag. 39 [5] 44 [10]

Fig. 5. Korundkristalle und -Körner in einem Einschluß des Typus *c*. Schwache Vergrößerung . . . pag. 40 [6] 45 [11]

Fig. 6. Pseudomorphosen von Spinell nach Andalusit in einem Einschluß des Typus *a*. Das Bild bringt die Kontaktzone zwischen Schiefer und Trachyt zur Darstellung. Schwache Vergrößerung . . . . pag. 39 [5] 44 [10]

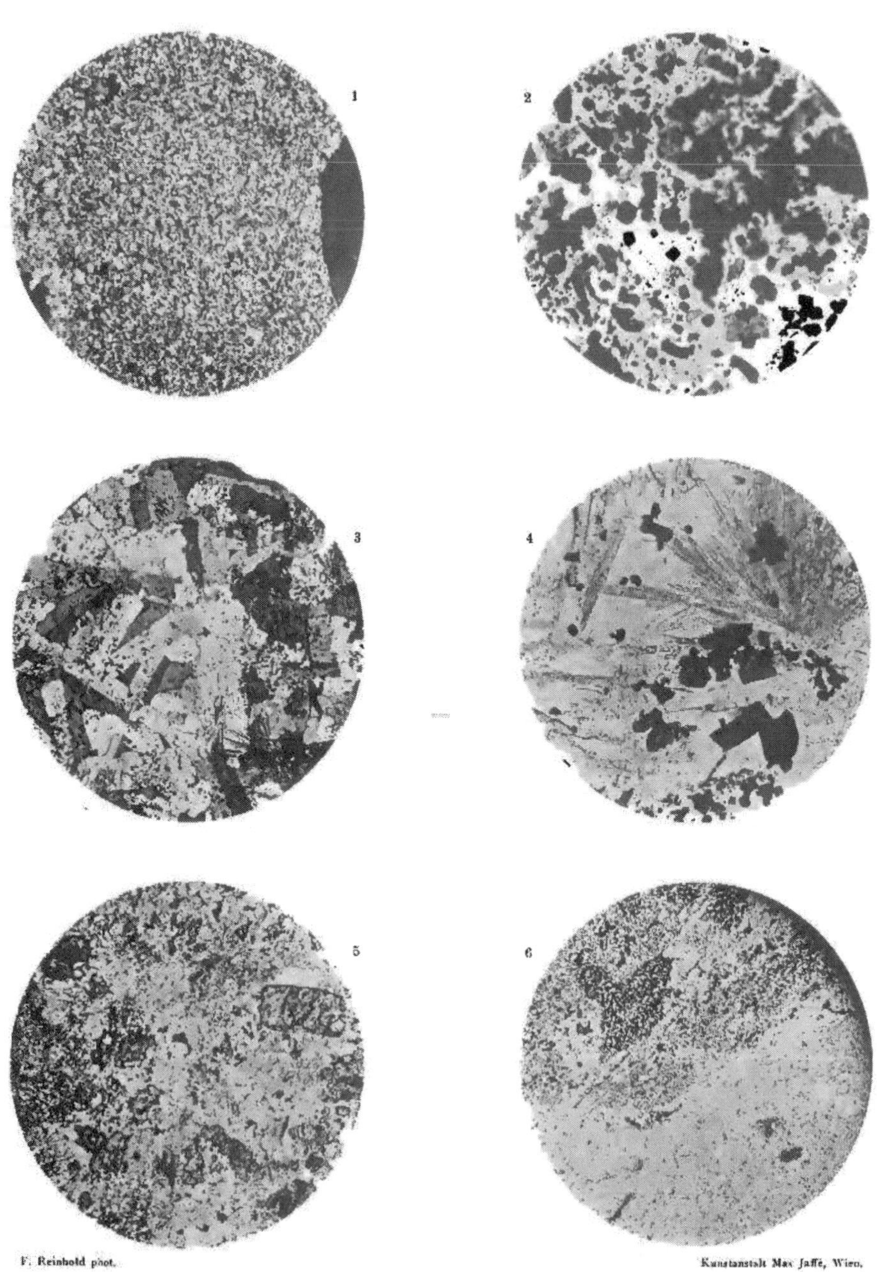

F. Reinhold phot. Kunstanstalt Max Jaffé, Wien.

Verlag v. Wilhelm Braumüller, k. u. k. Hof- u. Universitäts-Buchhändler in Wien.

TAFEL IV.

Friedr. Seemann: Beiträge zur Gigantostrakenfauna Böhmens.

TAFEL IV.

Fig. 1. *Pterygotus Barrandei* Semper . . . . pag. 50 [2]
Schere.
Obersilur $e_1 \beta$; Podol Dvorce bei Prag (Tschechische Technik in Brünn).

Fig. 2. *Pterygotus Barrandei* Semp. . . . . pag. 50 [2]
Medianlappen des Operculum.
Obersilur $e_1 \beta$; Podol Dvorce (Tschechische Technik in Brünn).

Fig. 3. *Pterygotus bohemicus* Barr. . . . . pag. 52 [4]
Ektognath.
Obersilur $e_1 \beta$; Podol Dvorce (Tschechische Technik in Brünn).

Fig. 4. *Pterygotus bohemicus* Barr. . . . . pag. 52 [4]
Scherenbruchstück.
Obersilur $e_1 \beta$; Podol Dvorce (Museum des Königreiches Böhmen, Prag).

Fig. 5. *Pterygotus fissus* nov. sp. . . . . pag. 53 [5]
Scherenbruchstück.
Obersilur e_2: Dlouhá hora bei Beraun (Museum des Königreiches Böhmen).

Fig. 6. *Pterygotus beraunensis* Semp. . . . . pag. 54 [6]
Endognath.
Obersilur $e_1 \beta$; Podol Dvorce (Tschechische Technik in Brünn).

Fig. 7. *Eurypterus* aff. *punctatus* Woodw. et *acrocephalus* Semp. . . . . pag. 55 [7]
Endognath.
Obersilur $e_1 \beta$; Podol Dvorce (Eigentum des Herrn Direktor Schiffner in Dvorce).

Fig. 8. Metastoma eines *Pterygotus*. $^1/_2$ nat. Gr. . . . . pag. 55 [7]
Obersilur $e_1 \beta$; Podol Dvorce (Tschechische Technik in Brünn).

Fig. 9. Hinterende eines solchen Metastomas. $^1/_2$ nat. Gr. . . . . pag. 55 [7]
Obersilur $e_1 \beta$; Dvorce (Tschechische Technik in Brünn).

Fig. 10. *Pterygotus* sp . . . . pag. 55 [7]
Zahnreihe eines Ektognathen.
Obersilur $e_1 \beta$; Dvorce (Eigentum des Herrn Maixner).

Fig. 11. *Eurypterus*? . . . . pag. 56 [8]
Telson.
Obersilur $e_1 \beta$; Dvorce (Tschechische Technik in Brünn).

Kunstanstalt Max Jaffé, Wien.

Beiträge zur Palaeontologie und Geologie Oesterreich-Ungarns und des Orients. Bd. XIX. 1906.

Verlag v. Wilhelm Braumüller, k. u. k. Hof- u. Universitäts-Buchhändler in Wien.

TAFEL V (I).

Stenzel: Die Psaronien.

TAFEL V (I).[1]

Fig. 1, 2. *Psaronius Cottae.*
Fig. 3. *Psaronius Levyi.*
Fig. 4. *Psaronius tenuis.*
Fig. 5, 6. *Psaronius chemnitziensis.*
Fig. 7. *Psaronius pictus* (Leuckart'sche Sammlung in Chemnitz).
Fig. 8. *Psaronius Ungeri f. flaccus* (Berliner Museum).
Fig. 9. *Psaronius* sp.; Rekonstruktion.
Fig. 10. *Psaronius Levyi.*
Fig. 11, 12. *Psaronius Cottae.*
Fig. 13. *Psaronius spurie vaginatus.*

[1]) Durch einen unglücklichen Zufall ist das Manuskript der Tafelerklärungen in Verstoß geraten. Leider ließen sich dieselben nur mangelhaft nach dem Texte wieder herstellen, so daß nur bei einzelnen Arten die Sammlungen, aus denen die Originale stammten, angegeben werden konnten. Auch die Autornamen nach dem Texte anzugeben war nur stellenweise möglich.

Redaktion.

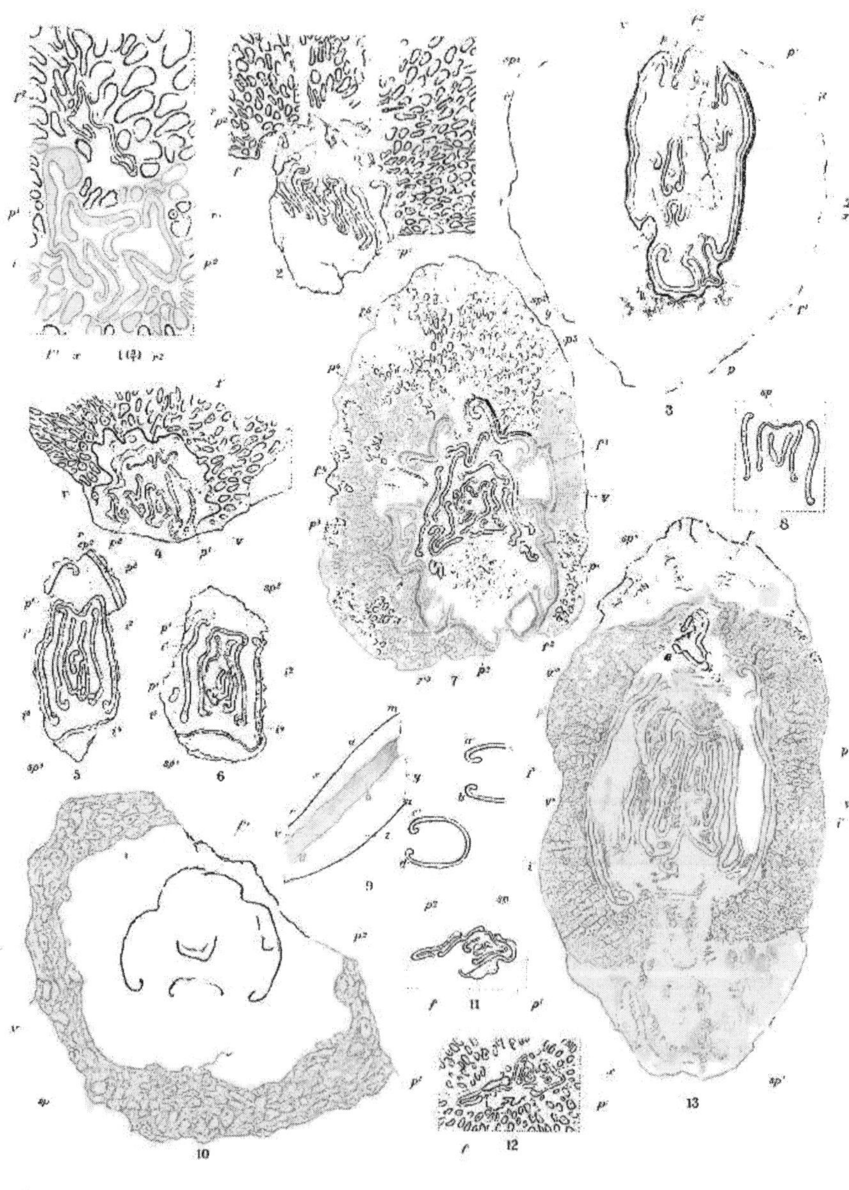

TAFEL VI (II).

Stenzel: Die Psaronien.

TAFEL VI (II).

Fig. 14—17. *Psaronius Gutbieri.*
Fig. 18, 19. *Psaronius musaeformis;* Fig. 19 Rekonstruktion; aus dem Kohlensandstein (Dresdener Museum).
Fig. 20. *Psaronius* f. *scolecolithus.*
Fig. 21—23. *Psaronius Ungeri flaccus.*

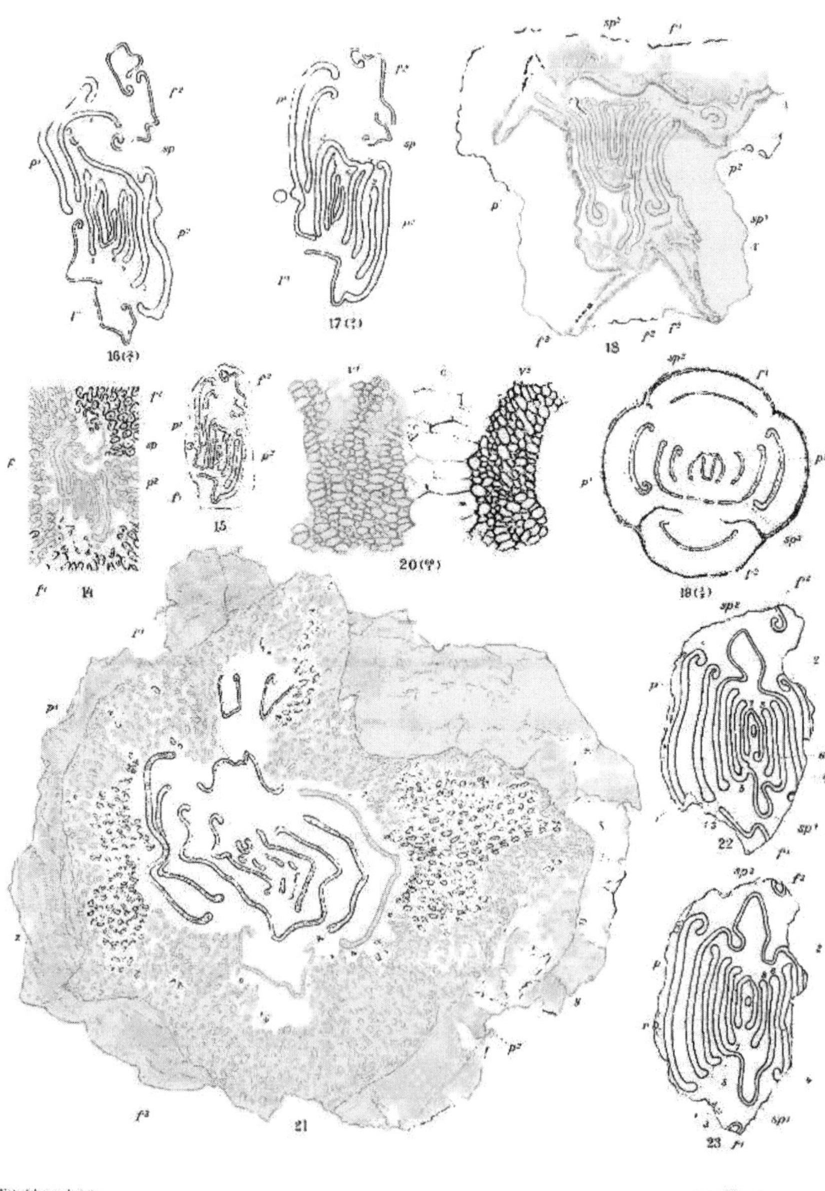

K. G. Stenzel gez.

Beiträge zur Palaeontologie und Geologie Oesterreich-Ungarns und des Orients, Bd. XIX, 1907.
Verlag v. Wilh. Braumüller, k. u. k. Hof- u. Universitäts-Buchhändler in Wien.

TAFEL VII (III).

Stenzel: Die Psaronien.

TAFEL VII (III).

Fig. 24. *Psaronius simplex* t. *integer* (Berliner Museum).
Fig. 25—27. *Psaronius punctatus* Stenzel, Hilbersdorf bei Chemnitz (Leuckart'sche Sammlung), Rekonstruktion.
Fig. 28, 29. *Psaronius asterolithus*, Rekonstruktion.
Fig. 30 *Psaronius coalescens* (Leuckart'sche Sammlung in Chemnitz).

K. G. Stenzel gez.

K. u. k. Hoflithogr. A. Haase Prag.

Beiträge zur Palaeontologie und Geologie Oesterreich-Ungarns und des Orients, Bd. XIX, 1907.
Verlag v. Wilh. Braumüller, k. u. k. Hof- u. Universitäts-Buchhändler in Wien

TAFEL VIII (IV).

Stenzel: Die Psaronien.

TAFEL VIII (IV).

Fig. 31—33. *Psaronius musaeformis* aus dem Kohlensandstein (Dresdener Museum).
Fig. 34 *a*. *Psaronius Freieslebeni* Corda.
Fig. 34 *b*. *Psaronius Freieslebeni* f. *triquetrus* Stenzel (Leuckart'sche Sammlung in Chemnitz).
Fig. 35, 36. *Psaronius quadrangulus* Stenzel (städtische Sammlung in Chemnitz).
Fig. 37. *Psaronius pusillus* Stenzel (Leuckart'sche Sammlung in Chemnitz).
Fig. 38. *Psaronius procurrens*.

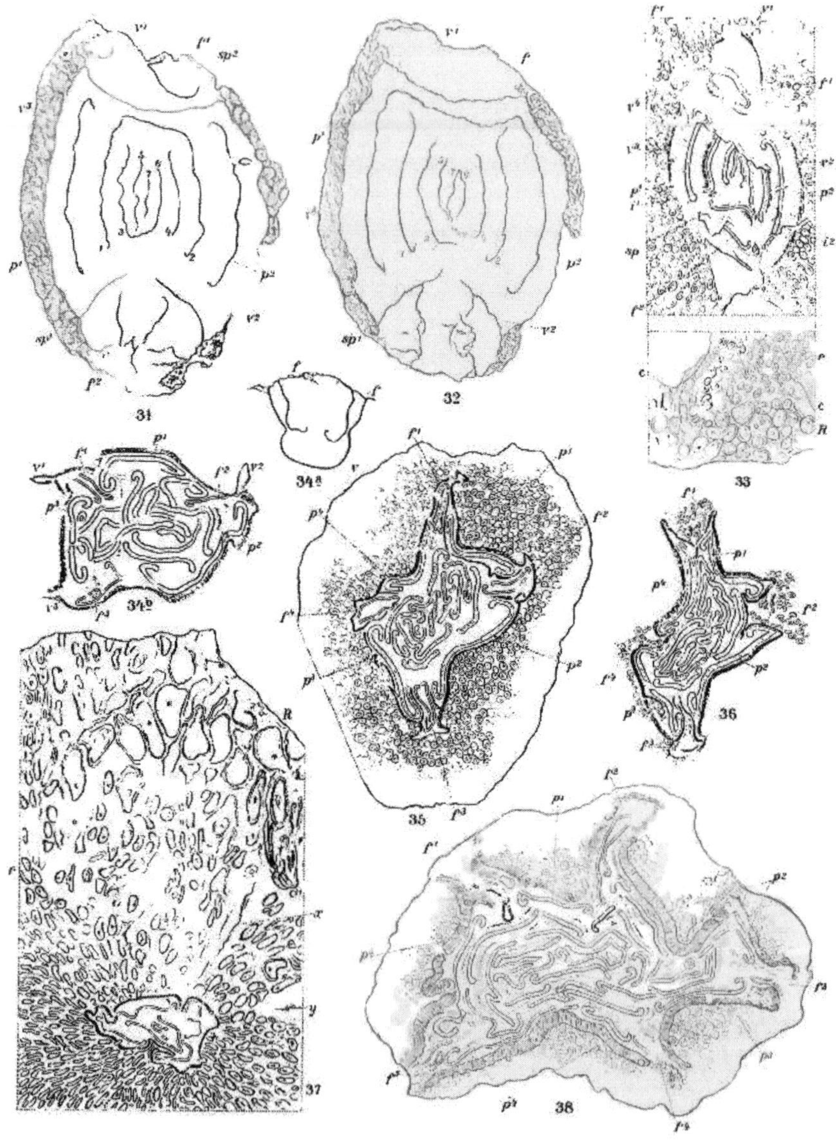

K. G. Stenzel gez. K. k. Hoflithogr. A. Haase Prag

Beiträge zur Palaeontologie und Geologie Oesterreich-Ungarns
und des Orients, Bd. XIX, 1907.
Verlag v. Wilh. Braumüller, k. u. k. Hof- u. Universitäts-Buchhändler in Wien

TAFEL IX (V).

Stenzel: Die Psaronien.

TAFEL IX (V).

Fig. 39. *Psaronius Haidingeri.*
Fig. 40. *Psaronius bibractensis.*[1])

[1]) Auf pag. 100, Zeile 11 ist bei Fig. 40 fälschlich Tafel IV statt Tafel V angegeben.

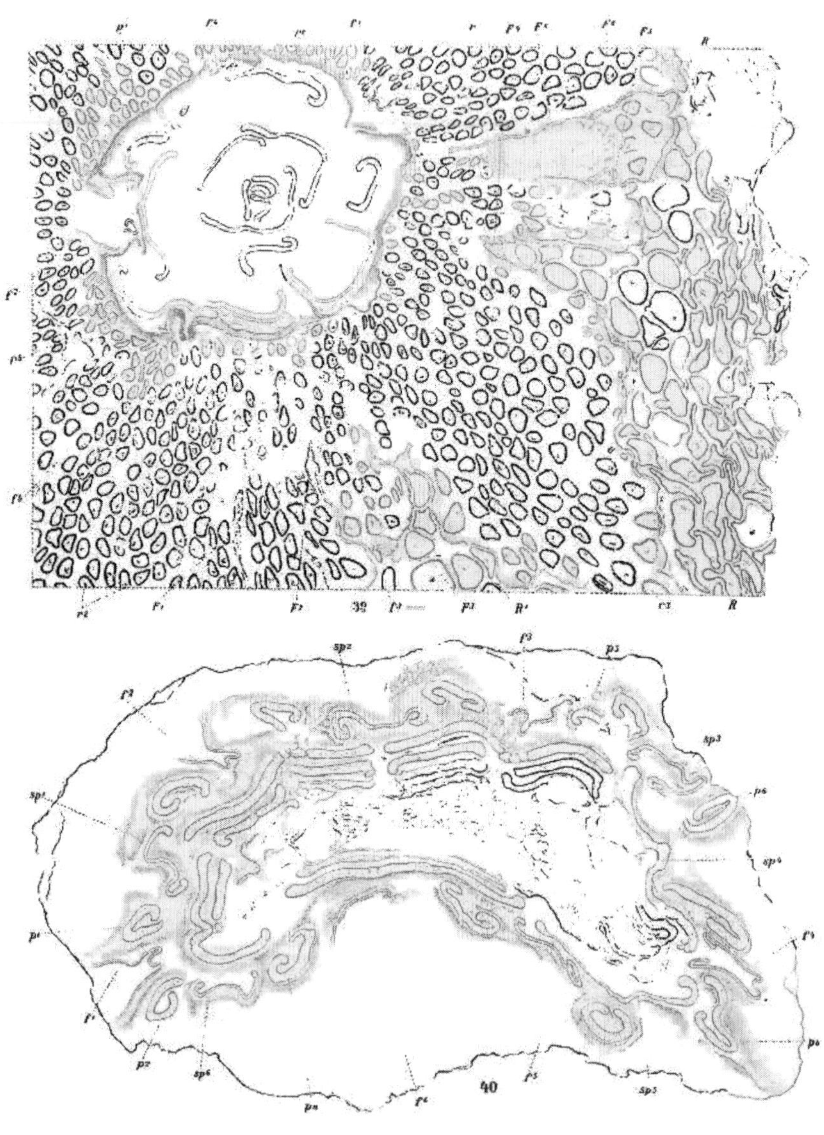

K. G. Stenzel gez.

TAFEL X (VI).

Stenzel: Die Psaronien.

TAFEL X (VI).

Fig. 41, 43 *Psaronius helmintholithus*;[1] Fig. 42 Umrißzeichnung. Fig. 43 Original von Corda.
Fig. 44. *Psaronius Weberi*.
Fig. 45. *Psaronius spissus*;[2] Schnitt in tieferer Lage.
Fig. 46. » » » ;[3] Schnitt in höherer Lage.

[1]) Diese Art ist auf pag. 109 als *Psaronius asterolithus* bezeichnet.
[2]) Ist auf pag. 97 mit der Figurenbezeichnung: 25 statt 45 versehen.
[3]) Desgleichen auf pag. 97: statt Fig. 46 war im Manuskript Fig. 26 angegeben.

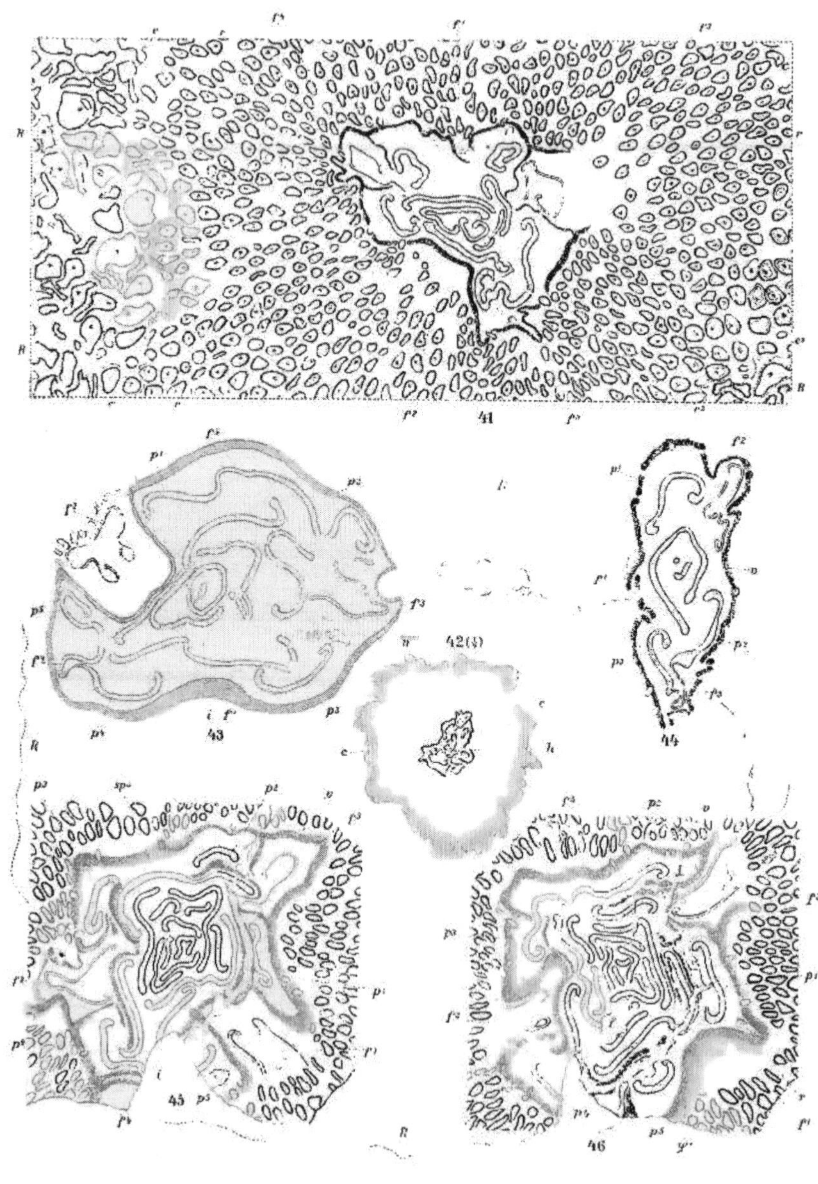

K. G. Stenzel gez.

Verlag v. Wilh. Braumüller, k. u. k. Hof- u. Universitäts-Buchhändler in Wien

TAFEL XI (VII).

Stenzel: Die Psaronien.

TAFEL XI (VII).

Fig. 47. *Psaronius* sp. Wurzelansatz mit Ästen.
Fig. 48—56. *Psaronius tenuis*. Fig. 48. Wurzelansatz. Fig. 51. Rinde mit zwei Wurzelansätzen.

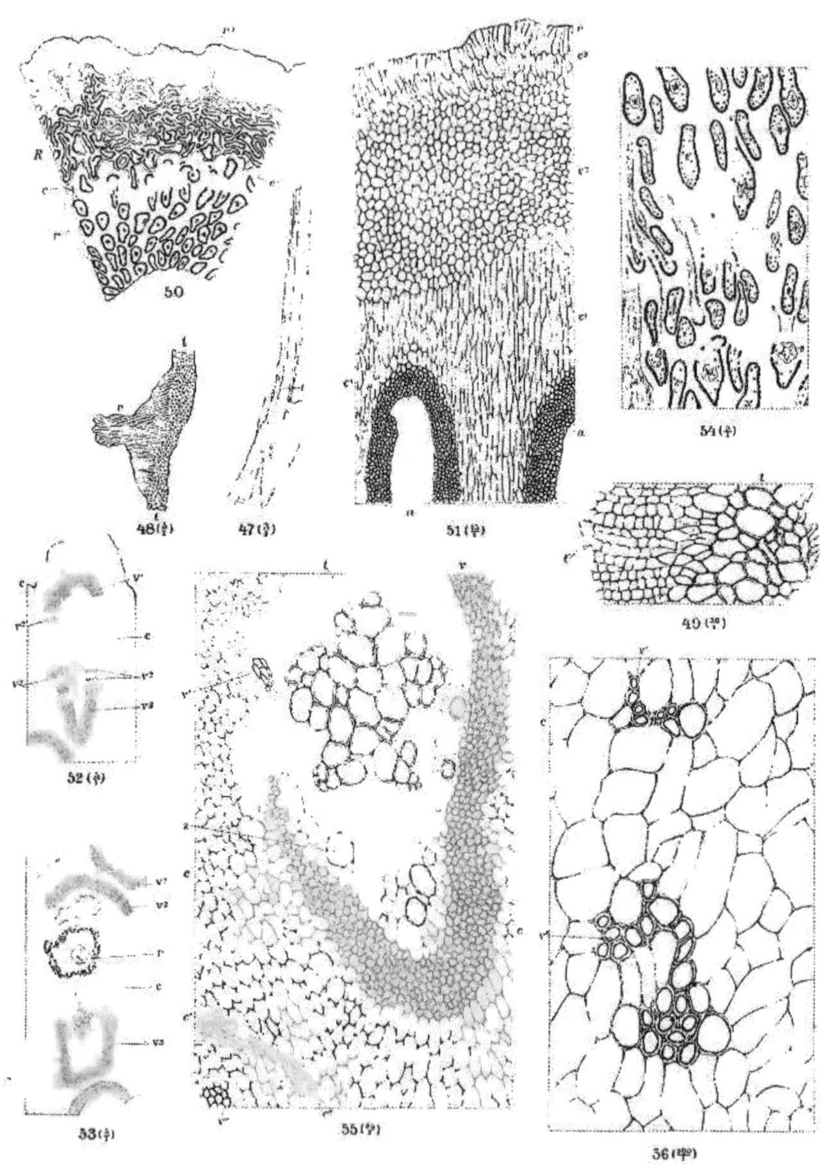

K. G. Stenzel gez.

Beiträge zur Palaeontologie und Geologie Oesterreich-Ungarns
und des Orients, Bd. XIX, 1907.
Verlag v. Wilh. Braumüller, k. u. k. Hof- u. Universitäts-Buchhändler in Wien

TAFEL XII (I).

Ascher: Gastropoden, Bivalven und Brachiopoden der Grodischter Schichten.

TAFEL XII (I).

Fig. 1 *a—c*. *Turbo bitropistus* n. sp.
a) von vorn, *b*) von rückwärts, *c*) c. zweifach vergrößert.
Koniakau . . . . pag. 139 [5]

Fig. 2 *a—c*. *Trochus metrius* n. sp.
a) von vorn, *b*) von rückwärts, *c*) ein Stück Schale stark vergrößert.
Tierlitzko . . . . pag. 139 [5]

Fig. 3 *a—c*. *Natica (Amauropsis) Grodischtana* Hohenegger.
a) von vorn, *b*) von rückwärts, *c*) ein Stück Schale stark vergrößert.
Koniakauer Schloß . . . . pag. 140 [6]

Fig. 4 *a—c*. *Natica (Amauropsis) euxina* Retowski.
a) von vorn, *b*) von rückwärts, *c*) anderes Exemplar (mit größerem Gewindewinkel).
Koniakauer Schloß . . . . pag. 142 [8]

Fig. 5 *a—d*. *Natica (Amauropsis)* aff. *suprajurensis* Buv.
Für jede Figur *a—c* diente ein anderes Exemplar; *d*) ein Stück Schale stark vergrößert.
Grodischt, Koniakauer Schloß . . . . pag. 142 [8]

Fig. 6 *a—c*. *Natica (Amauropsis) Uhligi* n. sp.
a) von vorn, *b*) von rückwärts, *c*) ein Stück Schale c. dreifach vergrößert.
Koniakauer Schloß . . . . pag. 143 [9]

Fig. 7 *a—c*. *Rissoina biploca* n. sp.
a) von vorn, *b*) von rückwärts, *c*) zweifach vergrößert.
Fundort unbekannt . . . . pag. 144 [10]

Fig. 8 *a—c*. *Littorina dictyophora* n. sp.
a) von vorn, *b*) von rückwärts, *c*) die Partie zwischen den drei stärksten Längsrippen stark vergrößert.
Koniakauer Schloß . . . . pag. 144 [10]

Fig. 9 *a—c*. *Chemnitzia Grodischtana* Hohenegger
a) von vorn, *b*) anderes Exemplar von rückwärts, *c*) von unten
Koniakau . . . . pag. 145 [11]

Fig. 10. *Nerinea bidentata* Herb. (non Gemm.)
Grodischter Schloß . . . . pag. 146 [12]

Fig. 11 *a—c*. *Cerithium Sanctae-Crucis* Pict. et Camp.
a) von vorn, *b*) von rückwärts, ergänzt, *c*) zwei Umgänge c. zweifach vergrößert.
Koniakauer Schloß . . . . pag. 148 [14]

Fig. 12 *a—c*. *Actaeonina Haugi* n. sp.
a) von vorn, *b*) von rückwärts, *c*) ein Stück des letzten Umganges stark vergrößert.
Koniakauer Schloß . . . . pag. 152 [18]

Ascher: Gastropoden, Bivalven und Brachiopoden der Grodischter Schichten (Taf. I.)

Taf. XII.

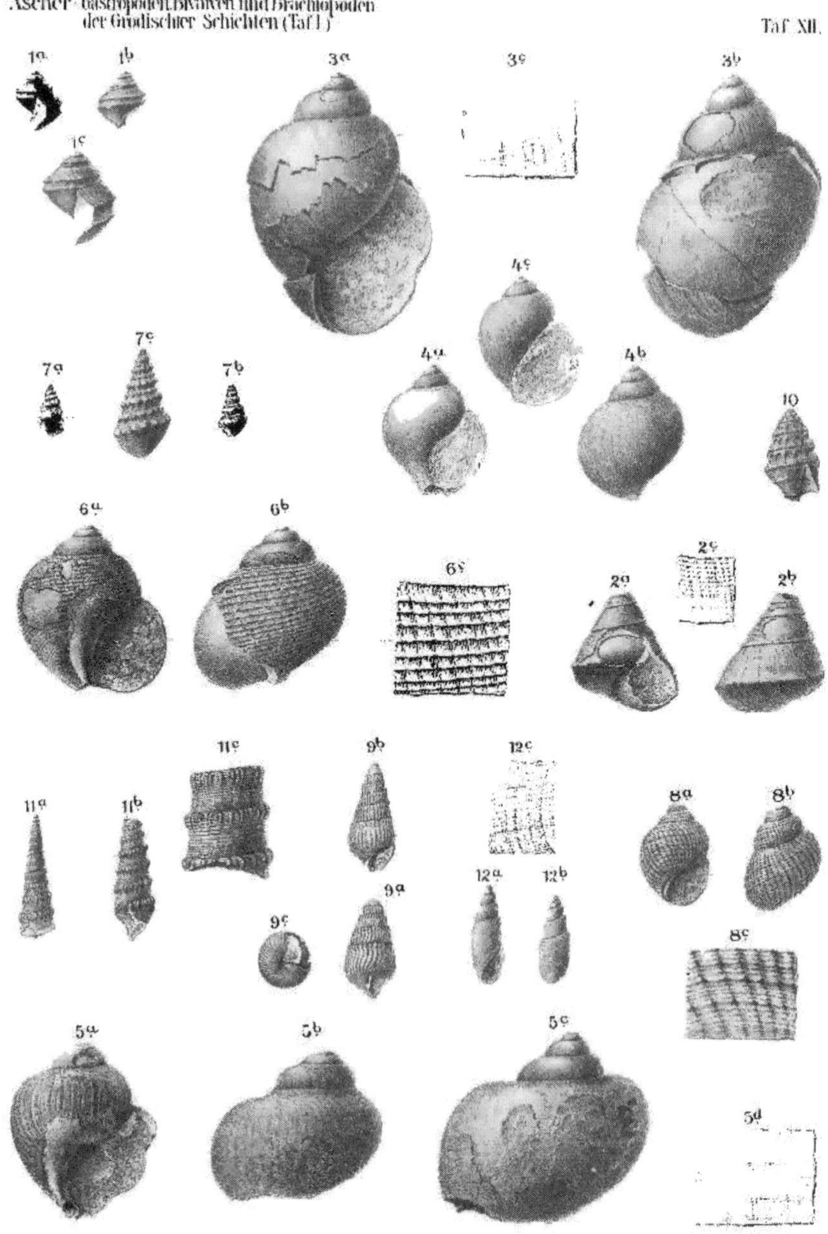

Beiträge zur Palaeontologie und Geologie Oesterreich-Ungarns und des Orients, Bd. XIX, 1906.

Verlag v. Wilh. Braumüller, k. u. k. Hof- u. Universitäts-Buchhändler in Wien.

TAFEL XIII (II).

Ascher: Gastropoden, Bivalven und Brachiopoden der Grodischter Schichten.

TAFEL XIII (II).

Fig. 1 *a*, b. *Fusus* (*Chrysodomus?*) *Rothpletzi* n. sp.
a) von vorn, *b*) von rückwärts.
Koniakauer Schloß . . . . pag. 149 [15]

Fig. 2 *a*, *b*. *Fusus* (*Chrysodomus*) *oxyptychus* n. sp.
a) von vorn, *b*) von rückwärts.
Grodischt . . . . pag. 150 [16]

Fig. 3 *a*—*c*. *Fusus* (*Chrysodomus*) *Grodischtanus* n. sp.
a) von vorn, *b*) von rückwärts, *c*) ein Stück Schale stark vergrößert.
Grodischt . . . . pag. 151 [17]

Fig. 4 *a*—*c*. *Fusus* (*Chrysodomus*) *zonatus* n. sp.
a) von rückwärts, *b*) anderes Exemplar von vorn, *c*) Schalenstück, über zwei Windungen gehend, c. zweifach vergrößert.
Tierlitzker Bach . . . . pag. 151 [17]

Fig. 5 *a*, *b*. *Chemnitzia eucosmeta* n. sp.
a) von vorn, *b*) anderes Exemplar von rückwärts.
Grodischt—Koniakau . . . . pag. 145 [11]

Fig. 6 *a*, *b*. ? *Turitella* cf. *inornatum* Buv.
a) natürliche Größe, *b*) ein Umgang dreifach vergrößert.
Koniakauer Schloß . . . . pag. 149 [15]

Fig. 7 *a*, *b*. ? *Rissiona Hoheneggeri* n. sp.
a) natürliche Größe, *b*) c. zweifach vergrößert.
Trzanowitz (Oberer Teschener Schiefer) . . . . pag. 169 [35]

Fig. 8 *a*—*c*. *Actaeon* sp.
a) natürliche Größe, *b*) dreifach vergrößert von vorn, *c*) dreifach vergrößert von rückwärts.
Koniakauer Schloß . . . . pag. 153 [19]

Fig. 9 *a*, *b*. ? *Chemnitzia orthoptycha* n. sp.
a) von vorn, *b*) von rückwärts, *c*) Schalenstück stark vergrößert. Fundort unbekannt . . . . pag. 146 [12]

Fig. 10 *a*, *b*. *Trigonia* sp. ind.
a) von der Seite, natürliche Größe, *b*) von oben, zweifach vergrößert . . . pag. 159 [25]

Fig. 11 *a*, *b*. *Trochus* sp.
a) natürliche Größe, *b*) dreifach vergrößert.
Wendriner Straße. Unterer Teschener Schiefer . . . . pag. 168 [34]

Fig. 12 *a*—*h*. *Myoconcha* aff. *transatlantica* Burck.
Die Abbildungen sind nach drei Exemplaren gemacht, und zwar stammen von: Exemplar I. *a*) von außen, seitlich, *b*) von innen, *c*) von oben; Exemplar II. *d*) von außen, *e*) von innen, *f*) Steinkern mit Abdruck der beiden flachen Gruben (vorn und hinten abgebrochen); Exemplar III. *g*) von außen, *h*) von innen.
Koniakauer Schloß . . . . pag. 155 [21]

Fig. 13. *Leda* sp. Nr. 1. c. zweifach vergrößert.
Koniakau . . . . pag. 158 [24]

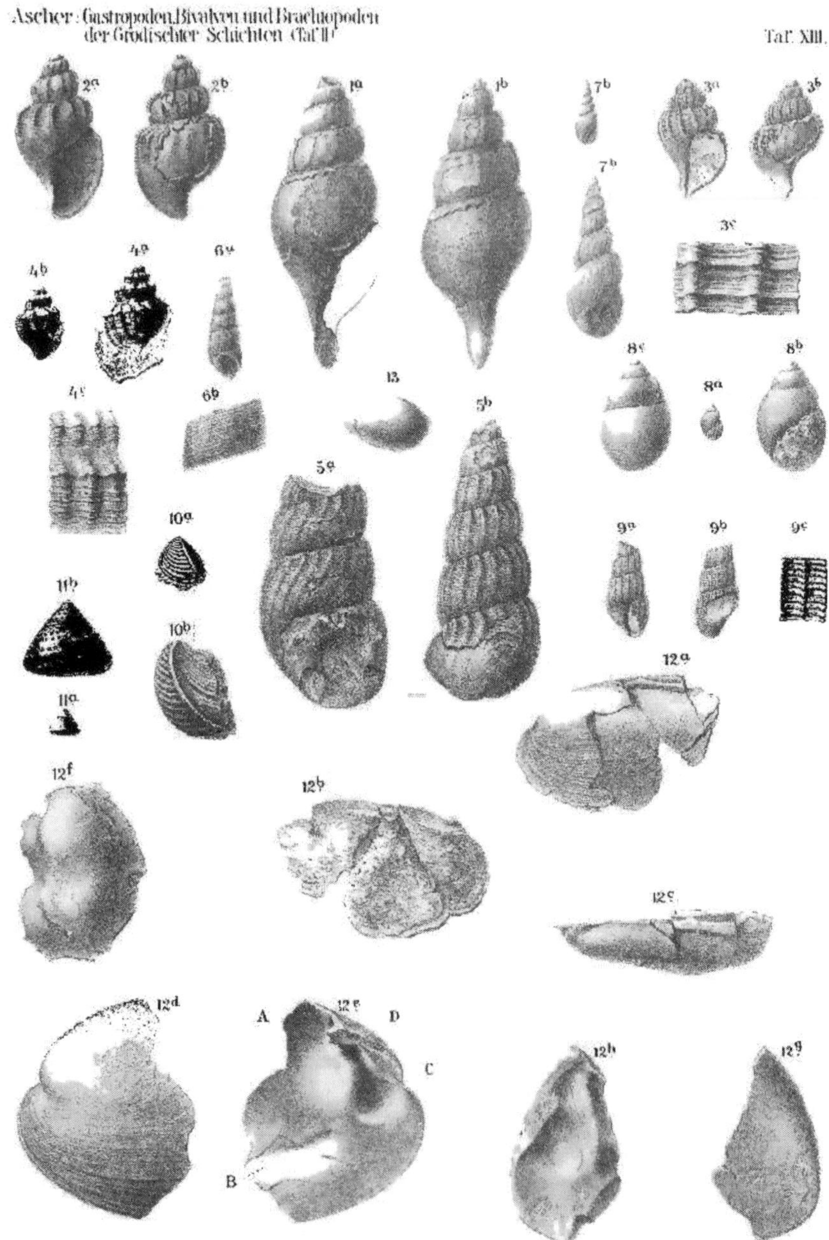

Beiträge zur Palaeontologie und Geologie Oesterreich-Ungarns
und des Orients. Bd. XIX. 1906.

Verlag v. Wilh. Braumüller, k. u. k. Hof- u. Universitäts-Buchhändler in Wien

TAFEL XIV (III).

Ascher: Gastropoden, Bivalven und Brachiopoden der Grodischter Schichten.

TAFEL XIV (III).

Fig. 1 *a*, *b*. *Pecten* sp.
a) natürliche Größe, *b*) zweifach vergrößert.
Koniakauer Schloß . . . . pag. 154 [20]

Fig. 2. *Oxytoma Cornueliana* d'Orb.
Koniakauer Schloß . . . . pag. 155 [21]

Fig. 3 *a*, *b*. *Myoconcha* sp. ind.
a) von außen, *b*) von innen.
Koniakauer Schloß . . . . pag. 157 [23]

Fig. 4. *Leda* sp. Nr. 2.
zweifach vergrößert.
Koniakau . . . . pag. 158 [24]

Fig. 5 *a*, *b*. *Lucina aff. valentula* de Lor.
a) von außen, *b*) von innen.
Koniakauer Schloß . . . . pag. 161 [27]

Fig. 6. *Lucina* sp. ind.
Koniakau . . . . pag. 161 [27]

Fig. 7. ? *Cyrena* sp. ind.,
nach Hohenegger *Cyrena lato-ovata* Roem.
Koniakauer Schloß . . . . pag. 163 [29]

Fig. 8 *a*, *b*. ? *Cyrena* sp. ind.,
nach Hohenegger *Cyrena elliptica* Dkr.
a) von außen, *b*) Schloß.
Koniakauer Schloß . . . . pag. 163 [29]

Fig. 9 *a*—*c*. *Lucina Rouyana* d'Orb.
a) natürliche Größe, *b*) von der Seite, c. zweifach vergrößert *c*) von oben, c. zweifach vergrößert.
Stanislowitz . . . . pag. 164 [30]

Fig. 10 *a*-*d*. *Pholas* (*Turnus*) *nanus* n. sp.
a) Verkohltes Treibholz. Die in Markasit verwandelten Kügelchen bilden die Ausfüllung der Bohrlöcher und umschließen die Bohrmuscheln; *b*) Exemplar c. dreifach vergrößert, von der Seite, *c*) ebenso, von oben, *d*) ebenso, von der Seite (die vorn austretende Füllmasse zeigt glatte Oberfläche).
Grodischt . . . . pag. 164 [30]

Fig. 11. *Rhynchonella peregrina* v. Buch.
Koniakauer Schloß . . . . pag. 166 [32]

Fig. 12 *a*—*d*. *Rhynchonella silesica* n. sp.
a) großes Exemplar von vorn, *b*) von der Seite, *c*) Stirnansicht, *d*) kleines Exemplar.
Koniakau . . . . pag. 167 [33]

Fig. 13 *a*—*c*. *Terebratulina auriculata* d'Orb.
a) natürliche Größe, *b*) Rückenansicht, zweifach vergrößert, *c*) Vorderansicht, ebenso.
Koniakauer Schloß . . . . pag. 167 [33]

Fig. 14. *Terebratulina* sp.
Fundort unbekannt . . . . pag. 168 [34]

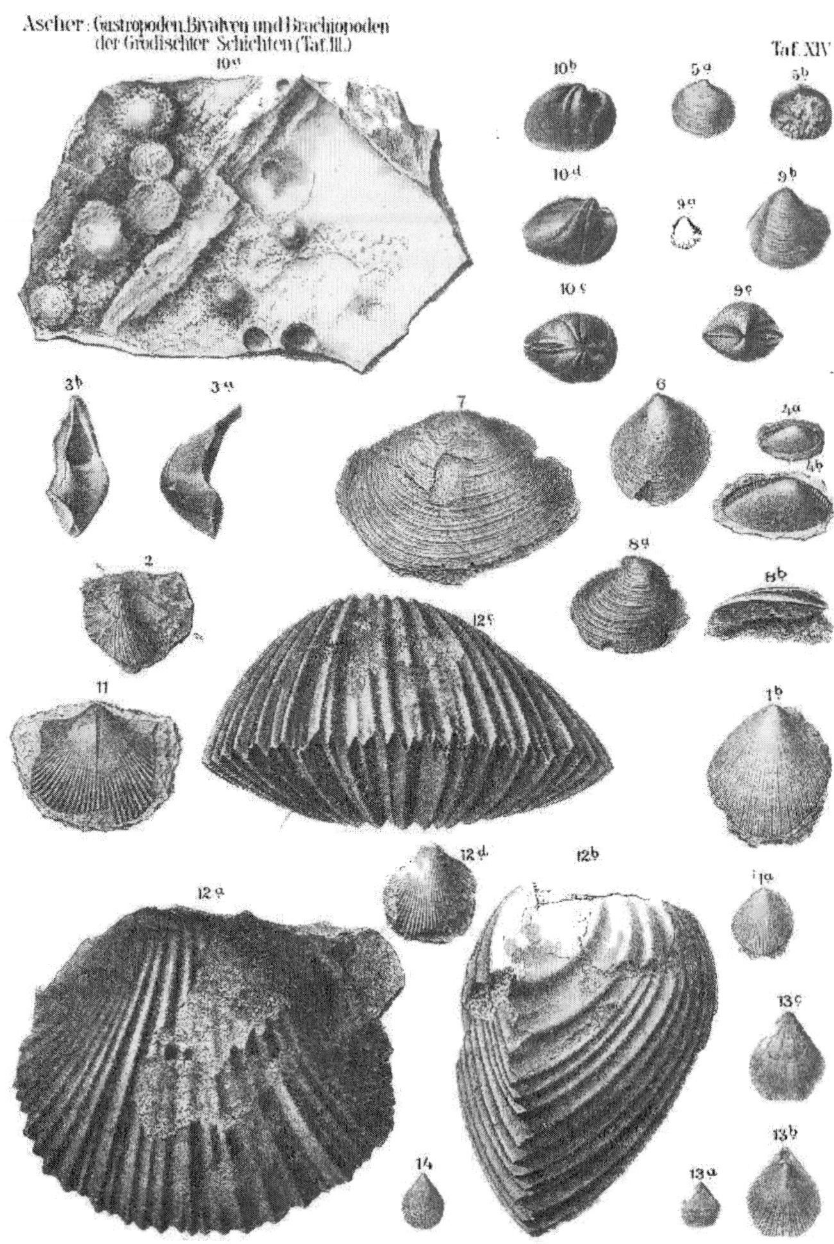
Ascher: Gastropoden, Bivalven und Brachiopoden
der Grodischter Schichten (Taf. III.)
Taf. XIV
Beiträge zur Palaeontologie und Geologie Oesterreich-Ungarns
und des Orients. Bd. XIX. 1906.
Verlag v. Wilh. Braumüller, k.u.k. Hof- u. Universitäts-Buchhändler in Wien.

TAFEL XV (I).

Jos. von Siemiradzki: Die Paläozoischen Gebilde Podoliens.

TAFEL XV (I).

Orthoceras podolicum Alth. Czortkow: Krakauer Sammlung.

Fig. 1 *a*—*b*. Seitenansicht (nat. Größe) . . . . pag. 221
Fig. 2 *a*—*b*. Von der Siphonalseite gesehen mit zum Teil erhaltener Schale.
Fig. 3. Sukzessive Querschnittsveränderung desselben Exemplars.
Fig. 4. Embryonalkammer mit Narbe (nat. Größe) ebendaher.
Fig. 5. Mündung (etwas zerdrückt). Ebendaher. Krakauer Sammlung.

Sämtliche Figuren in natürlicher Größe. Die Figuren 1—3 beziehen sich auf dasselbe ganz ausgewachsene Exemplar.

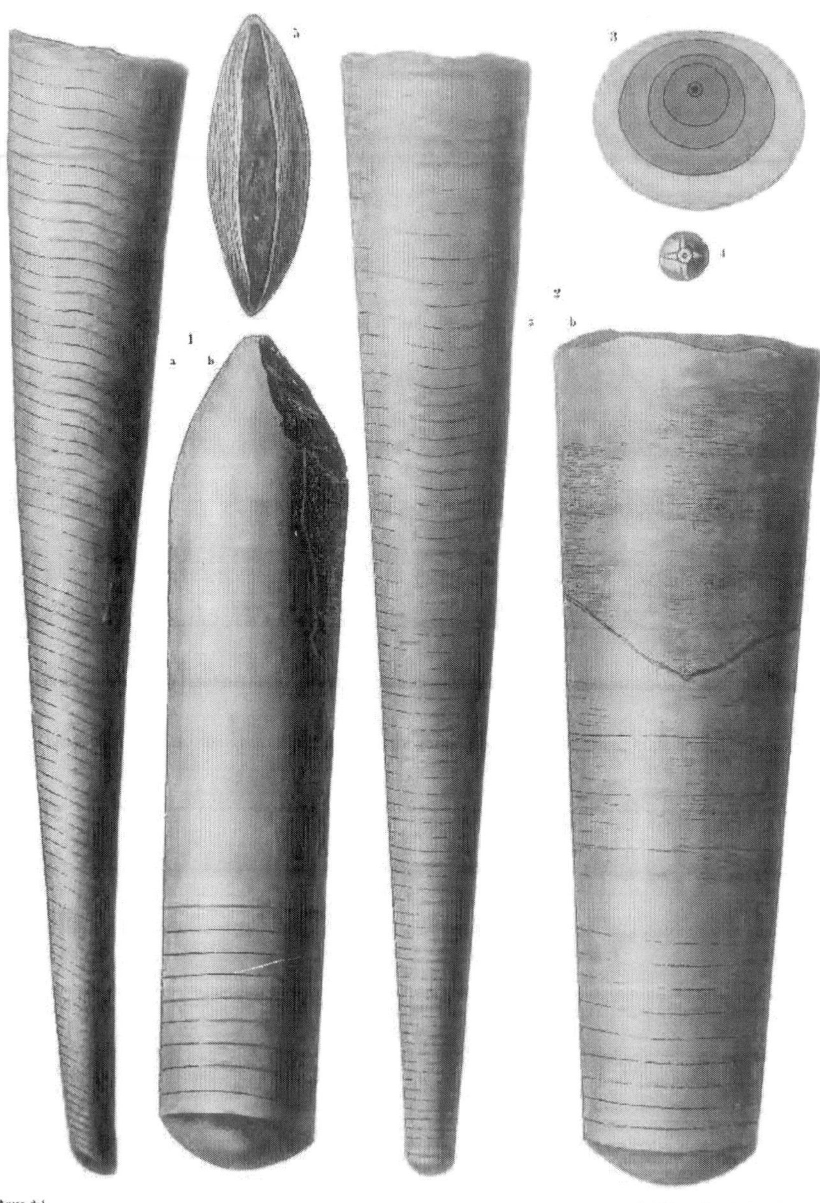

Autor del. Kunstanstalt Max Jaffé, Wien.

Beiträge zur Palaeontologie und Geologie Oesterreich-Ungarns und des Orients. Bd. XIX. 1906.

Verlag v. Wilhelm Braumüller, k. u. k. Hof- u. Universitäts-Buchhändler in Wien.

TAFEL XVI (II).

Jos. von Siemiradzki: Die Paläozoischen Gebilde Podoliens.

TAFEL XVI (II).

Fig. 1. **Orthoceras podolicum** Alth. Mündung (Krakauer Sammlung) Czortkow . . . . . pag. 221

Fig. 2. **Orthoceras Roemeri** Alth. Czortkow (Krakauer Sammlung). Originalexemplar von Alth . pag. 221
a) Seitenansicht.
b) Von der Antisiphonalseite gesehen.

Fig. 3. **Orthoceras Roemeri** Alth. Tudorów (Krakauer Sammlung) . pag. 221
a) Seitenansicht.
b) Antisiphonalseite.

Fig. 4. **Orthoceras Roemeri** Alth. Querschnittsveränderung an einem Exemplare. Czortków . . . . pag. 221

Fig. 5. **Orthoceras Roemeri** Alth. (Krakauer Sammlung). Czortków. Embryonalkammer mit Narbe (nat. Größe) . . . . pag. 221

Fig. 6. **Orthoceras Hisingeri** Boll. Studenica. (Krakauer Sammlung). . . . . pag. 224

Fig. 7. **Orthoceras Kendalense** Blake. Dawidkowce. (Krakauer Sammlung) . . . . pag. 225

Fig. 8. **Orthoceras Kendalense** Blake (juv.) Kamieniec. (nat. Größe). (Museum Dzieduszycki); 8*b*. Schalenskulptur vergrößert . . . . pag. 225

Fig. 9. **Orthoceras** cf. **longulum** Barr. mit Rastrites und Monograptus sp. Skała (Coll. Alth. Krakauer Sammlung) . . . . pag. 223

Fig. 10. **Gomphoceras ellipticum** M. Coy. Chudykowce (Krakauer Sammlung); 10*b*. Querschnitt . pag. 226

Fig. 11. **Orthoceras virgatum** Sow. Kamieniec. (Museum Dzieduszycki), junges Exemplar . . . . . pag. 225

Fig. 12. **Gomphoceras pyriforme** Sow. Skala (Krakauer Sammlung); *a)* schmale Seite; *b)* breite Seite . pag. 227

Fig. 13. **Orthoceras** aff. **Sternbergi** Barr. Dzwinogród (Krakauer Sammlung) . . . . pag. 223

Fig. 14. **Orthoceras pseudoimbricatum** Barr. Kamieniec (Krakauer Sammlung). *a)* Querschnitt, *b)* Längsschnitt . . . . pag. 223

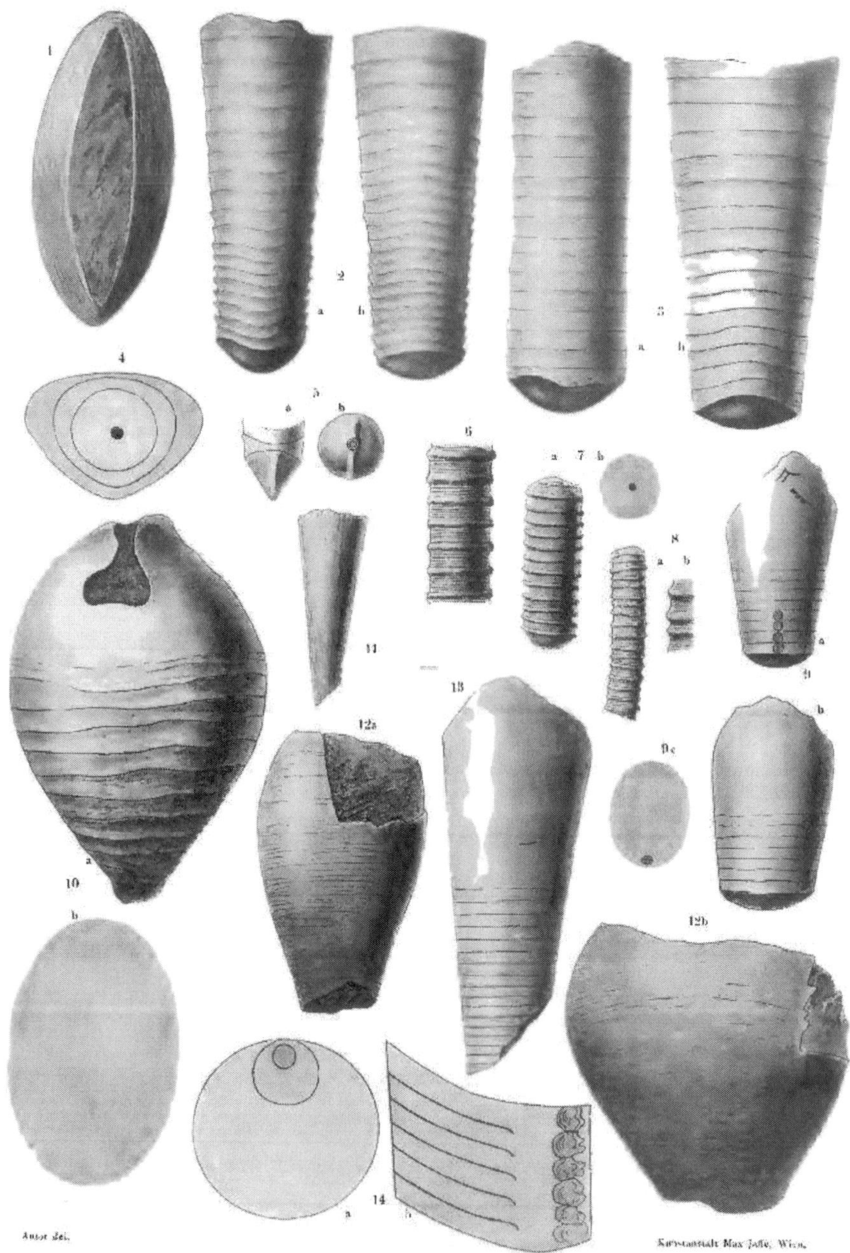

Autor del. Kunstanstalt Max Jaffé, Wien.

Verlag v. Wilhelm Braumüller, k. u. k. Hof- u. Universitäts-Buchhändler in Wien.

TAFEL XVII (III).

Jos. von Siemiradzki: Die Paläozoischen Gebilde Podoliens.

TAFEL XVII (III).

Fig. 1. **Clinoceras podolicum** n. sp. Sinków (Krakauer Sammlung), (nat. Größe) . . pag. 226

a) Seitenansicht.

b) Ansicht von der Siphonalseite.

c) Querschnitt.

d) } *e*) } Sipho (vergrößert), *d*) Medianschnitt; *e*) teilweise aufgedeckt.

Fig. 2. **Clinoceras podolicum** n. sp. Sinków (ebenda). Wohnkammer mit erhaltener Mündung . . . . pag. 226

a) von vorn,

b) von der Seite gesehen.

Fig. 3. **Clinoceras ellipticum** n. sp. Dźwinogród (Krakauer Sammlung) . . . pag. 226

a) Seitenansicht.

b) Siphonalseite.

c) Querschnitt.

d) Sipho (vergrößert).

Fig. 4. **Cyrtoceras vivax** Barr. Rosochacz (Krakauer Sammlung) . . . pag. 227

Fig. 5. **Cyrtoceras breve** n. sp. Filipkowce . . . . pag. 228

a) Seitenansicht.

b) Siphonalseite.

c) Längsschnitt.

d) Querschnitt.

Fig. 6. **Cyrtoceras formidandum** Barr. Zaleszczyki (Museum Dzieduszycki) . . . . pag. 228

a) Seitenansicht.

b) Siphonalseite.

c) Querschnitt.

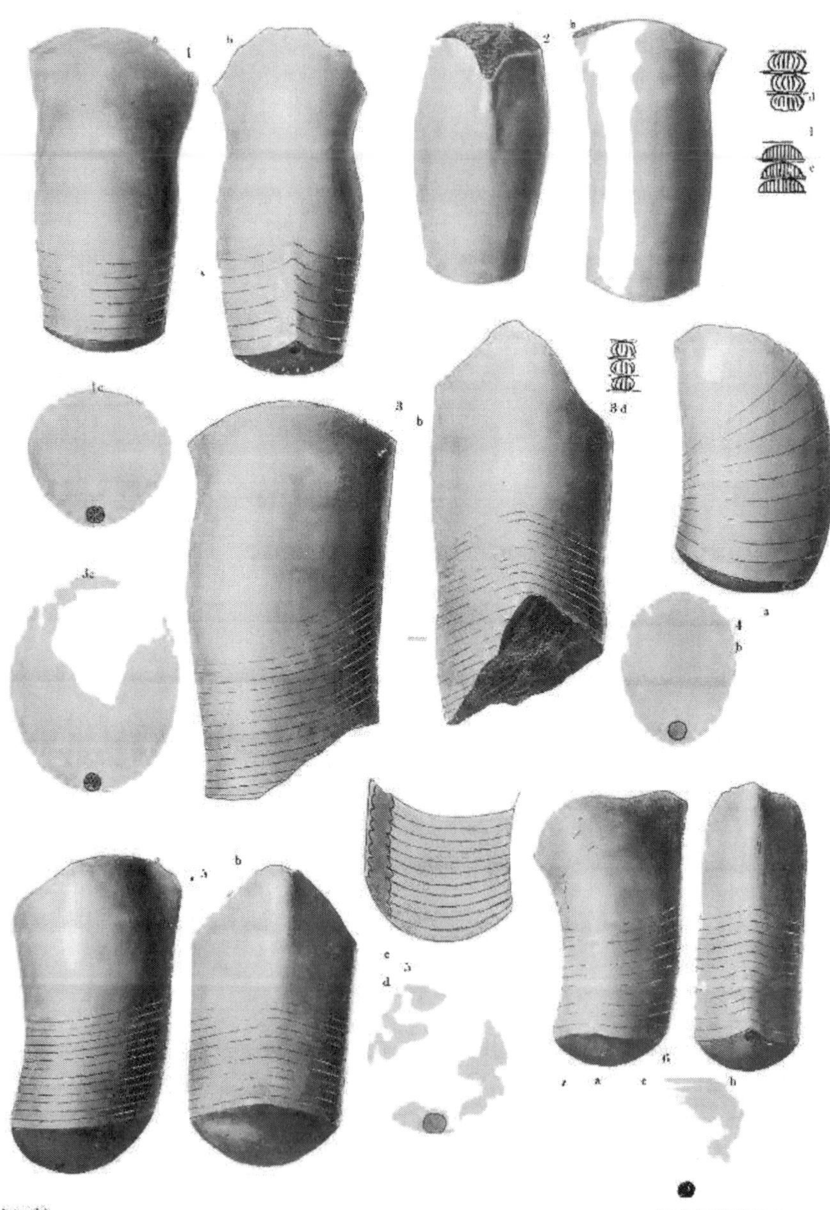

Autor del. Kunstanstalt Max Jaffé, Wien.

Verlag v. Wilhelm Braumüller, k. u. k. Hof- u. Universitäts-Buchhändler in Wien.

TAFEL XVIII (IV).

Jos. von Siemiradzki: Die Paläozoischen Gebilde Podoliens.

TAFEL XVIII (IV).

Fig. 1. **Cyrtoceras sinon** Barr. Sinków (Krakauer Sammlung).
a) Seitenansicht; *b*) Querschnitt . . . . pag. 227

Fig. 2. **Cyrtoceras** sp. **ind.** aff. **Roemeri** Barr. Biala (Krakauer Sammlung).
a) Seitenansicht; *b*) Querschnitt . . . . pag. 227

Fig. 3. **Cyrtoceras intermedium** Blake. Czortków (Krakauer Sammlung).
a) Seitenansicht; *b*) Querschnitt . . . . pag. 227

Fig. 4. **Cyrtoceras intermedium** Blake. Wohnkammer, Czortków (ebenda) . . . pag. 227

Fig. 5. **Cyrtoceras podolicum** n. sp. Korolówka.
a) Seitenansicht; *b*) Antisiphonalseite; *c*) Siphonalseite; *d*) Querschnitt; *e*) Sipho (vergröß.) zum Teil aufgedeckt; *f*) Sipho (Querschnitt) vergrößert . . . . pag. 228

Fig. 6. **Cyrtoceras anormale** Barr. Kozaczyzna (Krakauer Sammlung).
a) Seitenansicht; *b*) Querschnitt . . . . pag. 228

Fig. 7. **Glossoceras carinatum** Alth. (i. lit.) Lanowce (Krakauer Sammlung) . . . . pag. 227

Fig. 8. **Anarcestes podolicus** n. sp. Krakauer Sammlung. Größtes Exemplar in nat. Größe, mit sichtbarer Lobenlinie . . . . pag. 229

Fig. 9. **Anarcestes podolicus** n. sp. Filipkowce (Museum Dzieduszycki).
a) Seite; *b*) Rücken . . . . pag. 229

Fig. 10. Deckel eines unbestimmten Gasteropoden. Filipkowce (Museum Dzieduszycki).

Fig. 11. **Holopella acicularis** F. Roem. Satanów . . . . pag. 230

Fig. 12. **Holopella acicularis** Roem. Sapachów (Krakauer Sammlung) . . . . . pag. 230

Fig. 13. **Murchisonia** aff. **Demidoffi** Vern. Kozina (Krakauer Sammlung) . . . . . . pag. 233

Fig. 14. **Pleurotomaria bicincta** Hall. Skala (Museum Dzieduszycki) . . . . pag. 232

Fig. 15. **Platyceras (Acroculia) podolicum** n. sp. Skowiatyn (Krakauer Sammlung) pag. 230

Fig. 16. **Bellerophon** cfr. **Hintzei** Frech. Borszczów (Museum Dzieduszycki) . . pag. 234

Fig. 17. **Discoceras** cfr. **rapax** Barr. Kamieniec Podolski (Krakauer Sammlung) . . . pag. 229

Fig. 18 *a*—*d*. **Platyceras disjunctum** Gieb. Filipkowce . . . . pag. 230

Fig. 19. **Platyceras cornutum** His. Filipkowce . . . . pag. 230

Fig. 20. **Pleurotomaria alata** His. Kamieniec Podolski (Krakauer Sammlung) . . . pag. 233

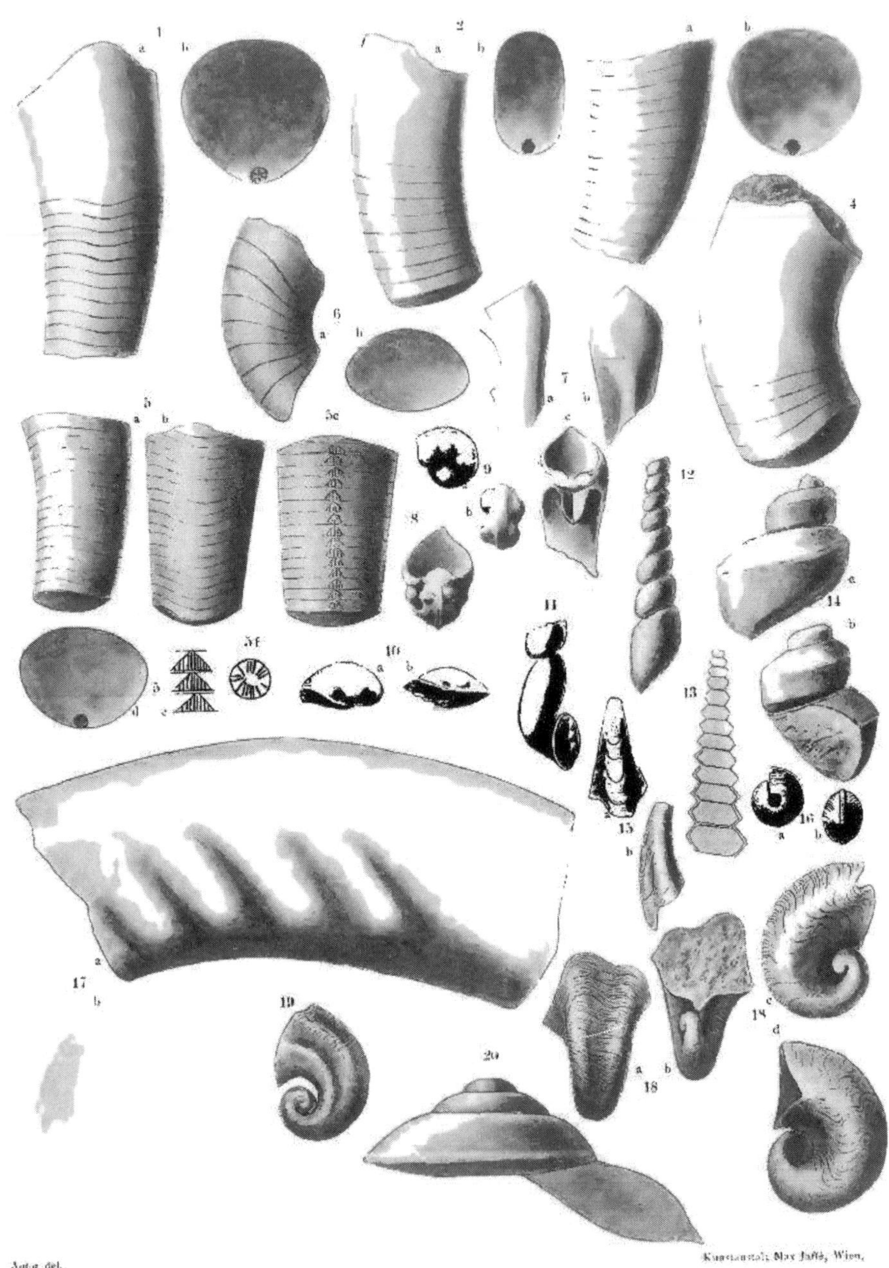

Autor del. Kunstanstalt Max Jaffé, Wien.

Beiträge zur Palaeontologie und Geologie Oesterreich-Ungarns und des Orients. Bd. XIX. 1906.

Verlag v. Wilhelm Braumüller, k. u. k. Hof- u. Universitäts-Buchhändler in Wien.

TAFEL XIX (V).

Jos. von Siemiradzki: Die Paläozoischen Gebilde Podoliens.

TAFEL XIX (V).

Fig. 1. **Modiolopsis (?) podolica** n. sp. Skorodyńce (Krakauer Sammlung) . . . . pag. 241
Fig. 2. **Pterinea ventricosa** Phill. Iwanie . . . . pag. 241
Fig. 3. **Pterinea opportuna** Barr. Czortków (Museum Dzieduszycki) . . . . pag. 240
Fig. 4. **Cucullella tenuiarata** (Steinkern) Sandb. Kalaharówka (Krakauer Sammlung) . . . . pag. 239
Fig. 5. **Cucullella tenniarata** Sandb. Czortków.
a) Mit Schale; *b*) Schalenskulptur (vergrößert) pag. 239
Fig. 6. **Cucullella ovata** Phill. Czortków (m. Schale) . pag. 239
Fig. 7. **Leda** (?) sp. Skala (Steinkern) . . . pag. 239
Fig. 8. **Arca decipiens** Mac Coy. Dobrowiany.
a) Innerer Schalenabdruck der rechtenKlappe; *b*) Linke Klappe (nat. Gr.) pag. 238
Fig. 9. **Cucullella cultrata** Sandb. Zaleszczyki (vergrößert) . . . . pag. 239
Fig. 10. **Cucullella cultrata** Sandb. (Kurze Varietät), (ebenda vergrößert) . pag. 239
Fig. 11. Desgl. ebenda (Steinkern), vergröß. . . . . pag. 239
Fig. 12. **Orthonota solenoides** Sw. Czortków (Museum Dzieduszycki) . . . pag. 239
Fig. 13. Desgl. Steinkern, ebenda . . . . pag. 238
Fig. 14. **Orthonota impressa** Sw. Iwańska Ubicz (Krakauer Sammlung) pag. 238
Fig. 15. **Leptodomus laevis** Sw. Ubryń (Krakauer Sammlung) . . . pag. 235
Fig. 16. **Leptodomus podolicus** n. sp. Korolówka (Krakauer Sammlung) pag. 236
Fig. 17. **Grammysia rotundata** Sw. Czortków (Krakauer Sammlung) . pag. 238
Fig. 18. **Grammysia rotundata** Sw. ebendar . . . . pag. 238
Fig. 19. **Grammysia cingulata** Mac Coy. Czortków (Museum Dzieduszycki) . pag. 237
Fig. 20. **Grammysia podolica** n. sp. Uście Biskupie (Krakauer Sammlung) pag. 237
Fig. 21. **Grammysia complanata** Sw. Korolówka (Krakauer Sammlung) . pag. 237
Fig. 22. **Plumulites** sp. **ind.** Ladawa (Museum Dzieduszycki) . . . pag. 220
Fig. 23. **Glyptocrinus** sp. **ind.** Filipkowce (Krakauer Sammlung) . . . . pag. 277
Fig. 24. **Pterygotus** sp. nova indet. (Telson und Schwanzplatte), Skała (Museum Dzieduszycki) pag. 215
Fig. 25. **Edmondia podolica** n. sp. Biała bei Czortków (Krakauer Sammlung) . . . . pag. 236

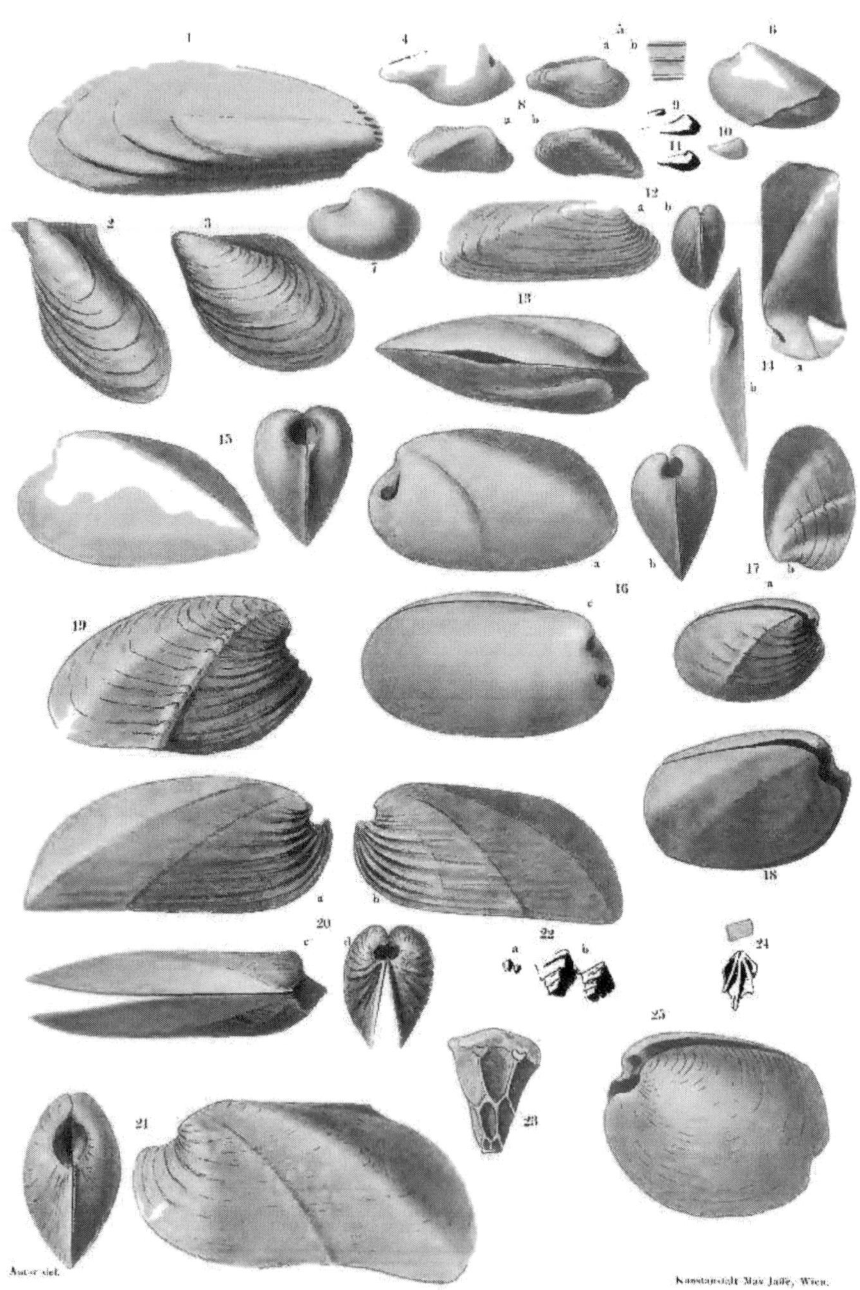

Beiträge zur Palaeontologie und Geologie Oesterreich-Ungarns und des Orients Bd. XIX. 1906.

Verlag v. Wilhelm Braumüller, k. u. k. Hof- u. Universitäts-Buchhändler in Wien.

TAFEL XX (VI).

Jos. von Siemiradzki: Die Paläozoischen Gebilde Podoliens.

TAFEL XX (VI).

Fig. 1 *a*–*e*. **Orthis elegantula** var. **canalis** Sw. Filipkowce (nat. Gr.) . . . . pag. 244
Fig. 2. **Discina** aff. **praepostera** Barr. Sapachow *a* = nat. Gr., *b* = Schalenskulptur vergr. . pag. 243
Fig. 3 *a*–*d*. **Orthis canaliculata** Lindstr. Filipkowce (nat. Gr.) . . . . pag. 245
Fig. 4. **Orthis crassa** Lindstr. Wierzchniakowce. *a*–*e* = nat. Gr., *f* = Schalenskulptur vergr. . pag. 246
Fig. 5 *a*–*c*. **Orthis palliata** Barr. Borszczów (nat. Gr.) . . . . pag. 245
Fig. 6 *a*–*d*. **Orthis hybrida** Sow. Filipkowce, normale Form (nat. Gr.) . . . . pag. 243
Fig. 7 *a*–*c*. **Orthis hybrida** Sow. Wierzchniakowce, flache Form (nat. Gr.) . . . . . . pag. 243
Fig. 8. **Orthis hybrida** Sow. Innenseite der Dorsalklappe (nat. Gr.), Filipkowce . . . . . pag. 243
Fig. 9. **Orthis hybrida** Sow. Schloß der Ventralklappe (nat. Gr.), ebendaher . . . . pag. 243
Fig. 10. **Trimerella** sp. ind. (Steinkern). Ladawa (vergr.), Mus. Dzieduszycki . . . . . pag. 243
Fig. 11 *a*–*b*. **Orthis lunata** Sow. Michalkow (nat. Gr.); 11 *c* = Schalenskulptur vergrößert . . . . pag. 246
Fig. 12 *a*–*d*. **Orthis germana** Barr. Filipkowce (nat. Gr.) . . . . pag. 246
Fig. 13 *a*–*c*. **Platystrophia podolica** n. sp. Borszczow (nat. Gr.) . . . . pag. 247
Fig. 14 *a*–*c*. **Streptorhynchus umbraculum** Schlth. Filipkowce. Mus. Dzieduszycki (nat. Gr.); 14 *d* = vergrößerte Schalenskulptur . . . . pag. 250
Fig. 15 *a*–*b*. **Strophodonta Studenitzae** Wien. Filipkowce (nat. Gr.); *c* = Schalenskulptur . . . . . pag. 249
Fig. 16 *a*–*c*. **Streptorhynchus extensus** Gagel. Zielińce (Mus. Dzieduszycki), nat. Gr.; *d* = Schalenskulptur . . . . pag. 250
Fig. 17. **Strophomena mimica** Barr. Kolodróbka (vergr.); 17 *a* = nat. Gr. . . . . pag. 249
Fig. 18. **Strophomena podolica** n. sp.; *a* = Ventralklappe, *b* = Dorsalklappe, *c* = Schloß der ventralen Klappe, *d* = Querschnitt, *e* = Schalenskulptur (vergr.) . . . . pag. 248
Fig. 19. **Spirifer Nerei** Barr. Zaleszczyki (Krakauer Sammlung), nat. Gr. . . . . pag. 253
Fig. 20 *a*–*b*. **Spirifer** sp. aff. **Nerei** Barr. Filipkowce (Mus. Dzieduszycki), nat. Gr. . . . . pag. 253
Fig. 21 *a*–*d*. **Spirifer plicatellus** L. Zielińce (Mus. Dzieduszycki), nat. Gr. . . . . pag. 252
Fig. 22. **Pentamerus integer** Barr. *a* = Ventralklappe, *b* = Dorsalklappe, *c* = Seitenansicht. Łanowce (nat. Gr.) . . . . pag. 255
Fig. 23. **Pentamerus Sieberi** Barr. *a* = Dorsalklappe, *b* = Stirnansicht, *c* = Seitenansicht. Zielińce (Mus. Dzieduszycki), nat. Gr. pag. 255
Fig. 24. **Meristella canaliculata** Wien. Kozina. *a*–*d* = normale Form (nat. Gr.) . . . . pag. 265
Fig. 25. **Meristella canaliculata** Wien. Kugelige Varietät. Ebendaher (nat. Gr.) . . . . pag. 265
Fig. 26. **Meristella canaliculata** Wien. Kugelige Varietät. Ebendaher (nat. Gr.) . . . . pag. 265
Fig. 27. **Stringocephalus bohemicus** Barr. Skała (Mus. Dzieduszycki). *a*–*c* = nat. Größe, *d* = Deltidium (vergr.) . . . . pag. 263
Fig. 28. **Gruenewaldtia prunum** Dalm. Kozina (nat. Gr.) . . . . pag. 262
Fig. 29 *a*–*b*. **Merista Calypso** Barr. Skała (nat. Gr.) . . . . pag. 264
Fig. 30. **Argiope podolica** n. sp. Uwisła (Mus. Dzieduszycki); *a*–*b* = (vergr.), *c* = nat. Gr. . . . pag. 247

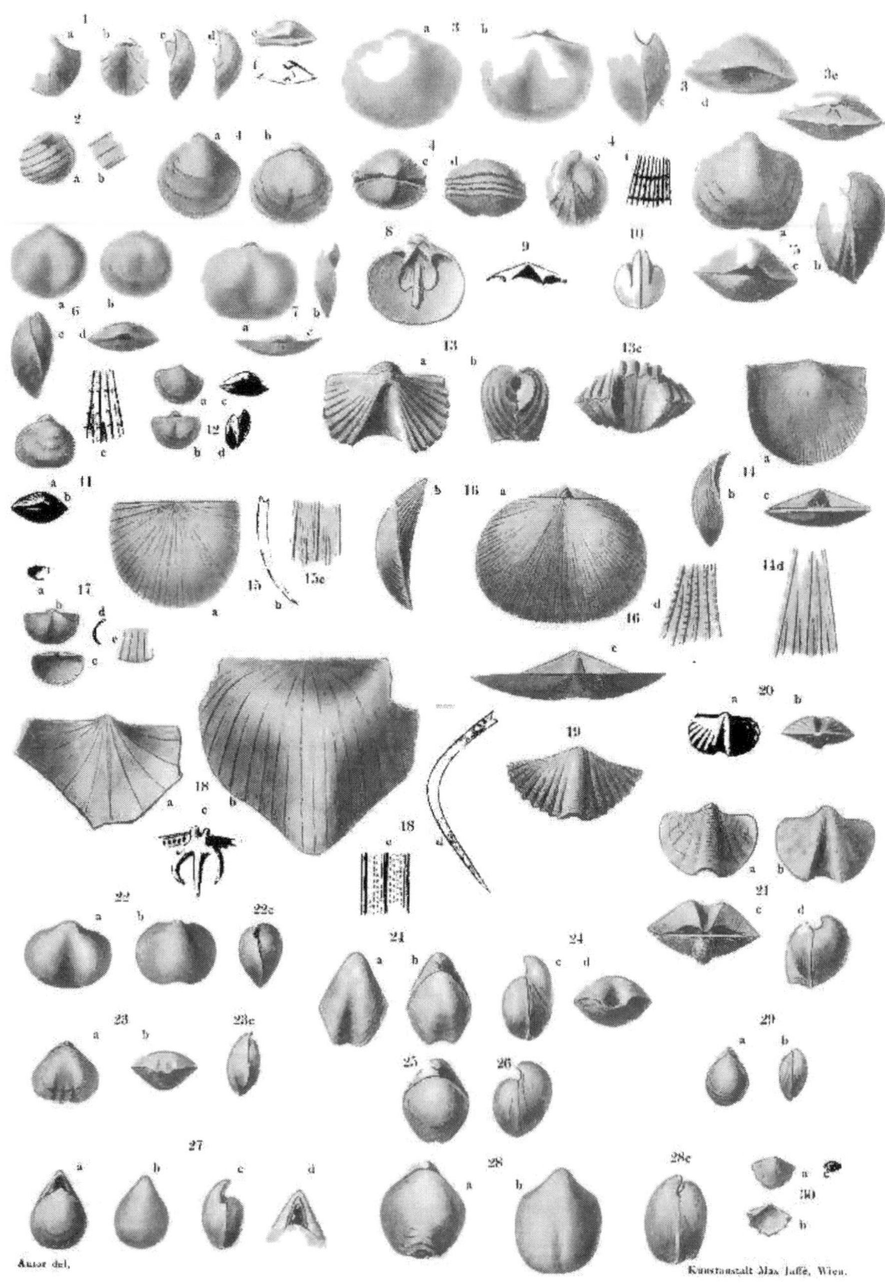

Autor del.

Kunstanstalt Max Jaffé, Wien.

Beiträge zur Palaeontologie und Geologie Oesterreich-Ungarns und des Orients. Bd. XIX. 1906.

Verlag v. Wilhelm Braumüller, k. u. k. Hof- u. Universitäts-Buchhändler in Wien.

TAFEL XXI (VII).

Jos. von Siemiradzki: Die Paläozoischen Gebilde Podoliens.

TAFEL XXI (VII).

Fig. 1 *a—d*. **Spirifer robustus** Barr. Wierzchniakowce (Mus. Dzieduszycki), nat. Gr. . . pag. 253
Fig. 2 *a—c*. **Rhynchonella nympha** Barr. Borszczów (Mus. Dzieduszycki), nat. Gr. . . pag. 259
Fig. 3 *a—d*. **Rhynchonella borealiformis** Szajn. Filipkowce (gewöhnliche Form), nat. Gr. . pag. 258
Fig. 4. **Rhynchonella borealiformis** Szajn. Breite Varietät. Ebendaher. nat. Gr. . . pag. 258
Fig. 5. **Rhynchonella borealiformis** Szajn. Schmale Varietät. Ebendaher, nat. Gr. pag. 258
Fig. 6 *a—b*. **Rhynchonella delicata** Wien. Dźwinogród, nat. Gr. . . . . pag. 257
Fig. 7 *a—c*. **Rhynchonella obsolescens** Barr. Lanowce (Krakauer Sammlung), nat. Gr. . pag. 258
Fig. 8 *a—e*. **Rhynchonella Hebe** Barr. Lanowce (Krakauer Sammlung), nat. Gr. . . . pag. 258
Fig. 9. **Glassia compressa** Sw. Filipkowce (Mus. Dzieduszycki), nat. Gr. . . . pag. 263
Fig. 10 *a—d*. **Waldheimia podolica** n. sp. Czortków, nat. Gr. . . . . pag. 263
Fig. 11 *a—d*. **Atrypa Thetis** Barr. Borszczów, nat. Gr. . . . . pag. 261
Fig. 12 *a—c*. **Retzia Haidingeri** Barr. (Nat. Gr.) 12 *d* = Schnabel (vergr.). Mazurówka (Krak. Samml.) . . pag. 262
Fig. 13 *a—d*. **Meristina didyma** Dalm. Zielińce (Mus. Dzieduszycki), nat. Gr. . pag. 264
Fig. 14. **Entrochus** sp. ind. Dźwinogród (nat. Gr.) . . . . . pag. 277
Fig. 15 *a—b*. **Crotalocrinus rugosus** (?) Mill. Kamieniec (nat. Gr.) . . . . pag. 277
Fig. 16. **Entrochus** sp. ind. Dźwinogród; *a—b* = vergrößert, *c* = nat. Gr. pag. 277
Fig. 17. **Entrochus** sp. ind. Ebendaher (vergr.) . . . . pag. 277
Fig. 18. **Cupressocrinus** sp. ind. Ebendaher (vergr.) . pag. 277
Fig. 19. **Entrochus** sp. ind. Ebendaher (vergr.) . . . . . pag. 277
Fig. 20. **Entrochus asteriscus** Roemer. Dźwinogród (vergr.) . pag. 277
Fig. 21. **Entrochus (Crotalocrinus?)** sp. Ebendaher (vergr.) . pag. 277
Fig. 22. **Entrochus** sp. ind. Ebendaher (vergr.) . . . . . . pag. 277
Fig. 23. **Phacites Gotlandicus** Wahlb. Ebendaher (vergr.) . . . . pag. 277
Fig. 24. **Entrochus (Cupressocrinus?)** sp. ind. Ebendaher (vergr.) . . . . pag. 277
Fig. 25—26, Fig. 27—28. **Entrochus** sp. ind. Ebendaher, (nat. Gr.) . . . . pag. 277
Fig. 29. **Entrochus** sp. ind. Ebendaher (vergr.) . . . . pag. 277
Fig. 30. **Cyathocrinus** sp. ind. Michałków. Krakauer Sammlung), nat. Gr. . . . . pag. 277
Fig. 31. **Coenites podolicus** n. sp. Michalki bei Celejów. (Mus. Dzieduszycki). *a* = Stock in nat. Gr.; *b* = ein Ast mit vollständig erhaltenen Kelchmündungen (vergr.); *c* = Querschnitt eines Astes (stark vergrößert) . . . . pag. 272
Fig. 32. **Michelinia geometrica** E. H. Chudiowce (Krakauer Sammlung), nat. Gr.; *a* = Polyparium von oben gesehen; *b* = Unterseite . . . . pag. 271
Fig. 33. **Amplexus borussicus** Weissermel. Skala (Mus. Dzieduszycki), nat. Größe . . . . . . pag. 267
Fig. 34. **Amplexus eurycalyx** Weissermel. Michalki bei Celejow (Mus. Dzieduszycki), nat. Gr. . . pag. 266
Fig. 35 *a—b*. **Sphaerospongia podolica** n. sp. Wierzchniakowce (Mus. Dzieduszycki); *a* = nat. G.; *b*) Oberfläche vergrößert . . . . pag. 278

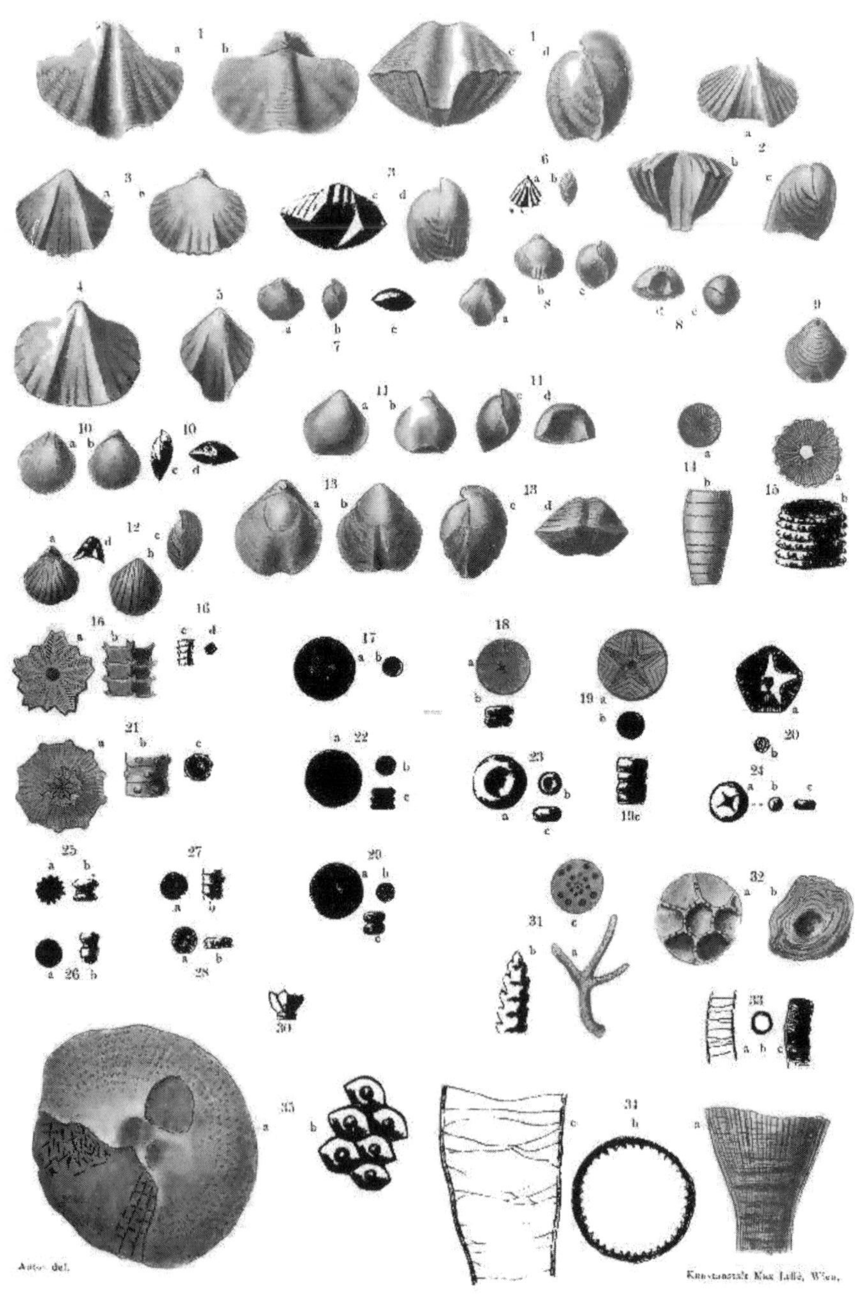

Beiträge zur Palaeontologie und Geologie Oesterreich-Ungarns und des Orients. Bd. XIX. 1906.

Verlag v. Wilhelm Braumüller, k. u. k. Hof- u. Universitäts-Buchhändler in Wien.

TAFEL XXII (I).

G. v. Arthaber: Zur Kenntnis des Genus Metriorhynchus.

TAFEL XXII (I).

Fig. 1. *Metriorhynchus Jaekeli* E. Schm. Wiener Exemplar; *a*) Oberseite, *b*) Unterseite; ½ nat. Gr. . . pag. 289

Fig. 2. *a*) Rechter Unterkieferast des Wiener Exemplars von außen, *b*) linker Ast von innen; ½ nat. Gr. . . . . pag. 291

Fig. 3. Prämaxillarzahn des Berliner Exemplars; *a*) von der Innenseite, *b*) von der Außenseite; nach E. Schmidt[1]) (Taf. XII, Fig. 6) . . . . pag. 290

Fig. 4. Kieferzahn aus der Mitte des Kiefers von der Außenseite; nach E. Schmidt (Taf. XII, Fig. 6).

[1]) Monatsber. d. Deutsch. geol. Ges., 1904.

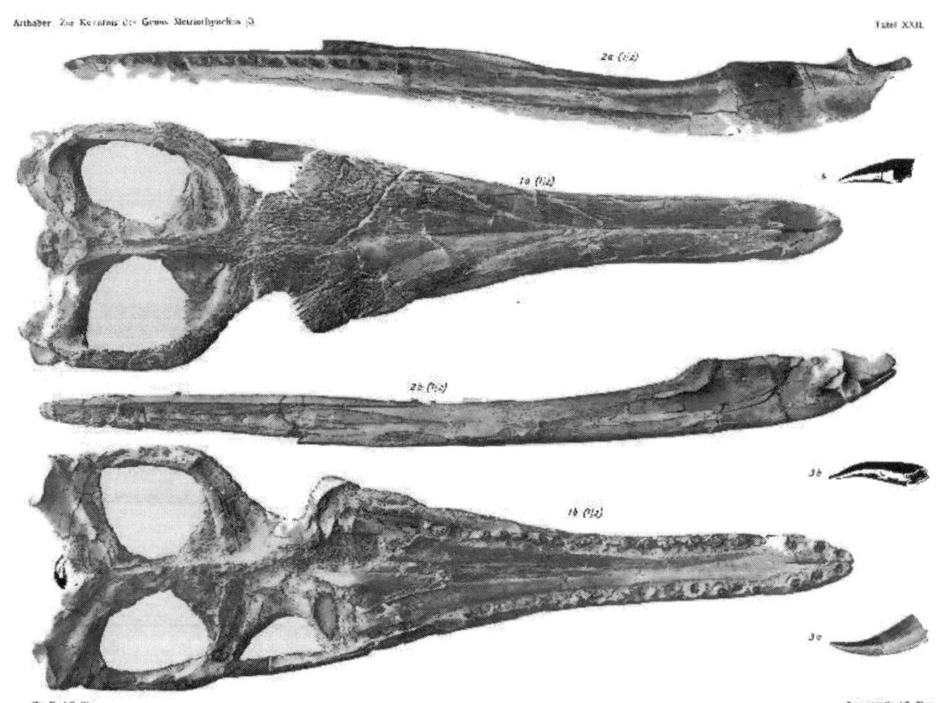

Beiträge zur Palaeontologie und Geologie Oesterreich-Ungarns und des Orients. Bd. XIX 1906.
Verlag v. Wilhelm Braumüller, k. u. k. Hof- u. Universitäts-Buchhändler in Wien.

TAFEL XXIII (II).

G. v. Arthaber: Zur Kenntnis des Genus Metriorhynchus.

TAFEL XXIII (II).

Fig. 1. *Metriorhynchus Jaekeli* E. Schm. *a*) Schädel in $^1/_3$ nat. Gr., zum Teil rekonstruiert; *b*) ebenfalls in $^1/_3$ nat. Gr. von der Unterseite und zum Teil rekonstruiert. Erklärung der Abkürzungen: . . pag. 289

im	Intermaxillare	*so*	Supraoccipitale
m	Maxillare	*ol*	Occipitale laterale
n	Nasale	*q*	Quadratum
pr. fr	Präfrontale	*sq*	Squamosum
fr	Frontale	*pa*	Palatinum
ju	Jugulare	*tra*	Transversum
po. fr	Postfrontale	*sph*	Sphenoidale
par	Parietale	*quj = ty*	Quadratojugale = Tympanicum

Fig. 2. Unterkiefer zum Teil rekonstruiert, in $^1/_3$ nat. Gr. . . . . pag. 291

Fig. 3. Unterkiefer in $^1/_3$ nat. Gr. und zum Teil rekonstruiert; *a*) rechter Ast von der Innenseite, *b*) linker Ast von der Außenseite. Erklärung der Abkürzungen:

spl	Spleniale	*An*	Angulare
D	Dentale	*sp. an*	Supraangulare
Ar	Articulare	*cor*	Coronoïdeum
fo. aër	Foramen aëreum	*compl*	Complementare

Fig. 4. Schädel von der linken Seite, $^1/_3$ nat. Gr. und zum Teil rekonstruiert. Erklärung der Abkürzungen: . . . . pag. 289

jug. Jugale — *la* Lacrimale, sonst wie in Fig. 1

Fig. 5. Schädel von der hinteren Seite. $^1/_3$ nat. Gr. und zum Teil rekonstruiert. Erklärung der Abkürzungen:

(sq) mas Squamosum = Mastoideum — *occ. lat.* Occipitale laterale

F. c. e. Foramen caroticum externum
F. j » jugulare
F. n. h. » nervus hypoglossus
F. Eu. » aperturae Eustachii

Fig. 6. Atlas und Axis des (größeren, zweiten) Münchener Exemplars in nat. Gr. und zum Teil nach dem (kleineren, ersten) Münchener und anderen Exemplaren ergänzt. *a*) von der Seite, *b*) Axis von vorn . . . . pag. 295

Fig. 7. Atlasrippe des Wiener Exemplars in nat. Gr.; *a*) von außen, *b*) von innen.

Fig. 8. Fünfte Halsrippe rechts des Münchener (ersten) Exemplars in nat. Gr. und zum Teil nach dem Berliner Exemplar ergänzt . . . . pag. 302

Arthaber, Zur Kenntnis des Genus Metriorhynchus (II) Taf. XXIII

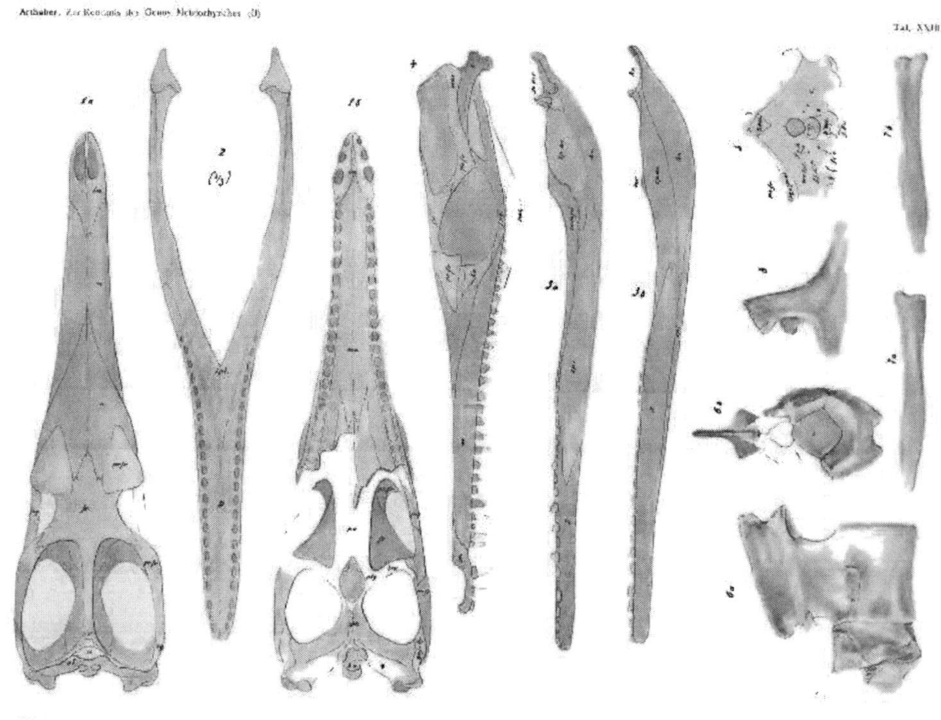

Beiträge zur Paläontologie und Geologie Oesterreich-Ungarns und des Orients. Bd. XIX 1906.
Verlag v. Wilhelm Braumüller, k. u. k. Hof- u. Universitäts-Buchhändler in Wien.

TAFEL XXIV (III).

G. v. Arthaber: Zur Kenntnis des Genus Metriorhynchus.

TAFEL XXIV (III).

Fig. 1. *Metriorhynchus Jaekeli* E. Schm. Vollständige Serie der Halswirbel und erster Rumpfwirbel in der Größe des Wiener Exemplars in $^1/_1$ und ergänzt nach dem Berliner und Münchener Exemplar. Wirbel 1—4 nach dem Berliner, 5—7 und ein Rumpfwirbel nach dem Münchener Exemplar . . . . pag. 301

Fig. 2 *a—c*. Siebenter Halswirbel des Münchener (kleineren) Exemplars, nat. Gr., zum Teil ergänzt; *a*) von der Seite, *c*) von vorn, *b*) von unten . . . . pag. 302

Fig. 3 *a*, *b*. Siebente Halsrippe rechts des Stuttgarter Exemplars, nat. Gr.

Fig. 4 *a*, *b*. Erste Rumpfrippe links des Münchener Exemplars; nat. Gr. . . . . . pag. 302

Fig. 5 *a*, *b*. Zweiter Rumpfwirbel des Stuttgarter Exemplars; nat. Gr.

Fig. 6 *a*, *b*. Zweite Rumpfrippe links des Wiener Exemplars; nat. Gr.

Fig. 7 *a—c*. Siebenter Rumpfwirbel des Wiener Exemplares in nat. Gr. samt Rippe links; 7 *b*. Wirbel von der Seite, 7 *c*. Rippe von oben.

Fig. 8. Sechzehnter Rumpfwirbel des Wiener Exemplars in nat. Gr.; zum Teil ergänzt.

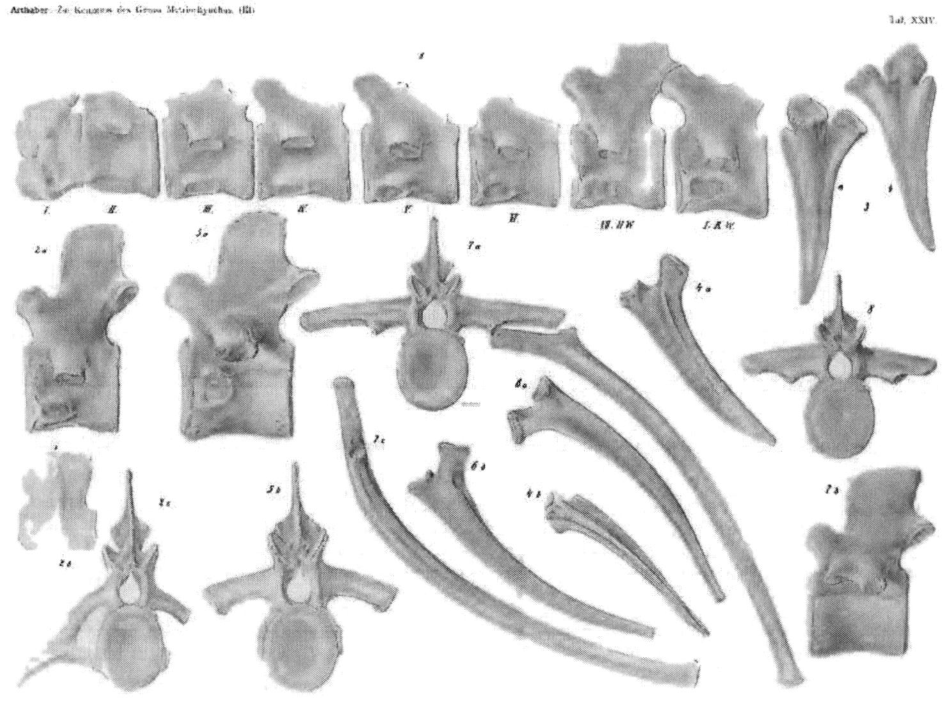

Beiträge zur Palaeontologie und Geologie Oesterreich-Ungarns und des Orients. Bd. XIX 1906.
Verlag v. Wilhelm Braumüller, k. u. k. Hof- u. Universitäts-Buchhändler in Wien.

TAFEL XXV (IV).

G. v. Arthaber: Zur Kenntnis des Genus Metriorhynchus.

TAFEL XXV (IV).

Fig. 1. *Metriorhynchus Jaekeli* E. Schm. Erster und zweiter Sacralwirbel des Wiener Exemplars; nat. Gr.; zum Teil ergänzt . . . . pag. 305

Fig. 2 *a*, *b*. Lendenwirbel des Stuttgarter Exemplars; nat. Gr.; zum Teil ergänzt . . . . pag. 304

Fig. 3 *a*, *b*. Caudalwirbel des Münchener Exemplars; teilweise ergänzt und auf die Größe des Wiener Exemplars gebracht; nat. Gr. . . . . pag. 307

Fig. 4. Vierter Caudalwirbel des Wiener Exemplars; nat. Gr.

Fig. 5 *a*, *b*. Hämapophyse aus der vorderen Caudalregion; nach dem Berliner Exemplar gezeichnet und die Zeichnung auf die Größe des Wiener Exemplars gebracht; nat. Gr. . . . . . . pag. 309

Fig. 6. 25. bis 41. Kaudalwirbel, $^1/_2$ nat. Gr.; kombinierte Zeichnung nach den erhaltenen Resten des Münchener und Wiener Exemplars und nach Geosaurus.

Fig. 7. Coracoid rechts nach dem Berliner Exemplar gezeichnet, in der Größe des Wiener Exemplars; nat. Gr. . . . . pag. 310

Fig. 8. Scapula rechts des Wiener Exemplars; nat Gr.

Fig. 9. Humerus links des Wiener Exemplars, nat. Gr.; *a*) von außen, b) von innen.

Fig. 10 *a*, *b*. Radiale links des Stuttgarter Exemplars, reduziert auf die Größe des Wiener, nat. Gr.; *a*) Vorderseite, *b*) von der Seite . . . . pag. 311

Fig. 11 *a*—*c*. Erstes Metacarpale rechts des Tübinger Exemplars; reduziert auf die Größe des Wiener, nat. Gr.; *a*) von außen, *b*) von innen, *c*) von der Seite.

Fig. 12 *a*—*d*. Erstes Phalangenglied rechts des Daumens vom Stürtz'schen Exemplar reduziert auf die Größe des Wiener Exemplars; *a*) von außen, *b*) von der Unterseite, *c*) Profil von der Innen-, *d*) von der Außenseite; nat. Gr.

Fig. 13 *a*, *b*. Ilium links des Wiener Exemplars, *a*) Außen-, *b*) Innenseite, nat. Gr. . . . . pag. 314

Fig. 14. Ischium links des Wiener Exemplars, nat. Gr.; *a*) Außenseite, *b*) Innenseite . pag. 315

Fig. 15. Pubis links des Wiener Exemplars, nat. Gr.; Außenseite.

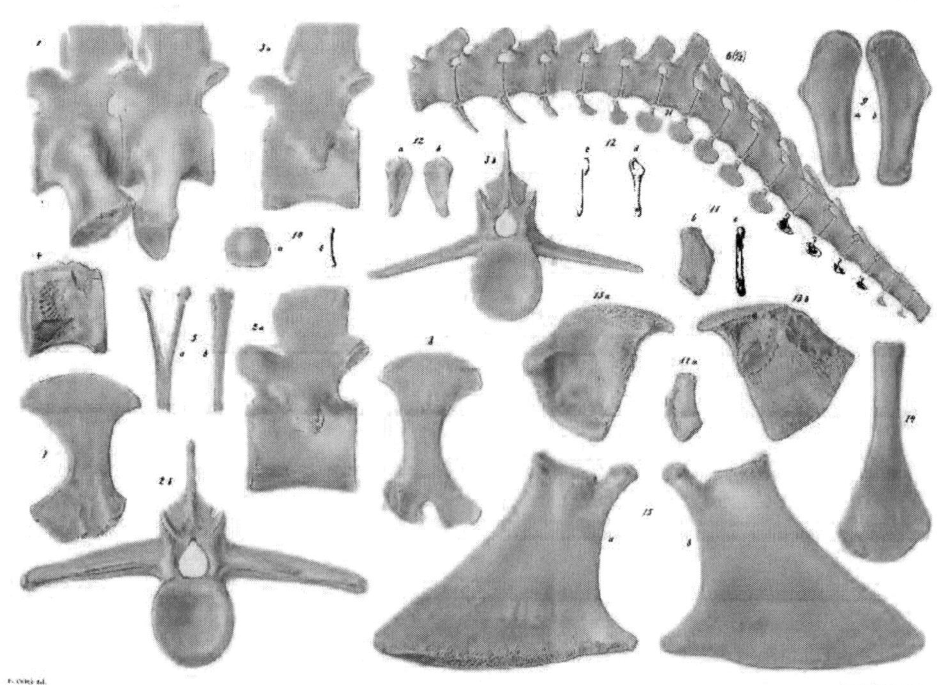

Beiträge zur Paläontologie und Geologie Oesterreich-Ungarns und des Orients. Bd. XIX 1906.

Verlag v. Wilhelm Braumüller, k. u. k. Hof- u. Universitäts-Buchhändler in Wien.

TAFEL XXVI (V).

G. v. Arthaber: Zur Kenntnis des Genus Metriorhynchus.

TAFEL XXVI (V).

Fig. 1. *Metriorhynchus Jaekeli* E. Schm. Femur rechts des Wiener Exemplars, nat. Gr. . . . pag. 315

Fig. 2. Tibia und Fibula des Münchener Exemplars, reduziert auf die Größe des Wiener und umgezeichnet auf die rechte Seite; nat. Gr.; *ti* Tibia, *fi* Fibula.

Fig. 3. Tarsus des rechten Fußes des Stürtz'schen Exemplars, reduziert auf die Größe des Wiener; nat. Gr.; *as* Astragalus, *ca* Calcaneus, *cu* Cuboideum . . . . pag. 316

Fig. 4. Metatarsus, zweiter, dritter und vierter rechts. Zweiter und dritter Metatarsus vom Stuttgarter, vierter vom Münchener Exemplar, beide reduziert auf die Größe des Wiener; nat. Gr.

Fig. 5. Vorderextremität rechts;[1] $^1/_2$ nat. Gr. des Wiener Exemplars. Die fehlenden Teile des Carpus, Metacarpus und der Digitalia (vgl. Taf. XXV, Fig. 10, 11, 12) ergänzt nach Geosaurus Erklärung der Abkürzungen: . . . . pag. 310

sc	Scapula	*u*	Ulna
cor	Coracoid	*rl*	Radiale
hu	Humerus	*ul*	Ulnare
r	Radius	I—V. *mc*	Metacarpalia
		dig	Digitalia

Fig. 6. Hinterextremität rechts; $^1/_2$ nat. Gr. des Wiener Exemplars: die fehlenden Teile des Metatarsus und der Phalangen ergänzt nach Geosaurus. Erklärung der Abkürzungen: . . pag. 315

fe	Femur	*ca*	Calcaneus
ti	Tibia	*cu*	Cuboideum
fi	Fibula	I—V. *mt*	Metatarsalia
as	Astragalus	*ph*	Phalangen

Fig. 7. Beckengürtel; *sc* Sacralwirbel, *il* Ilium, *is* Ischium, *pb* Pubis; $^1/_2$ nat. Gr. des Wiener Exemplars. pag. 314
Durch Raummangel auf der Tafel hat der Zeichner das Femur nach rechts gebogen, was selbstverständlich eine unnatürliche Stellung desselben in bezug auf Unterschenkel und Fuß ergibt.

---

[1]) In der Textfig. 8, pag. 310, Skizze des Brustgürtels, hat der Zeichner die Humeri von rechts und links vertauscht.

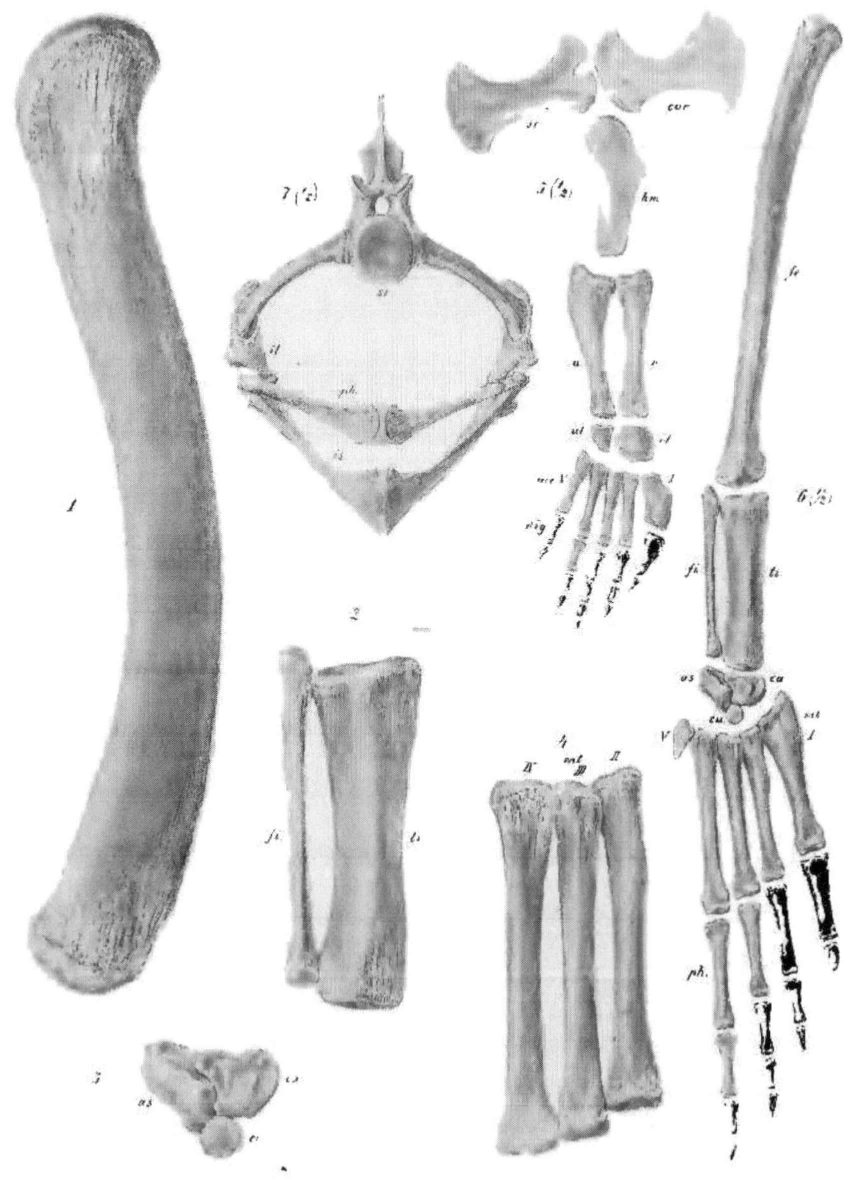

F. Erifek del. Kunstanstalt Max Jaffe, Wien.

Beiträge zur Palaeontologie und Geologie Oesterreich-Ungarns und des Orients. Bd. XIX 1906.

Verlag v. Wilhelm Braumüller, k. u. k. Hof- u. Universitäts-Buchhändler in Wien.

TAFEL XXVII (VI).

G. v. Arthaber: Zur Kenntnis des Genus Metriorhynchus.

TAFEL XXVII (VI).

Metriorhynchus Jaekeli E. Schm. Gesamtansicht des rekonstruierten Wiener Exemplars; etwas über $^1/_{17}$ nat. Gr. Die Caudallänge ist etwas zu kurz, was durch die Länge des schon vorhandenen Aufstellungskastens bedingt war.

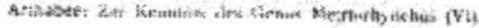
Arthaber: Zur Kenntnis des Genus Metriorhynchus (VI).

Taf. XXVII.

Beiträge zur Palaeontologie und Geologie Oesterreich-Ungarns und des Orients. Bd. XIX 1906.

Verlag v. Wilhelm Braumüller, k. u. k. Hof- u. Universitäts-Buchhändler in Wien.

FSC
www.fsc.org
MIX
Papier aus ver-
antwortungsvollen
Quellen
Paper from
responsible sources
FSC® C141904

Druck:
Customized Business Services GmbH
im Auftrag der KNV-Gruppe
Ferdinand-Jühlke-Str. 7
99095 Erfurt